LA BIBLIOTHÈQUE
IDÉALE

Bernard Pivot présente

LA
BIBLIOTHÈQUE
IDÉALE

Nouvelle édition

sous la direction
de Pierre Boncenne

ALBIN MICHEL

DIRECTION

Pierre Boncenne
avec Alain Jaubert et † Hugues de Kerret

SECRÉTARIAT DE RÉDACTION

Marie-Anne Moreau

COLLABORATEURS

Claire Julliard, Barbara Nasaroff, Jean Blain, Catherine Ballestero,
Dominique Eril, Daniel Bermond, Denise Brahimi,
François Taillandier

ONT ÉGALEMENT PARTICIPÉ

Pierre Assouline, Nadine Boutroy, Dinah Brand, Alice Cassou,
Jean-Pierre Cliquet, Claude Michel Cluny, Gérard Conio, Robert Deleuze,
Anne Eddi, Xavier de Fouchécour, Christian Giudicelli,
Alain Grousset, Mary et Philip Hyman, Isabelle Jendron,
Marianne Lescouret, Marie Libel, Dominique Marinov, Laurence Santantonios,
Yves Véquaud, Claude Verdier, Marie Xavier

DIRECTION ARTISTIQUE

Massin
assisté de Didier Thimonier

Dessins d'Honoré
Couverture de Massin
Illustration de Donald Grant
d'après une maquette de Michel Millecamps

La Bibliothèque idéale, publiée aux Éditions Albin Michel, fait simultanément l'objet d'une exposition au Centre Georges-Pompidou (BPI) et
d'une série télévisée FR3, organisées et produites avec la participation
du Crédit agricole.

© Éditions Albin Michel S.A., 1988
22, rue Huyghens, 75014 Paris

Nouvelle édition 1989

ISBN : 2-226-03098-0

Sommaire

II. *Du roman à la BD*

III. *Histoire et savoir*

Et pour conclure

Postface

ANNEXES

Préface

Ah ! si j'avais lu
La Bibliothèque idéale
de *Lire...*

C'était surtout dans les transatlantiques qu'on souffrait de l'absence de bibliothèque idéale. Les menus étaient soignés, l'océan calme, les voisins de coursive agréables, l'orchestre trépidant, mais la plus grande confusion avait présidé au choix des livres. Il y avait le pire et le meilleur, le meilleur n'étant pas sûr, le pire ne faisant pas de doute. Même dans le désœuvrement d'un paquebot, les heures de lecture sont rares. Comment ne pas être irrité, quand la main se tend vers un livre, de devoir s'en remettre au hasard ou au mauvais goût d'un bibliothécaire amateur qui n'épatera que les mouettes et les baleines ? Dès la première traversée le commandant anglais fut conscient de l'aspect trop «melting pot» de la bibliothèque du *Titanic*. C'était à l'en croire le seul défaut du bateau. Il n'eut pas le temps d'y remédier.

À tout moment de la vie, on aimerait ne pas être trop éloigné d'une maison abritant les meilleurs auteurs avec leurs meilleures œuvres. Mais on ne saurait exiger cela des bibliothèques familiales. Ou le choix est trop court ou, abondant, il s'est fait comme se constituent les caves d'amateurs : dans le désordre des millésimes et des crus. Non que ce désordre soit sans charme et bénéfice. Mais il n'est que la loi commune, la bibliothèque idéale ayant valeur d'utopie. Lecteur de ce livre, tu viens d'ouvrir une utopie de deux mille quatre cent un livres.

L'ennui, c'est l'abondance, la profusion. Les livres sont à foison et la tête vous tourne. Quoi lire ? Que choisir ? Par où commencer ? Quel écrivain ? Quel titre ? La tête vous tourne et certaines, découragées d'être abandonnées à elles-mêmes dans les déferlantes marées du broché et du relié, renoncent. Personne, je suppose, ne prétendra avoir lu tous les volumes de *La Bibliothèque idéale* de *Lire*, ni ne s'assignera la tâche de les conquérir tous, mais il sera d'un certain réconfort de constater qu'on en a parcouru quelques-uns, ou, mieux, qu'on est assez familier de quelques dizaines. C'est alors, consultant la liste dans tel ou tel domaine, qu'on se promettra de ne plus passer à côté de celui-ci ou de plonger bientôt dans celui-là. Il y a du remords dans l'air. De bonnes résolutions sont à prendre. De deux choses l'une : ou *La Bibliothèque idéale* vous dégoûtera à tout jamais de la lecture — mais vous n'attendiez qu'une opportunité fallacieuse pour rejeter sur d'autres votre incapacité à lire, en tout cas à lire bel et bon —, ou *La Bibliothèque idéale* vous insufflera une nouvelle vigueur et vous redonnera de l'appétit pour de brillantes campagnes de lecture.

En attendant, il y a péril en la demeure. Les livres sont des envahisseurs. Mine de rien, avec une patience infinie et toujours plus nombreux, ils se rendent maîtres des lieux. Ils ont tôt fait de déborder des bibliothèques, où ils étaient assignés à résidence. Telles les multitudes d'escargots dans les romans de Patricia Highsmith, ils escaladent les murs, poussent jusqu'aux plafonds, s'installent sur les cheminées, les tables, les guéridons, se fixent dans les encoignures, pénètrent dans les armoires, les commodes et les coffres, et si, faute de place, toute ascension leur est impossible, ils demeurent à terre, proliférant sur la moquette ou le carrelage (à condition de n'être pas humides, tous les sols leur conviennent) en piles instables et arrogantes.

Aucune pièce n'est interdite aux livres. Aucune ne leur répugne. Ceux qui n'ont pu accéder au salon, au bureau ou à la chambre, se contentent des toilettes, de l'office, des couloirs, ou même d'un cagibi sombre dans lequel transitent les pommes de terre, les pots de confiture, le vin cacheté, l'aspirateur et les pelotes de ficelle. Ils cohabitent avec les araignées. Ils ne sont pas allergiques à la poussière. Groupés, serrés les uns contre les autres, ils ont la stabilité et la patience des menhirs. Autrefois, les souris, hardiment, les grignotaient. Mais, devant la prolifération des couvertures, elles y ont à peu près toutes renoncé. Les souris sont la preuve qu'une trop grande accumulation d'imprimé peut décourager.

Au fil des décennies, les livres sont devenus de féroces colonisateurs. Ils bouffent sans cesse de l'espace ; et leur voracité se révèle d'autant plus efficace qu'elle est silencieuse et que leurs manœuvres lentes et usurpatrices se font sous le couvert rassurant de la culture et avec la bénédiction des professeurs.

À la question : «Quelle est l'ambition des livres?» vous allez répondre, lectrice, lecteur, avec — veuillez excuser la rudesse de ma franchise — une affligeante naïveté : «L'ambition des livres est d'être lus.» Moi aussi, je l'ai longtemps cru. Mais je sais bien maintenant, les ayant vus se multiplier chez moi comme les escargots de Mrs Highsmith, les soupçonnant — mais je n'ai pas de preuve — de se reproduire, ayant deviné le secret enfoui dans leurs pages, qu'ils se transmettent de génération en génération, que la vraie ambition des livres est de chasser les hommes des bibliothèques et de leurs logis et d'en occuper tout l'espace pour une ultime, grandiose et solitaire jouissance.

Entre les livres et moi, la bataille fait rage. Officiellement, on s'aime. Il est connu que nous nous rendons mutuellement service : je leur fais de la publicité et ils me font vivre. De visu, nos rapports sont excellents : je leur ouvre ma porte avec courtoisie, cordialité, et même parfois avec affection, et ils se laissent manipuler, ouvrir, casser, lire sans jamais se rebeller. Pour tout le monde, le livre et moi formons un vieux duo de complices ayant des *caractères* complémentaires.

Mais la vérité est tout autre.

Il y a une douzaine d'années, les livres ont décidé — pourquoi moi? ai-je une tête de colonisé? une réputation de citoyen docile? — de se rendre maîtres de mon appartement et de ma maison de campagne. Alors, sous le prétexte d'un magazine mensuel et d'une émission hebdomadaire de télévision, ils ont commencé de m'envahir. Depuis, il n'est de jour (hormis les dimanches et les jours fériés) qu'ils ne s'introduisent à mon domicile, individuellement ou groupés, apportés par le facteur ou des coursiers, offerts, à ma disposition, serviles. Mais je sais leurs manigances. Et je me défends.

Pour n'être pas submergé, je me suis donné pour discipline d'en éliminer chaque jour, surtout les dimanches et jours fériés, quand les envahisseurs font la trêve. C'est lâche, je le reconnais, mais devant un péril si grand le respect du code de l'honneur serait suicidaire. Près de la porte de sortie, j'en fais des piles, qui partiront chez des parents, des amis, dans des bibliothèques, etc. (n'écrivez pas, la demande est depuis longtemps supérieure à l'offre), où ils continueront leur invasion feutrée et hypocrite.

Impossible, ici, de raconter toutes les ruses des livres pour imposer leur présence. Ils jouent tantôt du cœur (tu aimeras me relire plus tard), tantôt de la raison (tu auras profit à me consulter). D'agrément ou de référence, de plaisir ou de travail, de divertissement ou d'exégèse, ils ont toujours un bon motif pour vouloir rester. Malheur au lecteur trop sentimental! Malheur à celui qui doute de sa mémoire! Malheur aux conservateurs ! Malheur aux distraits ! Ils finiront par succomber...

Que de fois me suis-je laissé aller au découragement, accablé par leur nombre, et surtout par les airs de nécessité qu'ils se donnent. L'idée vous vient-elle de vous séparer de celui-ci qu'il vous fiche mauvaise conscience. Vous vous sentez accusé de crime prémédité contre l'esprit — ou, si c'est l'œuvre d'une personne que vous connaissez, de crime contre l'amitié ; ou, si c'est un volume inutile mais magnifiquement imprimé et illustré, de crime contre la beauté ; ou, si c'est un roman de débutant au talent incertain, de crime contre l'espérance ; ou, si ce sont les principaux ouvrages d'un académicien décédé, à la postérité aléatoire, de péché contre la charité...

Comment distinguer le durable de l'éphémère ? Séparer l'essentiel du superflu ? Ah ! si j'avais lu plus tôt *La Bibliothèque idéale* de *Lire*...

L'un des stratagèmes les plus employés par les livres pour occuper le terrain consiste à se présenter plusieurs fois, sous des couvertures différentes ou avec des variantes. Première édition normale, la même dédicacée, édition au format de poche, édition reliée, réédition avec une préface inédite, édition illustrée, réédition non avouée sous un nouveau titre et sans mention de l'ancien copyright, etc. L'imagination des livres pour s'introduire chez moi est sans limites ; leur culot, monstrueux. Il faut donc toujours être sur ses gardes. Vigilance permanente. La chasse aux inutiles exige beaucoup de temps et d'attention. Certains passent cependant mes lignes de défense et vont grossir le camp des dictionnaires superfétatoires, des encyclopédies démoralisantes, des ouvrages pratiques jamais ouverts, des Mémoires oubliés, des pamphlets éteints, des anthologies répétitives, des «grand papier» qui ont au moins le courage de la franchise, etc.

Tous les trois ou quatre ans, il faudrait passer au peigne fin tous les livres accumulés — de la bibliothèque tournante du bureau aux couloirs de la maison de campagne — pour éliminer les fâcheux et les madérisés. Il faudrait surtout en repenser l'ordre et en redistribuer la place afin d'adapter ceux-ci aux travaux et aux curiosités du moment. Impossible ! Le temps presse. Alors, les livres avancent, s'installent, s'accumulent, gagnent de nouveaux territoires et imposent le sentiment que ces espaces enlevés leur étaient logiquement destinés.

Ah ! si j'avais eu plus tôt connaissance de *La Bibliothèque idéale* de *Lire*... Dans dix ou vingt ans, j'en suis sûr, je m'avouerai vaincu, et, comme chez feu Georges Dumézil, les livres, enfin triomphants, despotes éclairés de mon particulier, voudront bien, par faveur exceptionnelle, me laisser un étroit passage entre le bureau et la cuisine. Et s'il leur plaisait alors, nouveaux maîtres de mon appartement, de m'en interdire la sortie ?

Moi qui passe ma vie à lire le tout venant, à mettre mon nez dans tout ce qui paraît, moi qui aurai consacré tant d'années à parler ou faire parler de ce qui, en majorité, est éphémère, de circonstance et oublié aussitôt que consommé, je regarde cette *Bibliothèque idéale* avec admiration et envie. Elle en impose. Elle flatte. Elle déconcerte. Elle est séduisante et irritante. Elle pourrait faire peur, et même horreur, si elle n'avait été conçue, bâtie pierre à pierre, livre à livre, dans un esprit de jeu et de compétition. Pierre Boncenne et ses collaborateurs ont bien conscience que cette *Bibliothèque idéale*, c'est la leur et que ce n'est que la leur, et qu'on pourrait en édifier d'autres, tout aussi passionnantes, tout aussi stimulantes pour l'esprit, et que la confrontation de plusieurs dizaines de bibliothèques idéales serait un projet un peu fou mais très amusant. Reste que *La Bibliothèque idéale* de *Lire* a pour premier mérite d'exister et de nous interpeller avec humour du haut de ses deux mille quatre cent un titres : «Eh bien, entrez, venez-y voir ! n'ayez pas peur... Qu'auriez-vous choisi à notre place ? Qu'avons-nous oublié ? Qui avons-nous retenu qui ne le méritait pas ? Trop de classiques ici et pas assez, là, de modernes ? Ah ! mais, tout à coup, je vous vois surpris, indigné ? Tant mieux ! » Une telle sélection ne s'adresse qu'aux passionnés du livre, à tous ceux qui portent en eux une bibliothèque idéale dont ils n'auront jamais le temps d'accoucher, mais que, par comparaison avec celle de *Lire*, ils vont bricoler, activité intellectuelle qu'on peut exercer individuellement, en famille ou en groupe.

Avouerai-je que dans des domaines où j'ai quelques connaissances un ou deux oublis — volontaires — m'ont intrigué, choqué, et qu'à l'intérieur même des sélections j'ai été étonné par de flatteuses promotions ou des positions médiocres ? Mais tous ces choix sont de papier et non de béton. Comment être certain que tous les élus d'aujourd'hui seront ceux de demain ? Toute bibliothèque idéale varie selon nos goûts, nos humeurs, la mode, et l'accumulation des lectures qui lentement modifient nos souvenirs et nos préférences.

Lapalissade : si nous avions la bibliothèque idéale de Sartre, elle ne ressemblerait guère à celle de Julien Green. Non plus que celle d'Arthur Miller à la bibliothèque idéale de Günter Grass. (Peut-être que, plus que leurs différences, ce sont leurs rencontres qui seraient passionnantes à analyser.) Ah ! comme j'aimerais pouvoir consulter la liste des élus de Vladimir Nabokov ! Dans ses *Littératures*, il nous a livré quelques-uns de ses favoris tout en ne nous cachant pas ses joyeuses et terribles haines. Il est évident que, dans la section «Littérature anglaise», le nom de Mayne Reid figurerait en bonne place dans la bibliothèque idéale de Nabokov. Les ouvrages du capitaine Mayne Reid (1818-1883), comme

Cavalier sans tête et *Le Coup de fusil mortel*, étaient lus avec enthousiasme par les enfants russes du début du siècle — les enfants avec nurse anglaise et institutrice française, s'entend. Le jeune Nabokov, la tête enfiévrée par ces histoires d'Indiens, avait travaillé, avec l'aide d'un de ses cousins, à leur adaptation théâtrale. L'auteur d'*Ada* a toujours gardé dans son cœur et sa mémoire une petite place pour Mayne Reid et, d'une façon ou d'une autre, il aurait réussi à le caser dans sa bibliothèque idéale. Mayne Reid ne figure probablement pas dans la nôtre. Je vérifierai. Mais il n'est pas interdit de lui donner la cinquantième place★ soit dans la littérature anglaise, soit dans le roman d'aventures, soit dans les livres pour la jeunesse.

Jolie trouvaille cette cinquantième chaise laissée, dans toutes les catégories, à la discrétion du lecteur. Il y en a donc quarante-neuf à remplir, correspondant aux quarante-neuf sélections. À chacun de se constituer une sorte d'Académie des recalés de *Lire*.

Réflexion faite, j'inscris le nom de Mayne Reid à la cinquantième place dans les romans d'aventures. Je n'ai pas lu Mayne Reid, mais je fais confiance à Nabokov.

Bernard Pivot

P.-S. J'ai vérifié : l'inconnu Mayne Reid est déjà dans notre *Bibliothèque idéale* ! Section «Roman d'aventures». Pour *Le Bison blanc*. Il va falloir que je lise Mayne Reid. *La Bibliothèque idéale* est encore mieux que je ne pensais...

★ Pierre Boncenne vous explique p. XVIII pourquoi ce chiffre de 49, qui laisse une cinquantième place.

Avant-propos

Pourquoi
une bibliothèque idéale?

Une bibliothèque gigantesque où seraient consignées «toutes les combinaisons possibles des vingt et quelques symboles orthographiques (nombre, quoique vaste, non infini), c'est-à-dire tout ce qu'il est possible d'exprimer dans toutes les langues». Sans doute aura-t-on reconnu le thème d'un vertigineux conte, à résonance gnostique, imaginé par le sphinx aveugle du cosmopolitisme littéraire, Jorge Luis Borges, et qui appartient désormais à notre mythologie de la lecture : *La Bibliothèque de Babel*. Mais on oublie trop souvent de remarquer que, par un effet de symétrie cher à cet auteur, Borges avait notamment écrit un autre conte, *Le Miroir et le Masque*, où il relatait l'histoire d'un poète à la recherche du mot unique susceptible de contenir, à lui seul, toute la poésie. «C'est le contraire même de *La Bibliothèque de Babel*, disait-il : au lieu d'un nombre infini de livres, un seul mot infini.»

L'idée et le désir de constituer une «bibliothèque idéale» pourraient être placés à l'impossible intersection de ces deux utopies. Concilier l'impératif encyclopédique, en ayant accès à tous les livres possibles, avec la quête du seul ouvrage indispensable, total en soi. Mais cette insoluble équation, à laquelle tout passionné de la chose écrite est confronté un jour ou l'autre, vient buter sur un constat bien prosaïque : le temps est compté, surtout pour celui qui ne saurait vivre sans lire. On a calculé qu'un honnête homme «dévorant» très régulièrement un livre par semaine soixante ans durant n'aura «avalé», au bout du compte, que 3 210 titres. À raison de trois ouvrages par semaine, et nous avons alors affaire à une authentique boulimie, on n'atteint même pas la barre des 10 000. Une broutille face aux millions de titres méritant quelque intérêt, de tous les formats, rédigés dans toutes les langues, traitant des sujets les plus extraordinaires, recelant les rêves les plus inouïs.

Ce trésor inestimable accumulé au cours des siècles et continuant à prendre de la valeur — 15 000 nouveautés chaque année en France —, comment y accéder, le maîtriser, en jouir au mieux ? Même un lecteur très occasionnel pressent les limites du vagabondage. Aux délices de la curiosité anarchique succède le besoin d'un certain classement dont les bibliothèques, aussi bien privées que publiques, représentent la matérialité. Dès lors, la constitution d'une «bibliothèque idéale» apparaît comme une démarche nécessaire mais gratuite, un injustifiable paradoxe toujours recommencé, et un divertissement au profit aléatoire.

En 1950, Raymond Queneau (l'autre ombre tutélaire, avec Borges, de *La Bibliothèque idéale*) s'y amusa, procédant selon une méthode référendaire. À notre tour nous avons tenté l'aventure. Après une enquête minutieuse auprès d'une centaine de spécialistes venus des horizons les plus divers et en proposant, bien sûr, des règles du jeu inédites. Parfois arbitraires dans leurs principes, souvent contraignantes dans leurs applications, mais sans l'existence desquelles la réalisation de ce projet eût été impossible. Au reste l'étymologie grecque du mot «bibliothèque» (de *biblion*, livre, et *thêkê*, armoire) ne suppose-t-elle pas déjà l'idée d'un certain rangement ?

Si l'on trouvera p. XXI le mode d'emploi précis de *La Bibliothèque idéale*, contentons-nous d'indiquer les points essentiels de notre règlement, que nous avons toujours respecté. Enfin, toujours... : hormis des tricheries de détail dont nous laissons aux lecteurs perspicaces le soin d'établir la gravité, et quelques facéties dont nous nous garderons bien d'affirmer qu'elles sont toutes volontaires !

À l'origine de *La Bibliothèque idéale*, il y a d'abord le désir de répondre de façon pratique à une demande réitérée quotidiennement aussi bien chez les libraires qu'à l'école ou dans les journaux : que lire d'essentiel dans tel domaine ? Voilà pourquoi nous avons imaginé de proposer des conseils progressifs de lecture tels des emboîtages de cubes. Supposons quelqu'un désirant s'initier, par exemple, au roman américain. Nous lui donnons une sélection commentée d'abord de 10 titres de base pouvant se transformer en 25 (y compris les 10 premiers), puis en 49 (intégrant alors les 25 précédents). Pourquoi 49 ? Par-delà la magie de ce chiffre, multiple parfait de 7, il y avait, en laissant ainsi une sorte de case vide à compléter (la cinquantième), la volonté de marquer le caractère ludique et ouvert de cette *Bibliothèque idéale* qui comprend au total et tout naturellement 49 chapitres ou plutôt rayons. À l'intérieur de chacun d'entre eux, les titres ont été classés par ordre alphabétique d'auteur et il n'y a donc pas d'autre hiérarchie que la tripartition en modules de 10, 25 et 49.

Nous n'avons sélectionné que des titres disponibles en langue française. Mais, comme par compensation, nous avons voulu accorder une très large place aux littératures non hexagonales, à l'arrivée plus des trois quarts des livres retenus sont des traductions. En revanche des ouvrages épuisés ont parfois été signalés, ce qui, espérons-le, pourrait inciter à leur réédition. Autre point important du règlement auquel nous nous sommes astreints le plus scrupuleusement possible, au prix de multiples acrobaties : pour chacune des sélections de 49 livres, un auteur ne peut être choisi qu'une seule fois et le titre en l'occurrence élu ne doit pas être réutilisé dans un autre chapitre. Contestable ? À l'évidence. Mais ces interdits avaient l'avantage insigne de nous obliger à construire une bibliothèque idéale pleine de «correspondances», au sens presque baudelairien, à opérer des regroupements en mêlant les critères les plus divers, des genres littéraires aux formes du savoir en passant par la géographie ou l'histoire. Et surtout, plutôt que d'aligner des séries de références consacrées, nous avons été contraints d'aborder les œuvres d'un écrivain sous de multiples points de vue. Prenons le cas de Shakespeare : il figure dans le rayon «Théâtre» pour *Hamlet* et dans le rayon «Littérature anglaise» pour les *Sonnets*. Oui, mais aussi dans le rayon «Fantastique et merveilleux» pour *Le Songe d'une nuit d'été* ou, moins attendu, dans le rayon «Politique» pour *Richard III*, en compagnie de *La République* de Platon, du *Prince* de Machiavel ou de *L'Esprit des lois* de Montesquieu. Qui pourrait nier que Shakespeare fût à sa manière un extraordinaire observateur, commentateur, voire théoricien du pouvoir ?

Le double index de *La Bibliothèque idéale* permet, en tous les cas, de chaque fois retrouver dans quels rayons respectifs les auteurs ou les œuvres ont été rangés, leur absence ici s'expliquant le plus souvent par leur présence ailleurs. En outre les nombreux encadrés — dates, citations, points de vue, bibliographies, jeux — sont destinés à éclairer et compléter les sélections.

Quant au choix même des livres, comment nous justifier autrement que par des arguties oiseuses ? Si beaucoup des œuvres s'imposaient à l'évidence, la plupart ont été élues par goût et certaines écartées avec des partis pris flagrants. Cela ne se discute pas. Disons seulement qu'en travaillant pendant deux ans à ce projet, nous avons pu entrevoir combien reste actuelle une indication de Confucius : la culture véritable consiste à mesurer l'exacte étendue de son ignorance...

Un dernier doute sous forme d'interrogation : ce livre, *La Bibliothèque idéale*, doit-il prendre place dans une bibliothèque idéale ? Ou, tel un satellite ayant quitté l'atmosphère tout en continuant à communiquer avec la Terre, appartient-il déjà à un autre monde ? Borges peut-être aurait aimé cette énigme.

Pierre Boncenne

Mode d'emploi

Les Nus et les Morts

Norman Mailer   1948
Traduit par Jean Malaquais
     Albin Michel et L. P.
L'enfant terrible des lettres américaines avec un regard désabusé et objectif
sur la guerre du Pacifique.

TITRE dans l'édition de langue française.

DATE de la première publication du livre
en langue originale.
Plusieurs dates peuvent figurer pour les
éditions échelonnées (correspondances,
nouvelles...).
Dans le cas d'une parution posthume, ce
sont les dates de biographie de l'auteur qui
figurent, entre parenthèses et en italique.

AUTEUR dans l'orthographe la plus usuelle
en français.
Attention : c'est l'ordre alphabétique
d'auteur qui détermine, à l'intérieur de
chaque subdivision (10, 25, 49) d'un rayon
de *La Bibliothèque idéale*, le classement des
titres.

ÉDITION principale, accompagnée le cas
échéant de la ou des éditions de poche exis-
tantes, indiquées en abrégé*.

COMMENTAIRE. Les 10 premiers titres de
chaque rayon de *La Bibliothèque idéale* sont
présentés de manière plus détaillée.

TRADUCTION dans l'édition principale.
Parfois, plusieurs traducteurs sont signalés.

** Abréviations retenues pour les éditions de
poche :*

F.   Folio
G.F. Garnier-Flammarion
H.P. Hachette/Pluriel
J.L. J'ai Lu
L.P Le Livre de Poche
M.   Marabout
P.G. Poésie-Gallimard
P.P. Presses-Pocket
P.S. Points-Seuil

LES LIVRES
DE LA
BIBLIOTHÈQUE IDÉALE

Littératures
de langue allemande

La littérature allemande occupe dans l'imaginaire français une place originale. Alors qu'il ne vient que rarement à l'idée d'identifier l'Italie, l'Espagne ou l'Angleterre à leurs poètes, l'Allemagne semble parfois avoir le privilège du cliché littéraire : de la forêt et de la nuit peuplée de fantômes du *Roi des Aulnes* à la Lorelei de Heine — la « belle Loreley » aux « yeux couleur de Rhin » chantée par Apollinaire — , l'Allemagne serait à tout jamais la patrie de l'âme romantique. Cette image de la littérature allemande s'explique, en partie, par l'influence profonde que le romantisme allemand a exercé sur nos écrivains, de Madame de Staël à Hugo et de Nerval aux surréalistes. Avec Goethe, Novalis, Kleist ou Hoffmann, notre choix essaie de refléter la richesse et la variété de cette littérature romantique.

Mais, féconde entre toutes en Allemagne, cette époque située à la charnière du XVIIIᵉ et du XIXᵉ siècle ne se réduit pas au romantisme et encore moins à l'image conventionnelle d'une musique de cor de chasse au clair de lune sur des étangs endormis. Quoi de commun en effet, alors que vingt ans seulement séparent ces œuvres, entre l'esprit des Lumières et la défense de la tolérance religieuse du *Nathan le sage* de Lessing, l'hymne à la liberté des *Brigands* de Schiller qui incarne mieux que tout autre la révolution du *Sturm und Drang* (littéralement « tempête et élan »), le classicisme et la nostalgie du miracle grec de l'*Hyperion* d'Hölderlin ou enfin le romantisme magique et mystique des *Hymnes à la nuit* de Novalis ? Goethe, dont le génie universel s'est essayé à tous les styles, résume à lui seul la diversité et les contradictions de cette période.

Diverse dans ses thèmes et ses styles, la littérature allemande n'en présente pas moins certains traits caractéristiques, comme le lien étroit qui l'unit à deux autres formes majeures de la culture germanique, la philosophie et la musique (qui rassemble, dans le Lied, Schubert et Goethe,

Schumann et Eichendorff). Aussi la présence de Wagner et de Nietzsche ne nous a-t-elle pas paru déplacée ; et, si Kant et Hegel ont naturellement leur place ailleurs, Hölderlin et Novalis représentent cette poésie métaphysique dont Heidegger fera une des sources de sa méditation. De manière plus générale, on a parfois pu dire que la littérature allemande était moins une littérature de styles — comme la nôtre — que d'idées, et il est vrai que les grands romanciers de ce siècle que sont Thomas Mann, Hermann Broch ou Robert Musil, ne se contentent pas de raconter des histoires.

Mais la littérature allemande ne s'arrête pas aux frontières de l'Allemagne. Elle est aussi suisse (avec Gottfried Keller et plus près de nous Robert Walser, Dürrenmatt ou Max Frisch), autrichienne (15 titres sur 49) et, pourrait-on dire, européenne avec Rilke et Kafka, nés à Prague, ou Canetti né en Bulgarie. La rencontre des cultures allemande, juive et slave, dont l'empire austro-hongrois, la Cacanie de Musil, fut en son temps le creuset, a produit un nombre impressionnant d'auteurs de premier plan parmi lesquels Schnitzler, Zweig, Roth, Perutz et bien sûr Kafka et Musil.

Après la guerre et la nuit que fut pour la culture allemande la période du nazisme, la renaissance littéraire est d'abord le fait des survivants et des exilés (Thomas Mann, Brecht, Anna Seghers), puis, peu à peu, d'une nouvelle génération d'écrivains pour lesquels l'expérience de la guerre est souvent l'une des principales sources d'inspiration : Böll et Grass en Allemagne de l'Ouest, Christa Wolf puis Hein à l'Est.

Littératures de langue allemande : le pluriel prend ici tout son sens. On chercherait en vain à la littérature allemande une unité comparable à celle de la littérature française. Son histoire éclatée est un peu celle de notre modernité.

Littératures de langue allemande

... en 49 livres

... en 25 livres

... en 10 livres

La Mort de Virgile
Hermann Broch

Woyzeck
Georg Büchner

Les Affinités électives
Johann Wolfgang Goethe

Le Procès
Franz Kafka

Michael Kohlhaas
Heinrich von Kleist

La Montagne magique
Thomas Mann

L'Homme sans qualités
Robert Musil

Ainsi parlait Zarathoustra
Friedrich Nietzsche

Les Carnets de Malte Laurids
Brigge
Rainer Maria Rilke

La Marche de Radetzky
Joseph Roth

Perturbation
Thomas Bernhard

Berlin Alexanderplatz
Alfred Döblin

Scènes de la vie d'un propre à rien
Joseph von Eichendorff

Effi Briest
Theodor Fontane

Le Tambour
Günter Grass

Simplicius simplicissimus
Hans Jacob Grimmelshausen

Le Jeu des perles de verre
Hermann Hesse

Le Chat Murr
E.T.A. Hoffmann

Hyperion
Friedrich Hölderlin

Sur les falaises de marbre
Ernst Jünger

L'Autre Côté
Alfred Kubin

Nathan le Sage
Gotthold Ephraim Lessing

Hymnes à la nuit
Novalis

Les Brigands
Friedrich von Schiller

L'Homme à tout faire
Robert Walser

● À vous de choisir le cinquantième livre. Peut-être est-il déjà dans votre bibliothèque.

... en 10 livres

La Mort de Virgile

Hermann Broch 1945
Traduit par Albert Kohn Gallimard

La dernière journée de Virgile. Ce roman de la conscience, dans lequel le poète mourant médite sur sa vie et son œuvre, rappelle, dans son projet comme dans sa construction, l'*Ulysse* de Joyce. Écrivain juif autrichien, émigré aux USA en 1938 et mort en 1951, Hermann Broch est également l'auteur des *Somnambules*.

Woyzeck

Georg Büchner 1836
Traduit par S. Muller
et J. Jourdheuil Stock

«Chaque homme est un abîme, on a le vertige quand on se penche dessus.» Le soldat Woyzeck trompé, battu, humilié, victime impuissante de la cruauté du monde finit par tuer sa femme et se donner la mort. Entre romantisme et naturalisme, une descente aux enfers qui tire toute sa force de son humour tragique et de la nudité très moderne de l'action et du langage. Cette pièce fut découverte en 1925 grâce à l'opéra d'Alban Berg. L'auteur mort à 24 ans nous a également laissé une *Mort de Danton* et une comédie, *Léonce et Léna*.

Les Affinités électives

Johann Wolfgang Goethe 1809
Trad. J.-F. Angelloz Aubier-Flammarion

Une passion violente et irrationnelle détruit un mariage et conduit les amants à se laisser mourir de faim. La même fatalité qui règle la suite des phénomènes naturels détermine ici les rapports humains. Ou : le principe chimique des affinités appliqué à un cas moral par le plus célèbre des écrivains allemands.

Le Procès

Franz Kafka 1925
Traduit par B. Lortholary G. F.

L'histoire de Joseph K. arrêté un matin, accusé sans connaître sa faute. Dans le monde de Kafka, nul n'est censé ignorer la loi mais nul ne peut non plus la connaître. Cette œuvre inachevée devenue célèbre en France après la guerre a été tantôt interprétée comme un roman de l'absurde, tantôt comme une dénonciation du totalitarisme. Cauchemar et humour mêlés, la représentation d'un monde où l'homme est coupable sans jamais pouvoir se justifier.

Michael Kohlhaas

Heinrich von Kleist 1805
Traduit par A. Guerne,
J. et R. Satrick Phébus

La révolte malheureuse d'un commerçant du XVIᵉ siècle contre une injustice par l'auteur du *Prince de Hombourg*. L'épisode historique de Michael Kohlhaas qui, après avoir semé la terreur, sera arrêté puis exécuté malgré la grâce demandée par Luther, fournit à Kleist l'un de ses plus beaux drames, tant par le style que par la construction. Admiré par Kafka, Kleist est, sans doute, le plus moderne des écrivains romantiques.

La Montagne magique

Thomas Mann 1924
Traduit par Maurice Betz Fayard

Hans Castorp, venu rendre visite pour trois semaines à un cousin dans un sanatorium de Davos, se laisse séduire par la magie des lieux, la maladie et la mort. Il ne quittera Davos que pour les champs de bataille de la guerre de 1914 sur laquelle se clôt symboliquement ce roman de la durée, de la fin d'un monde et de la mort. Le chef-d'œuvre de l'un des plus grands écrivains de ce siècle.

L'Homme sans qualités

Robert Musil 1930-32-43
Traduit par P. Jaccottet P. S.

Dans l'Autriche-Hongrie d'avant 1914, la «Cacanie», Ulrich, l'homme «sans qualités particulières», tente de construire sa vie par expériences successives, destinées à épuiser tout le champ du possible. Une peinture des milieux d'aristocrates, de grands bourgeois et d'intellectuels autrichiens qui est aussi une critique de notre temps. L'un des trois ou quatre grands livres de notre siècle.

Les Carnets de Malte Laurids Brigge

Rainer Maria Rilke 1910
Traduit par Maurice Betz P. S.

«C'est donc ici que les gens viennent pour vivre ? Je serais plutôt tenté de croire que l'on meurt ici.» Malte Laurids Brigge n'est autre que Rilke lui-même à qui la découverte de Paris a inspiré ce journal où le spectacle de la ville fait surgir les souvenirs et les rêves entremêlés à la pensée de la mort et aux douleurs de la création. A lire aussi les *Elégies de Duino*.

Ainsi parlait Zarathoustra

Friedrich Nietzsche 1883-85
Traduit par Maurice Betz Gallimard

Sous la forme du poème philosophique, l'histoire de Zarathoustra, le prophète itinérant dont l'enseignement annonce le surhomme et l'éternel retour. Ce livre, dont Nietzsche affirmait qu'il lui avait été inspiré par des visions, fait de ce grand philosophe également l'un des maîtres de la littérature allemande.

La Marche de Radetzky

Joseph Roth 1932
Traduit par Blanche Gidon P. S.

Rythmé par le leitmotiv d'une marche militaire symbolique et dérisoire, le roman de la décadence et de la fin de l'empire austro-hongrois à travers le destin exemplaire de la famille von Trotta. Ce que

Le choix de Frédérick Tristan

Prix Goncourt 1983 pour *Les Égarés*, Frédérick Tristan puise dans l'âme et dans l'imaginaire allemands une large part de son inspiration. L'Allemagne de la Renaissance fournit la toile de fond de son roman d'initiation, *Les Tribulations héroïques de Balthasar Kober*. Nul n'était mieux placé que lui pour livrer son choix, le résultat d'une longue pratique de la littérature allemande. Parmi les œuvres qui comptent à ses yeux, il retient en particulier les *Visions* de Hildegard Bingen (Albin Michel), texte d'une extraordinaire force poétique en relation avec le cosmos, écrit par une femme de génie, qui fut le conseiller de Frédéric Barberousse. *Des trois principes de l'essence divine*, de Jacob Böhme, qui date de 1619. Toute la poésie de Hölderlin. *Les années d'apprentissage et de voyage de Wilhelm Meister*, le modèle inégalé du roman d'éducation, un genre fécond en Allemagne. Les contes fantastiques d'Achim von Arnim. Toutes les œuvres des frères Grimm. Le théâtre et la poésie de Hugo von Hofmannsthal. Kafka, surtout pour *Le Château*. *Le Jeu des perles de verre*, l'ouvrage le plus complet de Hermann Hesse, qui résume toute la connaissance. Et, bien sûr, celui que Frédérick Tristan considère comme le génie le plus puissant de l'Allemagne moderne, Thomas Mann, dont le *Docteur Faustus* concentre toutes les richesses, ce qui ne dispense pas de lire toute l'œuvre (et notamment *La Montagne magique*).

Dans les marges de la littérature, F. Tristan retient encore le *Parsifal*, d'Eschenbach, qui se lit comme un feuilleton et qui fut à l'origine du célèbre opéra de Wagner.

Broch appelait «l'Apocalypse joyeuse» a inspiré à Roth, écrivain juif autrichien, mort à Paris en 1939 dans la misère, son plus beau roman.

... en 25 livres

Perturbation

Thomas Bernhard   1967
Trad. par G. Fritsch-Estrangin   Gallimard
Le narrateur adolescent accompagne son père, médecin dans les Alpes autrichiennes, dans ses visites aux malades. Maladie, folie, solitude et suicide sont les thèmes habituels de l'œuvre de Thomas Bernhard.

Berlin Alexanderplatz

Alfred Döblin   1929
Trad. par Z. Motchane   Gallimard et F.
Les aventures du travailleur Franz Biberkopf dans le Berlin de l'entre-deux-guerres. Le roman d'un homme et d'une ville. La technique de construction et d'écriture de Döblin n'est pas sans rappeler *Manhattan Transfer* de Dos Passos.

Scènes de la vie d'un propre à rien

Joseph von Eichendorff   1826
Trad. par P. Sucher   Aubier-Flammarion
La nature, l'art, l'amour et l'Italie mènent une ronde ensoleillée dans cette nouvelle d'un écrivain également connu pour ses Lieder mis en musique par Schumann.

Effi Briest

Theodor Fontane   1896
Traduit par P. Villain   Laffont
Un roman naturaliste sur les bords de la Baltique : l'aventure sans lendemain d'Effi Briest conduit à un duel et à la mort de l'amant. La société prussienne de la fin du siècle décrite avec un réalisme plein d'humour.

Le Tambour

Günter Grass   1959
Traduit par J. Amsler   P. S.
Oskar Matzerath a décidé de cesser de grandir dès l'âge de trois ans, et, muni d'un tambour et d'une voix exceptionnelle, il traverse les tourmentes de notre époque. Rabelais revu par un contemporain.

Simplicius simplicissimus

Hans Jacob Grimmelshausen   1669
À rééditer d'urgence
Les aventures, pendant la guerre de Trente Ans, du jeune Simplex, enfant abandonné et recueilli par des paysans. Ce roman picaresque est généralement considéré comme le premier roman de formation et il influencera le *Wilhelm Meister* de Goethe.

Le Jeu des perles de verre

Hermann Hesse   1943
Traduit par J. Martin   Calmann-Lévy
Un idéal de connaissance et de spiritualité imaginé en 2200. Le dernier roman de l'auteur du *Loup des steppes* et de *Siddharta*.

Le Chat Murr

Ernst Theodor Amadeus Hoffmann   1821
Traduit par A. Béguin   Gallimard
Hoffmann se définissait lui-même comme «un de ces enfants du dimanche qui voient toutes sortes d'esprits, invisibles pour des yeux terrestres». *Le Chat Murr* est un des chefs-d'œuvre de la littérature fantastique. Un auteur vénéré par Nerval et les surréalistes.

Hyperion

Friedrich Hölderlin   1797-99
Trad. par P. Jaccottet   Pléiade et P. G.
Le jeune grec moderne Hyperion à la recherche de la Grèce antique, paradis perdu et patrie de l'idéal. Le roman philosophique d'un des plus grands poètes allemands.

Sur les falaises de marbre

Ernst Jünger   1939
Traduit par H. Thomas   Gallimard

Ce roman allégorique publié à la veille de la guerre est généralement interprété comme un pamphlet poétique contre le nazisme, incarné par la figure du Grand Forestier.

L'Autre Côté

Alfred Kubin   1909
Traduit par R. Valencay   NEO

L'empire austro-hongrois en désagrégation. Entre expressionnisme et surréalisme, l'anti-utopie d'un Autrichien avant tout célèbre par ses dessins et ses tableaux.

Nathan le Sage

Gotthold Ephraim Lessing   1779
Traduit par F. Rey
      Ed. du Théâtre de Gennevilliers

Humanisme et religion : ce drame philosophique confronte les trois religions révélées, et situe la vraie foi au-delà des dogmes, du côté de la morale et d'un humanisme tolérant.

Hymnes à la nuit

Friedrich von Hardenberg, dit Novalis   1800
Traduit par Armel Guerne   Gallimard

Ces hymnes à la nuit mystique évoquent la mémoire de Sophie von Kuhn, «aimable soleil de la nuit», devenue médiatrice de l'idéal. Un chef-d'œuvre du romantisme allemand par l'auteur d'*Heinrich von Ofterdingen*.

Les Brigands

Friedrich von Schiller   1781
Traduit par R. d'Haleine
          Aubier-Flammarion

Un jeune homme à l'âme noble se révolte et devient brigand par idéal et par amour de la liberté. Ce drame connut un triomphe à sa création. Une des œuvres les plus représentatives du *Sturm und Drang*.

Le choix de Michel Tournier

En écrivant *Le Roi des Aulnes*, Michel Tournier s'affirme comme un héritier du romantisme français et du siècle des Lumières : il est chez lui dans les grandes forêts de la Prusse orientale. Son choix compte pour comprendre la littérature allemande. Il retient, pour le premier rayon de sa bibliothèque idéale, sept titres :
— *Simplicius simplicissimus*, par Hans Jacob Grimmelshausen, un auteur du XVIIe siècle qui, avec humour, relie la tradition du picaresque avec le «Bildungsroman», le roman d'éducation qui trouvera avec Goethe son apogée.
— *Scènes de la vie d'un propre à rien*, de Joseph von Eichendorff, dont il apprécie l'ironie.

Au XXe siècle, quatre œuvres dominent :
— *La Montagne magique*, de Thomas Mann, le plus grand livre de notre époque, qui répond à toutes les questions philosophiques ;
— *Le Tambour*, de Günter Grass ;
— *Mephisto*, de Klaus Mann ;
— *Le Parfum*, de Patrick Süskind, un roman que Michel Tournier a trouvé merveilleux, et qu'il aurait aimé écrire : le séjour dans le ventre de la terre en Auvergne rappelle évidemment l'enfouissement de Vendredi, dans son propre roman ;

Enfin, Michel Tournier avoue sa préférence pour un auteur qui reste introuvable en Allemagne même, et non traduit en France : il s'agit de Fritz von Unruh, auteur de *Das Haus des Prinzen*, un roman de l'éducation prussienne, et *Sohn des Generals*, une autobiographie. Cet écrivain lui-même éduqué à la prussienne est devenu pacifiste et antimilitariste, et évoque une période et une société disparues depuis longtemps, mais fascinantes.

L'Homme à tout faire

Robert Walser 1908
Traduit par J. Launay L'Age d'homme
Sur les bords du lac de Zürich, au début
du siècle, l'histoire de l'employé Joseph
Marti qui croyait avoir trouvé une maison
et une famille chez un ingénieur, inventeur
sans succès et ruiné. Robert Walser,
qu'admiraient Musil et Hermann Hesse,
est mort en 1958 après avoir passé 30 ans
dans un asile psychiatrique.

... en 49 livres

Malina

Ingeborg Bachmann 1971
Traduit par P. Jaccottet Seuil
Une femme entre amant et mari. Mais ces
deux êtres existent-ils vraiment ? Une descente aux enfers dans l'énigme de la
passion féminine par l'un des grands
auteurs autrichiens contemporains qui fut
la compagne de Max Frisch.

La Grimace

Heinrich Böll 1963
Traduit par F.-G. de Lalene P. S.
Les hypocrisies de l'Allemagne de l'après-
guerre vues à travers le regard d'un clown.
Böll, prix Nobel de littérature 1972, est
mort en 1985. On peut aussi lire *Portrait
de groupe avec dame*.

Mère Courage et ses enfants

Bertolt Brecht 1937-38
Traduit par M. Guillevic L'Arche
Inspirée de Grimmelshausen, l'épopée dramatique de Mère Courage traînant sa rou-
lotte sur les champs de bataille de la guerre
de Trente Ans et luttant contre le destin
qui lui prend un à un tous ses enfants. Une
des grandes pièces d'un auteur qui a exercé
une influence considérable sur le théâtre
d'après-guerre.

Auto-da-fé

Elias Canetti 1935
Traduit par Paule Arhex Gallimard
La folle histoire du professeur Kien, sinologue de renom, de sa bibliothèque de
2 500 volumes et de Thérèse, l'ancienne
gouvernante devenue sa femme. On pense
à Kafka, à Joyce et à Musil. Le chef-
d'œuvre du prix Nobel de littérature 1981.

Les Chutes de Slunj

Heimito von Doderer 1963
Trad. par A. Kohn
et P. Deshusses Rivages
Une famille d'industriels anglais dans
l'Autriche du début du siècle. Le dernier
roman de l'auteur des *Démons* et d'*Un
crime que tout le monde commet*.

Le Juge et son bourreau

Friedrich Dürrenmatt 1952
Traduit par Armel Guerne Albin Michel
Les limites du raisonnement logique et le
mystère de l'âme humaine ou le polar
métaphysique de l'auteur de *La Visite de
la vieille dame*.

Homo faber

Max Frisch 1957
Traduit par Philippe Pilliod Gallimard
Ce roman d'un dramaturge suisse
d'expression allemande met en scène un
ingénieur, épris de science, mais incapable de maîtriser les forces qu'il déclenche.

De l'Allemagne

Heinrich Heine 1834
Traduit par M. Harpaz Slatkine
Satire de la société allemande du milieu du
siècle dernier par un écrivain qui s'est partagé entre la France et l'Allemagne et a
épousé toutes les causes révolutionnaires
de son époque.

Le Grand Théâtre du Monde

Hugo von Hofmannstahl   1922
Traduit par C. Roussel
et H. Thomas   Gallimard

Calderon revu par l'auteur du *Cavalier à la rose* pour qui «un être, une chose, un rêve ne font qu'un». Hofmannstahl est l'écrivain le plus caractéristique de la culture viennoise «fin de siècle».

Siebenkas

Johann Paul Richter, dit Jean-Paul   1796
Trad. par M. Jalabert   Aubier-Montaigne

Un roman satirique nourri de Swift et de Sterne : un avocat des pauvres réussit à échapper à l'ennui en s'incarnant dans son double.

Henri le Vert

Gottfried Keller   1854
Trad. par G. La Flize   Aubier-Montaigne

Le roman de formation, en grande partie autobiographique, d'un peintre paysagiste raté. Le *Wilhelm Meister* d'un écrivain suisse réaliste.

Professeur Unrat

Heinrich Mann   1905
Traduit par C. Wolff   Grasset

Un petit prof de province amoureux d'une danseuse de cabaret. Le cinéma a immortalisé sous le titre *L'Ange bleu* (avec Marlène Dietrich) ce roman du frère de Thomas Mann.

Anton Reiser

Karl Philipp Moritz   1785
Traduit par A. Paulin   Fayard

Le récit autobiographique d'un adolescent saisi par la passion du théâtre. A mi-chemin entre les Lumières et le *Sturm und Drang*, ce livre est le premier roman psychologique allemand. Il a connu un immense succès lors de sa parution.

L'Allemagne, vue du côté de Julien Gracq

«Moins fasciné peut-être que ne l'était Breton par les *Contes bizarres*, d'Achim d'Arnim, j'aime pourtant relire le meilleur d'entre eux à mon goût : *Les Héritiers du majorat*. Parce qu'il y flotte l'odeur entêtante d'une Allemagne médiévale conservée presque intacte en plein dix-huitième siècle, avant de crouler d'un coup en poussière comme le corps de M. Valdemar. Avec ses *grotesques* surannés, sa défroque féodale, ses nécromants, ses juiveries (même dans Hoffmann on ne retrouve pas cette odeur *sui generis* des siècles moisis sur pied). Mais, plus encore, j'y suis sensible à la singularité du fantastique autour duquel toute la nouvelle est bâtie : celui de la ''scène d'intérieur surprise d'une fenêtre en vue plongeante'', qui autrefois me retenait, comme un charme, accoudé de longs moments à mon balcon de la rue Gay-Lussac. (...) En regardant à travers leurs fenêtres sans rideaux les cinq ou six habitants de l'appartement qui me faisait face passer de pièce en pièce, se regrouper, se séparer incompréhensiblement, mimer soudain tout seul un aparté fantomatique, j'ai eu souvent le sentiment que la suppression d'une des manifestations consécutives de la vie (ici la voix et le son) livrait le théâtre humain à une sorte de dérive pathétique, contre laquelle ses acteurs luttaient, comme on lutte parfois en rêve, à la poursuite vaine d'une rationalité perdue, soudain infiniment plus fragile qu'on ne l'imagine communément. C'est ce désarroi onirique en quête d'un ordre intelligible hors de sa portée qui fait pour moi tout le pathétique glacial des *Héritiers du majorat* : j'y suis rendu sensible non à ce qu'on s'y éloigne peu à peu, comme dans le fantastique traditionnel, des chemins coordonnés du réel, mais plutôt au fait qu'à peine quitté par accident la grand-route de la vie normale, il apparaît brusquement impossible de la rejoindre.»

En lisant en écrivant
José Corti, 1981

Le Marquis de Bolibar

Leo Perutz 1930
Trad. par O. Niox-Château Albin Michel
Entre le réel et l'imaginaire, en Espagne pendant les guerres de l'Empire, le roman fantastique d'un Borges autrichien.

Vienne au crépuscule

Arthur Schnitzler 1924
Traduit par R. Dumont Stock
Le dilettantisme d'un groupe d'intellectuels et d'esthètes dans une atmosphère nonchalante de café viennois du début du siècle. Une anatomie de la culture de la décadence par un auteur inspiré par Freud. A lire aussi *Mademoiselle Else* et *La Ronde*.

Transit

Anna Seghers 1944
Traduit par Jeanne Stern Alinéa
Marseille 1940 : sur le vieux port, les émigrés anti-nazis cherchent désespérément à fuir l'Europe. Anna Seghers symbolisa jusqu'à sa mort en 1983 la littérature de R.D.A.

L'homme sans postérité

Adalbert Stifter 1845
Traduit par G.-A. Goldschmitt Phébus
Angoisse et culpabilité. Le roman d'un écrivain catholique autrichien qui mit fin à ses jours en se tranchant la gorge.

L'Homme au cheval blanc

Theodor Storm 1888
Trad. par R. Dhaleine Aubier-Montaigne
L'apparition d'un mystérieux homme au cheval blanc annonciateur de tragédie et de mort. Sur les bords de la mer du Nord, admirablement décrite par Storm, une nouvelle fantastique qui n'est pas sans évoquer *Le Roi des Aulnes*.

L'Or du Rhin

Richard Wagner 1876
Trad. J. d'Arièges Aubier-Montaigne
Si ce premier des quatre opéras de la Tétralogie ne prend toute sa force qu'avec la musique qui l'accompagne, la légende des Niebelungen n'en mérite pas moins sa place dans le rayon allemand de la bibliothèque idéale.

Le Coup de foudre

Frank Wedekind 1864-1918
Trad. par M. Barillier L'Age d'homme
Un recueil de nouvelles de l'écrivain expressionniste auteur de *Lulu*. Une description du désir qui rappelle souvent Schnitzler.

Cella ou les vainqueurs

Franz Werfel 1890-1945
Traduit par Robert Dumont Stock
Écrit en 1938, juste avant la mort de l'auteur et publié en 1955, ce roman évoque, à travers l'histoire de la famille Bodenheim, la période qui a précédé l'Anschluss. A lire également *Les 40 jours de Musa Dagh*.

Christa T.

Christa Wolf 1968
Traduit par M.-F. Rolin Seuil
L'auteur le plus important d'Allemagne de l'Est dans une œuvre à coloration autobiographique où elle réaffirme ses droits de femme écrivain face à la société socialiste.

L'Homme jasmin

Unica Zürn 1968
Traduit par R. Henry et R. Valencay Gallimard
Œuvre littéraire et document clinique. L'expérience de la folie décrite de l'intérieur par un auteur qui mit fin à ses jours en 1970. Les qualités de ce texte le classent au premier rang de la littérature fantastique.

La Confusion des sentiments

Stefan Zweig 1927
Traduit par A. Hella
et O. Bournacque Stock

L'étrange relation d'un maître et de son disciple. Les ambiguïtés de l'amitié et du désir par un auteur qui devait fuir le nazisme et se suicider au Brésil en 1942.

La littérature d'une autre Allemagne : la R.D.A.

Christa Wolf, écrivain de la R.D.A., explique que «l'écriture est davantage la clé qui ouvre la porte derrière laquelle sont gardés les inépuisables domaines de [son] inconscient. C'est le chemin qui conduit au dépôt des interdits, de ce qui a été écarté, de ce qui n'a pas été admis. C'est le chemin qui mène aux sources du rêve, de l'imagination, de la subjectivité». Peut-on être moins «réaliste-socialiste» dans un pays qui a construit le mur de Berlin ? C'est dire l'originalité d'une littérature encore méconnue en France. Quelques exemples de cette génération qui n'a connu qu'une Allemagne coupée en deux :

— Fritz-Rudolf Fries, romancier né en Espagne et influencé par ce pays, et qui n'est pas très éloigné de la science-fiction.
— Ralph Grüneberg, un poète issu du peuple.
— Christoph Hein avec *La Fin de Horn* (Alinéa).
— Stephan Hermlin, qui a vécu en France, et qui milite aux côtés de Günter Grass pour la réconciliation.
— Hermann Kant, un classique de la littérature anti-nazie.
— Uwe Kolbe, un jeune auteur intéressé par les recherches formelles.
— Helga Schubert, nouvelliste très personnelle.
— Helga Schutz, une voix originale et méconnue, qui marie le lyrisme et la subjectivité.

Le roman américain

Sous l'auvent d'une maison de bois, les ancêtres, assis dans des rocking-chairs, Twain, Hawthorne, Cooper et Melville : debout, pas très éloigné, Henry James, un passeport anglais à la main ; élégant, au volant de sa convertible, Fitzgerald ; réunis autour d'une bouteille de bourbon *Four Roses*, Faulkner, Dos Passos et Hemingway dont le regard bleu se porte ailleurs, au-delà de la prairie ; oubliés, en costume croisé à rayures, Sinclair Lewis et William Burroughs ; très «classe», lui aussi, au volant de la voiture qui va le tuer à l'âge de 37 ans, Nathaniel West, auteur de quatre romans fulgurants ; jouant aux dés au premier plan, Gaddis, Coover, Hawkes et Elkin ; un air de faux dur, Dashiell Hammett ; les deux chaises vides des éternels reclus, Salinger et Pynchon ; quelques dames, Edith Wharton, en grande bourgeoise révoltée, Flannery O'Connor au teint pâle de femme du Sud, Gertrude Stein...

Le photographe n'a pas réuni tout son monde. Tocqueville pourrait-il y reconnaître l'archétype des écrivains américains ? Ceux-ci, à ses yeux, «ne manquent guère d'obéir à leurs instincts : ils gonflent leur imagination sans cesse et, l'étendant outre mesure, ils lui font atteindre le gigantesque» *(De la démocratie en Amérique)*. Il est vrai qu'il découvre l'Amérique au moment où son territoire littéraire est inventé par les Twain, Cooper et Melville, ceux-là mêmes qui nouent des fils qu'on retrouve jusqu'à aujourd'hui (de la «baleine blanche» à *Jaws*). Depuis, le roman américain a évolué, sans toutefois renier ses origines : trouver du nouveau, acquérir d'autres identités. S'est-il libéré des interdits que lançaient les prêcheurs de Nouvelle-Angleterre à l'encontre du «mensonge» romanesque ? Certains y ont répondu par la métaphysique : de Melville à Flannery O'Connor et Updike. D'autres ont joué la carte du réalisme le plus quotidien, aujourd'hui représenté par Grace Paley et Raymond Carver. Beaucoup sont allés chercher la caution européenne. Pas seulement James qui, en 1916, prend la nationalité anglaise. Ou Poe qui a reçu sans le savoir la gloire baudelairienne. Mais également les écrivains de la «génération perdue» (Hemingway attribua cette expression à Gertrude Stein qui s'en est ensuite toujours défendue), les écrivains noirs et quelques autres de l'après-guerre. Si l'on prend d'ailleurs la trajectoire États-Unis-France et retour, on y aperçoit des phénomènes intéressants : Melville? Un désastre littéraire aux U.S.A., découvert en France après-guerre et, enfin, de nouveau prophète en son pays; Faulkner? Un auteur confidentiel jusqu'à la Seconde Guerre mondiale : il a fallu un article de Maurice-Edgar Coindreau dans la *N.R.F.* en 1931, puis de Sartre, pour qu'il soit lu par ses compatriotes. De nos jours, Frederic Prokosch, l'auteur génial des *Asiatiques*, est moins apprécié outre-Atlantique qu'en France où il a décidé de vivre. Pourtant, l'histoire du roman américain n'est pas faite d'écoles littéraires qui érigent leurs sensibilités en dogmes. Elle est plutôt jalonnée d'une succession de livres miraculeux, qui témoignent avant tout de succès individuels : parmi les moins connus de ces miracles, il faudrait citer *L'Incendie de Los Angeles*, de Nathaniel West, *Les Reconnaissances*, de William Gaddis, *La Pêche à la truite en Amérique*, de Richard Brautigan ou *The Sot-Weed Factor*, de John Barth. Aux côtés, bien sûr, des grandes œuvres de Faulkner, de Salinger ou de Carson McCullers... Certainement moins respectueux des contraintes du genre que leurs confrères européens, les romanciers américains peuvent laisser libre cours à leur personnalité, quitte à se noyer dans l'alcool (omniprésent dans cette littérature), à s'égarer dans les jeux intellectuels ou à défier les flammes de l'enfer.

Le roman américain

... en 49 livres

... en 25 livres

... en 10 livres

Manhattan Transfer
John Dos Passos

Le Bruit et la Fureur
William Faulkner

Gatsby le Magnifique
F. Scott Fitzgerald

Le Vieil Homme et la mer
Ernest Hemingway

Les Ambassadeurs
Henry James

Moby Dick
Herman Melville

Lolita
Vladimir Nabokov

Histoires extraordinaires
Edgar Allan Poe

L'Attrape-Cœur
J.D. Salinger

Les Aventures d'Huckleberry Finn
Mark Twain

L'Enfant-Bouc
John Barth

Les Aventures d'Augie March
Saul Bellow

De sang-froid
Truman Capote

La Conquête du courage
Stephen Crane

Une tragédie américaine
Theodore Dreiser

Homme invisible pour qui chantes-tu ?
Ralph Ellison

La Maison d'haleine
William Goyen

Les Oranges de sang
John Hawkes

La Lettre écarlate
Nathaniel Hawthorne

Martin Eden
Jack London

Tropique du Cancer
Henry Miller

Les Asiatiques
Frederic Prokosch

Les Raisins de la colère
John Steinbeck

Les Fous du roi
Robert Penn Warren

L'Ange exilé
Thomas Wolfe

Le Bois de la nuit
Djuna Barnes

Le Festin nu
William Burroughs

Le Petit Arpent du bon Dieu
Erskine Caldwell

La Mort et l'Archevêque
Willa Cather

Le Tennis de Alfonce
J.P. Donleavy

La Jeunesse de Studs Lonigan
James T. Farrell

Les Reconnaissances
William Gaddis

Le Faucon maltais
Dashiell Hammett

Catch 22
Joseph Heller

Sur la route
Jack Kerouac

Babbitt
Sinclair Lewis

Les Nus et les Morts
Norman Mailer

La Grâce de Dieu
Bernard Malamud

Le Groupe
Mary McCarthy

Le cœur est un chasseur solitaire
Carson McCullers

V.
Thomas Pynchon

Portnoy et son complexe
Philip Roth

Toujours en vie
William Saroyan

Américains d'Amérique
Gertrude Stein

Le Choix de Sophie
William Styron

Cœur de lièvre
John Updike

Abattoir 5
Kurt Vonnegut

Ethan Frome
Edith Wharton

Black Boy, jeunesse noire
Richard Wright

• À vous de choisir le cinquantième livre. Peut-être est-il déjà dans votre bibliothèque.

... en 10 livres

Manhattan Transfer

John Dos Passos   1926
Traduit par M.-E. Coindreau   F.

Le roman éclaté d'un monde éclaté : actualités, séquences romanesques, monologues lyriques se succèdent. Les vies s'entrecroisent, les mythologies américaines se font et se défont. Une épopée du XXe siècle.

Le Bruit et la Fureur

William Faulkner   1929
Trad. M.-E. Coindreau   Gallimard et F.

La malédiction du Sud racontée et perçue au travers des prismes de plusieurs consciences. Un art du contrepoint musical qui a révolutionné le roman américain.

Gatsby le Magnifique

F. Scott Fitzgerald   1925
Traduit par V. Liona   L. P.

« L'histoire d'un garçon pauvre dans une ville riche... Tout le sens de Gatsby, c'est l'injustice qui empêche un jeune homme pauvre d'épouser une jeune fille qui a de l'argent » : le drame de Fitzgerald dans le scintillement des Années Folles.

Le Vieil Homme et la mer

Ernest Hemingway   1952
Trad. Jean Dutourd   Gallimard et F.

Un vieux pêcheur cubain se bat farouchement contre un énorme poisson et finit par en triompher. Une fable étonnante qui a valu à son auteur une renommée universelle et le prix Nobel.

Les Ambassadeurs

Henry James   1903
Traduit par G. Belmont   Laffont

Le sommet de l'art de James : des Américains découvrent à Paris les charmes de la vie européenne.

Moby Dick

Herman Melville   1851
Traduit par Jean Giono, Lucien Jacques et Joan Smith   Gallimard et F.

Récit réaliste, roman d'aventures et quête biblique, l'histoire du capitaine Achab poursuivant la baleine blanche est le chef-d'œuvre de la littérature américaine. En 1941, Sartre écrivait à son propos : « Ce formidable monument. Personne n'a senti plus fort que Hegel et que Melville que l'absolu est là, autour de nous, redoutable et familier, que nous pouvons le voir, blanc et poli comme un os de mouton, pour peu que nous écartions les voiles multicolores dont nous l'avons recouvert... Retenir en soi le goût indéfinissable d'une qualité pure — de la qualité la plus pure : la blancheur — et chercher dans ce goût même le sens absolu qui le dépasse. Si c'est là, comme je le crois, une des directions où s'essaye en tâtonnant la littérature contemporaine, alors Melville est le plus "moderne" des écrivains. »

Lolita

Vladimir Nabokov   1955
Trad. Éric Kahane   Gallimard et F.

La dérive d'un quinquagénaire amoureux d'une très jeune fille, mi-femme mi-enfant. Ce roman, d'abord publié à Paris, eut un extraordinaire parfum de scandale. Mais il faut le lire aussi comme une sorte de fiction sur l'Amérique. Écrivain polyglotte et d'une culture cosmopolite, Nabokov se sert, en effet, du thème de la transgression pour évoquer son déracinement et son exil.

Histoires extraordinaires

Edgar Allan Poe   1840
Traduit par Charles Baudelaire   G. F.

Il détache la littérature américaine de l'anglaise, invente le roman policier de raisonnement, et crée un nouveau genre de fantastique à la frontière entre le burlesque et la métaphysique.

L'Attrape-Cœur

J.D. Salinger   1952
Traduit par J.-B. Rossi   L. P.

Par un auteur reclus, le roman juste d'un adolescent en conflit avec le monde. Mais Salinger existe-t-il ?

Les Aventures d'Huckleberry Finn

Mark Twain   1884
Trad. S. Netillard   Gallimard et F. Junior

Dans un style rapide, efficace, nouveau, le roman du premier écrivain américain à utiliser une machine à écrire. « Il faut placer Twain parmi les écrivains qui ont donné un sens nouveau aux mots de la tribu. » (T.S. Eliot)

... en 25 livres

L'Enfant-Bouc

John Barth   1966
Traduit par M. Rambaud   Gallimard

Un homme qui a grandi parmi les chèvres regarde l'absurdité du monde.

Les Aventures d'Augie March

Saul Bellow   1954
Trad. J. Rosenthal Flammarion et L. P.

Un roman picaresque qui rassemble tous les thèmes favoris de l'homme de Chicago, notamment la quête de soi dans le monde moderne. Le tournant à ne pas manquer dans la littérature contemporaine.

De sang-froid

Truman Capote   1966
Trad. Raymond Girard   Gallimard et F.

Anatomie d'un fait divers : l'assassinat d'une famille de fermiers texans. « Je voulais écrire ce que j'ai appelé un "roman non roman" — un livre qui se lirait exactement comme un roman mais où chaque mot exprimerait la pure vérité. »

Le choix de Michel Mohrt

Académicien au look très anglo-saxon, Michel Mohrt a publié un essai sur *Le Nouveau Roman américain* et traduit Faulkner, Styron et Robert Penn Warren. Nul n'est donc mieux placé que lui pour établir une bibliothèque idéale du roman américain.

Du premier âge, il retient :
— *Huckleberry Finn* de M. Twain,
— *Moby Dick* de Melville,
— *La Conquête du courage* de S. Crane,
— *Babbitt* de S. Lewis, qu'il faut lire,
— *Daisy Miller* dans l'œuvre de James.

De la « génération perdue » :
— *Lumière d'août* de Faulkner,
— *Le soleil se lève aussi* d'Hemingway,
— *Gatsby le magnifique* de Fitzgerald,
— *Le Poney rouge* de Steinbeck.

Michel Mohrt pense qu'il faut redécouvrir Eudora Welty, écrivain du Sud, de même que Robert Penn Warren, romancier et poète, dont il met à part *Les Fous du roi*. On ne peut pas ignorer non plus l'école juive, plus récente. Saul Bellow surtout, Philip Roth et Bernard Malamud qui vient de mourir.

Parmi les contemporains, l'un des premiers, aux yeux de Michel Mohrt, est William Styron, dont il a traduit *La Marche de nuit*. Pour les autres, John Updike, Truman Capote, Carson McCullers, et ceux dont l'œuvre est en train de se faire, John Barth ou Joyce Carol Oates. Pour comprendre l'histoire du roman américain, Michel Mohrt voit dans le puritanisme et le sens du mal deux des principaux fils conducteurs. La « puissance des ténèbres » court depuis *La Lettre écarlate* d'Hawthorne jusqu'aux romans de John Updike. Il s'agit là d'un thème essentiel que symbolise bien la « baleine blanche » de Melville. Car le blanc, pour les puritains et les « pères fondateurs », est la couleur du mal...

La Conquête du courage

Stephen Crane 1895
Trad. F. Viélé-Griffin et
H. D. Davray F.

... ou comment un jeune homme quelque peu poltron s'affirme à l'expérience du feu durant la guerre de Sécession : un best-seller.

Une tragédie américaine

Theodore Dreiser 1925
Fayard (épuisé)

Par le maître du roman «réaliste» américain, une critique féroce de la civilisation matérialiste à travers une affaire célèbre qui conduisit un meurtrier à la chaise électrique. Ce livre est, hélas, épuisé depuis fort longtemps.

Homme invisible pour qui chantes-tu?

Ralph Ellison 1952
Traduit par M. et R. Merle Grasset

La naissance de la littérature noire américaine. Un livre qui pose le problème de l'identité noire en Amérique.

La Maison d'haleine

William Goyen 1951
Traduit par M.-E. Coindreau Gallimard

Une maison faite du souffle de tous ceux qui y ont vécu. Un livre qui est avant tout un poème, une évocation du passé et, à travers la «splendide maison déchue», la recherche d'une identité qui passe par une expérience personnelle intensément vécue.

Les Oranges de sang

John Hawkes 1972
Traduit par A. Delahaye Denoël et F.

Les jeux érotiques de deux couples. Une parodie de *La Nuit des rois* de Shakespeare.

La Lettre écarlate

Nathaniel Hawthorne 1850
Trad. M. Canavaggia Gallimard et F.

Dans l'Amérique puritaine des pionniers, une femme adultère est punie. Elle choisit de rester sur place et de se racheter par sa bonté. Une jeune femme, belle et sensuelle, dans un monde implacable. Troublant.

Martin Eden

Jack London 1909
Traduit par C. Cendrée 10/18

A travers l'histoire du jeune écrivain pauvre et rebelle, tour à tour marin et cow-boy, les thèmes majeurs du roman américain.

Tropique du Cancer

Henry Miller 1934
Traduit par P. Rivert Denoël et F.

«C'est maintenant l'automne de ma seconde année à Paris... Je n'ai pas d'argent, pas de ressources, pas d'espérances. Je suis le plus heureux des hommes au monde. Il y a un an, il y a six mois, je pensais que j'étais un artiste. Je n'y pense plus, JE SUIS. »

Les Asiatiques

Frederic Prokosch 1935
Traduit par M. Mortse Gallimard

Le vagabondage d'un jeune homme à travers une Asie (Turquie, Perse, Inde, Cambodge) admirablement décrite où pourtant l'auteur n'avait pas encore mis les pieds.

Les Raisins de la colère

John Steinbeck 1939
Traduit par M. Duhamel
et M.-E. Coindreau Gallimard et F.

Sur la route 66, balayée par le souffle de l'épopée, les Okies, paysans de l'Oklahoma, s'embarquent à la recherche vaine du bonheur en Californie.

Les Fous du roi

Robert Penn Warren 1946
Traduit par P. Singer Stock et L. P.

L'ascension et la chute d'un politicien démagogue et fasciste qui gouverne la Louisiane. Hélas, le livre est épuisé.

L'Ange exilé

Thomas Wolfe 1929
Trad. J. Michelet L'Age d'homme

« ... une pierre, une feuille, une porte inconnue ; d'une pierre, d'une feuille, d'une porte. Et de tous les visages dans l'exil. » Une superbe autobiographie.

... en 49 livres

Le Bois de la nuit

Djuna Barnes 1936
Traduit par P. Leyris Seuil

D'«une qualité d'horreur et de fatalité apparentée de très près à la tragédie élisabéthaine» (T.S. Eliot), cette œuvre a influencé la littérature américaine d'aujourd'hui.

Le Festin nu

William Burroughs 1959
Traduit par E. Kahane Gallimard

« Je me suis éveillé de la maladie à l'âge de 45 ans, calme, sain d'esprit et relativement sain de corps si j'exempte un foie affaibli et ce masque de chair d'emprunt que portent tous ceux qui ont survécu au Mal... » L'enfer de la drogue.

Le Petit Arpent du bon Dieu

Erskine Caldwell 1933
Trad. M.-E. Coindreau Gallimard et F.

L'envers des États-Unis : un monde de misère, de petits blancs, de «culs-terreux» du Sud qui n'existent que par leur sexualité souvent bestiale.

Le choix de William Styron

En homme du Sud exilé aujourd'hui parmi les Yankees, William Styron cultive un art de vivre consommé, et se moque bien de la critique américaine qui fait la fine bouche devant une œuvre populaire (du *Hit des Ténèbres* en 1951 au *Choix de Sophie* en 1979).

Il retient du XIXe siècle *La Lettre écarlate*, *Huckleberry Finn*, *Moby Dick* et *La Conquête du courage*. De Henry James, dont il n'apprécie guère le style insensible et une anglophilie excessive, il choisit *Portrait d'une dame*. L'ouvrage de Théodore Dreiser, *Une tragédie américaine*, lui paraît importante pour comprendre la cruauté du système des classes et le poids des préjugés religieux dans une petite ville du Midwest au début du siècle. Dans la même catégorie, Styron place également *Main Street*, de Sinclair Lewis. Il lui semble qu'avec *Le soleil se lève aussi*, Hemingway atteint le sommet de son talent quand il évoque la vie des expatriés en France et en Espagne. *Gatsby le magnifique*, de Scott Fitzgerald, explore en profondeur le rêve américain. William Styron retient ensuite *La Jeunesse de Studs Lonigan* de James Farrell, sur les milieux irlandais de Chicago, *La Mort et l'Archevêque*, de Willa Cather, un roman des pionniers du Sud-Ouest, *U.S.A.*, de John Dos Passos, et un livre de Thomas Wolfe, qui l'a beaucoup influencé : *Que l'ange regarde de ce côté*, un classique racontant une enfance dans une petite ville du Sud. De Faulkner — dont, rappelons-le, Styron fut le seul, en dehors de sa famille, à être admis aux funérailles —, il aime surtout *Lumière d'août* et *Le Bruit et la Fureur*. Il place au premier rang *Les Fous du roi*, de Robert Penn Warren (l'histoire d'un dictateur fasciste en Louisiane) ; *Les Nus et les Morts*, de Mailer ; *Tant qu'il y aura des hommes*, de James Jones ; *Abattoir 5*, de Kurt Vonnegut ; *Homme invisible*, de Ralph Ellison, qui marque la naissance de la littérature noire ; *L'Attrape-Cœurs*, de Salinger ; *Le cœur est un chasseur solitaire*, de Carson McCullers,

La Mort et l'Archevêque

Willa Cather 1927
Traduit par M. Chenetier Ramsay
Une dénonciation du fanatisme à travers la vie de deux missionnaires français originaires du Massif central, pionniers du catholicisme en Amérique.

Le Tennis de Alfonce

J.P. Donleavy 1984
Traduit par Anne Villelaur Denoël
Né en Amérique, Donleavy, comme beaucoup de ses compatriotes, n'a pas résisté à l'appel de l'Irlande, le pays de ses ancêtres. Surtout qu'on y paie moins d'impôts ! Romancier loufoque s'il en fut, il est le dépositaire exclusif et intergalactique d'un brevet permettant de jouer un tennis pour le moins excentrique.

La Jeunesse de Studs Lonigan

James T. Farrell 1934
Traduit par M. Jossua Gallimard
Un jeune Irlandais des bas quartiers de Chicago, William Lonigan, dit Studs, dans la période troublée des années 30. Une violence et un réalisme que l'on n'oublie pas.

Les Reconnaissances

William Gaddis 1955
Traduit par J. Lambert Gallimard
Un regard ironique et souvent cocasse, impitoyable et juste, sur Greenwich Village et le New York des critiques et des arts. Malgré le foisonnement baroque des destins et des digressions religieuses, littéraires et artistiques, ce roman reste d'une composition rigoureuse.

Le Faucon maltais

Dashiell Hammett 1930
Traduit par H. Rabillot Gallimard
Un modèle du roman d'action dans lequel Hammett présente sur un rythme « jazzy » des scènes que, au cinéma, le talent de John Huston rendra inoubliables.

Catch 22

Joseph Heller 1961
Traduit par B. Matthieussent Grasset
Durant la Seconde Guerre mondiale, les malheurs des appelés du contingent soumis à l'article 22 qui autorise un colonel fou et sanguinaire à imposer à ses troupes des missions absurdes. Une satire violente de l'armée.

Sur la route

Jack Kerouac 1960
Traduit par J. Houbard F.
Livre phare de la génération « beat » incarnée par Dean Moriarty, un frère de James Dean. Des voitures volées, des mauvais garçons qui ont fait pacte d'amitié et la route à 200 à l'heure.

Babbitt

Sinclair Lewis 1922
Traduit par M. Rémon L. P.
Critique acerbe de l'american way of life. Un monde foisonnant de personnages types de la société américaine de l'après-Première Guerre mondiale.

Les Nus et les Morts

Norman Mailer 1948
Trad. J. Malaquais Albin Michel et L.P.
L'enfant terrible des lettres américaines avec un regard désabusé et objectif sur la guerre du Pacifique.

La Grâce de Dieu

Bernard Malamud 1982
Traduit par R. Pépin Flammarion
Le maître du roman juif.

Le Groupe

Mary McCarthy 1963
Trad. A. Gentien et J.-R. Fenwick F.
Le gratin protestant de la côte Est, produit des fameux collèges de l'Ivy League. La vie de huit jeunes filles sorties d'une de ses classes.

qui donne une vision poignante de la vie des paumés dans une petite ville ; *Au jour le jour*, de Saul Bellow, qui lui paraît être le meilleur livre d'un écrivain qui pourtant ne le touche pas et, enfin, *Portnoy et son complexe*, de Philip Roth, le sommet de l'humour juif d'après-guerre.

Au hit-parade des best-sellers

Après une légère éclipse, *Autant en emporte le vent*, le célèbre roman de Margaret Mitchell, dont on vient de fêter avec faste le cinquantenaire aux États-Unis, vient de réapparaître au box-office des meilleures ventes publiées chaque semaine par le *New York Times*. S'il n'est pas unique dans l'histoire littéraire — trente-cinq ans après sa parution, *1984* d'Orwell a connu il y a deux ans le même phénomène —, le fait est exceptionnel d'autant qu'il concerne un ouvrage déjà vendu à plus de 25 millions d'exemplaires ! Au grand dam de ses fans, M. Mitchell n'a plus jamais publié ; elle devait mourir en 1949, à l'âge de quarante-huit ans, écrasée par une automobile dans une rue d'Atlanta.

L'édition américaine en chiffres

- 10 000 maisons d'édition publient un livre par an.
- 760 publient 50 livres par an.
- 126 publient 100 livres par   Ainsi, la concentration aux États-Unis touche aussi l'édition : 131 éditeurs publient 88 % de la production.

(Chiffres fournis par *Publisher's Weekly* en 1983.)

Quelques repères historiques

- 1789 : année historique qui voit la publication à Boston du premier roman authentiquement américain (et oublié depuis), *The Power of Sympathy*, de W. H. Brown.
- 1850-1851 : alors que commence la ruée vers l'or, paraissent deux romans fondateurs. *La Lettre écarlate*, de Nathaniel Hawthorne et *Moby Dick*, de Herman Melville, où s'affrontent le bien et le mal.
- 1900-1903 : les années folles voient l'apogée du réalisme avec *Sister Carrie*, de T. Dreiser, et de l'art de Henry James, avec *Les Ambassadeurs*.
- 1925-1926 : années fastes d'une génération qu'on a cru perdue : Gertrude Stein, *The Making of Americans* ; Scott Fitzgerald, *Gatsby le Magnifique* ; John Dos Passos, *Manhattan Transfer* ; et Hemingway, *Le soleil se lève aussi*.
- 1929 : c'est l'année du krach, et du *Bruit et la Fureur*, de Faulkner.
- 1946-1952 : deux œuvres marquantes de l'immédiat après-guerre : *Les Fous du roi* de R. P. Warren et *L'Attrape-Cœurs* de J. D. Salinger.
- 1959-1960 : avec la campagne et l'élection de Kennedy, arrivent *Le Festin nu* de Burroughs, *Le Faiseur de pluie* de Bellow, *Cœur de lièvre* de John Updike, *La Proie des flammes* de Styron et *Charlie Brown* accompagne de Snoopy. En 1963, Pynchon public *V*.

A ne pas oublier : c'est en 1914 que E. R. Burroughs livre au monde *Tarzan l'homme-singe*, et en 1936 Margaret Mitchell donne au cinéma *Autant en emporte le vent...*

Le cœur est un chasseur solitaire

Carson McCullers   1940
Traduit par M. Fayet   Stock et L. P.

Une «fillette d'environ douze ans, aux cheveux d'étoupe», semblable à un garçon, qui vit dans la rue, à la recherche de bribes de musique, un sourd-muet, un docteur nègre... Tout un monde désespéré et émouvant.

V.

Thomas Pynchon   1963
Traduit par M. Danzas   Seuil

Un auteur dont on n'a jamais vu le visage mais qui est considéré comme le meilleur écrivain des vingt dernières années.

Portnoy et son complexe

Philip Roth   1969
Trad. par H. Robillot   Gallimard et F.

Portnoy, très porté sur le sexe faible, ne manque par ailleurs pas d'humour. Il passe en revue, sur le divan de son psychanalyste, la société américaine, les milieux juifs, et l'éternel problème des hommes coincés entre des mères possessives et des maîtresses capricieuses.

Toujours en vie

William Saroyan   1963
Trad. par C. Janssens

Buchet/Chastel (épuisé)

Des casinos de la Côte d'Azur aux studios d'Hollywood, de Picasso à Chaplin en passant par un vieux marchand de pop corn... Humour débridé style Mark Twain.

Américains d'Amérique

Gertrude Stein   1925
Traduit par J. Seillière et B. Faÿ   Stock

Histoire de sa famille comme symbole de l'Amérique par l'un des représentants de la génération des Américains à Paris, amie de Picasso et d'Hemingway.

Le Choix de Sophie

William Styron   1979
Trad. M. Rambaud   Gallimard et F.

Rendez-vous avec le mal et un terrible secret derrière le pont de Brooklyn et autour de Prospect Park.

Cœur de lièvre

John Updike   1960
Traduit par J. Rosenthal   Points Seuil

Une satire brillante et raffinée du mode de vie américain, et un portrait particulièrement réussi de la femme américaine.

Abattoir 5

Kurt Vonnegut   1969
Traduit par L. Lotringer   Seuil

Là où l'armée débite de la chair à canon.

Ethan Frome

Edith Wharton   1911
Traduit par P. Leyris   Gallimard

Dans un petit village du Massachusetts, bloqué six mois de l'année par la neige et le froid, la tragique histoire d'Ethan Frome et de Mattie Silver. Une sobriété et une force de style qui collent au sujet.

Black Boy, jeunesse noire

Richard Wright   1945
Trad. M. Duhamel   Gallimard et F.

«A regarder manger les Blancs, mon estomac vide se contractait et une colère sourde montait en moi. Pourquoi ne pouvais-je pas manger quand j'avais faim?» Une autobiographie qui a marqué la naissance de la littérature noire aux États-Unis.

Douze poètes américains

On ne saurait consacrer une rubrique au roman américain sans évoquer parallèlement la poésie des États-Unis qui, depuis Edgar Allan Poe jusqu'à Allen Ginsberg, a connu un rayonnement mondial. Peu après la publication de son fameux poème *Le Corbeau* (1845), Edgar Allan Poe publie *Philosophie de la composition* (1846) puis écrit *Genèse d'un poème* qui sera publié un an après sa mort : sa théorie de l'effet littéraire programmé selon une science stratégique très sûre fera grincer des dents bien des romantiques persuadés de l'essence inspirée et spontanée de la poésie (*Poèmes*, traduction Stéphane Mallarmé, Poésie/Gallimard). À l'opposé des poèmes amoureux et intellectuels de Poe, Walt Whitman, avec ses *Feuilles d'herbe* (1855), campe quelques-uns des thèmes qui feront partie désormais de la culture américaine : union de l'homme avec la nature, progrès techniques, prophétisme démocratique, communion collective (*Feuilles d'herbe*, traduit par Roger Asselineau, bilingue, Aubier-Flammarion).

Découverte seulement après sa mort, Emily Dickinson (1830-1886) a écrit dans la solitude et le secret une œuvre importante, toute tournée vers l'exploration des illuminations brèves et des tourments de l'esprit (*Poèmes*, traduits par Guy Jean Forgue, bilingue, Aubier-Flammarion). Hart Crane (1899-1932) est le poète des espaces américains ; son plus célèbre poème, consacré au pont de Brooklyn, annonce Dos Passos et d'autres romanciers modernes (*Le Pont*, traduit par François Tréteau, Obsidiane). Ezra Pound (1885-1972) a défrayé la chronique autant par ses prises de position aux côtés du fascisme italien que par sa poésie savante, monumentale, éclatée, hermétique, mêlant toutes les langues (*Les Cantos*, traduit par un collectif, Flammarion). William Carlos Williams (1883-1963), ami de Pound, reste plus américain que lui et invente l'« objectivisme », une poésie au contact direct de l'objet (*Poèmes*, traduit par D. King, Seghers).

Avec Robert Frost (1874-1963), « le Virgile américain », la poésie redevient simple et populaire, et le poète se transforme volontiers en une sorte de personnage officiel. De même, Carl Sandburg (1878-1967), proche de Whitman, se meut à la frontière entre poésie populiste et chanson. Edward Estlin Cummings (1894-1962) est un poète hermétique, virtuose des jeux de langage et calligraphiques, d'un humour corrosif, proche de l'esthétique cubiste (*58 + 58 poèmes*, traduit par D. Jon Grossman, Bourgois). Wystan Hugh Auden (1907-1973), anglais naturalisé américain, d'abord influencé par Brecht et le marxisme, dérive vers une sorte d'existentialisme chrétien. (*Poésies choisies*, traduit par Jean Lambert, Gallimard).

Lawrence Ferlinghetti (né en 1919), libraire-éditeur à San Francisco, a réinventé un langage moderne éclaté et rapide, et a remis à l'honneur la déclamation en la liant le plus souvent au jazz ou à diverses formes de « performances » (*Œil ouvert, Cœur ouvert*, traduit par Philippe Mikriammos, Bourgois). Allen Ginsberg (né en 1926) est une des vedettes de la *beat generation*. Il a lié sa poésie, très lyrique, héritière à la fois de William Blake et de Walt Whitman, aux grands mouvements politiques de l'Amérique contemporaine, tout en recherchant dans le judaïsme, les spiritualités orientales ou la drogue de nouvelles formes d'inspiration (*Howl*, traduit par Robert Cordier et Jean-Jacques Lebel, Bourgois).

Il faudrait aussi mentionner dans ce palmarès Thomas Stearn Eliot. Proche ami de Pound, mais naturalisé anglais, Eliot est plutôt désormais considéré comme un poète britannique. Et il ne faut pas oublier non plus que nombre de grands romanciers américains ont aussi écrit des poèmes. Si les *Poèmes de guerre* de Melville sont admirables, et les *Mexico City blues* de Kerouac hautement inspirés, les recueils de poésie d'Hemingway et de Faulkner ne sont pas leurs œuvres les plus marquantes.

La littérature
hispano-américaine

L'Amérique latine, nous apprend une édition peu ancienne (1972) du Petit Larousse illustré, « est l'ensemble des pays de l'Amérique du Sud et centrale (plus le Mexique) qui ont été des colonies espagnoles ou portugaises ». Cette définition torturée dévoile clairement la vision que la France s'est trop longtemps faite d'une Amérique mineure et dépendante du vieux monde. Pourtant il y a bientôt deux siècles qu'elle a conquis son indépendance politique, prélude à son émancipation intellectuelle. Depuis un demi-siècle les lecteurs français découvrent avec stupeur et admiration la production littéraire actuelle et passée de ce nouveau monde, aussi riche, foisonnante et variée que le continent lui-même. La littérature hispano-américaine est née dans le même mouvement qui a vu se forger son indépendance politique ; après Bolívar, le « Libertador », d'autres écrivains seront des hommes politiques. L'émancipation, c'est-à-dire l'accession à l'âge adulte de la littérature hispano-américaine, se fait dans un premier moment contre l'influence de l'Espagne rétrograde de Ferdinand VII, c'est pourquoi les premières œuvres authentiquement américaines accueillent avec enthousiasme l'influence du romantisme libéral ou révolutionnaire européen. L'essai de Sarmiento, *Facundo ou civilisation et barbarie* (1845), est un des ouvrages fondateurs de la littérature du continent où l'on voit se dessiner une des thématiques essentielles, aujourd'hui encore vivantes : la civilisation, c'est-à-dire la culture, entendue sur le modèle européen. L'éducation, la ville s'opposent pour Sarmiento à la « barbarie », au gaucho, à l'Indien, à la nature immense et sauvage. Cette « barbarie » qui inquiétait et fascinait Sarmiento va être récupérée par les écrivains modernes ; ils retrouveront en elle l'identité de tout un continent qui désormais n'a plus à se chercher par rapport à des modèles venus d'ailleurs.

Prendre conscience de sa propre identité, c'est aussi pour la littérature hispano-américaine inventer une nouvelle langue qui tienne compte des thèmes et des idiomes populaires, ceux des Indiens, des gauchos, des anciens esclaves noirs, de tous ceux que la «civilisation» du siècle dernier avait rejetés. Dans cette langue espagnole qui n'est plus tout à fait du castillan, s'exprime une réalité différente qui appartient en propre à l'Amérique mais qui, pour cette raison même, atteint aux dimensions de l'universel. Un roman comme *Cent ans de solitude* nous offre le souffle épique, le merveilleux mythique, le réalisme du conte populaire que la littérature européenne a depuis longtemps oubliés. Réalisme, merveilleux, mélange des genres, refus des carcans qui entravent la liberté font la vitalité de cette littérature qui n'a pas deux cents ans d'existence.

Un autre aspect non moins important de la littérature hispano-américaine est son caractère permanent de témoignage. Elle témoigne de l'injustice et de la violence, de la collectivité et de l'individu, de la réalité et de la fiction, du passé et du présent. L'écriture, en Amérique, a toujours une fonction éthique et politique, elle n'est jamais un vain jeu ; même dans ses expressions apparemment les plus formelles, elle n'est jamais fuite dans l'illusion.

Si nous ne remonterons plus jamais le superbe Orénoque sur les embarcations exotiques de Jules Verne ou de Cendrars, nous n'avons pas perdu au change puisque, dans le miroir de la littérature américaine, nous découvrons une image de l'homme dans laquelle, nous, lecteurs de l'Europe «aux anciens parapets», nous pouvons nous trouver et nous reconnaître, mieux peut-être que dans la production de notre continent essoufflé. Ainsi se réalise la prophétie de Montaigne : «Notre monde vient d'en trouver un autre, non moins grand, plein et membru que lui. Et cet autre monde ne fera qu'entrer en lumière quand le nôtre en sortira.»

La littérature hispano-américaine

... en 49 livres

... en 25 livres

... en 10 livres

Ceux d'en bas
Mariano Azuela

Œuvre poétique
Jorge Luis Borges

Présentation et choix de textes
Rubén Darío

Cent ans de solitude
Gabriel García Márquez

Paradiso
José Lezama Lima

Le Chant général
Pablo Neruda

La Vie brève
Juan Carlos Onetti

Le Labyrinthe de la solitude
Octavio Paz

Pedro Paramo
Juan Rulfo

La Ville et les chiens
Mario Vargas Llosa

Vaste est le monde
Ciro Alegria

Les Fleuves profonds
José Maria Arguedas

Monsieur le Président
Miguel Angel Asturias

Trois Tristes Tigres
Guillermo Cabrera Infante

Le Partage des eaux
Alejo Carpentier

Le Livre de Manuel
Julio Cortázar

La Plus Limpide Région
Carlos Fuentes

Le Chant de Cuba
Nicolás Guillén

Don Segundo Sombra
Ricardo Güiraldes

Altazor
Manifestes
Vicente Huidobro

Notre Amérique
José Martí

Faits divers de la terre et du ciel
Silvina Ocampo

Vision de l'Anahuac
Alfonso Reyes

Facundo
Domingo Faustino Sarmiento

Poésie complète
César Vallejo

• À vous de choisir le cinquantième livre. Peut-être est-il déjà dans votre bibliothèque.

... en 10 livres

Ceux d'en bas

Mariano Azuela (Mexique)   1916
Traduit par J. et J. Maurin
Préface de Valéry Larbaud
                    Ed. J.-O. Fourcade (épuisé)

Né dans la province de Jalisco, où il exerçait la médecine, rien ne prédisposait Azuela à des aventures guerrières. Néanmoins, comme beaucoup de Mexicains, il se retrouve par antiporfirisme entraîné dans la révolution de 1910 et devient colonel-médecin dans une armée de Pancho Villa. Le général commandant cette armée lui sert de modèle pour le héros principal de *Ceux d'en Bas*. Ce récit très vivant, plein de fraîcheur et de naïveté, se déroule comme un western mexicain et nous fait voyager à pied, à cheval et en train dans les provinces désertiques du nord du Mexique, où se déroulèrent les batailles de Pancho Villa.

Œuvre poétique

Jorge Luis Borges (Argentine)   1965
Mis en vers français par Ibarra   Gallimard

« Ma seule ambition serait que l'on pense à moi comme à un poète ayant écrit quelques vers acceptables. » Dans cette bibliothèque idéale qui lui est dédiée nous nous devions d'exaucer le souhait du sphinx aveugle de Buenos Aires ; et de choisir dans ce rayon latino-américain l'anthologie de son œuvre poétique. D'autant qu'on y retrouve, de manière peut-être plus stylisée, tous les grands thèmes appartenant à la légende Borges : les jeux de miroirs, les labyrinthes de la mémoire, les rêves de tigres, le doute sur la réalité, l'érudition mystificatrice, la raison minée par le fantastique. Mais aussi quelques vers d'une merveilleuse simplicité pour dire la lune, la pluie, le silence de la pampa ou le chant du tango.

Présentation et choix de textes

Rubén Darío (Nicaragua)   1966
Trad. L.-F. Durand   Seghers (épuisé)

Le poète du « modernisme », de l'âge adulte de la poésie hispano-américaine, de la rupture avec la tradition espagnole et de l'oubli des thèmes américains. Contes en prose et poésie où le doute, le désenchantement et l'inquiétude s'expriment dans une forme rare mais simple. Les contes du recueil *Azul*, où se mêlent poésie et ironie, ne sont pas sans rappeler ceux de *Gaspard de la Nuit* d'A. Bertrand. « Je ne suis pas un poète pour les masses, mais je sais qu'indéfectiblement je dois aller à elles. »

Cent ans de solitude

Gabriel García Márquez (Colombie)   1967
Trad. par Claude et Carmen Durand   Seuil

La naissance, la gloire puis la décrépitude de Macondo, un petit village qui, à travers ce roman-épopée, est devenu pour des millions de lecteurs latino-américains le symbole quasi mythique de tout un continent. Neruda estimait que *Cent ans de solitude* était l'œuvre la plus importante jamais publiée en espagnol depuis Don Quichotte. C'est une exagération. Mais elle est tout à fait digne de la luxuriance inventive avec laquelle García Márquez raconte cette chronique fabuleuse et dérisoire, violente et poétique.

Paradiso

José Lezama Lima (Cuba)   1966
Traduit par Didier Coste   Seuil

La parution de ce livre fit sensation à Cuba sous régime castriste. Son auteur affirmait, narquois : « Si la révolution est puissante, elle peut tout assimiler, même le *Paradiso*. » Mais au fond Lezama Lima savait qu'il n'en serait rien. Exubérant roman autobiographique jouant du télescopage des mots et des images, articulant la vie quotidienne avec des mythologies ancestrales ou la sauvagerie du désir avec les rigueurs de la connaissance, *Paradiso* aurait pu être signé par un Joyce des Caraïbes. Il n'y avait dès lors aucune chance qu'une révolution contaminée par les relents du réalisme socialiste puisse tolérer une telle liberté : *Paradiso* fut condamné à l'enfer.

Le Chant général

Pablo Neruda (Chili)   1950
Traduit par Claude Couffon   P.G.

Du poète mort dans sa maison dévastée quelques jours après la chute d'Allende, l'épopée du continent et de l'homme américains. Dans une langue simple, le poète dit le paysage et les hommes d'avant la conquête, puis toute l'histoire de l'Amérique et de ses luttes, avant de terminer par une méditation sur sa propre vie et la genèse de son œuvre. Fraternelle et cosmique, la poésie de Neruda est écrite «pour de simples habitants qui demandent eau et lune, éléments de l'ordre immuable, écoles, pain et vin, guitares et outils».

La Vie brève

Juan Carlos Onetti (Uruguay) 1950
Traduit par Claude Couffon
et Alain Gascar Gallimard

Le décor de l'œuvre d'Onetti, c'est Santa Maria : une petite ville de banlieue entre le fleuve et une colonie suisse avec des avenues sans âme et des bars sordides où l'on vient s'ennuyer en fin d'après-midi devant un verre de bière. À Santa Maria sont venus s'échouer des gens aux destinées médiocres. Leur monde est celui de l'échec, des petites intrigues, de la corruption, des amours ratées, des orgueils inassouvis, de la nostalgie d'une jeunesse perdue. La solitude et la tristesse de leur vie fantomatique sont rendues par un style d'une rare habileté technique.

Le Labyrinthe de la solitude

Octavio Paz (Mexique) 1950
Trad. Jean-Clarence Lambert Gallimard

Son œuvre poétique est d'une grande force lyrique. Son immense érudition peut se comparer à celle de Borges ou de Lima. *Le Labyrinthe de la solitude* est une étude très approfondie et passionnée du caractère mexicain. O. Paz lui-même définit son livre comme «une vision et simultanément une révision, quelque chose de très différent d'un essai». De face, de profil et de dos, il examine l'homme mexicain actuel, et plonge dans le passé jusqu'aux plus profondes racines. Il va même au-delà des Chicanos, ces millions d'anciens Mexicains devenus américains.

Paroles de Simón Bolívar

«Nous ne sommes ni européens ni indiens, mais une espèce intermédiaire entre les aborigènes et les Espagnols. Américains par la naissance et Européens par nos droits, il nous faut disputer aux naturels les titres de possession et nous maintenir contre l'envahisseur dans le pays qui nous vit naître [...]. Gardons présent à l'esprit que notre peuple n'est pas européen, qu'il n'est pas davantage américain du Nord, mais un composé d'Afrique et d'Amérique plutôt qu'une émanation d'Europe. Car l'Espagne elle-même échappe à l'Europe par son sang africain, ses institutions et son caractère national. Il est impossible de préciser la famille humaine à laquelle nous appartenons. L'indigène est presque anéanti, l'Européen s'est allié à l'Américain et à l'Africain, et l'Africain s'est allié à l'Indien et à l'Européen. Tous issus d'une même mère, nos parents sont d'origines et de sangs distincts, étrangers les uns aux autres, et leur épiderme est de couleur différente. »
Discours d'Angostura, février 1819.
Extraits de *Bolívar ou l'unité impossible*
(Maspéro)

L'Amérique de Gabriel García Márquez

«Dans ma tête, j'ai complètement gommé les frontières et pas seulement en ce qui concerne l'Amérique latine. Je me sens américain, États-Unis compris. Pour moi, l'Amérique est un énorme bateau avec ses premières classes, ses secondes classes, sa classe touriste et sa cale à marchandises. Suivant sa situation chaque Américain habite et vit dans telle ou telle classe. Si le bateau coule, il coulera toutes classes confondues et, de même, s'il flotte dans la tempête ou par beau temps, il flottera toutes classes confondues. Je me sens donc totalement américain avec un

Pedro Paramo

Juan Rulfo (Mexique)   1955
Traduit par R. Lescot   Gallimard

Ce court roman et le recueil de nouvelles *Le Llano en flammes* sont presque toute l'œuvre de Juan Rulfo, mais ont suffi à lui assurer une place de premier plan dans la littérature mondiale. Pedro Paramo, parti à la recherche de son père, traverse une réalité où le fantastique et le quotidien, la vie et la mort, le passé et le présent ne sont plus séparés par des frontières sûres. La douleur humaine atteint dans ce roman une profondeur bouleversante et universelle grâce à une grande économie de moyens, un lyrisme retenu et pudique. C'est sa propre mort que Pedro rencontrera au bout du voyage.

La Ville et les chiens

Mario Vargas Llosa (Pérou)   1962
Traduit par Bernard Lesfargues
     Gallimard et F.

Dans un collège militaire de Lima un groupe clandestin de quatre garçons, «les chiens», se révolte contre la discipline bornée qui les opprime. Ils seront dénoncés par l'auteur de textes pornographiques circulant sous le manteau. Ce roman d'éducation (dont un millier d'exemplaires furent solennellement brûlés par l'armée péruvienne au cours d'une cérémonie officielle) marqua les débuts d'un écrivain qui a construit une œuvre d'une grande puissance réaliste. Des romans comme *Conversations à «la cathédrale»* ou *Histoire de Mayta* resteront, à cet égard, comme des témoignages importants sur la situation dramatique d'un Pérou partagé entre les dictatures et la misère. Mais les livres de Vargas Llosa valent aussi par leur recherche formelle parfois très sophistiquée comme dans *La Maison verte*.

... en 25 livres

Vaste est le monde

Ciro Alegria (Pérou)   1941
Traduit par Maurice Serrat
et Michel Ferté   Gallimard

C'est un roman parfaitement équilibré et cohérent dont le beau titre donne immédia-tement la mesure et le ton. Il nous apporte l'air pur de la cordillère des Andes, sa superbe géographie et malheureusement aussi la tragédie de ses pauvres habitants.

Les Fleuves profonds

José Maria Arguedas (Pérou)   1958
Traduit par Jean-Francis Reille
     Gallimard (épuisé)

La majeure partie de ce livre se passe dans un collège de garçons tenu par des prêtres au fin fond de la cordillère. Les maîtres et les élèves parlent quechua entre eux. À travers la trame de ce roman, d'une écriture très belle et très personnelle, l'auteur rend évidente l'énorme potentialité du peuple andin. Il est un sincère et vibrant témoin de la vie spirituelle de ce peuple, héritier d'une ancienne et superbe culture.

Monsieur le Président

Miguel Angel Asturias (Guatemala)   1946
Traduit par G. Pillement
et D. Nouhaud   Albin Michel

Le meilleur roman d'Asturias par la concentration de son sujet et la force de la poésie qui s'en dégage. Asturias nous montre la brutalité arbitraire de la dictature qui violente l'être humain jusque dans sa vie intime. Son horreur de celle-ci lui inspire une écriture pleine de verve et d'inventions formelles dont la force entraîne irrésistiblement. Une histoire d'amour douce contraste avec les événements violents.

Trois Tristes Tigres

Guillermo Cabrera Infante (Cuba)   1967
Traduit par Albert Bensoussan avec la collaboration de l'auteur (1970)   Gallimard

À lire la nuit ! Cabrera nous raconte sa vie de noctambule à La Havane. Il nous dit comment il a découvert ses thèmes favoris : l'anglais, le cinéma, la littérature, la musique totale. Ce livre est une longue nuit insulaire, parfois nostalgique, où se fondent toutes les nuits de La Havane, des habaneras et des spectacles, racontée dans un espagnol cubain haut en couleur et enrichi de tous les dialectes de l'île.

Le Partage des eaux

Alejo Carpentier (Cuba)   1933
Traduit par René L.-F. Durand   F.

On entre dans ce récit par la forêt amazonienne sans savoir exactement à quel endroit. Peu à peu se dessine une capitale, des provinces latino-américaines qui apparaissent comme des prototypes. Vers le milieu du livre le lieu se précise : le cours supérieur de l'Orénoque et de ses affluents ; le Venezuela. Étant à la recherche d'un instrument de musique indien, on y rencontre diverses tribus, et l'on s'approche des parages mythiques de l'Eldorado.

Le Livre de Manuel

Julio Cortázar (Argentine)   1973
Trad. Laure Guille-Bataillon   Gallimard

Le *Livre de Manuel* nous ramène à un passé récent : celui des généraux argentins et de mai 68. Il ajoute la dimension politique à une œuvre déjà très appréciée. Un couple découpe et colle les nouvelles des journaux argentins et français afin de constituer un livre d'histoire idéal pour son enfant. Un témoignage des événements qu'il est en train de vivre intensément.

La Plus Limpide Région

Carlos Fuentes (Mexique)   1958
Trad. par Robert Marrast   1964
Préface de Miguel Angel Asturias
                                        Gallimard

Une grande réflexion sur la révolution mexicaine de 1910 qui débouche sur un panorama hallucinant du passé mexicain, sorte de kaléidoscope où les images colorées se multiplient et se succèdent depuis les Aztèques jusqu'à nos jours. « La plus limpide région de l'air, c'est ici que le sort nous a placés, que pouvons-nous y faire ? »

Le Chant de Cuba
Poèmes, 1930-1972

Nicolás Guillén (Cuba)
Traduit par Claude Couffon   Belfond

Une anthologie poétique de la grande voix de l'Amérique africaine. Les rythmes, les mots, l'humour et le pathétisme de Guilléen expriment le destin des Caraïbes : le petit côté latino-américain venu des Caraïbes. Mais ce petit côté spécifique n'implique pas que je me sente exclusivement colombien. Moi, je suis nationaliste continental ! L'autre jour, justement, je me trouvais avec des Latino-Américains qui discutaient à propos de l'expansionnisme brésilien, de son danger et de la nécessité pour la Colombie et le Venezuela de s'en défendre. J'avoue avoir été surpris car je n'ai jamais perçu cette question sous cet angle-là. Je connais pratiquement le monde entier et il se trouve que le pays qui me passionne le plus est le Brésil. Il est possible que le Brésil, ce pays extraordinaire lancé vers le futur, nous mange tous. Ce sera toujours l'Amérique latine, toujours les mêmes racines culturelles et je ne suis pas tellement préoccupé ni effrayé par cette perspective. »

Mario Vargas Llosa : le roman, c'est d'abord une histoire

« Moi qui me croyais à mes débuts un écrivain d'avant-garde, à partir du moment où sont devenus à la mode le nouveau roman, le structuralisme, la sémiologie, toutes ces extraordinaires constructions intellectuelles artificielles, qui ont fini par régimenter la création littéraire, eh bien, j'ai découvert que je ne voulais pas être un moderne. Je préférais m'identifier à une tradition classique dans laquelle le récit, l'anecdote, le plaisir de camper des personnages et de raconter des histoires restent l'objectif principal de l'écriture. Je me souviens de mon effarement quand j'ai lu un article où Robbe-Grillet racontait que l'un de ses romans était né à partir de l'idée de composition prenant une certaine forme syntaxique et une certaine manière d'agencer les temps de narration. Pour moi, la forme, aussi compliquée soit-elle, a toujours été un moyen et non une fin, une façon de donner un relief, de la consistance à une histoire. »

métissage. «Une poésie créole ne sera jamais parfaite si on oublie le nègre.»

Don Segundo Sombra

Ricardo Güiraldes (Argentine)   1926
Traduit par Marcelle Auclair   Gallimard

Cinquante ans après Martin Fierro, le gaucho n'est plus qu'une ombre et finit par disparaître dans la légende. Mais à la fascination qu'il exerce sur le jeune héros, le lecteur succombe aussi. Roman de la nostalgie de la vie violente et virile parmi les troupeaux et l'immensité.

Altazor, Manifestes

Vicente Huidobro (Chili)   1925-1931
Trad. par Gérard de Cortanze   Lebovici

Ce livre exprime l'attitude d'un chercheur infatigable et passionné de nouveaux horizons, plus larges que les précédents, tant dans la poésie, dans la politique, que dans sa vie personnelle. Son impulsion fait tourner la page des modernistes à toute l'Amérique latine. C'est un précurseur et «une belle folie dans le langage».

Notre Amérique Anthologie

José Martí (Cuba)   (1853-1895)
Trad. par A. Joucla Ruan   La Découverte

De «l'apôtre» de l'indépendance cubaine contre l'Espagne et les États-Unis, de celui que Rubén Darío admirait sans réserve, une anthologie de textes sur Cuba, l'Amérique et les États-Unis, des poèmes aussi et des extraits de son journal.

Faits divers de la terre et du ciel

Silvina Ocampo (Argentine)   1948-1961
Traduit par Françoise-Marie Rosset
Présenté par Borges   Gallimard

Une des nouvelles les plus significatives de l'œuvre de S. Ocampo donne son titre au recueil. L'entrée de l'au-delà y est décrite avec minutie : une sorte de salle de vente aux enchères, où anges et démons s'affairent autour d'une balance si sensible que le poids d'une simple feuille de papier peut faire envoyer les trop bons en enfer et au ciel les trop mauvais.

Vision de l'Anahuac

Alfonso Reyes (Mexique)   1917
Traduit par J. Guérandel
Préface de Valéry Larbaud   Gallimard

Se servant des chroniqueurs du XVIe siècle, Reyes nous fait revivre le Mexique tel qu'il fut découvert par Cortés et ses hommes. Il décrit non seulement la beauté du site, «la région la plus transparente», et la magnificence de la ville de Tenochtitlan qui semblait féerique comme «dans le livre d'Amadis», mais aussi la vie quotidienne des Aztèques.
À rééditer d'urgence.

Facundo

Domingo Faustino Sarmiento
(Argentine)   1845
Trad. Marcel Bataillon   Table Ronde

La biographie du «caudillo» Facundo Quiroga, héros de la révolution nationale argentine, est inséparable pour Sarmiento de la nature sauvage et grandiose des immenses étendues du pays, de ses habitants, croyances, besoins et traditions.

Poésie complète

César Vallejo (Pérou)   (1892-1938)
Trad. Gérard de Cortanze   Flammarion

Du modernisme à l'engagement aux côtés des républicains espagnols, la poésie de Vallejo est toujours l'expression de la douleur humaine, celle de l'Indien, et celle du poète qui, dans une vision prémonitoire écrivit : «Je mourrai à Paris dans une averse / Un jour dont j'ai déjà le souvenir. / Je mourrai à Paris — et je n'en ai pas honte — / Un jeudi d'automne, peut-être, comme aujourd'hui.»

... en 49 livres

Les Sept Fous

Roberto Arlt (Argentine)   1929
Traduit par I. et A. Berman   Belfond

D'un des maîtres du roman argentin «une vision jamais égalée de Buenos Aires et de sa faune ténébreuse et marginale» (J. Cortazar).

L'amour n'est pas aimé

Hector Bianciotti (Argentine) 1982
Traduit par F. Rosset Gallimard

Un recueil de nouvelles emblématiques de Bianciotti : l'Argentine, l'Europe, le monde, la mémoire et la nostalgie, l'écriture «quand même» bien que «l'imagination ne puisse rivaliser avec la réalité».

La Vie exagérée de Martin Romana

Alfredo Bryce-Echenique (Pérou) 1981
Trad. par J.-M. Saint Lu Luneau-Ascot

Les pérégrinations d'un Latino-Américain exilé, errant d'aventures sentimentales en drames tragi-comiques entre Barcelone et le Paris soixante-huitard. Un bavardage plein de vie où l'on rit, l'on pleure et, surtout, l'on boit beaucoup.

Pourquoi... Nouveaux contes nègres de Cuba

Lidia Cabrera (Cuba) 1947
Trad. par F. de Miomandre Gallimard

Une grande sagesse et une grande tristesse émanent de ces contes. On sent sourdre l'Afrique par tous les chemins de la campagne cubaine. L'animisme des ancêtres esclaves cohabite avec le catholicisme espagnol.

Anthologie poétique

Ernesto Cardenal (Nicaragua) 1971
Traduit par A.-M. Métailié et G. Bessière Éd. du Cerf

L'œuvre de ce moine-poète, aujourd'hui ministre, nous donne l'espoir d'un futur américain. Pour lui, le futur est l'important du passé, la révolution le contenu de la tradition. L'histoire peut encore commencer.

Le Maître de la Gabriela

Alvaro Cepeda Samudio (Colombie) 1962
Traduit par Jacques Gilard Belfond

Un roman inspiré par un fait historique : la grève en 1928 dans les bananeraies de la côte colombienne qui fut réprimée de façon sanglante.

Trois poètes français de Montevideo

Isidore Ducasse, comte de Lautréamont, né en 1846, écrit dans *les Chants de Maldoror* : «La fin du dix-neuvième siècle verra son poète... Il est né sur les rives américaines ; (...) Buenos Aires, la reine du Sud, et Montevideo, la coquette, se tendent une main amie, à travers les eaux argentines du grand estuaire.»

Jules Laforgue, né en 1860, écrit dans *les Complaintes* : «Bon Breton né sous les Tropiques, chaque soir / J'allais le long d'un quai bien nommé mon *rêvoir*...»

Et Jules Supervielle, dans *Les Amis Inconnus* : «Je me souviens, c'était dans un pays / Qu'on aperçoit fort au sud sur les cartes, / Le ciel mouillait à tort et à travers / Le grand matin noir et plein d'innocence.»

Littérature précolombienne

Depuis les surréalistes, les écrivains français se sont de plus en plus intéressés aux textes des Indiens d'avant la conquête. Après Benjamin Péret, J.-M. G. Le Clézio a traduit chez Gallimard *Les Prophéties du Chilam Balam*, un texte sacré maya, *La Relation de Michoacan* des Indiens Tarasque et préfacé les *Chants de Nezahualcoyotl*, roi-poète aztèque dont les textes ont été traduits du nahuatl par P. Coumes et J.-C. Caër. Le Clézio écrit dans *Haï* : «Je ne sais pas trop comment cela est possible, mais c'est ainsi : je suis indien. Je ne le savais pas avant d'avoir rencontré les Indiens au Mexique et au Panama. Maintenant je le sais. Je ne suis peut-être pas un très bon Indien. Je ne sais pas cultiver le maïs, ni tailler une pirogue. Le peyotl, le mescal, la chicha mastiquée n'ont pas beaucoup d'effet sur moi. Mais pour tout le reste, la façon de marcher, de parler, d'avoir peur ou d'aimer, je peux le dire ainsi : quand j'ai rencontré ces peuples indiens, moi qui ne croyais pas avoir spécialement de famille, c'est comme si tout à coup j'avais connu des milliers de pères, de frères, d'épouses.»

Le Divin Narcisse
précédé de Premier Songe et autres textes

Sor Juana Inès de la Cruz   *(1648-1695)*
Trad. F. Delay, F. Magne et J. Roubaud
Préface d'Octavio Paz   Gallimard

« Le dialogue brisé entre le ciel et l'esprit humain, la conscience de l'infini... une véritable confession intellectuelle » dit O. Paz des poèmes de cette religieuse à la destinée mystérieuse.

L'Obscène Oiseau de la nuit

José Donoso (Chili)   1970
Traduit par D. Coste   Seuil

Bien que son œuvre ait contribué au fameux « boom » du roman latino-américain, José Donoso reste injustement méconnu en France. « Le sommeil de la raison engendre des monstres » ; dans la lignée de Goya, un monde halluciné où le paradis est peuplé de créatures difformes ; une île d'Utopie inversée, symbole de notre monde.

Mémoire du feu

Eduardo Galeano (Uruguay)   1982
Traduit par Claude Couffon   Plon

Le premier tome d'une trilogie historique qui se présente sous forme d'une mosaïque de textes. L'auteur tente à travers cette composition polyphonique de saisir « les voix multiples, les mythes, les légendes, les odeurs, les couleurs et les douleurs des Amériques ».

Doña Barbara

Romulo Gallegos (Venezuela)   1929
Traduit par L.-F. Durand   Gallimard

La lutte victorieuse d'un jeune homme contre la nature et l'aventurière Doña Barbara ; en voulant « civiliser » le Llano, le héros lui fera perdre sa grandeur.

L'Ombre du Caudillo

Martín Luis Guzmán (Mexique)   1928
Traduit par G. Pillement   Gallimard

Par l'un des fondateurs du roman de la révolution mexicaine, le destin tragique d'Ignacio Aguirre, candidat malgré lui à la présidence de la République.

Martín Fierro

José Hernández (Argentine)   1872
Traduit par P. Verdevoye   Nagel

Roman en vers, épopée des exploits du gaucho Martín Fierro considérée comme le poème national de l'Argentine.

Huasipungo

Jorge Icaza (Équateur)   1934
Trad. G. Pillement   Pasquier-Bellenaud

Des Indiens, traités comme des animaux et mourant à la tâche dans la construction d'une route pour le seul profit des Blancs. Ils se révoltent lorsque l'on veut leur prendre leur chaumière (Huasipungo).

Les Commentaires royaux

L'Inca Garcilaso de la Vega   1605
Trad. par L.-F. Durand   La Découverte

Fils d'un capitaine espagnol et d'une princesse inca, Garcilaso tient directement de sa famille ses renseignements. Les *Commentaires Royaux* sont un précieux document sur la civilisation inca.

Choix de textes et présentation de M. Pomès

Gabriela Mistral (Chili)   *(1889-1957)*
Seghers

Une poésie aujourd'hui un peu oubliée où domine le thème de l'amour pour les choses et pour les êtres méprisés et malmenés. Prix Nobel de Littérature 1945.

Palinure de Mexico

Fernando del Paso (Mexique)   1977
Traduit par Michel Bibard   Fayard

Timonier du vaisseau dans *L'Énéide* de Virgile, Palinure est le personnage guidant le lecteur à travers un livre « total » ayant pour prétexte Mexico. L'évocation hallucinée des massacres de l'été 68 y est notamment perçue comme l'écho des sacrifices aztèques et des guerres coloniales.

Le Baiser de la femme araignée

Manuel Puig (Argentine) 1976
Traduit par A. Bensoussan Seuil

L'amitié difficile entre un politique et un homosexuel, enfermés par la dictature dans la même cellule peuplée d'héroïnes de films de troisième catégorie.

Contes d'amour de folie et de mort

Horacio Quiroga (Uruguay) 1917
Trad. par F. Chambert A.-M. Métailié

Du maître de la nouvelle latino-américaine, ce recueil de nouvelles où «l'antédiluvienne forêt» est le protagoniste essentiel.

La Voragine

José Eustasio Rivera (Colombie) 1924
Trad. G. Pillement Bellemand (épuisé)

La Voragine, c'est la forêt dévoreuse d'hommes. Le récit réaliste et symbolique de l'expédition d'un homme à la recherche de deux femmes, et que la forêt détruira.

Moi le Suprême

Augusto Roa Bastos (Paraguay) 1974
Traduit par A. Berman L.P.

Dans un style flamboyant, baroque, Roa Bastos ressuscite un dictateur, José Gaspard Francia qui a réellement existé et fondé le Paraguay moderne.

Le Tunnel

Ernesto Sabato (Argentine) 1948
Traduit par M. Bibard Seuil

L'introspection désespérée d'un artiste peintre assassin. Une écriture sèche et intense admirée par Camus.

Roulements de tambour pour Rancas

Manuel Scorza (Pérou) 1970
Traduit par C. Couffon Belfond

La chronique tragique et véritable de l'écrasement d'une communauté paysanne en lutte contre une compagnie minière nord-américaine.

Cecilia Valdés

Cirilo Villaverde (Cuba) 1839
Trad. par J. Lamore La Découverte 1984

Un magnifique roman sur la société coloniale du siècle dernier : fresque sociale, roman antiesclavagiste dominé par la figure de Cecilia que sa beauté conduira au crime.

Anthologie de la nouvelle hispano-américaine

Oliver Gilberto de Leon 1981
et Ruben Bareiro Saguier Belfond

Parce que la nouvelle est le genre le plus vivant de l'Amérique latine. Un choix représentatif de tous les pays de langue espagnole qui va de 1940 à nos jours.

La littérature anglaise

Qu'y a-t-il de commun entre Shakespeare, Swift, Kipling, Lawrence, Joyce et Conrad ? La langue ? L'insularité ? Mais Conrad, qui était polonais, a hésité longtemps entre trois langues et a navigué une bonne partie de sa vie ; Swift et Joyce étaient irlandais, et, tout le monde vous le dira, l'Irlande, ce n'est pas du tout la même île que la Grande-Bretagne ; Kipling a été beaucoup plus inspiré par l'Inde lointaine que par sa terre natale ; Lawrence a fui l'Angleterre puritaine et a surtout trouvé ses thèmes au Mexique et en Italie... Reste Shakespeare qui, dans son théâtre, annonce tous ces thèmes de la culture britannique : voyages, exils, pouvoirs, conquêtes, rêve, fantastique, rapports tumultueux avec la langue-mère ou la langue d'adoption. Tous les genres, tous les tons, et bien des surprises dans cette littérature immense et féconde qui a eu une influence considérable non seulement dans l'émergence d'une littérature américaine au XIXᵉ siècle, mais aussi sur plusieurs littératures européennes, en particulier française et italienne. Mais si l'on cite facilement les «phares» — de Chaucer à Dickens —, on connaît en général assez mal en France certaines périodes. Il y a par exemple autour de Shakespeare de nombreux auteurs de théâtre dont les écrivains anglais d'aujourd'hui reconnaissent l'importance : Ben Johnson, Marlowe, Webster. Le XVIIIᵉ siècle britannique a eu aussi ses grandes figures (Swift, Pope, Richardson et Fielding).

Les démêlés avec la langue ont donné naissance à quelques jeux, à quelques expérimentations fascinantes chez des écrivains comme Swift, Lewis Carroll ou Joyce. Au rayon du fantastique, citons Walpole, Stevenson,

Wilde ou Golding. Les voyages répondent à un double attrait : celui qu'exerce le continent (Durrell installé dans le Midi de la France, ou Muriel Spark à Rome) et celui qui a joué en faveur de l'empire britannique, source immense d'inspiration. En retour, le Commonwealth contribue à la vitalité de la littérature anglophone, et de nombreux écrivains originaires des anciennes colonies vivent et travaillent à Londres. Autre originalité de la littérature anglaise, le nombre de ses femmes écrivains : les sœurs Brontë, Jane Austen, George Eliot, Virginia Woolf, Elizabeth Bowen, Jean Rhys, Doris Lessing, Iris Murdoch, Ivy Compton-Burnett, Muriel Spark, la lignée est sans égale dans la littérature mondiale.

Le choix de la bibliothèque idéale tente de refléter cette diversité, sans oublier les écrivains d'Afrique du Sud, de Nouvelle-Zélande ou d'Australie (J. M. Coetze, Katherine Mansfield ou Patrick White) qui, eux aussi, contribuent à la vitalité et à l'universalité de la littérature et de la langue anglaises. Mais toute l'Angleterre — et même certaines de ses anciennes dépendances — en quarante-neuf titres ! N'oublions pas que c'est d'abord un jeu... Et en cherchant bien, quelques-uns des oubliés de cette liste se retrouvent certainement dans d'autres rubriques, du roman d'aventures au roman policier, de la politique aux mémoires ou au théâtre... Shakespeare, auteur universel, est ici représenté par ses merveilleux *Sonnets* : on le retrouve bien sûr dans le théâtre, mais aussi dans les rubriques «politique» et «fantastique». Il en est de même pour des auteurs comme Joyce, Dickens, Conrad ou Swift.

La littérature anglaise

... en 49 livres

... en 25 livres

... en 10 livres

Emma
Jane Austen

Les Hauts de Hurlevent
Emily Brontë

Le Nègre du Narcisse
Joseph Conrad

Les Grandes Espérances
Charles Dickens

Ulysse
James Joyce

Poèmes
John Keats

L'Amant de Lady Chatterley
David Herbert Lawrence

Sous le volcan
Malcolm Lowry

Sonnets
William Shakespeare

Les Vagues
Virginia Woolf

Le Pèlerinage de Childe Harold
Lord Byron

Les Contes de Cantorbery
Geoffrey Chaucer

Moll Flanders
Daniel Defoë

Le Moulin sur la Floss
George Eliot

La Route des Indes
Edward M. Forster

Sa Majesté des Mouches
William Golding

La Puissance et la Gloire
Graham Greene

Tess d'Uberville
Thomas Hardy

Le Meilleur des Mondes
Aldous Huxley

Le Carnet d'or
Doris Lessing

Paradis perdu
John Milton

La Mer, la mer
Iris Murdoch

Les Mémoires de Barry Lyndon
William Thackeray

Portrait de l'artiste en jeune chien
Dylan Thomas

Poèmes élisabethains

Les Petites Filles
Elizabeth Bowen

Le Royaume des mécréants
Anthony Burgess

Ainsi va toute chair
Samuel Butler

En attendant les barbares
J. M. Coetzee

La Ballade du vieux marin
Samuel T. Coleridge

Des hommes et des femmes
Ivy Compton-Burnett

Le Quatuor d'Alexandrie
Lawrence Durrell

Poésie
Thomas S. Eliot

Tom Jones
Henry Fielding

La Fleur foulée aux pieds
Ronald Firbank

Le Mage
John Fowles

Confession d'un pécheur justifié
James Hogg

Poèmes
Gerard Manley Hopkins

L'Adieu à Berlin
Christopher Isherwood

La Taupe
John Le Carré

La Garden-Party
Katherine Mansfield

Le Fil du rasoir
William Somerset Maugham

La Caserne
John McGahern

Les Enchantements de Glastonbury
John Cowper Powys

Quartet
Jean Rhys

Pamela ou la Vertu récompensée
Samuel Richardson

Scoop
Evelyn Waugh

Le Char des élus
Patrick White

Les Quarante Ans de Mrs Eliot
Angus Wilson

• À vous de choisir le cinquantième livre. Peut-être est-il déjà dans votre bibliothèque.

... en 10 livres

Emma

Jane Austen   1815
Trad. par P.-E. de Saint-Segond   10/18
Une fille de pasteur que sa vie rangée à l'ombre d'une famille typiquement anglaise n'a pas détournée de son œuvre, publiée à compte d'auteur et anonymement. Description clinique d'une remarquable férocité de jeunes filles en quête de maris, de respectabilité et de religion : l'atmosphère prévictorienne qui est exprimée ici refoule sans y parvenir la recherche de soi dans l'absence qui est une figure du désir amoureux.

Les Hauts de Hurlevent

Emily Brontë   1847
Traduit par Charlotte Maurat
                        Gallimard et L. P.
Elle aurait été surprise du destin et du succès cinématographique (avec Heathcliff sous les traits de Laurence Olivier) d'un livre qui, à sa publication, ne fut vendu qu'à deux exemplaires. Avec ses sœurs Charlotte (auteur notamment de *Jane Eyre*, 1847) et Anne (auteur de *Agnes Grey*, 1847), Emily Brontë exprime, à travers l'histoire de Cathy et de son amant, un anticonformisme, une passion pour la liberté jusque dans la déchéance, et une observation critique de la société prévictorienne avec des qualités littéraires intactes aujourd'hui.

Le Nègre du Narcisse

Joseph Conrad   1897
Traduit par Robert d'Humières
et M.-P. Gautier   F.
Un navire est comme ensorcelé par la présence d'un homme. Que cet homme soit noir et malade, et voilà toute la mythologie du bouc émissaire et du sacrifice rejouée dans une société réduite mais presque magique.

Les Grandes Espérances

Charles Dickens   1861
Trad. par S. Monod   Garnier, Bouquins
Le destin de Pip, qui rêve de devenir un respectable gentleman grâce à un héritage qui lui vient d'un bagnard évadé, témoigne du pessimisme doublé de quelques idées généreuses (la promotion par l'école, la justice, le bien-être...), d'une œuvre prolifique (des *Aventures de Mr Pickwick*, 1837, à *Oliver Twist*, 1838 ou *David Copperfield*, 1849) : Dickens a tiré de sa propre existence (une petite bourgeoisie menacée de déchéance) toute la matière de ses livres et le modèle d'un héros adolescent incapable de contrôler son destin.

Ulysse

James Joyce   1922
Traduit par A. Morel, V. Larbaud,
S. Gilbert et J. Joyce   Gallimard et F.
Dublin, 16 juin 1904, une journée vécue par Léopold Bloom dont le chemin croise ceux de Molly, sa femme, et de Stephen Dedalus : tout entre dans cette œuvre saluée tardivement comme l'une des révolutions littéraires du XXe siècle, reportage, théâtre, registres de langage intégrés dans un «courant de conscience» fondé sur le monologue intérieur. Il faut se laisser prendre par la main et conduire au cœur d'une ville dont Joyce peut restituer l'âme «hémiplégique» au terme d'une quête ironique.

Poèmes

John Keats   1818
Traduit par Albert Laffay
                        Aubier-Flammarion
L'œuvre de ce poète disparu très jeune (25 ans) le place au cœur du romantisme anglais, où il célèbre la quête de l'idéal, de la beauté et du rêve. Souvent magique dans ses évocations de la nuit et de la nature.

L'Amant de Lady Chatterley

David Herbert Lawrence 1928
Traduit par Pierrette Fleutiaux
et Laure Vernière P. P.

L'œuvre scandaleuse en son temps qui valut la saisie de ses biens par la police d'un romancier d'inspiration romantique et d'une imagination panthéiste, qui croyait en une résurrection par la chair.

Sous le volcan

Malcolm Lowry 1947
Traduit par Jacques Darras Grasset

Dans une nouvelle traduction, une journée dans la vie d'un consul britannique au Mexique, emporté dans une dérive alcoolique : à travers cet ouvrage que traversent de multiples références à la Kabbale ou à la *Divine Comédie*, l'auteur exprime le désarroi de l'exil qu'il a connu au cours d'une vie de voyages et d'aventures. Un livre-culte.

Sonnets

William Shakespeare 1609
Trad. par Frédéric Langer La Découverte

Son théâtre lui vaut, bien sûr, de figurer sur plusieurs rayons de la bibliothèque idéale, puisqu'il aborde tous les thèmes qui nous intéressent aujourd'hui et se déplace dans toutes les formes dramatiques : pourquoi ne pas découvrir ici les 154 sonnets au ton de confidence à demi voilée, où Shakespeare joue avec l'amour, la cruauté de l'objet aimé, la recherche de l'immortalité... ? Ils permettent au lecteur de relire le *Songe d'une nuit d'été* ou *Comme il vous plaira* avec un point de vue renouvelé.

Les Vagues

Virginia Woolf 1930-1931
Trad. Marguerite Yourcenar Stock

Les pensées de six personnages tissent une étrange et belle polyphonie, et «les vagues se brisent sur le rivage». La parfaite réussite du monologue intérieur.

Le choix de Jean Gattegno

Spécialiste de littérature anglaise, et notamment de Lewis Carroll auquel il a consacré plusieurs ouvrages, traducteur à ses heures, Jean Gattegno place au sommet de sa bibliothèque idéale Dickens qui exerce sur lui la plus intense des fascinations, alors que Shakespeare suscite avant tout une très grande admiration. Ce sont les romanciers, plus que les poètes, qui emportent son adhésion. Les romanciers du XIXᵉ siècle avant tout. Après Dickens : George Eliot, Jane Austen et, sur la marge du siècle, Thomas Hardy. Ensuite viennent les romanciers du XVIIIᵉ siècle : Henry Fielding, qui apporte le plus grand plaisir au lecteur, Daniel Defoe et Laurence Sterne, le plus intelligent des écrivains. Ces trois auteurs savent captiver leurs lecteurs car ils connaissent à l'avance leurs réactions. Il faut y ajouter Richardson, moins connu en France, mais dont le *Clarisse Harlowe* est à l'origine de l'analyse psychologique et du roman épistolaire, et qui a exercé une considérable influence sur la littérature française de l'époque. Le troisième ensemble romanesque appartient au XXᵉ siècle, dominé, aux yeux de Jean Gattegno, par Joseph Conrad qu'il place plus haut, à son goût, que Joyce. Placés en retrait, mais débordant de qualités, viennent Evelyn Waugh, H. G. Wells pour ses romans naturalistes aujourd'hui oubliés (comme *Kipps*, l'histoire d'une âme simple), Graham Greene, l'écrivain qu'on peut lire dans un train sans avoir l'impression de lire de la littérature de gare et, plus proches, Iris Murdoch, Muriel Spark et Ivy Compton-Burnett. Quant à la poésie, Jean Gattegno prend beaucoup de plaisir à relire Keats et T. S. Eliot. Il reste cependant et avant tout un lecteur fervent du roman anglais.

... en 25 livres

Le Pèlerinage de Childe Harold

Lord George Gordon Byron   1812
Traduit par Paul Bensimon
et Roger Martin   Aubier-Montaigne

Childe, jeune homme en attente de cheva-lerie, parcourt l'Europe et exalte les pas-sions et la beauté, à l'instar de son créateur qui mourut à Missolonghi, aux côtés des combattants grecs.

Les Contes de Cantorbery

Geoffrey Chaucer   1387-1400
A rééditer d'urgence !

Une trentaine de pèlerins de toutes condi-tions (un chevalier, une mère prieure, un meunier...), en route vers le tombeau de saint Thomas Becket à Cantorbery, ra-content chacun une histoire. Satire, humour, verdeur : dans les vingt et un contes de ce recueil resté inachevé le poète du Moyen Age anglais a brossé un savou-reux et minutieux tableau de la vie outre-Manche au XIVe siècle.

Moll Flanders

Daniel Defoë   1722
Traduit par Marcel Schwob   F.

Commerçant, homme d'affaires, journa-liste, pamphlétaire, c'est à l'âge de soixante ans que Defoë se tourne vers la littérature. Trois ans (et deux romans !) après son *Robinson Crusoé*, il publie cette foisonnante histoire des «heurs et malheurs de Moll Flanders, qui vit le jour dans une prison de Newgate (...), fut pendant douze ans une prostituée, pendant douze ans une voleuse, mariée cinq fois (dont l'une avec son propre frère), déportée huit ans en Vir-ginie, et qui enfin fit fortune, vécut fort honnêtement et mourut repentie...». Un roman d'éducation.

Le Moulin sur la Floss

George Eliot   1860
A rééditer d'urgence !

Les deux enfants du meunier qui s'aiment d'amour tendre sont séparés puis réunis par une inondation : un hymne à la vie, par une romancière qui a influencé profondé-ment la littérature anglaise de la fin du XIXe siècle.

La Route des Indes

Edward Morgan Forster   1924
Traduit par Charles Mauron   10/18

L'impossibilité de rencontrer une culture étrangère et d'établir un dialogue avec les sujets de l'Empire, par un auteur passionné des autres et épris de beauté. Un livre à emporter en voyage.

Sa Majesté des Mouches

William Golding   1954
Trad. par Lola Tranec   Gallimard et F.

Des enfants naufragés sur une île déserte redécouvrent la cruauté et la barbarie : une fable dérangeante qui retourne un succès de la littérature enfantine anglaise (*Coral Island*, par R. M. Ballantyne), par le prix Nobel 1983 de littérature.

La Puissance et la Gloire

Graham Greene   1940
Trad. par Marcelle Sibon Laffont et L.P.

Le Mexique de la révolution. Un prêtre déchu, alcoolique et persécuté poursuit jusqu'au bout son rôle. Le rapprochement de la soutane et de la tequila fit scandale. Greene avait voulu montrer que la grâce éclot n'importe où.

Tess d'Uberville

Thomas Hardy   1894
Traduit par Madeleine Rolland
     Plon et L. P.

Faite pour le bonheur, Tess, séduite puis abandonnée, mariée puis laissée pour compte, devient meurtrière par amour : les ravages de la passion vus par un auteur qui, au milieu de l'ère victorienne, a voulu exprimer la violence du désir et la liberté du sexe.

Le Meilleur des Mondes

Aldous Huxley 1932
Traduit par Jules Castier Plon et P. P.
Une utopie sociale en l'an 2500. Éprouvettes, pilules et rationalisme étroit. Le roman le plus célèbre d'Huxley (il l'a prolongé par un essai : *Retour au meilleur des mondes*). Il a par ailleurs écrit aussi *Jaune de chrome* et *Contrepoint*.

Le Carnet d'or

Doris Lessing 1962
Traduit par Marianne Véron
Albin Michel et L. P.
Autour d'un roman — *Femmes libres* —, les quatre carnets de couleurs différentes rédigés par Anna : un mélange de fiction et d'autobiographie d'une romancière d'origine sud-africaine au talent fertile.

Paradis perdu

John Milton 1667
Traduit par Pierre Messiaen
Aubier-Montaigne
Le monument de la littérature anglaise. Les rapports tumultueux de Dieu et de Satan. Adam et Ève découvrant la liberté. Un énorme poème cosmologique.

La Mer, la mer

Iris Murdoch 1978
Trad. par S. Mayoux Gallimard
Un vieil homme se retire au bord de la mer et y retrouve tous les personnages qui ont traversé sa vie.

Les Mémoires de Barry Lyndon

William Thackeray 1844
Traduit par Léon de Wailly Plon
Un héritier de Tom Jones dans une nouvelle aventure picaresque librement adaptée au cinéma par Stanley Kubrick.

Le choix de Muriel Spark

Dans sa bibliothèque romaine, Muriel Spark (dont viennent de paraître un roman, *Les Célibataires*, et un recueil de nouvelles, *Pan pan, tu es morte*, chez Fayard) conserve une place de choix à la littérature anglaise qui la nourrit et l'inspire. Parmi les auteurs qu'elle relit fréquemment, Chaucer, pour le plaisir de la langue, Shakespeare bien sûr, Webster et Milton. Elle se réfère volontiers à un poète du XVIIe siècle, Andrew Marvell qui, comme elle, aima l'Italie. Du XVIIIe siècle, elle ne retient aucun poète, mais un roman qui l'enchante, *Tristram Shandy*, de Laurence Sterne, à ses yeux le maître de l'humour et de la satire. *Le Moine*, de M. G. Lewis, qui a imposé la vague du «roman noir», l'intéresse également. Le XIXe siècle reste marqué par Jane Austen, les sœurs Brontë, Dickens (qui lui paraît largement surestimé), Anthony Trollope, auteur notamment de *Barchester Towers* et *Doctor Thorne*, qui connut un grand succès populaire sous la reine Victoria, Henry James et, à la fin du siècle, Max Birnbaum. Au XXe siècle, la poésie de Yeats, qui exprime l'âme irlandaise dans *Le Crépuscule celte*, et de Wystan Auden, chez qui passe un souffle de mysticisme, l'influence encore : Muriel Spark est également poète. Parmi les romanciers modernes, elle rappelle l'importance de Katherine Mansfield, et, après-guerre, de Kingsley Amis, l'auteur de *L'Homme vert*, d'Iris Murdoch ou de Graham Greene. Muriel Spark a découvert avec ravissement Anita Brookner dont l'œuvre lui semble riche de promesses. Cependant, lorsqu'elle écrit, et elle passe le plus clair de son temps à sa table de travail, elle limite ses lectures aux «thrillers» noirs, policiers ou d'espionnage, dont elle affirme que John Le Carré est le maître incontesté. De l'autre côté du Channel, c'est Proust, dans la superbe traduction de Scott Moncrieff, qui a le plus fortement contribué à sa formation d'écrivain.

Portrait de l'artiste en jeune chien

Dylan N. Thomas 1940
Traduit par F. Dufau-Labeyrie
Seuil et P. S.

L'adolescence et l'expérience littéraire d'un poète gallois mort avant quarante ans, et dont l'inventivité langagière influencera la poésie anglo-américaine de l'après-guerre.

Poèmes élisabéthains 1525-1650

Anthologie bilingue établie
par Philippe de Rothschild 1969
Seghers

Donne, Fletcher, Beaumont, Marlowe, Bacon, Nash et quelques autres grands méconnus réunis autour de Shakespeare et magnifiquement traduits par un fin connaisseur.

... en 49 livres

Les Petites Filles

Elizabeth Bowen 1964
Traduit par Amélia Audiberti 10/18

L'héritage de Virginia Woolf assumé par une romancière irlandaise sensible à la cruauté du monde (notamment à l'égard des enfants) et qui a cherché, à travers la forme romanesque, une « vérité poétique ».

Le Royaume des mécréants

Anthony Burgess 1985
Traduit par Robert Pépin Grasset

Jésus, saint Paul, les apôtres, la philosophie grecque, la Rome impériale... La vision originale d'un romancier dont la diversité d'inspiration va de l'Antiquité à la science-fiction (*Orange mécanique*) en passant par l'époque napoléonienne (*La Symphonie Napoléon*).

Ainsi va toute chair

Samuel Butler 1903
Trad. Valéry Larbaud Gallimard et F.

À travers plusieurs générations la satire des institutions familiales dans l'Angleterre puritaine victorienne.

En attendant les barbares

J. M. Coetzee 1930
Traduit par Sophie Mayoux Seuil

Le pouvoir, la guerre et la liberté : une fable politique d'une grande violence, par le plus grand romancier d'Afrique du Sud.

La Ballade du vieux marin

Samuel Taylor Coleridge 1800
Traduit par Jean-Louis Paul
Pastor, Ressouvenances

Comment être soi dans un monde qui vous est étranger ou hostile ? Ce long poème récapitule toutes les possibilités d'un destin à la recherche de l'unité et de l'amour.

Des hommes et des femmes

Ivy Compton-Burnett
Trad. par J.-R. Vidal Gallimard et F.

Un huis clos victorien en plein XVe siècle : l'auteur excelle à traduire un sentiment d'étouffement et de désespoir et à jouer avec la perfidie de ses personnages, parfois gratuite.

Le Quatuor d'Alexandrie

Lawrence Durrell 1957-1960
Trad. par R. Giroux Buchet-Chastel et L.P.

Juliette, Balthazar, Mountolive et *Cléa* : en quatre romans, les Anglais en Égypte. Une œuvre riche et passionnante, par un voyageur exemplaire.

Poésie

Thomas Stearns Eliot (1888-1965)
Traduit par Pierre Leyris Seuil

Moins d'un poème par an mais à la longue une œuvre qui a marqué le siècle : *La Terre vaine* (1921-1922) ou les *Quatre quatuors* (1936-1942) sont des œuvres hermétiques et désespérées mais d'une immense musicalité.

Tom Jones, enfant trouvé

Henry Fielding 1749
Traduit par Francis Ledoux Gallimard

Avec *Les Aventures de Joseph Andrews* (1742), transposition des émois de la *Pamela* de Richardson, et *Tom Jones*, cet auteur à succès et au talent multiple renouvelle le genre picaresque, fait preuve d'un humour caustique et dénonce les défauts de la société anglaise au XVIIIᵉ siècle (pauvreté, corruption des juges, etc.).

La Fleur foulée aux pieds

Ronald Firbank 1923
Traduit par Jean Gattegno Rivages

Le chaînon entre Oscar Wilde et Ivy Compton-Burnett ou Forster : une extrême inventivité du langage au service de l'humour et de l'extravagance des situations. A découvrir : «Elle ne ferma son bloc-notes que vers l'aurore, quand la plume de son stylo prit feu ! »

Le Mage

John Fowles 1966
Traduit par A. Saumont Albin Michel

Entre farce, rêve et réalité, un roman baroque sur l'initiation à l'amour et l'illusion de la liberté, inspiré par *La Tempête* de Shakespeare.

Confession d'un pêcheur justifié

James Hogg 1824
Traduit par Dominique Aury Gallimard

Le romantisme vu des landes et des collines écossaises, par un berger autodidacte.

Poèmes

Gerard Manley Hopkins (1844-1899)
Traduit par Pierre Leyris Seuil

Un jésuite ascète visité par la poésie. Il joue dans la poésie britannique le rôle de Mallarmé chez nous. T.S. Eliot, Dylan Thomas sont sortis de lui. Traduction admirable de Pierre Leyris.

Au rendez-vous de Londres

Juste rétribution d'une littérature qui, de Bornéo à la Dominique, du Canada à la Birmanie et de l'Inde à l'Afrique du Sud, a épousé les limites de l'Empire : Londres est devenu aujourd'hui le rendez-vous des écrivains anglophones du monde entier, du Commonwealth ou d'ailleurs. Quelques positions exemplaires :

Salman Rushdie, l'auteur indien des *Enfants de minuit* (cf. le rayon asiatique de la bibliothèque idéale) ; son dernier livre est un reportage sur le Nicaragua ;

V. S. Naipaul, né à Trinidad d'une famille indienne, auteur cosmopolite, passionné autant par les Caraïbes, l'Afrique noire ou l'Inde ;

Kazuo Ishiguro, Anglais né à Nagasaki, qui vient de publier aux Presses de la Renaissance son dernier livre, *Un artiste du monde flottant*. Arrivé à l'âge de 6 ans en Angleterre, il n'en est jamais reparti, et est considéré comme l'un des jeunes auteurs les plus intéressants.

A mentionner également, les Américains qui, à l'exemple de Henry James, redécouvrent la vieille Angleterre : Paul Theroux (cf. son *Voyage excentrique et ferroviaire autour du Royaume-Uni*), Philip Roth, ou Alison Lurie, qui, dans *Liaisons étrangères* (Rivages), évoque avec drôlerie ce retour aux sources.

Shakespeare champion toutes catégories

En juin 84 (à l'occasion des élections européennes au Parlement de Strasbourg), *Lire* avait organisé en Europe un grand référendum littéraire. Français, Anglais, Allemands, Italiens et Espagnols avaient été invités à donner leur avis sur les plus grands écrivains européens (bien entendu, il s'agissait de voter pour des écrivains appartenant à un autre pays que le sien : ainsi les Français n'avaient-ils pas à indiquer leurs préférences en matière de littérature française).

L'Adieu à Berlin

Christopher Isherwood 1939
Trad. par L. Savitzky Hachette et J. L.

Un long récit autobiographique empreint de sensibilité, qui évoque le Berlin de *Cabaret*, la Grèce, Londres et Hollywood. L'histoire de toute une vie.

La Taupe

John Le Carré 1974
Traduit par J. Rosenthal Laffont

Le premier volume d'une trilogie qui comprend aussi *Comme un collégien* et *Les Gens de Smiley*. Le monde de l'espionnage, des agents doubles, triples ou quadruples, considéré comme un des beaux-arts. Et certainement pas un art mineur, contrairement à ce que prétend l'establishment snob anglais.

La Garden Party

Katherine Mansfield 1922
Traduit par M. Duproix Stock

Le chef-d'œuvre de cette femme de lettres néo-zélandaise réputée aussi pour son talent de nouvelliste, et qui mourut de tuberculose en banlieue parisienne.

Le Fil du rasoir

William Somerset Maugham 1944
Trad. par R. L. Dungre 10/18

D'Europe en Extrême-Orient et en Amérique, le « roman d'apprentissage » d'un jeune intellectuel en quête d'absolu.

La Caserne

John McGahern 1963
Trad. G.-M. Sarotte
Presses de la Renaissance

Les petits riens de la vie quotidienne d'une femme dans la société privinciale d'Irlande imprégnée d'une lourde tradition catholique.

Les Enchantements de Glastonbury

John Cowper Powys 1932
Traduit par Jean Queval Gallimard

Cet énorme livre traversé par une sorte de mysticisme érotique décrit la ville de Glastonbury tout en évoquant l'antique geste du roi Arthur.

Quartet

Jean Rhys 1928
Traduit par Viviane Forrester Denoël

La défaite du couple d'une Anglaise et d'un Polonais dans le Paris de la « génération perdue » que cette romancière née à la Dominique a connu. Jean Rhys est également l'auteur d'une remarquable correspondance qui fait revivre tout l'entre-deux-guerres européen.

Pamela ou la Vertu récompensée

Samuel Richardson 1740
Traduit par l'abbé Prévôt ·Nizet

Un roman épistolaire et un énorme succès public au milieu du XVIIIe siècle : les lecteurs ont versé des larmes sur le refus de Pamela de se livrer à la débauche. La version féminine des *Aventures de Joseph Andrews*.

Scoop

Evelyn Waugh 1938
Trad. par Henri Evans Julliard

Farce africaine dans laquelle ce maître de l'humour et de la satire peint sous un jour burlesque la faune des grands reporters.

Le Char des élus

Patrick White 1961
Trad. par Suzanne Nétillard Gallimard

Mort et rédemption de quatre inconnus qui se découvrent la même vocation mystique.

Les Quarante Ans de Mrs Eliot

Angus Wilson 1958
Traduit par Suzanne Nétillard F.

De père écossais, de mère sud-africaine, cet observateur désabusé des révoltes individuelles comme d'une société qui bride les instincts et le goût du bonheur dépeint ici avec mordant la crise de la quarantaine.

A l'issue du référendum, plus aucun doute n'était permis : partout, on avait massivement voté pour William Shakespeare, considéré comme le plus grand génie littéraire de tous les temps. Parmi les dix premiers figuraient encore, pour ce qui est des Anglais, James Joyce (9ᵉ place) et Charles Dickens (10ᵉ place). A noter : le premier écrivain français classé était Marcel Proust en... 6ᵉ position seulement (après Goethe, Cervantès, Dante et Kafka).

Repères historiques

La littérature anglaise existait-elle avant Shakespeare ? Certes oui ! On n'a que trop tendance à oublier que la langue anglaise fut officiellement pratiquée dès le XIVᵉ siècle (il est vrai que jusque-là, et grâce à Guillaume le Conquérant, l'aristocratie d'outre-Manche lui préférait l'usage du français). C'est en 1516 que Thomas More publia l'*Utopie*, premier livre d'importance en anglais. Moins d'un siècle plus tard (aux alentours de 1600), Shakespeare marquait définitivement de son génie toute la littérature européenne jusqu'à nos jours (voir ci-après). Le XVIIᵉ siècle anglais témoigne de l'austérité du temps, dont le *Paradis perdu* de Milton reste un excellent exemple. Bientôt fleurit l'âge des philosophes (Pope, Hobbes) tandis que le roman, camouflé sous la fable, se mêle de satire et de critique sociale (*Les Voyages de Gulliver*, par Swift) ou prend la forme du récit d'aventures (*Robinson Crusoé*, par Daniel Defoe). Aux romanciers du XVIIIᵉ siècle (Fielding, Sterne) succèdent les maîtres du fantastique (Walpole) avant de céder le pas aux romantiques du XIXᵉ : poètes (Blake, Shelley, Byron) et surtout ces romanciers qui restent pour nous les grands «classiques» anglais (Dickens, bien sûr, mais aussi Coleridge, les sœurs Brontë, Jane Austen, Walter Scott, Thackeray et tant d'autres). Le fantastique, lui, reste bien vivant, en particulier grâce à Lewis Carroll (*Alice*, 1865), tandis que l'Angleterre s'efface pour un temps devant le génie irlandais représenté par des noms prestigieux : Yeats, Synge (*Le Baladin du monde occidental*), Wilde ou le dramaturge George Bernard Shaw. Que dire enfin de la diversité du XXᵉ siècle ? La littérature anglaise s'épanouit sur tous les tons : la poésie (Eliot, Yeats), le merveilleux (Tolkien), le roman inspiré par la grandeur de l'Empire (Forster), la fiction renouvelée par l'expérience du langage (Joyce), la littérature d'introspection (Woolf), la science-fiction (Orwell, Huxley), le théâtre (Pinter), la fable ou le récit contestataires (Lessing, Brehan). Sur tous les tons, et sous toutes les latitudes, comme en témoignent les innombrables écrivains anglophones venus d'ailleurs, qui donnent à la littérature «anglaise» d'aujourd'hui une dimension exceptionnelle.

Le rêve asiatique

Un barbare en Asie : nous n'avons pas oublié l'admirable livre d'Henri Michaux en essayant de composer notre bibliothèque idéale des littératures d'Asie. Barbare, l'idée même de vouloir mêler des cultures aussi différentes que celles de la Chine et de l'Inde, du Japon et du Viêt-nam ? Oui, pour la raison. Mais sans doute pas pour notre sensibilité d'Européens pour qui l'Asie reste une immense *terra incognita* que l'on aime à percevoir d'un seul bloc, même si on la découvre avec une nécessaire lenteur.

On ne compte plus ceux de nos écrivains ayant succombé aux charmes de l'Orient. Paul Claudel, qui fut notre ambassadeur à Tokyo dans les années 20, y rédigea *Connaissance de l'Est* et traduisit de «petits poèmes d'après le chinois». André Malraux, non content d'«explorer» de fond en comble le temple de Banteay Srei au Cambodge, plaça dans un cadre asiatique trois de ses romans et un essai, *La Tentation de l'Occident*. Henri Michaux expérimenta quelques paradis artificiels typiquement asiatiques (opium, haschisch, etc.). N'oublions pas bien sûr Victor Segalen, dont les *Stèles* (déjà retenu pour le rayon poésie de «la bibliothèque idéale»...) et le *René Leys* — histoire d'une amitié entre un jeune Chinois et un Européen — témoignent d'une connaissance à peu près inégalée de la Chine. Ni, dans les marges du surréalisme, René Daumal, l'âme du *Grand Jeu*, qui apprit le sanscrit et traduisit la geste du *Bharata*. Et pourquoi ne pas mentionner Octave Mirbeau dont le *Jardin des supplices* enchanta la bourgeoisie «asiaphile» de la fin du siècle dernier ? Nous avons tous notre Asie à nous : enfants, nous avons, grâce à Hergé, tremblé avec l'inoubliable Tchang pour le sort de Tintin dans *Le Lotus bleu* ; étudiants, nous avons lu le Japon à travers la grille de *l'Empire des signes* de Roland Barthes. Plus récemment, Pascal Bruckner nous a forcés à réfléchir, dans *Parias*, sur les mirages de l'Inde, une mère qui ne dédaigne pas de dévorer ses enfants rapportés d'Occident.

A force de nous embarquer sur le paquebot de *Partage de midi*, d'accompagner le raid Paris-Pékin ou d'emprunter les chemins de Katmandou, nous avons eu de quoi rêver notre Asie. Il ne faut pas en rester là. Le rayon asiatique de « la bibliothèque idéale » — qui inclut quelques titres français — donne accès à une littérature qui, faute de traductions, a longtemps échappé aux lecteurs français, alors qu'elle était connue des spécialistes de ces langues et de ces cultures. Il est fondé sur une notion géographique d'un ensemble forcément hétérogène de cultures, de traditions et de langues, allant de la frontière indo-pakistanaise à l'archipel japonais. Une précision d'emblée : c'est ici la littérature qui est privilégiée, et si les grands classiques de la philosophie chinoise ou indienne ont été écartés, ils figurent en meilleure place dans ce livre. Notre choix, donc, établi d'après les avis de connaisseurs de l'Asie, apportera sans doute quelques surprises. Que faisions-nous lorsque Murasaki Shikibu rédigeait, dans le Japon de l'an mille, son roman *Le Dit du Genji* ? Des travaux de copistes dans les monastères... La beauté et le raffinement de certains textes chinois ou japonais rendent plus obscur encore notre Moyen Age. Quant à la littérature moderne qui, selon les cas, s'est plus ou moins imprégnée de culture occidentale, elle frappe par sa diversité de ton (de l'humour corrosif de Lu Xun au charme mystérieux de Kawabata) ou par les innovations de forme (récits glacés d'Abe Kôbô ou renouvellement de l'épopée chez Salman Rushdie). Le plaisir de la lecture sera ici redoublé par celui de la découverte.

Le rêve asiatique

... en 49 livres

... en 25 livres

... en 10 livres

Le Haïkaï selon Bashô
Bashô

Le Rêve dans le pavillon
rouge
Cao Xueqin

Les Belles endormies
Kawabata Yasunari

La Véritable Histoire de Ah Q
Lu Xun

Un barbare en Asie
Henri Michaux

Le Dit du Genji
Murasaki Shikibu

La Maison et le Monde
Rabindranath Tagore

Svastika
Tanizaki Junichirô

Vacances du pouvoir
Anthologie de poèmes Tang

Le Mahabharata

La Femme des sables
Abe Kôbô

La Vie sexuelle
dans la Chine ancienne
Robert Van Gulik

Le Fusil de chasse
Inoue Yasushi

Le Tireur de pousse
Lao She

La Mer de la fertilité
Mishima Yukio

Vita sexualis
Mori Ogai

Swami et ses amis
R.K. Narayan

Famille
Pa Kin

Les enfants de minuit
Salman Rushdie

René Leys
Victor Segalen

Notes de chevet
Sei Shonagon

Six Récits
au fil inconstant des jours
Shen Fu

Au bord de l'eau
Shi Nai-An et Luo Guan-Zhong

Anthologie de la poésie vietnamienne
Traduction collective

Le Ramayana
Version hindi de Tulsî Dâs

Contes de pluie et de lune
Akinari Ueda

Le préfet Yin
Chen Jo-Hsi

L'Écriture poétique chinoise
François Cheng

Un admirable idiot
Endô Shûsaku

Étude à propos des chansons
de Narayama
Fukasawa Shichiro

Le clodo du dharma
Poèmes de Han Shan

Rtusamhara
Kâlidâsa

Autobiographie
Kouo Mo-Jo

L'Amour de la renarde
Ling Meng-Tch'ou

La Tentation de l'Occident
André Malraux

Chants carya du Bengale ancien
Prithwindra Mukherjee

Bleu presque transparent
Murakami Ryu

Une maison pour M. Biswas
V.S. Naipaul

Je suis un chat
Natsume Sôseki

La Promesse tenue
Jawaharlâl Nehru

Vaste Recueil de légendes merveilleuses
Nguyen Dû

Dîtes-nous comment survivre à notre folie
Oê Kenzaburo

Contes étranges du cabinet Leao
P'ou Song-Ling

Cinq Amoureuses
Saikaku Ihara

Nuages et Pierres
Yuang Hong-Dao

La Tradition secrète du nô
Zeami

Histoire de Dame Pak
Anonyme coréen

Les Contes du perroquet
Contes indiens

La Vie de Pema-Obar
Drame tibétain

• À vous de choisir le cinquantième livre. Peut-être est-il déjà dans votre bibliothèque.

... en 10 livres

Le Haïkaï selon Bashô

Bashô (1644-1694)
Traduit du japonais par
René Sieffert P.O.F.

Maître incontesté du haïku, Bashô, un fonctionnaire entré dans les ordres boudiques et devenu moine errant, vécut à l'ombre d'un bananier (d'où son nom qui se traduit par bananier). Il s'est attaché à écrire la douceur de vivre et la beauté du quotidien. Bashô est l'auteur de « journaux de voyage » où prose et poésie s'imbriquent étroitement.

Le Rêve dans le pavillon rouge

Cao Xueqin (1715-1763)
Traduit du chinois par Li Tche-Houa et
J. Alézais Gallimard

Publié dans la seconde moitié du XVIIIᵉ siècle, un gros roman sentimental à la chinoise qui connut un extraordinaire succès avant de devenir un classique.

Les Belles endormies

Kawabata Yasunari 1961
Traduit du japonais par
René Sieffert Albin Michel et L. P.

Les fantasmes amoureux d'un vieillard méditant sur sa vie passée : une atmosphère de volupté retenue et tout l'univers secret du premier — et seul — Nobel japonais.

La Véritable Histoire de Ah Q avec Journal d'un fou

Lu Xun 1918 et 1921
Stock

Inspirée par un épisode dramatique de l'histoire chinoise — l'échec de la révolution de 1911 —, l'histoire de Ah Q est une farce burlesque qui fit la réputation du maître de la littérature chinoise moderne.

Un barbare en Asie

Henri Michaux 1933
Gallimard

L'homme qui « voyageait contre, pour expulser de lui sa patrie, ses attaches de toutes sortes », explore ici « l'Inde et le reste ». Cet ouvrage permet de saisir les arrière-pensées de notre relation à l'Orient, et de voir comment, vingt-cinq ans auparavant, les « chemins de Katmandou » avaient été tracés.

Le Dit du Genji

Murasaki Shikibu (975-1013)
Traduit du japonais
par R. Sieffert P.O.F.

Dame d'honneur à la cour impériale, Murasaki raconte la vie du prince Genji, de ses favorites et du fils illégitime de sa dernière épouse. Un monument littéraire qui reste une source d'inspiration pour les écrivains japonais d'aujourd'hui.

La Maison et le Monde

Rabindranath Tagore 1915
Traduit de l'anglais
par F. Roger-Cornaz Payot

Ce prix Nobel (1913) épris de communion universelle, et désireux de traduire la musique de l'âme, ne fut pas seulement le mystique auquel on a voulu le réduire : c'est aussi un romancier au verbe riche et à la vision ironique, qu'il faut redécouvrir. Ici les rumeurs du monde moderne parviennent jusqu'au puissant maharadjah Nikil et perturbent la vie de sa maison.

Svastika

Tanizaki Junichirô 1928
Traduit du japonais par René de Ceccatty et
Ryôji Nakamura Gallimard

Tout le génie subtil et retors d'un maître incomparable dans ce roman fascinant qui illustre les thèmes favoris de son auteur : perversion sexuelle, esthétisme, et attachement au classicisme japonais.

Vacances du pouvoir, poèmes des Tang

VIIe-Xe s.

*Traduit du chinois
par Paul Jacob* Gallimard/Unesco

Sous la dynastie chinoise des Tang (618-907), tout honnête homme se devait de pratiquer calligraphie, peinture et poésie. Voici une anthologie des plus célèbres de ces poètes — Li Wang Wei, Li Bai ou Du Fu.

Le Mahabharata

IVe siècle av. J.-C. - IVe siècle ap. J.-C.
*Traduit du sanscrit par
J.-M. Péterfalvi* G. F.

Œuvre collective ou «création d'un brahmane de génie», cette épopée colossale relate la querelle meurtrière de deux groupes de cousins germains, les Pândava et les Kaurava, qui veulent s'approprier le monde.

... en 25 livres

La Femme des sables

Abe Kôbô 1962
*Traduit du japonais par
G. Bonneau* Stock

Un homme parti en vacances à la recherche d'insectes rares se retrouve prisonnier d'un village qui le met sous surveillance. Et lui fait perdre son identité.

La Vie sexuelle dans la Chine ancienne

Robert Van Gulik 1971
Gallimard

À partir d'un point de vue particulier, esquisse de l'évolution des mœurs et de la sensibilité chinoise. Étayé sur des textes originaux bien choisis et bien traduits, cet ouvrage est une mine d'informations captivantes.

Le choix de Vijay Singh

Vijay Singh est un journaliste et romancier indien (il est originaire du Rajasthan) installé en France depuis six ans. Après s'être passionné pour le surréalisme et le mouvement dada, il a collaboré à plusieurs journaux avant de faire en Inde un grand retour aux sources en descendant le Gange en bateau ; de cette expérience il a rapporté un «fleuve-roman» qui a été traduit en français sous le titre *Jaya Ganga. Le Fleuve et son double* (Ramsay). Ce qu'il déplore surtout ? Que l'on sache si peu, en France, de la jeune littérature du sous-continent ! Car il y a en Inde de grands écrivains, qui utilisent surtout le hindi ou le kannada, à moins qu'ils n'aient définitivement adopté l'anglais... Parmi les auteurs favoris de Vijay Singh, Rajarau — dont un livre, traduit dans les années cinquante, est depuis longtemps épuisé —, Lokenath Bhattacharya (un romancier indien qui écrit en bengali), Jainendra Kumar dont le *Sunita* (en hindi) n'existe ni en anglais ni en français. Mais son vrai regret est pour celui qu'il considère comme le plus grand poète d'aujourd'hui, Faïz Ahmed, un Pakistanais qui s'exprime en... ourdou et dont n'existe aucune traduction ! Avis aux éditeurs...

Le choix de Simon Leys

Traducteur, sinologue, enseignant, essayiste et, depuis peu, romancier, Simon Leys a eu l'occasion en 1983, pour *Lire*, de publier une «Petite bibliographie incomplète et subjective à l'usage de l'honnête homme». Signalons, parmi les titres d'œuvres chinoises qui n'ont pas été retenus dans notre bibliothèque idéale.

• en poésie, l'anthologie contenue dans *L'Écriture poétique chinoise* de François Cheng (Seuil, 1977) ;
• en littérature moderne : *La mauvaise herbe*, de Lu Xun (10/18) et *Six Récits de l'école des cadres*, de Yang Jiang (Bourgois).

Le Fusil de chasse

Inoue Yasushi 1949
Traduit du japonais par Sadamachi Yookoo,
S. Goldstein et G. Bernier Stock

Cet auteur passionné de culture française n'hésite pas à avouer son pessimisme : « Le bonheur sur terre ? C'est fini ! »

Le Tireur de pousse

Lao She 1936
Traduit du chinois par Denise Ly-Lebreton
Pékin, Éditions en langues étrangères

Peinture du petit peuple de Chine et vivacité du style : un des plus beaux romans modernes.

La Mer de la fertilité

Mishima Yukio 1970
Traduit de l'anglais par
Tanguy Kenec'hdu Gallimard

Une suite de quatre romans achevée en 1970 à la veille du suicide public (un « seppuku » devant les caméras de télévision) d'un écrivain controversé, mais dont l'œuvre continue d'exercer une grande influence.

Vita sexualis

Mori Ogai 1910
Traduit du japonais
par Amina Okada Gallimard

Un « apprentissage amoureux » décrit par le regard d'un clinicien.

Swami et ses amis

R.K. Narayan 1935
Traduit de l'anglais par
Anne-Cécile Padoux Acropole et Junior
Un écolier à Malgudi, ville imaginaire.

Famille

Pa Kin 1931
Traduit du chinois par Li Tche-Houa
et J. Alézaïs Flammarion et L.P.

A travers une saga familiale, la première révolution chinoise au début du siècle. Par le plus connu des auteurs contemporains.

Les Enfants de minuit

Salman Rushdie 1980
Traduit de l'anglais
par J. Guiloineau Stock

Mille et un enfants nés à minuit le jour de l'indépendance indienne (15 août 1947) sont dotés de pouvoirs magiques.

René Leys

Victor Segalen 1921
Gallimard

Dans ce chef-d'œuvre, « l'impossibilité de connaître la Chine devient une image universelle du mystère définitif de l'Autre » (Simon Leys).

Notes de chevet

Sei Shonagon (965-1020)
Traduit du japonais par
A. Beaujard Gallimard / Unesco

Écrite vers 1017 par une « dame d'honneur du palais de Tokyo », une initiation aux arcanes du bouddhisme.

Six Récits au fil inconstant des jours

Shen Fu (1763-1809)
Traduit du chinois par
Pierre Ryckmans Christian Bourgois

Un petit traité sur l'art de vivre qui fait entrer de plain-pied dans la vie quotidienne de la Chine du XVIIIᵉ siècle.

Au bord de l'eau

XVᵉ s.

Shi Nai-An et Luo Guan-Zhong
Trad. du chinois par J. Dars   Gallimard
Un chef-d'œuvre de traduction pour un
grand roman classique.

Le Ramayan (Ramayana)

Version hindi de Tulsî Dâs   XIIᵉ s.
Trad. par C. Vaudeville   Belles Lettres
Une épopée qui a alimenté des siècles de
littérature indienne.

Anthologie
de la poésie vietnamienne

Xᵉ-XXᵉ s.

Traduction collective   Gallimard
Des chansons choisies par des Vietnamiens
à Hanoi : dix siècles de poésie.

... en 49 livres

Contes de pluie et de lune

Akinari Ueda   (1734-1809)
Traduit du japonais
par René Sieffert   Gallimard et F.
Un mélange de magie, de fantaisie et de
réel pour ces contes fantastiques peuplés
de fantômes.

Le Préfet Yin

Chen Jo-Hsi   1976
Trad. du chinois par S. Leys   Denoël
Par une femme, des nouvelles que Simon
Leys a pu décrire en cette phrase : « La
seule œuvre d'art de l'ère maoïste ! »

L'Écriture poétique chinoise

François Cheng   1977
Seuil
La meilleure introduction à la poésie chinoise, par un esthète cultivé, sensible et
raffiné.

Le choix de
Jacques Roubaud

Le poète Jacques Roubaud, dont une
étude sur les troubadours, *La Fleur inverse*,
vient de paraître chez Ramsay, et qui a
publié au printemps un recueil de poèmes,
Quelque chose, noir (Gallimard), est l'un de
nos meilleurs experts en littérature japonaise. En prose, il recommande avant tout
Le Dit du Genji, de Murasaki Shikibu, une
œuvre capitale, à ses yeux, de la littérature
médiévale, les *Notes de chevet* de Sei Shonagon, dame d'honneur du palais de Kyoto
(écrit en 1017), *Les Heures oisives* de Urabe
Kenko écrit au début du XIVᵉ siècle (tous
sont publiés chez Gallimard). L'esthétique
du théâtre japonais est traitée par Zeami,
dans *La Tradition secrète du nô* (excellente
traduction de René Sieffert, Gallimard).
Quant à la poésie, Jacques Roubaud estime
que la lecture de *Fourmis sans ombre* (une
anthologie de Maurice Coyaud, éditée chez
Phébus) et du *Haïkaï selon Bashô* (Publications orientalistes de France) permet de
s'initier aux subtilités du haïku, une forme
poétique relativement récente en littérature
japonaise.

Le choix de
Tsutomu Iwasaki

Dans l'atmosphère feutrée de la Maison
du Japon, son directeur, Tsutomu Iwasaki
— également traducteur de Malraux, Sartre et Sollers —, discute avec des étudiants
de Claude Simon, un auteur très prisé au
Japon. Il accepte d'interrompre ce débat
pour dévoiler aux lecteurs de *Lire* ses préférences en littérature japonaise. Interrogé
sur les racines de la littérature contemporaine, il retient, de l'ère Meiji (1868-1912),
trois noms : Natsume Soseki, qui fit des
études en Angleterre avant d'écrire *Je suis
un chat* et *Le Pauvre Cœur des hommes* ;
Mori Ogai, un écrivain devenu médecin,
auteur notamment de *Vita sexualis*, un récit
d'expériences sexuelles envisagées sous
l'angle d'un clinicien ; Nagai Kafu

Un admirable idiot

Endô Shûsaku 1974
Traduit de l'anglais
par Nicole Tisserand Buchet/Chastel

Un jeune Français se perd dans le Japon d'aujourd'hui : un regard inattendu sur la Tokyo moderne.

Étude à propos des chansons de Narayama

Fukasawa Shichiro *(1834-1901)*
Traduit du japonais
par Bernard Frank Gallimard

Une nouvelle devenue célèbre grâce à la «ballade» (primée à Cannes en 1984) qu'en tira le cinéaste Imamura Shohei.

Le clodo du Dharma

25 poèmes de Han Shan déb. VIIIᵉ s.
Traduit du chinois par J. Pimpaneau
 Centre de Publications Asie Orientale.

Magistralement rendus en français, les vers inspirés d'un poète Tang génial et fou.

Rtusamhara

Kâlidâsa IVᵉ-Vᵉ s.
Traduit du sanscrit par R.-H. Assier
de Pompignan Belles Lettres

En sanscrit, une grande œuvre classique.

Autobiographie

Kouo Mo-Jo 1929
Traduit du chinois par
P. Ryckmans Gallimard

Les années de jeunesse d'un écrivain jugé par son contemporain Lu Xun comme «un intellectuel doublé d'un voyou».

L'Amour de la renarde

Ling Mong-Tch'ou *(1580-1644)*
Traduit du chinois
par A. Lévy Gallimard

Deux célèbres collections de contes : tout un panorama de la société traditionnelle.

La Tentation de l'Occident

André Malraux 1926
 Grasset, Gallimard

Sous la forme d'un échange de lettres entre un Français et un Chinois, la rencontre de deux univers opposés et complémentaires.

Chants carya du Bengale ancien

Anonyme Xᵉ-XVIᵉ s.
Traduit du bengali ancien par
Prithwindra Mukherjee Le Calligraphe

Des chansons traditionnelles populaires : les premiers écrits en bengali.

Bleu presque transparent

Murakami Ryu 1977
Traduit du japonais
par C. Okamoto Laffont

Un romancier récent et une vision originale du Japon de nos jours.

Une maison pour M. Biswas

V.S. Naipaul 1961
Traduit de l'anglais
par Louise Servicen Gallimard

Par un grand écrivain exilé de son Inde d'origine, un récit de la diaspora indienne.

Je suis un chat

Natsume Sôseki 1905
Traduit du japonais
par Jean Cholley Gallimard

Avec humour et dans un savant désordre, les aventures d'un nyctalope nippon.

La Promesse tenue

Jawaharlâl Nehru *(1889-1964)*
Traduit de l'anglais
par Monique Morazé L'Harmattan

Une anthologie de textes politiques écrits au cours d'une longue carrière, et une façon de découvrir, sous la figure de l'homme de l'indépendance indienne, le talent d'un écrivain.

Vaste recueil de légendes merveilleuses

Nguyen Dû   XVIᵉ s.
Traduit du vietnamien par le Dr Nguyên-Tran-Huan   Gallimard/Unesco
Sous couvert de légendes imaginées, une critique déguisée de la société du temps.

Dites-nous comment survivre à notre folie

Oê Kenzaburo   1979
*Traduit du japonais
par Marc Mécréant*   Gallimard
Un livre drôle et féroce et un regard très personnel de l'auteur sur notre époque.

Contes étranges du cabinet Léao

P'ou Song-Ling   *(1640-1715)*
*Traduit du chinois
par Louis Laloy*   Le Calligraphe
Prodiges, métamorphoses, fantômes, esprits et revenants : l'habituelle panoplie du fantastique chinois.

Cinq Amoureuses

Saikaku Ihara   1986
*Traduit du japonais
par Georges Bonmarchand*   Gallimard
Des contes réalistes presque libertins, et une savoureuse description des mœurs amoureuses.

Nuages et Pierres

Yuang Hong-Dao   *(1580-1610)*
*Traduit du chinois par
Martine Vallette-Hémery*   P.O.F.
Exquises petites pièces en prose d'un maître du XVIᵉ siècle.

La Tradition secrète du nô

Zeami   *(1363-1443)*
*Traduit du japonais par
René Sieffert*   Gallimard/Unesco
Un traité de théâtre qui a fixé avec précision les règles d'un genre fameux : le nô.

enfin qui fit un séjour en France et signa *La Sumida* (tous ces livres ont été traduits dans la collection «Connaissance de l'Orient», chez Gallimard/Unesco). Plus tard, Tanizaki Junichiro marque à son tour les lettres japonaises : il est l'auteur surtout de *Quatre Sœurs* (Gallimard), une longue et minutieuse description de la vie quotidienne dans une petite ville japonaise, et de *Svastika* (Gallimard). Kawabata Yasunari, lui, a bénéficié grâce à son prix Nobel d'une renommée internationale ; de lui, il faut lire *Pays de neige, Le Grondement de la montagne, Kyoto* et *Les Belles endormies* (tous publiés chez Albin Michel). Enfant terrible de l'après-guerre, nostalgique du Japon impérial, Mishima Yukio, dont le mode de vie choqua les Japonais, reste un auteur très controversé. Une grande partie de son œuvre romanesque (*Confession d'un masque, Le Pavillon d'or, La Mer de la fertilité*, etc.) ou théâtrale (*Madame de Sade, Cinq Nôs modernes*) a déjà été publiée chez Gallimard. Parmi ceux de la nouvelle génération, le directeur de la Maison du Japon conseille surtout la lecture de Dazai Osamu (*Soleil couchant*, Gallimard), d'Abe Kobo (*La Femme des sables et l'Homme-Boîte*, Stock) et d'Oe Kenzaburo (*Dites-nous comment survivre à notre folie*, Gallimard).

L'Asie, une jungle linguistique

L'Asie, une vaste jungle ? Sur le plan linguistique, sûrement ! Côté langues, l'Inde et la Chine se partagent sans doute la palme de la diversité. Car si le sanscrit a été en son temps le véhicule universel de la pensée indienne de l'Antiquité, le sous-continent aujourd'hui compte (en plus de l'anglais, très répandu), une bonne vingtaine de langues principales. Ourdou, bengali, hindi, bihari, tamoul ou teleugu : il y a de quoi donner le vertige ! Quant à la Chine, elle a longtemps masqué la diversité de ses dialectes en n'utilisant, pour sa littérature, qu'une langue figée, immuable et réservée à l'écrit : le «chinois classique». Des esprits frondeurs — Lu Xun à leur tête — ont pourtant réussi à impo-

Histoire de Dame Pak

Anonyme   XVIIIe s.
Traduit du coréen
par M. Orange   Éd. L'Asiathèque
Un des tout premiers textes écrits en langue coréenne et une description remarquable de la société du temps.

Les Contes du perroquet

Anonyme coréen
Traduit du sanscrit
par Amina Okada   Gallimard
60 légendes indiennes : ou comment un perroquet parvient à empêcher une femme volage de commettre l'adultère.

La Vie de Pema-Obar

Anonyme
Traduit du tibétain
par Anne-Marie Blondeau   P.O.F.
Un drame tibétain du répertoire classique.

Calligraphie chinoise

1

ser, dans les années vingt, l'usage écrit de la langue vulgaire. Et si les dirigeants de la Chine populaire ont fait de gros efforts pour étendre la langue de Pékin à tout le territoire, on ne saurait oublier que le cantonais reste la langue maternelle de plus de 20 millions de personnes. Un vrai casse-tête... chinois !

Haïku : le zen en trois vers

«Sorte de balafre légère tracée dans le temps» : ainsi Barthes parlait-il du haïku, ce poème japonais en trois vers qui s'est imposé comme la forme littéraire zen par excellence. Né au XVIe siècle dans la bourgeoisie, le haïku n'a acquis sa réputation définitive que lorsque Bashô, à la fin du XVIIe siècle, en a fixé les règles. Règles bien simples en apparence : faire saisir, en 17 syllabes seulement, l'impression de vacuité et d'harmonie qu'offre seule la contemplation bouddhique. Difficile en tout les cas de mesurer, en traduction, la subtilité qui se cache sous une trompeuse banalité : *Dans le vent d'automne / solitaire se dresse / une silhouette* (haïku de Ryokan). Parmi les grands maîtres du haïku, cette forme poétique où le non-dit reste l'essentiel, il faut surtout citer Bashô, Buson et Ryokan.

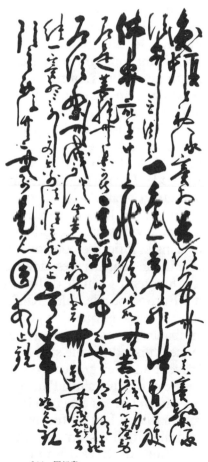

144 円頓章

Calligraphie japonaise

Littératures de la Méditerranée orientale et du Maghreb

Qui oserait prétendre que la mer sépare ? Pendant des siècles, voire des millénaires, la Méditerranée a permis la circulation entre ses rives, que ce soit à la voile, à la rame, ou même à la nage comme le fit Ulysse.

Si l'on ajoute que les déserts aussi ont été longtemps les lieux les plus favorables aux longues migrations, on ne s'étonnera pas que le Proche-Orient soit un lieu d'échanges, et donc de culture. Pour s'en tenir à notre époque, c'est encore la mobilité qui frappe, chez les auteurs issus de la Méditerranée orientale ou maghrébine. On les voit toujours entre deux rives, entre deux pays, et pour des raisons qui ne sont pas toutes politiques. Ainsi, Panaït Istrati, que l'on retrouve pendant vingt ans entre Istanbul, l'Égypte, et son pays d'origine la Roumanie, avant qu'il n'échoue sur les rivages de l'Occident. Cette pluralité de cultures et d'appartenances n'est pas forcément liée au goût de l'aventure, elle est aussi, pourrait-on dire, congénitale. Que l'on pense à Andrée Chédid, syro-libanaise autant qu'égyptienne, à Georges Schéhadé, Libanais né à Alexandrie, comme d'ailleurs le poète grec Constantin Cavafy.

Le nom d'Alexandrie ne figure évidemment pas par hasard dans cette évocation, pas plus que celui du Liban. La grande ville gréco-égyptienne symbolise une culture plongeant ses racines dans l'Antiquité pour mieux s'ouvrir sur la plus riche diversité humaine. Le Liban actuel, s'il est devenu — on ne le sait que trop — lieu de départ, fut longtemps lieu de diffusion et de transmission entre l'Orient arabe et l'Europe occidentale. Khalil Gibran, dont la vie fut pour une large part américaine et que l'on considère toujours comme le plus grand écrivain libanais, en est un remarquable exemple. Car cette circulation s'accompagne d'une admirable souplesse linguistique et la plupart de ces auteurs écrivent aussi en français ou en anglais. On est tenté d'attribuer tant de richesse et de diversité à l'ancienneté des cultures méditerranéennes, nourries par un terreau exceptionnel.

La tradition ici est double, puisqu'on est à la fois au lieu où fut inventée l'écriture, et dans un monde où le conte oral reste florissant.Écriture et oralité ne sont sans doute que les manifestations diverses d'un même fonds de sagesse et savoir mêlés, que l'on trouve en domaine méditerranéen parce que la civilisation y est un fait très ancien. Andrée Chédid nous le rappelle lorsqu'elle évoque *Néfertiti ou le rêve d'Akhnaton*. Et l'on comprend bien que cette profonde intelligence égyptienne, mêlée à la philosophie de la Grèce ancienne, se retrouve sous des formes modernes dans le bavardage enflammé d'*Alexis Zorba*, comme dans le Katsimbalis fascinant qu'évoque Henry Miller dans son *Colosse de Maroussi*. On pourrait dire qu'en ces hommes, personnages réels ou imaginaires, se rejoignent l'héritage de la culture savante la plus élaborée et celui de la tradition populaire. Cette Méditerranée est la terre des mythes, dans toutes les variations auxquelles ils donnent lieu. C'est ainsi que l'ogresse dont parle le Tunisien Nacer Khémir, ou Tahar Ben Jelloun dans *Harrouda*, constitue autant de réponses actuelles au Cyclope d'Homère.

Si la culture en Méditerranée ne peut rester savante ou livresque, c'est qu'elle est constamment réactivée, jusqu'à la violence inclusivement, par des tensions et des conflits qui réveillent la parole et la ponctuent de cris.

La littérature maghrébine en a donné la preuve après 1945 dans la tornade des indépendances. Les conflits actuels du Proche-Orient sont un autre avatar sur lequel la littérature arabe et la littérature israélienne apportent des témoignages passionnants. Il faut s'attendre à une écriture choquante et dure, d'autant qu'à la violence des affrontements entre peuples ou races s'ajoute celle de la confrontation sexuelle, dans un monde où les femmes sont traditionnellement recluses, et prennent désormais conscience de leur oppression (Hanna El Cheikh, Naoual El Saadaoui, Assia Djebar), même si ce sont encore les hommes (Rachid Boudjedra, Tahar Ben Jelloun) qui souvent disent la misère de la condition féminine traditionnelle, et les conséquences funestes de cette situation pour la sexualité masculine.

Ce thème permet d'ailleurs de tenter une définition pour cette littérature paradoxale, explosive mais plus discrète qu'il n'y paraît d'abord. Comme les très grands bavards, elle garde son secret.

Littératures de la Méditerranée orientale et du Maghreb

... en 49 livres

... en 25 livres

... en 10 livres

La Méditerranée
Fernand Braudel

Le Pain nu
Mohammed Choukri

Le Prophète
Khalil Gibran

Les Aventures extraordinaires
de Saïd le peptimiste
Émile Habibi

Paysages humains
Nâzim Hikmet

Nedjma
Yacine Kateb

Alexis Zorba
Nikos Kazantzakis

Mêmed le Mince
Yachar Kemal

Impasse des deux palais
Naguib Mahfouz

Un divorce tardif
Avraham B. Yehoshua

Le Livre de la migration
Adonis

Chants berbères de Kabylie
Jean Amrouche

Je vis!
Leila Baalbaki

Harrouda
Tahar Ben Jelloun

La Répudiation
Rachid Boudjedra

Les Terrasses d'Orsol
Mohammed Dib

Marie des brumes
Odysseas Elytis

Kyra Kyralina
Panaït Istrati

Un prince syrien face aux croisés
Ousâma

Saison de la migration
vers le nord
Tayeb Salih

Histoire de Vasco
Georges Schéhadé

Poèmes 1933-1955
Georges Séféris

Fragments : poème
Salah Stétié

Le Livre des jours
Taha-Hussein

Présentation critique
de Constantin Cavafy
Marguerite Yourcenar

Le Sixième jour
Andrée Chedid

La Mère du printemps
Driss Chraïbi

L'Amour la fantasia
Assia Djebar

Histoire de Zahra
Hanan El Cheikh

Parcours immobile
Edmond A. El Maleh

Les Lapins du commandant
Nédim Gürsel

La Route d'Ein Harod
Amos Kenan

La Mémoire tatouée
Abdelkébir Khatibi

L'Ogresse
Nacer Khémir

La Terre des passions brûlées
Béchir Khraïef

Agar
Albert Memmi

Le Fleuve détourné
Rachid Mimouni

À l'est de la Méditerranée
Abdel Rahman Mounif

Le Chef-d'œuvre sans queue ni tête
Yannis Ritsos

Ferdaous, une voix en enfer
Naoual el Saadaoui

Avant-corps
Jean Sénac

Trois contes de Jérusalem
David Shahar

Les Voix de l'aube
Fouad al Takarli

Combat contre la lune
Maguid Toubia

Cités à la dérive
Stratis Tsirkas

Le Rêveur de terre
Nadia Tuéni

Damas téléférique
Abdel Salam al Ujayli

Le Patrimoine culturel palestinien
dirigé par Maher Al-Charif

Écrivains de Tunisie
anthologie présentée par T. Baccar
et S. Garmadi

• À vous de choisir le cinquantième
livre. Peut-être est-il déjà dans votre
bibliothèque.

... en 10 livres

La Méditerranée

sous la direction de Fernand Braudel   1986
Ed. Arts et Métiers graphiques
« Voyager en Méditerranée, c'est trouver le monde romain au Liban, la préhistoire en Sardaigne, les villes grecques en Sicile, la présence arabe en Espagne, l'Islam turc en Yougoslavie. » Ce grand livre, superbement illustré, joint constamment le passé au présent. Ses principaux thèmes sont répartis en deux grands ensembles qui font leur place aux données naturelles (« L'espace et l'histoire ») autant qu'à l'apport des diverses cultures (« Les hommes et l'héritage »).

Le Pain nu

Mohammed Choukri   1980
Traduit de l'arabe
par Tahar Ben Jelloun   P.S.
Admirable exemple de « récit-vérité », ce terrible témoignage sur la vie à Tanger dans les années quarante est aussi bien un document sur le Tiers Monde que sur le Quart Monde. À lire en contrepoint du mythe actuel de Tanger.

Le Prophète

Khalil Gibran   1925
Traduit de l'anglais
par Camille Aboussouan   Casterman
Dans le sillage du *Zarathoustra* de Nietzsche, l'œuvre la plus célèbre du grand poète libanais qui vécut longtemps aux États-Unis où il est très connu encore aujourd'hui. Il l'est malheureusement fort peu en France.

Les Aventures extraordinaires de Saïd le peptimiste

Émile Habibi   1972-74
Traduit de l'arabe
par J.-P. Guillaume   Gallimard
Ce livre d'un militant palestinien, traduit en hébreu, a été un immense succès en Israël. De plus, sur un sujet aussi tragique que la question des territoires occupés, il a le mérite d'être fort drôle. À lire dans la « bonne » traduction, celle de Gallimard.

Paysages humains

Nâzim Hikmet   *(1902-1963)*
Traduit du turc
par Munevver Andac   La Découverte
C'est en prison, pendant la Seconde Guerre mondiale, que ce poète turc, disciple de Maïakovski, a composé cette immense fresque poétique, sorte de « géographie de l'âme » où défilent des milliers de personnages issus du peuple turc ou russe ou d'autres pays. À noter que l'*Anthologie poétique* d'Hikmet, publiée en 1964 par les Éditeurs Français Réunis, est rééditée chez Messidor. Elle comprend notamment les célèbres recueils *Paris ma rose, C'est un dur métier que l'exil.*

Nedjma

Yacine Kateb   1956
P.S.
L'œuvre la plus appréciée des littéraires dans toute la production maghrébine. Nedjma, femme énigmatique et séduisante, est devenue le symbole de l'Algérie en lutte pour son indépendance. Son nom en arabe veut dire étoile.

Alexis Zorba

Nikos Kazantzakis   1946
Traduit du grec
par Yvonne Gauthier   Plon et P. P.
Inspiré par un fait autobiographique (l'exploitation d'une mine de lignite dans le Péloponnèse avec Georges Zorba, ami de rencontre), ce roman assura une célébrité mondiale à son auteur, également moraliste et philosophe, influencé par Nietzsche, Bergson, le christianisme et la pensée hindoue. L'œuvre portée à l'écran fait désormais du personnage de Zorba l'incarnation de l'homme libre, dénué de tout préjugé, une « force de la nature » au sens à la fois banal et philosophique du mot.

Mémed le Mince

Yachar Kemal   1977
Traduit du turc par Guzine Dino   F.

Ce roman ouvre la série des *Mémed*, vaste fresque épique qui dit aussi bien la beauté de la nature anatolienne que les luttes sociales et l'effort des paysans pauvres pour survivre. L'œuvre de Yachar Kemal a été couronnée, en 1982, par le prix Del Duca.

Impasse des deux palais

Naguib Mahfouz   1956-1957
Traduit de l'arabe
par Ph. Vigreux   Lattès

Dans le premier volume de sa trilogie, le prix Nobel de littérature (1988) décrit avec minutie la vie et l'ascension, entre les deux guerres, d'une famille de la petite bourgeoisie du Caire. Étude de mœurs sur toile de fond d'une société en marche vers l'indépendance.

Un divorce tardif

Avraham B. Yehoshua   1981
Traduit de l'hébreu
par G. Seniak   Calmann-Lévy

Né à Jérusalem, vivant à Haïfa, cet écrivain est l'un des plus représentatifs de la nouvelle littérature israélienne. Un climat lourd, où se mêlent aliénation et maladie, se dégage du discours des membres d'une famille sur trois générations. Une vision moderne des problèmes d'Israël.

... en 25 livres

Le Livre de la migration

Ali Ahmad Sa'id, dit Adonis   1965
Traduit de l'arabe
par M. Faideau   Luneau-Ascot

Né en Syrie, naturalisé libanais, l'auteur des *Chants de Mihyar le Damascène* a su se choisir un nom aussi beau que ce qu'il écrit. Il est considéré comme l'un des poètes les plus importants de notre époque, pas seulement dans le monde arabe.

Tahar Ben Jelloun prix Goncourt 1987

Romancier, poète, dramaturge, journaliste, essayiste, membre du Haut Conseil de la Francophonie, Tahar Ben Jelloun est un écrivain marocain d'expression française, ce qui signifie qu'il a choisi et adopté, pour parler de son pays et de ses racines, une langue d'abord étrangère. Le prix Goncourt attribué à son dernier roman, *La Nuit sacrée* (Seuil), est un hommage rendu à ce choix, servi par la virtuosité de l'écrivain. Il témoigne aussi de la fascination exercée par un récit étrange et poétique, qui séduit de plusieurs façons.

Conte oriental, quête de la mémoire perdue, roman de l'identité et histoire d'une libération, *La Nuit sacrée* se présente d'abord comme la suite de *L'Enfant de sable* qui avait obtenu, lors de sa parution, un grand succès et avait failli être couronné. Cependant, pour son auteur, « il s'agit moins d'une suite que d'un roman autonome, où (il) met en scène la condition humaine qui persévère en se libérant. Tout ça est symbolisé par Zahra, dont le destin avait été gâché et détourné. Un malheur habitait cette fille, celui d'avoir été prédestinée et de refuser cela. C'est le malheur de ne pas correspondre à l'image rassurante que l'homme méditerranéen se fait de la femme, qu'elle soit épouse, sœur ou mère ». Ainsi, « Zahra est maudite parce qu'elle doit s'opposer à cette société machiste, et qu'elle va jusqu'au bout de sa révolte ». En effet, la fillette puis la jeune fille qui, par arrêt paternel, vit 20 ans durant sous l'identité d'un garçon se libère enfin, mais à quel prix !

« Le sens politique que je donne à ce roman, dit Tahar Ben Jelloun, c'est qu'il voudrait voir triompher la passion, la communion des âmes et des corps — j'insiste sur le corps — dans une société menacée par l'obscurantisme et l'étroitesse des esprits. C'est ce que, malheureusement, nous vivons dans certains pays méditerranéens et musulmans. »

Ajoutons encore que les lecteurs de *La Bibliothèque idéale* trouveront dans *La Nuit*

Chants berbères de Kabylie

Jean Amrouche 1939
L'Harmattan

Poète, essayiste, journaliste (ses entretiens radiophoniques avec Gide, Mauriac, Claudel, Ungaretti sont célèbres), ce kabyle chrétien a vécu dans les milieux littéraires à Tunis et à Paris, mais il n'a jamais oublié la poésie berbère orale entendue dans son enfance.

Je vis !

Leila Baalbaki 1958
Traduit de l'arabe
par M. Barbot Seuil (épuisé)

Ce roman a la violence d'un cri. Œuvre d'une jeune chiite libanaise, il dit toute la difficulté d'être des femmes arabes dans les milieux restés traditionnels.

Harrouda

Tahar Ben Jelloun 1973
Denoël

À travers l'évocation de cette ogresse mythique, c'est tout le rapport des hommes et des femmes dans le Maroc actuel qui se trouve mis en question.

La Répudiation

Rachid Boudjedra 1969
F.

Même thème que le précédent, mais avec plus encore de cruauté et de crudité pour évoquer certains aspects de la sexualité maghrébine. Tous les romans de ce professeur de philosophie témoignent du même souci de réveiller, sur les problèmes du monde arabe, la conscience de ses compatriotes.

Les Terrasses d'Orsol

Mohammed Dib 1985
Sindbad

C'est actuellement le dernier roman, énigmatique et puissant, de cet auteur algérien aussi fécond que discret, depuis qu'il débuta, en 1952, avec *La Grande Maison*, premier volet de sa trilogie «Algérie».

Marie des brumes

Odysseas Elytis 1978
Traduit du grec par X. Bordes
et R. Longueville La Découverte

Le prix Nobel 1979, traducteur en grec d'Éluard, Jouve, Lorca, continue la tradition surréaliste, tout en manifestant, en particulier dans ses derniers écrits, une préoccupation croissante pour les problèmes actuels de son pays.

Kyra Kyralina

Panaït Istrati 1924
F.

D'origine roumaine, d'expression française, un conteur-né qui met sa vie en récits. Ici, un hommage à la sœur, à l'enfance et à la pureté également perdues.

Un prince syrien face aux croisés

Ousâma
Traduit et adapté 1986
par André Miquel Fayard

C'est le récit autobiographique d'un prince arabe à l'époque des Croisades. Regard intéressant sur les chevaliers francs.

Saison de la migration vers le nord

Tayeb Salih 1970
Traduit de l'arabe
par A. Meddeb Sindbad

Le choc culturel de la rencontre Nord-Sud, vu par un écrivain soudanais, c'est-à-dire à la fois arabe et africain.

Histoire de Vasco

Georges Schéhadé 1956
Gallimard

Ce poète libanais d'expression française est surtout connu pour son théâtre, plein d'humour et de fantaisie, dans la lignée surréaliste. En collection «Poésie» (Gallimard), on peut également trouver ses *Poésies*; *Portrait de Jules*; *Récit de l'an zéro*.

Poèmes 1933-1955

Georges Séféris
Traduit du grec par J. Lacarrière
et E. Mavraki Mercure de France

En complément à l'œuvre poétique du prix Nobel 1963, lire son *Journal* des années 1945-1951, publié à titre posthume en 1973.

Fragments : poème

Salah Stétié 1978
Gallimard

Cent fragments pour faire un poème, manque le dernier.

Le Livre des jours

Moënis Taha-Hussein 1929-39
Traduit de l'arabe par J. Lecerf
et G. Wiet Gallimard

En 1947, la traduction française de ce livre, préfacée par André Gide, fit connaître à l'Occident ce grand intellectuel égyptien, devenu aveugle à l'âge de trois ans.

Présentation critique de Constantin Cavafy

Marguerite Yourcenar 1958
Gallimard

On s'accorde à reconnaître en Cavafy, né et mort à Alexandrie (1863-1933), le plus grand poète de la Grèce moderne. Son œuvre, publiée à titre posthume, est cependant restée assez longtemps incomprise avant de connaître un succès qui va grandissant.

... en 49 livres

Le Sixième jour

Andrée Chedid 1960
Flammarion

Parmi tant de beaux romans de cette femme de lettres égyptienne vivant en France, celui-ci, en hommage au film de Y. Chahine et à son interprète Dalida.

sacrée une rêverie poétique propre à les charmer. Il s'agit d'un pays merveilleux où les livres sont remplacés par de belles femmes qui s'offrent à les réciter : « Une firme avait engagé de jolies femmes qui apprenaient par cœur un roman, un conte ou une pièce de théâtre, et qui se proposaient, moyennant finances, de venir chez vous pour se faire lire, ou plus exactement pour dire le livre qu'elles avaient appris. » Pays fabuleux où le héros du livre se réfugie pendant ses nuits d'insomnie. Sous couvert d'invention poétique, T. Ben Jelloun propose ici un fantasme sans doute très partagé, puisqu'il permet d'ajouter les charmes des femmes à ceux des livres. Double diversité et double choix, entre ces « femmes brunes, blondes, rousses, des femmes jeunes, chacune représentant un type de beauté, un pays, une race, une sensibilité ». Y a-t-il un plus beau rêve ?

La Mère du printemps : l'Oum-er-Bia

Driss Chraïbi   1982
P.S.

Le Maroc berbère, aux jours de la conquête arabe : pour assister à l'arrivée légendaire du général Oqba jusqu'au bord de l'Atlantique en l'an 681.

L'Amour la fantasia

Assia Djebar   1985
Lattès

Double soumission, de l'Algérie par la France, de la femme par l'homme. C'est aussi la tragédie d'une femme algérienne qui en devenant écrivain se coupe de ses sœurs vouées à la langue dialectale.

Histoire de Zahra

Hanan El Cheikh   1983
Traduit de l'arabe
par Y. Gonzalez-Quijano   Lattès

Une chiite libanaise qui dénonce elle aussi le sort de la femme arabe. Quand la violence subie conduit jusqu'aux rives incertaines de la folie.

Parcours immobile

Edmond A. El Maleh   1980
La Découverte

Autobiographie complexe d'un Juif marocain.

Les Lapins du commandant

Nédim Gürsel   1985
Traduit du turc
par A.M. Toscan du Plantier   Messidor

Recueil de nouvelles. Vivre à Paris dans la nostalgie d'Istanbul.

La Route d'Ein Harod

Amos Kenan   1983
Traduit de l'hébreu
par Ch. Rochefort   Albin Michel

Plaidoyer d'un militant pour la paix israélo-arabe.

La Mémoire tatouée, autobiographie d'un décolonisé

Abdelkébir Khatibi   1971
Denoël

Sociologue et sémiologue, un écrivain marocain de langue française analyse, dans une sorte d'enquête autobiographique, les problèmes de la double identité et du bilinguisme.

L'Ogresse

Nacer Khémir   1975
La Découverte

Conte illustré, par un jeune Tunisien qui manie différentes formes d'expression pour transcrire l'imaginaire.

La Terre des passions brûlées

Béchir Khraïef   1969
Traduit de l'arabe par H. Djebnoun
et A. Djebar   Lattès

L'action de ce roman se situe dans le sud tunisien ; il décrit aussi bien la vie traditionnelle de l'oasis que la vie ouvrière moderne dans les mines de phosphate. On a comparé son auteur à Gorki. Il fait preuve d'un féminisme exceptionnel en son lieu et en son temps.

Agar

Albert Memmi   1955
F.

Brillante analyse romanesque de l'échec d'un «couple mixte». Né dans la communauté juive de Tunis, l'auteur traque en spécialiste les effets pervers du racisme dans différentes sociétés (*Portrait du colonisé*, *Portrait d'un juif*, *l'Homme dominé*, etc.). À lire aussi son autobiographie romancée : *La Statue de sel* (1953, Folio).

Le Fleuve détourné

Rachid Mimouni   1982
Laffont

Regard sans concession sur l'Algérie indépendante.

À l'est de la Méditerranée

Abdel Rahman Mounif 1985
Traduit de l'arabe
par Kadhem Jihâd Sindbad

Pour comprendre la tragédie des intellectuels arabes réfugiés politiques ou exilés.

Le Chef-d'œuvre sans queue ni tête

Yannis Ritsos 1977
Traduit du grec
par D. Grandmont Gallimard

Avec un sous-titre qui vaut bien le titre : *Mémoires d'un homme bien tranquille et qui ne savait rien.* Derrière le style incisif, l'œuvre de ce poète engagé qui subit la déportation témoigne d'une grande humanité.

Ferdaous, une voix en enfer

Naoual el Saadaoui 1977
Traduit de l'arabe par A. Djebar
et A. Trabelsi Ed. Des Femmes

Par une féministe égyptienne, l'histoire vraie d'une révoltée.

Avant-corps

Jean Sénac 1968
Gallimard

Texte précédé de *Poèmes iliaques* et suivi de *Diwan du Noûn.* «Car il n'y a pas de Révolution sans amour», a dit le poète assassiné.

Trois contes de Jérusalem

David Shahar 1984
Traduit de l'hébreu par M. Neige Périple

Remarquable talent de conteur de cet écrivain juif, né en Israël, dans une famille établie depuis quatre générations dans ce pays. On l'a souvent rapproché des plus grands, Proust, Dostoïevski...

Les Voix de l'aube

Fouad al Takarli 1980
Traduit de l'arabe par M. Faideau
et R. Turki Lattès

Premier roman irakien jamais traduit en français. C'est l'histoire d'une entrée convulsive dans la modernité, pour quelques personnages du livre, et pour le pays tout entier.

La bibliothèque de l'Institut du monde arabe

L'I.M.A. (Institut du monde arabe) a ouvert ses portes au public le 8 décembre 1987. Son architecture est déjà célèbre. La façade est d'une remarquable invention. Les carrés de verre et d'aluminium qui la constituent rappellent les motifs géométriques de l'Alhambra, mais ils sont aussi des diaphragmes qui s'ouvrent et se ferment selon l'intensité de la lumière extérieure. L'intérieur du bâtiment n'est pas moins digne d'admiration. On peut y découvrir toutes les richesses de la culture arabe. De la bibliothèque, il faut savoir qu'elle est ouverte à tous, y compris aux très jeunes, pour lesquels sont prévues des rencontres et des actions éducatives orientées vers le monde contemporain. Sa capacité totale est de 100 000 volumes; elle en rassemble actuellement 30 000 en français et en arabe. Tous les domaines sont couverts, de la cuisine à la broderie, aux tapis, aux voyages, en passant bien sûr par la littérature (4 000 volumes actuellement dont 50 % en littérature contemporaine), l'art, le droit, l'économie, etc. jusqu'aux méthodes audiovisuelles d'enseignement de la langue arabe. L'entrée de la bibliothèque est complètement libre et tout concourt à faciliter l'accès aux documents : classements par disciplines, dépliants explicatifs sur les principes du fonctionnement et surtout possibilités d'interrogations directes, en langage courant, des terminaux bi-alphabétiques installés dans les salles de lecture. De plus, avec un abonnement, il est possible d'emprunter des ouvrages (3 volumes à la fois) et même de les faire réserver.

Enfin, avec une capacité de 150 places assises, la bibliothèque se veut un lieu de rencontres à l'occasion des nombreuses manifestations culturelles (semaine du cinéma, concerts, expositions) organisées par l'Institut qui, bien sûr, possède aussi un important musée.

Combat dans la lune

Maguid Toubia 1986
Traduit de l'arabe
par R. Jacquemond Lattès

Recueil de nouvelles par un brillant auteur et cinéaste égyptien contemporain.

Cités à la dérive

Stratis Tsirkas 1960-1965
Traduit du grec par C. Lerouvre
et C. Prokopaki P. S.

Cette trilogie, suivie de *Printemps perdu*, a reçu le prix du Meilleur Livre étranger. Elle permet de mieux comprendre la guerre au Moyen-Orient et les réalités politiques de la Grèce moderne.

Le Rêveur de terre poèmes

Nadia Tuéni 1976
Seghers

Par une jeune femme libanaise, morte en 1983, un chant sur le malheur de son pays.

Damas téléférique

Abdel Salam al Ujayli 1974
Traduit de l'arabe par O. Petit
Publisud/Unesco

Roman d'éducation à Damas, dans les années soixante. Échec d'une tentative d'union entre l'Égypte et la Syrie ; le héros déçu retourne dans son village.

Le Patrimoine culturel palestinien

Ouvrage préparé par
Maher Al-Charif 1980
Sycomore/Unesco

Lire notamment : « Quelques expressions littéraires palestiniennes », par O. Carré.

Écrivains de Tunisie

présenté par Taoufik Baccar
et Salah Garmadi 1981
Sindbad

Anthologie de textes traduits de l'arabe, des années trente à nos jours.

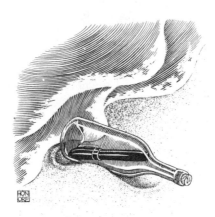

Le Roman de Baïbars : une gigantesque entreprise des Éditions Sindbad

Inconnu en Occident, *Le Roman de Baïbars* est un des principaux cycles narratifs populaires du Moyen-Orient arabe. Entre le récit picaresque et l'épopée, il appartient à un type de littérature particulier mi-écrit, mi-oral. Il en existe de nombreuses versions réparties en trois grands groupes selon leur origine : la tradition du Caire, celle de Damas et celle d'Alep. C'est cette dernière, datant vraisemblablement de la première moitié du siècle dernier, que les Éditions Sindbad, sous la direction de Pierre Bernard, ont entrepris de traduire. L'histoire du manuscrit est déjà fabuleuse : patiemment réuni par M. Chafîq Imâm, ancien conservateur du musée des Arts et Traditions populaires de Damas, il se compose de 400 fascicules, soit environ 36 000 pages d'un texte passionnant et drôle, écrit en langue populaire, souvent verte et imagée.

Quatre volumes sont actuellement parus :
1. *Les Enfances de Baïbars* ;
2. *Fleur des truands* ;
3. *Les Bas-Fonds du Caire* ;
4. *La Chevauchée des fils d'Ismaël.*

Le cinquième, *La Trahison des émirs*, est prévu pour le printemps 88. On doit cette formidable entreprise à deux universitaires spécialistes de la langue arabe, Georges Bohas et Jean-Patrick Guillaume. L'œuvre complète devrait atteindre les 60 volumes et être disponible dans les années 2000 !

Le récit de fiction ou plutôt d'imagination repose sur un contexte historique réel, embelli et romancé par des générations de conteurs publics. D'ethnie turco-mongole, le héros Baïbars, né aux environs de 1223, fut acheté enfant pour le compte du roi d'Égypte et de Syrie, Al-Malik Al-Sâlih pour intégrer le corps des mamelouks, sortes d'« esclaves militaires » qui jouaient un rôle important dans l'armée de la plupart des pays musulmans. Distingué par le roi, il va, à sa mort, participer au coup d'État qui instaurera un nouveau pouvoir, le sultanat mamelouk, qui durera jusqu'au XVIe siècle.

Là commencent les aventures héroïques de Baïbars : victoires de Mansourah (1250) où Saint Louis fut prisonnier, et d'Ayn Jalout (1260) qui stoppe l'invasion mongole, responsable notamment du saccage de Bagdad. Baïbars va dès lors régner sur Le Caire et Damas et poursuivre jusqu'à sa mort, en 1277, ses guerres contre les Mongols et les croisés reconquérant une série de places fortes comme le fameux krak des Chevaliers qui tomba en 1271. Mais il met aussi de l'ordre dans son royaume et s'attache à construire un pouvoir fort. Brave, juste, menant une vie pieuse et austère, il n'y a rien d'étonnant à ce qu'il soit devenu, dans l'imagination populaire, le modèle du « bon roi », défenseur de l'islam contre les « Infidèles », mais aussi des petits contre les puissants. Un personnage hors du commun et un récit qui révèle une dimension nouvelle de la littérature arabe.

Littératures d'Espagne

« Il n'y a plus de Pyrénées ! » se serait écrié Louis XIV lors de l'accession de son petit-fils Philippe V au trône d'Espagne. Et pourtant la littérature espagnole est en France une des moins connues des grandes littératures étrangères. L'Espagne se plaint aujourd'hui de cette méconnaissance avec amertume, mais cette situation n'est pas le fruit du hasard. Des raisons historiques sérieuses ont fait, jusqu'à ces derniers temps, de l'Espagne un pays replié sur lui-même, quelque peu provincial, tournant le dos à l'étranger. Tout au long du XIXᵉ siècle, elle devient une nation anachronique où l'armée et l'Église jouent un rôle de premier plan. Cette situation se prolongera jusqu'au rétablissement de la démocratie en 1977. De plus, la plupart des grands écrivains espagnols du passé lointain ou proche ont écrit, pourrait-on dire, malgré leur pays, ont connu l'exil intérieur, la prison, l'isolement ou ont dû fuir et abandonner leur patrie. Les citer serait faire le catalogue de tout ce que l'Espagne a compté de grands créateurs : Cervantès, saint Jean de la Croix ont connu la prison, Espronceda s'exile en France au siècle dernier ; plus près de nous le grand Unamuno meurt confiné dans sa maison de Salamanque, Machado à Collioure, Cernuda au Mexique et Lorca, le poète fusillé, peut être considéré comme le symbole de cette Espagne qui dévore les meilleurs de ses fils.

Si le public français ignore presque tout de la littérature du XIXᵉ siècle, les œuvres importantes de la génération qui a vécu la guerre civile sont bien connues. Lorca, par exemple, est l'écrivain espagnol le plus populaire, le plus lu, le plus représenté et les Français ont très vite reconnu la place immense qu'il occupe dans la littérature universelle, ils l'ont fait bien avant que l'Espagne n'ose prononcer son nom. Un écrivain comme Ramón Gómez de la Serna, dont presque toutes les œuvres sont disponibles en français, est lu ici plus que dans son pays.

Si, en français, nous pouvons nous battre contre des moulins à vent, bâtir des châteaux en Espagne ou échouer un soir dans une auberge espagnole, si des figures comme celles du Cid ou de Carmen sont présentes dans notre imaginaire collectif, c'est la preuve de l'influence de la culture espagnole. Même si la vision de l'Espagne qui s'est forgée en France au long des siècles n'a pas toujours correspondu à celle que l'Espagne officielle voulait montrer.

Littératures d'Espagne, et non littérature espagnole, annonce notre titre. À côté du castillan, langue majoritaire, le basque, le galicien et le catalan sont parlés dans leurs régions respectives. Et aujourd'hui, après un demi-siècle d'interdit, la littérature catalane est extrêmement vivace. Elle prolonge la grande tradition de Raymond Lulle, qui vivait au XIIIᵉ siècle, le plus grand philosophe espagnol qui fut aussi un grand poète.

Curieusement la production littéraire n'a pas été en Espagne principalement romanesque, l'époque contemporaine mise à part. Non que le roman n'y existe pas, mais depuis que don Quichotte est sorti de sa maison pour inventer le monde et le roman, l'Espagne s'est plutôt illustrée dans la poésie, le théâtre et l'essai. Ces trois genres correspondent peut-être davantage à la mentalité et à l'histoire de l'Espagne : la poésie, musique intérieure du repliement sur soi, le théâtre, instrument d'éducation morale, et l'essai, libre méditation philosophique loin des sommes et des systèmes. Le théâtre espagnol a offert au monde, grâce à Tirso de Molina, un des rares mythes inventés par la modernité : Don Juan, qui a connu une fortune sans cesse renouvelée dans une multitude de genres et de pays.

Depuis une dizaine d'années, l'Espagne s'est tournée vers l'Europe et l'Europe découvre l'Espagne. Il faudra cependant beaucoup de temps pour changer des habitudes vieilles de plusieurs siècles.

Littératures d'Espagne

... en 49 livres

... en 25 livres

... en 10 livres

Les Yeux verts et autres légendes
Gustavo Adolfo Becquer

Ocnos
Luis Cernuda

Don Quichotte de la Manche
Miguel de Cervantes Saavedra

La Régente
Leopoldo Alas, dit Clarin

Poésies
Federico García Lorca

Fuenteovejuna
Félix Lope de Vega Carpio

Stances sur la mort de son père
Jorge Manrique

Fortunata et Jacinta
Benito Perez Galdós

Sa vie, écrite par elle-même
Sainte Thérèse d'Avila

L'Abuseur de Séville
Fray Gabriel Téllez,
dit Tirso de Molina

Le Gueux ou la vie
de Guzmán d'Alfarache
Mateo Alemán

Doña Inès
José Martínez Ruiz,
dit Azorín

Aurore rouge
Pío Baroja

Le Magicien prodigieux
Pedro Calderón de la Barca

Très brève relation
de la destruction des Indes
Bartolomé de Las Casas

Les Solitudes
Luis de Góngora y Argote

Cantique spirituel
Saint Jean de la Croix

Poésies complètes
Fray Luis de León

Livre de l'Ami et de l'Aimé
Raymond Lulle

Poésies
Antonio Machado

La Vie de l'aventurier
Don Pablos de Ségovie
Francisco de Quevedo y Villegas

Histoire générale des choses
de la Nouvelle Espagne
Frère Bernardino de Sahagun

Le Sentiment tragique de la vie
Miguel de Unamuno

Tirano Banderas
Ramón del Valle Inclán

Poèmes
Garcilaso de la Vega

Valentin
Juan Gil Albert

Marin à terre
Rafael Alberti

Poésie totale
Vincente Aleixandre

La Forge
Arturo Barea

L'Art de birlibirloque
José Bergamin

Arènes sanglantes
Vicente Blasco Ibáñez

Mon dernier soupir
Luis Buñuel

San Camilo 36
Camilo José Cela

La Peau de taureau
Salvador Espriu

L'Étudiant de Salamanque
José de Espronceda y Delgado

La Veuve noire et blanche
Ramón Gómez de la Serna

Pièces d'identité
Luis Goytisolo

La Pointe ou l'art du génie
Baltasar Gracián y Morales

Cantique
Jorge Guillén Alvarez

Platero et moi
Juan Ramón Jiménez

Nada
Carmen Laforêt

Les Demeures du silence
Luis Martin Santos

La Tour de guet
Ana María Matute

Écrits en faveur de l'amour
José Ortega y Gasset

Le Château de Ulloa
Emilia, comtesse de Pardo Bazán

La Place du diamant
Merce Rodoreda

Le Jarama
Rafael Sanchez Ferlosio

Requiem pour un paysan espagnol
Ramón J. Sender

Le Poème du Cid
Anonyme

• À vous de choisir le cinquantième livre. Peut-être est-il déjà dans votre bibliothèque.

... en 10 livres

Les Yeux verts et autres légendes

Gustavo Adolfo Becquer   1870
Traduit par
Barbara de Léonardis   Ressouvenances

Le plus grand et presque le seul véritable écrivain romantique espagnol. L'essence même du romantisme dans ses formes les plus pures et les plus profondes se trouve dans ces légendes : le fantastique, le «gothique», l'esprit désincarné, la dimension mortelle ; des ombres dans des cloîtres, des mains aux fenêtres ; le pressentiment, et non la vision, exprimé dans une prose transparente et poétique.

Ocnos

Luis Cernuda   1963
Traduit par Jacques Ancet
     Cahiers des Brisants

L'un des plus grands parmi les poètes de langue castillane, le plus secret aussi, le moins bruyant. *Ocnos* est un recueil de poèmes en prose dans lequel Cernuda, exilé, «devant la laideur et la sordidité de l'Écosse» évoque merveilleusement Séville et son enfance, puis toute une autobiographie poétique qui lui permet de revivre dans le monde adulte l'unité perdue du Paradis. Pour Cernuda la poésie «est le résultat d'une expérience spirituelle, extérieurement esthétique, mais intérieurement éthique». Sa vie est l'unique source de sa poésie, c'est pourquoi son œuvre est si authentique.

Don Quichotte de la Manche

Miguel de Cervantes Saavedra   1605-1615
Traduit par Louis Viardot   G.

«L'histoire d'un fils sec, maigre, rabougri, fantasque, plein de pensées étranges et que nul autre n'avait conçues» ; voici comme Cervantès lui-même présente son héros au lecteur. Cervantès, inventeur du roman moderne, se place avec le «chevalier à la triste figure» au premier rang de la littérature universelle. Parodie de l'héroïsme, et déplacement de l'héroïsme sur le mode esthétique, idéalisme et réalisme en contradiction permanente, seule la beauté semble pouvoir survivre. Don Quichotte, grandiose ou ridicule ? Cervantès ne choisit pas, et c'est par cette profonde ambiguïté, ce doute installé au cœur de la réalité romanesque qu'il parle son langage à la conscience moderne.

La Régente

Leopoldo Alas, dit Clarin   1884
Traduit par A. Belot, C. Bleton,
J.-F. Botrel, R. Jammes
et Y. Lessorgues   Fayard

Enfin traduit en français le chef-d'œuvre du roman réaliste espagnol ! La Régente est une autre Emma Bovary dans la ville de Vetusta, nom symbolique s'il en fut ! Anna, jeune femme énergique et romantique, souffre de l'étroitesse et de la mesquinerie de la vie provinciale ; elle traverse une crise de religiosité mystique, manipulée par un prêtre ambitieux qui s'éprendra d'elle. Anna se laisse séduire par un Don Juan de sous-préfecture avant de subir le mépris de ses concitoyens, gens «comme il faut», timorés et hypocrites. La Régente ou comment une vie peut être détruite par l'ennui et les conventions.

Poésies
Le poète à New York
Chant funèbre pour I.S. Mejias
Le Divan du Tamarit

Federico García Lorca   (1898-1936)
Traduit par A. Belamick, P. Darmangeat,
C. Couffon et B. Sesé   Gallimard et P. G.

La rencontre pathétique de Lorca avec l'inhumanité de New York, ville «de fil de fer et de fange» parcourue par «des troupeaux de bisons poussés par le vent». Le *Chant funèbre* est une élégie à son ami mort dans l'arène : «Contemplez sa figure, la mort a recouvert son corps de soufres pâles et lui fait une tête de minotaure obscur. »
Quant au *Divan du Tamarit*, c'est une plongée au cœur de la pulsion érotique où la femme et l'adolescent s'identifient avant de ne laisser qu'une ombre du passé, inconnue et innommée.

Fuenteovejuna

Félix Lope de Vega Carpio   1618
Traduit par Louis Combet
                     Aubier-Flammarion

Une pièce « idéologique » qui a pour cadre un village de Castille en révolte contre la tyrannie de son gouverneur. Au juge chargé de découvrir le nom du meurtrier, le village tout entier répond d'une seule voix : « Fuenteovejuna » et exprime par là un sentiment de fierté héroïque et l'âme collective d'un peuple qui finit par faire triompher le droit que même le roi doit respecter. Une des plus attachantes et des plus souvent jouées de toutes les pièces de Lope de Vega qui en a écrit quelque huit cents dont trois cent quatorze nous sont parvenues.

Stances sur la mort de son père

Jorge Manrique   *(1440?-1479)*
Traduit par Guy Debord   Lebovici

Ces stances ont éternisé le nom de ce poète-soldat qui pleure la mort de son père, noble chevalier, survenue en 1476. Un rythme lancinant fait de ces quarante strophes un des sommets de la poésie lyrique où le chevalier accueille la Mort sereinement, accompagné de la gloire d'une vie probe et glorieuse.

Fortunata et Jacinta

Benito Perez Galdos   1887-1888
Traduit par Robert Marrast
                   Messidor/Temps Actuels

Juanito Santacruz, « Espagnol » superficiel et léger, entre deux femmes : son épouse, l'angélique Jacinta et Fortunata, fille du peuple, énergique et passionnée jusqu'au sacrifice. C'est le roman de la dialectique de la convention pusillanime et de la passion dont la trame est la maternité impossible de Jacinta et l'enfant que Fortunata lui donnera en un geste de réconciliation suprême. On y trouve aussi le personnage du fou, hérité de Don Quichotte. Le roman se déroule au cœur de Madrid et présente des couples de personnages contrastés, grands et vils. Une vision de l'Espagne.

Ils ont dit de l'Espagne

« Les Espagnols sont grands, ont le teint brun, sont orgueilleux, loyaux et humains, paresseux et sobres, patients et spirituels, très galants, moins jaloux qu'autrefois ; les femmes sont d'une taille petite et svelte, ont beaucoup d'esprit et de vivacité ; la langue espagnole, dialecte du latin mêlé d'arabe, est sonore, majestueuse et sublime, mais pauvre. »

        Dictionnaire portatif
      de géographie universelle
           Boiste, 1806

« Les noms retentissants de l'espagnol, ces noms qui ne peuvent être prononcés sans que déjà l'imagination croie voir les orangers du royaume de Grenade et les palais des rois maures. »

           Mme de Staël
           De l'Allemagne

« On ne remarque chez cette nation aucun de ces airs serviles, aucun de ces tours de phrase qui annoncent l'abjection des pensées et la dégradation de l'âme. La langue du grand seigneur et du paysan est la même ; les compliments, les habitudes, les usages sont les mêmes. »

           Chateaubriand
   Le Dernier des Abencérages

« Au loin la terre ressemble au paysan espagnol. Nue comme lui, elle s'étale au soleil dans son manteau troué d'ivraie. Elle est silencieuse comme lui ; nul ramage d'oiseau, nul babil de ruisseaux ni de feuillage. Sobre comme lui, la rosée seule la fertilise. Indépendante comme lui ; ni fossés ni haies, ni barrières ; l'égalité est gravée sur sa face. »

           Edgard Quinet
   Mes vacances en Espagne, 1857

« Ces enfants des douze Espagne, qui ont bien voulu consentir à ne faire qu'un royaume mais qui ne consentiront jamais à ne faire qu'un peuple. »

         Alexandre Dumas
    De Paris à Cadix, 1848

Sa vie, écrite par elle-même

Sainte Thérèse d'Avila   1588
Trad. par des carmélites de Clamart   Stock

Autobiographie spirituelle de l'écrivain mystique ; elle évoque son enfance dans la maison familiale où son âme connaît déjà l'inquiétude qui ne la quittera plus, la naissance de sa vocation religieuse, et les premiers signes de la faveur divine, puis son œuvre de réforme et ses visions et extases. Un texte puissant, direct, une mystique surgie de la vie elle-même. L'œuvre et la vie d'une femme, l'audace et la hardiesse de l'aventure.

L'Abuseur de Séville

Fray Gabriel Téllez,
dit Tirso de Molina   1630
Trad. par P. Guenoun   Aubier-Flammarion

La première œuvre qui présente la légende de Don Juan sous une forme artistique et crée le mythe qui connaîtra dans la littérature universelle les incarnations les plus diverses. Le Don Juan de Tirso est plus proche de celui de Mozart que de celui de Molière ; une sensualité insatiable le domine et c'est le pouvoir de la chair qui se rebelle ici contre Dieu. Le feu de l'Enfer cache mal l'intuition de la valeur du péché.

... en 25 livres

Le Gueux ou la vie de Guzmán d'Alfarache

Mateo Alemán   1599-1603
Trad. par M. Molho et J.F. Reille
Pléiade (Romans picaresques espagnols)

Le sommet du genre picaresque. Un noble bâtard traverse les bas-fonds sociaux et moraux. Le début de la grande tâche de démystification de l'Espagne, le début des voyages.

Doña Inès

José Martínez Ruiz, dit Azorín   1925
Traduit par G. Pillement
                  Nouvelles Éditions Latines (épuisé)

Ségovie, 1840 ; une histoire d'amour et de sacrifice ; le temps et la fatalité, la réalité et la légende ; l'écrivain et sa création. Il ne se passe presque rien dans ce conte qui paraîtrait léger sans l'atmosphère lourde de signification des personnes, des choses et des lieux.

Aurore rouge

Pío Baroja   1904
Traduit par Georges Pillement
                           Nouvelles Éditions Latines

Le roman de l'anarchie dans les faubourgs populaires de Madrid, au début du siècle. Pour Baroja, lucide, amer, fraternel et désespéré, l'aurore rouge n'est qu'une généreuse illusion.

Le Magicien prodigieux

Pedro Calderón de la Barca   1637
Traduit par Bernard Sesé
                                    Aubier-Montaigne

La lutte du diable pour conquérir une âme, celle du jeune Cyprien épris de la belle et sage Justina. Le tentateur promet puissance, succès, magie mais Dieu finit par l'emporter. Un Faust avant Goethe fort admiré des romantiques allemands.

Très brève relation de la destruction des Indes

Bartolomé de Las Casas   1552
Traduit par Franchita Gonzales Battle
                                       La Découverte

Réquisitoire contre les atrocités et le cynisme des conquérants des premiers territoires de l'Amérique espagnole, rédigé par un religieux dominicain à l'intention du roi Philippe II. Le premier défenseur des Indiens ne sera pas écouté mais il est resté comme la voix de l'honneur et de la justice.

Les Solitudes

Luis de Góngora   (1561-1627)
Traduit par Philippe Jaccottet   Seghers

La poésie pure où les mots, par leur sens et leur forme, éveillent de multiples échos, même si la syntaxe en souffre. Le poème devient labyrinthe, le langage aventure spirituelle, et le lecteur ne doit pas en chercher l'issue.

Cantique spirituel

Saint Jean de la Croix   1576-1578
Traduit par Mère Marie du Saint-Sacrement
Cerf

Œuvre poétique et mystique du moine Juan de Yepes écrite durant son emprisonnement dans une cellule de l'Inquisition. Chacun des poèmes est commenté par l'auteur et l'ensemble est une variation sur le Cantique des Cantiques : «A la recherche de mes amours, j'irai par monts et rivages, je ne cueillerai pas de fleurs, je ne craindrai pas les bêtes sauvages, j'irai par-delà les forts et les frontières. »

Poésies complètes

Fray Luis de Léon   *(1527-1591)*
Traduit par Bernard Sesé   Obsidiane

Les poèmes de Luis de Léon, moine augustin, «converso» (descendant de juif converti), ont été publiés en 1631 par Quevedo. La vision de Dieu est l'aboutissement suprême de la poésie du troisième grand mystique espagnol.

Livre de l'Ami et de l'Aimé

Raymond Lulle   *(1235-1315)*
Traduit du catalan
par J.-L. Monfort Llabinas
Nouveau Commerce

Cantique de 365 vers, un pour la méditation de chaque jour. L'Ami c'est l'âme, l'Aimé c'est Dieu. R. Lulle, philosophe et mystique, savant et croisé, réalise dans son œuvre la fusion de l'Orient et de l'Occident. «L'amour est cette chose qui met en servitude les hommes libres et affranchit les serfs. »

Poésies
Champs de Castille (1912)
Solitudes (1903)

Antonio Machado
Traduit par Sylvie Léger et B. Sesé
Gallimard

Deux recueils poétiques aux rythmes si simples qu'ils parlent à l'âme ; recherche de la vie intérieure, souvenir et réflexion ; temps présents et histoire, réalité immédiate, harmonie entre le poète et le monde.

«Une des principales causes de l'aspect désolé de ce pays, c'est le préjugé des paysans espagnols contre toute espèce de plantations. Croyant le voisinage des arbres malsain, ils rasent jusqu'aux moindres traces de végétation. »

Marquis de Custine
L'Espagne sous Ferdinand VII, 1838

Citations extraites de
Romantique Espagne, par L.-F. Hoffmann
P.U.F., 1961

Naturalisés Français, ces personnages espagnols de notre littérature

• RODRIGUE et CHIMÈNE (*Le Cid*, Corneille, 1636).
«Le soutien de la Castille et la terreur du Maure. »
«Chimène a l'âme haute, et, quoiqu'intéressée,
Elle ne peut souffrir une basse pensée. »

• DOM JUAN et ELVIRE (*Dom Juan*, Molière, 1665).
«Le grand seigneur méchant homme. »

• FIGARO (*Le Barbier de Séville*, 1765, *Le Mariage de Figaro*, 1781, Beaumarchais).
«Aux vertus qu'on exige dans un domestique, Votre Excellence connaît-elle beaucoup de maîtres qui fussent dignes d'être des valets ? »

Les héros des romans picaresques de Lesage (1668-1747) :
• DON CHERUBIN (*Le Bachelier de Salamanque*, 1736).
• ASMODÉE (nom français du DIABLE BOITEUX repris dans *Le Diable boiteux*, 1707).
• GIL BLAS DE SANTILLANE (*Histoire de Gil Blas de Santillane*, 1715).

Dans *La Comédie Humaine* de Balzac :
• JUAN, marquis de Léganès (*El Verdugo*, 1830) : bourreau de sa famille sur un ordre sadique d'un général napoléonien.

La Vie de l'aventurier Don Pablos de Ségovie

Francisco de Quevedo y Villegas   1626
Traduit par J.-F. Reille
Pléiade (Romans picaresques espagnols)

Les aventures d'un «vagabond exemplaire, miroir des filous»; le dernier des grands romans espagnols de «gueuserie»; la dissolution de la pensée picaresque dans l'anti-honneur du «picaro». L'homme y est réduit à la condition d'organisme physiologique et de pantin, caricature de la réalité humaine et sociale; le monde n'est plus qu'une fantasmagorie à la Jérôme Bosch.

Histoire générale des choses de la Nouvelle Espagne

Frère Bernardino de Sahagun   (1500?-1590)
Traduit par D. Jourdanet
et R. Siméon   La Découverte

La mémoire de la civilisation des anciens Mexicains, leur langue, leur vie, leurs arts et leur science, sauvés de l'oubli par ce franciscain dont l'ouvrage parut si explosif à Philippe II que le manuscrit, confisqué, ne fut retrouvé et publié qu'au XIXᵉ siècle.

Le Sentiment tragique de la vie

Miguel de Unamuno   1914
Traduit par Marcel Faure-Beaulieu
                            Gallimard

Essai sur l'angoisse religieuse du monde et de l'homme modernes. Unamuno y examine l'homme concret, à la fois chair et esprit, aux prises avec la souffrance et la mort, avec le désir d'immortalité. Dans son angoisse l'homme a inventé Dieu comme Don Quichotte, Dulcinée.

Tirano Banderas

Ramón del Valle Inclán   1926
Traduit par Claude Fell   Flammarion

Sur le thème des dictateurs grotesques et sanglants, un des précurseurs du «réalisme magique» dans le roman d'Amérique latine. Caricature impitoyable d'une société malade, synthèse esthétique et politique; style éblouissant qui unit la langue de l'Espagne et celles des Amériques.

Poèmes

Garcilaso de la Vega   *(1503-1536)*
Traduit par Paul Verdevoye
                    Aubier-Flammarion

Exilé à Naples et mort en France sous les murs de Fréjus, ce poète-soldat peut être une figure emblématique de tant de destins espagnols. Sa poésie chante les angoisses de l'amour, du temps et de la mort, son maniérisme s'y exprime de façon intime, humaine, moderne pour tout dire.

... en 49 livres

Valentin

Juan Gil Albert   1974
Traduit par Alain-Denis Christophe
                            Actes Sud

À l'époque de Shakespeare, le comédien qui incarne Othello étrangle sur scène Valentin-Desdémone. Une introspection sans travesti et sans pudeur.

Marin à terre

Rafael Alberti   1925
Traduit par Claude Couffon   Gallimard

Du dernier survivant de la génération poétique de 1927, la mer désirée et inaccessible.

Poésie totale

Vicente Aleixandre   *(1898-1984)*
Traduit par Roger-Noël Mayer   Gallimard

Pour le prix Nobel 1977, la poésie est d'abord communication, négation de la solitude humaine, grâce à l'authenticité de la parole vivante.

La Forge

                            1941
Arturo Barea   Gallimard

Le premier volet d'une trilogie : la formation d'un homme de condition modeste que le spectacle de l'injustice mène à la rébellion.

L'Art de birlibirloque

José Bergamin 1930
Traduit par Madeleine Sarrailh
Le temps qu'il fait

L'art du toreo, «conséquence birlibirlogique de la théologie», est une esthétique et une métaphysique du corps et de l'esprit.

Arènes sanglantes

Vicente Blasco Ibáñez 1908
Traduit par G. Hérelle P.P.

Par le plus traduit (après Cervantès) des écrivains espagnols, les amours tumultueuses et tragiques d'un torero et d'une «grande dame».

Mon dernier soupir

Luis Buñuel 1982
Laffont

Les mémoires du grand cinéaste iconoclaste aragonais.

San Camilo 36

Camilo José Cela 1969
Traduit par Claude Bourguignon
et Claude Couffon Albin Michel

La veille et le premier jour de la guerre civile à Madrid. Le train-train des vies anesthésiées en contraste avec le séisme historique.

La Peau de taureau

Salvador Espriu 1960
Traduit par Franchita Gonzalez Battle
La Découverte (épuisé)

À rééditer, ce recueil du plus grand poète catalan d'aujourd'hui. L'évocation des peuples de la Péninsule, de «Sefarad», à travers l'histoire des juifs en exil.

L'Étudiant de Salamanque

José de Espronceda y Delgado 1840
Traduit par M.-R. Foulché-Delbosc
Ressouvenances

Sur le thème de Don Juan, un conte romantique de la soif de la connaissance et de la liberté de l'esprit.

- L'abbé CARLOS HERRERA, nom d'emprunt du terrible VAUTRIN dans *Les Illusions perdues* (1837-1843).

- CARMEN et DON JOSÉ (*Carmen*, Prosper Mérimée, 1845).
«Tu as rencontré le diable.»

- ABEN-HAMET (*Le Dernier des Abencérages*, Chateaubriand, 1827), de retour à Grenade pour revoir le pays de ses pères.

- ESMERALDA, l'Égyptienne, et sa chèvre DJALI (*Notre-Dame de Paris*, Victor Hugo, 1831).

- DONA PROUHÈZE (*Le Soulier de Satin*, Paul Claudel, 1929).
Elle laisse une de ses chaussures à la Vierge pour aller vers le mal «avec un pied boiteux».

- BOABDIL (*Le Fou d'Elsa*, Aragon, 1963).
La chute de Grenade et de son dernier roi.

Quelques points de repère

711 : Victoire de Tarik, de la dynastie des Omeyyades, sur Roderic, roi des Wisigoths. Début de la domination arabe.
1031 : Début de la reconquête.
À partir du XIIIe siècle, ne reste plus que le royaume de Grenade. Alhambra.
1099 : Mort de Rodrigue Diaz de Bivar à Valence, conquise sur les Maures.
1492 : Prise de Grenade par Ferdinand d'Aragon et Isabelle la Catholique.
Découverte de l'Amérique.
Expulsion des maures et des juifs.
1516-1556 : Charles Quint hérite du trône d'Espagne et de son empire.
Est élu empereur en 1519.
1556-1621 : Philippe II, roi d'Espagne. Construction de l'Escurial, capitale, monastère et cimetière des rois.
1534 : Fondation de la Société de Jésus par Ignace de Loyola.
1588 : Anéantissement de l'Invincible Armada.

La Veuve noire et blanche

Ramón Gómez de la Serna 1917
Traduit par Jean Cassou Lebovici

Une variation brillante, drôle et cynique sur l'érotisme du blanc et noir ; l'amour d'un jeune homme pour une fausse vraie veuve.

Pièces d'identité

Luis Goytisolo 1966
Traduit par Maurice-Edgar Coindreau
Gallimard

Panorama critique de l'Espagne franquiste à partir de l'histoire personnelle du héros. Constat de déracinement total, revendication du statut de paria, rejet des « valeurs » de l'Espagne traditionnelle.

La Pointe ou l'art du génie

Baltasar Gracián y Morales 1642-1648
Trad. par M. Gendreau-Massaloux
et P. Laurens L'Age d'Homme

Code de l'intellectualisme poétique, traité de rhétorique, redécouvert comme un des grands ancêtres du formalisme.

Cantique

Jorge Guillén Alvarez 1928
Traduit par Claude Esteban Gallimard

Poésie de la joie d'être au monde, de percevoir, de nommer. Accord total entre le monde, l'œuvre et le poète dans le dépouillement de l'expression.

Platero et moi

Juan Ramón Jiménez 1914
Traduit par Claude Couffon Seghers

Cette élégie en prose présente le petit âne Platero, « ce Marc-Aurèle des prés », comme le médiateur vers la reconquête de l'innocence perdue.

Nada

Carmen Laforêt 1945
Plon (épuisé)

Ce qu'il est resté après la guerre civile : rien et le néant (Le mot nada a les deux sens en espagnol).

Les Demeures du silence

Luis Martin Santos 1962
Traduit par A. Rouquié Seuil

Un jeune médecin, au cœur d'un univers absurde qui finira par le broyer. Étape ultime du roman, dissolution de l'individu, atmosphère de fin de partie.

La Tour de guet

Ana María Matute 1971
Trad. par M. Lévi-Provençal Stock

Roman d'apprentissage dans le cadre du Moyen Âge. Le héros deviendra un homme après la révélation que les valeurs apprises doivent être critiquées.

Écrits en faveur de l'amour

José Ortega y Gasset 1926-1927
Traduit par H. Saint-André
et F. Lannaud Distance

Du grand essayiste, mentor de la jeunesse intellectuelle d'avant la guerre civile. « L'amour est un talent *sui generis*, susceptible de toutes les gradations, jusqu'à la génialité. »

Le Château de Ulloa

Emilia, comtesse de Pardo Bazán 1886
Hachette (épuisé)

Par une femme qui n'a pas froid aux yeux, la peinture d'un monde rural barbare et dégénéré. Pardo Bazan a été haïe en Espagne comme Zola le fut en France.

La Place du diamant

Merce Rodoreda 1962
Traduit du catalan par B. Lesfargues
Gallimard

Une ouvrière raconte sa vie dans la Barcelone des années 30-40. Réalisme minutieux et intensité poétique.

Le Jarama

Rafael Sanchez Ferlosio 1955
Gallimard (épuisé)

Onze jeunes gens, un dimanche d'été, au bord du Jarama. L'expérience intérieure du vide et de la médiocrité.

Requiem pour un paysan espagnol

Ramón J. Sender 1953
Traduit par J.-P. Cortada Fédérop

La guerre civile et la réforme agraire dans un village aragonais qui vit au XXe siècle à l'heure de la féodalité du Moyen Âge.

Le Poème du Cid

Anonyme 1307
Traduit par E. Köhler
Klincksieck (épuisé)

Plus fiction que vérité historique, les aventures de Rodrigue Diaz, le «Cid Campeador» qui mourut seigneur de la grande ville musulmane de Valence.

1541-1613 : Le Greco.
1599-1660 : Velasquez.
1713 : Philippe V, petit-fils de Louis XIV, monte sur le trône d'Espagne.
1746-1828 : Goya.
1808 : Guerre de guérilla et soulèvement national contre Napoléon.
1810-1830 : Indépendance des anciennes colonies d'Amérique.
1881-1973 : Pablo Picasso.
1898 : Perte de Cuba et liquidation de l'empire colonial.
Crise intellectuelle et nationale dans la littérature.
1931 : Proclamation de la République.
1936-1939 : Soulèvement de Franco contre la République et guerre civile.
1975 : Mort de Franco. Rétablissement de la démocratie. Monarchie constitutionnelle.

Littératures d'Europe centrale

Il est bien sûr quelque peu contestable de regrouper sous une même rubrique des littératures appartenant à des cultures nationales ayant chacune son histoire, sa singularité, bref, son autonomie.

La difficulté d'établir une liste de titres « représentatifs » n'est pas ici due seulement à la part d'arbitraire inhérente à tout choix : d'une part, elle renvoie à un continent aux limites mouvantes et suppose donc résolues une identité et une unité qui se cherchent (Europe centrale ou Europe de l'Est ?) ; d'autre part, elle est davantage « représentative » de nos carences que de nos réalisations. Plus encore qu'à la curiosité des lecteurs elle en appelle à l'initiative des éditeurs. Ainsi, on aura lieu de s'étonner de ne trouver qu'un seul titre pour la littérature bulgare et pour la littérature roumaine. Mais le plus grand poète roumain, Eminescu, est absent des catalogues* et des romanciers bulgares contemporains, aussi importants que Iordan Raditchkov et Ivcailo Petrov, attendent toujours leur traducteur. Il n'en a pas toujours été ainsi, et le contraste entre la célébrité dont jouissaient, chez nous, de leur temps, des « classiques » de ces littératures et l'oubli dans lequel ils sont tombés aujourd'hui semblerait justifier la nostalgie d'un Kundera et sa thèse sur l'unité d'une culture européenne qui aurait été brisée par la montée en puissance de l'Union soviétique. Mais le découpage de Yalta ne suffit pas à expliquer, dans cette «Europe du milieu», au-delà des différences locales, une parenté spirituelle profonde qui, derrière le rideau de fer, unit des cultures et des sociétés soudées par une communauté de destin.

Bien avant cette déchirure tragique, l'histoire avait opéré un brassage dont on retrouve les effets dans les grandes œuvres de notre temps. Plus qu'un jeu formel, la littérature y est une expérience qui a depuis toujours une fonction de contre-pouvoir. C'est pourquoi, au-delà de la valeur intrinsèque des textes, c'est souvent leur signification, leur résonance qui a motivé leur place sur cette liste : d'où la fréquence des témoignages, d'où l'impossibilité de dissocier dans certaines œuvres phares l'intensité de l'écriture et le poids du message. Dépassant les clivages linguistiques et territoriaux, c'est un même esprit qui unifie ces littératures, c'est une même *tradition* qui attribue à la littérature une fonction de reconstruction des valeurs incompatible avec la gratuité ludique, avec le pur esthétisme de «l'art pour l'art».

* Une anthologie bilingue traduite par Jean-Louis Courriol est parue en Roumanie (Cartea Romaneasca, Bucarest).

Littératures
d'Europe centrale

Le Monde de pierre
Tadeusz Borowsky

Carnets de Varsovie
Kazimierz Brandys

Lumière oubliée
Jakub Deml

Indirecte
Peter Esterhazy

Audience Vernissage Pétition
Vaclav Havel

Un monde à part
Gustav Herling-Grudzinski

Sentinelle de nuit
Gyula Illyès

Qui a ramené Doruntine ?
Ismaïl Kadaré

Le Théâtre de la mort
Tadeusz Kantor

L'Exécutrice
Pavel Kohout

Témoin oculaire
Jiri Kolar

Le Visiteur
György Konrad

Le Traducteur cleptomane
et autres histoires
Deszö Kosztolanyi

Le Retour de Philippe Latinowicz
Miroslav Krleza

N.N.
Gyula Krudy

Le Roi des Deux-Siciles
Andrzej Kusniewicz

Un étrange mariage
Kalman Mikszath

Valérie ou la semaine des merveilles
Vitezslav Nezval

Tout près de l'œil
Marian Pankowski

Le Sang du ciel
Piotr Rawicz

Les Paysans
Ladislas Reymont

Le Plafond
Pavel Reznicek

La Bouche pleine de terre
Branimir Scepanovic

Sous le joug
Ivan Vasov

• À vous de choisir le cinquantième livre. Peut-être est-il déjà dans votre bibliothèque.

... en 10 livres

La Chronique de Travnik

Ivo Andritch   1945
Traduit du serbo-croate
par Z. Glouchevitch   L'Âge d'homme

Ce roman historique ne vise pas seulement à reconstituer avec autant de précision que de sensualité le microcosme d'une petite ville bosniaque à l'époque de Napoléon : à travers la peinture d'une société en déliquescence, le grand écrivain yougoslave parvient à l'universel en donnant une image inoubliable des forces et des lois qui pèsent sur la condition humaine.

Le Météore

Karel Capek   1934
Traduit du tchèque
par A. Van Crugten   L'Âge d'homme

Le Météore constitue avec *Hordubal* et *Une vie ordinaire* une trilogie romanesque et philosophique qui, bien que moins connue que les contre-utopies de Capek (*La Guerre des salamandres*, *La Fabrique de l'absolu*), est son œuvre la plus originale et la plus forte. Imbriquant habilement trois récits concentriques, *Le Météore* relate à travers cette pluralité de points de vue, tous ancrés dans l'imaginaire, la tentative de reconstituer une identité perdue et met en lumière la relativité de la vérité et de la réalité. Œuvre charnière où l'invention romanesque est constamment porteuse de réflexion critique.

La Forêt interdite

Mircea Eliade   1954
Traduit du roumain
par Alain Guillermou   Gallimard

Mircea Eliade est surtout connu comme historien des religions, mais il est également l'auteur d'une œuvre romanesque dont on commence tardivement à découvrir l'extrême importance. *La Forêt inter-* *dite* est certainement son roman le plus ambitieux et le plus accompli. Eliade y entrelace avec une grande maîtrise artistique l'analyse des destins individuels à la peinture d'une société agonisante, tout en exaltant à travers la fiction le sens du sacré.

Ferdydurke

Witold Gombrowicz   1937
Traduit du polonais
par G. Sedir   10/18

Ce roman étrange, à la fois désespéré et drôle, d'une ironie cinglante, s'attaque à l'ordre social qui transforme l'homme en un être conventionnel et artificiel. Son héros, âgé de trente ans, redevient enfant et retourne au lycée pour mieux mesurer les effets néfastes du système éducatif dans nos sociétés. Un livre qui a fait de son auteur l'un des plus grands écrivains contemporains.

Le Brave Soldat Chvéïk

Jaroslaw Hasek   1920-1921
Traduit du tchèque
par Henry Horejsi   Gallimard et F.

Le soldat Chvéïk n'est pas seulement l'incarnation éternelle de l'âme populaire tchèque et de sa résistance à l'oppression, il est une dénonciation par l'absurde du ridicule de tout pouvoir, cet anti-héros est surtout le modèle même d'un humour qui est la seule réponse possible aux vicissitudes de notre temps.

La Pensée captive

Czeslaw Milosz   1953
Traduit du polonais par
Prudhommaux et l'auteur   Gallimard

Czeslaw Milosz a reçu en 1980 le prix Nobel pour l'ensemble de son œuvre poétique, mais c'est par la publication en 1953 de *La Pensée captive*, «Essai sur les logocraties populaires», qu'il s'est fait connaître pour la première fois comme un extraordinaire éveilleur des consciences. Cet ouvrage où Milosz analyse avec perspicacité et profondeur la situation politique et culturelle des pays de l'Est a exercé une influence considérable sur l'évolution des mentalités non seulement en Pologne mais dans l'ensemble du bloc soviétique.

Une école à la frontière

Geza Ottlik   1959
Traduit du hongrois
par G. Kassaï   Le Seuil

Derrière l'argument de ce livre : les souvenirs juxtaposés de deux anciens «cadets» d'une école militaire sur le dressage qu'ils durent y subir, il faut percevoir un arrière-plan plus universel : une réflexion sur le conditionnement de l'être humain dans une société coercitive et sur les capacités de résistance qu'il peut trouver dans ses propres raisons de vivre et dans une fraternité humaine plus forte que l'égoïsme et que la volonté de puissance. Un chef-d'œuvre qui égale les *Désarrois de l'élève Toerless* et qui mériterait une nouvelle traduction.

Les Boutiques de cannelle

Bruno Schulz   1934
Traduit du polonais par T. Douchy,
G. Sidre et G. Lisowski   Denoël

On a souvent comparé Bruno Schulz à Kafka dont il a traduit *Le Procès* en polonais. Mais les nouvelles qui composent *Le Sanatorium au croque-mort* et *Les Boutiques de cannelle* participent d'un univers absolument original et possèdent un ton unique. On peut y voir l'expression la plus accomplie, peut-être, de ce fantastique de la banalité qui est l'un des traits spécifiques de la culture d'Europe centrale. Bruno Schulz «mythifie la réalité», c'est au cœur du quotidien qu'il découvre le merveilleux, qu'il nous introduit dans la «république des rêves».

Migrations

Milos Tsernianski   1953
Traduit du serbo-croate par Velimir Popovitch
                        L'Âge d'homme/Julliard

Ce roman qui raconte la «migration» des Serbes vers la Russie, à l'époque de la domination austro-hongroise, est, d'après Nicolas Milosevic, «la réalisation artistique la plus originale de la littérature serbe et l'une des plus étonnantes de la littérature moderne». Cette épopée d'un peuple

Le choix de Tadeusz Konwicki

«Mon écriture s'est nourrie des œuvres de Céline, de Proust, de Wodehouse, de Thomas Mann et du marquis de Sade pour la tradition occidentale et de Zeromski, de Dostoïevski, de Tchekhov, de Gontcharov pour celle de l'Europe de l'Est. Parmi les auteurs contemporains, mes préférences vont tout naturellement vers ceux qui aiment mes livres, même si nos écritures, nos personnalités, nos problématiques sont différentes. C'est une question d'attirance réciproque et d'affinités spirituelles. Milan Kundera est pour moi le plus autonome et le plus original parmi les écrivains originaires d'Europe centrale. C'est d'ailleurs l'auteur le plus lu en Pologne. Quant aux écrivains polonais contemporains qui font partie de mon univers, il me semble banal de dire que j'aime Gombrowicz, toujours très provocant et très stimulant intellectuellement. Tout en étant universel il construit ses romans à partir des complexes polonais dynamiques, passionnels. Depuis quelques années je m'intéresse plus particulièrement à la notion du temps et je lis beaucoup de mémoires et de journaux. Quant aux écrivains polonais vivants j'aime, bien entendu, les livres de Milosz pour qui j'ai un attachement fraternel. Il est, tout comme moi, originaire de ces territoires périphériques polonais qui ont été rattachés en 1945 à l'Union soviétique. C'est à travers son enracinement dans la culture européenne que j'ai compris ma propre situation dans le monde contemporain, à savoir ma généalogie littéraire européenne marquée en même temps par ma naissance dans une région particulière d'Europe. Parmi les livres que je lis et relis, on trouverait sans doute tous les livres de Kundera, le *Journal* de Gombrowicz et les essais de Milosz : *Une autre Europe, La Prise de pouvoir, Vue sur la baie de San Francisco.*»

déraciné à la recherche d'une patrie réalise «la synthèse, unique en son genre, de l'Histoire et de la vie intime, de l'élément lyrique et de la métaphysique».

L'Adieu à l'automne

S.I. Witkiewicz   1927
Traduit du polonais par
Alain Van Crugten   L'Âge d'homme

Peintre, dramaturge, romancier, essayiste, pamphlétaire, philosophe, S.I. Witkiewicz est certainement le créateur dont l'œuvre et la vie incarnent avec le plus d'intensité les convulsions de son époque. Son génie visionnaire et son «catastrophisme» se donnent libre cours dans ce roman qui annonce à la fois sa propre fin (Witkiewicz s'est suicidé en 1939) et une tragédie collective dans laquelle il pressentait une rupture historique et la fin de l'art et de la culture.

... en 25 livres

Le Silence noir

Geza Csath   1905
Traduit du hongrois
par Éva Brabant   Alinéa

Ces nouvelles d'un écrivain qui mérite d'être découvert nous introduisent dans un univers étrange, oscillant entre l'évocation d'un passé immémorial et l'abandon aux pulsions les plus morbides.

Terre inhumaine

Jozef Czapski   1944-1949
Traduit du polonais
par Bohomolec   L'Âge d'homme

Non seulement un document d'une valeur inestimable sur la terrible odyssée des Polonais déportés en Union soviétique pendant la Seconde Guerre mondiale, mais un livre d'une humanité poignante, imprégné d'une «culture» au plus haut sens du mot, dont on n'a plus idée aujourd'hui et dont Czapski, peintre, écrivain, collaborateur de *Kultura*, est l'un des derniers témoins.

Histoires

(choix de poèmes)

Vladimir Holan   1965-1976
Traduit du tchèque
par D. Grandmont   Gallimard

Un «maître des mots» dont la poésie «critique» creuse un sens qui est toujours au-delà des mots et dont l'hermétisme est l'expression de la plus haute exigence formelle et morale.

Une trop bruyante solitude

Bohumil Hrabal   1982
Traduit du tchèque
par Max Keller   Laffont

Dans la postérité de Kafka, Bogumil Hrabal s'affirme comme le plus grand prosateur tchèque vivant. Ce récit illustre avec une sobriété tragique la condition de la littérature dans la Tchécoslovaquie d'après 1968.

Les Demoiselles de Wilko
Le Bois de bouleaux

Jaroslaw Iwaszkiewicz   1933
Traduit du polonais
par P. Cazin   Vertiges et Autres

Le charme de la prose dense, limpide, musicale d'Iwaszkiewicz. Un climat, un ton inimitables pour suggérer avec autant d'intensité que de pudeur «la mélancolie du temps inexorablement perdu».

Anthologie
de la poésie polonaise

Constantin Jelenski   1982
                             L'Âge d'homme

«Une entreprise colossale... personne d'autre que Kot n'aurait pu la tenter, Kot a l'oreille absolue pour la poésie» (Aleksander Wat). Les poètes traduits par un poète. Un modèle d'intelligence et de goût.

Le Sablier

Danilo Kis   1972
Traduit du serbo-croate
par Pascale Delpech   Gallimard

Selon Piotr Rawicz, Danilo Kis a su « saisir les tripes mêmes de l'Être », il a écrit « une œuvre grandiose, puissamment charpentée qui fera date dans l'histoire des lettres contemporaines ».

La Petite Apocalypse

Tadeusz Konwicki   1972
Traduit du polonais
par Zofia Bobowicz   Laffont

L'humour, la lucidité, la tendresse baignent cette œuvre où les prosaïsmes dérisoires de la vie quotidienne servent de contrepoint à la tragédie de l'histoire et démontent les pièges de l'illusion lyrique.

La Plaisanterie

Milan Kundera   1967
Trad. du tchèque par M. Aymonin,
revu par C. Courtot et l'auteur
                        Gallimard et F.

Une petite farce dégénère et bouleverse la vie de Ludvik, ou comment la vie privée et la grande politique interfèrent. Ce roman qui a précédé le printemps de Prague est un grand moment de la littérature européenne.

Saül ou la porte des brebis

Miklos Meszöly   1968
Traduit du hongrois par Georges Kassaï
et A.M. de Becker   Le Seuil

D'après Meszöly, « ce que l'écrivain peut faire de mieux est de présenter l'obscurité de manière claire », cet art du non-dit, cette exigence de vérité est à l'origine, en Hongrie, d'une nouvelle poétique romanesque.

Pan Tadeusz (Messire Thaddée)

Adam Mickiewicz   1834
Traduit du polonais
par P. Cazin   Garnier

Ce poème épique est le chef-d'œuvre de Mickiewicz et sa lecture est indispensable pour comprendre les valeurs de référence de la culture polonaise. Il continue de génération en génération à pétrir la sensibilité de tout un peuple.

Le choix de Czeslaw Milosz

Parmi les auteurs qui l'ont formé il y a d'abord les poètes polonais : Mickiewicz, Slowacki et, dans la poésie du XXᵉ siècle, Iwaszkiewicz et, en général, l'école de Skamander. Les romans de Stanislaw Ignacy Witkiewicz, mais aussi de Karel Capek. Parmi ses contemporains, il attache de l'importance aux essayistes polonais, très différents de leurs collègues de l'Ouest : Jerzy Stempowski (Pawel Hostowiec) qui a vécu longtemps à Berne et qui, en plus de ses volumes d'essais en polonais, est l'auteur d'un livre en français, *La Terre bernoise* (qui mérite une réédition !). Josef Mackiewicz, romancier émigré et farouchement anticommuniste, lui paraît être également un auteur important : *Drogadonikad* (Les chemins qui ne mènent nulle part). Dernièrement Milosz a relu un livre de Zygmunt Haupt : *Perscien z papieru* (L'anneau de papier) qui l'a envoûté (publié par *Kultura* en 1963). Il mentionne aussi parmi les poètes : Gyula Illyès, Verroës, Herbert, Rozewicz. Dans le domaine de la prose il trouve *La Plaisanterie* de Kundera moins bon que les livres que celui-ci a écrits plus tard. Quant à ses propres livres, il recommande tout particulièrement *Une autre Europe* (qui est une lecture obligatoire pour les diplomates français en poste dans cette partie de l'Europe) ou *Sur les bords de l'Issa*.

Le choix de Miklos Meszöli

Miklos Meszöly que l'on connaît en France par la traduction de *La Mort d'un athlète* et de *Saül ou la porte des brebis* est l'un des écrivains hongrois les plus importants d'aujourd'hui. Quand il a commencé à écrire, il avait le désir de réaliser une synthèse entre Flaubert et Dostoïevski, deux extrémités incarnant les deux mondes entre lesquels l'Europe centrale lui paraît vouée à une existence historique

Le Ciel en flammes

Jan Parandowski 1946
*Traduit du polonais
par Jean-Yves Erhel* L'Âge d'homme
Un admirable roman d'apprentissage du dernier grand classique des lettres polonaises : cette autobiographie à peine voilée raconte la révolte de toute une génération contre le règne des pères.

Les Fenêtres d'or

*(choix de nouvelles)
Adolf Rudnicki* 1954-1959
*Traduit du polonais
par Anne Posner* Gallimard
Émouvante chronique de la vie quotidienne des juifs polonais pendant la guerre, qui fait mentir le mot d'Adorno selon lequel «on ne pouvait plus écrire de poésie après Auschwitz».

Sonnets de Prague

Jaroslav Seifert 1968
*Traduit du tchèque par Henri Deluy
et Jean-Pierre Faye* Seghers
Prix Nobel de littérature en 1984, Seifert «joint à une maîtrise splendide de la tradition qui passe par des siècles de poésie tchèque écrite et orale l'impulsion de l'avant-garde au sens le plus élevé du mot» (Roman Jakobson).

Mon siècle — Mémoires parlés (Entretiens avec Czeslaw Milosz)

Aleksander Wat 1977
*Traduit du polonais par Gérard Conio
et Jean Lajarrige. Préface de Czeslaw Milosz*
L'Âge d'homme
«Un classique» de la littérature polonaise contemporaine. Dans cette somme de «notre siècle», le grand poète Aleksander Wat, en retraçant sa propre histoire, se fait le résonateur de l'Histoire.

... en 49 livres

Le Monde de pierre

*(choix de nouvelles)
Tadeusz Borowsky* 1945-1950
*Traduit du polonais
par Érik Veaux* Calmann-Lévy
Tadeusz Borowsky a introduit dans la prose polonaise un ton nouveau : il a fait revivre la tragédie des camps et des ghettos avec une concision et une âpreté à l'opposé des effusions romantiques. À rééditer d'urgence.

Carnets de Varsovie

Kazimierz Brandys 1981-1984
*Traduit du polonais
par Thérèse Douchy* Gallimard
Un témoignage indispensable pour comprendre de l'intérieur l'évolution de la société polonaise au moment de l'émergence de «Solidarité» : un chef-d'œuvre d'observation, d'analyse de soi et d'écriture.

Lumière oubliée

Jakub Deml 1934
*Traduit du tchèque
par Erika Abrams* Café Clima
Selon Roman Jakobson, «l'un des ouvrages les plus tragiques de la littérature tchèque» écrit par un frère spirituel de Léon Bloy dont on retrouve ici le génie de l'invective et l'anticonformisme absolu.

Indirecte

Peter Esterhazy 1981
*Traduit du hongrois
par Ibolya Virag* L'Harmattan
Rattraper le temps par la queue, telle semble être l'ambition de ce jeune écrivain hongrois qui entrelace avec bonheur dans un «discours infini» les résidus de l'expérience vécue et les méandres de la mémoire culturelle.

Audience Vernissage Pétition suivi de Lettre ouverte à Husak et du Manifeste de la Charte 77

Vaclav Havel   1975-1978
*Traduit du tchèque par Marcel Aymonin
et Stephen Meldegg*   Gallimard

Une mise en scène décapante de la vie quotidienne dans la Tchécoslovaquie « normalisée » : par son courage, sa lucidité, sa probité, Havel est devenu la conscience morale de son peuple.

Un monde à part

Gustav Herling-Grudzinski   1951
*Traduit de l'anglais
par William Desmond*   Denoël

Un témoignage sur les camps staliniens qui révèle un grand écrivain et qui, du fond de l'horreur, apporte un message de fraternité et d'espoir.

Sentinelle de nuit

Gyula Illyès   1973-1981
*Poèmes adaptés du hongrois par
Suzanne et David Scheiner*   Messidor

Une métaphysique du quotidien, une poésie à hauteur d'homme et toujours d'une intense singularité, admirablement traduite.

Qui a ramené Doruntine ?

Ismaïl Kadaré   1979
*Traduit de l'albanais
par Jusuf Vrioni*   Fayard

L'atmosphère fantastique des vieilles légendes imprègne un récit construit comme un roman policier pour évoquer un folklore imaginaire qui remonte aux sources de la création collective et orale.

Le Théâtre de la mort

Tadeusz Kantor   1975
*Textes réunis et présentés
par Denis Bablet*   L'Âge d'homme

Les manifestes et les écrits théoriques de l'un des plus grands rénovateurs du théâtre depuis la guerre : une œuvre forte, indispensable pour comprendre l'esthétique de notre temps.

amorphe, insaisissable. La mission de la littérature lui paraissait être justement de vaincre cet abandon fataliste à l'inertie du non-être. C'est pourquoi il s'est d'abord efforcé de donner à son écriture une forme close, compacte. À présent, il a évolué vers une formulation plus épique ; il voudrait retrouver une narration ancestrale. Il a renoncé au besoin d'absolu, à la tension entre le moi et le monde, à une recherche d'hygiène spirituelle dont *Film* (1976) est sans doute l'aboutissement. Désormais il veut laisser le monde venir à lui et il se tourne vers une forme plus limpide, plus lisible, plus anecdotique qui s'inscrit dans une tradition de la littérature hongroise représentée par : Jokai, Mikszath, Krudy pour le passé et, pour le présent, Esterhazy. Depuis toujours l'anecdote a été pour la littérature hongroise le moyen de contourner les contraintes politiques.

On peut voir une autre ligne en Czath, Gozdu, Cholnoky, celle d'individus torturés, impuissants à se réaliser complètement, prisonniers de leur subjectivité. Enfin, avec un Moricz, qui annonce curieusement l'écriture béhavioriste de Hemingway, ou Babits, on trouve une veine naturaliste liée aux circonstances sociales, au retard de la société. La littérature d'Europe centrale n'est pas un jeu, elle a « le poids du sang », ce qui la sépare de la tradition d'Europe occidentale, mais la rapproche des littératures sud-américaines. Il faut toujours se débattre contre les limites imposées au désir de dire la réalité. Cette limitation a eu des conséquences négatives sur la littérature mais a produit des genres nouveaux : la parabole a trouvé en Europe centrale un autre accent que dans les littératures occidentales. L'art pour l'art y est resté un paradis interdit : l'écriture est placée sous la loi de la nécessité, elle a la nostalgie d'une liberté impossible. Mais Meszöly est persuadé que la littérature a une responsabilité qui dépasse la seule dimension esthétique. Il croit que la littérature peut influencer le monde.

L'Exécutrice

Pavel Kohout 1979
Traduit du tchèque par Milena Braud
et Walter Weideli Albin Michel

La référence à une situation historique donnée sert de support à la création d'un mythe qui prend une portée universelle : celui de la « rationalisation et de la banalisation de l'horreur ».

Témoin oculaire

Jiri Kolar 1949
Traduit du tchèque
par E. Abrams La Différence

Le premier livre « antisocialiste » et « la poésie évidente » selon Kolar qui, dans ce journal, comme dans ses collages, sait faire jaillir la surprise et l'émotion de la banalité la plus grise.

Le Visiteur

György Konrad 1969
Traduit du hongrois
par V. Charaire Le Seuil

Porte-parole de sa génération, Konrad a su inventer un style, trouver une voix pour traduire avec force et justesse les doutes, les angoisses, les espoirs d'une société en mutation.

Le Traducteur cleptomane et autres histoires

Desző Kosztolanyi 1925-1935
Traduit du hongrois par Peter Adam
et Maurice Regnaut Alinéa

Dans ces aventures funambulesques de Kornel Esti, Kosztolanyi use de l'humour pour conjurer le désespoir auquel incline une vie dont le prosaïsme utilitaire est inconciliable avec le rêve, l'art et la poésie.

Le Retour de Philippe Latinowicz

Miroslav Krleza 1932
Traduit du serbo-croate par Mila Djordjevic
et Clara Malraux Calmann-Lévy

La splendeur crépusculaire de la vieille Europe dont le déclin est évoqué avec un lyrisme visionnaire : les saveurs d'un art sulfureux émanent voluptueusement d'une société pourrissante.

N.N.

Gyula Krudy 1919
Traduit du hongrois
par Ibolya Virag L'Harmattan

Le charme rétro d'un « style de vie » fin de siècle, mais aussi un art de la petite forme dont le raffinement annonce, dans son inachèvement nonchalant et concerté, les grandes œuvres du modernisme.

Le Roi des Deux-Siciles

Andrzej Kusniewicz 1970
Traduit du polonais par C. Jezewski
et F.-X. Jaujard Albin Michel

Plus que la fascination pour un monde disparu, celui des Habsbourg, il faut voir dans ce roman, écrit au présent, un jeu subtil d'échos, de correspondances entre deux « décadences », deux sociétés en état de crise.

Un étrange mariage

Kalman Mikszath 1900
Traduit du hongrois par H. Montarier
et C.-F. Révol Corvina-Budapest

Une leçon d'évidence littéraire : ce classique de la littérature hongroise nous restitue avec une fraîcheur intacte l'émerveillement lié au plaisir du texte le plus immédiat, le plus naïf.

Valérie ou la semaine des merveilles

Vitezslav Nezval 1935
Traduit du tchèque par Milena Braud
et Jean Rousselot Laffont

Un usage poétique de la parodie qui entremêle habilement les conventions du roman noir et celles du conte de fées par goût de la provocation autant que par amour du mystère.

Tout près de l'œil

Marian Pankowski 1974
Traduit du polonais par
M.-M. Castro L'Âge d'homme

Un humour dévastateur et libérateur : les dédoublements de l'exil magnifiés dans une fête du langage qui résout la dérision de soi en jubilation ludique.

Le Sang du ciel

Piotr Rawicz   1961
                                Gallimard

Écrit en français, l'unique roman de Piotr Rawicz révèle un immense écrivain et, par son expressionnisme tragique, son humour désespéré, a sa place auprès des grandes œuvres d'Europe centrale.

Les Paysans

Ladislas Reymont   1909
*Traduit du polonais
par Franck-Schoell*   L'Âge d'homme

Reymont a reçu le prix Nobel pour cette vaste épopée, tout en ombre et lumière, et dont les personnages, campés avec un relief inoubliable, prennent une grandeur mythique.

Le Plafond

Pavel Reznicek   1978
Traduit du tchèque par Erika Abrams
Préface de Milan Kundera   Gallimard

Un délire surréaliste qui se nourrit du quotidien dont il pervertit les lois pour mieux s'évader des contraintes politiques et sociales : «Un vrai miracle, l'euphorie qui émane de ce livre» (Milan Kundera).

La Bouche pleine de terre

Branimir Scepanovic   1972
*Traduit du serbo-croate
par Jean Descat*   10/18

Dans ce récit haletant, magistralement construit et conduit, l'art de la narration, ou plutôt du montage, élève l'anecdote jusqu'au mythe.

Sous le joug

Ivan Vazov   1888
*Traduit du bulgare par Stoïan Tzonev, Sonia Pentchèva
et Violetta Yonova*   P.O.F.

Un grand «classique» de la littérature bulgare : mêlant habilement l'histoire et la fiction, Vazov a fait revivre dans une fresque dramatique et colorée la vie de ses compatriotes «sous le joug» turc.

Littérature et idéologie

La vie culturelle des pays d'Europe centrale étant aujourd'hui étouffée sous la censure et soumise à des critères essentiellement idéologiques, la création littéraire a dû pour survivre se développer de façon clandestine (*samizdat*). D'autre part, dans plusieurs pays (la Tchécoslovaquie après 1968, la Pologne après 1981, la Roumanie de manière endémique), de nombreux écrivains de talent ont été contraints d'émigrer pour des raisons politiques.

Cela ne signifie d'ailleurs nullement que les œuvres des écrivains dissidents soient toutes excellentes et celles des écrivains officiels toutes mauvaises, les critères idéologiques prévalant souvent dans les deux sens. Il en résulte, cependant, une exaspération générale à l'égard de la littérature à thèse et des tendances «réalistes». D'où un goût pour l'allégorie, le déguisement sous les soties et le non-sens, d'où les purs jeux du langage et de l'imagination exprimant la révolte de l'artiste contre une raison pratique qui prêche l'asservissement.

Diversité et rayonnement des écrivains d'Europe centrale

On a tendance à oublier parfois certaines réalités : d'abord, celle de la diversité des langues de ces régions qu'il ne faudrait pas identifier abusivement au groupe slave, malgré la prédominance de celui-ci (tchèque, polonais, serbo-croate, bulgare) : le roumain, le hongrois, l'albanais témoignent d'un morcellement linguistique qui fait de ce continent culturel une mosaïque dont chaque parcelle défend jalousement son intégrité. Mais cette conscience minoritaire ne saurait nous faire oublier tout ce que les littératures occidentales doivent aux écrivains originaires de ces cultures : hier, un Conrad, un Panaït Istrati, un Lubicz Milosz, aujourd'hui un Ionesco, un Cioran, un Canetti, qui, en introduisant dans leur langue d'adoption (l'anglais, le français ou l'allemand) une sensibilité spécifique, ont été les véritables artisans de l'Europe cosmopolite.

Le roman français

Les évidences ont parfois cela de bon qu'elles disent l'essentiel : le roman français, écrit en français, par un auteur et pour un public français, exprime le «génie» — la nature propre — de la France et le lecteur s'y trouve en terrain familier.

Balzac, dans son admirable critique de *La Chartreuse de Parme*, distingue trois courants caractéristiques de la littérature française, distinction pertinente aujourd'hui encore. Le premier, qu'il appelle «littérature d'idées», présente une abondance de faits, des images sobres, un style net et concis, le sentiment du comique et de l'ironie. De Diderot à Camus, de Flaubert à Sarraute, sans oublier Stendhal, bien sûr, cette tendance ne s'est jamais tarie, portée, semble-t-il, par la langue elle-même, faite d'ordre, de clarté, de rigueur.

À l'opposé, on trouve, dit Balzac, la «littérature d'images» caractérisée par le sérieux, l'ampleur et la richesse poétique de la phrase, la méditation. On aura reconnu Hugo, mais aussi Gracq, Jouve, Giono ou Le Clézio. La troisième école, l'«éclectisme littéraire», est celle où Balzac se range ; marquée par le désir de «représenter le monde comme il est», elle veut travailler avec des images et des idées, «l'idée dans l'image ou l'image dans l'idée», le mouvement et la rêverie. A cette veine on peut rattacher Proust, ainsi que Martin du Gard ou Mauriac. Balzac voyait dans la «littérature d'idées» l'expression la plus authentique de la France et ne prévoyait pas grand avenir aux deux autres courants. En cela aussi peut-être a-t-il vu juste...

Si nous devions tenter de caractériser le roman français, non par rapport à lui-même mais en le comparant au roman étranger, nous verrions qu'il traite presque toujours de l'homme dans ses relations avec d'autres hommes — individus, famille, société —, et presque jamais de ses rapports avec lui-même ou avec Dieu, d'où des études psychologiques ou de caractères extrêmement fouillées et précises qui acquièrent inévitablement une dimension universelle ; ce n'est jamais le désordre, l'inachevé, la confusion, l'informe tels qu'on les voit chez les personnages tout à fait individualisés de Dostoïevski, ce n'est jamais non plus le «courant de conscience» de V. Woolf. Gide remarque que pour cette raison le roman français ne s'est qu'exceptionnellement intéressé à l'enfant. Le monologue intérieur de *La Modification* est un chef-d'œuvre cartésien comparé à celui de Molly Bloom. En France, dit Gide, on explore les cavernes, ailleurs on respecte et protège les ténèbres. D'où aussi la tendance réaliste du roman français, réalisme psychologique et social, peinture de mœurs, de groupes, de classes ; un même fil relie *Manon Lescaut* au *Planétarium*, aussi surprenant que paraisse le rapprochement. Au-delà de toutes leurs différences, *La Comédie humaine* et *La Recherche du temps perdu* sont des œuvres nées du même terreau. Peut-être le roman français se distingue-t-il moins clairement aujourd'hui des romans étrangers dans la mesure où la culture tend à s'universaliser et à rompre les barrières nationales ; mais la tradition et la langue jouent encore leur rôle et façonnent encore les écrivains et leurs lecteurs.

Plus que les autres chapitres de la bibliothèque idéale, celui qui est consacré au roman français doit être bien entendu complété en consultant d'autres sélections : par exemple, «Le roman d'amour français», «Le roman historique», «Fantastique et merveilleux» ou «Distorsions».

Le roman français

Monsieur Jadis ou l'école du soir
Antoine Blondin

La Modification
Michel Butor

Le Tout sur le tout
Henri Calet

Moravagine
Blaise Cendrars

Thomas l'imposteur
Jean Cocteau

Gilles
Pierre Drieu La Rochelle

La Promesse de l'aube
Romain Gary

Suzanne et le Pacifique
Jean Giraudoux

Moïra
Julien Green

Le Sang noir
Louis Guilloux

La Guerre
J.-M.G. Le Clézio

La Chasse au mérou
Georges Limbour

Les Thibault
Roger Martin du Gard

Le Nœud de vipères
François Mauriac

La Place de l'Étoile
Patrick Modiano

Les Jeunes Filles
Henri de Montherlant

Le Hussard bleu
Roger Nimier

La Conspiration
Paul Nizan

Le Passage
Jean Reverzy

Les Dames de France
Angelo Rinaldi

Bonjour tristesse
Françoise Sagan

La Route des Flandres
Claude Simon

Le Roi des aulnes
Michel Tournier

La Loi
Roger Vailland

• À vous de choisir le cinquantième livre. Peut-être est-il déjà dans votre bibliothèque.

... en 10 livres

La Comédie humaine

Honoré de Balzac (1799-1850)
Pléiade, F., G.F. et L.P.

Comment choisir un roman isolé dans cet univers foisonnant ? Lire Balzac c'est d'abord partir à la découverte du monde balzacien. Tout est à lire. À commencer par l'admirable *Maison du chat-qui-pelote*, qui ouvre l'ensemble. La première phrase : «Au milieu de la rue Saint-Denis, presque au coin de la rue du Petit-Lion, existait naguère une de ces maisons précieuses qui donnent aux historiens la facilité de reconstruire par analogie l'ancien Paris. »

L'Étranger

Albert Camus 1942
Gallimard et F.

Vous êtes dans la tête d'un petit Blanc d'Algérie. Vous tuez un Arabe. Vous êtes mis en prison. On vous condamne à mort. L'intrigue est une belle épure. Le personnage parle à la première personne mais reste opaque jusqu'au bout. Le premier et le seul roman existentialiste. La première phrase : «Aujourd'hui, maman est morte. »

Voyage au bout de la nuit

Louis-Ferdinand Céline 1932
Gallimard et F.

L'épopée d'un héros triste, Bardamu, au cœur de la Première Guerre mondiale puis en Afrique et en Amérique. Un style, une musique, un souffle haletant, une nouvelle syntaxe. Personne ne s'en est encore remis. La première phrase : «Ça a débuté comme ça. »

Le Neveu de Rameau

Denis Diderot 1774
G.F. et L.P.

Fou ou philosophe ? Le neveu de Rameau (qui a existé) éblouit Diderot par son cynisme et son humour. Un roman de dialogues : échanges vibrants, paradoxes éclatants, c'est surprenant à chaque page. La première phrase : «Qu'il fasse beau, qu'il fasse laid, c'est mon habitude d'aller sur les cinq heures du soir me promener au Palais Royal. »

Madame Bovary

Gustave Flaubert 1857
F., G.F., L.P., P.P.

La même année que les *Fleurs du mal*. Et un procès aussi. L'amour, le désamour, l'ennui provincial. D'une histoire atrocement banale, Flaubert fait une des plus belles leçons de style de la littérature française. Oui, il l'a dit : «Madame Bovary, c'est moi. » La première phrase : «Nous étions à l'étude, quand le proviseur entra, suivi d'un *nouveau* habillé en bourgeois et d'un garçon de classe qui portait un grand pupitre. »

Les Faux-Monnayeurs

André Gide 1925
Gallimard et F.

Édouard veut écrire un roman, *Les Faux-Monnayeurs*. Il n'y parvient pas mais Gide, lui, y parvient et intervient d'ailleurs en personne dans le roman. Étrangement moderne. La première phrase : «C'est le moment de croire que j'entends des pas dans le corridor, se dit Bernard. »

L'homme qui rit

Victor Hugo 1869
G.F. et 10/18

En Angleterre, sous le règne de la reine Anne, l'histoire de Gwynplaine, «l'homme qui rit», défiguré par une blessure, grand seigneur par l'âme et par la naissance sous les horipeaux d'un misérable saltimbanque. Le chef-d'œuvre de Victor Hugo selon Paul Claudel. La première phrase : «Ursus et Homo étaient liés d'une amitié étroite. »

La Vie de Marianne

Pierre de Marivaux 1731-1741
G.F.

Marianne racontée par Marianne. L'histoire d'une enfant trouvée, mise au couvent puis réussissant dans le monde. Peinture de mœurs et étude psychologique, *La Vie de Marianne* marque une date importante dans la constitution du genre romanesque en France. La première phrase : «Avant que de donner cette histoire au public, il faut lui apprendre comment je l'ai trouvée. »

À la recherche du temps perdu

Marcel Proust   1913-1927
    Gallimard, G.F. et Bouquins/Laffont
Qu'en dire qui n'ait déjà été dit mille fois ? Les centaines de personnages, la mémoire, les sensations, la cavalcade des souvenirs, la jalousie, les vices d'une société fastueuse, Gilberte, Charlus, Albertine, la sonate de Vinteuil, Balbec... Bref, ça finira par faire partie de votre propre vie. La première phrase : « Longtemps, je me suis couché de bonne heure. »

Le Rouge et le Noir

Stendhal   1830
             F., G.F., L.P.
D'un fait divers il tire le récit implacable de l'ascension et de la chute d'un jeune ambitieux de province. De l'amour fou à la guillotine, la naissance d'un roman moderne. La première phrase : « La petite ville de Verrières peut passer pour l'une des plus jolies de la Franche-Comté. »

... en 25 livres

Molloy

Samuel Beckett   1951
                 Minuit
Duo musical entre deux monologues qui se recherchent. La quête est infinie : Moran recherche Molloy qui lui-même recherche on ne sait quoi au juste, sans doute sa mère. Des clochards métaphysiques perdus dans les terrains vagues de la mémoire. La première phrase : « Je suis dans la chambre de ma mère. »

Journal d'un curé de campagne

Georges Bernanos   1936
              Plon et P.P.
Le jeune curé d'Ambricourt, en butte à une paroisse hostile, épanche son âme dans son journal intime. Dans ce roman à la première personne, Bernanos exprime toute sa conception de la foi et sa vision du Mal. La première phrase : « Ma paroisse est une paroisse comme les autres. »

Les poètes contre le roman

« Roman psychologique, roman d'introspection réaliste, naturaliste, de mœurs, à thèse, régionaliste, allégorique, fantastique, noir, romantique, populaire, feuilleton, humoristique, d'atmosphère, poétique, d'anticipation, maritime, d'aventures, policier, scientifique, historique, ouf ! et j'en oublie ! Quel fatras ! quelle confusion ! »

Robert Desnos

« Le roman est un genre faux, parce qu'il décrit les passions pour elles-mêmes : la conclusion morale est absente. Décrire les passions n'est rien ; il suffit de naître un peu chacal, un peu vautour, un peu panthère. »

Isidore Ducasse, comte de Lautréamont

Le roman d'un roman :
Les Faux-Monnayeurs

Publié en 1925, le roman d'André Gide est le premier à prendre la contestation de la fiction romanesque, de l'illusion réaliste comme sujet. Marquant la naissance du roman moderne, *Les Faux-Monnayeurs* vont ouvrir la voie à de multiples recherches ; désormais c'est sur la question du langage que va se jouer le sort de la littérature. Le lecteur, bousculé dans son confort illusoire, doit accepter d'être partie prenante, de s'interroger, de faire des conjectures. Rien ne lui est donné. De Sartre à Blanchot, de Queneau à Beckett, du surréalisme au Nouveau Roman le fossé entre les mots et les choses ne cesse de s'élargir et la tentative pathétique de saisir une ombre de réalité dans le piège du langage est le dénominateur commun de l'écriture de fiction — on n'ose plus dire roman — depuis un demi-siècle.

Atala

François-René de Chateaubriand   1801
G.F. et F.

Mêlant souvenirs et impressions d'un voyage en Amérique fait par l'auteur au sortir de l'adolescence, ce petit roman mélancolique et sombre célèbre les splendeurs de la nature exotique et les vertus des «sauvages». La première phrase : «La France possédait autrefois, dans l'Amérique septentrionale, un vaste empire qui s'étendait depuis le Labrador jusqu'aux Florides et depuis les rivages de l'Atlantique jusqu'aux lacs les plus reculés du Haut Canada.»

Chéri

Colette   1920
L.P.

A cinquante ans, Léa de Lonval délaisse une carrière heureuse de courtisane pour son jeune amant, Chéri, un bel éphèbe adulé par les femmes. Le portrait cruel de la passion sans issue chez une femme vieillissante. La première phrase : «Léa ! Donne-le-moi, ton collier de perles !»

Un barrage contre le Pacifique

Marguerite Duras   1950
F.

Une femme seule avec deux enfants, installée en Cochinchine sur une concession incultivable, tente désespérément de construire un barrage pour protéger ses terres contre les grandes marées. Un univers où la misère physique et morale, le soleil, la sensualité et l'alcool dominent le quotidien. Le roman largement autobiographique qui irrigue toute l'œuvre de M. Duras. La première phrase : «Il leur avait semblé à tous les trois que c'était une bonne idée d'acheter ce cheval.»

Un roi sans divertissement

Jean Giono   1947
F.

Un tueur mystérieux, anonyme ; un gendarme peu commun et qui réserve bien des surprises. Et la neige et la brume enveloppant le village alpin. L'ennui prend à la gorge, on est en plein rêve et le charme ne se rompt qu'à la fin du livre. La première phrase : «Frédéric a la scierie sur la route d'Avers.»

Le Rivage des Syrtes

Julien Gracq   1951
Corti

Un pays mystérieux comme vu en rêve, la sourde menace d'une invasion incompréhensible et une aventure amoureuse sur fond de lagunes crépusculaires. Du grand opéra. La première phrase : «J'appartiens à une des plus vieilles familles d'Orsenna.»

À rebours

Joris Karl Huysmans   1884
G.F. et F.

Mœurs et aventures de Des Esseintes, le dandy fin de siècle. Une exploration savante et programmée du monde de la sensation. Le vocabulaire est aussi raffiné que les parfums. La première phrase : «A en juger par les quelques portraits conservés au château de Lourps, la famille des Floressas des Esseintes avait été, au temps jadis, composée d'athlétiques soudards, de rébarbatifs reîtres.»

L'Espoir

André Malraux   1937
F.

La guerre civile espagnole vue du côté des républicains par un romancier qui atteint là aux sommets du grand journalisme. Fugue de coups de téléphone, symphonie de bombardements, roulements de timbales du destin. La première phrase : «Un chahut de camions chargés de fusils couvrait Madrid tendue dans la nuit d'été.»

Bel-Ami

Guy de Maupassant   1886
Albin Michel, F. et L.P.

Georges Duroy, dit Bel-Ami, fait fortune à Paris grâce à son tempérament cynique et à ses talents de séducteur. Un portrait incisif d'arriviste sur fond d'intrigues dans les milieux du journalisme, des affaires et de la politique. La première phrase : «Quand la caissière lui eût rendu la monnaie de sa pièce de cent sous, Georges Duroy sortit du restaurant. »

Le Journal d'une femme de chambre

Octave Mirbeau 1900
G.F., F. et P.P.

Le roman le plus dénonciateur qui soit. Célestine, la femme de chambre, n'y va pas avec le dos de la cuillère pour décrire les bourgeois, les domestiques et les extravagances de leur sexualité. En Mirbeau se rejoignent Sade et Zola et la violence ironique de son style paraît étonnamment moderne. La première phrase : «Aujourd'hui, 14 septembre, à 3 heures de l'après-midi, par un temps doux, gris et pluvieux, je suis entrée dans ma nouvelle place. »

Le Paysan perverti

Nicolas Restif de la Bretonne 1775
L'Âge d'Homme et 10/18

Édouard, un paysan, monte à la conquête de Paris. Il s'y perdra, entraînant dans sa déchéance sa sœur Ursule. La première phrase : «Notre famille n'est point distinguée par les titres ni par les grands biens ; nous sommes paysans de père en fils : mais nos ancêtres étaient un peu plus riches que nous ne le sommes. »

Les Fruits d'or

Nathalie Sarraute 1963
F.

La parution d'un nouveau livre et les réactions, les remous, les «sous-conversations» que cette sortie entraîne. Personne comme Nathalie Sarraute pour cerner, sous le flux banal des mots, des apparences et des gestes quotidiens ces mouvements impalpables de la conscience et ces ruissellements indéfinissables de la voix intérieure qu'elle nomme «tropismes». La première phrase : «Oh écoute, tu es terrible, tu pourrais faire un effort... »

Qu'il est facile de faire des contes !

«Comment s'étaient-ils rencontrés ? Par hasard, comme tout le monde. Comment s'appelaient-ils ? Que vous importe ? D'où venaient-ils ? Du lieu le plus prochain. Où allaient-ils ? Est-ce que l'on sait où l'on va ? Que disaient-ils ? Le maître ne disait rien ; et Jacques disait que son capitaine disait que tout ce qui nous arrive de bien et de mal ici-bas était écrit là-haut [...].

Jacques commença l'histoire de ses amours. C'était l'après-dînée : il faisait un temps lourd ; son maître s'endormit. La nuit les surprit au milieu des champs ; les voilà fourvoyés... Vous voyez, lecteur, que je suis en beau chemin, et qu'il ne tiendrait qu'à moi de vous faire attendre un an, deux ans, trois ans, le récit des amours de Jacques, en le séparant de son maître et en leur faisant courir à chacun tous les hasards qu'il me plairait. Qu'est-ce qui m'empêcherait de marier le maître et de le faire cocu ? d'embarquer Jacques pour les îles ? d'y conduire son maître ? de les ramener tous les deux en France sur le même vaisseau ? Qu'il est facile de faire des contes ! mais ils en seront quittes l'un et l'autre pour une mauvaise nuit, et vous pour ce délai. »

Diderot.
Jacques Le Fataliste et son maître
1771-1774

La Veuve Couderc

Georges Simenon 1942
Gallimard et F.

Ici le drame se passe près de Montluçon dans une maison sur le canal, à côté de l'écluse. Mais que ce soit dans des petites villes françaises, à New York ou dans le Pacifique, l'univers, assez angoissant, est toujours le même. Puissance d'évocation pour planter un décor, décrire une ambiance, dire les passions, les rancunes, raconter toutes les couches de la société, riches et humiliés, efficacité d'un style neutre : Simenon est peut-être bien, comme l'affirmait Gide, «le» romancier français du XXᵉ siècle. La première phrase : «Il marchait.»

Nana

Émile Zola 1880
F., G. F., L. P. et P. P.

Splendeur et misère d'une courtisane. À travers l'histoire de Nana, une femme entretenue exerçant son pouvoir destructeur sur les hommes de la haute société, Zola brosse le tableau féroce d'un monde en décomposition, l'univers parisien du Second Empire. La première phrase : «A neuf heures, la salle du théâtre des Variétés était encore vide.»

... en 49 livres

Monsieur Jadis ou l'école du soir

Antoine Blondin 1970
La Table ronde et F.

«Ma vie est un roman.» L'auteur a pris cette maxime très commune au pied de la lettre pour nous conter les nostalgies et les rencontres, les amours et les amitiés d'un quinquagénaire germanopratin qui se souvient de sa jeunesse entre deux vérifications d'identité au commissariat. Le ton Blondin, inimitable. La première phrase : «Longtemps j'ai cru que je m'appelais Blondin, mais mon nom véritable est Jadis.»

La Modification

Michel Butor 1957
Minuit

Un voyage vers Rome, la ville-mémoire. Un homme pris entre deux villes et deux femmes médite, rêve et finit par choisir. Une intrigue hyperconventionnelle mais traitée à la seconde personne du pluriel : c'est le nouveau roman. La première phrase : «Vous avez mis le pied gauche sur la rainure de cuivre, et de votre épaule droite vous essayez en vain de pousser un peu plus le panneau coulissant.»

Le Tout sur le tout

Henri Calet 1948
Gallimard

La description du Paris d'avant guerre, en particulier le XIVᵉ arrondissement. Avec, sur fond de refrains populaires, ses ruelles sombres, ses petits artisans, ses misères quotidiennes et ses joies les plus simples. Une évocation autobiographique qui prend des allures de roman nostalgique. La première phrase : «Je suis parisien de naissance, tout comme mon père qui est né rue des Alouettes, à Belleville.»

Moravagine

Blaise Cendrars 1926
Cahiers Rouges/Grasset

De la steppe russe à la forêt brésilienne, un hyper-roman d'aventures. Un style qui atteint à l'hallucination. La première phrase : «En 1900, je terminais ma médecine.»

Thomas l'imposteur

Jean Cocteau 1923
F.

Thomas est un concentré de tous les personnages de Cocteau. Rêveur éveillé, il traverse la vie comme un elfe. Et la guerre affreuse peut même devenir un élégant ballet. Dépouillé, tragique. Très étonnant. La première phrase : «La guerre commença dans le plus grand désordre.»

Gilles

Pierre Drieu La Rochelle   1939
                               F.

Ce roman, le plus autobiographique de Drieu, retrace l'initiation amoureuse et politique de Gilles Gambier. L'auteur, qui se situe lui-même «entre Céline et Montherlant, et Malraux», a conçu le livre comme un pamphlet satirique contre la décadence de l'entre-deux-guerres, mais aussi comme une diatribe contre lui-même. La première phrase : «Par un soir de l'hiver de 1917, un train débarquait dans la gare de l'Est une troupe nombreuse de permissionnaires. »

La Promesse de l'aube

Romain Gary   1960
                  F.

Dans un subtil mélange d'autobiographie et de fiction, Romain Gary évoque son enfance russe, polonaise puis française et son engagement dans l'aviation pendant la Seconde Guerre mondiale. Mais c'est surtout l'étonnante figure de la mère, agaçante, inspirée, prophétesse, qui fait de *La Promesse de l'Aube* l'un des livres les plus réussis de Gary. La première phrase : «C'est fini. »

Suzanne et le Pacifique

Jean Giraudoux   1921
                     Grasset

L'univers poétique de Giraudoux, peuplé de jeunes filles en lutte avec la réalité. Naufragée sur une île déserte, Suzanne se meut dans un monde rêvé, plus beau que le vrai. Sa rencontre avec un contrôleur des poids et mesures la mènera doucement au quotidien. La première phrase : «C'était pourtant un de ces jours où rien n'arrive. »

Moïra

Julien Green   1950
                   Pléiade (in Œuvres complètes, t. 3)

Dans un campus américain, un jeune Anglais puritain découvre la tentation en la personne de Moïra, l'incarnation du mal à ses yeux. La violence dévastatrice du désir fera de lui un assassin et une victime.

Qu'il est difficile de faire des contes !

«Inutile de se raconter des histoires, pour passer le temps, rien ne le fait passer, ça ne fait rien, c'est comme ça, on se raconte des histoires, puis on se raconte n'importe quoi, en disant, Ce ne sont plus des histoires, alors que ce sont toujours des histoires, ou plutôt il n'y a jamais eu d'histoires, ça a toujours été n'importe quoi, on s'est toujours raconté n'importe quoi, d'aussi loin qu'on se rappelle, non, d'un peu plus loin que ça, on ne se rappelle rien, toujours n'importe quoi, toujours la même chose, pour passer le temps, puis le temps ne passant pas, pour rien, dans la soif, voulant s'arrêter, ne pouvant s'arrêter, cherchant pourquoi, pourquoi ce besoin de parler, ce besoin de s'arrêter, cette impossibilité de s'arrêter, trouvant pourquoi, ne trouvant plus, retrouvant, ne retrouvant plus, ne cherchant plus, cherchant encore... »

Samuel Beckett
L'Innommable
1953

Un récit teinté de fantastique. La première phrase : « Depuis un moment, ils se tenaient immobiles, debout à quelques pas l'un de l'autre, et Mrs Dare feignait de lire la lettre qu'il venait de lui tendre, mais il y avait plusieurs secondes déjà qu'elle avait pris connaissance de ce document et maintenant, du coin de l'œil, elle observait le premier venu. »

Le Sang noir

Louis Guilloux   1935
                                     F.

La figure de Cripure, personnage pitoyable, ridiculisé par ses élèves de philosophie et ses collègues de lycée, sa déchéance physique et morale, sa révolte et sa fin tragique font du *Sang noir* un roman inoubliable, à la Dostoïevski. La première phrase : « Maïa entra en claquant des sabots. »

La Guerre

J.M.G. Le Clézio   1970
                                Gallimard

De Le Clézio on retient toujours son premier roman *Le Procès-Verbal*, une fable certes extraordinaire sur un homme isolé du reste des vivants. Mais on ne doit pas oublier ce livre où l'ère postindustrielle fait son entrée dans notre littérature. A travers une jeune fille qui promène son regard sur les temps modernes, fascinée par leurs « signes » apocalyptiques : voitures, autoroutes, hypermarchés, boîtes de nuit, publicité, etc. La première phrase : « La guerre a commencé. »

La Chasse au mérou

Georges Limbour   1963
                                Gallimard

Injustement méconnu. Une musique bien à lui et un univers merveilleux et d'une subtile perversité. Du même : *Les Vanilliers, La Pie voleuse* et *l'Illustre Cheval Blanc*. La première phrase : « Pauvre étudiant de Salamanque, j'ai laissé pour un mois d'été ma vieille université grâce à un prix, assez chiche, reçu pour un poème savant à l'imitation de nos anciens poètes d'or, et je suis venu dans le Levant, au pays des orangers et des palmiers, voir l'immobile Méditerranée. »

Les Thibault

Roger Martin du Gard   1922-1940
                            F., Pléiade

A travers l'histoire de deux frères — Jacques le révolté et Antoine le raisonnable —, une vaste saga familiale mais aussi une fresque de la France à la veille de 14-18. Par le grand continuateur de la tradition romanesque du XIXᵉ siècle. La première phrase : « Au coin de la rue de Vaugirard, comme ils longeaient déjà les bâtiments de l'école, M. Thibault, qui pendant le trajet n'avait pas adressé la parole à son fils, s'arrêta brusquement : [...] »

Le Nœud de vipères

François Mauriac   1933
                                    L.P.

Cette venimeuse confession d'un vieil homme à l'agonie nous plonge dans un obscur dédale de haines et de rancœurs inassouvies. Un saisissant tableau de l'enfer familial. La première phrase : « Tu seras étonné de découvrir cette lettre dans mon coffre, sous un paquet de titres. »

La Place de l'Étoile

Patrick Modiano   Gallimard et F.   1968

Fantasmagorie tragico-bouffonne des années d'Occupation par un auteur né pourtant en 1947 et qui a construit tous ses livres comme un jeu mélancolique avec des souvenirs mi-rêvés, mi-inventés. La première phrase : « C'était le temps où je dissipais mon héritage vénézuélien. »

Les Jeunes Filles

Henri de Montherlant   1936-1939
                                     F.

Un écrivain célèbre et libertin est assailli par des femmes. Un grand cycle romanesque et un des sommets de la misogynie. La première phrase : « Je vous remercie, Monsieur et cher Bien-Aimé, de n'avoir jamais répondu à mes lettres. »

Le Hussard bleu

Roger Nimier   1950
                                     F.

La chronique, brillante et pessimiste, d'un régiment de hussards pendant la campagne d'occupation de l'Allemagne en 1945. Où le jeune François Sanders, héros passionné des *Épées*, le premier roman de Nimier, fait son éducation sentimentale. La première phrase : « Longtemps, j'ai cru m'en tirer sans éclats. »

La Conspiration — 1938

Paul Nizan — F.

Un normalien issu de la bourgeoisie juive du XVIe arrondissement entraîne ses amis dans une bien curieuse affaire d'espionnage. La première phrase : «En somme, dit Rosenthal, cette revue pourrait s'appeler *La guerre civile...*»

Le Passage — 1954

Jean Reverzy — Seuil

Un homme revient des îles des mers du Sud dans sa ville natale, Lyon, pour y mourir. Il sera aidé dans ce «passage» par un ami médecin, le narrateur du roman, qui imagine la vie de son patient dans la lointaine Polynésie. Une méditation poignante et sereine sur le sens de la vie par un romancier qui fut lui-même médecin avant de se tourner — cinq ans avant sa mort — vers la littérature. La première phrase : «Cette histoire commença un après-midi, loin de la mer.»

Les Dames de France — 1977

Angelo Rinaldi — F.

Avec des phrases aux longues cadences où viennent se lover des notations d'une rare finesse, le narrateur plonge dans les replis de sa mémoire pour sauver de l'oubli le décor de son enfance : une île ressemblant à la Corse et une société provinciale peuplée de petites gens comme de notables replets qui vivent sous l'emprise de secrets et de passions inavouables. La première phrase : «Alors, par exemple, il y aurait eu à raconter ce dimanche, Léna et moi, seuls à la maison.»

Bonjour tristesse — 1954

Françoise Sagan — L.P.

Le livre phénomène d'une inconnue de dix-neuf ans qui allait devenir l'un des symboles de la «nouvelle vague». Avec, déjà, ce ton d'ironie, de mélancolie légère et de désinvolture qui sera la signature de tous les romans de Sagan. La première phrase : «Sur ce sentiment inconnu dont l'ennui, la douceur m'obsèdent, j'hésite à apposer le nom, le beau nom grave de tristesse.»

La Route des Flandres — 1960

Claude Simon — Minuit

Un flux d'images et de mots : la débâcle de 1940. L'écriture elle-même se désagrège en plusieurs strates, en plusieurs voix qui tissent une sorte de polyphonie. La première phrase : «Il se tenait une lettre à la main, il leva les yeux me regarda puis de nouveau la lettre puis de nouveau moi, derrière lui je pouvais voir aller et venir passer les taches rouges acajou ocre des chevaux qu'on menait à l'abreuvoir, la boue était si profonde qu'on enfonçait dedans jusqu'aux chevilles mais je me rappelle que pendant la nuit il avait brusquement gelé et Wack entra dans la chambre en portant le café disant les chiens ont mangé la boue, [...]»

Le Roi des Aulnes

Michel Tournier — 1970 — F.

«Prenez garde à l'ogre de Kaltenborn!» Abel Tiffauges possède ou croit posséder un don magique. Il se retrouve au cœur du IIIe Reich, dans la Prusse romantique. La première phrase : «3 janvier 1938. Tu es un ogre, me disait parfois Rachel.»

La Loi

Roger Vailland — 1957 — F.

Prix Goncourt, ce fut aussi un grand succès de librairie dont on tira même un film. Don Cesare est le maître d'un village pauvre des Pouilles. Autour de lui, intrigues, féodalités, adultères, ennui. La première phrase : «A l'angle de la grande place et de la rue Garibaldi, la préture de Porto Manacore fait face au palais de Frédéric II de Souabe.»

Le roman d'amour français

Existe-t-il un roman d'amour français ? Nous avons posé la question à deux écrivains d'expérience, Jacques Laurent et Catherine Rihoit.

Aux yeux de Jacques Laurent, la littérature française « n'est pas tellement vouée au roman d'amour [...] qu'elle transforme souvent en roman de la société ou de l'individu ». Si l'on veut trouver des exemples de purs romans d'amour, c'est outre-Manche qu'il faut aller les chercher. L'immense succès de la *Pamela* de Richardson au XVIIIᵉ siècle a certainement exercé une influence sur le roman français. Mais Marivaux, dans *La Vie de Marianne*, qui s'est inspiré de ce modèle, lui donne une couleur plus pessimiste, plus réaliste aussi. Le roman d'amour heureux est en France une perle rare : pour un Chardonne qui chante l'amour réussi, et même conjugal, combien de romanciers plongent leurs personnages dans les affres de la passion, du déchirement, de la mort, du suicide ou de la séparation ? Depuis Tristan et Iseult, ces deux amants enchaînés l'un à l'autre par un sort (le *geis* celte), le lecteur assiste à plus de naufrages que d'embarquements pour Cythère. Peut-être faut-il voir là un trait qui nous vient de la tradition antique et du bassin méditerranéen. Aussitôt que le héros rencontre l'être aimé, celui-ci lui est dérobé par le destin (prenant le visage de la mort, du couvent ou... du mari).

Quoi qu'il en soit, l'amour constitue un moteur fabuleux pour le roman : c'est sous l'empire de l'amour que le héros est conduit à accomplir de grandes choses (comme de traverser un champ de bataille dans *La Chartreuse de Parme* ou de caracoler sous les fenêtres de l'aimée dans *Belle du Seigneur*). A travers l'amour, le romanesque fait irruption : *Le*

Lys dans la vallée devient aussi une histoire des Cent-Jours. *L'Éducation sentimentale* un rappel de la révolution de 1848. Si le roman français répugne à traiter de l'amour seul, il en fait un excellent révélateur de la société et des idées qui l'animent, un parfait catalyseur d'énergie individuelle dans la lutte contre les obstacles, contre les contraintes sociales ou contre la mort. Tout ce qui entoure l'amour, favorise ou empêche sa réalisation est, semble-t-il, dans le roman français, plus important que l'amour en soi. Aussi la définition du roman d'amour est-elle une entreprise périlleuse malgré la richesse d'une écriture que l'on pourrait qualifier d'« amoureuse ». Question de rythme et de souffle, question de mots, le vocabulaire de l'amour en français s'appuie sur de multiples métaphores, véhicule des images sensuelles fortes. Aujourd'hui on a l'impression que le « fleuve Amour » irrigue souterrainement une bonne partie de la production romanesque sans faire toujours surface. Pudeur ? Rationalisme où l'intellect prime sur la sensibilité ? Ironie, mise à distance, influences diverses... C'est toute l'histoire des mentalités françaises qu'il faudrait ici interroger. Mais la production littéraire dans ce domaine est, en France, multiple et l'amour transparaît dans des œuvres aussi bien romanesques qu'autobiographiques, érotiques ou même des essais.

C'est cette diversité de l'expression amoureuse que notre choix a voulu rendre. Ainsi quelques titres ont-ils été opportunément tirés de « l'Enfer » (mais il n'existe plus, même à la Bibliothèque nationale), pour rappeler qu'en matière d'érotisme notre littérature a laissé des chefs-d'œuvre (du marquis de Sade à Bataille). Même si l'odeur de soufre a depuis longtemps disparu, la qualité et l'intérêt de ces textes restent intacts.

Le roman d'amour français

... en 49 livres

... en 25 livres

... en 10 livres

L'Amour fou
André Breton

Belle du seigneur
Albert Cohen

L'Éducation sentimentale
Gustave Flaubert

Fermina Marquez
Valery Larbaud

L'Amoureuse Initiation
O.W. Milosz

Un amour de Swann
Marcel Proust

Le Diable au corps
Raymond Radiguet

Aline et Valcour
D.A.F., marquis de Sade

La Chartreuse de Parme
Stendhal

Tristan et Iseult

Les Onze Mille Verges
Guillaume Apollinaire

Aurélien
Louis Aragon

Le Lys dans la vallée
Honoré de Balzac

Histoire de l'œil
Georges Bataille

Adolphe
Benjamin Constant

Les Bijoux indiscrets
Denis Diderot

Paulina 1880
Pierre-Jean Jouve

Les Lois de l'hospitalité
Pierre Klossowski

Les Liaisons dangereuses
Choderlos de Laclos

La Princesse de Clèves
Mme de La Fayette

Les Filles du feu
Gérard de Nerval

Manon Lescaut
Abbé Prévost

Odile
Raymond Queneau

La Nouvelle Héloïse
Jean-Jacques Rousseau

L'Écume des jours
Boris Vian

Le Grand Meaulnes
Alain-Fournier

Une vieille maîtresse
Jules Barbey d'Aurevilly

Léon Morin, prêtre
Béatrix Beck

Mort de la bien-aimée
Marc Bernard

Laurence de Saintonge
Jacques de Bourbon-Busset

L'Épithalame
Jacques Chardonne

Le Blé en herbe
Colette

Sur le fleuve Amour
Joseph Delteil

Le Ravissement de Lol V. Stein
Marguerite Duras

Dominique
Eugène Fromentin

Siloé
Paul Gadenne

Notre-Dame des Fleurs
Jean Genet

La Porte étroite
André Gide

Un de Baumugnes
Jean Giono

L'Amour absolu
Alfred Jarry

Chronique d'une passion
Marcel Jouhandeau

Une vie
Guy de Maupassant

Parfaite de Saligny
Paul Morand

Allemande
François Nourissier

Histoire d'O
Pauline Réage

Jules et Jim
Henri-Pierre Roché

Paul et Virginie
Bernardin de Saint-Pierre

Femmes
Philippe Sollers

La Faute de l'abbé Mouret
Émile Zola

• À vous de choisir le cinquantième livre. Peut-être est-il déjà dans votre bibliothèque.

... en 10 livres

L'Amour fou

André Breton   1937
Gallimard

« Indépendamment de ce qui arrive, n'arrive pas, c'est l'attente qui est magnifique. » Ce récit aux multiples facettes, complété par la superbe lettre à Écusette de Noireuil, la fille de Breton, est l'un des plus puissants révélateurs de l'amour dans sa phase surréaliste : l'amour fou « n'est peut-être que le plus simple et le plus clair des amours ».

Belle du seigneur

Albert Cohen   1968
Gallimard

Ariane devant son seigneur, son maître, son aimé Solal, tous deux entourés d'une foule de comparses férocement dépeints : ce roman, qui vient d'entrer à La Pléiade alors qu'on commémore le cinquième anniversaire de la mort de son auteur, n'est rien moins que le chef-d'œuvre de la littérature amoureuse de notre époque.

L'Éducation sentimentale

Gustave Flaubert   1869
Pléiade et G. F., L. P.

De la rencontre de Frédéric Moreau et de Marie Arnoux sur le *Ville-de-Montereau*, naît une longue et douloureuse passion, qui permet à Flaubert de se livrer tout entier et d'évoquer l'histoire des hommes qui vécurent sous la monarchie de Juillet, celle d'une « jeunesse assez intelligente pour concevoir un idéal, mais pas assez forte pour le réaliser ».

Fermina Marquez

Valery Larbaud   1911
F.

Fermina, une jeune et mystérieuse Colombienne, sème le trouble dans un collège d'Ile-de-France et suscite une rivalité mortelle entre un bon élève idéaliste, Joany, et un « tombeur » latino-américain, Santos de Monterey. Un chef-d'œuvre du roman d'adolescence.

L'Amoureuse Initiation

O.W. Milosz   1910
(O.V. de L. Milosz)   Silvaire

Unique roman d'un poète d'origine lituanienne, ce livre reflète l'évolution spirituelle de son auteur (dépeint sous les traits de Sassolo Sinibaldo), crucifié dans son amour du corps de la femme.

Un amour de Swann

Marcel Proust   1913
Pléiade et F.

Charles Swann et Odette de Crécy qui, bien sûr, « n'était pas son genre », et que le Faubourg se refuse à recevoir. Dans la sinusoïde de la *Recherche du temps perdu*, ce roman épouse les contours d'une expérience amoureuse obsessionnelle et malheureuse.

Le Diable au corps

Raymond Radiguet   1923
F, L.P., P.P.

Amours jugées (à l'époque) scandaleuses d'un adolescent et d'une jeune femme, pendant que les maris tombent au front. Que la guerre est jolie quand elle favorise le bonheur et la liberté de s'aimer !

Aline et Valcour

D.A.F., marquis de Sade   1795
Pauvert (t. IV et V des *Œuvres complètes*)

Le plus « classique » des romans du « divin marquis », mais aussi le plus varié et le plus romanesque. Composé sous forme de lettres, il mêle, à l'histoire des amours contrariées d'Aline et Valcour, les aventures mouvementées de Léonore et de Sainville qui transportent le lecteur de Corfou à Malte puis au Cap. Fantaisie, exotisme, baroque, ce roman d'amour qui se double d'un voyage philosophique possède un charme rare dans l'œuvre de Sade.

La Chartreuse de Parme

Stendhal   1839
Pléiade G.F., F. et L. P.

Toutes les étapes de la stratégie amoureuse que l'auteur s'est attaché à définir dans *De l'amour*. Entre Fabrice del Dongo, la Sanseverina et Clelia Conti, amours et déchirements sur fond de guerres et d'intrigues politiques. C'est aussi l'histoire d'une Europe en transes.

Tristan et Iseult

Textes des XIIᵉ et XIIIᵉ siècles   L. P. et 10/18
De Béroul à Richard Wagner en passant par Thomas, Gottfried de Strasbourg, Dante, Pétrarque..., la célèbre légende a inspiré de nombreux auteurs. L'histoire de Tristan, neveu du roi Marc et joueur de harpe, échoué accidentellement en Irlande, et d'Iseult la blonde promise à son oncle, ne cessera de tourmenter les cœurs.

... en 25 livres

Les Onze Mille Verges

Guillaume Apollinaire   1911
                              Pauvert et J. L.
En 1907, une très joyeuse et paillarde contribution à la collection «Les maîtres de l'amour» où figure un autre récit du même auteur, *Les Mémoires d'un jeune Don Juan*.

Aurélien

Louis Aragon   1944
                              Gallimard et F.
... et Bérénice qu'il trouva «franchement laide». Une histoire d'amour patiemment reconstituée sur des airs de jazz et dans les tourbillons de l'entre-deux-guerres.

Le Lys dans la vallée

Honoré de Balzac   1836
                        Pléiade et F., L. P.
«Elle était, comme vous le savez déjà, sans rien savoir encore, le lys de cette vallée.» Il s'agit bien sûr d'Henriette de Mortsauf châtelaine de Clochegourde, dont les belles épaules firent pâmer d'amour (platonique) le jeune Félix.

Le choix de Jacques Laurent

Jacques Laurent, nouvellement admis à siéger parmi les Immortels, a-t-il prié Cecil Saint-Laurent de l'attendre dans le vestibule de l'Académie? Rien n'est moins certain, et nul n'est mieux placé que l'auteur des *Bêtises* et du *Roman du roman* pour lever un pan du voile sur le roman d'amour français.

Il évoque d'abord *La Princesse de Clèves*, qui «est la peinture d'une société et d'une névrose, ou plutôt d'une oscillation : Mme de Clèves ne se sent heureuse que dans l'équilibre triangulaire entre l'amant et le mari et, dès que le mari disparaît, elle ne veut plus de l'amant. C'est aussi l'idée que Dostoïevski avait en écrivant *L'Éternel Mari*».

En «intime» de Stendhal, Jacques Laurent explique : «Un roman comme *Le Rouge et le Noir* est difficile à analyser : si Taine lui reprochait d'être un roman de l'ambition, c'est parce qu'il n'était pas content que Julien Sorel eût échoué dans sa vengeance. Mais il oubliait que Stendhal ne s'était pas donné l'ambition comme unique moteur du roman : l'amour, la vanité, la sincérité vis-à-vis des autres et de soi-même existent dans cette œuvre. Il y a là un malaise constant qu'on ne connaît pas dans *La Chartreuse de Parme*.» Laurent met également l'accent sur le rapport entre roman d'amour et roman d'apprentissage : «Il y a chez Stendhal, comme chez Balzac, un apprentissage perpétuel, chacun de leurs personnages est un élève qui rentre à l'école de la société, cherche les moyens d'y réussir, et l'amour vient aider ou briser cette entreprise.»

Au XXᵉ siècle, quels sont les vrais romans d'amour? «*Le Grand Meaulnes*, qu'on peut avoir envie de relire, et qui tient à cause d'un mélange de réalisme — l'école primaire, le village — et de rêve — Yvonne de Galais, le château — qui vient s'enlacer avec le monde réel... Giraudoux, un spécialiste de l'écriture amoureuse : quand un héros de Giraudoux est amoureux, il l'est aussi et surtout des phra-

Histoire de l'œil

Georges Bataille 1928
Gallimard

Les fantasmes de Lord Auch : une brillante éjaculation verbale.

Adolphe

Benjamin Constant 1816
G. F.

Récit désabusé d'un angoissé devant le succès amoureux. A travers la «sécheresse» de
cœur d'Adolphe s'esquisse en filigrane le
portrait d'un héros romantique paralysé
entre le désir et l'action.

Les Bijoux indiscrets

Denis Diderot 1747
Pléiade et F., G. F., L. P.

Chronique à l'orientale des scandales de la
cour de France : pour se désennuyer, un
sultan s'amuse à débusquer les secrets
galants des dames par le truchement d'un
«bijou» magique... Mais l'apparent liber-
tinage est une manière fort habile (et plaisante) de cacher un propos polémique aux
ambitions philosophiques et politiques.

Paulina 1880

Pierre-Jean Jouve 1925
Mercure de France

Dieu, Paulina, Michele son amant, et la
cité de Florence d'où l'on découvre «un
ciel immaculé sur une terre rosée».

Les Lois de l'hospitalité

Pierre Klossowski 1965
Minuit

Roberte ce soir, *La Révocation de l'édit de
Nantes* et *Le souffleur* : les incarnations de
Roberte décrites par un maître voyeur.

Les Liaisons dangereuses

Choderlos de Laclos 1722
F., G. F., L. P.

Cruauté, passion et désinvolture placées
sous le microscope d'une analyse sans complaisance. De ce roman, écrit sous la forme
épistolaire et qui provoqua un véritable
scandale lors de sa parution, Baudelaire
dira : «Ce livre, s'il brûle, ne peut brûler
qu'à la manière de la glace.»

La Princesse de Clèves

1678
Mme de La Fayette F., G. F., L. P.

«Il parut alors une beauté à la cour qui
attira les yeux de tout le monde.»

Les Filles du feu

Gérard de Nerval 1854
Pléiade et F., G. F.

Une suite de récits étincelants dans le
Valois, terre natale du poète, et une suite
de figures amoureuses. Impossible en particulier de ne pas céder à l'envoûtement de
Sylvie, à sa délicatesse et à sa poésie.

Manon Lescaut

L'abbé Prévost 1731
F., J. L., L. P., P. P.

Publiée en 1731, comme le tome VII des
*Mémoires d'un homme de qualité qui s'est
retiré du monde*, l'histoire de Manon et du
chevalier des Grieux fut un «best-seller»
de l'époque. Elle fit surtout couler des tor-
rents de larmes.

Odile

1937
Raymond Queneau Gallimard

«Une pure histoire d'amour» vécue par un
mathématicien mêlé à quelques truands...

La Nouvelle Héloïse

1761
Jean-Jacques Rousseau G. F.

L'amour impossible de Saint-Preux et de
Julie, sublimé en un bonheur sage et paisible dans une communauté de belles âmes.
Malgré ses longueurs et ses passages mora-
lisateurs, ce gros roman par lettres garde
son charme. La fête des vendanges à Cla-
rens compte parmi les pages les plus célèbres de Rousseau.

L'Écume des jours

Boris Vian 1947
Gallimard et 10/18, L. P.

Colin, son cuisinier Nicolas (glorieux
inventeur du «pianocktail») et Chloé qui
se meurt, doucement rongée par un nénu-
phar : une rêverie amoureuse pleine de
délicatesse.

... en 49 livres

Le Grand Meaulnes

Alain-Fournier   1913
                          Fayard et L. P.

... éperdu devant Yvonne de Galais. Entre féerie et réel, une adolescence en Sologne et un roman, seule œuvre importante de l'auteur, dont le parfum d'absolu reste toujours présent.

Une vieille maîtresse

Jules Barbey d'Aurevilly   1851
                                         F.

Rien ne parviendra à briser le pacte amoureux qui lie le beau Ryno de Marigny à la Vellini, sa vieille maîtresse, une espagnole laide et fascinante. Le plus anglais des romans d'amour français.

Léon Morin, prêtre

Béatrix Beck   1952
                                         F.

Tentations.

Mort de la bien-aimée

Marc Bernard   1942
                                    Gallimard

Présence de l'être cher par-delà l'absence. Fascination et lutte contre le néant et un livre qui ne peut laisser indifférent.

Laurence de Saintonge

Jacques de Bourbon-Busset   1975
                                    Gallimard

Jacques et Laurence devenus Sylvio et Sylvia dans l'espace de ce roman fantastique et initiatique qui les transporte de Saintonge à Manhattan en passant par la Vallée des Rois et le pôle Nord.

L'Épithalame

Jacques Chardonne   1921
                          Stock et Albin Michel

L'amour conjugal et la difficulté de réussir la vie à deux par l'auteur de *Claire*.

ses qui naissent à propos de cet amour. *Belle du seigneur*, bien que ce soit plutôt un roman d'amour pour la langue et pour l'image verbale car l'amour pour la femme, c'est presque celui du chasseur pour le gibier. L'amour n'est pas l'objectif d'Albert Cohen, mais bien plus les relations sensuelles entre l'homme et la femme. »

Peut-on vraiment définir le roman d'amour ? « J'en donnerai comme définition : le roman où l'amour prime tout autre intérêt, et où cet amour se révèle être unique. Mais cela n'existe pas chez les romanciers français, même *Le Lys dans la vallée*, plus proche du modèle de roman d'amour, était jugé par Alain comme le roman des ''Cent-Jours'' vus d'un château de la Loire ! » *Adolphe* ? « Il s'agit de la peinture d'un caractère indécis, avec tous les inconvénients qu'il y a à être indécis : c'est le roman d'un égoïsme malheureux. »

Et les lectures amoureuses favorites de Jacques Laurent ? « Je place très haut Erckmann-Chatrian, un grand romancier de l'amour heureux. Il n'est pas bien considéré, parce que les universitaires ne parlent pas de lui, mais son écriture est très agréable. Ce qu'on lui reproche, au fond, c'est d'avoir été le romancier de l'amour qui, après quelques tribulations, devient un amour réussi : une faute de goût qui ne lui a jamais été pardonnée ! »

Le Blé en herbe

Colette   1923
Gallimard

Premiers émois et vacances à la campagne. Un garçon séduit par une aventurière et sauvée par l'amour d'une jeune fille de quinze ans.

Sur le fleuve Amour   1922

Joseph Delteil   Grasset

... au sens géographique et figuré. Les forces du subconscient au-delà de l'ordre et vers la volupté.

Le Ravissement de Lol V. Stein

Marguerite Duras   1964
Gallimard et F.

Du *Marin de Gibraltar* à *L'Amant*, tous les romans de M. Duras pourraient figurer dans cette rubrique. Mais Lol V. Stein, ravie à elle-même par l'amour qui lui a été ravi — « Elle était belle mais elle avait, de la tristesse, de la lenteur du sang à remonter sa pente, la grise pâleur » —, est sans doute l'héroïne la plus pathétique de cette œuvre qui dit simultanément l'urgence et l'impossibilité de l'amour.

Dominique   1863

Eugène Fromentin   Pléiade

L'aveu de tous les échecs. Dominique, écrivain sans succès, amant déchiré, trouve le calme dans le renoncement et la conscience de ses limites.

Siloé   1941

Paul Gadenne   Seuil

Une Ariane passionnément découverte et un roman d'apprentissage où l'amour est vécu jusqu'au bout de l'existence et devient ainsi inaccessible.

Notre-Dame des Fleurs

Jean Genet   1944
Gallimard et F.

Le chant de Mignon, transfiguré par le regard amoureux d'un prisonnier. Une autre morale : la volupté dans l'humiliation.

La Porte étroite

André Gide   1909
F.

Inspiré d'un amour de jeunesse, ce récit analyse de façon critique les dangers de l'ascèse amoureuse que le mysticisme développe souvent. Alissa, dans sa quête du sublime, sacrifie sa passion pour Jérôme et poursuit seule la route étroite de l'idéal qu'elle s'est fixé.

Un de Baumugnes

Jean Giono   1929
Gallimard

Un cœur simple emporté dans un drame familial que la force de l'amour dénoue. Second volet de la trilogie composée également de *Colline* et *Regain*.

L'Amour absolu

Alfred Jarry   1899
Mercure de France

Impossible n'est pas Ubu. L'infini des variations sur le thème de l'amour et de la mort.

Chronique d'une passion

Marcel Jouhandeau   1949
Gallimard

« L'amour n'est qu'une occasion pour un orage d'éclater : ivre et inassouvi, on n'étreint jamais que l'ombre de ce qu'on croit tenir ; aussi, peu importe le simulacre, pourvu qu'on lui donne les noms les plus doux tour à tour et les plus cruels. »

Une vie

Guy de Maupassant   1883
F., G. F., J. L., L. P., P. P.

Les malheurs de Jeanne, bafouée par son mari, ruinée par son fils et sauvée de la folie par le sacrifice de Rosalie. « La vie, voyez-vous, ça n'est jamais si bon, ni si mauvais qu'on croit. »

Parfaite de Saligny 1956

Paul Morand Stock

La Vendée en 1789 et la passion violente de Loup de Tincé pour Parfaite de Saligny. Deux êtres que tout sépare et qu'un destin funeste réunira. Une des plus belles nouvelles de Paul Morand.

Allemande 1973

François Nourissier Grasset et L. P.

À Paris, sous l'occupation, un petit bourgeois découvre les séduisantes jeunes filles des grandes familles du 16e arrondissement. Brio du style réaliste et classique.

Histoire d'O 1954

Pauline Réage Pauvert

L'esclavage consenti est-il une des formes de l'amour ? Ce roman qui fit date en décrit, sans fard, tous les délices.

Jules et Jim 1953

Henri-Pierre Roché Presses de la Cité

... et Kate de l'un à l'autre dans un équilibre qui se rompra pourtant. Une grande passion, plus un grand film.

Paul et Virginie

Bernardin de Saint-Pierre 1788
F. et L.P.

Deux enfants s'aimaient d'amour tendre dans une île qui ressemblait à un paradis. Comme chacun sait, ça finit très mal. Beaux paysages de l'île Maurice. Le premier roman colonial français.

Femmes 1983

Philippe Sollers Gallimard

Une écriture supersonique fait la chronique des années soixante et soixante-dix, les années MLF, les années Lacan. Roman à clé ou mémoires. Au cœur de la comédie humaine d'aujourd'hui le ballet des femmes, diablesses ou mantes religieuses.

La Faute de l'abbé Mouret

Émile Zola 1875
Pléiade et G. F., L. P.

Dans le cycle des *Rougon-Macquart*, un amour rousseauiste que les nécessités de la foi et le regard du monde entravent. Mais des heures inoubliables passées dans le Paradou...

Le choix de Catherine Rihoit

Après *La Favorite, Le Bal des débutantes, Le Triomphe de l'amour* et *Soleil* (le tout chez Gallimard), Catherine Rihoit rêve encore d'écrire un parfait roman d'amour. Et pourtant elle n'en est pas loin. Pour elle, la liste des plus beaux romans d'amour français commence par... le théâtre de Racine, le plus grand dans la description du sentiment amoureux (*Phèdre*, bien sûr) et dans la maîtrise du langage amoureux. Ensuite figurent, sans hésiter, Stendhal, Benjamin Constant et Flaubert.

Pour la période contemporaine, Catherine Rihoit cite l'inévitable *Belle du seigneur*, sans méconnaître le revers de la médaille, la profonde misogynie d'Albert Cohen. Marguerite Duras (*L'Amant*, un récit de la nostalgie amoureuse, et *Le Marin de Gibraltar*). Monique Lange (*Les Platanes*), André Dhôtel, un écrivain à ses yeux trop méconnu, et qui l'a beaucoup influencée (*Les Chemins du long voyage*) : ses descriptions de jeunes filles amoureuses sont remarquables. Parmi les contemporains, Claude Mourthé se préoccupe uniquement du sentiment amoureux et Bruno Gay-Lussac dans *Les Anges fous* (Gallimard) fait le portrait d'un homme désemparé devant l'irruption de l'amour qu'il n'arrive pas à vivre complètement. Béatrix Beck (*Léon Morin, prêtre*), chez qui la langue véhicule le développement de l'amour. Il ne faut pas oublier non plus Jean-Marie Le Clézio qui, au début du *Procès-verbal*, affirme qu'il s'agit d'un roman qui « aurait fait pleurer Margot », ni *L'Amour fou*, de Breton. Réussir l'évocation de l'amour doit être le rêve de tout romancier et, souvent, l'absence de l'amour est significative.

Trois références

A propos d'amour, trois textes de référence sont indispensables :

L'Art d'aimer, poème en trois chants d'Ovide (Folio). Un ouvrage qui non seulement encourage au plaisir, mais enseigne la pratique de la conquête amoureuse.

De l'amour, par Stendhal (Folio). Une analyse très fine de «la passion appelée amour» : c'est dans ce livre que Stendhal développe la célèbre théorie de la «cristallisation». Tout en insistant sur le fait que l'amour n'est pas nécessairement lié à la beauté, l'auteur de *La Chartreuse de Parme* tente aussi de montrer comment les différents tempéraments nationaux peuvent y jouer un rôle. Mais pour Stendhal le royaume de l'amour reste l'Italie.

L'Amour et l'Occident, par Denis de Rougemont (10/18). A partir de la légende de Tristan et Iseult, et de la civilisation «courtoise», une étude de l'exaltation mystique que suscite la passion, et des relations entre l'art d'aimer et la stratégie amoureuse.

Choix des meilleurs romans d'amour en 1957

Le 6 juillet 1957, *Le Figaro littéraire* lance un grand concours auprès de ses lecteurs : trouver la liste des douze meilleurs romans d'amour parus sous la Troisième République, telle qu'elle va être élaborée par un jury d'hommes de lettres (parmi eux, Mauriac, Maurois, Carco, Paulhan, Duhamel, Lacretelle, Dorgelès). Le 27, la liste est dévoilée :

1. Colette : *La Retraite sentimentale.*
2. Alphonse Daudet : *Sapho.*
3. Francis Jammes : *Clara d'Ellebeuse.*
4. Alain-Fournier : *Le Grand Meaulnes.*
5. Pierre Louÿs : *La Femme et le pantin.*
6. Raymond Radiguet : *Le Diable au corps.*
7. Anatole France : *Le Lys rouge.*
8. André Gide : *La Porte étroite.*
9. Maupassant : *Fort comme la mort.*
10. Joseph Bedier : *Le Roman de Tristan et Iseult.*
11. Octave Mirbeau : *Le Calvaire.*
12. Gaston Chereau : *Valentine Pacquault.*

L'Amant

Un titre peut cacher un autre chef-d'œuvre que celui qu'on croit. Ainsi, si tout le monde connaît le roman (Goncourt 1984) de Marguerite Duras, on ignore trop souvent *L'Amant* de Mireille Sorgue (Albin Michel), un admirable hymne à l'amour écrit par une toute jeune femme qui devait mourir à vingt-trois ans.

Neuf monuments

Il n'était pas possible de parler du roman d'amour sans rappeler ces «monuments» de la passion amoureuse :

Les Hauts de Hurlevent par Emily Brontë (Garnier-Flammarion). Ah ! Heathcliff...

Jane Eyre par Charlotte Brontë (Le Livre de Poche).

Autant en emporte le vent par Margaret Mitchell (Folio).

Premier Amour par Tourgueniev (Garnier-Flammarion).

Les souffrances du jeune Werther par Goethe (Garnier-Flammarion). Et de Charlotte bien sûr... qui ont inspiré bien des écrits.

Le Docteur Jivago par Boris Pasternak (Folio).

Tess d'Uberville par Thomas Hardy (Le Livre de Poche).

Rebecca par Daphné du Maurier (Le Livre de Poche).

Et, chef-d'œuvre parmi les chefs-d'œuvre, *Lolita* par Vladimir Nabokov (Folio).

La littérature anglo-saxonne est plus douée que la nôtre pour l'expression des sentiments amoureux.

Leur définition de l'amour

«L'amour comme vertige, comme un sacrifice et comme le dernier mot de tout» (Alain-Fournier).

«Je n'ai jamais aimé une femme qu'autant qu'elle me paraissait un miracle» (Marcel Arland).

«Par la caresse nous sortons de l'enfance, mais un seul mot d'amour et c'est notre naissance» (Paul Éluard).

«L'amour comporte vraiment des moments exaltants, ce sont les ruptures» (Jean Giraudoux).

«L'amour, c'est l'espace et le temps rendus sensibles au cœur» (Marcel Proust).

«Aimer sans doute est le possible le plus lointain» (Georges Bataille).

«Aimer, c'est n'avoir plus droit au soleil de tout le monde. On a le sien» (Marcel Jouhandeau).

«L'amour n'est pas seulement un sentiment, il est aussi un art» (Honoré de Balzac).

«La volupté unique et suprême de l'amour gît dans la certitude de faire le ''mal''. Et l'homme et la femme savent de naissance que dans le mal se trouve toute volupté» (Charles Baudelaire).

«L'amour a toujours été pour moi la plus grande des affaires ou plutôt la seule» (Stendhal).

«Toute espèce de chaîne est une folie, tout lien est un attentat à la liberté physique dont nous jouissons sur la surface du globe» (Sade).

La poésie française

Voici le jardin secret de la bibliothèque idéale : la poésie, qui garde en elle la trace d'une émotion particulière venue de l'adolescence... Les jeunes, si l'on en croit un sondage récent, lisent, entre quinze et vingt ans, cinq fois plus de poésie que leurs aînés. Il est vrai que si nous affichons volontiers nos lectures de romans ou d'essais, nous avouons nos penchants pour tel ou tel poète.

Dans une bibliothèque, la poésie occupe une place à part, constituée à partir de quelques recueils achetés vers quinze ou seize ans, témoins, selon Max-Pol Fouchet, de nos «cris de cœur», échos infiniment prolongés de notre apprentissage de la vie et de la littérature. Bien sûr, la poésie a ses ennemis : ceux qui la réduisent au statut de «récitation», et tuent dans l'œuf l'émotion vraie, ceux qui en annoncent la crise et en font un genre littéraire périmé, abandonné du public et des éditeurs. Et pourtant... Fin 1986, plus de 6 400 titres sont disponibles (sans retenir les nombreux «comptes d'auteur»). Chaque semaine, dans «Bonjour la France», TF1 offre à ses téléspectateurs la lecture d'un poème. La poésie s'affiche dans les abribus, tient un marché annuel place Saint-Sulpice, et a même sa «maison» au Forum des Halles !

On pourrait trouver d'autres signes de la vitalité de la poésie aujourd'hui. À quelques petits pas de l'an 2000, on lit de la poésie, et on écrit encore beaucoup de poèmes dans le secret des chambres comme sur les claviers des micro-ordinateurs. Pour preuve les milliers de poèmes composés par d'anonymes visiteurs lors de l'exposition des «Immatériaux» au Centre Georges Pompidou. Le courant poétique passe, mais l'expérience de la poésie a évolué. Nous ne sommes plus sensibles aux longs récitatifs d'autrefois tout amidonnés de rhétorique. La poésie ne se porte plus en col dur, mais en tee-shirt et jean. Le lecteur recherche, comme l'explique Claude-Michel Cluny, la cristallisation du langage et, peut-être, un effet de surprise. Il veut être «étonné» comme Cocteau devant Diaghilev. Le surréalisme est passé par là, et a changé notre perception de l'univers poétique : l'éloquence, la philosophie, puis tardivement la politique ont évacué les lieux ; l'onirique ou l'évasion occupent le devant de la scène.

Notre choix veut refléter, non sans parti pris, la sensibilité présente et rendre une nécessaire justice aux poètes du passé, mais comme la poésie l'y autorise, il revendique d'abord celui de notre propre plaisir. Il y a une trentaine d'années, une enquête radiophonique (citée par Luc Decaunes dans *Les riches heures de la poésie française*, Seghers 1981) avait ainsi classé dans l'ordre les dix poèmes préférés de nos concitoyens :

Heureux qui comme Ulysse (du Bellay),
Mignonne, allons voir si la rose (Ronsard),
Quand vous serez bien vieille (id.),
Ballade des pendus (Villon),
Le lac (Lamartine),
La jeune captive (Chénier),
Le temps a laissé son manteau (Charles d'Orléans),
Ballade des dames du temps jadis (Villon),
La jeune Tarentine (Chénier),
Le bateau ivre (Rimbaud).

Verlaine, Baudelaire et Hugo n'étaient respectivement qu'aux 20e, 21e et 29e places. Cet ordre vaut-il encore maintenant ? Peut-être, à vous d'en juger.

En constituant, après de longs débats, le rayon poésie de la bibliothèque idéale, nous n'avons pas voulu apporter une définition de la poésie (il existe assez de thèses, d'essais ou de revues pour cela), mais offrir la plus petite anthologie du monde et, espérons-le, la plus proche de la connaissance poétique d'aujourd'hui.

La poésie française

... en 49 livres

... en 25 livres

... en 10 livres

Alcools
Guillaume Apollinaire

Les Fleurs du mal
Charles Baudelaire

Les Feuilles d'automne
Victor Hugo

Fables
Jean de La Fontaine

L'Espace du dedans
Henri Michaux

Les Chimères
Gérard de Nerval

Poésies
Arthur Rimbaud

Les Amours
Pierre de Ronsard

Sagesse
Paul Verlaine

Le Testament
François Villon

Les Antiquités de Rome
Joachim du Bellay

*Du mouvement
et de l'immobilité de Douve*
Yves Bonnefoy

Prose du Transsibérien
Blaise Cendrars

Iambes
André Chénier

Les Amours jaunes
Tristan Corbière

La Vie immédiate
Paul Eluard

Le Cornet à dés
Max Jacob

Élégies et sonnets
Louise Labé

Les Chants de Maldoror
Lautréamont

Œuvres complètes
Stéphane Mallarmé

Plupart du temps
Pierre Reverdy

Anabase
Saint-John Perse

Gravitations
Jules Supervielle

Contrerimes
Paul-Jean Toulet

Charmes
Paul Valéry

Le Roman inachevé
Louis Aragon

L'Ombilic des limbes
Antonin Artaud

Les Tragiques
Agrippa d'Aubigné

Signe ascendant
André Breton

Cahier d'un retour au pays natal
Aimé Césaire

Les Matinaux
René Char

Cinq Grandes Odes
Paul Claudel

Destinée arbitraire
Robert Desnos

Sodome
Pierre Emmanuel

Sans titre et autres textes
Xavier Forneret

*De l'angélus de l'aube
à l'angélus du soir*
Francis Jammes

L'Imitation de Notre-Dame la lune
Jules Laforgue

Méditations poétiques
Alphonse de Lamartine

Poésies de A.O. Barnabooth
Valéry Larbaud

Cartes postales
Henry Jean-Marie Levet

Soleil bas
Georges Limbour

Œuvres poétiques
Clément Marot

L'Homme rapaillé
Gaston Miron

Poésies nouvelles
Alfred de Musset

Le Parti pris des choses
Francis Ponge

Paroles
Jacques Prévert

Hors les murs
Jacques Réda

Stèles
Victor Segalen

Œuvres poétiques
Alfred de Vigny

• À vous de choisir le cinquantième livre. Peut-être est-il déjà dans votre bibliothèque.

... en 10 livres

Alcools

Guillaume Apollinaire   1920
P. G.

« À la fin tu es las de ce monde ancien Bergère ô tour Eiffel le troupeau des ponts bêle
ce matin.
Tu en as assez de vivre dans l'antiquité
grecque et romaine. »

Les Fleurs du mal

Charles Baudelaire   1857
P. G., J. L., L. P., G. F.

« Sois sage ô ma Douleur [...]. Vois se pen-
cher les défuntes Années, / Sur les balcons
du ciel, en robes surannées ; / Surgir du
fond des eaux le Regret souriant ; / Le
soleil moribond s'endormir sous une arche,
/ Et, comme un long linceul traînant à
l'Orient, / Entends, ma chère, entends la
douce Nuit qui marche. »

Les Feuilles d'automne

Victor Hugo   1835
P. G., G. F. Bouquins

« Amis, ne creusez pas vos chères rêveries ;
/ Ne fouillez pas le sol de vos plaines fleuries / Et quand s'offre à vos yeux un océan
qui dort, / Nagez à la surface ou jouez sur
le bord ; / Car la poésie est sombre ! »

Fables

      1668-1694
Jean de La Fontaine   L. P., G. F., P. G.

« Les Fables ne sont pas ce qu'elles semblent être. / Le plus simple animal nous
tient lieu de Maître. »

L'Espace du dedans

Henri Michaux   1927-59
Gallimard

« Qu'as-tu fait de ta vie, pitance de roi ?
J'ai vu l'homme.
Je n'ai pas vu l'homme comme la mouette,
vague au ventre, qui file rapide sur la mer
indéfinie.
J'ai vu l'homme à la torche faible, ployé
et qui cherchait. Il avait le sérieux de la
puce qui saute, mais son saut était rare et
réglementé. »

Les Chimères

Gérard de Nerval   1854
Gallimard

« Je pense à toi, Myrtho, divine enchanteresse, / Au Pausilippe altier, de mille feux
brillant, / À ton front inondé des clartés
d'Orient, / Aux raisins noirs mêlés avec
l'or de ta tresse. »

Poésies

Arthur Rimbaud   1895
P. P.

« Je sais les cieux crevant en éclairs, et les
trombes / Et les ressacs et les courants :
je sais le soir, / L'Aube exaltée ainsi qu'un
peuple de colombes, / Et j'ai vu quelquefois ce que l'homme a cru voir ! »

Les Amours

Pierre de Ronsard   1552
G. F., P. G.

« Comme on voit sur la branche au mois de
mai la rose, / En sa belle jeunesse, en sa
première fleur, / Rendre le ciel jaloux de
sa vive couleur, / Quand l'aube de ses
pleurs au point du jour l'arrose ;
La grâce dans sa feuille, et l'amour se
repose, / Embaumant les jardins et les
arbres d'odeur ; / Mais, battue ou de pluie,
ou d'excessive ardeur, / Languissante elle
meurt, feuille à feuille déclose.
Ainsi en ta première et jeune nouveauté.
Quand la Terre et le Ciel honoraient ta
beauté, / La Parque t'a tuée, et cendre tu
reposes.
Pour obsèques reçois mes larmes et mes
pleurs, / Ce vase plein de lait, ce panier
plein de fleurs, / Afin que vif, et mort, ton
corps ne soit que roses. »

Sagesse
Paul Verlaine 1880
L. P., P. G.

«Écoutez la chanson bien douce
Qui ne pleure que pour vous plaire.
Elle est discrète, elle est légère :
Un frisson d'eau sur de la mousse!»

Le Testament
François Villon 1489
G. P., L. P. (in «Poésies complètes»)

«Hé! Dieu, si j'eusse étudié,
Au temps de ma jeunesse folle,
Et à bonne mœurs dédié,
J'eusse maison et couche molle.
Mais quoi? je fuyoie l'école,
Comme fait le mauvais enfant.
En écrivant cette parole
À peu que le cœur ne me fend...»

... en 25 livres

Les Antiquités de Rome
Joachim du Bellay 1558
G. F., P. G.

«Nouveau venu, qui cherches Rome en
Rome
Et rien de Rome en Rome n'aperçois,
Ces vieux palais, ces vieux arcs que tu vois,
Et ces vieux murs, c'est ce que Rome on
nomme.»

Du mouvement
et de l'immobilité de Douve
Yves Bonnefoy 1953
Mercure de France et P. G.

«Je ne suis que parole intentée à l'absence,
L'absence détruira tout mon ressas-
sement.»

Prose du Transsibérien
Blaise Cendrars 1913
P. G.

«En ce temps-là j'étais en mon adolescence
/ J'avais à peine seize ans et je ne me

La poésie selon
Claude Roy

«L'objet de la poésie, c'est d'établir, à l'intérieur de ce cours fugace et toujours dérobé du discours humain, des *travaux d'art*, comparables à ces ouvrages hydrauliques dont la fonction est de maîtriser et de retenir le flux des eaux — barrages, digues, écluses, vannes, pertuis. On mesure l'efficacité d'un barrage à la retenue d'eau dont il est capable. C'est le même terme qui peut définir l'élément constant de la poésie : la poésie, c'est d'abord ce qui est conçu pour être *retenu*, le trésor des instants confiés à la mémoire qui les a capturés dans le réseau des mots.»

Le choix de
Robert Sabatier

«Monsieur Sabatier, vous devriez écrire des poèmes!» C'est ce que l'auteur des *Allumettes suédoises* entend souvent chez ses lecteurs. Bien peu d'entre eux connaissent l'activité de poète du «père» d'Olivier, tant elle est distincte de la création romanesque. Plusieurs recueils de ses poèmes sont disponibles chez Albin Michel. Et surtout sa monumentale *Histoire de la poésie française depuis les origines jusqu'à nos jours*. Monumentale par la taille, et par la méthode, puisque, depuis plus de trente ans, comme un sculpteur, il sort de la masse des poèmes les figures des poètes. Il en est aujourd'hui à Jean Tardieu qu'il considère comme un maître de l'invention langagière. Attention! Il ne s'agit pas d'une anthologie, mais bien d'une histoire littéraire, où Robert Sabatier n'hésite pas cependant à avouer ses goûts. Sa bibliothèque idéale? Elle reflète à la fois ses admirations et ses affinités. Le XVIe siècle? Ronsard, du Bellay, bien sûr, mais ne pas oublier Maurice Scève. Le XVIIe siècle? Malherbe, mais aussi Théophile de Viau. Le XIXe siècle? Hugo qui, pour

souvenais déjà plus de mon enfance /
J'étais à seize mille lieues de ma naissance.
/ J'étais à Moscou, dans la ville des mille
et trois clochers et des sept gares... »

Iambes

André Chénier   1819
Pléiade

« Pleurez, doux alcyons, ô vous, oiseaux
sacrés, / Oiseaux chers à Thétis, doux
alcyons, pleurez. / Elle a vécu, Myrto,
la jeune Tarentine. Un vaisseau la portait aux bords de Camarine. / Là l'hymen,
les chansons, les flûtes, lentement /
Devaient la reconduire au seuil de son
amant. »

Les Amours jaunes

Tristan Corbière   1873
P. G.

« Elle était riche de vingt ans,
Moi j'étais jeune de vingt francs,
Et nous fîmes bourse commune,
Placée, à fonds perdu, dans une
Infidèle nuit de printemps... »

La Vie immédiate

Paul Éluard   1932
P. G.

« Elle est debout sur mes paupières
Et ses cheveux sont dans les miens,
Elle a la forme de mes mains,
Elle a la couleur de mes yeux,
Elle s'engloutit dans mon ombre,
Comme une pierre sur le ciel. »

Le Cornet à dés

Max Jacob   1917
P. G.

« Je me déclare mondial, ovipare, girafe,
altéré, sinophobe et hémisphérique. Je
m'abreuve aux sources de l'atmosphère qui
rit concentriquement et pète de mon inap-
titude. »

Élégies et sonnets

Louise Labé   1555
P. G.

« Je vis, je meurs ; je me brûle et me noie ;
/ J'ai chaud extrême en endurant froi-
dure ; / La vie m'est et trop molle et trop
dure ; / J'ai grands ennuis entremêlés de
joie. »

Les Chants de Maldoror

Lautréamont   1869
P. G., G. F.

« J'ai fait un pacte avec la prostitution afin
de semer le désordre dans les familles. Je
me rappelle la nuit qui précéda cette dangereuse liaison. Je vis devant moi un tombeau. J'entendis un ver luisant, grand
comme une maison, qui me dit : "Je vais
t'éclairer. Lis l'inscription. Ce n'est pas de
moi que vient cet ordre suprême." »

Œuvres complètes

Stéphane Mallarmé   (1842-1898)
Pléiade

« La chair est triste, hélas ! et j'ai lu tous
les livres. Fuir ! là-bas fuir ! Je sens que des
oiseaux sont ivres / D'être parmi l'écume
inconnue et les cieux ! / Rien, ni les vieux
jardins reflétés par les yeux / Ne retiendra
ce cœur qui dans la mer se trempe / O nuits !
Ni la clarté déserte de ma lampe / Sur le vide
papier que la blancheur défend... »

Plupart du temps

Pierre Reverdy   1945
P. G.

« L'univers entier tient dans ma main
Les étoiles le ciel le vent le soleil
il pleut. »

Anabase

Saint-John Perse   1924
P. G.

« Et à midi, quand l'arbre jujubier fait éclater l'assise des tombeaux, l'homme clôt ses
paupières et rafraîchit sa nuque dans les
âges... Cavaleries du songe au lieu des

poudres mortes, ô routes vaines qu'échevèle un souffle jusqu'à nous ! où trouver les guerriers qui garderont les fleuves dans leurs noces ? »

Gravitations

Jules Supervielle   1925
          P. G.

« Mon peu de terre avec mon peu de jour
Et ce nuage où mon esprit embarque,
Tout ce qui fait l'âme glissante et lourde,
Saurai-je, moi, saurai-je m'en déprendre ? »

Contrerimes

Paul-Jean Toulet   1910-1921
          P. G.

« Vous qui retournez du Cathai
     Par les Messageries
Quand vous berçaient à leurs féeries
     L'opium ou le thé. »

Charmes

Paul Valéry   1922
          P. G.

« Le vent se lève !... Il faut tenter de vivre !
L'air immense ouvre et referme mon livre,
La vague en poudre ose jaillir des rocs !
Envolez-vous, pages tout éblouies !
Rompez, vagues ! Rompez d'eaux réjouies
Ce toit tranquille où picoraient des focs ! »

... en 49 livres

Le Roman inachevé

Louis Aragon   1956
         Gallimard

« Nous avons comme un pain partagé notre
                  aurore
Ce fut au bout du compte un merveilleux
                printemps
Toutes les raisons tous les torts
N'y font rien mes amis d'antan. »

R. Sabatier, représente quarante poètes à la fois, ou Baudelaire, mais il ne faut pas négliger les romantiques mineurs, Nodier, Forneret ou Guérin. Pour le XXᵉ siècle, qui connaît selon lui une explosion poétique sans précédent, Robert Sabatier ne cache pas une affection particulière pour Supervielle. Il se méfie des anthologies qui peuvent encourager le lecteur à s'en tenir là. Il veut l'inciter à aller au texte, à ne pas en avoir peur. La poésie n'est pas enfermée derrière des barreaux. Elle s'offre à partager une émotion. Elle est disponible. Il suffit de dépasser la révérence craintive qui vient probablement des années d'école ou de lycée.

Le choix de C.-M. Cluny

Producteur à France-Culture, critique à *L'Express* et collaborateur de *Lire*, C.-M. Cluny connaît, en poète, tous les recoins, de la cave au grenier, de la maison poétique française. « Notre bibliothèque idéale de poésie se constitue entre quinze et vingt ans, entre la découverte de la littérature et la confirmation de nos goûts. Les poètes qui comptent à mes yeux sont ceux qui m'ont fait comprendre ce qu'était la poésie : de la Pléiade, époque où la langue se forme sans se figer, je saute à pieds joints par-dessus trois siècles jusqu'aux modernes. Douze noms : Villon, Ronsard, du Bellay, d'Aubigné, Desportes, Racine, Mallarmé, Lautréamont, Valéry, Supervielle, Saint-John Perse, Éluard. » Comment lit-on de la poésie aujourd'hui ? « Notre sensibilité a changé : autrefois, les lecteurs étaient accoutumés à des poèmes très longs, récitatifs, dont nous ne retenons plus que quelques fragments. Aujourd'hui, c'est la cristallisation qui compte. Nous sommes sensibles à l'éclat d'une rencontre, et nous attendons une révélation. »

L'Ombilic des limbes

Antonin Artaud 1925
P. G.

«Poète noir, un sein de pucelle te hante,
poète aigri, la vie bout
et la ville brûle,
et le ciel se résorbe en pluie,
ta plume gratte au cœur de la vie.»

Les Tragiques

Agrippa d'Aubigné 1616
Société des textes français

«Comme un nageur venant du profond de
son plonge,
Tous sortent de la mort comme l'on sort
d'un songe.»

Signe ascendant

André Breton 1949
P. G.

«Dans le salon de Madame des Ricochets
Les miroirs sont en grains de rosée pressés
La console est faite d'un bras dans du
lierre
Et le tapis meurt comme les vagues»

Cahiers d'un retour
au pays natal

Aimé Césaire 1947
Présence africaine

«Iles annelées, unique carène belle
Et je te caresse de mes mains d'océan.
Et je te vire de mes paroles alizées.
Et je te lèche de mes langues d'algues.
Et je te cingle hors-flibuste.»

Les Matinaux

René Char 1950
P. G.

«La vérité est personnelle.
Prenez garde : tous ne sont pas dignes de
la confidence.»

Cinq Grandes Odes

Paul Claudel 1910
P. G.

«Hors de moi la nuit, et en moi la fusée
de la force nocturne, et le vin de la Gloire,
et le mal de ce cœur trop plein!
Si le vigneron n'entre pas impunément
dans la cuve,
Croirez-vous que je sois puissant à fou-
ler ma grande vendange de paroles,
Sans que les fumées m'en montent au
cerveau!»

Destinée arbitraire

Robert Desnos 1944
P. G.

«Tu, Rrose Sélavy, hors de ces bornes
erres
Dans un printemps en proie aux sueurs de
l'amour,
Aux parfums de la rose éclose aux murs des
tours,
à la fermentation des eaux et de la terre.»

Sodome

Pierre Emmanuel 1944
Seuil

«Verdure énigmatique où ruisselle le songe
est-ce le monde à l'infini rêvant son dieu
ou l'Œil de dieu rêvant à l'infini le
monde?»

Sans titre et autres textes

Xavier Forneret (1809-1884)
Thot

«La folie c'est la Mort avec des veines
chaudes.
(...)
Quand le soleil est pâle, il regarde les
tombes.»

De l'angélus de l'aube
à l'angélus du soir

Francis Jammes 1898
P. G.

«Je prendrai mon bâton et sur la grand-
route j'irai, et je dirai aux ânes, mes amis :
Je suis Francis Jammes et je vais au Paradis, car il n'y a pas d'enfer au pays du Bon
Dieu.»

L'Imitation de Notre-Dame la lune

Jules Laforgue   1886
P. G.

«C'est sur un cou qui, raide, émerge
D'une fraise empesée *idem*,
Une face imberbe au cold-cream,
Un air d'hydrocéphale asperge.»

Méditations poétiques

Alphonse de Lamartine   1820
P. G.

«Mon cœur lassé de tout, même de
l'espérance,
N'ira plus de ses vœux importuner le sort ;
Prêtez-moi seulement, vallons de mon
enfance,
Un asile d'un jour pour attendre la mort.»

Poésies de A.O. Barnabooth

Valéry Larbaud   1923
P. G.

«Prête-moi ton grand bruit, ta grande
allure si douce,
Ton glissement nocturne, à travers
l'Europe illuminée,
Ô train de luxe !»

Cartes postales

Henri Jean-Marie Levet   *(1874-1906)*
À rééditer d'urgence

«L'Écosse s'est voilée de ses brumes
classiques,
Nos plages et nos lacs sont abandonnés ;
Novembre, tribunal suprême des
phtisiques,
M'exile sur les bords de la Méditerranée»

Soleil bas

Georges Limbour   1924
P. G.

«La jeune fille avec un amant prit la fuite
Le village accusa sitôt les Bohémiens
Et la gendarmerie se mit à leur poursuite
De son côté et moi du mien.»

La poésie française vue des États-Unis

Paul Auster, jeune poète américain, familier du Lower East Side et de Saint Mark's Church, église désaffectée où campe un actif groupe d'écrivains, le Poetry Project, a composé une *Anthologie de la poésie française du XXᵉ siècle* à la demande des éditions Random House. Cet ouvrage qui rassemble des textes traduits par des écrivains américains a été recommandé par le *New York Times*, retenu par deux clubs de livres et s'est vendu à plus de dix mille exemplaires — un succès. Si le grand public ignore presque totalement notre poésie, les intellectuels — et surtout l'avant-garde new-yorkaise — connaissent bien Mallarmé, Valéry (le premier aux États-Unis, son œuvre a été entièrement traduite), Apollinaire, certains surréalistes, Henri Michaux, Francis Ponge (tous deux largement traduits), Yves Bonnefoy (considéré comme un poète majeur) et, parmi les contemporains, Michel Deguy et Emmanuel Hocquard. Cependant il reste beaucoup à faire et Robert Silvers, patron incontesté de la *New York Review of Books*, estime que la France devrait en priorité faire connaître aux États-Unis ses poètes plutôt que ses romanciers.

Un choix d'anthologies

Thierry Maulnier : *Introduction à la poésie française* (Gallimard, 1930) ;
Max-Pol Fouchet : *Anthologie thématique de la poésie française* (Seghers, 1958) ;
Pierre Seghers : *Le livre d'or de la poésie française* (Marabout, 1972), tiré à plus de 600 000 exemplaires — un record !
Georges-Emmanuel Clancier : *Panorama de la poésie française* (2 vol., Seghers, 1963) ;
Claude Bonnefoy : *La poésie française des origines à nos jours* (Seuil, 1975) ;
Jean-François Revel : *Une anthologie de la poésie française* (Bouquins/Laffont, 1984).

Œuvres poétiques

Clément Marot   *(1496-1544)*
G. F.

«Plus ne suis ce que j'ai été,
Et ne le saurais jamais être.
Mon beau printemps et mon été
Ont fait le saut par la fenêtre.»

L'Homme rapaillé

Gaston Miron   1981
La Découverte

«Nous te ferons, Terre de Québec lit des
résurrections et des mille fulgurances de
nos métamorphoses...»

Poésies nouvelles

Alfred de Musset   1852
P. G.

«J'ai perdu ma force et ma vie,
Et mes amis et ma gaîté ;
J'ai perdu jusqu'à la fierté
Qui faisait croire à mon génie.»

Le Parti pris des choses

Francis Ponge   1942
P. G.

«Aux buissons typographiques constitués
par le poème sur une route qui ne mène
hors des choses ni à l'esprit, certains fruits
sont formés d'une agglomération de sphè-
res qu'une goutte d'encre remplit.»

Hors les murs

Jacques Réda   1982
P. G.

«Sur le pont des Martyrs qu'un long soleil
traverse,
Je me laisse engourdir par le rythme des
trains,
Bossa Nova du rail épousant la traverse,
Sans arrivée et sans départ.»

Stèles

Victor Segalen   1912
P. G.

«Ici, l'Empire au centre du monde. La
terre ouverte au labeur des vivants. Le continent milieu des Quatre-mers. La vie
enclose, propice au juste, au bonheur, à la
conformité.

Œuvres poétiques

Alfred de Vigny   *(1797-1863)*
G. F.

«Je suis celui qu'on aime et qu'on ne
connaît pas.
Sur l'homme j'ai fondé mon empire de
flamme
Dans les désirs du cœur, dans les rêves de
l'âme,
Dans les liens des corps, attraits
mystérieux,
Dans les trésors du sang, dans les regards
des yeux.»

Paroles

Jacques Prévert   1946
P. G., F.

«Notre Père qui êtes aux Cieux
Restez-y
Et nous nous resterons sur la terre
qui est quelquefois si jolie.»

Note : Les poètes français ont de nombreux éditeurs. Il
n'était pas possible de les indiquer tous. Nous avons donc
retenu, en priorité, les collections de poche.

Aux beaux mots, les beaux livres

« Pure beauté des caractères, vous exprimez notre pensée et en faites une œuvre d'art. » (Paul Valéry.)

Ainsi se présente au lecteur le catalogue de l'Imprimerie nationale et les ouvrages qu'elle édite témoignent de cette exigence. La qualité du papier, la typographie étudiée pour chaque texte, les illustrations originales et la reliure plein cuir frappée à la marque de la célèbre imprimerie garantissent la beauté de la collection, le choix de 33 grandes œuvres, sa valeur littéraire. Les poètes bien sûr y sont grandement présents : Baudelaire (*Les Fleurs du mal* et *Le Spleen de Paris*), La Fontaine (*Les Fables*), Laforgue (*Les Complaintes*), *L'Imitation de Notre-Dame la lune*), Hugo *(Les Feuilles d'automne, les Chants du crépuscule* et *Les Voix intérieures, Les Rayons et les ombres)*, Rimbaud *(Poésies)*, Ronsard *(Amours de Marie, Sonnets pour Hélène)*, Verlaine *(Poésies)*, Vigny *(Les Destinées)*, Villon *(Poésies)*. À paraître : Mallarmé.

Signalons également, pour les amoureux de Ronsard, la prestigieuse édition de son œuvre complète à la Nouvelle Librairie de France : cinq volumes reliés plein cuir vert Empire, dessins à la plume de C. Bouscau et C. Lebreton, du grand art !

Éditeur de poésie

Jean-Michel Place, un ardent défenseur de la poésie, est un homme précieux. Grâce à lui, nous avons accès aux revues poétiques les plus importantes du XXᵉ siècle (de *Bifur* à *Tropiques*, en passant par *La révolution surréaliste*), nous avons une idée de la richesse et de la diversité des revues contemporaines (voir son *Enquête auprès de 548 revues littéraires*, 1983) et nous pouvons rencontrer les poètes et leurs éditeurs (à l'occasion du Marché annuel de la poésie). Pour lui, les lecteurs de poésie existent : il les a rencontrés, en grand nombre, curieux de découvertes et amateurs de surprises. Jean-Michel Place reconnaît que la poésie représente aussi un risque pour les éditeurs. Il estime que, pour tenir ce pari, et devancer l'évolution du goût poétique, il ne faut pas hésiter à sortir de la confidentialité en multipliant les rencontres de poètes, d'éditeurs et de lecteurs, et en utilisant largement les médias.

La littérature d'Italie

De son voyage en Italie littéraire, le lecteur rapportera des photographies inattendues ou surprenantes, en raison des contrastes de ton, de style, des variétés d'origine et de langue qui caractérisent cette littérature. Il reviendra ébloui par tant de découvertes.

S'il faut mettre un peu d'ordre au choix de la bibliothèque idéale, c'est autant en fonction de la chronologie que de la géographie : au-delà des Alpes, la multiplicité des métropoles culturelles et des foyers de création (Rome, Florence, Milan, Venise, Trieste, Naples, la Sicile...) a favorisé la croissance de «gènes» littéraires originaux. Quelques exemples : en Sicile, depuis la *Magna Curia* de Frédéric II (1194-1250), correspondant à l'éclosion de l'école poétique italienne, jusqu'à Leonardo Sciascia, les détours et sortilèges proprement siciliens sont nombreux, qui passent notamment par le sublime *Guépard* de Lampedusa et par *Les Princes de Francalanza*, de Federico De Roberto ; Trieste, parcourue par toutes les influences européennes, traversée par Joyce, James, Rilke, Stendhal et Larbaud, berceau de la modernité, est la ville où s'est épanoui le génie de Svevo et de Saba ; la Toscane qui, au XIVᵉ siècle, devient, avec Dante, Boccace et Pétrarque, la source d'inspiration et de renouvellement pour de nombreux artistes et écrivains européens, et cela dure toujours ; Ferrare, exemple moins connu, qui inspire les frères De Chirico aussi bien que Giorgio Bassani, etc. Qu'y a-t-il de commun entre Gadda le Romain, Pasolini le Frioulan ou Vittorini le Sicilien ? Entre Svevo et Sciascia ? L'unification italienne est trop fraîche pour avoir eu un effet sur la littérature.

Que dire également de la richesse des littératures dialectales malheureusement encore méconnues en France, en l'absence de traduction ? On y rencontre le napolitain chez G.B. Basile, auteur de recueils de fables au XVIIe siècle, qu'Apollinaire voulait traduire et faire connaître en France, le vénitien qu'utilisent Baffo et Goldoni, le milanais qui marque les œuvres de C.M. Maggi au XVIIe siècle et de Porta au début du XIXe siècle, le romain, le toscan ou le padouan. Comparativement à la France, la persistance du phénomène dialectal est remarquable : un Pasolini écrit de la poésie en frioulan, et mêle du romain à ses romans. Dans ces conditions, il est normal de rencontrer de grandes variétés d'écoles littéraires. Au vérisme du XIXe siècle, par exemple chez Ippolito Nievo et Verga, a succédé le néo-réalisme de la seconde moitié du XXe siècle qui influence les œuvres de Moravia, de Sciascia ou d'Elsa Morante. A cette tendance s'oppose aujourd'hui une recherche de l'expérimentation littéraire qui connaît de remarquables succès chez C.E. Gadda, chez Manganelli aussi bien que dans les travaux poétiques d'Ungaretti et Montale. Quant à la sensibilité romantique, depuis Manzoni (qui fonde la langue de la « nouvelle Italie »), Foscolo et Leopardi, elle reste encore aujourd'hui influente par le biais de Carducci et D'Annunzio.

Cette tradition littéraire s'inscrit dans une civilisation qui a, de longue date, fasciné les écrivains français. Le voyage en Italie est une habitude qui, depuis Montaigne, ne s'est jamais perdue. Mais il ne faut pas oublier l'attrait qu'a ressenti un Pétrarque pour la France — et pour Laure en Avignon — ou un Goldoni qui s'installe et meurt à Paris. Depuis l'après-guerre, le succès du cinéma italien, qui entretient d'excellents rapports avec la littérature, n'a fait que renforcer l'intérêt que nous portons à Moravia, Calvino, Morante ou Sciascia.

La littérature d'Italie

... en 49 livres

... en 25 livres

... en 10 livres

Roland furieux
Ludovico Ariosto

Le Décaméron
Giovanni Boccaccio

La Divine Comédie
Dante Alighieri

Mensonge et sortilège
Elsa Morante

Le Bel Été
Cesar Pavese

Feu Mathias Pascal
Luigi Pirandello

Ville, j'écoute ton cœur
Alberto Savinio

La Conscience de Zeno
Italo Svevo

Le Guépard
Giuseppe Tomasi di Lampedusa

Vie d'un homme
Giuseppe Ungaretti

Le Jardin des Fizzi-Contini
Giorgio Bassani

Le Chevalier inexistant
Italo Calvino

L'Enfant de volupté
Gabriele d'Annunzio

Les Princes de Francalanza
Federico De Roberto

L'Affreux Pastis de la rue des Merl.
Carlo Emilio Gadda

La Locandiera
Carlo Goldoni

Les Chants
Giacomo Leopardi

Le Christ s'est arrêté à Eboli
Carlo Levi

La Peau
Curzio Malaparte

Les Fiancés
Alessandro Manzoni

Poésies
Eugenio Montale

Le Conformiste
Alberto Moravia

Todo modo
Leonardo Sciascia

Une poignée de mûres
Ignazio Silone

Conversation en Sicile
Elio Vittorini

Le Mal obscur
Giuseppe Berto

Senso, carnet secret
de la comtesse Livia
Camillo Boito

Les Belles
Giuseppe Antonio Borgese

Le Bel Antonio
Vitaliano Brancati

Un amour
Dino Buzzati

La Cité du Soleil
Tommaso Campanella

Le Gel du matin
Giorgio Caproni

Mémoires du roi David
Carlo Coccioli

Magie blanche
Gian Dauli

Le Nom de la rose
Umberto Eco

Les Dernières Lettres
de Giacopo Ortiz
Niccolo Ugo Foscolo

Lettres de prison
Antonio Gramsci

Un amour de notre temps
Tommaso Landolfi

Histoires florentines
Nicolas Machiavel

Centurie
Giorgio Manganelli

Mafarka le Futuriste
Filippo Tommaso Marinetti

Anti-aphrodisiaque
pour l'amour platonique
Ippolito Nievo

Le Doge
Aldo Palazzeschi

Une vie violente
Pier Paolo Pasolini

Le Joueur invisible
Giuseppe Pontiggia

Ernesto
Umberto Saba

Le Noble Jeu de l'Oye
Edoardo Sanguineti

Le Jour du Jugement
Salvatore Satta

L'Épouse américaine
Mario Soldati

• À vous de choisir le cinquantième livre. Peut-être est-il déjà dans votre bibliothèque.

... en 10 livres

Roland furieux

Ludovico Ariosto, dit l'Arioste   1532
Traduit par L. Hippeau   G.-F.

Cinq chants dont la matière puise aux grands cycles chevaleresques du Moyen Age, mais dont l'originalité réside dans une langue nouvelle et épurée et dans l'irruption du merveilleux qui rehausse l'éclat des aventures de Charlemagne et de ses compagnons ; l'introduction de la folie amoureuse de Roland, abandonné par Angélique, renouvelle la thématique médiévale et permet à l'auteur de glisser des allusions à l'histoire contemporaine.

Le Décaméron

Giovanni Boccaccio, dit Boccace   1330-55
Traduit par Jean Bourciez   Garnier

Dix journées pour raconter cent petits contes : tel est le pari fictif que se lancent dix jeunes gens réunis à la campagne. Des récits drôles, vifs, parfois virulents, souvent libertins.

La Divine Comédie

Dante Alighieri   *(1265-1321)*
Traduit par Henri Longnon   Garnier

En cent chants, le voyage de Dante dans l'outre-tombe, accompagné de Virgile, qui le conduit successivement des neuf cercles de *L'Enfer* aux sept terrasses de la montagne du *Purgatoire* et aux neufs ciels du *Paradis*, jusqu'à l'Empyrée. Cette exploration exhaustive de l'âme humaine par le biais de multiples figures mythologiques et allégoriques place *La Divine Comédie* au sommet de l'héritage littéraire de l'humanité.

Mensonge et sortilège

Elsa Morante   1948
Traduit par Michel Arnaud   Gallimard

Dans le sud de l'Italie, trois générations de femmes au tournant du siècle : un premier roman qui projeta d'emblée Morante au premier rang des lettres italiennes.

Le Bel Été

Cesare Pavese   1949
Traduit par Georges Arnaud
Gallimard, L'Imaginaire

Dans ces récits qui ont pour cadre les collines de Turin, les tensions sociales opposant la bourgeoisie aisée du Nord et les classes montantes annoncent les transformations de la société italienne, sans méconnaître la poésie nostalgique de la campagne piémontaise : rédigé un an avant son suicide, le chef-d'œuvre d'un auteur qui a lancé la génération néo-réaliste.

Feu Mathias Pascal

Luigi Pirandello   1904
Traduit par Henry Bigot   Gallimard

Un roman qui témoigne de la diversité de cet écrivain sicilien surtout connu comme dramaturge (*Six personnages en quête d'auteur*), mais qui fut aussi poète, essayiste et nouvelliste.

Ville, j'écoute ton cœur

Alberto Savinio   1944
Trad. par Jean-Noël Schifano   Gallimard

Musicien, écrivain et peintre, comme son frère Giorgio De Chirico, Alberto Savinio symbolise l'Europe intellectuelle et artistique de la première moitié du siècle : il invite ici le lecteur à une promenade dans les rues de Milan qui résonnent des pas et des souvenirs des écrivains et des artistes qui l'ont précédé.

La Conscience de Zeno

Italo Svevo   1923
Traduit par Paul-Henri Michel   F.

Par un petit employé de banque triestin qui consacra ses loisirs à la littérature, le premier chef-d'œuvre de fiction psychanalytique. Humour, finesse, brio.

Le Guépard

Giuseppe Tomasi di Lampedusa   1958
Traduit par Fanette Pezaut   Seuil, P.-S.

Une chronique de la vie en Sicile au tournant du siècle. Seul ouvrage — quelques nouvelles exceptées — d'un auteur remarquable qui doit sa gloire (posthume) au film magnifique que tira de son roman le cinéaste Luchino Visconti.

Vie d'un homme

Giuseppe Ungaretti 1951
Traduit par P. Jaccottet, P.-J. Jouve, J. Lescure, A. Pieyre de Mandiargues, F. Ponge, A. Robin Gallimard
La poésie dense, brève, souvent jugée hermétique, d'un poète-philosophe né en Égypte et nourri en France de la lecture de Mallarmé.

... en 25 livres

Le Jardin des Fizzi-Contini

Giorgio Bassani 1962
Traduit par Michel Arnaud Gallimard, F.
A Ferrare, les aventures de quelques jeunes gens de bonne famille.

Le Chevalier inexistant

Italo Calvino 1959
Traduit par Maurice Javion P.-S.
Conte fantastique, humoristique et baroque dans un Moyen Age de fantaisie.

L'Enfant de volupté

Gabriele d'Annunzio 1889
Traduit par G. Hérelle et P. de Montera Calmann-Lévy
Un dandy italien secoue l'ordre moral et exacerbe les passions du corps. Sur fond de paysage romain, la douceur de vivre dans les dernières années du XIXe siècle.

Les Princes de Francalanza

Federico De Roberto 1894
Traduit par Henriette Valot Denoël
Une chronique familiale sicilienne qui marque le passage du despotisme féodal à la démocratie bourgeoise.

Le choix de Daniele Del Giudice

Avec *Le Stade de Wimbledon* (éd. Rivages) et *Atlas occidental*, récemment paru au Seuil, Daniele Del Giudice, qui a choisi de vivre à Venise, s'affirme comme un écrivain européen (le cadre de son dernier roman s'inscrit dans l'anneau de l'accélérateur atomique du CERN à Genève) résolument attaché à la technologie et à la modernité. Interrogé sur ses préférences en littérature italienne, il place dans son panthéon personnel trois auteurs : Dante, Leopardi, Calvino.

Dante, parce qu'il a inventé en même temps la langue et la forme de la littérature italienne moderne, et qu'il exerce encore de nos jours une influence réelle sur les écrivains, notamment par la précision de son langage et la richesse de son imaginaire. Ensuite vient Leopardi qui est le premier à ouvrir la littérature aux sentiments et à la nature, fidèle en cela à son inspiration romantique. Enfin, Italo Calvino, dont *Les Villes invisibles* (Seuil, 1974) est le livre qui a inspiré la vocation d'écrivain de Daniele Del Giudice. Maître de la littérature fantastique en Italie, Calvino joue merveilleusement avec les possibilités des cités italiennes et montre comment l'organisation de la ville modifie le comportement de l'individu et l'âme humaine.

Del Giudice, qui reconnaît avoir été plus influencé par Stevenson, Conrad, Kafka et Balzac que par les auteurs de son pays, accorde volontiers une place dans son choix à Giorgio Bassani (pour *Les Lunettes d'or*), à Alberto Moravia, le plus important des contemporains dans la tradition du roman «vériste» qui prend sa source au cœur du XIXe siècle, notamment pour son portrait d'*Agostino*, à Leonardo Sciascia (surtout pour *Todo Modo*) et à Svevo, dont *La Conscience de Zeno* lui paraît l'œuvre fondatrice de la pensée moderne. En ce qui concerne l'humour, il convient de faire un sort par-

L'Affreux Pastis de la rue des Merles

Carlo Emilio Gadda   1957
Traduit par Louis Bondini   Seuil

Parodie élaborée d'un roman policier qui se déroule à Rome, et mêle tous les niveaux de langue et toutes les formes littéraires.

La Locandiera

Carlo Goldoni   1753
Traduit par Michel Arnaud   L'Arche

Une comédie pleine de vivacité illustrant la ruse féminine : le chef-d'œuvre, peut-être, du prolifique maître du théâtre italien.

Les Chants

Giacomo Leopardi   1831
Trad. par Michel Orcel   L'Age d'homme

Les vers élégiaques d'un riche oisif réputé instable, irascible et orgueilleux.

Le Christ s'est arrêté à Eboli

Carlo Levi   1945
Trad. par Jeanne Modigliani   Gallimard

Par un journaliste et peintre opposant au fascisme, le récit autobiographique de son exil politique en Lucanie.

La Peau

Curzio Malaparte   1949
Traduit par René Novella   Denoël

Douze récits sur la crise morale de l'Italie d'après-guerre. Obscènes, macabres, horribles, ils valurent à leur auteur — déjà très controversé pour ses positions d'extrême droite — une mise à l'index générale.

Les Fiancés

Alessandro Manzoni   1825
Trad. par A. Monjo   Le Chemin Vert

La Lombardie du XVIIe siècle racontée par un écrivain romantique, grand admirateur des romans de Walter Scott.

Poésies

Eugenio Montale
Trad. par P. Dyervalangelini   Gallimard

En édition bilingue, l'œuvre complète d'un grand poète ligure, prix Nobel 1975.

Le Conformiste

Alberto Moravia   1951
Traduit par Claude Poncet   Flammarion

Dans l'œuvre fertile d'un écrivain passionné par la société contemporaine, le portrait d'un «conformiste» qui nous ressemble, emporté sans le vouloir par l'histoire politique de son pays.

Todo Modo

Leonardo Sciascia   1974
Traduit par René Daillie   Denoël

Par le grand homme de la Sicile, un roman «policier» révélant le rôle que peut jouer l'Église dans la corruption politique italienne.

Une poignée de mûres

Ignazio Silone   1952
Traduit par Jean-Paul Samson   Grasset

La condition paysanne et la lutte contre le fascisme, évoquées par l'un des fondateurs du P.C. italien (dont il se sépara en 1930).

Conversation en Sicile

Elio Vittorini   1946
Traduit par Michel Arnaud   Gallimard

Le lyrisme du souvenir et l'engagement politique et intellectuel sous le fascisme.

... en 49 livres

Le Mal obscur

Giuseppe Berto   1964
Traduit par Louis Benalumi   Seuil

Par un romancier que l'on classe parmi les «néo-réalistes», un récit où apparaît nettement l'influence de la psychanalyse.

Senso, carnet secret de la comtesse Livia

Camillo Boito 1883
Traduit par Jacques Parsi Actes-Sud

Cet architecte de la fin du XIXᵉ siècle, spécialiste de la restauration des monuments anciens, fut aussi l'observateur de la société contemporaine, notamment dans ce recueil de nouvelles qui fournit le scénario d'un des chefs-d'œuvre de Visconti.

Les Belles

Giuseppe Antonio Borgese 1924-1929
Traduit par J.-N. Schifano,
Francis Darbousset
et Jean-Marie Laclavetine Desjonquères

Portraits de femmes amoureuses et cruelles par un auteur d'origine sicilienne, qui dénonça avec force le fascisme dans son *Goliath*, traduit et commenté par René Étiemble en 1945.

Le Bel Antonio

Vitaliano Brancati 1949
Traduit par Armand Pierhal 10/18

Une vision caricaturale de la société sicilienne : ici l'histoire du bel Antonio Magnano, impuissant mais aimé des femmes, surpris dans les bras d'une prostituée, ce qui sauve l'honneur de la famille.

Un amour

Dino Buzzati 1963
Trad. par M. Breitman Laffont et L.-P.

Une ténébreuse affaire qui mêle trahison, jalousie morbide, rage et coquetterie : *Un amour* est la conclusion mélancolique d'une œuvre extrêmement prolifique qui rassemble romans, nouvelles, essais, articles de journaux et pièces de théâtre.

La Cité du Soleil

Tommaso Campanella (1568-1639)
Traduit par Alexandre Vevaes Vrin, Droz

Par un ancien dominicain poursuivi par le Saint-Office, un traité sur «l'idée d'une république philosophique». Une utopie très en avance sur son temps.

ticulier à Ippolito Nievo, dont l'*Hylarotragoedia* lui semble un petit chef-d'œuvre. Ce qu'il attend de la littérature contemporaine ? Avant toute chose la naissance d'un véritable sentiment européen comparable au mouvement du Risorgimento de la deuxième moitié du XIXᵉ siècle.

Littérature et cinéma

La littérature italienne sert depuis longtemps de source d'inspiration à un autre art très prisé dans la péninsule : le cinéma. C'est sans doute Alberto Moravia qui détient le record des adaptations cinématographiques : *Le Conformiste* a été porté à l'écran par Bertolucci (en 1970) ; Francesco Maselli a adapté (avec moins de bonheur) *Les Indifférents* (1963), tandis que *La Provinciale* fournissait le thème d'un film à... Mario Soldati, écrivain et cinéaste. C'est bien sûr la littérature moderne qui est la mieux représentée au cinéma : Pavese — avec *Femmes entre elles*, d'Antonioni (1955) ; Carlo Levi — avec *Le Christ s'est arrêté à Eboli*, de Francesco Rosi (1978) ; Italo Svevo a inspiré Bolognini, et Pirandello les frères Taviani...

Quelques chefs-d'œuvre sont devenus, aussi, des films célèbres : *Le Guépard* et *Senso* évoquent inévitablement le nom du réalisateur Luchino Visconti, et *Le Décaméron* a fait l'objet d'une adaptation par P.P. Pasolini. Les «classiques» italiens ont remporté au cinéma un succès moindre ; on y trouve pourtant *La Mandragore* de Machiavel (porté à l'écran par Alberto Lattuada en 1967) ou *Les Fiancés* de Manzoni (devenu un film de Mario Camerini en 1941). Sans oublier qu'on peut être homme de lettres et homme d'images : si Mario Soldati en est la meilleure preuve, le grand Malaparte a, lui, donné en 1951 son unique œuvre cinématographique (oubliée mais honorable) : *Le Christ interdit*.

Le Gel du matin

Giorgio Caproni 1959
Traduit par B. Simeone Verdier

Hermétisme et vie quotidienne d'un poète dont l'œuvre a traversé le siècle.

Mémoires du roi David

Carlo Coccioli 1976
Trad. par L. Bonalumi La Table Ronde

Romancier cosmopolite et préoccupé de l'avenir, Coccioli a écrit une partie de son œuvre directement en français.

Magie blanche

Gian Dàuli 1944
Trad. par M. Canavaggia
Desjonquères

Voyage loufoque et extraordinaire dans le Milan des années 30.

Le Nom de la rose

Umberto Eco 1980
Traduit par Jean-Noël Schifano Grasset

Un passionnant polar médiéval.

Les Dernières Lettres de Giacopo Ortiz

Niccolo Ugo Foscolo 1802
Traduit par Julien Luchaire Ombres

Vénitien d'adoption, Foscolo fut un patriote passionnément attaché à l'histoire de la Péninsule. Les Dernières Lettres de Giacopo Ortiz, bien que de veine romantique, sont devenues un classique de la littérature d'inspiration historique.

Lettres de prison

Antonio Gramsci 1947
Traduit par H. Albani,
C. Depuyper et G. Saro Gallimard

Fondateur du P.C. italien, cet intellectuel, emprisonné de longues années par Mussolini, exerce toujours une influence considérable sur la pensée marxiste européenne, notamment dans l'analyse de la «société civile» et la «nouvelle culture».

Un amour de notre temps

Tommaso Landolfi 1973
Traduit par Bernard Guyader Gallimard

Le récit d'un inceste, qui, pour André Pieyre de Mandiargues, est «un magnifique roman d'amour noir».

Histoires florentines

Nicolas Machiavel 1525
La Pléiade

La Florence des Médicis, ses intrigues tortueuses, ses passions déchaînées, vues par un héritier de Tite-Live et de Tacite.

Centurie

Giorgio Manganelli 1979
Traduit par J.-B. Para Éditions W

Cent romans fleuves réunis en un volume de 200 pages.

Mafarka le futuriste

Filippo Tommaso Marinetti 1909
Bourgois

Exercice romanesque d'illustration futuriste par le théoricien et fondateur d'une école' esthétique qui a influencé profondément la pensée et la littérature européennes du début du siècle, et aussi un passionnant récit d'aventures.

Anti-aphrodisiaque pour l'amour platonique

Ippolito Nievo (1831-1861)
Traduit par M. Gallot L'Alphée

Poète, romancier, tragédien et combattant du Risorgimento, cet écrivain n'exclut pas l'humour et la caricature d'un romantisme exacerbé.

Le Doge

Aldo Palazzeschi   1968
Traduit par S. de Vergennes   Flammarion
Une merveilleuse histoire vénitienne.

Une vie violente

Pier Paolo Pasolini   1959
Traduit par M. Breitmann   10/18
Cinéaste mais également poète de dialecte
frioulan et romancier du sous-prolétariat
de la banlieue de Rome.

Le Joueur invisible

Giuseppe Pontiggia   1978
Traduit par N. Frank   Nadeau
Un roman policier qui en appelle à l'ima-
gination et à la perspicacité du lecteur.

Ernesto

Umberto Saba   1975
Traduit par J.-M. Roche   Seuil
L'unique roman de ce poète triestin qui
raconte la découverte de la sexualité par un
jeune adolescent au début du siècle.

Le Noble Jeu de l'Oye

Edoardo Sanguineti   1967
Traduit par Jean Thibaudeau   Seuil
Un roman qui témoigne des recherches formelles de cet auteur marxiste qui fut, dans
les années 60, à la tête du mouvement
d'avant-garde.

Le Jour du Jugement

Salvatore Satta   1979
Traduit par Nino Frank   Gallimard
Autobiographie, sous forme de règlement
de comptes, d'un professeur de droit.

L'Épouse américaine

Mario Soldati   1979
Traduit par Françoise Bouillot   Belfond
Un conteur aux tonalités douces-amères.

Points de repère

Peut-être plus que toute autre, la littérature italienne a lié son sort à celui de
l'Histoire. Car si l'unité linguistique de la
péninsule reste à faire, l'unité historique
demeure quant à elle bien récente (1860).
Plus qu'une littérature nationale, on distingue donc des courants nés, à la faveur
des événements politiques, dans des cen-
tres culturels qui ont varié d'une époque
à l'autre.

Alors que la Sicile — la Grande Grèce de
l'Antiquité — a exercé sa prépondérance
longtemps après la chute de l'Empire
romain d'Occident, elle a dû, à partir du
XIIIᵉ siècle, céder la place à la Toscane.
C'est dans la république de Florence que
se sont épanouis les talents de Dante,
Pétrarque et Boccace (au XIVᵉ siècle), plus
tard, de l'Arioste (XVᵉ siècle) et de Machiavel (XVIᵉ siècle).

C'est encore dans le Nord que fleurit, au
XVIIᵉ siècle, la littérature baroque, dont le
Tasse est le premier représentant. Milan
et Venise occupent, au siècle suivant, le
devant de la scène avec l'éclosion du théâtre (Goldoni, Alfieri) et de l'opéra.

Au XIXᵉ siècle, la recherche de l'unité et
le Risorgimento voient l'avènement d'écrivains et de poètes profondément engagés
dans la vie politique (Manzoni, Foscolo,
Leopardi), tandis qu'un peu plus tard
D'Annunzio devient le poète de l'Italie
nouvellement unifiée.

L'arrivée du fascisme a bien entendu
divisé les hommes de lettres — Malaparte
s'engageant fermement à l'extrême droite,
Levi subissant l'exil pour ses opinions anti-
fascistes. Après la guerre a fleuri, en littérature comme au cinéma, un
«néo-réalisme» (avec Vittorini ou Pavese)
dont certains écrivains contemporains (de
Morante à Sciascia) sont les héritiers
directs.

La littérature lusitanienne (Portugal, Brésil)

Dans l'ancienne Rome, la Lusitanie désignait la partie occidentale de la province d'Espagne — créée par Auguste — qui correspond à l'actuel Portugal. Aujourd'hui, l'adjectif lusitanien qualifie parfois la langue du Portugal, par opposition au portugais parlé au Brésil. Mais l'expression de «littérature lusitanienne» s'applique, d'une manière plus générale, aux lettres portugaises et, bien sûr, brésiliennes.

Inconnue, méconnue, la littérature lusitanienne mérite pourtant ses quatre ou six étoiles. Elle vaut le détour ; elle est savoureuse sous la langue, donne du rose aux joues et des yeux qui pétillent.

C'est au Portugal qu'on lit le plus de poésie. Trouvères et troubadours y sont tout à fait étonnants. Les Portugais ont même tant aimé Camões, leur barde, que, pendant longtemps, ils ont fait du jour anniversaire de sa mort leur fête nationale, *dia de raça*. Et depuis un siècle, le regard souvent tourné vers Paris — lorsqu'ils n'y viennent pas vivre —, les écrivains du Portugal et du Brésil s'affirment parmi les meilleurs. Cette bibliothèque idéale sera une découverte pour beaucoup de lecteurs. Leur curiosité va dépoussiérer des volumes qui dorment dans des caves d'éditeurs. Nous allons faire un grand voyage dans un monde inconnu. Le portugais se traduit bien en français, même si sa musique perd quelque nuance au passage !

Vous n'avez pas encore distingué la production portugaise de la brésilienne ? À cause de l'eau qui les sépare ? De l'accent qui les différencie ? De vocabulaires locaux ? L'une est plus au nord que l'autre, mais les

Brésiliens, plus frémissants de volupté à fleur de sang, sont bien aimés à Lisbonne. Le petit peuple portugais reconnaît que le parler brésilien est plus beau, plus agréable à l'oreille que leur rude patois de campagne. Le portugais et le brésilien composent, dans une même langue, la même unité littéraire et culturelle, bientôt enrichie par les apports d'Angola, du Mozambique, du Cap Vert, où l'on continue de parler et de s'instruire en portugais.

C'est à Rio que parut la première édition des œuvres complètes du plus grand poète portugais de ce siècle, Fernando Pessoa. Mais c'est à Coimbra, dans la seconde moitié du XVIIIe siècle, chez les Jésuites, que la littérature brésilienne a pris naissance, avec de jeunes bourgeois, étudiants en exil. Pour la première fois, on sent dans leurs écrits une sensibilité qui n'est pas portugaise. Elle ne sera tout à fait indépendante que vers 1930, quand le Brésil commence à « brasilier » (*abrasileirar*) ses textes, en y introduisant des mots quotidiens, populaires, et des références au folklore.

Notons encore que c'est à Paris, en 1836, que paraît le premier livre sensiblement brésilien de ton, un recueil romantique, *Soupirs poétiques et saudades*, de Gonçalves de Magalhaes. Au XIXe siècle, le Parnasse, le symbolisme, le réalisme français influencent profondément la littérature portugaise et brésilienne. Le positivisme d'Auguste Comte devient même, au Brésil, une philosophie nationale. La langue portugaise est attentive à l'évolution du français. Les lettres françaises deviennent la référence. Alors les écrivains travaillent aussi pour nous : pour être reconnus à Paris.

La littérature lusitanienne

... en 49 livres

... en 25 livres

... en 10 livres

Amour de perdition
Camilo Castelo Branco

Les Lusiades
Luis Vaz de Camões

Terres de Canudos
Euclides da Cunha

Dom Casmurro
Joaquim Maria Machado
de Assis

Poésies d'Alvaro de Campos
Fernando Pessoa

Le Crime du Padre Amaro
Eça de Queiroz

Mémoires de prison
Graciliano Ramos

Diadorim
João Guimarães Rosa

La Confession de Lucio
Mário Sa-Carneiro

Signes de feu
Jorge de Sena

Gabriela, girofle et cannelle
Jorge Amado

Matière solaire
Eugénio de Andrade

Macounaïma
Mário de Andrade

Poèmes
Manuel Bandeira

La Sibylle
Augustina Bessa Luis

Méditerranée
Sophia de Mello Breyner

Ces mots que l'on retient
Maria Judite de Carvalho

Alegria breve
Virgilio Ferreira

Maîtres et esclaves
Gilberto Freyre

Le Bâtisseur de ruines
Clarice Lispector

Nom de guerre
José de Almeida Negreiros

Gros temps sur l'archipel
Vitorino Nemésio

Bâtards du soleil
Urbano Tavares Rodrigues

La Création du monde
Miguel Torga

Troubadours galégo-portugais

Iracéma
José de Alencar

Anthropophages
Oswald de Andrade

Fado Alexandrino
Antonio Lobo Antunes

Madame Marguerite
Roberto Athayde

L'Athénée
Raul de Avila Pompeia

Le Mulâtre
Aluizio Azevedo

Sempreviva
Antonio Callado

Chronique de la maison assassinée
Lucio Cardoso

Ballade de la plage aux chiens
José Cardoso Pires

L'Opéra des morts
Autran Dourado

*Conversation avec une dame
de ma connaissance*
Carlos Drummond de Andrade

La Structure de la bulle de savon
Lygia Fagundes Telles

Forêt vierge
José Maria Ferreira de Castro

Isaura
Bernardo Guimarães

La Reine des prisons de Grèce
Osman Lins

Fleuve triste
Fernando Namora

Un verre de colère
Raduan Nassar

La Maison de la passion
Nélida Pinon

Dora, Doralina
Rachel de Queiroz

Maira
Darcy Ribeiro

Sergent Getulio
João Ubaldo Ribeiro

Le Dieu manchot
José Saramago

Le Centaure dans le jardin
Moacyr Scliar

Le Jeu de la miséricordieuse
Ariano Suassuna

• À vous de choisir le cinquantième livre. Peut-être est-il déjà dans votre bibliothèque.

... en 10 livres

Amour de perdition

Camilo Castelo Branco 1862
Traduit par Jacques Parsi Actes Sud
Roman de passion, de mort, et, selon Miguel de Unamuno : « Le plus intense et le plus profond qui ait jamais été écrit par un Ibérique. » Chef-d'œuvre baroque et picaresque au romantisme tragique. L'un des livres les plus lus au Portugal depuis sa publication. Son auteur est si populaire qu'on l'appelle Camilo, tout simplement.

Les Lusiades

Luis Vaz de Camões 1572
Trad. par Roger Bismut Belles Lettres
Le grand classique. *L'Odyssée* du Peuple lusitanien à travers le voyage de Vasco de Gama aux Indes et l'évocation de l'histoire, souvent légendaire, des rois du Portugal. Un ton de chanson de geste, le souci du pittoresque pour ces mondes nouveaux, et de justes remarques à propos des problèmes inhérents à toute colonisation. Bretteur et spadassin, humaniste et voyageur — il ira jusqu'en Chine —, Camões exprime aussi l'incurable mélancolie (*saudade*) lusitanienne.

Terres de Canudos

Euclides da Cunha 1902
Trad. par Sereth Neu La Différence
À la fin du XIXᵉ siècle, la sécheresse est ressentie comme un signe de Dieu par les populations du Sertão. Un mendiant illuminé, Antonio « le Conseiller », fonde alors à Canudos une communauté qui rejette les lois. Ces marginaux qui n'ont rien mettent pourtant en échec plusieurs expéditions militaires. Da Cunha a consacré à cette révolte une véritable somme sociologique, devenue un grand classique.

Dom Casmurro

Joaquim Maria Machado de Assis 1899
Trad. A.-M. Quint A.-M. Métailié
« L'œuvre clef du maître incontesté de la prose brésilienne », selon Stefan Zweig. La fausse autobiographie minutieuse, tatillonne, d'un homme de soixante ans un peu cynique. Un récit qui se déroule à Rio, sous le règne de l'empereur Pedro II, des portraits pleins d'humour et de vérité psychologique. Machado de Assis fut le premier président de l'Académie brésilienne.

Poésies d'Alvaro de Campos

Fernando Pessoa (1888-1935)
Trad. par Armand Guibert Gallimard
Comment ne distinguer qu'un titre dans l'œuvre immense de ce Protée de la poésie portugaise qui signe ses différents livres, publiés pour la plupart à titre posthume, sous une quinzaine de pseudonymes ? Une trentaine de poèmes de ce recueil furent rédigés d'une traite dans la nuit du 8 mai 1914 — nuit de feu — et attribués à Alberto Caeiro, apôtre du paganisme intégral.

Le Crime du padre Amaro

Eça de Queiroz 1880
Trad. par Jean Girodon La Différence
Un roman poignant au rythme haletant : le drame d'un jeune prêtre que les charmes féminins ne laissent pas insensible. « Les sources de l'écrivain sont ses hontes », déclare l'auteur, un romancier qui a le génie de « faire vivant » en quelques mots. « L'un des plus grands de tous les temps », d'après J. L. Borges.

Mémoires de prison

Graciliano Ramos 1953
Traduit par Antoine Seel et Jorge Coli Gallimard
En 1936, le fascisme gagne du terrain au Brésil. L'auteur, romancier et directeur de l'Instruction publique, qui n'est inscrit à aucun parti et n'a pas d'activité politique, est arrêté sans explications. Durant une longue année, il ira de prison en prison avant d'être libéré sans jugement. Cette autobiographie rédigée dix ans plus tard est une véritable descente aux enfers, racontée avec sobriété et distance.

Diadorim

João Guimarães Rosa   1956
Traduit par
Jean-Jacques Villard   Albin Michel

Grandiose épopée brésilienne au cœur du Sertão, cet océan terrestre désertique et pauvre du Nord-Est. Les souvenirs, les aventures et l'amitié amoureuse d'un survivant d'une de ces «grandes compagnies» qui, à la fin du siècle dernier et au début de celui-ci, se louaient aux politiciens locaux. Condottieri ou bandits de grands chemins, vivant de pillages et de rapines : un superbe roman haut en couleur, violent et sauvage.

La Confession de Lucio

Mário de Sa-Carneiro   1914
Traduit par
Dominique Touati   La Différence

Très fin de siècle parfois — «d'hyacinthe et d'or» — dans les descriptions de fêtes galantes et de bohèmes ratés. Mais très moderne, sec, terriblement vrai, dans l'analyse d'une trouble passion sans doute homosexuelle. À 23 ans — trois ans avant de se donner la mort —, le «pauvre Mário» écrit ce roman-récit à la façon d'un rapport d'autopsie. Entre Paris et Lisbonne la souffrance et la folie du narrateur nous bouleversent comme le mal heur d'un ami.

Signes de feu

Jorge de Sena   1982
Traduit par
Michelle Giudicelli   Albin Michel

Roman autobiographique à la précision provocante (tous les personnages ont réellement existé !) mais aussi roman d'apprentissage, d'amour et d'aventures, dont les scènes crues ou osées ont parfois la force des cauchemars. Sur une plage portugaise, durant l'été 36 — celui de la «montée des périls» —, le narrateur, jeune bourgeois insouciant, découvre la vraie vie, la réalité des expériences douloureuses.

Amado : Qu'est-ce qu'un Brésilien ?

Au Brésil, un écrivain est considéré à 74 ans comme une idole, au même titre qu'une star du football : Jorge Amado. Sans doute parce que son œuvre, abondante, est enracinée dans l'univers quotidien du peuple brésilien. Mais qu'est-ce qu'un Brésilien ? Le trouve-t-on dans les livres ?

«Ma seule passion est de raconter les choses de la vie que j'ai observées et surtout de parler du peuple pauvre avec ses misères et ses joies. Je n'ai pratiquement jamais rien écrit sur les autres couches de la société brésilienne. Je ne sais pas inventer et je suis incapable de raconter une histoire, n'ayant que très peu d'imagination. En réalité je n'écris que sur ce que je connais vraiment. Certes, aucun de mes personnages n'a réellement existé, mais il est la somme d'une quantité de gens que j'ai rencontrés et qui m'ont raconté des moments importants de leur vie. Dans Les Pâtres de la nuit mon héros s'appelle le capitaine Martin ; il vous suffit de parcourir les quartiers populaires de Salvador pour le croiser dans le port ou sur le marché «modèle», ou encore dans l'agilité d'un danseur de *capoeira*. Un film a été tiré de ce roman et le réalisateur avait très bien compris comment je travaillais puisqu'il a enrôlé les acteurs dans les bas-fonds de Bahia. Vous retrouverez également un personnage arabe d'origine libanaise dans plusieurs de mes bouquins, car dans le sud de l'État de Bahia la colonie libanaise a été très importante et je me devais de la faire revivre. J'ai reçu un jour une lettre d'un de mes lecteurs qui me demandait si je n'avais pas de sang arabe ; cela m'a beaucoup amusé de lui répondre que j'étais un Brésilien de pure race, c'est-à-dire avec un mélange de Portugais, de Noir, d'Indien, d'Italien et peut-être également d'Allemand et d'Arabe ! »

... en 25 livres

Gabriela, girofle et cannelle

Jorge Amado   1958
Traduit par Georges Boisvert   Stock
Par le plus populaire et le plus fécond des auteurs brésiliens contemporains, la truculente histoire d'amour d'un cafetier et d'une mulâtresse. Chronique de l'État de Bahia dans les années 20.

Matière solaire

Eugénio de Andrade   1980
Trad. par M. A. Câmara Manuel,
M. Chandeigne et P. Quillier   La Différence
Sensualité, plaisir des corps. Des mots simples pour tout dire. Accord parfait sur de brèves portées musicales. Un grand poète amoureux de la vie.

Macounaïma

Mário de Andrade   1928
Trad. par Jacques Thiériot   Flammarion
La délirante histoire d'un héros sensuel et démoniaque, «noir renoirci et fils de la peur qu'inspire la nuit».

Poèmes

Manuel Bandeira   (1886-1968)
Traduit par Manuel Bandeira, L.A. Falcão
et E.H. Blank-Simon   Seghers
Inspiré par le Parnasse et le symbolisme français, Bandeira exprime dans une forme pure la fameuse mélancolie — *saudade* — brésilienne.

La Sibylle

Augustina Bessa Luis   1954
Trad. F. Debecker-Bardin   Gallimard
Roman de la terre portugaise, traditionnelle et rude, où les femmes sont souvent plus lucides et plus courageuses. L'histoire d'un domaine et d'une femme exceptionnelle, à la fin du siècle dernier.

Méditerranée

Sophia de Mello Breyner   1980
Trad. par Joaquim Vital   La Différence
Édition bilingue d'un choix de poèmes célébrant la Grèce, ses paysages, ses dieux, ses héros. Traductrice, député socialiste, l'auteur est — au Portugal et au Brésil — l'un des écrivains contemporains les plus lus.

Ces mots que l'on retient

Maria Judite de Carvalho   1961
Trad. par Simone Biberfeld   La Différence
Le récit en demi-teintes d'un souvenir d'enfance qui fait basculer toute une vie. Insatisfactions, médiocrités, petits secrets, grandes douleurs.

Alegria breve

Vergilio Ferreira   1965
Trad. par Roberto Quemserat   Gallimard
L'attente du dernier habitant d'un petit village de montagne, qui vient d'enterrer sa femme. Roman de la solitude et du refus.

Maîtres et esclaves

Gilberto Freyre   1933
Traduit par Roger Bastide   Gallimard
L'histoire du peuple brésilien. Une grande épopée et une analyse sociologique à travers l'étude approfondie des mœurs du Nordeste depuis l'époque de l'esclavage. Pour comprendre le Brésil d'aujourd'hui.

Le Bâtisseur de ruines

Clarice Lispector   1965
Trad. par Violante do Canto   Gallimard
Inquiétante et belle histoire d'un criminel, pour qui le crime est une libération, son acte lui permettant de comprendre que... presque rien n'est compréhensible ! Une reconquête du langage et un réapprentissage du monde.

Nom de guerre

José de Almeida Negreiros
Traduit par Deremacker-Vismans
et Anne Viennot   La Différence

Surréaliste avant la lettre, agressif, sexuellement audacieux. Le seul roman « futuriste » de l'avant-garde portugaise de la fin des années 1910.

Gros temps sur l'archipel

Vitorino Nemésio   1944
Trad. par Denyse Chast   La Différence

Une histoire d'amour aux Açores durant le premier quart de ce siècle. Le charme amer de l'insularité.

Bâtards du soleil

Urbano Tavares Rodrigues   1959
Traduit par René Quemserat   Denoël

Un impitoyable drame de l'honneur dans un univers patriarcal. Le roman de la dignité de l'homme dans l'immobile province de l'Alentejo.

La Création du monde

Miguel Torga   1981
Traduit par Claire Cayron   Aubier

Chronique, roman, mémorial et testament mêlés. Six jours pour créer un monde de mots, un torrent d'émotions et de passions, roulant de l'enfance à la vieillesse. Six parties, dont la première parue dès 1937.

Troubadours galégo-portugais

Traduit par Henri Deluy   P.O.L.

Riche et savoureuse anthologie de cette poésie courtoise qui fleurit du IXe au XIVe siècle. Chants d'ami, chants de médisance et de raillerie, chants d'amour ou pour sainte Marie. Un merveilleux recueil.

Quelques repères historiques

• 1153 : Alphonse Henriques, 1er roi du Portugal, fonde le monastère d'Alcobaça, grand foyer de culture monastique.
• v. 1418 : Premières chroniques des rois du Portugal.
• 1500 : Pero Vaz de Caminha rend compte de la découverte du Brésil.
• La Renaissance est marquée par le « cancionero », poème sur les tourments de l'amour empreint de la *saudade* (fatalisme et mélancolie). Essor du théâtre, créé par Gil Vicente (v 1465 - v 1536), qui mêle verve et satire. L. de Camões (v 1524- v 1536) compose, à la gloire du peuple portugais, l'épopée des *Lusiades.*
• XVIIe siècle : La Castille s'empare du Portugal qui recouvre son indépendance en 1640.
• XVIIIe siècle : L'esprit des Lumières pénètre avec le marquis de Pombal. Les Jésuites sont expulsés en 1759, les universités réformées. Fondation de l'Association littéraire « Arcádia Lusitana ».
• XIXe siècle : Révolution romantique menée par A. Garret, écrivain et poète (1799-1854) et A. Herculano (*Cartas sobre a História de Portugal*, 1842).
• Entre 1830 et 1870, le Brésil accède à l'indépendance politique et s'autonomise, certains écrivains soutenant les Indiens (Castro Alves), d'autres restant fidèles à Lisbonne (Gonçalves Dias). Naissance du roman social (José de Alencar et Machado de Assis) et du roman naturaliste (Aluisio de Azevedo).
• « La génération de 70 » : Mouvement d'intellectuels portugais marqué par le réalisme et la pensée révolutionnaire (Eça de Queiroz dont l'œuvre dresse une critique sévère des mœurs de la société).
• Le XXe siècle garde à la poésie une place privilégiée (Fernando Pessoa, Antonio Boto, João Gaspar Simões, Miguel Torgua...), mais voit le succès de romans néo-réalistes (*Emigrantes*, ou *A Selva* de J. M. Ferreira de Castro). Au Brésil aussi, la poésie s'affirme (J. C. de Melo Neto). Au modernisme du début du siècle succède une tendance vers l'universalisme puisant son inspiration dans la culture brésilienne.

... en 49 livres

Iracéma

José de Alencar   1865
Traduit par Ines Oseki-Deprez   Alinéa

L'un des premiers romans «indianistes». Naïf, brillant, exaltant avec lyrisme la nature brésilienne. Adapté au cinéma en 1919 par Vittorio Capellaro.

Anthropophages

Oswald de Andrade   (1880-1954)
Trad. par Jacques Thiériot   Flammarion

Deux romans et un manifeste composent cet ouvrage. «Une langue parodique pour caricaturer la société — brésilienne — provinciale et fainéante.» Ubu et Dada chez les indiens Tupis.

Fado Alexandrino

Antonio Lobo Antunes   1983
Traduit par P. Léglise-Costa et
G. Leibrich   A.-M. Métailié/Albin Michel

Dix ans après leur guerre en Afrique, quatre hommes se retrouvent pour un banquet. La rencontre se terminera par un meurtre. Roman fleuve de style flamboyant avec humour noir et pornographie.

Madame Marguerite

Roberto Athayde   1973
Adapté par J.-L. Dabadie   L'Avant-scène

«Monologue tragi-comique pour une femme impétueuse.» Dans une salle de classe, une institutrice délire sur le pouvoir à partir du rôle des adjectifs et des adverbes. Une mise en question folle du monde banal.

L'Athénée

Raul de Avila Pompeia   1888
Trad. F. Duprat et L. Dantas   Pandora

Considéré comme l'auteur d'une seule œuvre, Pompeia écrit, dans ce roman d'éducation, sa haine du monde et sa haine d'être au monde.

Le Mulâtre

Aluizio Azevedo   1881
Traduit par Manoel Gahisto   Plon

Très populaire dès sa parution, un beau et généreux roman naturaliste, dont le cadre est une ville d'Amazonie, São Luiz de Maranhão, fondée par les Français en 1612. Qui est raciste? Qui ne l'est pas?

Sempreviva

Antonio Callado   1980
Traduit par Jacques Thiériot
    Presses de la Renaissance

Après dix ans d'exil, la vengeance du héros qui démasque le policier assassin. Un roman politique farouche et violent dans le Brésil d'aujourd'hui.

Chronique de la maison assassinée

Lucio Cardoso   1959
Traduit par Mario Carelli
    A.-M. Métailié/Mazarine

La décadence d'une famille patriarcale brésilienne, dont le pourrissement est précipité par l'irruption d'une femme à la beauté troublante.

Ballade de la plage aux chiens

José Cardoso Pires   1982
Traduit par Michel Laban   Gallimard

Condamné pour tentative de soulèvement militaire, un officier s'évade. Son corps est découvert criblé de balles. Le tableau d'une société crépusculaire et d'une Lisbonne surprenante.

L'Opéra des morts

Autran Dourado   1967
Traduit par Jacques Thiériot   Seuil

Une demeure dans la poussière du Nordeste, et la dernière héritière d'une lignée de grands propriétaires. Un inconnu arrive — métis et borgne —, et commence la tragédie, composée avec brio.

Conversation avec une dame de ma connaissance

Carlos Drummond de Andrade   1951
Traduit par G. Leibrich, I. Oseki-Dépré
et M. Carelli   A.-M. Métailié

Quinze contes. La comédie brésilienne dans une ville provinciale avant 1914. Histoires fantastiques ou philosophiques... ou réalisme cocasse.

La Structure de la bulle de savon

Lygia Fagundes Telles 1977
Traduit par Ines Oseki-Dépré Alinéa

Neuf nouvelles fantastiques et policières. Neuf luttes à mort — violence en sourdine — simples et troublantes.

Forêt vierge

José Maria Ferreira de Castro 1930
Traduit par Blaise Cendrars Grasset

L'Amazonie d'avant guerre : « La dernière page de la Genèse qui reste à écrire. »

Isaura

Bernardo Guimarães 1875
Trad. par Claude Farny Laffont et J. L.

L'histoire d'une superbe métisse élevée comme une riche héritière dans une plantation près de Rio.

La Reine des prisons de Grèce

Osman Lins 1970
Trad. par Maryvonne Lapouge Gallimard

Le journal d'un homme qui découvre un manuscrit. Un roman dans le roman sur l'univers des déshérités. Essai ? Fiction ?

Fleuve triste

Fernando Namora 1968
Trad. par C. Meunier La Différence

Ce fleuve triste, c'est le Tage, qui baigne Lisbonne. Un jour, un homme disparaît ; la presse, avide de sensationnel, le transforme en héros.

Un verre de colère

Raduan Nassar 1975
Traduit par Alice Raillard Gallimard

De la notation laconique à la démesure, de l'inventaire à l'imprécation, le récit d'un homme qui se remet en question. La nouvelle littérature brésilienne.

La Maison de la passion

Nélida Pinon 1972
Traduit par Geneviève Leibrich Stock

Roman féminin, du corps féminin, et poème du désir. L'érotisme dépouillé et l'envoûtante attente d'une belle héroïne.

Dora, Doralina

Rachel de Queiroz 1975
Traduit par Mario Carelli Stock

L'histoire de Marie des Douleurs, une vieille femme du Sertão et qui porte bien son nom !

Maira

Darcy Ribeiro 1978
Traduit par Alice Raillard Gallimard

Le cri « en direct » de l'agonie des Indiens d'Amazonie, recueilli par un anthropologue.

Sergent Getulio

João Ubaldo Ribeiro 1971
Traduit par Alice Raillard Gallimard

Un policier — anti-héros — à la solde d'un grand propriétaire conduit un prisonnier pour le livrer à la justice. Une épopée dans le Sertão.

Le Dieu manchot

José Saramago 1984
Trad. par G. Leibrich Albin Michel

À Lisbonne, au XVIIIe siècle, un roi fait construire un palais, un moine fait voler des machines ! Un roman épique et blasphématoire, baroque, coloré.

Le Centaure dans le jardin

Moacyr Scliar 1980
Trad. par Rachel Uziel et Salvatore Rotolo
Presses de la Renaissance

Au début du siècle, une famille juive émigre au Brésil. Le quatrième enfant est un centaure… le narrateur ! Son père décide, malgré tout, d'en faire un bon juif.

Le Jeu de la miséricordieuse

Ariano Suassuna 1955
Adapté par M. Simon-Brésil Gallimard

Dans la tradition des mystères médiévaux, une farce dont l'action se passe de nos jours, dans le Nordeste brésilien et puis au Ciel… où le Christ est noir. Sous le rire, le déchirement de l'homme.

Littératures nordiques

Une fois évoqués les noms de Hans Christian Andersen, dont les *Contes* nous ont bien sûr émerveillés, de Selma Lagerlöf — qui n'a rêvé d'être Nils Holgersson et de survoler les champs et les bois du Värmland ? —, de Kierkegaard, de la baronne Blixen, de Strindberg, à cause du *Songe*, et d'Ibsen, pour *Peer Gynt*, il reste bien d'autres figures pour peupler les terres mystérieuses, foisonnantes et profondes de cette littérature des pays du Nord de l'Europe. En rassemblant des auteurs finlandais, danois, suédois, norvégiens, islandais, et même néerlandais, à l'encontre de toutes les lois linguistiques et géographiques, le choix qui est proposé ici veut faire découvrir d'autres horizons littéraires, tout un passé que nous n'avons que trop longtemps méconnu, et la grande diversité de l'époque moderne. Il suffirait de mentionner l'extraordinaire réservoir d'histoires que représente l'univers des sagas, rédigées à une époque où notre littérature balbutiait. Ou de voir à l'origine du *Kalevala* les traditions rapportées par les bardes du Nord de la Finlande. Ici et là, on constate que l'art de la narration — et de tenir en haleine son lecteur — touchait depuis longtemps à la perfection. Peut-être le climat a-t-il joué un rôle, la longue nuit d'hiver ayant encouragé les auditeurs puis les lecteurs à se familiariser avec la littérature ? S'il faut trouver quelques traits communs aux œuvres qui figurent dans ce choix, ce sont la solitude, la révolte, la communion avec la nature, la critique de la société. Solitude remarquable dans les livres de William Heinesen (il faut dire qu'il vit aux îles Féroé), de Knut Hamsun, ou de Strindberg (*Inferno*, 1897) : ce sont des héros qui affrontent des conditions extérieures difficiles — climat, milieu social, etc. —, ou des conflits intérieurs. Révolte chez

Ibsen, Kierkegaard, Dagerman, Enquist... qui, pour Stangerup, Stig Larsson, Jan Myrdal ou Birgitta Trotzig, se transforme en critique de la société notamment contemporaine. Quant à la nature, elle est omniprésente. Elle irrigue toute l'œuvre de Knut Hamsun (notamment *Pan*), de Selma Lagerlöf, de Halldor Laxness, le grand Islandais contemporain, de tous les Finnois, Norvégiens, Suédois, Danois sans exception. Il faut des lacs, des forêts, des rivières, une faune, pour faire surgir du paysage l'œuvre littéraire, et les personnages paraissent nourris de la sève même des arbres. Comme l'explique Michel Chaillou à propos de l'Islande, il y a partout un fond de pastorale qui atteint sa plus belle expression dans *L'Été du déserteur*, du Finlandais Veijo Meri. Cependant, le réalisme a aussi imprégné une bonne part de la littérature scandinave du XXᵉ siècle, celle qui coïncide avec l'ère des social-démocraties : on décrit la société, le monde des adultes vu par les enfants, l'univers des paysans, l'industrie, la ville unanimement présentée comme inhumaine. Romans sérieux et documentés, comme ceux du Suédois «prolétaire» Eyvind Johnson, *Le Roman d'Olof* ou d'Ivar Lo-Johansson *La tombe du bœuf et autres récits*. Merveilleux et fantastique n'ont pas pour autant perdu droit de cité aux pays de Selma Lagerlöf ou d'Isak Dinesen (le nom sous lequel Karen Blixen écrivit ses *Contes gothiques*) : il suffit de lire, pour s'en rendre compte, *La Draisine*, de Carl-Henning Wijkmark, un univers de délire et d'ironie. La poésie, enfin, conserve force et vitalité : en Suède, Gunnar Ekelöf, et en Islande, Steinn Steinarr, même en traduction, nous apportent, à volonté, le vent, la mer, les arbres et la musique de langues qui se prêtent au lyrisme.

Littératures nordiques

... en 49 livres

... en 25 livres

... en 10 livres

Contes
Hans Christian Andersen

La Ferme africaine
Karen Blixen

La Mort d'un apiculteur
Lars Gustafsson

Pan
Knut Hamsun

La Lumière enchantée
William Heinesen

*Maison de poupée
suivi des Revenants*
Henrik Ibsen

La Légende de Gösta Berling
Selma Lagerlöf

La Cloche d'Islande
Halldor Kiljan Laxness

Le Plaidoyer d'un fou
August Strindberg

La Saga de Njall le brûlé

*Cris et chuchotements,
Persona, Le Lien*
Ingmar Bergman

Lillelord
Johan Borgen

Le Chagrin des Belges
Hugo Claus

Dieu rend visite à Newton
Stig Dagerman

La Nuit de Jérusalem
Sven Delblanc

Guide pour les Enfers
Gunnar Ekelöf

Le Départ des musiciens
Per Olov Enquist

Le Journal du séducteur
Søren Kierkegaard

Le Nain
Pär Lagerkvist

Les Autistes
Stig Larsson

L'Homme qui veut être coupable
Henrik Stangerup

Le Temps et l'Eau
Steinn Steinarr

Le Destitué
Birgitta Trotzig

Christine Lavransdatter
Sigrid Undset

Les Sagas islandaises

• *À vous de choisir le cinquantième livre. Peut-être est-il déjà dans votre bibliothèque.*

... en 10 livres

Contes

Hans Christian Andersen   1837-45
Traduit du danois par D. Soldi et
E. Grégoire   Gallimard et F.
Un excellent choix parmi ces contes d'une portée universelle, qui enchantent toujours enfants et adultes.

La Ferme africaine

Karen Blixen   1937
Traduit du danois
par Yvonne Manceron   Gallimard et F.
Le film de Sidney Pollack a popularisé l'œuvre de cette aristocrate danoise qui, en vivant en Afrique orientale, s'est prise de passion pour les paysages et les hommes de la brousse. Sous le nom de Isak Dinesen, elle a maîtrisé avec talent l'art du conte fantastique (*Sept contes gothiques* et *Les Contes d'hiver*).

La Mort d'un apiculteur

Lars Gustafsson   1978
Traduit du suédois par C.G. Bjurström
et L. Albertini   Presses de la Renaissance
Les notes d'un instituteur, devenu apiculteur à sa retraite, et atteint d'un cancer : une réflexion sur la mort par le plus brillant des romanciers suédois contemporains.

Pan

Knut Hamsun   1894
Trad. par Georges Sautreau
    Calmann-Lévy, P. P.
Une description et une vision païenne de la Norvège du Nord, dans un climat d'extase lyrique, par un romancier qui a su évoquer une terre, ses habitants et leurs rêves (*August, Les Vagabonds*) et qui a voulu dénoncer les illusions du monde moderne (*Enfants d'aujourd'hui, La Ville de Segelfoss*). Prix Nobel de littérature en 1920.

La Lumière enchantée

William Heinesen   1957
Traduit du danois par Aage Brandt
et Maryse Laffitte   Alinéa
Les îles Féroé, perdues, oubliées, au beau milieu des brouillards de la mer du Nord : la vie quotidienne de leurs habitants, sans cesse confrontés à des éléments hostiles, nous est connue grâce aux récits de celui que Jean Grosjean considérait comme «une voix importante (...) qui arrive à force de familiarité et de simplicité à en dire plus sur le mystère métaphysique de la vie que ne le font les philosophes».

Maison de poupée
suivi des **Revenants**

Henrik Ibsen   1879 et 1881
Traduit du norvégien
par M. Prozor   L. P.
Écrites en Italie, ces deux pièces très célèbres du grand dramaturge norvégien suscitèrent polémique et scandale. Au-delà du plaidoyer féministe (*Maison de poupée*) et de la dénonciation, marquée de naturalisme, des tares congénitales (*Les Revenants*), elles mettent en scène deux figures de femmes, Nora et Hélène, très représentatives de l'univers d'Ibsen dominé par un idéal de vérité et de perfection.

La Légende de Gösta Berling

Selma Lagerlöf   1891
Traduit du suédois
par André Bellesort   Stock
Une œuvre toujours très populaire et influente en Suède d'une romancière qui évoque le Värmland (également le cadre du *Merveilleux Voyage de Nils Holgersson*), le manoir d'Ekeby, où réside la Commandante et ses cavaliers, protecteurs du pasteur défroqué Gösta. Pour L. Gustafsson, «un écrivain bien plus grand que Strindberg (...) maître en l'art d'évoquer des sentiments érotiques». Prix Nobel 1909.

La Cloche d'Islande

Halldor Kiljan Laxness   1943-46
Traduit de l'islandais
par Régis Boyer   Aubier-Montaigne

Le grand écrivain de l'Islande contemporaine qui s'inscrit dans la tradition des sagas, et témoigne de la vie d'un pays de 200 000 habitants seulement, mais parmi les plus cultivés du monde : avec les aventures de trois personnages, Laxness décrit «les vertus d'un pays qui ne veut ni ne peut mourir, tant il est clair que l'esprit survit à tout» (Régis Boyer). On peut également lire *Salka Valka*, l'histoire d'une petite fille dans une communauté de pêcheurs.

Le Plaidoyer d'un fou

August Strindberg   1892
          Mercure de France

L'autobiographie romancée de l'auteur de *Songe*, qu'il faut lire comme un extravagant roman d'amour, et l'illustration des thèmes abordés dans son théâtre. À lire également le remarquable portrait de Strindberg, traité comme un scénario, par Per Olov Enquist (*Strindberg, une vie*, Flammarion).

La Saga de Njall le brûlé

          vers 1280
Traduit de l'islandais
par Régis Boyer   Pléiade

De l'âge d'or de la littérature islandaise, la saga la plus complète et la plus vivante, qui permet de découvrir, en arrière-plan du personnage de Njall, un peuple ayant su résister aux cataclysmes naturels, comme à la tutelle de la Norvège, puis du Danemark. Un récit rapide, qui ne s'appesantit jamais sur une description et qui allie le merveilleux au quotidien.

Entretien avec Michel Chaillou

Aujourd'hui, Michel Chaillou se passionne pour l'Islande : «Depuis toujours, je m'intéresse au sentiment géographique : les lieux viennent d'abord, et les personnages ensuite. Écrivant sur l'Islande pour les besoins d'une pièce de théâtre, j'ai l'impression d'y être. En Islande, il n'y a pas de monument : le seul monument que possèdent les Islandais est la langue qui n'a pas changé depuis le Moyen Âge. La langue des sagas est la même que celle des journaux d'aujourd'hui. Cela est dû à une farouche indépendance nationale, et à l'isolement. C'est le peuple qui lit le plus au monde (et regarde peu la télévision)... Beaucoup de sagas ont été traduites, qui se passent dans le sud de l'Islande, notamment la plus belle, *La Saga de Njall le brûlé* : elle raconte les aventures de Gunnar, un chevalier, chef de clan, et qui va de temps en temps au parlement de l'Islande. Le héros caché en est Njall, un sage qui conseille Gunnar. On ne perd pas de temps dans les sagas : il y a des phrases laconiques comme "ce fut ainsi que Gunnar disparut dans son jardin". On assiste à des batailles extraordinaires. Gunnar a une femme étonnante qui donne l'impression de marcher en glissant à la surface du sol : une démarche glissée. C'est une suite de querelles épiques, de batailles et de procédures juridiques. Les sagas étaient écrites sur des peaux, ont été rassemblées au XVIIe siècle pour être envoyées à Copenhague, par bateaux entiers, dont beaucoup ont coulé. Le plus étonnant, c'est le laconisme qui permet d'inventer toute une vie intérieure, puisqu'on ne sait pas ce que pensent ces personnages mystérieux. Au XXe siècle, l'auteur le plus connu c'est Halldor Laxness, dont le chef-d'œuvre est *Salka Valka*, par lequel j'ai commencé ma découverte de l'Islande. Un livre mal éclairé : le problème de la nuit dans ce pays est fondamental : la nuit est totale en hiver et disparaît entre juin et juillet. Une femme et sa petite fille arrivent dans un village

... en 25 livres

Cris et chuchotements
Persona
Le Lien

Ingmar Bergman 1979
Traduit du suédois par J. Bobnard
et C. de Seyne Gallimard
Trois scénarios d'un cinéaste qui a sa place dans un choix de littérature scandinave, par tout ce qu'il exprime de l'âme, de la société et de la nature suédoises.

Lillelord

Johan Borgen 1955
Traduit du norvégien
par Éric Eydoux Actes Sud
La formation d'un petit Lord, et la dérive individualiste qui l'entraîne à une adhésion au fascisme : premier volume d'une trilogie romanesque destinée à dépeindre la société norvégienne au début du siècle.

Le Chagrin des Belges

Hugo Claus 1983
Traduit du néerlandais
par A. van Crugten Julliard, P. P.
La guerre et la paix entre 1939 et 1947, vécues et observées en pays flamand par un enfant surdoué et sensible. Un chef-d'œuvre du plus grand écrivain néerlandais contemporain.

Dieu rend visite à Newton

Stig Dagerman 1947 et 1955
Traduit du suédois par Elisabeth Backlund
et C.G. Bjurström Denoël
Comme la plupart des romans (*Le Serpent*, *L'Enfant brûlé*) de Stig Dagerman, qui s'est suicidé à 31 ans, ce recueil de nouvelles reflète les angoisses, les peurs et les obsessions de la société suédoise d'après-guerre, en les inscrivant dans une vision fantastique.

La Nuit de Jérusalem

Sven Delblanc 1983
Traduit du suédois
par Jean-Baptiste Brunet-Jailly
Presses de la Renaissance
Une lecture personnelle de la Bible. Que sont devenues les femmes des Évangiles ? Leurs témoignages sur les premiers temps du christianisme, par un romancier suédois, d'une lointaine extraction française, marqué par des traditions mystiques familiales.

Guide pour les enfers

Gunnar Ekelöf 1967
Traduit du suédois par C.G. Bjurström
et A. Mathieu Gallimard
Avec *La Légende de Fatumeh*, ce recueil de poésie traduit une interrogation passionnée, sur un mode parfois ésotérique, faisant appel aux mystiques orientales, d'un grand voyageur autour du bassin méditerranéen.

Le Départ des musiciens

Per Olov Enquist 1978
Traduit par Marc de Gouvenain
et Léna Grumbach Flammarion
L'échec d'un prédicateur socialiste qui tente de convaincre la sauvage population du Västerbotten, «plus sauvage que le Congo». Ce thème de l'ascension et de la chute apparaît dans toute l'œuvre d'Enquist.

Le Journal du séducteur

Søren Kierkegaard 1843
Traduit du danois par F.O. Prior
et M.H. Guigot Gallimard
L'écho de l'aventure amoureuse que vécut le philosophe danois avec Régina Olsen, et une réinterprétation du mythe de Diane. À lire en contrepoint du *Traité du désespoir* (1849) ou de son *Journal*.

Le Nain

Pär Lagerkvist   1944
Trad. du suédois par M. Gay   Stock

Piccolino, le nain d'une force monstrueuse, vendu dès sa naissance, raconte sa vie effrayante dans une cour de la Renaissance italienne : une interrogation désespérée sur le sens de l'existence par le Prix Nobel de littérature 1951.

Les Autistes

Stig Larsson   1979
Traduit du suédois
par Jean-Baptiste Brunet-Jailly
     Presses de la Renaissance

L'errance urbaine, l'inquiétude, la panique devant le monde moderne de personnages piégés par l'existence, autant de thèmes qui traduisent les interrogations de la société suédoise contemporaine.

L'Homme qui veut être coupable

Henrik Stangerup   1973
Traduit du danois par Raymond Albeck
     Le Sagittaire

Dans une société imaginaire qui nie l'idée de culpabilité et impose l'obligation du bonheur, le héros, meurtrier de sa femme, se fait punir de vouloir être coupable : une vision proche de celle d'Orwell.

Le Temps et l'Eau

Steinn Steinarr   1948
Traduit de l'islandais
par Régis Boyer   Actes Sud

« Et puis je dis quelques poèmes / par force et talent à la fois / sur la fureur aveugle / qu'engendre notre vie terrestre » : c'est ainsi que se présente S. Steinarr (1908-1950), héritier au XXᵉ siècle des auteurs de sagas.

Le Destitué

Birgitta Trotzig   1957
Traduit du suédois par Jeanne Gauffin
     Gallimard

À la fin du XVIIᵉ siècle, un pasteur injustement accusé traverse les guerres et le désespoir, et se découvre : un style pas-

du nord, la mère tombe amoureuse d'un Islandais, et Salka, la petite fille, découvre un village : on connaît tout de sa vie. Ce livre donne le sentiment de vivre à tâtons, ce qui accroît son romanesque. Ils sont gauches pour vivre, manger, et puis tout à coup, ils ont des éclairs de sentiments. On sent que tout est en bois, et que tout résonne juste... L'Islande, c'est une immense pastorale, et, pour moi, un grand roman, c'est un roman où la pastorale fournit la toile de fond. »

Quelques repères historiques

• Islande : À la fin du XIIᵉ et du XIIIᵉ siècle ; c'est la floraison des grandes sagas, celles des rois et des saints d'abord (*Saint Olàf*, de Snorri Sturluson), puis des « familles » (*Njall le brûlé*, le chef-d'œuvre entre tous), et enfin des « chevaliers », imitées de Chrétien de Troyes. Cette période s'interrompt en 1264 avec l'occupation norvégienne puis danoise. Après une « longue nuit », pendant laquelle la langue se conserve intacte, le souci de l'indépendance littéraire revient au XVIIIᵉ siècle (avec le *Voyage à travers l'Islande* de Eggert Olafsson). Le roman islandais moderne date du milieu du XIXᵉ siècle : fondé par Jon Thorodssen (*Garçons et filles*, 1850), il atteint, avec Halldor Laxness, la perfection, dans un souci de rapprocher les traditions des formes modernes de la littérature (*Lumière du monde*, 1937 ; *Salka Valka*, 1936 ; *La Cloche d'Islande*, 1943).

• Danemark : Le Moyen Âge est marqué de quelques œuvres religieuses. Au XVIᵉ siècle, la Réforme influence la langue et la littérature danoises. Le XVIIIᵉ siècle est dominé par le dramaturge Ludwig Holberg, le « Molière du Nord », alors que le classicisme français et le roman anglais exercent leur influence. Le romantisme s'installe dès 1803 avec *Les Cornes d'or*, de Oehlenschläger, sous une forte influence allemande, et développe une littérature abondante, contre laquelle le critique Georg Brandes s'insurgera en 1890. Il fonde la littérature moderne et, sous sa férule, poètes, romanciers (comme Jens Peter Jacobsen), dramaturges marquent

sionné, particulièrement adapté au mysticisme de thèmes qui rappellent Bernanos. Birgitta Trotzig est installée en France depuis trente ans.

Christine Lavransdatter

Sigrid Undset 1920
Traduit du norvégien
par E. Avenard (3 vol.) Stock
Trois épisodes de la vie de Christine, dans un Moyen Âge scandinave, et l'un des plus beaux portraits de femmes confrontées à la guerre, à l'amour et au destin, par le Prix Nobel de littérature 1928.

Les Sagas islandaises

présentées et traduites par Régis Boyer
Pléiade
Un trésor de la littérature mondiale : ces récits en prose, composés dès la fin du XIIe siècle et pendant tout le XIIIe siècle, évoquent, grâce à un style rapide, direct et efficace, la vie de grands héros de l'histoire islandaise ou nordique.

... en 49 livres

Lumière de neige

Lars Andersson 1979
Traduit du suédois par Lucie Albertini
et Anita Barbin Laffont
L'histoire d'un retour au pays natal — la Laponie — et au passé collectif, qui bascule dans une mystérieuse intrigue politico-militaire, par un jeune auteur qui relie le monde contemporain aux anciens mythes du grand Nord.

Le Point de congélation

Anders Bodelsen 1969
Traduit du danois
par Raymond Albeck Stock
Un superbe roman d'anticipation. En faisant appel aux techniques de congélation, un homme retrouve notre monde cinquante ans plus tard : un cauchemar.

La Séduction

Knut Faldbakken 1983
Traduit du norvégien
par Éric Eydoux
Presses de la Renaissance (à paraître)
Un écrivain important de la génération d'aujourd'hui qui, ici, reprend la thématique du *Pan*, de Knut Hamsun, avec un regard contemporain.

Le Palais d'hiver

Paavo Haavikko 1959
Traduit du finnois
par Gabriel Rebourcet Néo/Harmattan
L'âme finnoise imprégnée de vent, de pluie et de nature, par un poète qui s'inscrit dans la tradition du *Kalevala*.

Niels Lyhne

Jens Peter Jacobsen 1872
Trad. du danois par Mme Rémusat Stock
Un moment clef dans l'histoire de la littérature danoise : le passage au naturalisme dans ce roman d'éducation considéré par Rilke comme un livre inoubliable.

Le Roman d'Olof

Eyvind Johnson 1934
Traduit du suédois par T. Hammard
et M. Metzger Stock
Un classique de la littérature suédoise du XXe siècle : l'histoire d'un jeune flotteur de bois de 14 ans, par le Prix Nobel de littérature 1974.

La Tombe du bœuf et autres récits

Ivar Lo-Johansson 1936-37-41
Traduit du suédois
par Philippe Bouquet Actes Sud
Récits de la vie des «statares», misérables ouvriers agricoles que l'auteur défend avec talent, en utilisant des ressources littéraires qui ont fait de lui un des écrivains les plus populaires aujourd'hui en Suède.

Le Chemin du serpent

Torgny Lindgren   1982
Traduit du suédois
par Elisabeth Backlund   Actes Sud

Vengeance et soumission à la volonté divine dans une famille de paysans du nord de la Suède.

L'Été du déserteur

Veijo Meri   1960
Traduit du finlandais par Lucie Albertini
et Mirja Bolgar   Actes Sud

À la faveur du long été scandinave, un soldat déserte l'armée et revient soigner sa ferme. Il découvre l'amour.

La Mauvaise Note

Vilhelm Moberg   1943
Traduit du suédois par M. Gay
                           Nouvelles éditions latines

«Enfance» puis «jeunesse» d'un héros au cœur simple, vu par cet écrivain et journaliste qui fut l'observateur passionné du monde des paysans.

Noces de pierre

Harry Mulisch   1959
Traduit du néerlandais par Maddy Buysse
et Philippe Noble   Calmann-Lévy

Une vision dramatique de l'histoire avec ce récit d'amour et de guerre à Dresde en 1956, entre un Américain et une jeune Allemande. Par l'auteur de L'Attentat.

Confessions d'un Européen déloyal

Jan Myrdal   1968
Traduit du suédois
par André Mathieu   Buchet-Chastel

Un voyageur qui porte un regard ironique sur le monde contemporain, et dénonce toutes les formes de conformisme de la société suédoise contemporaine.

tout le premier tiers du XXe siècle. Dans le même temps, l'expressionnisme allemand, le surréalisme, le mouvement Cobra se font connaître au Danemark, tandis qu'une Karen Blixen ou qu'un William Heinesen écrivent quelques chefs-d'œuvre.

• Finlande : La fondation de toute littérature correspond à la composition du Kalevala, au début du XIXe siècle, par Elias Lönnrot, à partir de différentes légendes et traditions. Ensuite, réalisme (Les Sept Frères de Aleksis Kivi, 1870) et le néo-romantisme au début du XXe siècle font évoluer la littérature vers la période contemporaine : entre le roman historique (le fameux Sinouhé l'Égyptien, de Mika Waltari), le roman social (Sainte Misère, de Sillanpää, 1919) et les brefs récits, appelés juttu, de Haanpää, la littérature finlandaise connaît une variété qui n'est pas démentie aujourd'hui.

• Norvège : Au Moyen Âge, des œuvres religieuses et populaires (le Draumkvaede, Poème de rêve). Ensuite, avec le rattachement au Danemark (XIVe siècle), la littérature norvégienne subit une influence linguistique jusqu'au réveil national lié au romantisme et symbolisé par Henrik Wergeland (vers 1830). Ibsen, avec un théâtre universellement connu, et B. Bjørnson, romancier de la terre, marquent la renaissance de la littérature norvégienne au milieu du XIXe siècle. Depuis, toutes les tendances s'affirment : romantisme (Gunnar Heiberg), réalisme et naturalisme (l'épopée des Gens de Juvik de Olav Duun, 1918) et retour à l'histoire (le merveilleux Khristin Lavransdatter, de Sigrid Undset, 1920).

• Suède : Après plusieurs siècles de littérature religieuse (avec un chef-d'œuvre, les Révélations de sainte Brigitte, XIVe siècle), c'est le règne de la reine Christine qui fait venir Descartes à Stockholm et marque l'essor de la littérature suédoise, particulièrement brillante à l'époque des Lumières : Celsius, Linné pour les sciences, et Swedenborg qui atteint l'apogée d'une pensée mystique influente en Europe. Le romantisme allemand influence tout le XIXe siècle. Comme au Danemark, le critique Georg Brandes, vers

L'Enquête

Peter Seeberg   1966
Traduit du danois
par Régis Boyer   Arcane 17

Une vision réaliste et minutieuse de la société danoise contemporaine, et la lutte de l'individu pour s'y insérer.

Sainte Misère

Frans Eemil Sillanpää   1919
Traduit du finnois par J.-L. Perret
Nouvelles éditions latines

Les choses de la mort et de la guerre, vues par un écrivain, écologiste avant la lettre, qui a tenté d'exprimer le déterminisme biologique de l'homme et de la nature.

Histoires anodines

Villy Sørensen   1955
Traduit du danois
par Régis Boyer   Arcane 17

Kafka, du côté de Copenhague : ces nouvelles veulent traduire l'ambiguïté et l'absurde de l'existence, et du même coup parvenir à l'authenticité. Un écrivain qui s'inscrit dans la tradition d'Andersen et de Kierkegaard.

L'Enquête

Per Olof Sundman   1958
Traduit du suédois
par Dominique d'Argenté-Rask   Gallimard

Dans un village du nord de la Suède, une enquête sur un ingénieur alcoolique chargé de construire une centrale hydroélectrique, qui montre le danger de vouloir tout et trop dire.

L'Oratorio de Noël

Göran Tunström   1985
Traduit du suédois par Marc de Gouvenain
et Lena Grumbach   Actes Sud

Ample roman musical (ce n'est pas pour rien que le titre est emprunté à Bach) qui déploie ses thèmes et variations selon un ordre savant sur une période d'un demi-

siècle. Dans la famille des Nordensson, il y a une femme qui meurt, un mari veuf qui s'invente un autre amour au bout de la terre, un fils qui vit une belle amitié d'enfance, une brève passion adolescente puis se met à écrire...

L'Homme de l'eau

Arthur Van Schendel   1933
Traduit du néerlandais
par S. Margueron   Gallimard

Au début du XIXe siècle, après l'occupation napoléonienne, la lutte de l'homme contre l'eau, qui façonne l'âme hollandaise, avec un arrière-plan profondément religieux. Un très beau livre.

L'Incendie

Tarjei Vesaas   1961
Traduit du norvégien
par Régis Boyer   Flammarion

Une vision mystique : le regard du jeune Jon incendie de sa fureur tout ce qu'il rencontre ; et une forme de quête alchimique.

La Véranda aveugle

Herbjørg Wassmo   1981
Traduit du norvégien
par Éric et Élisabeth Eydoux   Actes Sud

L'histoire de Tora, née de l'union d'un soldat allemand et d'une jeune Norvégienne, permet à cette jeune romancière d'évoquer avec justesse une adolescence d'après-guerre.

La Draisine

Carl-Henning Wijkmark   1982
Traduit du suédois
par Philippe Bouquet   Actes Sud

Trois singes et un Jésuite dérivent en draisine du Congo à l'île de Sainte-Hélène : un roman d'initiation délirant et débordant d'invention et d'ironie.

Le Kalevala

épopée finlandaise et universelle   1833
Traduit par Françoise Arditi   P.O.F.

Constituée à partir de traditions orales et publiée en 1833, cette épopée relate les exploits merveilleux et pacifiques des ancêtres : une œuvre qui a marqué toute la littérature finnoise, et qui constitue encore aujourd'hui un réservoir d'inspiration.

Anthologie de la poésie suédoise

choisie par Jean-Clarence Lambert 1971
Le Seuil

Un ouvrage de référence qui permet de mieux connaître une poésie fertile en découvertes.

Anthologie de la poésie danoise contemporaine

établie par Jorgen Gustava Brandt, Uffe Harder, Klaus Rifbjerg 1975
Gallimard

Florilège de la poésie au Danemark.

1890, ouvre de nouvelles voies. C'est une époque que domine August Strindberg (1849-1912), alors que d'autres écrivains s'inspirent de la nature (Selma Lagerlöf, 1858-1940) ou d'une vision angoissée du monde (Pär Lagerkvist, 1891-1974). Une période de littérature dite « prolétaire » suit, dominée par Eyvind Johnson (1900-1976) ou Vilhelm Moberg. Depuis la Seconde Guerre mondiale, la période contemporaine est marquée par Stig Dagerman (1923-1954) et, depuis 1960, on assiste à une éclosion de nouveaux talents.

Le point de vue de Tony Cartano

Romancier, éditeur aux Presses de la Renaissance, Tony Cartano apprécie la littérature scandinave qu'avec Hubert Nyssen, d'Actes Sud, il a contribué à faire connaître en France.

Pour lui, l'un des traits les plus remarquables de cette littérature est la présence, depuis les origines, d'une nature qui ne fournit pas seulement le cadre de ces romans ou de ces poèmes, mais est devenu le sujet, aussi bien dans les Sagas que dans les contes ou les œuvres modernes... Ainsi Stig Larsson (*Les Autistes*), un citadin, ne cache pas sa fascination pour les îles, pour les espaces du Grand Nord. La nature relie l'homme à une présence d'ordre cosmique. C'est le second trait marquant de cette littérature : une réflexion sur la condition de l'homme dans le cosmos, qui nourrit également les travaux des philosophes, de Swedenborg à Kierkegaard. Enfin la dimension sociale n'est jamais absente : par exemple, la première période de la carrière littéraire d'un Per Olov Enquist rejoint une tradition du roman paysan, illustrée par les œuvres des romanciers suédois dits « prolétaires ». Le lecteur français découvre, tardivement, cette littérature nordique, en particulier, celle des années soixante-dix, correspondant à la mort des idéologies, et au retour sur soi (parfaitement illustré par *La Mort d'un apiculteur*, de Lars Gustafsson).

Le roman russe

Raskolnikov, le prince Mychkine, Jivago : des noms exotiques aux consonances étranges, mais des personnages presque aussi familiers que nos gloires littéraires nationales... Le roman russe, comme son cousin américain, est pourtant venu tard dans le monde des lettres. Il est né autour des années 1830, et s'est hissé en quelques décennies au tout premier rang de la littérature occidentale, dont il constitue l'un des grands pôles d'attraction. En France, il a inspiré aussi bien Mérimée — qui fut le premier traducteur français de Pouchkine — que Proust, Gide ou Camus ; et on ne compte plus ses différentes incarnations à la scène ou à l'écran — depuis le Japonais Kurosawa et sa magistrale version de *L'Idiot* jusqu'à la longue suite des *Guerre et paix* et autres *Tarass Boulba* produits par Hollywood.

Les auteurs dont l'influence au-delà des frontières est la plus forte sont pourtant ceux-là mêmes qui semblent enracinés le plus profondément dans leur « spécificité » russe. Dostoïevski recherche éperdument un « Christ russe », Tolstoï se fait l'historiographe de l'aristocratie pétersbourgeoise ou moscovite, Tchekhov dans ses nouvelles dépeint une race en voie d'extinction : l'intellectuel idéaliste russe, « cette créature bizarre et pathétique » dont Nabokov déplorait la disparition... Plus près de nous, les « dissidents », Soljenitsyne en tête, nous parlent d'une réalité — celle des camps ou de la terreur stalinienne — pour le moins étrangère à nos préoccupations quotidiennes. Et avec les *Récits* de Chalamov ou le poignant *Tout passe* de Grossman, le lecteur occidental a parfois l'impression d'aborder sur une autre planète. Mais s'il est ancré dans sa société, attaché à sa «terre», rivé à ses paysages de bouleaux désolés, l'écrivain russe, qui a assimilé très tôt toute la culture européenne, sait mieux que quiconque, comme le souligne Jean Bonamour dans *Le Roman russe* (P.U.F.), «transmuer les valeurs nationales en des valeurs universelles» : «être l'autre», par le truchement d'une littérature «particulièrement douée pour l'humanité». Pas seulement par cette exploration des profondeurs de l'âme humaine qui a fait la célébrité des grands romans de Dostoïevski et de Tolstoï — et ouvert la voie aux novateurs du XXe siècle ; ou par la forte charge idéologique de romanciers sans cesse en quête de la vérité ou de la justice, et qui de surcroît ont toujours entretenu des rapports difficiles avec le pouvoir — autocratique hier, totalitaire aujourd'hui. Il n'en reste pas moins que même dans ses formes les plus parodiques, les plus grotesques, les plus «engagées» ou les plus dépouillées, la littérature russe, de Pouchkine à Tchekhov, de Gogol à Boulgakov, reste teintée de compassion et de spiritualité. Et d'un humour tranquille, d'un goût de l'harmonie et d'une aspiration au bonheur que masque parfois le cliché — éculé mais toujours vivace — d'une «âme russe» nécessairement obscure, extravagante ou tourmentée. Un malentendu que la bibliothèque idéale — moins soucieuse, à l'image des écrivains russes, du cadre étroit des genres que du plaisir de la lecture et de la découverte — contribuera peut-être à dissiper. Du roman au récit autobiographique, des best-sellers aux livres moins connus ou «difficiles», avec même un détour par la science-fiction ou le policier, nous avons voulu présenter un choix aussi varié que possible d'un territoire qui reste encore, malgré quelques exemples célèbres, mal exploré.

Le roman russe

... en 49 livres

... en 25 livres

... en 10 livres

Le Maître et Marguerite
Mikhaïl Boulgakov

Récits de la Kolyma
Varlam Chalamov

L'Idiot
Fiodor Dostoïevski

Les Âmes mortes
Nicolas Gogol

Un héros de notre temps
Mikhaïl Lermontov

Le Docteur Jivago
Boris Pasternak

La Fille du capitaine
Alexandre Pouchkine

Le Pavillon des cancéreux
Alexandre Soljenitsyne

La Steppe
Anton Tchekov

Anna Karenine
Léon Tolstoï

Cavalerie rouge
Isaac Babel

Pétersbourg
Andreï Biely

Le Monsieur de San Francisco
Ivan Bounine

La Faculté de l'inutile
Iouri Dombrovski

Oblomov
Ivan Gontcharov

Enfance
Maxime Gorki

Vie et destin
Vassili Grossman

Les Douze Chaises
Ilf et Petrov

Lady Macbeth au village
Nicolas Leskov

La Défense Loujine
Vladimir Nabokov

Djann
Andreï Platonov

Premier Amour
Ivan Tourgueniev

La Mort du Vazir-Moukhtar
Iouri Tynianov

Nous autres
Evgueni Zamiatine

Les Hauteurs béantes
Alexandre Zinoviev

Il fut un blanc navire
Tchinghiz Aïtmatov

Ma jeunesse à Bagrovo
Serge Aksakov

Les Sept Pendus
Leonid Andreïev

L'Accompagnatrice
Nina Berberova

Sotnikov
Vassil Bykov

Le Don paisible
Mikhaïl Cholokhov

Moscou-Pétouchki
Venedict Erofeïev

L'Écuyère des vagues
Alexandre Grine

Sandro de Tchéguem
Fazil Iskander

Le Faiseur de scandale
Veniamine Kaverine

Le Voleur
Leonid Leonov

L'Envie
Iouri Olecha

Histoire d'une vie
Constantin Paoustovski

L'Acajou
Boris Pilniak

De l'argent pour Maria
Valentin Raspoutine

Les Yeux tondus
Alexeï Remizov

Les Golovlev
Mikhaïl Saltykov-Chtchedrine

Bonne Nuit
André Siniavski

Le lundi commence le samedi
Arcadi et Boris Strougatski

La Maison déserte
Lydia Tchoukovskaïa

Une disparition de haute importance
Edward Topol et Fridrich Neznanski

La Maison du quai
Iouri Trifonov

Le Fidèle Rouslan
Gueorgui Vladimov

*Les Aventures singulières
du soldat Ivan Tchonkine*
Vladimir Voïnovitch

• À vous de choisir le cinquantième
livre. Peut-être est-il déjà dans votre
bibliothèque.

... en 10 livres

Le Maître et Marguerite

Mikhaïl Boulgakov 1967
Trad. par Claude Ligny Laffont, L. P.
Écrit entre 1928 et 1940. Le chef-d'œuvre (posthume) de Boulgakov — publié en 1967, vingt-sept ans après sa mort. L'intrusion du Diable dans le Moscou des années 20. À travers l'histoire d'un manuscrit interdit, une satire burlesque des milieux littéraires et une méditation profonde sur l'art et le pouvoir.

Récits de la Kolyma

Varlam Chalamov 1978
Trad. C. Fournier Maspero, Fayard
«Nous savions que la mort n'était pas pire que la vie.» Laconique et glacée, une plongée aux limites du désespoir humain, dans les camps de l'extrême nord-est sibérien où Chalamov (1907-1982) passa dix-sept années de détention.

L'Idiot

Fiodor Dostoïevski 1869
Trad. Albert Mousset F., G. F., L. P.
Avec l'innocent prince Mychkine — l'«homme absolument bon» — Dostoïevski inaugurait la série des grands romans «polyphoniques» de la maturité. Difficile de choisir dans une œuvre dont l'influence et le pouvoir de fascination restent inégalés, et qui a laissé des monuments tels que *Les Possédés*, *Crime et châtiment* ou *Les Frères Karamazov*.

Les Âmes mortes

Nicolas Gogol 1842
Traduit par Henri Mongault F.
Les aventures de Tchitchikov, ex-fonctionnaire reconverti dans l'étrange commerce des paysans serfs décédés. Une galerie de portraits grotesques et impitoyables : «Une collection d'âmes bouffies décrites avec ce brio gogolien et cette foison de détails singuliers qui élèvent l'œuvre au niveau d'un fantastique poème épique. » (Nabokov.)

Un héros de notre temps

Mikhaïl Lermontov 1840
Traduit par Boris de Schloezer F.
Les aventures caucasiennes d'un jeune officier insatisfait et désabusé, Pétchorine, qui marque la naissance du thème de l'«homme de trop».

Le Docteur Jivago

Boris Pasternak 1957
F.
Sur fond de guerres et de révolutions, les amours tumultueuses de l'idéaliste docteur et de Larissa. Synthèse romanesque de l'œuvre du poète, le livre s'achève sur un cycle de poèmes, les *Vers de Iouri Jivago*.

La Fille du capitaine

Alexandre Pouchkine 1836
Traduit par André Marcowitz P. P.
À travers une chronique familiale, l'histoire de la révolte de Pougatchev sous le règne de Catherine II. Concision et justesse d'écriture : toute l'esthétique pouchkinienne dans ce court roman historique, le premier du genre dans les lettres russes.

Le Pavillon des cancéreux

Alexandre Soljenitsyne 1967
Julliard et P. P.
Atteint d'une tumeur déclarée incurable, un ancien détenu «relégué à perpétuité» échoue dans un hôpital d'Asie centrale. Largement autobiographique, le roman le plus «poétique» de Soljenitsyne.

La Steppe

Anton Tchekhov 1888
Traduit par Olga Vieillard-Baron
Aubier-Montaigne
Le voyage à travers la Russie méridionale d'un jeune garçon partant vers de lointaines études. La monotonie envoûtante de la steppe, l'agencement «musical» de la narration et un art souverain du détail marquent le passage, dans ce long récit d'initiation, vers les nouvelles «romanesques» de la maturité.

Anna Karenine

Léon Tolstoï   1877
Trad. par Henri Mongault   F., L. P.

Chronique d'une passion — celle d'Anna pour Vronsky — avec en contrepoint l'amour idyllique de Kitty et de Levine, et, en toile de fond, la société aristocratique russe des années 1870. L'un des sommets du génie artistique de Tolstoï, au moment même où il amorce son renoncement à l'art et ses errements spirituels.

... en 25 livres

Cavalerie rouge

Isaac Babel   1926
Traduit par Jacques Catteau
      L'Âge d'homme et F., P.S.

L'épopée tragique et brutale des «Cosaques rouges» en 1920 : des récits brefs, incisifs, denses.

Pétersbourg

Andreï Biely   1914
Trad. par J. Catteau
et G. Nivat   L'Age d'homme et P. S.

Une traduction éblouissante pour un de ces romans «labyrinthiques» — et réputés intraduisibles — dont le poète A. Biely (1000 1931) avait le secret. Thème recourrent de la littérature russe, la «ville de Pierre» tient ici le premier rôle.

Le Monsieur de San Francisco

Ivan Bounine   1915
Traduit par M. Maurice   Stock

Mort à Capri d'un riche Américain venu découvrir les charmes de l'Europe. Par le premier prix Nobel russe (1933), maître incomparable des «petits» genres.

La Faculté de l'inutile

Iouri Dombrovski   1978
Traduit par Dimitri Sesemann
et Jean Cathala   Albin Michel et L. P.

L'arrestation d'un jeune archéologue en 1937 et sa résistance à l'arbitraire dans une société où le droit est devenu «inutile».

Le choix d'André Siniavski

André Siniavski connaît bien ses classiques : durant les six années de camp que lui valurent en Union soviétique ses premiers livres, il a écrit pas moins de trois ouvrages, dont deux consacrés à Pouchkine et à Gogol. En France, où il vit depuis 1972, il se partage entre l'histoire de la littérature russe (qu'il enseigne à la Sorbonne), sa revue *Syntaxis* et ses livres (après *Une voix dans le chœur*, écrit durant sa détention, il a publié en 1984 son premier roman de l'exil, *Bonne Nuit*). Nous lui avons demandé quelle serait sa bibliothèque idéale du roman russe.

Si son choix comprend deux titres de base (*La Fille du capitaine*, de Pouchkine, et *Crime et châtiment* de Dostoïevski), il y adjoint aussi *La Vie de l'archiprêtre Avvakum* (Gallimard), chef-d'œuvre de l'ancienne littérature russe. Mais ses préférences vont, parmi les modernes, aux écrivains les plus «novateurs». «Avec *Un démon de petite envergure*, de Fiodor Sologoub, je mets au tout premier plan *Pétersbourg*, de Biely, qui explore des voies nouvelles de l'écriture romanesque, et, surtout, *Le Maître et Marguerite*, de Boulgakov, dont l'alliance de réalisme et de fantastique répond à mes propres préoccupations d'écrivain. Isaac Babel et l'humoriste Mikhaïl Zochtchenko figurent aussi parmi les novateurs de la langue. Dans la littérature de l'émigration, deux écrivains se détachent : Alexeï Remizov, pour son récit autobiographique *Les Yeux tondus* (traduit en 1957 chez Gallimard) qui allie la forme populaire du conte aux raffinements de la prose ''ornementale'', et Nabokov, l'un des rares auteurs à avoir échappé au conservatisme de règle dans les lettres russes depuis la fin des années 20.» Pour André Siniavski, les romanciers actuels, qu'ils soient «de l'intérieur» ou publiés seulement en Occident, restent pour la plupart cantonnés dans une tradition teintée de passéisme (récits «ruraux» de Valentin Raspoutine, grande fresque historique de

Oblomov

Ivan Gontcharov 1856
Traduit par Luba Jurgenson
L'Âge d'homme et F.
Le rêve d'une Russie immobile, patriarcale et campagnarde.

Enfance

Maxime Gorki 1913
Trad. G. Davidoff et P. Pauliat F.
Les années d'apprentissage du jeune Alexis Pechkov, alias Maxime Gorki, qui n'était pas encore devenu le héraut du réalisme socialiste. À lire aussi, ses fort peu orthodoxes *Pensées intempestives* (Pluriel).

Vie et destin

Vassili Grossman 1980
Traduit par A. Berelowitch
Julliard/L'Âge d'homme et P. P.
Autour de l'année 1942 et de la bataille de Stalingrad. La première comparaison systématique de l'hitlérisme et du stalinisme.

Les Douzes Chaises

Ilf et Petrov 1928
Traduit par A. Préchac Scarabée et Cie
Comment retrouver ses bijoux de famille dans la Russie des Soviets. Humour et satire.

Lady Macbeth au village

Nicolas Leskov 1865
Traduit par Boris de Schloezer F.
Elle empoisonne son beau-père, assassine son mari, étouffe son beau-fils et noie sa rivale... Une vision tragique de la «Russie profonde» autour des années 1860.

La Défense Loujine

Vladimir Nabokov 1929
Traduit par Génia et René Cannac F.
L'apprentissage d'un surdoué du jeu d'échecs. Lorsque Nabokov, alias Sirine, n'avait pas encore troqué le russe contre l'anglais.

Djann

Andreï Platonov
Traduit par Lucile Nivat
L'Âge d'homme, 10/18
Un peuple nomade, misérable et affamé, à la recherche d'une Terre promise. Écrite en 1936 (mais publiée seulement après la mort de Platonov en 1951), une sombre et puissante parabole de la quête du bonheur.

Premier amour

Ivan Tourgueniev 1860
Trad. R. Hoffmann Pléiade et F., L. P.
Rivalité amoureuse entre un père et un fils. Aux grands romans à problématique sociale (*Pères et fils*, *Terres vierges*), on peut préférer ce court récit d'une «première expérience».

La Mort du Vazir-Moukhtar

Iouri Tynianov 1928
Traduit par Lily Denis F.
La vie aventureuse (et la mort, en 1829, à Téhéran) du dramaturge Alexandre Griboïedov, ministre de Russie auprès du chah de Perse. Maître du roman historique, Tynianov fut aussi l'un des chefs de file du formalisme russe.

Nous autres

Evgueni Zamiatine 1922-1925
Trad. B. Cauvet-Duhamel Gallimard
«Des machines parfaites semblables à des hommes, et des hommes parfaits semblables à des machines.» Une anti-utopie qui préfigure Huxley et Orwell.

Les Hauteurs béantes

Alexandre Zinoviev 1976
Traduit par Wladimir Berelowitch
L'Âge d'homme et P. P.
Un tableau féroce et swiftien de l'«homo sovieticus».

... en 49 livres

Il fut un blanc navire

Tchinghiz Aïtmatov   1970
Traduit par Lily Denis   Messidor

La légende, les rêves et la fin solitaire d'un petit garçon des hautes montagnes de Kirghizie. Par un Kirghize «russifié», représentant le plus marquant des littératures «périphériques» de l'Asie soviétique.

Ma jeunesse à Bagrovo

Serge Aksakov   1857
Traduit par A. Bloch
             Éd. A. Bonne «France-Club»

La vieille Russie, patriarcale, provinciale et terrienne, à l'aube du XIXᵉ siècle.

Les Sept Pendus

Leonid Andreïev   1908
Traduit par Adèle Bloch
et Nathalie Reznikoff   Gallimard

Sept condamnés (dont cinq terroristes) attendent l'exécution. Dans l'atmosphère de la révolution de 1905.

L'Accompagnatrice

Nina Berberova   1946
Trad. par Lydia Schweitzer   Actes Sud

Des salons de Pétersbourg à un cinéma de quartier à Paris, l'exil d'une pianiste. Par une Russe blanche, elle-même exilée en France puis aux États-Unis.

Sotnikov

Vassil Bykov   1970
Traduit par
Bernadette du Crest   Albin Michel

Un «Lacombe Lucien» dans la Biélorussie occupée de 1942. «Le sale destin d'un homme perdu dans une guerre.» Hors des chemins balisés du manichéisme officiel.

Le Don paisible

Mikhaïl Cholokhov   1928 à 1940
Traduit par Antoine Vitez   Julliard

La saga des Cosaques (voir p. ci-contre).

La Roue rouge de Soljenitsyne...). «Quelques exceptions pourtant : *Moscou-Pétouchki*, un court — et unique — roman de V. Erofeïev, dans la meilleure veine du ''réalisme fantastique''; et, parmi les auteurs récemment émigrés, Sacha Sokolov et Sergueï Dovlatov (non traduits en français) et Edward Limonov (*Oscar et les femmes*, Ramsay), qui ont su tous trois se frayer une voie originale sans bénéficier au départ d'aucune auréole de dissident.»

Qui a écrit Le Don paisible *?*

Longtemps tenu pour le sommet du roman soviétique, et couronné en 1965 par le Nobel, *Le Don paisible* est-il aussi une monumentale imposture littéraire ? Cette vaste fresque de la vie des paysans cosaques dans les années 1910-1920 a valu à Mikhaïl Cholokhov une renommée immédiate. Elle déclencha aussi dès sa publication (à partir de 1928) une querelle sur l'identité véritable de son auteur : Cholokhov — dont on ne connaissait jusqu'alors que d'assez médiocres *Récits du Don* — se serait contenté d'«adapter» le manuscrit d'un écrivain cosaque, Fiodor Krioukov, officier de l'armée blanche disparu pendant la guerre civile.

Toujours démentie officiellement, mais étayée par la faiblesse de la production ultérieure de l'écrivain, la rumeur se concrétisa en 1975 avec la parution de deux livres (*Le Cours du Don paisible, énigmes d'un roman*, publié par un critique russe anonyme et préfacé par Soljenitsyne, et *Qui a écrit le Don paisible ?* de R. Medvedev), qui mettaient sérieusement à mal la paternité littéraire officielle du roman. L'image de marque du prix Nobel, déjà ternie par la brutalité de ses attaques contre les écrivains non conformes à la «ligne», était définitivement compromise. Dommage pour *Le Don paisible* qui reste, lui, un excellent roman. Traduit en 1959 chez Julliard et repris au Livre de Poche, il est à présent introuvable en français. Les archives soviétiques livreront-elles un jour de quoi éclaircir enfin la sombre histoire du «nègre» de Cholokhov ?

Moscou-Pétouchki

Venedict Erofeïev   1973
Trad. par A. Sabatier
et A. Pingaud   Albin Michel

La cuite la plus mémorable. Fantastique et baroque, un cocktail détonant à la gloire de l'éthylisme.

L'Écuyère des vagues

Alexandre Grine   1926
Trad. par M. Graf   L'Âge d'homme

Aventures exotiques sur un voilier mystérieux. Un écrivain rêveur des années 20.

Sandro de Tchéguem

Fazil Iskander   1973
Trad. par M. Slodzian   Éd. Ledrappier

Aventures héroïco-burlesques en Abkhazie soviétique, petit pays du Caucase où les apparatchiks staliniens ont pris la relève du gouverneur tsariste... Abkhaze lui-même «russifié», Iskander s'amuse à épingler tous les pouvoirs et leur folie paranoïaque.

Le Faiseur de scandale

Veniamine Kaverine   1928
Trad. par Irène Sokologorski   Lebovici

Dans les cénacles littéraires de Leningrad. Le portrait — romancé — de Victor Chklovski, théoricien du formalisme russe.

Le Voleur

Leonid Leonov   1927
Trad. S. Luneau   L'Âge d'homme

Les bas-fonds de Moscou pendant la NEP.

L'Envie

Iouri Olecha   1927
Traduit par
Irène Sokologorski   L'Âge d'homme

Un regard corrosif sur l'«homme nouveau» des années 20. L'unique roman, éblouissant et inclassable, de I. Olecha (1899-1960).

Histoire d'une vie

Constantin Paoustovski   1946-1962
Traduit par L. Delt
et P. Martin   Gallimard

Un tableau minutieux et vivant de la Russie dans les premières décennies du siècle, à travers l'autobiographie d'un «compagnon de route» qui sut préserver son indépendance d'écrivain.

L'Acajou

Boris Pilniak   1929
Traduit
par Jacques Catteau   L'Âge d'homme

Un roman «hérétique» dont la publication (à l'étranger) marqua le début de la disgrâce de Pilniak. Aujourd'hui «réhabilité», un expérimentateur du langage dans la lignée de Biely et de Remizov.

De l'argent pour Maria

Valentin Raspoutine
Traduit
par E.-A. Moursky   L'Âge d'homme

L'un des meilleurs représentants (avec notamment Vassili Choukchine) de la littérature «rurale» des années 1970.

Les Yeux tondus

Alexeï Remizov   1957
Traduit par
Nathalie Reznikoff   Gallimard (à rééditer)

L'un des écrivains les plus marquants — et les plus secrets — de l'émigration raconte «au ras des yeux» ses souvenirs d'enfance et d'exil.

Les Golovlev

Mikhaïl Saltykov-Chtchedrine   1880
Traduit par Sylvie Luneau   Pléiade

La décadence d'une famille de propriétaires terriens autour des années 1860. Avec *Histoire d'une ville*, du même auteur, un classique de la satire «accusatrice» du XIXᵉ siècle.

Bonne Nuit

André Siniavski   1984
Trad. par L. Martinez   Albin Michel

Le premier roman d'exil d'Abram Tertz.

Le lundi commence le samedi

Arcadi et Boris Strougatski 1966
Traduit par Bernadette du Crest Denoël
Les deux frères de la S-F soviétique.
Auteurs également du *Pique-nique au bord
du chemin* dont le cinéaste Andreï Tar-
kovski tira en 1979 son *Stalker*.

La Maison déserte

Lydia Tchoukovskaïa
Trad. par S. Duchêne Calmann-Lévy
Les purges staliniennes à Leningrad.
Pathétique et terrifiant, un récit écrit sur
le vif, en 1938.

Une disparition
de haute importance

*Edward Topol et
Fridrich Neznansky* 1981
Trad. par Espérance Iourenien Laffont
Drogue et trafic de diamants à Bakou. Un
polar soviétique.

La Maison du quai

Iouri Trifonov 1976
Traduit par Lily Denis Gallimard
L'écrivain de la vie quotidienne moscovite.
Du même auteur, également, un remar-
quable *Bilan préalable* (publié avec d'autres
récits chez Gallimard).

Le Fidèle Rouslan

Gueorgui Vladimov 1975
Traduit par François Cornillot Seuil
Désarroi d'un chien de garde à la ferme-
ture de son camp : la déstalinisation sous
un aspect inédit.

Les Aventures singulières du
soldat Ivan Tchonkine

Vladimir Voïnovitch 1975
*Traduit par A. Préchac
et S. Radov* Seuil
Le «brave soldat Chvejk» de l'Armée
rouge. Une charge grotesque et une satire
décapante de la société soviétique.

Histoire d'un samizdat

Ne pas confondre : *samizdat*, manuscrit
dactylographié («*auto*-édité») circulant
sous le manteau, et *tamizdat*, livre publié
à l'étranger («édité *là-bas*»). Il arrive
pourtant que samizdat et tamizdat se rencontrent : c'est même la forme de publication la plus courante pour les manuscrits
en marge de la littérature officielle. Ainsi
du roman de Vassili Grossman, *Vie et
destin*. «Un livre au destin étonnant,
rappelle Efim Etkind, qui fut à l'origine
de sa publication. Grossman avait proposé
son roman à la revue *Znamia* en 1961. Le
rédacteur en chef, épouvanté à la lecture
du manuscrit (une condamnation radicale
du stalinisme), le transmit aux "autorités
compétentes". Les trois exemplaires exis-
tants furent confisqués ; le KGB, lors d'une
perquisition, saisit tous les brouillons, les
papiers carbone et même les rubans de la
machine à écrire... Grossman fut convoqué
chez Souslov, le gardien de l'idéologie du
Parti : "Votre manuscrit sera publié. Mais
pas avant trois cents ans..."»
Près de vingt ans plus tard, Efim Etkind
recevait à Vienne une mystérieuse petite
boîte contenant un microfilm : le manuscrit de *Vie et destin* — qui, de samizdat,
devenait bientôt un authentique tamizdat,
édité d'abord en russe puis traduit en français. À la faveur de la perestroïka, le roman
a été publié en URSS en 1988.

Deux siècles de poésie russe

Difficile d'ignorer, même s'il est moins connu en France que le roman, l'immense domaine de la poésie russe. D'autant que nombre de «romanciers» — Pouchkine, Lermontov, Pasternak... — furent aussi — surtout ? — des poètes. Sur les pères fondateurs (Derjavine, Joukovski, Batiouchkov) ou sur Evgueni Baratynski, contemporain de Pouchkine et maître de la poésie philosophique, on pourra consulter l'excellente anthologie réunie sous la direction d'Efim Etkind (*Poésie russe, XVIIIᵉ-XXᵉ siècle*, La Découverte/Maspero). Avec Alexandre Pouchkine (1799-1837) s'ouvre l'«âge d'or» de la poésie russe. Excellant à tous les genres, du conte populaire (*Le Tsar Saltan*) au drame (*Boris Goudounov*), du poème narratif (*Le Cavalier de bronze*) au roman (*Eugène Onéguine*) en passant par la poésie lyrique ou la satire, il forge une langue à la fois classique et familière, et dont l'influence sera immense sur toute la culture russe (*Œuvres complètes*, trad. sous la direction d'E. Etkind, L'Âge d'Homme). Quatre ans après sa mort, le jeune Mikhaïl Lermontov (1814-1841) compose avant de disparaître à son tour son grand poème romantique, *Le Démon* (*Œuvres poétiques*, trad. sous la direction d'E. Etkind, L'Âge d'Homme).

La deuxième moitié du XIXᵉ siècle est dominée par Nicolas Nekrassov, poète d'inspiration populaire et dont les vers ont connu une diffusion énorme, et par deux personnalités plus secrètes : Afanassi Fet et Fiodor Tioutchev, en qui les symbolistes verront leurs précurseurs (*Tioutchev, Poésies*, trad. par Paul Garde, L'Âge d'Homme).

Les années 1900-1910 — l'«âge d'argent» — sont marquées par une profusion d'écoles, de mouvements, de tendances (décadents, symbolistes, acméistes, futuristes...). À côté d'Alexandre Blok, le chef de file du symbolisme et le poète «visionnaire» des *Douze* (1918), Velemir Khlebnikov élabore un nouveau langage «futuriste» à base de création verbale et de néologismes. Personnalité publique et poétique hors du commun, Vladimir Maïa-

kovski (1893-1930) est lui aussi le chantre du futurisme et de la révolution (*Poèmes 1913-1930*, trad. par Claude Frioux, 4 vol., Messidor). Son contemporain Sergueï Essenine (1895-1925 — tous deux se suicideront à cinq ans d'intervalle) célèbre en des vers mélodieux, et extraordinairement populaires, la beauté de la campagne russe tout en menant grand train dans la capitale (*La Confession d'un voyou*, trad. par Miloslawski et Hellens, l'Âge d'Homme). C'est à l'acméisme que se rattache l'œuvre très érudite, et très novatrice, d'Ossip Mandelstam (1893-1938), prématurément disparu dans le goulag (*Tristia et autres poèmes*, trad. par Kérel, Gallimard) ; de même que les premiers recueils intimistes et sobres d'Anna Akhmatova (*Le Soir*, 1912) qui deviendra avec le *Requiem* et *Poème sans héros* (1940-1963) l'un des premiers poètes contemporains (traduit par Jeanne et Fernand Rude, Maspero). Au tout premier plan également, le lyrisme puissant et raffiné de Boris Pasternak, depuis le recueil *Ma sœur la vie* (1922) jusqu'aux *Vers de Iouri Jivago* (1957) (*Ma sœur la vie et autres poèmes*, trad. sous la direction de H. Henry, Gallimard).

Parmi les poètes de l'émigration on retiendra avant tout Marina Tsvetaïeva, dont l'exceptionnelle puissance poétique semble préfigurer le destin tragique — émigrée en 1922, elle vit en France dans le dénuement et rentre dans son pays en 1939, où elle se suicide deux ans plus tard (*Tentative de jalousie et autres poèmes*, trad. par Ève Malleret, La Découverte). C'est encore à la tradition de l'«âge d'argent», pétrie de classicisme et de la culture la plus raffinée, que se rattache aujourd'hui l'œuvre de Joseph Brodsky, couronnée en 1987 par le prix Nobel (*Poèmes 1961-1987*, présenté par Michel Aucouturier, Gallimard).

À côté des poètes-écrivains, citons enfin les poètes-chansonniers dont l'influence a été considérable durant les trois dernières décennies : Alexandre Galitch, Boulat Okoudjava et Vladimir Vyssotski (textes bilingues et disques chez Chant du Monde).

Nabokov :
un transfuge cosmopolite

« Je suis un auteur américain, né en Russie et formé en Angleterre par l'étude des écrivains français. » Avant de connaître en 1955 la célébrité avec *Lolita*, son quatrième roman en anglais (quatre autres suivront !) Vladimir Nabokov avait pourtant commencé par être un romancier russe : de *Machenka* (1926) au *Don* et à *Invitation au supplice* (1938), huit titres publiés sous le nom de Sirine — son pseudonyme russe — le révélaient déjà comme un brillant explorateur du roman moderne.

Ce « transfuge » a eu, outre l'écriture, deux passions : les papillons et les grands classiques russes. C'est avec une précision d'entomologiste qu'il détaillait à ses étudiants de l'université Cornell, aux États-Unis, le voyage en train d'Anna Karenine ou les subtiles allitérations d'un poème de Pouchkine. Au passage, il se livrait aussi à un méchant jeu de massacre : Dostoïevski était sa bête noire (« un journaliste verbeux, un comédien de boulevard »), mais il n'épargnait ni Tourgueniev (trop attentif « au pli du pantalon de sa phrase ») ni même l'auteur de *Guerre et paix* (« un roman historique hilarant »), pourtant son écrivain de prédilection (avec Gogol). Réunis dans *Littérature II* (Fayard) et dans *Intransigeances* (Julliard), ses jugements définitifs et ses analyses pénétrantes, émaillées de rosseries, sont avant tout une clé pour la lecture de son œuvre, où abondent les « jeux » littéraires et les références au paradis perdu qu'était pour le grand cosmopolite sa patrie d'origine.

Vladimir Nabokov est mort en 1977, à Montreux, à l'âge de soixante-dix-huit ans. Sans se douter que dix ans plus tard on publierait officiellement, en Union soviétique, *La Défense Loujine*, paru à Berlin... en 1929.

Repères chronologiques

● 1830 : *Eugène Onéguine*, de Pouchkine, le premier grand roman russe.
● 1850-1880 : L'âge d'or. Tourgueniev se partage entre ses nouvelles (1852 : publication des *Récits d'un chasseur*) et ses romans (*Père et fils*, 1862). Dostoïevski et Tolstoï lui font de l'ombre : leur extraordinaire productivité littéraire culmine en 1869 avec la parution successive de *Guerre et paix* et de *L'Idiot*. 1877 : publication d'*Anna Karénine*.
● 1888 : *La Steppe*, premier long récit de Tchekhov. Déclin du roman et arrivée en force de la nouvelle.
● 1900-1910 : C'est l'ère des mutations économiques et sociales. Le mouvement symboliste (l'« âge d'argent » de la poésie russe) prépare l'explosion artistique des années 20.
● 1921-1928 : Le libéralisme tempéré de la NEP (nouvelle politique économique) favorise une renaissance littéraire sans précédent. En 1922 commence à circuler le premier samizdat : *Nous autres*, l'anti-utopie de Zamiatine dont la parution à Berlin en 1929 marque le début de la campagne des « écrivains prolétariens » contre les « émigrés de l'intérieur ».
● 1934 : Premier congrès de l'Union des écrivains soviétiques, gardienne vigilante des canons du « réalisme socialiste ».
● 1937 : L'année noire. Babel et Pilniak, parmi d'autres, disparaissent (sans retour) dans les camps staliniens.
● 1953 : Mort de Staline.
● 1957 : Parution en Italie du *Docteur Jivago*. Boris Pasternak, exclu de l'Union des écrivains, doit renoncer au Nobel qui lui est décerné en 1958.
● 1962 : Publication dans la revue *Novy Mir* d'*Une journée d'Ivan Dénissovitch*, de Soljenitsyne. Trois ans plus tard, le procès des écrivains Siniavski et Daniel consacre la fin du « dégel ».
● 1974 : Expulsion de Soljenitsyne après la publication à l'étranger de *L'Archipel du Goulag*.
● 1986-1987 : Gorbatchev inaugure une « détente » — relative ? — dans les lettres. Réhabilitation du roman de Pasternak.

Le roman d'aventures

Comme beaucoup d'étiquettes littéraires, et peut-être plus que d'autres, celle de « roman d'aventures » est sujette à caution : tout le monde sait très bien ce qu'on entend par là, mais personne ne peut en donner une définition sur laquelle s'accorder. L'imprévu ? Mais les héros de Jules Verne préparent méticuleusement leurs expéditions. Le désir d'exploits du personnage ? Mais Ulysse, Dantès ou Jack Crabb préféreraient plutôt les joies paisibles du foyer. Les péripéties ? Mais les thrillers modernes en regorgent ! D'autre part, certains objecteront que le cheminement de Jacques et de son maître, les malheurs de Justine ou l'ascension de Rastignac sont d'authentiques aventures, avec la part de risque, de surprises et d'initiation que le mot suggère. À l'inverse, les amoureux de Melville, Conrad ou Stevenson n'aiment guère que l'on réduise leurs auteurs à ce statut d'amuseurs pour la jeunesse... Ces précautions prises, nous avons opéré notre choix en fonction de l'image convenue du genre, sans prétentions théoriques. On trouvera donc dans les œuvres retenues les divers ingrédients précités, et aussi — surtout — de la géographie. Le Far West, l'Inde, l'Afrique, la jungle, les pôles seront nos décors, plus ou moins « d'opérette » selon les cas. Et le premier de tous, la mer, pleine de pirates et d'îles où tout peut arriver.

De grandes œuvres (*Don Quichotte*, *Gulliver*, *Tom Sawyer*...) auraient pu apparaître ici ; elles ont été placées sur un autre rayon de la bibliothèque. Celles qui y figurent ne satisferont sans doute pas tout le monde, tant ce genre suscite de passions fortes et de préférences ou de rejets marqués. En retenant, à côté de romanciers incontestés comme Cendrars, Kessel ou Smollett, les succès discutés de Burroughs ou Maurice Dekobra, nous avons au moins la certitude de proposer une sélection représentative !

Ajoutons que bien des témoignages vécus, et écartés pour cette raison, n'ont rien à envier aux créations les plus échevelées de l'imaginaire.

Présent à toutes les époques, dont il reflète à merveille les mythes, croyances et phantasmes, le roman d'aventures s'est toujours accompagné de sa parodie, de l'*Histoire véritable* de Lucien à *Tartarin* de Daudet, en passant par *Don Quichotte*. Qu'on ne s'y trompe pas : on prend aux pastiches le même plaisir qu'aux originaux, et la dérision n'a jamais été qu'un des signes de la santé du genre.

Cette dernière est-elle toujours aussi vaillante ? Après une grande époque que l'on peut situer entre 1850 et 1930, avec une prépondérance marquée des écrivains anglo-saxons, le renouvellement semble se faire attendre. Et, hormis les grands chefs-d'œuvre, le « gisement » ancien est relativement sous-exploité par l'édition actuelle. Désaffection du public ou négligence éditoriale, l'amateur, en tout cas, est contraint de saisir au vol des rééditions sporadiques, ou de se contenter des collections pour la jeunesse. Et si des efforts méritoires sont faits, notamment chez Christian Bourgois et Robert Laffont, bon nombre d'auteurs peut-être mineurs, mais qui ont fait rêver des centaines de milliers de lecteurs à travers le monde, mériteraient mieux que l'oubli où ils sont tenus.

Le roman d'aventures

... en 49 livres

... en 25 livres

... en 10 livres

Lord Jim
Joseph Conrad

Vie et aventures
de Robinson Crusoë
Daniel Defoe

Le Comte de Monte-Cristo
Alexandre Dumas père

L'Odyssée
Homère

Fortune carrée
Joseph Kessel

Kim
Rudyard Kipling

L'Appel de la forêt
Jack London

L'Île au trésor
Robert Louis Stevenson

Le Trésor de la Sierra Madre
B. Traven

Michel Strogoff
Jules Verne

L'Âne d'or ou les métamorphoses
Apulée

L'Atlantide
Pierre Benoit

Mémoires d'un visage pâle
Thomas Berger

Rhum
Blaise Cendrars

Perceval le Gallois
ou le conte du Graal
Chrétien de Troyes

La Prairie
James Fenimore Cooper

Tarass Boulba
Nicolas Gogol

Histoire de Gil Blas de Santillane
Alain-René Lesage

Pêcheur d'Islande
Pierre Loti

Le Chant de l'équipage
Pierre Mac Orlan

La Voie royale
André Malraux

Les Tortues
Loys Masson

Mardi
Herman Melville

Les Aventures d'Arthur Gordon
Pym de Nantucket
Edgar Allan Poe

Les Mines du roi Salomon
Henry Rider Haggard

Le Salaire de la peur
Georges Arnaud

Les Aventures du capitaine Corcoran
Alfred Assollant

Tarzan
Edgar Rice Burroughs

Le Désert des Tartares
Dino Buzzati

La Guerre des Salamandres
Karel Capek

Bari chien-loup
James Oliver Curwood

Tartarin de Tarascon
Alphonse Daudet

La Madone des sleepings
Maurice Dekobra

La Montagne aux écritures
Roger Frison-Roche

Récit d'un naufragé
Gabriel García Márquez

L'Agent secret
Graham Greene

Parpagnacco ou la conjuration
Louis Guilloux

Les Éthiopiques
Héliodore d'Émèse

L'Adieu aux armes
Ernest Hemingway

L'Île
Robert Merle

Le Cimetière des éléphants
Henry de Monfreid

Montociel, rajah aux Grandes Indes
Paul Morand

Les Aventures
de Hadji Baba d'Ispahan
James Justin Morier

L'Escadron blanc
Joseph Peyré

Les Aventures
du baron Munchhausen
Rudolf Eric Raspe
et Gottfried Bürger

Le Bison blanc
Thomas Mayne Reid

Les Aventures de Roderick Random
Tobias George Smollett

Le Juif errant
Eugène Sue

Capitaine Conan
Roger Vercel

• À vous de choisir le cinquantième
livre. Peut-être est-il déjà dans votre
bibliothèque.

... en 10 livres

Lord Jim

Joseph Conrad   1900
Traduit de l'anglais
par H. Bordenave   F.

Un roman d'aventures réaliste où l'auteur s'attache autant à la personnalité de son héros qu'à l'action qu'il décrit. Les péripéties de la vie de Jim, sa lâcheté mais aussi sa grandeur et sa fin tragique constituent la trame d'un beau récit empreint de fraternité humaine.

Vie et aventures de Robinson Crusoë

Daniel Defoe   1719
Traduit de l'anglais par Pétrus Borel
                          Pléiade et L. P.

Pressé par le besoin d'argent, Defoe écrivit à la diable, vers la soixantaine, ce roman inspiré d'un fait réel, et qui fut publié sans nom d'auteur afin de sembler authentique... Inutile de résumer une histoire devenue l'un des plus grands mythes de la littérature mondiale, et source d'un nombre incalculable d'imitations et d'adaptations, romans, pièces de théâtre, opérettes. On peut citer parmi cette postérité *Le Robinson Suisse* de Johann Rudolf Wyss (1813), version familiale et boy-scout avant la lettre. Et (dans un tout autre genre) *Vendredi ou les limbes du Pacifique*, de Michel Tournier.

Le Comte de Monte-Cristo

Alexandre Dumas père   1844
                          Pléiade et L. P.

Injustement jeté en prison, où il passe quatorze ans, Edmond Dantès, devenu fabuleusement riche grâce à la découverte d'un trésor, revient se venger de ses délateurs sous le masque d'un mystérieux seigneur étranger. Le coup de génie de Dumas est d'avoir réuni en un seul personnage la victime et le justicier, et aussi d'avoir revêtu le fait divers sordide qui lui servit de point de départ d'une somptueuse imagerie romantique : héros byronien, bandits romains, trésor, esclave orientale, et mythologie sociale balzacienne.

L'Odyssée

Homère   vers le IXe siècle av. J.-C.
Traduit par Jean Bérard   F.

L'archétype du roman d'aventures maritimes et même de la quête de l'homme à travers le monde et la vie. Mille fois imité, il obsède toute la culture occidentale : Circé, Calypso, Nausicaa, Pénélope, Ulysse sont devenus des personnages immortels.

Fortune carrée

Joseph Kessel   1955
                          Gallimard et P. P.

Du Yémen à l'Abyssinie, une ample fresque mettant en scène un bâtard kirghize en fuite, qui traverse mille périls avant de s'associer à deux trafiquants d'armes français. La grandeur sauvage des pays et paysages de la mer Rouge fournit plus qu'un décor : un véritable univers, qui dicte sa loi à l'être et au destin de ceux qui s'y enfoncent. Par le plus grand des romanciers français de l'aventure.

Kim

Rudyard Kipling   1901
Traduit de l'anglais par L. Fabulet
et Ch. Fountaine Walker
                          Gallimard, F. et P. P.

Un jeune orphelin de Lahore, d'origine irlandaise, part à travers l'Inde, en compagnie d'un moine bouddhiste, à la recherche d'une source jaillie à l'endroit où se planta une flèche lancée par le Bouddha. Mêlé à une affaire d'espionnage, séparé de son compagnon, il traverse diverses épreuves avant de retrouver et le moine, et la source. Une superbe peinture de l'Inde anglaise par celui qui en fut le chantre, mêlant la philosophie aux aventures, peuplée de personnages inoubliables.

L'Appel de la forêt

Jack London 1903
Traduit de l'anglais
par Mme de Galard 10/18

Au Grand Nord canadien où il a lui-même vécu et trimé, Jack London a consacré nombre de ses romans. Celui-ci relate la ruée vers l'or du Klondike, vue par les yeux de Buck, un chien de luxe grandi en Californie, vendu, et qui attelé à un traîneau doit apprendre la dureté et la violence de la vie. Au contact d'un nouveau maître, il retrouve peu à peu l'instinct atavique jusqu'à opérer le retour complet à la vie sauvage.

L'Île au trésor

Robert Louis Stevenson 1883
Traduit de l'anglais par A. Bay
L. P., P. P. et Lattès

Le roman qui rendit son auteur célèbre, à 33 ans. En racontant la course poursuite de deux « équipes » rivales — les bons et les méchants — vers un trésor attesté par les papiers d'un vieux marin mort, Stevenson a donné son expression la plus éclatante à l'un des mythes fondamentaux de l'aventure. Dans une connivence profonde, parfaite, avec les jeux qui font rêver tous les enfants.

Le Trésor de la Sierra Madre

B. Traven 1927
Traduction et adaptation de Henri Bonifas
et Charles Baudouin 10/18

Cette chasse au trésor dans le Mexique indien, qui inspira en 1947 un film à John Huston, est une des œuvres les plus connues du plus inconnu des romanciers de l'aventure. B. Traven, né semble-t-il dans l'actuelle Pologne, s'installe sous ce nom dans les années 20 au Mexique, où il meurt en 1969. Quel livre emporteriez-vous sur une île déserte ? « N'importe lequel, répondit Albert Einstein, pourvu qu'il soit de Traven. »

Le point de vue de Gilles Lapouge

« On pourrait dire qu'*Adolphe* est un récit d'aventures, ou que *Moby Dick* est un roman d'introspection. Sans donner dans ces provocations, il est éloquent que le meilleur ami d'Henry James, maître du roman psychologique, fût Stevenson, maître du roman d'aventures. Il ne s'agit pas seulement de sympathie réciproque entre les deux hommes ; dans leur correspondance, ils disputent sur des questions de technique littéraire comme si ces deux écrivains si opposés pratiquaient un art identique. Je veux dire que le roman d'aventures est une catégorie vague ; il existe d'ailleurs très peu d'études thématiques sur ce genre éparpillé.

» Je vois trois grands romans d'aventures qui sont universels : *L'Odyssée*, le *Timée* de Platon et *Don Quichotte*. Les trois sont des romans archaïques. Je crois que le roman d'aventures est en effet archaïque, soit qu'il nous vienne des commencements de la littérature, soit qu'il s'adresse à ce qu'il y a d'archaïque dans le lecteur, c'est-à-dire son enfance, soit qu'il traite des thèmes liés au primitif (*La Guerre du feu*, de Rosny aîné, *Le Monde perdu*, de Conan Doyle), soit qu'il explore, dans la géographie du monde, ce qui est encore vierge : les pays sauvages, les pays d'avant l'exploration. Même la narration du récit d'aventures a quelque chose d'archaïque. Elle s'intéresse aux actes, non aux motivations. Les sagas islandaises, qui sont de fabuleux romans d'aventures, sont bâties et contées comme les westerns de la première époque : des actions, seulement des actions ; aucun commentaire ou méditation ; et pas d'autre poésie que celle de l'action même.

» S'il faut citer quelques romans d'aventures, je me retourne vers mon enfance : *L'Île au Trésor*, bien sûr, ou bien *Robinson* — peut-être le détonateur en 1719 de la grande époque du genre —, ou encore *Les Trappeurs de l'Arkansas* de Gustave

Michel Strogoff

Jules Verne 1876
Hachette et L. P.

Courrier du tsar, chargé de prévenir une rébellion tartare dans la région d'Irkoustk, en Sibérie, fomentée par un officier rebelle, Michel Strogoff mènera sa mission à bien envers et contre tout… et méritera amplement d'incarner, pour plusieurs générations déjà, l'héroïsme, la loyauté et le dévouement absolus. Décors grandioses, péripéties fabuleuses, suspense irrésistible.

… en 25 livres

L'Âne d'or
ou les métamorphoses

Apulée IIᵉ siècle
Traduit du latin par Pierre Grimal F.

Victime d'une trop grande curiosité pour la magie, le héros, métamorphosé en âne, subira la triste existence de ces bêtes avant de pouvoir manger des roses, condition pour retrouver forme humaine. Un réalisme picaresque appliqué à la vie populaire dans l'Empire romain.

L'Atlantide

Pierre Benoit 1918
Albin Michel et L. P.

Dans son royaume secret au fin fond du Hoggar, Antinéa, descendante des Atlantes, collectionne les momies de ses amants aventuriers. Le lieutenant de Saint-Avit, qui lui échappe de justesse, lui reviendra volontairement.

Mémoires d'un visage pâle

Thomas Berger 1964
Traduit par France-Marie Watkins Stock

Élevé par des Indiens, puis recueilli par des Blancs, Jack Crabb est le témoin involontaire des féroces guerres indiennes et de la bataille de Little Big Horn. Un chef-d'œuvre du western porté à l'écran par Arthur Penn (*Little Big Man*).

Rhum

1930
Blaise Cendrars Denoël et L. P.

Sous forme de reportage romancé, la vie de Jean Galmot, personnage légendaire de la Guyane, tour à tour aventurier, chercheur d'or, trappeur et député.

Perceval le Gallois
ou le conte du Graal

Chrétien de Troyes XIIᵉ siècle
Mis en français moderne
par Lucien Foulet Nizet et F.

Mis de bonne heure à l'abri de toute tentation chevaleresque par une mère inquiète, le jeune Perceval répond quand même à l'appel de l'aventure. Elle le mène à la cour du roi Arthur, puis à la recherche du Graal, symbole de l'idéal chevaleresque.

La Prairie

1828
James Fenimore Cooper Tallandier

À travers la vie de Natty Bumpo, dit « Bas-de-cuir », une peinture de l'Amérique des premiers temps : guerre franco-anglaise, pionniers, vie des tribus indiennes.

Tarass Boulba

Nicolas Gogol 1835
Trad. du russe par M. Aucouturier
Pléiade (in Œuvres complètes)

Cosaque vieillissant, Tarass Boulba tue lui-même son fils qui a trahi, voit le second mourir sous la torture, et finira lui-même tragiquement. Héroïsme, férocité et ripailles chez les Cosaques des steppes au XVIᵉ siècle.

Histoire de Gil Blas
de Santillane

1715-1735
Alain-René Lesage G. F. et F.

Parti pour étudier à Salamanque, le jeune Gil Blas est appelé en fait à connaître toutes les couches de la société : brigands, ecclésiastiques, médecins, comédiennes, aristocrates… Une peinture déguisée de la société de la Régence, grouillante d'aventures, d'anecdotes et de portraits.

Pêcheur d'Islande

Pierre Loti 1886
Calmann-Lévy et P. P.

Yann, pêcheur «islandais» des côtes bretonnes, met longtemps à déclarer son amour à la belle Gaud. Et quand enfin il s'y est décidé, ce sont d'autres noces qui l'appellent, avec la mer. La vie périlleuse des marins, dans un récit d'une poésie puissante.

Le Chant de l'équipage

Pierre Mac Orlan 1918
F.

Un Hollandais, Joseph Krülh, maniaque d'histoires de corsaires, s'embarque avec un aigrefin qui l'a convaincu de l'existence d'un trésor. La dérision au cœur du roman, sur le modèle de Stevenson (que l'auteur admirait par-dessus tout).

La Voie royale

André Malraux 1930
Grasset et L. P.

L'aventure initiatique, faite d'angoisse et de souffrances, d'un archéologue et d'un trafiquant d'armes allemand dans la forêt vierge du Siam. Parabole du destin, méditation sur le choc de la civilisation et de la nature.

Les Tortues

Loys Masson 1956
Laffont

Le navire *La Rose de Mahé* transporte des îles Seychelles à Aden un lot de tortues géantes. Avec elles, ce sont la terreur, la folie et la mort qui ont pris place dans le bateau. Un roman trop méconnu.

Mardi

Herman Melville 1849
Traduit de l'anglais
par Charles Cestre Lebovici, F.

Un voyage dans une Polynésie de rêve, où l'auteur de *Moby Dick*, à ses débuts, mêle satire sociale et grands thèmes philosophiques aux inventions surréalistes.

Aymard. Je note au passage une singularité : alors que l'exotisme se confond souvent avec les régions tropicales type Club Méditerranée, le roman d'aventures, lui, sans ignorer le monde tropical, se passionne aussi pour le monde arctique, polaire, glacial. J'ai cité Gustave Aymard ; les romans de Jack London se situent dans le Grand Nord, et mes plus beaux souvenirs de lecture viennent de James Oliver Curwood qui était journaliste (le roman d'aventures s'apparente souvent à une sorte de reportage). Je me souviens de ses livres, *Les Chasseurs de loups*, *Le Roi grizzly*. Il y en avait un autre, *Les Chasseurs d'or*, où un vieux trappeur, faute de plomb, coulait des balles de fusil dans de l'or. Je crois aussi qu'il avait fait une sorte de maison, pour se cacher de ses ennemis, à l'intérieur d'une immense cataracte.

» Il faudrait en citer cent autres : *Arthur Gordon Pym*, de Poe (encore une histoire de froid), ou bien, sur le versant tropical, tout Joseph Conrad, ou, du côté du désert, le livre génial de T.E. Lawrence, *Les Sept Piliers de la sagesse*. Et puis *Gulliver*. Je crois qu'aujourd'hui le roman d'aventures est peut-être un genre en décadence, parce que le monde est entièrement dévoilé et que l'inconnu s'est réfugié du côté de la science-fiction. De cette décadence, témoignent, me semble-t-il, les livres, que j'ai vu lire à beaucoup d'enfants, *Le Club des cinq* d'Enid Blyton, *Le Clan des sept...*, et qui n'ont plus grand intérêt. »

Quand l'aventure invente ses décors

«Rien que la terre...», écrivait avec nostalgie Paul Morand. Souvent, en effet, elle ne paraît pas suffire à l'imagination ou au goût du symbole des romanciers de l'aventure — ni des autres. Et ils inventent des pays et des villes selon leur cœur. Mille lieux imaginaires de la littérature mondiale sont répertoriés dans le magnifique *Guide de nulle part et d'ailleurs* paru aux éditions

Les Aventures d'Arthur Gordon Pym de Nantucket

Edgar Allan Poe 1838
Traduit de l'anglais par Charles Baudelaire
Aubier-Montaigne et F.

Un fils de commerçants s'embarque en cachette sur une baleinière et y trouve davantage d'aventures qu'il n'espérait. Mutinerie, tempête, naufrage, sauvetage... L'équipée l'amènera au pôle Sud. Un roman inachevé qui préfigure Jules Verne.

Les Mines du roi Salomon

Henry Rider Haggard 1885
Trad. de l'anglais par R. Lecuyer NÉO

Grand voyageur, saisi d'émulation à la suite du succès de *L'Île au Trésor*, Rider Haggard entraîne le lecteur dans un mystérieux royaume africain où son héros, Allan Quatermain, découvre un monde de magie et de splendeurs. Une imagination inépuisable.

... en 49 livres

Le Salaire de la peur

Georges Arnaud 1950
Julliard et P. P.

Dans les champs de pétrole de l'Amérique du Sud, le défi de conduire un camion chargé de nitroglycérine. «La poétique du risque salarié», dit l'auteur.

Les Aventures du Capitaine Corcoran

Alfred Assollant 1867

En mission aux Indes, Corcoran, accompagné de sa tigresse Louison, devient maharadjah, réussit presque à chasser les Anglais, puis abdique. Un classique époustouflant, plein de sang et de bonne humeur. Épuisé en édition intégrale.

Tarzan

Edgar Rice Burroughs 1912
À rééditer

Première apparition d'un personnage aujourd'hui plus connu par le cinéma et la bande dessinée que par la littérature. À signaler, chez Sageditions : *Tarzan, le sentier du feu*.

Le Désert des Tartares

Dino Buzzati 1940
Traduit de l'italien par M. Arnaud L. P.

L'anti-aventure, pour ce jeune lieutenant parti chercher l'aventure au Fort Bastiani situé aux confins du Royaume du Nord, au seuil de l'étrange désert des Tartares. Toute une vie à attendre l'ennemi et la gloire et, lorsqu'ils se présenteront, il sera trop tard...

La Guerre des salamandres

Karel Capek 1936
Traduit du tchèque
par Claudia Ancelot Marabout

Un vieux navigateur découvre en Polynésie des salamandres intelligentes. Il a l'idée de leur apprendre à travailler. Quelques années plus tard, elles sont devenues le nouveau prolétariat mondial et commencent à revendiquer. Une épopée planétaire drôlatique et inquiétante.

Bari chien-loup

James Oliver Curwood 1917
Traduit de l'anglais par Léon Bocquet
Hachette

Un roman du Grand Nord, dans la filiation directe de Jack London.

Tartarin de Tarascon

Alphonse Daudet 1872
Garnier et J. L.

Un Tarasconnais naïf s'embarque pour l'Afrique du Nord où il ne doute pas que l'attendent de sublimes aventures. Un Don Quichotte parodique (et simplifié) à l'ère de l'exotisme colonial.

La Madone des sleepings

Maurice Dekobra 1925
P. P.

Fait pour plaire (et qui y réussit) en exprimant l'exotisme «moderne» des années vingt, ce roman un peu démodé vaut par le sens du pittoresque et l'art de mener un récit captivant.

La Montagne aux écritures

Roger Frison-Roche 1953
Arthaud et J. L.

Un ethnologue mène une expédition dans le Ténéré, vers les secrets, venus d'un passé lointain, de la montagne aux écritures. Et puis le silence se referme sur les explorateurs... Un des plus grands romans du désert.

Récit d'un naufragé

Gabriel García Márquez 1970
Traduit par Claude Couffon Grasset

Un naufragé sauvé par miracle raconte ses dix jours seul sur un radeau. Hallucinant dans sa simplicité, le récit est aussi une fable ironique sur les voies modernes de la renommée.

L'Agent secret

Graham Greene 1939
Trad. de l'anglais par M. Sibon Laffont

Pleine d'action et de suspense, la mission en Angleterre d'un envoyé des républicains espagnols. Un roman d'espionnage, mais aussi une interrogation désespérée sur le sens de la vie.

Parpagnacco ou la conjuration

Louis Guilloux 1954
Gallimard

Une ténébreuse intrigue vénitienne met aux prises un capitaine au long cours danois, une jeune fille, Morosina, et Parpagnacco, chat d'un antiquaire. Proche du fantastique.

du Fanal en 1981; nous en avons extrait dix. Pouvez-vous restituer la paternité de chacun aux dix auteurs cités?

1. *L'Île sonnante* (signalée de loin par le chant des cloches, elle est peuplée de différentes sortes d'oiseaux et d'un sacristain).
2. *L'Exopotamie* (une sorte de désert où l'on a des chances d'arriver en prenant le 975 à partir du terminus).
3. *La Tombe-de-Merlin* (une grotte, en Cornouailles, où repose le célèbre magicien).
4. *Cswertskst* (une petite ville de Poldavie où se trouve l'école des Bonnes-Âmes; on s'y prépare à un monde meilleur).
5. *Le Royaume des Trolls* (également peuplé de farfadets et de lutins, ainsi que du Grand Boyg, un troll monstrueux et informe).
6. *Chita* (île des Caraïbes, gouvernée jadis par un bourreau chinois; on y découvrit un trésor).
7. *Dominora* (île du Pacifique Sud, dont le roi s'est fait tatouer sur la poitrine la carte de l'archipel).
8. *La Colonie des Ruisselants* (située sous la Manche; les hommes s'y parlent grâce à des signaux lumineux).
9. *Alali* (ville d'Afrique où les hommes sont réduits en esclavage par des femmes géantes).
10. *L'Île des mangeurs de Lotus* (c'est sans cesse l'après-midi; si l'on mange des plantes locales, on n'a plus envie de repartir).

A. Supervielle, *L'Enfant de la haute mer*.
B. Mac Orlan, *Le Chant de l'équipage*.
C. Homère, *L'Odyssée*.
D. Boris Vian, *L'Automne à Pékin*.
E. Marcel Aymé, *Le Passe-Muraille*.
F. Henrik Ibsen, *Peer Gynt*.
G. E.R. Burroughs, *Tarzan*.
H. Rabelais, *Le Cinquième Livre*.
I. Apollinaire, *L'Enchanteur pourrissant*.
J. Melville, *Mardi*.

Solutions :
1 H - 2 D - 3 I - 4 E - 5 F - 6 B - 7 J - 8 A - 9 G - 10 C.

Les Éthiopiques

Héliodore d'Émèse   IIIᵉ siècle
Traduit du grec
par J. Maillon   Les Belles-Lettres
Racine raffolait, dit-on, de ces aventures à multiples rebondissements qui, à travers tempêtes, brigands, hasards extraordinaires et quiproquos réitérés, mènent deux amoureux en fuite au fin fond de l'Afrique noire.

L'Adieu aux armes

Ernest Hemingway   1929
Traduit de l'anglais par M.-E. Coindreau
Gallimard et F., P. P.
Un jeune soldat américain, léger et bon vivant, s'est engagé par amusement dans l'armée italienne en 1916. Il est amené à découvrir en même temps la cruauté de la guerre et la réalité de l'amour.

L'Île

Robert Merle   1962
Gallimard et F.
À la fin du XVIIIᵉ siècle, la colonisation sauvage d'une île tahitienne par des marins mutinés. L'affaire tourne au tragique. Une réflexion sur la violence et l'incompréhension.

Le Cimetière des éléphants

Henry de Monfreid   1952
Grasset
L'un des titres les plus connus d'un romancier de l'aventure, lui-même grand voyageur de l'Éthiopie et de la mer Rouge.

Montociel, rajah aux Grandes Indes

Paul Morand   1960
Gallimard
Proche du Corcoran d'Alfred Assollant, l'histoire d'un Français devenu souverain d'un État indien au début du XIXᵉ siècle.

Les Aventures de Hadji Baba d'Ispahan

James Justin Morier   1824
Traduit de l'anglais par R. Pépin   Phébus
L'histoire d'un personnage intelligent et rusé qui, dans la Perse du début du XIXᵉ siècle, est tour à tour barbier, brigand et secrétaire d'ambassade.

L'Escadron blanc

Joseph Peyré   1934
Grasset
Héroïsme, exotisme et pittoresque dans le Sahara des méharistes et des goumiers. Par un auteur qui aura représenté l'aventure pour des milliers de lecteurs.

Les Aventures du baron de Munchhausen

recueillies par Rudolf Erich Raspe   1785
puis Gottfried Bürger   1786
Traduit de l'allemand
par Th. Gautier fils   F. Junior
Le baron, qui a bien existé, laissa à d'autres le soin d'écrire les souvenirs aussi invraisemblables que loufoques qu'il racontait le soir à ses amis. Un chef-d'œuvre de drôlerie cocasse et surréaliste, publié également sous le nom du Baron de Crac.

Le Bison blanc

Thomas Mayne Reid   *(1818-1883)*
À rééditer
Trop oublié, cet Irlandais d'Amérique, tour à tour journaliste, soldat et marchand d'esclaves, ami d'Edgar Poe, signe ici un de ses meilleurs romans, plein de la nostalgie des Indiens et des bisons, dans la lignée de Fenimore Cooper.

Les Aventures de Roderick Random

Tobias George Smollett   1748
Traduit de l'anglais
par J.-A. Lacour   NÉO (épuisé)
Dans la lignée de *Gil Blas*, l'histoire d'un Écossais, aventurier et soldat, tour à tour victime et exploiteur, qui finira par un riche mariage. Un récit plaisamment cynique mené au galop.

Le Juif errant

Eugène Sue   1844-45
                           Laffont

Une organisation ténébreuse — les jésuites — cherche à s'emparer d'une fortune que doivent lui disputer au prix de mille périls ses héritiers légitimes. Aventures, mystères et idées sociales, par un maître du roman populaire.

Capitaine Conan

Roger Vercel   1934
                    Albin Michel et L. P.

Scènes de la vie militaire en 1918 dans les prestigieux corps francs, en Grèce et en Europe centrale.

Le roman historique

Le roman historique, pour l'essentiel, est une invention du XIXᵉ siècle. Certes, l'histoire a souvent servi de cadre au roman — *La Princesse de Clèves* en est le témoignage le plus connu — et l'essentiel de la tragédie classique peut être jugé historique. Mais, si l'histoire fournit les personnages et une vérité documentaire que l'on s'arrange pour respecter globalement (voir les «examens» et préfaces de Racine et Corneille, émaillés de justifications), elle n'est pas objet de reconstitution et elle n'est pas le but des œuvres. Restituer les décors, la vie quotidienne, voire le langage d'autrefois, telle est en revanche l'ambition du roman historique, à des degrés divers. Il a partie liée avec le goût romantique de la couleur locale et du pittoresque ; il cherche l'exotisme dans le temps. Les grandeurs et les horreurs de la Révolution et de l'Empire, d'autre part, ont contribué à attirer l'attention des romanciers sur le rôle de l'Histoire dans les destins individuels : une préoccupation que le roman du XVIIIᵉ siècle ne connaissait pas. Le développement des études historiques, enfin, apporte une autre motivation : l'archéologie n'est-elle pas au centre de *Salammbô* comme du *Roman de la momie* ?

On s'étonnera peut-être de voir voisiner dans notre sélection Michel Zévaco et Marguerite Yourcenar, La Varende et Koestler, Anatole France et John Fowles. Mais telle est la variété effective d'un genre qu'on peut croire par ailleurs aisé à cerner et à définir. À qui veut lui faire des emprunts, l'Histoire fournit une matière inépuisable, et ne regarde pas l'usage qu'on en fait. Amusante pour Cecil Saint-Laurent, elle est politique pour Aragon, philosophique pour Thomas Mann, revendicative pour Vigny, populaire pour Eugène Le Roy, chrétienne pour Chateaubriand. Et le roman historique a ses diverses écoles, celle de l'opérette et celle de l'érudition, celle de l'engagement idéologique et celle de la fantaisie. Nous avons cherché à proposer, à côté des monuments du genre, un échantillonnage représentatif de toutes ces sensibilités. Quant au plaisir de la lecture, il refait peut-être ses classements secrets : l'empire romain des *Mémoires d'Hadrien* ne peut-il faire rêver de la même façon que celui de *Ben-Hur* ? Signalons au passage que la première de ces deux œuvres, retenue sur un autre rayon, aurait eu également sa place ici ; de même qu'à des titres divers *Les Fiancés*, de Manzoni, *Le Guépard* ou *Michaël Kholhaas*.

Depuis quelques années, le genre historique a connu une floraison quantitativement importante, qualitativement inégale, qui va de pair avec le goût de l'histoire et des biographies. La méthode Yourcenar semble plus en vogue que la méthode Dumas. Le lecteur de Dumas, emporté par l'aventure, se moque éperdument que les maisons n'aient pas de numéros au XVIIᵉ siècle, alors que l'auteur leur en attribue. Celui de M. Yourcenar aujourd'hui, passionné par les détails, ne veut rien ignorer de la mesure du temps à l'époque de Néron. Signe des temps, et d'un genre qui est bel et bien une auberge espagnole. D'où sa santé, probablement.

Le roman historique

... en 49 livres

... en 25 livres

... en 10 livres

Les Trois Mousquetaires
Alexandre Dumas père

Salammbô
Gustave Flaubert

Le Hussard sur le toit
Jean Giono

Notre-Dame de Paris
Victor Hugo

Les Trois Royaumes
Louo Kouan-Tchong

Le Roman d'Henri IV
Heinrich Mann

Autant en emporte le vent
Margaret Mitchell

Bomarzo
Manuel Mujica Lainez

Quentin Durward
Walter Scott

Guerre et Paix
Léon Tolstoï

La Semaine sainte
Louis Aragon

Les Chouans
Honoré de Balzac

Histoire d'un conscrit de 1813
Erckmann-Chatrian

Les dieux ont soif
Anatole France

Fragoletta, ou Naples et Paris
en 1799
Henri de Latouche

Joseph et ses frères
Thomas Mann

Chronique du règne de Charles IX
Prosper Mérimée

La Storia
Elsa Morante

Argile et cendres
Zoé Oldenbourg

Cinq-Mars
Alfred de Vigny

Ben-Hur
Lewis Wallace

Sinouhé l'Égyptien
Mika Waltari

L'Œuvre au noir
Marguerite Yourcenar

La Pierre et le Sabre
Ejii Yoshikawa

Les Pardaillan
Michel Zévaco

Le Chevalier des Touches
Jules Barbey d'Aurevilly

Le Bois du templier pendu
Henri Béraud

L'Allée du roi
Françoise Chandernagor

Les Martyrs
François-René de Chateaubriand

Le Bûcher de Times Square
Robert Coover

Les Rois maudits
Maurice Druon

Mémoires de Mary Watson
Jean Dutourd

La Créature
John Fowles

Fort-Saganne
Louis Gardel

Le Roman de la momie
Théophile Gautier

Le Christ recrucifié
Nikos Kazantzakis

Spartacus
Arthur Koestler

La Bataille de Wagram
Gilles Lapouge

Nez-de-cuir
Jean de La Varende

Jacquou le Croquant
Eugène Le Roy

La Ville des prodiges
Eduardo Mendoza

Fortune de France
Robert Merle

Néropolis
Hubert Monteilhet

Bellefleur
Joyce Carol Oates

La Troisième Balle
Leo Perutz

Caroline chérie
Cecil Saint-Laurent

Le Parfum
Patrick Süskind

Le Disgracié
Iouri Tynianov

Les Juifs de Zirndorf
Jakob Wassermann

• À vous de choisir le cinquantième livre. Peut-être est-il déjà dans votre bibliothèque.

... en 10 livres

Les Trois Mousquetaires

Alexandre Dumas père   1844
Pléiade, Bouquins, Gallimard,
Garnier, et L. P., F., G. F., etc.

Le Paris populaire, les intrigues d'un inoubliable Richelieu, les poursuites au galop
sur la route de l'Angleterre, les scènes de
la vie militaire, le type de la belle espionne
dans une de ses grandes incarnations : voilà
quelques-uns des ingrédients qui semblent
valoir à ce roman son éternelle jeunesse et
son universalité ; mais plus encore peut-
être, la glorification joyeuse de l'amitié et
de la bonne humeur chevaleresque et
galante. Rappelons que *Vingt ans après* et
Le Vicomte de Bragelonne continuent
l'aventure, sur un ton parfois plus dramatique ou nostalgique.

Salammbô

Gustave Flaubert   1862
Gallimard, Garnier, F., G. F.

Les mercenaires recrutés par Carthage
dans sa lutte contre Rome se retournent
contre elle. Flaubert s'est ingénié à multiplier les scènes d'une grandiose horreur —
lions crucifiés, sacrifices à Moloch, siège
de Carthage — dans cette épopée archéologique à laquelle fait contrepoint une
étrange histoire d'amour entre la fille
d'Hamilcar et le mercenaire Mathô. Cinq
ans de travail et une énorme documentation furent nécessaires à la réalisation de
ce roman, à l'opposé de la méthode Dumas
père...

Le Hussard sur le toit

Jean Giono   1951
Gallimard et F.

Sous le règne de Louis-Philippe, Angelo
Pardi, colonel de hussards en exil, traverse
le décor infernal d'une Provence ravagée
par le choléra. Giono a déployé un génie
visionnaire dans l'évocation cauchemardesque de la canicule, de la maladie, de
la mort physique et des réactions collectives devant l'épidémie, auxquelles s'opposent le courage, la tranquille élégance et la
force supérieure d'Angelo et de Pauline de
Theus.

Notre-Dame de Paris

Victor Hugo   1831
F., L. P., G. F., etc.

Lié par contrat avec un éditeur, Hugo se
résigna, la mort dans l'âme, à se cloîtrer
littérairement pour composer, en quelques
semaines, cette somptueuse et terrible fresque du Paris de Louis XI. Trois passions
convergent vers la jolie et mystérieuse
bohémienne Esmeralda, reine de la cour
des miracles : celle du chaste et tourmenté
Claude Frollo, prêtre ; le désir — strictement libertin — du beau capitaine Phoe-
bus, et l'amour secret du monstrueux
Quasimodo. Mais le personnage central est
la cathédrale elle-même, transfigurée par
l'imaginaire hugolien en véritable symbole
d'un monde. L'énorme succès populaire
du roman contribua d'ailleurs à sa redécouverte esthétique et architecturale.

Les Trois Royaumes

Louo Kouan-Tchong   XIVᵉ siècle
*Traduit du chinois par Nghiêm Toan
et Louis Ricaud*   Flammarion

Récit d'une rivalité politique, lors de la
scission de l'empire en trois États, puis de
sa réunification, ce volumineux roman
offre un tableau complet de l'ancienne
Chine impériale, riche en péripéties et en
personnages hauts en couleur. On a tout
récemment découvert en France ce classique chinois extrêmement populaire, «le
Dumas de la Chine, revu par Machiavel et
Conan Doyle» (Jean Levi).

Le Roman d'Henri IV

Heinrich Mann   1935-1938
*Traduit de l'allemand
par Albert Kohn*   Gallimard

«La jeunesse du roi», «Le métier de roi»,
«Le guerrier pacifique». Le très franco-
phile auteur du *Professeur Unrat* n'a pas

consacré moins que cette puissante trilogie à l'évocation du roi béarnais, dans une biographie romancée dont le héros incarne et résume les valeurs de l'écrivain : la tolérance, vertu suprême, la raison, la liberté, la démocratie. Une forme littéraire libre et ample, jouant à loisir du récit, de la réflexion, du commentaire, fait le charme prenant de cette œuvre qui mérite d'être davantage connue.

Autant en emporte le vent

Margaret Mitchell   1936
Traduit de l'anglais
par P.F. Caillé   Gallimard et F.
Popularisé auprès des générations successives par l'inusable film réalisé en 1940, ce roman, le seul qu'ait écrit la journaliste Margaret Mitchell, devint dès sa parution un best-seller mondial et fut traduit dans seize langues. À travers l'itinéraire de la jeune, jolie et trop gâtée Scarlett O'Hara, contrainte d'affronter la guerre, qui sauvera seule la propriété familiale (et trouvera l'amour, cela va de soi), cette peinture du vieux Sud et de la guerre de Sécession a fourni au roman populaire une ambiance et des décors qui ont beaucoup resservi.

Bomarzo

Manuel Mujica Lainez   1962
Traduit de l'espagnol
par Catherine Ballestero
                          Librairie Séguier
On vient seulement de traduire en français ce roman considéré comme un des grands livres contemporains en Amérique latine. Première œuvre de l'écrivain argentin (1910-1984), il se présente comme l'autobiographie d'un prince de la Renaissance, promis par son horoscope à l'immortalité. Âme tourmentée, éprise de beauté et de grandeur, Pier Francesco Orsini reflète une époque contrastée où cruauté et idéalisme font bon ménage, et où la sauvagerie des mœurs va de pair avec l'éclosion des plus grandes œuvres d'art.

Un guide : le « Nelod »

Hormis l'étude théorique connue de Georges Lukács (voir p. 199), d'obédience marxiste, qui n'évoque que quelques œuvres, les ouvrages de synthèse sur le roman historique sont rares. Raison de plus pour recommander aux amateurs l'indépassable *Panorama du roman historique* dû à Gilles Nélod, paru en 1969 aux éditions Sodi : rien de moins qu'une exploration complète du genre, portant sur tous les pays d'Europe et d'Amérique, tentée sur la base d'une trentaine d'années de lectures, précise l'auteur, par ailleurs romancier lui-même. Outre les grands classiques, inventoriés comme il se doit, on y trouvera tout ce qu'il faut savoir (avant de s'y attaquer) sur Frédéric Soulié, Léon Cahun, Eugène de Mirecourt, aussi bien que sur le Roumain Ispirescu (*Exploits et vie de Michel le Brave*, 1876) ou l'Espagnol Ladariaga, auteur de biographies et de romans relatifs à l'Amérique latine. Ces quelques noms relevés au hasard, précisons-le, parmi quelque 350 auteurs présentés — et un index de 1 000 noms. Dans toutes les bonnes bibliothèques sinon en librairie...

Marguerite Yourcenar et le passé

« Quand j'ai écrit *Mémoires d'Hadrien*, entre 1948 et 1951, la raison qui m'a ramenée à ce sujet, auquel je pensais depuis longtemps, était la préoccupation du Prince. Dans un monde qui se défaisait, était-il encore possible (avait-il jamais été possible ?) qu'un homme soit assez fort ou assez subtil pour retenir entre ses mains ce qui risquait de crouler ? Je choisis le passé pour obtenir une certaine perspective, pour éviter de tomber dans les illusions que crée toujours l'événement présent. Avec, bien entendu, le biais d'aujourd'hui parce qu'il est clair que quelqu'un, moi ou un autre, qui aurait écrit *Mémoires d'Hadrien* en

Quentin Durward

Walter Scott   1823
Traduit de l'anglais
par M. de Faucompret   Gallimard

Un jeune archer écossais entré au service de Louis XI est chargé d'escorter et de protéger la belle Isabelle de Croye, qu'il finira par épouser après bien des aventures. Tableau de la lutte entre Louis XI, qui rêve d'unification nationale, et le Bourguignon Charles le Téméraire, traversé de grandes figures historiques (Tristan l'Hermite, Olivier le Daim, Galeotti...), centré sur le personnage ambigu d'un Louis XI plus vrai que nature, ce roman donna dès sa parution le coup d'envoi de la mode du roman historique en Europe.

Guerre et Paix

Léon Tolstoï   1865-1869
Traduit du russe
par B. de Schloezer   Pléiade et L. P., F.

Une foule de personnages traversent cette œuvre colossale, qui résume dix ans de l'histoire russe, de la campagne d'Austerlitz à l'incendie de Moscou. C'est le poids de l'histoire qui donne forme aux destins du prince André Bolkonski, amoureux de la jeune et exubérante Natacha Rostov, délaissé, et qui mourra des suites de la guerre dans la paix de Dieu; du soldat Karataïev, du général Koutouzov, de Pierre Bezoukhov, âme naïve à la recherche d'elle-même. Par-delà la puissance du récit, apparaissent une philosophie de l'histoire et un portrait de l'âme russe, unissant l'héroïsme à la mysticité.

... en 25 livres

La Semaine sainte

Louis Aragon   1958
                  Gallimard

1815. Dans l'escorte de Louis XVIII en fuite, un jeune soldat, futur peintre, Théodore Géricault, réfléchit sur l'art, la politique, l'Histoire. La saisie d'un moment critique où s'affrontent l'ancienne et la nouvelle sociétés.

Les Chouans

Honoré de Balzac   1829
         Garnier et F., L. P.

À l'école de Walter Scott et de Fenimore Cooper, ce premier acte de *La Comédie humaine* évoque en surimpression les guerres de Vendée et l'histoire d'amour entre un jeune chef royaliste et la jeune femme dont la mission secrète est de le livrer aux républicains.

Histoire d'un conscrit de 1813

Erckmann-Chatrian   1864
                   Pauvert

Les malheurs et le courage du peuple dans la guerre, à travers l'histoire de Joseph Bertha, apprenti horloger de Phalsbourg obligé de servir l'Empereur. Un hymne républicain à la paix, à la liberté et au travail; et un grand succès populaire.

Les Dieux ont soif

Anatole France   1912
                    P. P.

Entraîné par les passions politiques et les discordes civiles, un jeune peintre, Évariste Gamelin, sera perdu pour l'art et pour l'amour. Un tableau habile et tragique de la Terreur, vue par un esprit cultivé dont les maîtres mots sont raison, tolérance et scepticisme.

Fragoletta, ou Naples et Paris en 1799

Henri de Latouche   1829
               Desjonquères

Autour d'un personnage mystérieux, tour à tour homme et femme, qui inspira à Balzac sa Séraphita, soldats, bandits, femmes, ecclésiastiques : tous les types historiques de la société à la veille de la prise du pouvoir par Bonaparte. Par un des initiateurs, injustement méconnu, du romantisme.

Joseph et ses frères

Thomas Mann   1934-1943
Traduit de l'allemand
par Louise Servicen   Gallimard

Sa surabondance quelque peu indigeste a nui à cette tétralogie inspirée de l'épisode biblique, où sont solidement conjugués l'histoire, la méditation et la psychologie de l'âme humaine. C'est plus que dommage !

Chronique du règne de Charles IX

Prosper Mérimée   1829
Gallimard

Sur le thème des frères ennemis, Mérimée à ses débuts a donné une peinture des guerres de religion qui vaut par le sens du détail et du pittoresque. En filigrane, les opinions et la sensibilité d'un dandy libéral, émule de Stendhal.

La Storia

Elsa Morante   1974
Traduit de l'italien
par M. Arnaud   Gallimard et F.

L'histoire du petit Useppe et de sa mère, qui l'a conçu après avoir été violée par un soldat allemand. Le thème éternel des horreurs de la guerre, dans la Rome des années 1941-1947.

Argile et cendres

Zoé Oldenbourg   1946
Gallimard et F.

Un roman d'historienne, qui nous invite à revisiter le Moyen Âge des croisades et de Richard Cœur de lion, avec des personnages que l'on retrouve dans *La Pierre angulaire* (1953). Un des grands romans historiques de Zoé Oldenbourg.

Cinq-Mars

Alfred de Vigny   1826
F.

Deux conjurés «lâchés» par les leurs, Cinq-Mars et de Thou, paieront de leur vie leur rébellion contre Richelieu. Un des premiers grands romans historiques français, où le comte de Vigny exprime ses nostalgies aristocratiques.

1900 aurait fait quelque chose d'extraordinairement différent. (...)

» Je ne mets pas le passé comme un voile sur la société contemporaine, mais j'accepte que les mêmes instincts, les mêmes décisions humaines produisent à chaque époque non pas les mêmes effets mais des conséquences à peu près identiques. Chaque fois, l'immense variété dans les réponses humaines fait illusion parce qu'on ne s'aperçoit pas tout de suite que sous les éléments se retrouvent les mêmes bases : dans le mal, la cupidité, la sottise, l'ignorance, la brutalité, l'infini besoin de s'occuper de soi, de parler de soi et d'imposer l'image que l'on se fait de soi ; et, dans le bien, la générosité, la bonté, l'intelligence, un certain désir de voir les choses telles qu'elles sont. La nature humaine change peu tout en étant capable d'une plasticité extraordinaire à l'extérieur. »

Une correspondance « historique »

À la suite de la parution de *L'Allée du roi* (autobiographie romancée de madame de Maintenon), Françoise Chandernagor a reçu un très abondant courrier de lecteurs. Certains d'entre eux furent enthousiasmés au point d'adopter, pour écrire à l'auteur, le style du roman historique. En voici un exemple :

«Montgothier, en ce premier jour de novembre 1981.

«Se peut-il, Madame, qu'un auteur allie tant de grâce à tant de charme et à tant de science ? Cela se peut, puisque vous le fîtes en écrivant *L'Allée du Roi*.

«C'est à la grâce de l'auteur que je m'arrête céans : pour vous rappeler le bonheur de ceux qui vous rencontrent.

«C'est au charme du livre que j'en veux ensuite : pour vous dire qu'à peine tombé des mains, on aime à s'en ressaisir.

«C'est la science profonde qu'exige le travail accompli que j'admire enfin ! »

«En déposant à vos pieds, Madame, la reconnaissance d'un lecteur ravi, et l'hommage respectueux de votre serviteur. »

Ben-Hur

Lewis Wallace 1880
Gallimard

Injustement envoyé aux galères par son meilleur ami, Judas, Ben-Hur revient, accomplit une éclatante vengeance et rencontre le Christ. L'auteur se convertit lui-même en écrivant cette histoire promise à un énorme succès et recommandée par le Vatican.

Sinouhé l'Égyptien

Mika Waltari 1945
Trad. du finnois par J.-L. Perret Orban

Ces mémoires apocryphes d'un médecin du XIVe siècle avant notre ère, emplis d'une philosophie à la fois généreuse et désespérée, valurent sa renommée internationale à cet écrivain finlandais auteur de nombreux autres ouvrages.

L'Œuvre au noir

Marguerite Yourcenar 1968
Gallimard et F.

La recherche de la vérité sur le mystère de la vie, dans un XVIe siècle humaniste, tourmenté, bouillonnant, par un aventurier de l'esprit, à la fois médecin, philosophe et alchimiste.

La Pierre et le Sabre

Ejii Yoshikawa 1935
Traduit du japonais
par Léo Dilet Balland et J. L.

Épopée, roman d'initiation, récit d'aventures et saga historique. La vie d'un samouraï pour qui la maîtrise de son art passe avant tout. Le livre le plus lu au Japon aujourd'hui.

Les Pardaillan

Michel Zévaco 1907
(À rééditer)

L'un des trente volumes d'un auteur sinon incontesté, du moins indéniablement populaire.

... en 49 livres

Le Chevalier des Touches

Jules Barbey d'Aurevilly 1864
G. F.

Évoquée par les survivants de l'épopée vendéenne plusieurs décennies après, l'aventure tragique d'un combattant du Roi et de Dieu, par un catholique et royaliste intransigeant. Sombre et flamboyant.

Le Bois du templier pendu

Henri Béraud 1932
Heures Claires

Des origines à la Révolution, la chronique d'un humble village français, parsemée de massacres, de famines, de drames et de fêtes. Une gageure — couvrir plusieurs siècles en un bref roman — parfaitement maîtrisée.

L'Allée du roi

Françoise Chandernagor 1981
Julliard et P. P.

Racontée par elle-même, la vie de Françoise d'Aubigné, marquise de Maintenon, compagne de Louis XIV et presque reine de France. Une des plus éclatantes réussites du genre (abondant) des mémoires apocryphes.

Les Martyrs

François-René de Chateaubriand 1809
Gallimard

Si sa tentative de reconstituer un merveilleux chrétien l'a particulièrement fait vieillir, cette évocation des premiers temps de l'histoire de France et de la confrontation des religions ne manque ni de couleur ni de valeur historique.

Le Bûcher de Times Square

Robert Coover 1977
Traduit par D. Mauroc Seuil

Le roman où Robert Coover a trouvé sa voie et sa méthode, la fiction historique (ici, l'affaire Rosenberg).

Les Rois maudits

Maurice Druon 1955-1977
Plon

La télévision a largement popularisé cette énorme fresque, enracinée dans la malédiction des Templiers brûlés vifs.

Mémoires de Mary Watson

Jean Dutourd 1980
Flammarion

Autour des personnages de Conan Doyle revus et corrigés de façon imprévue, Mallarmé, Verlaine, Wilde traversent le salon victorien d'une vieille dame qui a connu le duc de Morny et les fastes du Second Empire... Érudit, ingénieux et savoureux.

La Créature

John Fowles 1985
Traduit de l'anglais
par Annie Saumont Albin Michel

Enquête sur meurtre et disparition dans la campagne anglaise au XVIIIᵉ siècle, ce roman à la fois policier et historique est à ranger au nombre des œuvres qui transcendent le genre auquel elles ressemblent.

Fort-Saganne

Louis Gardel 1980
Seuil

À grand trot de méhari, Charles Saganne, beau lieutenant de spahis, rejoint à l'aube de notre siècle l'épopée coloniale qui donne des signes d'essoufflement. Au Sahara, il trouvera la gloire, et dans une ville de garnison, l'amour d'une oie blanche dont il a éveillé la sensualité. Des scènes de fantasia, de superbes portraits de ganaches galonnées et des intrigues politico-diplomatiques dans ce roman d'aventures.

Le Roman de la momie

Théophile Gautier 1858
Garnier et F., G. F.

Retrouvée sur un papyrus, l'histoire de Tahoser, aimée de Pharaon et qui aime un

Le roman historique selon Georges Lukács

Sociologue de la littérature, Georges Lukács (1885-1971) s'est attaché à analyser les conditions historico-sociologiques dans lesquelles l'œuvre littéraire prend naissance (*Théorie du roman*). Ainsi le roman historique offre-t-il un champ d'application privilégié à ses théories : son apparition, son essor et sa crise sont historiquement liés à l'avènement puis à la décadence d'une classe sociale déterminée.

«Dans *Ivanhoé*, Scott figure ainsi le problème central de l'Angleterre médiévale, l'opposition entre Saxons et Normands. Il met très clairement en évidence le fait que cette opposition est avant tout celle des serfs saxons et des seigneurs normands. Mais, d'une manière correctement historique, il ne s'en tient pas à cette opposition. Il sait qu'une fraction de la noblesse saxonne, bien que limitée matériellement et frustrée de sa puissance politique, est encore en possession de ses privilèges aristocratiques et que ce fait fournit le centre idéologique et politique de la résistance nationale des Saxons aux Normands. Mais, comme un grand peintre de la vie nationale historique, Scott voit et montre avec un relief éminent que d'importantes fractions de la noblesse saxonne sombrent dans l'apathie et l'inertie, que d'autres encore attendent seulement l'occasion de réaliser un compromis avec les fractions les plus modérées de la noblesse normande, dont le représentant est Richard Cœur-de-Lion. Ainsi, (...) Ivanhoé, le héros de ce roman, qui est également un noble, partisan de ce compromis, est éclipsé par les personnages secondaires (...). Car, bien qu'une des figures qui éclipsent Ivanhoé soit son père, le noble saxon Cédric, brave et ascétique, les plus importantes de ces figures sont les serfs de ce dernier, Gurth et Wamba, et surtout le dirigeant de la résistance armée contre la domination normande, le légendaire héros populaire Robin Hood.»

Georges Lukács
Le Roman historique (1954)
Payot

Juif. Moïse, les plaies d'Égypte, le passage de la mer Rouge fournissent ses grandes scènes à ce roman archéologique et parnassien.

Le Christ recrucifié

Nikos Kazantzakis   1954
Traduit du grec par P. Amandry   Plon
À Lycovrissi, vers 1920, les paysans rejouent traditionnellement la passion du Christ. Mais à l'arrivée des réfugiés chassés par les Turcs, égoïsme, lâcheté et avarice reprennent le dessus. Une parabole à la fois évangélique et pessimiste.

Spartacus

Arthur Koestler   *(1905-1983)*
Traduit de l'anglais
par Albert Lehman   Calmann-Lévy
De l'évasion de soixante-dix gladiateurs aux six mille crucifiés de la répression, la «guerre servile» vue par l'écrivain et journaliste hongrois, pour qui le roman historique est d'abord une façon d'être présent dans son siècle.

La Bataille de Wagram

Gilles Lapouge   1986
     Flammarion
Inspirée d'un fait réel — deux régiments appartenant au même «propriétaire» et combattant dans deux camps opposés — cette histoire d'amour et de jalousie propose une belle reconstitution de l'Autriche et de l'Europe napoléonienne.

Nez-de-cuir

Jean de La Varende   1937
     Plon
Royaliste mais défiguré au service de Napoléon, un gentilhomme normand, Dom Juan invétéré malgré sa hideur, refuse l'amour et finit déchu. Régionaliste, pittoresque, passéiste. De la belle ouvrage.

Jacquou le croquant

Eugène le Roy   1899
     Calmann-Lévy et L. P., P. P.
La révolte paysanne, de l'Ancien Régime à la Restauration, contre une noblesse arrogante et qui n'a rien appris. Un grand roman populiste que la télévision (en 1971) a définitivement consacré.

La Ville des prodiges

Eduardo Mendoza   1987
Trad. de l'espagnol
par O. Rolin   Seuil
Dans la pure tradition du roman picaresque, au temps des Expositions Universelles de 1888 et de 1929 à Barcelone, les pérégrinations d'un campagnard voyou et roublard.

Fortune de France

Robert Merle   1977
     Plon et P. P.
Les aventures de Pierre de Siorac, jeune huguenot périgourdin, dans la France des guerres de religion. Dans une langue savoureuse, une réussite que les volumes suivants n'ont pas démentie.

Néropolis

Hubert Monteilhet   1984
     Julliard et P. P.
La Rome des Césars, travaillée par ses contradictions, prise entre le rêve mégalomane de Néron et le mythe de la cité chrétienne. Une vision neuve et décapante d'une époque qui avait déjà beaucoup servi.

Bellefleur

Joyce Carol Oates   1980
Traduit de l'américain
par Anne Rabinovitch   Stock
Banni de la cour de Louis XV, le duc de Bellefleur s'installe dans le nord des États-Unis. Il fait vite fortune et construit un château à la démesure de son caractère. C'est là que Joyce Carol Oates, l'une des grandes romancières américaines d'aujourd'hui, situe la saga des Bellefleur, du XVIIIe siècle à nos jours.

La Troisième Balle

Leo Perutz 1915
Trad. de l'allemand
par J.-C. Capèle Fayard

La conquête du Mexique par Cortez au XVIe siècle, à travers les aventures d'un Allemand luthérien qui, pour combattre les «papistes» espagnols, dispose d'une arquebuse et de trois balles...

Caroline chérie

Cecil Saint-Laurent 1947
F. (4 vol.)

Brillant, amusant et polisson, mais reposant sur un fond historique sérieux. Une des dernières grandes réussites du roman type feuilleton populaire. Le succès aidant, les tomes se sont accumulés.

Le Parfum

Patrick Süskind 1985
Traduit de l'allemand
par Bernard Lortholary Fayard

Au XVIIIe siècle, à Paris et en Provence, l'étrange histoire de Jean-Baptiste Grenouille, amateur d'odeurs. Un conte philosophique très vite consacré par un succès international.

Le Disgracié

Iouri Tynianov 1925
Trad. du russe par H. Perreau Gallimard

Un roman biographique consacré au poète Guillaume Küchelbecker, un révolté du XIXe siècle, condisciple de Pouchkine, qui passa en Sibérie une bonne moitié de son existence.

Les Juifs de Zirndorf

Jakob Wassermann 1897
Traduit de l'allemand
par Raymond Henry P.J. Oswald

La fondation d'un village juif au XVIIIe siècle en Allemagne, par un auteur juif allemand. Un livre et un auteur injustement méconnus, dont les œuvres furent brûlées par les nazis.

Les récits de voyage et d'exploration

Voyage... voyage... On le chante, on en rêve, ou encore on en fait la matière d'un livre... Depuis l'odyssée d'Ulysse en Méditerranée (la première de nos déambulations littéraires) jusqu'à la quête initiatique de l'*Ulysse* de Joyce, le «voyage» est au cœur de toute littérature. Mais il se trouve aussi à l'origine d'un genre bien spécifique : le «récit de voyage», dont les aventuriers, découvreurs et autres grands voyageurs se sont fait une spécialité. Et que des écrivains parmi les plus prestigieux (Nerval, Flaubert...) ne dédaignent pas non plus à l'occasion, alors qu'un Jules Verne en fera la matière même de son œuvre.

Dépeindre, tel est l'objet du récit de voyage. À chaque époque son Bougainville, son Cook ou son Marco Polo pour chanter les vertus de l'exotisme. Il y a les passionnés d'un pays, comme Stendhal, fou d'Italie, ou Paul-Émile Victor se délectant chez les Esquimaux. Il y a ceux qui aiment d'abord un moyen de locomotion : Lacarrière dont la première manifestation consiste à chanter les pieds, Saint-Exupéry qu'on imagine mal sans son casque d'aviateur, Blaise Cendrars dont *La Prose du Transsibérien* nous emporte au rythme des grands trains internationaux. Plus près de nous se situe un moment privilégié entre tous pour les amateurs de voyages : c'est, entre les deux guerres, dans les années 1920 à 1930, la belle époque de Paul Morand, de Pierre Benoit, du cosmopolitisme, des Russes en exil et des Américains à Paris. L'époque encore où, en son *Plain-Chant*, Jean Cocteau prétendait : «Je voyage bien peu», mais pour ajouter aussitôt : «... J'ai vu Londres, Venise, Bruxelles, Rome, Alger», et, s'agissant de cette dernière ville, un vers inoubliable : «Alger qui sent la chèvre et la fleur de jasmin.» Les récits de voyage sont faits pour dépasser la réalité sèche du journal de bord. Ils évoquent, et d'abord par la sonorité même, des noms de lieux dont Proust a si bien parlé.

René Caillié avait longtemps rêvé de Tombouctou avant de s'y rendre, d'autres aimeraient voir Syracuse. Comme Caillié lui-même ou comme un personnage proustien, certains seront peut-être déçus en arrivant sur les lieux. Les récits de voyage, en même temps qu'ils disent cette déception, montrent que ce n'est pas là l'important. Car les voyageurs sont comme Christophe Colomb qui croyait aller en Inde : qu'importe qu'il n'y soit pas parvenu puisqu'il a découvert l'Amérique !

En voyage, il se passe toujours quelque chose, et s'il ne se passe rien c'est encore une forme de l'imprévu. On peut ainsi, par dépit ou provocation, décider de voyager autour de sa chambre, comme Xavier de Maistre, ou, sur les conseils de Gilles Pudlowski, autour de Paris pour de plaisants week-ends, ou à Paris même, en lisant avec soin le gros *Guide Bleu* qui promet aux admirateurs de la capitale bien des découvertes. Prendre une barque aussi n'est pas sans surprise. Il suffit pour s'en convaincre de suivre, dans leur inénarrable bateau, les *Trois Hommes* de Jerome K. Jerome se battant, entre ouvre-boîte et camembert, contre un monde d'objets déchaînés. Décidément, ce « devisement du monde », pour parler comme Marco Polo, est d'abord un devisement de la diversité. C'est dire que le récit de voyage est un genre sans limite et sans mesure : l'aventure, comme chacun sait, commence au bout de la rue, mais puisque la terre est ronde, elle est aussi, comme la mer dans le poème de Valéry, toujours recommencée.

Le récit de voyage et d'exploration

... en 49 livres

... en 25 livres

... en 10 livres

Voyage autour du monde
L.-A. de Bougainville

Bourlinguer
Blaise Cendrars

La Découverte de l'Amérique
Christophe Colomb

Histoires
Hérodote

Tristes Tropiques
Claude Lévi-Strauss

Les Vagabonds du rail
Jack London

Voyage en Orient
Gérard de Nerval

Le Devisement du Monde
Marco Polo

Rome, Naples, Florence :
Promenades dans Rome
Stendhal

Le Tour du monde en 80 jours
Jules Verne

Le Voyage en Orient
Jean-Claude Berchet

Lettres familières sur l'Italie
Charles de Brosses

Voyage à Tombouctou
René Caillié

Voyages au Canada
Jacques Cartier

Voyage de Paris à Ispahan
Jean Chardin

Relations de voyages autour du mon
James Cook

Citrons acides
Lawrence Durrell

Voyage au Congo
André Gide

Le Voyage d'Occident et d'Orient
Ibn Khaldoun

Chemin faisant : mille kilomètres
à pied à travers la France
Jacques Lacarrière

Le Merveilleux Voyage
de Nils Holgersson
à travers la Suède
Selma Lagerlöf

Léon l'Africain
Amin Maalouf

Les Secrets de la mer Rouge
Henry de Monfreid

Venises
Paul Morand

La Route de Silverado
Robert Louis Stevenson

Le Voyage du mauvais larron
Georges Arnaud

Journaux de voyage
Basho

Pierre Loti
Lesley Blanch

Rimbaud en Abyssinie
Alain Borer

Le Tour de France par deux enfants
G. Bruno

En Patagonie
Bruce Chatwyn

Nous avons fait un beau voyage
Francis de Croisset

Lettres de Russie
Astolphe de Custine

Journal de voyage
Alexandra David-Neel

Le Piéton de Paris
Léon Paul Fargue

Trois ans en Asie
Joseph Arthur, comte de Gobineau

La Sardaigne et la Méditerranée
David Herbert Lawrence

Le Juif errant est arrivé
Albert Londres

Rêves arctiques
Barry Lopez

Danube
Claudio Magris

Aller retour New York
Henry Miller

Crépuscule sur l'Islam
V. S. Naipaul

Voyage sentimental
en France et en Italie
Laurence Sterne

Voyage excentrique et ferroviaire
autour du Royaume-Uni
Paul Theroux

Le Désert des déserts
Wilfred Thésiger

L'Inde des grands chemins
Jack Thieuloy

Voyage autour du mont Blanc
Rodolphe Töpffer

Le Voyage des innocents,
un pique-nique dans l'Ancien Monde
Mark Twain

Banquise
Paul-Émile Victor

• À vous de choisir le cinquantième
livre. Peut-être est-il déjà dans votre
bibliothèque.

... en 10 livres

Voyage autour du monde

Louis-Antoine de Bougainville 1771
F.

Cette expédition scientifique, qui dura de 1766 à 1769, est marquée par un grand moment : l'arrivée à Tahiti au début d'avril 1768. L'auteur eut le double honneur de donner son nom à une fleur et d'inspirer à Diderot son célèbre « *Supplément* » dédié au culte du bon sauvage.

Bourlinguer

Blaise Cendrars 1948
F.

Lorsque paraît ce livre, Cendrars a la soixantaine ; il est à l'âge des bilans, il passe en revue toutes les grandes villes européennes où il a vécu et laissé des souvenirs. Lui qui dès l'âge de 17 ans partait découvrir le monde et l'aventure.

La Découverte de l'Amérique

Christophe Colomb *(1451 ?-1506)*
Traduit par Soledad Estorach
et Michel Lequenne La Découverte

Il s'agit du journal de bord de l'illustre découvreur pour les années 1492-1493, et de relations de ses voyages (1493-1504), partiellement sous forme de lettres, instructions ou mémoires.

Histoires

Hérodote *(484-425)*
Traduit du grec
par P.-H. Larcher La Découverte

L'auteur de ces neuf livres d'« enquêtes », un ami de Sophocle, a donné à la Grèce classique les plus précieux renseignements sur les pays qu'il avait pris soin de visiter : Grèce, Lydie, Égypte, Cyrène, Grande Grèce, etc.

Tristes Tropiques

Claude Lévi-Strauss 1955
Plon et P. P.

« Je hais les voyages et les voyageurs. » En dépit de ce paradoxal incipit, l'essai de Claude Lévi-Strauss s'est d'emblée imposé comme le plus passionnant des livres sur le voyage. Relatant ceux qu'il fit à partir de 1935 aux États-Unis, en Asie et surtout en Amérique du Sud, l'auteur retrace l'itinéraire intellectuel qui le conduisit, jeune professeur de philosophie, à découvrir, avec les Indiens du Brésil, sa vocation d'ethnologue.

Les Vagabonds du rail

Jack London 1907
Trad. de l'anglais par Louis Postif 10/18

Où l'on apprend l'art de voyager sans billet. Épigraphe de Rudyard Kipling : « En somme, je les ai essayées toutes, les routes allègres qui vous conduisent au bout du monde »... et même au suicide : pour J. London, en 1916.

Voyage en Orient

Gérard de Nerval 1851
Flammarion

Ce voyage se déroula en 1843. Il mena le poète d'Alexandrie à Istanbul par le Liban, Chypre, Rhodes et Smyrne. On a plaisir à constater que l'auteur, malgré le destin tragique qui pesait sur lui, sait raconter ses aventures avec humour, et explorer finement ce que nous appellerions les différences.

Le Devisement du Monde

Marco Polo *(1254-1323)*
Mis en français moderne
par A. t'Sertevens L. P.

Ayant séjourné près de vingt ans en Chine, alors sous la domination du Grand Khan mongol, le Vénitien dicta, en 1299, la relation de ses voyages directement en français.

Rome, Naples, Florence : Promenades dans Rome

Stendhal 1817-1826 et 1829
La Pléiade

L'auteur des *Mémoires d'un touriste* ne reniait pas le tourisme ; mais on imagine bien que cet amoureux passionné de l'Italie va au-delà de la meilleure littérature touristique. Pour Parme, se reporter au roman.

Le Tour du monde en 80 jours

Jules Verne 1873
Gallimard et L. P.

Avec Phileas Fogg et Passepartout, malgré les embûches du détective Fix. Le livre paraît la même année que *Michel Strogoff*. Mais comment choisir dans une œuvre entièrement consacrée au voyage !

... en 25 livres

Le Voyage en Orient

Jean-Claude Berchet 1985
Bouquins

Il s'agit d'une anthologie des voyageurs français dans le Levant au XIXᵉ siècle : Lamartine, T. Gautier, Maxime du Camp, Flaubert et bien d'autres, en Grèce, à Constantinople, en Égypte ou dans le désert. Plongée dans l'imaginaire collectif, histoire d'une fascination, rencontre du tourisme et de l'idéologie.

Lettres familières sur l'Italie

Charles de Brosses (1709-1777)
Mercure de France

Au milieu du XVIIIᵉ siècle, un magistrat bourguignon, gai et lettré, ami de Buffon, raconte l'Italie telle qu'il la voit. Aussi versé dans la culture ancienne et moderne qu'intéressé par les décolletés plongeants des nonnes vénitiennes.

Le parfum discret des Guides Bleus d'autrefois

En 1841, Adolphe Joanne, avocat, grand voyageur et ami de Louis Hachette, revenait de Suisse chargé de notes sur ce pays. Intéressé, l'éditeur les publiait et créait le Guide Joanne, avec comme premier titre *Itinéraire de la Suisse à pieds*. D'autres allaient suivre dont un prestigieux *Itinéraire de l'Orient* (1861), un *Guide parisien* (1863) sous la signature du même Albert Joanne, *Londres illustré* (1865), un *Itinéraire de l'Algérie de Tunis et de Tanger* (1879)...

Dans les années 1910, la couleur du guide était déjà un label de qualité et le Guide Joanne devenait le Guide Bleu, désormais célèbre. Ceux qui voyagent aujourd'hui ne savent sans doute pas quels trésors d'indications précieuses, de notations pittoresques et parfois inattendues réserve la lecture de ces guides souvent rédigés dans une langue savoureuse.

Ainsi nos aïeux qui s'apprêtaient à partir en Grèce en 1911 apprenaient-ils, sous la plume de Gustave Fougères, auteur du Guide Bleu publié cette année-là, qu'on ne visite pas ce pays « hanté de souvenirs » comme on visite « la Suisse ou la Norvège, avec les seuls yeux du corps » et qu'« il est essentiel de ne pas partir à l'aventure », car « l'imprévu n'a d'agrément que si on lui fait sa part très petite ». Dans ces conditions tout est prévu par le Guide et ce jusque dans les moindres détails :

« *Équipement* : Les vêtements seront en laine souple, demi-saison, plutôt gris : proscrire la toile, dangereuse le soir. Le costume d'excursion comprendra : chemise de flanelle légère avec cols mobiles de toile molle et de couleur (réserver le linge blanc pour Athènes), caleçon de toile ou de tussor, veston et culotte cycliste solides, bas cycliste, pardessus demi-saison et surtout pèlerine de laine souple, brune ou bleu marine, genre manteau romain, imperméabilisée, avec capuchon, et très longue. (...)

Voyage à Tombouctou

René Caillié *(1799-1838)*
La Découverte

«J'aimerais tant voir Tombouctou», se disait le jeune R. Caillié. Il y parvint en avril 1828 et, naturellement, il fut déçu. De plus, le voyage fut si épuisant qu'il mourut dix ans plus tard, à l'âge de 39 ans.

Voyages au Canada

Jacques Cartier *(1491-1557)*
La Découverte

Parti de Saint-Malo pour se rendre en Asie par le nord du Nouveau Monde, il prit possession du Canada au nom de François Iᵉʳ. Son idée de génie, très simple, fut de partir des côtes et de remonter le Saint-Laurent.

Voyage de Paris à Ispahan
1 - de Paris à Tiflis
2 - de Tiflis à Ispahan

Jean Chardin 1686
La Découverte

L'auteur séjourna plusieurs années à Ispahan qui lui inspira parmi les plus belles pages de son livre. Il le publia à Londres, s'étant établi en Angleterre pour le compte de la Compagnie des Indes. C'est en grande partie à lui que le siècle de Louis XIV dut sa connaissance de l'Orient.

Relations de voyages autour du monde

James Cook 1777
Traduit de l'anglais par G. Rives
La Découverte

Ce fils de cultivateur devait avoir le pied marin puisqu'il a fait trois voyages autour du monde en onze ans, de 1768 à 1779, jusqu'à sa mort tragique aux îles Hawaii. Il les a racontés lui-même, avec une intelligence qui complète ses qualités d'«explorateur idéal».

Citrons acides

Lawrence Durrell 1961
Trad. par Roger Giroux Buchet-Chastel

Chypre pendant les années 1953-1956; l'auteur y vit comme professeur et attaché de presse; il dédie ce «monument à la paysannerie cypriote et aux paysages de l'île».

Voyage au Congo

André Gide 1927
Gallimard

En 1927, plus de trente ans après *Les Nourritures terrestres*, Gide sort de sa phase narcissique pour écrire ces «Carnets de route» (avec cartes à l'appui!)... où l'on apprend tout le plaisir qu'il y a à relire *Cinna* au bord du Chari!

Le Voyage d'Occident et d'Orient

Ibn Khaldoun *(1332-1406)*
Traduit de l'arabe
par Abdesselam Cheddadi Sindbad

Le grand historien arabe du XIVᵉ siècle, précurseur des sciences humaines et sociales, est un esprit avide de connaissances et de découvertes. C'est l'intérêt de ce récit, où on le voit parcourir l'Andalousie, l'Afrique du Nord, l'Égypte et la Palestine.

Chemin faisant : mille kilomètres à pied à travers la France

Jacques Lacarrière 1975
Fayard

«Avant tout je chanterai les pieds» : ainsi s'exprime ce spécialiste d'Hérodote, qui se promène aussi bien à travers la Grèce antique que des Vosges à Alésia, du Morvan au Gévaudan, des Causses aux Corbières.

Le Merveilleux Voyage de Nils Holgersson à travers la Suède

Selma Lagerlöf   1906-1907
Traduit du suédois
par T. Hammar   Gallimard et P. P.

Ce livre de géographie destiné aux enfants valut à la romancière une notoriété mondiale et le prix Nobel en 1906.

Léon l'Africain

Amin Maalouf   1986
                                        Lattès

Écrite par un Libanais expatrié, cette autobiographie fictive jette un éclairage nouveau sur l'auteur de *La Description de l'Afrique*. Né à Grenade en 1483, d'origine arabe, géographe et érudit, il se convertit au christianisme et vient vivre dans la Rome de la Renaissance.

Les Secrets de la mer Rouge

Henry de Monfreid   1932
                                        Grasset

Son père fut l'ami de Gauguin et de Segalen. Il mena en Éthiopie et sur les bords de la mer Rouge une vie pleine d'aventures qui nourrissent ses récits. Celui-ci raconte la pêche des perles, ainsi que mainte affaire d'armes et d'espionnage.

Venises

Paul Morand   1971
                                        Gallimard

Ayant renoncé à la carrière diplomatique pour se consacrer aux voyages, P. Morand s'est voulu le «globe-trotter» de la littérature et a su inventer un style moderne adapté à ce projet.

La Route de Silverado

Robert Louis Stevenson
                    publié entre 1883 et 1895
Traduit par Robert Pépin   Phébus

De l'Atlantique au Far West, jusqu'à la mine d'argent de Silverado, la traversée de l'Amérique «au temps des chercheurs d'or». En compagnie d'un «émigrant amateur» de 1879 qui deviendra, à son retour en Écosse, le célèbre auteur de *L'Île au trésor*.

«Comme chaussures d'excursion, des brodequins de chasse en cuir brut, à semelles fortes, mais légères, avec clous droits seulement aux talons (les semelles cloutées provoquent des chutes sur les marbres des ruines et les rochers). (…)

«Comme coiffure, un chapeau de feutre gris à larges bords, léger, souple, avec ventilateur, couvre-nuque, jugulaire ou cordon (indispensable contre le vent) ou bien un panama : pas de casque colonial, encombrant, prétentieux et fragile.»

Quant au matériel nécessaire au voyage, en voici la liste réduite :

«Une petite sacoche de toile (…) ; un stylographe, avec de l'encre en pastilles solubles dans l'eau ; des carnets de poche avec crayons Koh-i-Noor, n° 2, dont l'écriture ne s'efface pas par le frottement ; (…) un curvimètre pour mesurer les distances sur la carte ; une boussole (…) ; un appareil de photographie instantanée (…) ; du magnésium en rouleau ou en poudre pour l'éclairage des grottes (…) ; du savon en feuilles ; un couvert de voyage, avec un petit verre pouvant servir de coquetier (…) ; un verre de chasse en cuir ; une ou deux petites assiettes en émail ; (…) une ou deux boîtes en fer-blanc pour les comestibles (…) ; un petit baril de bois qu'on achète en Grèce pour renfermer le vin (…) ; une canne ferrée en alpinstock, avec poignée recourbée.»

Avec pour argent de voyage «de l'or, dans des rouleaux métalliques», on était paré, d'autant que le Guide, toujours complet, met aussi en garde les voyageurs contre certains désagréments possibles.

«*Logement* : (…) Les lits sont durs, sans sommier ; les draps et les taies d'oreillers rarement frais ; le drap supérieur est cousu à la couverture piquée. Exiger des draps propres. Le service est souvent fait sans prévenance ni bonne grâce. Les garçons d'hôtel ou de restaurant, apathiques ou affairés, ne s'occupent du client que pour satisfaire leur curiosité ; bien vite, il leur devient indifférent. Fermer sa chambre et ses bagages quand on s'absente : en été, l'après-midi, les petits hôtels sont envahis par des gens qui se jettent sur le premier lit venu pour y faire la sieste.»

... en 49 livres

Le Voyage du mauvais larron

Georges Arnaud   1951
Julliard

Pour rendre hommage à l'auteur du *Salaire de la peur*, qui s'est voulu un « picaro » moderne, et qui date son livre de « Maracaïbo 1947 ; par le travers du Guayaquil 1949, Ile Saint-Louis 1951 ».

Journaux de voyage

Basho   *(1644-1694)*
Trad. du japonais
par René Sieffert   P.O.F.

Un des plus grands poètes du Japon, le maître incontesté du haïku, part à pied pour des périples immenses dans les montagnes fleuries. Les poèmes jaillissent, de jour comme de nuit, au gré des villages, des forêts et des vallées.

Pierre Loti

Lesley Blanch   1983
Traduit par Jean Lambert   Seghers

Parce que le personnage et sa vie sont plus intéressants que ses romans. Et faute de pouvoir relire, en éditions récentes, les grands récits de voyage tels que *Au Maroc, Le Désert, Jérusalem, La Galilée*.

Rimbaud en Abyssinie

Alain Borer   1984
Seuil

Une manière nouvelle et convaincante de renouer avec le mythe de Rimbaud.

Le Tour de France par deux enfants

G. Bruno   1877
Belin

Franchissons la Porte de France à Phalsbourg avec André et Julien. Ce « livre de lecture courante » a formé les petits enfants de la IIIe République.

En Patagonie

Bruce Chatwyn   1978
Trad. de l'anglais par J. Chabert   Grasset

Sur les traces d'un ancêtre, d'une licorne et du « paresseux géant », animal préhistorique, autant de prétextes au voyage qui sont à la mesure de cette aventure passionnante à travers le plateau patagonien.

Nous avons fait un beau voyage

Francis de Croisset   1930
Grasset

Comme *La Féerie cinghalaise* (1926), ce récit a le mérite d'être vraiment humoristique, fait assez rare dans ce genre littéraire pour mériter d'être signalé.

Lettres de Russie

Astolphe de Custine   1843
F.

Aristocrate raffiné, le marquis de Custine allait chercher dans la Russie de 1839 des arguments en faveur de l'absolutisme. Cinq mois à peine lui suffirent pour en rapporter un livre féroce et prémonitoire : sous les couleurs de la Russie de Nicolas Ier, cet « intuitif de génie » nous donne à voir, déjà, celle de Staline et de ses successeurs.

Journal de voyage : lettres à son mari (1918-1940)

Alexandra David-Neel   Plon (2 vol.)

Exploratrice française se faisant passer pour une Tibétaine, elle est la première Européenne qui ait pénétré à Lhassa.

Le Piéton de Paris

Léon-Paul Fargue   1939
Gallimard

Poète insolite et cocasse qui ne se réclamait pas pour autant du surréalisme, Fargue rend hommage à sa ville natale, célébrant la tour Eiffel, les fiacres, le métro.

Trois ans en Asie

Joseph Arthur, comte de Gobineau 1859
Pléiade

L'auteur, qui fut diplomate en Perse (ainsi qu'en Grèce et au Brésil), donne dans ce récit des éléments qu'il reprendra plus tard pour ses admirables *Nouvelles asiatiques*. Il n'y a donc pas dans son œuvre que le funeste *Essai sur l'inégalité des races humaines*.

La Sardaigne et la Méditerranée

David Herbert Lawrence 1921
Traduit de l'anglais par A. Belamich
Gallimard

Pour soigner sa tuberculose et fuir les scandales causés par ses romans, Lawrence fit de nombreux voyages, en Australie, au Nouveau Mexique et en Italie.

Le Juif errant est arrivé

Albert Londres 1929
10/18

A partir des ghettos de Hongrie, de Pologne, de Tchécoslovaquie, l'errance des Juifs vers la Terre promise, par le grand reporter de ce début du siècle qui a donné son nom au prix du meilleur reportage.

Rêves arctiques

Barry Lopez 1986
Trad. de l'américain
par D. Dill Albin Michel

L'univers fabuleux du Grand Nord restitué, avec ses paysages lunaires, les us et coutumes du narval et de l'ours polaire, la vie secrète des Esquimaux.

Danube

Claudio Magris 1987
Trad. de l'italien par
Marie-Noëlle Pastoureau L'Arpenteur

Un professeur triestin a entrepris la biographie du grand fleuve symbole de l'ancienne Mitteleuropa. Voyage érudit et nostalgique de la Forêt Noire à la mer Noire.

Et lorsqu'on loge chez l'habitant : «(...) On peut être exposé à dormir dans l'unique pièce de la maison, avec toute la famille, y compris les enfants et les chats. Ne pas s'impatienter de la curiosité innocente des gens : faire bravement sa toilette en public. »

À cette lecture, on se prend à regretter les voyages d'antan !

La collection
F.-M./La découverte

Proposer au lecteur d'aujourd'hui les récits des grands voyageurs du passé, c'est l'objectif que se fixait François Maspero pour sa collection de poche, inaugurée en 1979 avec *La Découverte de l'Amérique* de Christophe Colomb. Plus de 70 titres sont parus à ce jour, des *Voyages au Canada* de Jacques Cartier au *Devisement du monde* de Marco Polo : des textes parfois oubliés, souvent prestigieux, où l'aventure se mêle à l'histoire et qui permettent de restituer les «chocs culturels» produits par les découvertes et les conquêtes. L'intérêt croissant pour la littérature de voyage a incité l'éditeur à compléter la collection de poche par une série plus luxueuse, «La découverte illustrée». Parmi les premiers titres parus, *Le Voyage d'exploration en Indochine* de Francis Garnier ou *Les Pyrénées* vues par Victor Hugo. Découvreur de découvreurs, François Maspero a fait des émules : Gallimard à son tour a lancé une collection similaire, «La découverte», qui comprend également des récits destinés aux jeunes. Pour voyager dans le passé proche ou lointain du vaste monde, il ne reste que l'embarras du choix...

Aller retour New York

Henry Miller 1935
Traduit de l'américain
par D. Aury Buchet-Chastel

L'itinéraire de Miller, qui commence à New York et se termine à Pacific Palisades en Californie, comporte surtout l'aller retour entre le «cauchemar climatisé» de l'Amérique et les «jours tranquilles» à Paris.

Crépuscule sur l'Islam : voyage au pays des croyants

V. S. Naipaul 1981
Traduit de l'anglais
par N. Zimmermann et L. Murail
Albin Michel

Sur quelques pays musulmans, très au-delà des limites du monde arabe, le témoignage du journaliste romancier est des plus sévères. Est-il justifié ?

Le voyage sentimental à travers la France et l'Italie

Laurence Sterne 1768
Traduit de l'anglais
par A. Digeon et S. Soupel G. F.

Bon document sur la France des années 1760, ce livre fut célèbre auprès de nos compatriotes qui adoptèrent sous son influence le mot «sentimental».

Voyage excentrique et ferroviaire autour du Royaume-Uni

Paul Theroux 1983
Traduit de l'américain
par M.-O. Fortier-Masek Grasset

Que ce soit en Amérique latine (*Old Patagonian Express*), en Asie (*Great Railway Bazaar*) ou en Angleterre, cet écrivain «ferroviaire» promène, en seconde classe, un regard perspicace et distancé sur les contrées qu'il traverse.

Le Désert des déserts

Wilfred Thésiger 1978
Traduit de l'anglais
par M. Bouchet-Forner Plon

Avec les Bédouins, derniers nomades de l'Arabie du Sud, pour mieux comprendre que ce sont eux les vrais spécialistes du voyage.

L'Inde des grands chemins

Jack Thieuloy 1971
Gallimard et F.

Anarchiste, insurgé, l'auteur nous fait plonger dans l'Inde des bas-fonds. Dans sa préface, Lucien Bodard parle d'un livre «magnifique et sordide».

Voyage autour du mont Blanc

Rodolphe Töpffer (1799-1846)
Fayard

Ce texte paru en 1853, après la mort de l'auteur, nous conduit dans les vallées d'Hérens, de Zermatt, au Grimsel. Il est illustré par des croquis de personnages, faits d'après les dessins originaux.

Le Voyage des innocents : Un pique-nique dans l'Ancien Monde

Mark Twain 1869
Traduit de l'américain
par F. Gonzalez Battle La Découverte

L'auteur a voulu écrire le «récit d'un voyage d'agrément»; il raconte une traversée de l'Atlantique qui le conduit au Maroc, en France, en Italie, à Constantinople, au Liban, à Jérusalem et en Espagne. Selon la traductrice, il s'agit d'une «rencontre à la fois importante et comique entre le Nouveau Monde et l'Ancien».

Banquise

Paul-Émile Victor 1939
Grasset

Le type même de l'explorateur moderne, qui fait le lien avec le passé, puisqu'au début de sa vie se trouve la rencontre avec Charco. On trouvera, dans ses récits, des «histoires vraies» de la banquise et de Polynésie.

Contre les voyages

Si l'on chante beaucoup le voyage, si Baudelaire lui a dédié des poèmes célèbres où il affirme : «Mais les vrais voyageurs sont ceux-là seuls qui partent pour partir (...)» et «Amer savoir, celui qu'on tire du voyage !» il y a aussi beaucoup de critiques faites aux voyages et aux voyageurs. Ainsi :

• «Je réponds ordinairement à ceux qui me demandent raison de mes voyages : que je sais bien ce que je fuis, mais non pas ce que je cherche» (Michel de Montaigne).

• «Le vain travail de voir divers pays» (Maurice Sceve).

• «Lorsqu'on emploie trop de temps à voyager on devient enfin étranger en son pays» (René Descartes).

• «Le voyage est un maître aux préceptes amers» (Théophile Gautier).

• «Le voyage n'est nécessaire qu'aux imaginations courtes» (Colette).

• «J'ai peine à croire à l'innocence des êtres qui voyagent seuls» (François Mauriac).

• «Voyageur, voyageur, accepte le retour
Il n'est plus place en toi pour de nouveaux visages...» (Jules Supervielle).

• «Le voyage est une suite de disparitions irréparables» (Paul Nizan).

• «Ce que d'abord vous nous montrez, voyages, c'est notre ordure lancée au visage de l'humanité» (Claude Lévi-Strauss).

Fantastique et merveilleux

Le monde ordinaire est régi par des lois auxquelles on ne prend pas garde habituellement bien qu'elles soient fort contraignantes. Ainsi, personne n'a le pouvoir de se rendre invisible, ni de s'envoler à volonté, ni de lire dans la pensée des autres, ni de transformer les pierres ou le plomb en or. L'écriture fantastique est en quelque sorte la chronique permanente d'un univers de tous les possibles. Genre littéraire à part entière, le fantastique peut s'encombrer de nombreux artifices — diables, succubes, vampires, sylphides, fantômes, châteaux gothiques, etc. — ou bien, au contraire, ne tenir qu'à une atmosphère étrange, à des illusions sensorielles, à des sous-entendus de la conversation, à des harmoniques secrètes de l'écriture. « Intrusion brutale du mystère dans le cadre de la vie réelle », dit Pierre-Georges Castex (*Le Conte fantastique en France*, J. Corti, 1951). « Des hommes comme nous placés soudainement en présence de l'inexplicable », annonce de son côté Louis Vax (*L'Art de la littérature fantastique*, P.U.F., 1960). « Rupture de l'ordre reconnu, irruption de l'inadmissible au sein de l'inaltérable légalité quotidienne », reprend Roger Caillois (*Au cœur du fantastique*, Gallimard, 1965). À quoi Tzvetan Todorov, qui cite toutes ces définitions, ajoute la sienne : « L'hésitation du lecteur est la première condition du fantastique » (*Introduction à la littérature fantastique*, Seuil, 1970). Nous nous garderons bien de tenter une nouvelle définition. Elle naîtra peut-être dans l'esprit du lecteur des œuvres de notre sélection. Quelques remarques cependant s'imposent : d'abord la brièveté des textes. Les meilleures réussites du genre appartiennent à la nouvelle (Poe, Borges) ou à des ensembles qui forment des successions de récits (*Mille et une nuits*, *Manuscrit trouvé à Saragosse*). Comme si les intensités de la peur, de l'horreur ou de l'émerveillement ne pouvaient se prolonger. Bien sûr il y a quelques exceptions mais, même dans des réussites littéraires comme *Le Moine*, on trouve, entre quelques instants de paroxysme, de nombreuses scènes de remplissage et *Vathek* ou le *Diable amoureux* sont des romans assez courts. Ensuite, il est assez facile de distinguer le merveilleux ou la fantasmagorie (Perrault, Grimm, Andersen, Carroll) d'un fantastique qui, selon le mot fameux de Poe, ne serait « pas d'Allemagne, mais de l'âme » (Balzac, De Quincey, Nerval, Borges, Maupassant). Certains auteurs cependant jouent constamment sur les deux tableaux : Hoffmann ou Villiers de l'Isle-Adam par exemple. Enfin, s'il a aujourd'hui des ramifications dans divers registres — terreur, policier, anticipation sociale, science-fiction, qui ont eu tendance à devenir des genres à part entière —, le fantastique reste toujours vivant comme récit mythique (Borges), comme jeu de l'esprit ou paradoxe (Cortazar), comme entrelacs érotique (Mandiargues) ou comme parodie suprême (Calvino). Et encore faut-il citer là J.R.R. Tolkien. Cet auteur a tenté de vivifier une sorte de merveilleux médiéval. Fresque épique à épisodes, saga inspirée d'anciens thèmes nordiques, personnages proches de la bande dessinée ou du dessin animé, il n'en fallait pas plus pour créer une sorte de nouvelle utopie. Littérairement un peu niaise, l'entreprise a connu un succès fou — surtout dans le monde anglo-saxon.

On s'est attaché dans ce choix à donner un aperçu très large d'un genre si riche sans chercher à être exhaustif. En effet, le fantastique est déjà très présent dans de nombreuses littératures nationales — l'allemande, la britannique ou la russe — et dans certaines formes littéraires — la nouvelle, la science fiction —, et c'est aussi une spécialité des littératures d'Asie ou d'Europe centrale. Quant au merveilleux proprement dit, il règne partout dans les littératures enfantines.

Fantastique et merveilleux

... en 49 livres

... en 25 livres

... en 10 livres

Vathek
William Beckford

L'Invention de Morel
Adolfo Bioy Casares

L'Aleph
Jorge Luis Borges

Contes
Ernst Theodor Amadeus
Hoffmann

Aurélia
Gérard de Nerval

Contes
Charles Perrault

*Nouvelles histoires
extraordinaires*
Edgar Allan Poe

*Manuscrit trouvé à
Saragosse*
Jan Potocki

Le Songe d'une nuit d'été
William Shakespeare

Les Mille et Une Nuits

La Peau de chagrin
Honoré de Balzac

Tout Alice
Lewis Carroll

Le Diable amoureux
Jacques Cazotte

Confessions d'un opiomane anglais
Thomas De Quincey

Le Nez
Nicolas Gogol

Contes
Jakob et Wilhelm Grimm

Le Moine
Matthew Gregory Lewis

La Couleur tombée du ciel
Howard Phillips Lovecraft

*Le Horla
et autres contes fantastiques*
Guy de Maupassant

Invitation au supplice
Vladimir Nabokov

La Dame de pique
Alexandre Pouchkine

*Frankenstein
ou le Prométhée des temps modernes*
Mary Shelley

Docteur Jekyll et Mister Hyde
Robert Louis Stevenson

Le Château des Carpathes
Jules Verne

Le Portrait de Dorian Gray
Oscar Wilde

Isabelle d'Égypte
Achim von Arnim

La Foire aux atrocités
James Graham Ballard

Histoires impossibles
Ambrose Bierce

Les Œufs fatidiques
Mikhail Boulgakov

Cosmicomics
Italo Calvino

*Histoire merveilleuse
de Pierre Schlemihl*
Adalbert von Chamisso

Façon de perdre
Julio Cortázar

Peter Ibbetson
George Du Maurier

Contes fantastiques
Théophile Gautier

Rip van Winkle
Washington Irving

Le Mystérieux Docteur Cornélius
Gustave Le Rouge

L'Émir du Soleil inca
Ibn Labdir Youssef

Melmoth ou l'homme errant
Charles Robert Maturin

La Vénus d'Ille
Prosper Mérimée

Le Golem
Gustav Meyrink

Le Jardin des supplices
Octave Mirbeau

Contes
Charles Nodier

Soleil des loups
André Pieyre de Mandiargues

Malpertuis
Jean Ray

Dracula
Bram Stoker

Le Seigneur des anneaux
John Ronald Reuel Tolkien

L'Ève future
Villiers de l'Isle-Adam

Le Château d'Otrante
Horace Walpole

L'Île du docteur Moreau
Herbert George Wells

• À vous de choisir le cinquantième
livre. Peut-être est-il déjà dans votre
bibliothèque.

... en 10 livres

Vathek

William Beckford 1786
G.F.

« Le premier Enfer réellement atroce de la littérature », disait Borges qui s'y connaissait. Écrit directement en français par un excentrique anglais qui vécut à cheval sur les XVIIIᵉ et XIXᵉ siècles et qui allia l'esprit voltairien aux noirceurs du romantisme gothique.

L'Invention de Morel

Adolfo Bioy Casares 1940
Traduit de l'espagnol
par F. Rosset Laffont

Longue nouvelle ou court roman ? En tous cas, une puissante utopie, édifiée sur les paradoxes de l'art et du temps. Un texte à lire et à relire et qui vous hantera longtemps.

L'Aleph

Jorge Luis Borges 1949
Traduit de l'espagnol par Roger Caillois
et René L.F. Durand Gallimard

« À la partie inférieure de la marche, vers la droite je vis une petite sphère aux couleurs chatoyantes, qui répandait un éclat presque insupportable. » Miroirs, labyrinthes, infini, vertiges, fictions : le maître du fantastique « métaphysique ».

Contes

Ernst Theodor Amadeus Hoffmann
Traduit de l'allemand (1776-1822)
par Loève-Veimars G.F. (3 vol.)

Peintre, musicien, il fut aussi professeur de musique, directeur de théâtre et, bien sûr, auteur de romans et de contes fantastiques parmi les meilleurs du genre. Ses plus grandes réussites : *Le Vase d'or*, *Princesse Brambilla*, *L'Homme au sable*. Comique et grinçant, son fantastique puise aux origines mythiques du langage et des structures sociales.

Aurélia

Gérard de Nerval 1855
L.P.

« Ici a commencé pour moi ce que j'appellerai l'"épanchement du songe dans la vie réelle". » Un des textes les plus puissants sur le rêve et sur la folie. Une langue parfaite jusque dans les extrémités du délire.

Contes

Charles Perrault 1697
Garnier, G.F., F., Marabout, 10/18, etc.

Cela ne se présente même pas : *La Belle au bois dormant*, *Le Petit Chaperon rouge*, *Peau d'Âne*, *Grisélidis*, *Barbe bleue*, *Le Chat botté*, *Cendrillon*, *Riquet à la houppe* ou *Le Petit Poucet*, tout le monde connaît. Le monde merveilleux du « Il était une fois... ».

Nouvelles histoires extraordinaires

Edgard Allan Poe (1809-1849) 1845
Traduction de Charles Baudelaire G.F.

Baudelaire avait « la conviction que les États-Unis ne furent pour Poe qu'une vaste prison qu'il parcourait avec l'agitation d'un être fait pour respirer dans un monde plus normal que cette grande barbarie éclairée au gaz ». Le fantastique de l'âge romantique revu et déformé jusqu'à la bouffonnerie par un écrivain hyper-intelligent.

Manuscrit trouvé à Saragosse

Jan Potocki 1804
Gallimard

L'un des plus beaux romans fantastiques de toute l'histoire de la littérature. Écrit directement en français. Incomplet mais la partie perdue avait en son temps été traduite en polonais. Voilà exactement trente ans que Gallimard, par la voix de Roger Caillois, nous en promettait une version intégrale. Un scandale ! Pour des promesses beaucoup moins sérieuses des gouvernements ont chu.

Le Songe d'une nuit d'été

William Shakespeare   vers 1595
Traduit par M. Castelain
                    Éd. bilingue Aubier-Flammarion
Dans la forêt des rêves et de l'enfance, les jeux de l'amour et du hasard font évoluer de drôles de noctambules. Quand les humains se changent en bêtes et que les acteurs jouent double jeu. Subtile et inquiétante fantasmagorie.

Les Mille et Une Nuits

                    entre le Xᵉ et le XVIIᵉ siècle
Trad. A. Galland (1704-1717)
                    Garnier et G.F. (3 vol.)
Trad. du Dr J.-C. Mardrus (1898-1904)
                    Bouquins
Trad. René R. Khawam (1986-1987)
                    Phébus (4 vol.)
Qu'on se réfère à l'édition Galland, délicieuse dans sa langue du XVIIIᵉ siècle, ou à celle, plus rigoureuse et scientifique, de René R. Khawam, on doit absolument avoir lu ce merveilleux recueil de contes arabes d'où sortent tant de personnages familiers, d'Ali Baba à Haroun el-Raschid. Et son influence sur l'art fantastique occidental a été décisive.

... en 25 livres

La Peau de chagrin

Honoré de Balzac   1831
                    Pléiade, G. F., F. etc.
Le Chef-d'œuvre inconnu, Melmoth réconcilié, Jésus-Christ en Flandre... On oublie trop souvent que l'auteur de la *Comédie humaine* a excellé dans le registre fantastique. *La Peau de chagrin* est une de ces excellentes variations romantiques sur le thème du pacte diabolique.

Des Lumières au romantisme noir

On remarque qu'après quelques poussées antiques (Apulée, Virgile) ou médiévales (roman du Graal, cycle de Mélusine, etc.), c'est à l'époque des Lumières que le genre explose soudain. Peut-être faut-il voir là le lent mûrissement chez les générations du siècle de Voltaire des graines semées d'abord par les *Contes* de Perrault (1697) puis les *Mille et Une Nuits* d'Antoine Galland (1704-1717), deux des plus grands succès de librairie du XVIIIᵉ siècle. Les premiers grands auteurs de romans fantastiques seront tous contemporains de la Révolution française : Cazotte sera même guillotiné en 1792 après avoir donné justement des prolongements aux *Mille et Une Nuits* et un subtil *Diable amoureux* qu'on lit encore avec grand plaisir. Beckford, Lewis, Ann Radcliffe, Walpole, Potocki publient entre 1786 et 1804.

La génération suivante, nourrie de leurs romans noirs — et de Cazotte, et de Rétif, et parfois aussi de Sade —, donnera Hoffmann, Chamisso, les frères Grimm, Tieck, Arnim, Nodier, Nerval, Pouchkine, Mary Shelley, Washington Irving, Maturin, Poe. Et même les plus grands auteurs romantiques s'adonnent au genre : Goethe, Balzac, Hugo ou Dickens parmi beaucoup d'autres. Chez Hoffmann, Nerval ou Poe, le fantastique prend une dimension culturelle particulière : il devient une sorte de révélateur de vérités cachées, de mythes, de rêves ou de fantasmes et, pour qui sait lire, il y a déjà chez eux toutes sortes de thèmes que croiront découvrir après eux les sciences humaines modernes, de l'anthropologie à la psychanalyse. Qu'on songe aux structures de la parenté dans le *Chat Murr* d'Hoffmann, au thème de la folie dans l'*Aurélia* de Nerval ou à celui du corps morcelé dans de nombreuses nouvelles de Poe. Ce dernier a d'ailleurs une place à part dans la mesure où, se moquant du roman noir et des modes littéraires romantiques de son temps, il parvient à pousser le genre aux limites de l'absurde, tout en revivi-

Tout Alice

Lewis Carroll   1865-1872
Traduit par H. Parisot   G. F.

Alice au pays des merveilles (1865) et *De l'autre côté du miroir* (1872) : nul besoin de présenter ces deux textes majeurs du fantastique onirique et de la fantaisie. Moins fréquentée peut-être par le lecteur français, la suite des aventures d'Alice vaut aussi le détour.

Le Diable amoureux

Jacques Cazotte   1772
                            F., G. F.

Les amours diaboliques du jeune Alvare et de la belle Biondetta. Couvents, souterrains napolitains, flambeaux, et même une horrible tête de chameau qui demande «*Che vuoi ?*».

Confessions d'un opiomane anglais

Thomas De Quincey   1822 et 1856
Traduit de l'anglais par Pierre Leyris
                            Gallimard

Quand l'opium permet de plonger dans la mémoire enfouie de l'enfance et des rêves. Visions redoutables, terreurs, mort en suspens…

Le Nez

in « Nouvelles de Petersbourg »
Nicolas Gogol   vers 1835
Trad. du russe par B. Schloezer   F., G. F.

«À son immense stupéfaction, il vit que l'endroit que devait occuper son nez était parfaitement lisse. » Une situation absurde poussée jusqu'à l'extrême. Il annonce Kafka.

Contes

Jakob et Wilhelm Grimm   1812-1815
Choisis et traduits de l'allemand
par Marthe Robert   F.

Ils recueillent une bonne part du légendaire populaire d'Allemagne. Rois, princesses, animaux qui parlent, sorcières, maléfices, tout y est. Les grands mythes de l'humanité liés aux rêves les plus secrets de l'enfance.

Le Moine

Matthew Gregory Lewis   1796
Traduit de l'anglais par L. de Wailly
                            J. Corti

Le vrai titre était *Ambrosio ou le Moine*. Le succès fut tel qu'on surnomma l'auteur «Monk Lewis». Viols, tortures, séduction diabolique, noirs souterrains, scènes de pure terreur. Le mal absolu, sans rémission. Un sommet du genre.

La Couleur tombée du ciel

Howard Phillips Lovecraft   1927
Traduit de l'américain
par J. Papy   Denoël

Le personnage fut aussi étrange que son œuvre. Il transforme la Nouvelle-Angleterre en une terre hantée par la puissance maléfique des Grands Ancêtres. Une esthétique de la peur héritée directement de Poe. Efficace.

Le Horla
et autres contes fantastiques

Guy de Maupassant   (1850-1893)
                            G.F.

Journal halluciné d'un homme hanté par une entité maléfique. Ce n'est que la remontée progressive de sa folie. Un court mais grand texte d'un des virtuoses de la nouvelle.

Invitation au supplice

Vladimir Nabokov   1938
Traduit du russe par J. Priel   F.

Une drôle de prison enferme un drôle de prisonnier. Parviendrons-nous à nous réveiller de ce trop délicieux cauchemar ?

La Dame de pique

Alexandre Pouchkine   1834
Traduit du russe par G. Aucouturier,
A. Gide et J. Schiffrin   F.

Quand le jeu de cartes devient une sorte de symbole du monde et que le joueur invétéré pactise avec les hasards infernaux.

Frankenstein

Mary Shelley 1818
Traduit de l'anglais par G. d'Hangest
G. F.

Les pouvoirs dévoyés de l'intelligence et de l'invention technique. Grâce au cinéma, le mythe a trouvé de magnifiques résonances.

Docteur Jekyll et Mister Hyde

Robert Louis Stevenson 1886
Traduit de l'anglais
par B.J. Lowe et Théo Varlet
Nathan, L. P., 10/18

Le thème éternel du double maléfique traité dans un contexte moderne. Une réflexion sur la puissance du mal écrite comme pour annoncer un siècle qui allait s'avérer particulièrement noir.

Le Château des Carpathes

Jules Verne 1892
L. P.

En Transylvanie, ce château fantastique est peuplé par Jules Verne de maints fantômes. Malgré les explications fournies (phonographe et artifices optiques), ne préférons-nous pas mieux croire que «les esprits de l'autre monde hantent les ruines du château des Carpathes ? »

Le Portrait de Dorian Gray

Oscar Wilde 1891
Traduit de l'anglais par E. Jaloux
et F. Frapereau Gallimard, L. P., P. P.

Son seul roman : la jeunesse éternelle de Dorian Gray doit céder sous l'empire de l'univers maléfique des images. Une belle parabole sur les pouvoirs de l'art.

... en 49 livres

Isabelle d'Égypte

Achim von Arnim 1811
Trad. de l'allemand
par R. Guignard F.

Fantômes, golems, mandragores, énigmes, destins. Le bizarre et l'excès font bon ménage. Les surréalistes s'y sont reconnus.

fiant malgré tout les grands mythes du fantastique. Il est un des premiers à prendre la littérature elle-même comme sujet de fiction et, au passage, il invente le roman policier de raisonnement et la science-fiction moderne.

Au XXᵉ siècle les thèmes sataniques se sont quelque peu atténués : l'amour fou et la possession diabolique cèdent la place à la fable métaphysique, aux jeux de miroirs et aux labyrinthes. Mais on retrouve souvent chez Cortázar, Borges, Bioy Casares, Calvino, Mandiargues ou quelques autres le développement de motifs qui étaient en germe dans la génération du romantisme noir.

L'horreur surnaturelle dans la littérature

« La plus vieille, la plus forte émotion ressentie par l'être humain, c'est la peur. Et la forme la plus puissante découlant de cette peur, c'est la Peur de l'Inconnu. Peu de psychologues contestent cette vérité, justifiant ainsi l'existence du récit d'horreur et plaçant ce mode d'expression parmi tous les autres genres littéraires et sur le même rang.

Les adversaires du genre sont nombreux. Ils lui reprochent surtout ses exagérations, l'insipide et naïve philosophie bien souvent nécessaire pour amener le lecteur à un degré suffisant de frayeur, frayeur fondée sur des motifs trop souvent extérieurs et artificiellement diaboliques. Mais, en dépit de toutes ces oppositions, le récit fantastique survit à travers les siècles, se développe et atteint même à de remarquables degrés de perfection. Car, il plonge ses racines dans un élémentaire et profond principe, dont l'attrait n'est pas seulement universel mais nécessaire au genre humain : la Peur... Sentiment permanent dans les consciences, du moins chez celles qui possèdent une certaine dose de sensibilité. »

extrait de
Épouvante et surnaturel en littérature,
Lovecraft

La Foire aux atrocités

James Graham Ballard   1970
Trad. de l'anglais par F. Rivière Lebovici
Des contes de peur, de violence et de nuit dans les décors triviaux des mondes urbains et suburbains d'aujourd'hui.

Histoires impossibles

Ambrose Bierce   1899
Trad. de l'américain par J. Papy Grasset
Écrivain dans la lignée de Poe, marqué par la guerre de Sécession, il a su jouer sur le registre macabre et sur une sorte d'hyper-réalisme avant la lettre.

Les Œufs fatidiques

in « Diableries »
Mikhaïl Boulgakov   1925
Traduit du russe par F. Cornillot
et A. Préchac   L'Âge d'Homme

Et si le fantastique n'avait été pour Boulgakov qu'une façon de dissimuler ses satires de la société soviétique?

Cosmicomics

Italo Calvino   1973
Trad. de l'italien par J. Thibaudeau Seuil
Toutes sortes d'histoires drolatiques fabriquées à partir de la simple mais étrange réunion de la science-fiction et de la préhistoire.

Histoire merveilleuse de Pierre Schlemihl

Adalbert von Chamisso   1814
Traduit de l'allemand par A. Dietrich
Éd. d'Aujourd'hui

Peter Schlemihl, c'est «l'homme qui a perdu son ombre» : un mythe littéraire à lui tout seul.

Façon de perdre

Julio Cortázar   1977
Traduit de l'espagnol
par Laure Guille-Bataillon Gallimard
Des destinées en miroir, des labyrinthes implantés dans le quotidien le plus banal.

Peter Ibbetson

George Du Maurier   1891
Traduit de l'anglais par Raymond Queneau
Gallimard

Un captif rêve, d'une femme aimée surtout, et sa rêverie prend les dimensions d'une autre vie. Très bizarre. Avait séduit André Breton.

Contes fantastiques

Théophile Gautier   *(1811-1872)*
Corti

Il ne fut pas seulement poète. Il est un des maîtres du romantisme noir. Il est aussi connu comme l'auteur du *Roman de la momie*.

Rip van Winkle

in « Contes fantastiques »
Washington Irving   1819
Traduit de l'américain
par H. Parisot Aubier-Montaigne
La transposition réussie des thèmes du fantastique allemand dans l'univers yankee. Rip van Winkle qui s'éveille après avoir dormi vingt ans est devenu du même coup un des plus fameux personnages littéraires américains.

Le Mystérieux Docteur Cornélius et autres romans

Gustave Le Rouge   1913
Bouquins

Le chef-d'œuvre du roman populaire : aventures scientifiques et policières où le fantastique naît tantôt de l'exotisme, tantôt de l'épouvante, et se voit souvent badigeonné d'une sorte de vernis métaphysique. Baroque et rocambolesque.

L'Émir du Soleil inca

Ibn Labdir Youssef   1816
Traduit par
Dominique Eril Albin Michel (épuisé)
Récit poétique des mémorables pérégrinations andines d'un émir à la recherche des mystères du Soleil. Les mirages de l'Arabie vont peu à peu se confondre avec l'or perdu des Incas... Ce merveilleux livre est, hélas! introuvable depuis longtemps.

Melmoth ou l'homme errant

in « Romans terrifiants »
Charles Robert Maturin   1820
Trad. de l'anglais par J. Cohen   Bouquins
Une sorte de reprise du mythe du Juif errant : vivre éternellement n'est pas du tout une bonne affaire.

La Vénus d'Ille   1837

Prosper Mérimée   G.F.
Les événements les plus insensés sont racontés avec une froideur scientifique.

Le Golem

Gustav Meyrink   1915
Trad. de l'allemand par D. Meunier   M.
Dans les labyrinthes de la Prague des alchimistes et des kabbalistes, se façonne la figure d'argile rouge du terrible Golem.

Le Jardin des supplices   1899

Octave Mirbeau   10/18
Meurtres, supplices et charniers dans un décor extrême-oriental. Sade revu et corrigé par le kitsch fin de siècle et l'exotisme colonial. Curieux.

Contes   (1780-1844)

Charles Nodier   Garnier
Trilby, La Fée aux miettes, Le Songe d'or, Jean-François les Bas-Bleus, Histoire du chien de Brisquet : il a été un formidable et inépuisable conteur.

Soleil des loups

André Pieyre de Mandiargues   1951
                                          Laffont
Une langue orfèvre qui s'entend à créer des atmosphères tendues, inquiétantes, cruelles. D'un érotisme raffiné.

Malpertuis

Jean Ray   1943
                                           J. L.
Les univers maléfiques et parallèles du prolixe Jean Ray se retrouvent, parfaitement bien orchestrés, dans cette histoire d'une demeure maléfique.

Dracula

Bram Stoker   1897
Trad. de l'anglais par L. Molitor   M.
Un livre étrange formé de lettres et de journaux. La naissance du mythe moderne du vampire. Le cinéma s'en est emparé avec la ferveur que l'on sait.

Le Seigneur des anneaux

J.R.R. Tolkien   (trilogie) 1954-55-56
Trad. par F. Ledoux   Bourgois et L. P.
Une façon de remettre en forme l'allégorie médiévale. Les aventures utopiques du gentil peuple des Hobbits ont eu un succès mondial. On aime ou on n'aime pas.

L'Ève future

Villiers de l'Isle-Adam   1886
                                           G. F.
La femme idéale comme machine parlante et poétique. Fabriquée par Edison mais évoluant dans un monde d'initiés. Un fantastique à la lisière entre la science et l'incantation magique.

Le Château d'Otrante

Horace Walpole   1765
Traduit de l'anglais
par D. Corticchiatto   Corti
Politicien, esthète, excentrique, épistolier brillant, pré-romantique... un diable d'homme. Il lance le roman noir « gothique » avec ce chef-d'œuvre où sont concentrés tous les ingrédients qui vont désormais faire fureur : château, souterrains, ruines, crimes, femmes enchaînées, puissances démoniaques...

L'Île du Docteur Moreau

Herbert George Wells   1896
Traduit de l'anglais par H.D. Davray
                                         Gallimard
Moins connu que L'Homme invisible (1897) mais appartenant à la même veine « philosophico-fantastique », L'Île du Docteur Moreau devrait connaître un regain d'intérêt à l'ère des manipulations génétiques. Un savant fou fabrique des chimères et défie l'ordre naturel.

Le roman policier

Entre le 1ᵉʳ septembre 1985 et le 31 août 1986, ont été publiés en France 695 romans policiers. Chiffre record selon Michel Lebrun qui, dans son *Année du Polar 1987* (Ramsay), aligne quelques statistiques éloquentes : 660 romans policiers parus en 1984, 592 en 1982, 488 en 1980. Quant au nombre des lecteurs, on l'estime à 4 500 000 en 1984 pour 23 millions de volumes vendus cette même année.

Si l'on ajoute que la célèbre «Série noire» a dépassé les 2 000 titres et que les œuvres de Georges Simenon et d'Agatha Christie atteignent des tirages fabuleux, on ne pourra plus douter de l'importance de ce genre trop souvent décrié. Car pour les amateurs de culture raffinée, le polar avait, jusqu'à une date récente, trop mauvais genre. À tel point d'ailleurs qu'il a toujours été relégué dans des collections «spécifiques» lui imposant des limites bien définies.

Dans l'univers du polar grouillent en fait toutes sortes d'histoires : roman policier, roman noir, roman d'énigme, roman de suspense, thriller, hard-boiled, crime story, mystery novel ou roman criminel.

Depuis 1841 où, sous le règne de Louis-Philippe, est né le roman policier, lancé par un américain du nom d'Edgar Poe, le genre foisonne de textes aussi divers que les récits mystérieux et intimistes du même Poe, de Doyle, Leroux, les aventures prétextes à dénoncer la violence (Tracy, Mc Coy, Himes...), les mystères qui trouvent leur solution grâce à une suite de coïncidences (Hammett, Cain, Burnett) ou au contraire qui renvoient à la logique d'un détail inscrit en filigrane (Freeman, Christie, Queen…).

En 1928, S.S. Van Dine, dans l'*Atlantic Review*, établit, en 28 règles (pas moins !), son « modèle » de construction du roman policier. À la même époque, Dashiell Hammett, avec *La Moisson rouge*, subvertit le genre en l'imprégnant de réalisme noir. N'en déplaise aux nostalgiques de l'énigme policière « classique » (Doyle, Agatha Christie), le roman policier se renouvelle sans cesse. Il n'a jamais été et ne sera jamais un roman comme les autres, ce qui ne l'a pas empêché d'inspirer de grandes œuvres cinématographiques (*Le Faucon maltais* de John Huston en 1941, *Le Grand Sommeil* de Howard Hawks en 1946, *L'Inconnu du Nord-Express* d'Alfred Hitchcock en 1951…).

Ainsi, cet enfant terrible de la littérature, bravant les esprits subtils qui lui refusaient droit de cité, a su s'imposer en se forgeant petit à petit ses univers de prédilection et jusqu'à sa langue propre, pour le plus grand bonheur de ses lecteurs, toujours en quête d'évasion et de sensations fortes. Cette résistance étonnante lui vaut maintenant considération, estime, voire jalousie. Et attention à ceux qui voient dans le succès du roman policier une « folie passagère » car ils pourraient bien être les derniers à comprendre que ce genre jadis suspect a aujourd'hui bon teint.

Le roman policier

... en 49 livres

... en 25 livres

... en 10 livres

Quand la ville dort
William Riley Burnett

*Le facteur sonne toujours
deux fois*
James Mallahan Cain

Le Grand Sommeil
Raymond Chandler

Traquenards
James Hadley Chase

Le Meurtre de Roger Ackroyd
Agatha Christie

Le Chien des Baskerville
Arthur Conan Doyle

La Moisson rouge
Samuel Dashiell Hammett

L'Inconnu du Nord-Express
Patricia Highsmith

Un linceul n'a pas de poches
Horace Mac Coy

La Nuit du carrefour
Georges Simenon

Le Coucou
Georges-Jean Arnaud

La Double Mort de Frédéric Bel
Claude Aveline

Kermesse à Manhattan
Jérôme Charyn

Un nommé Louis Beretti
Donald Henderson Clarke

La Reine des pommes
Chester Himes

L'Heure blafarde
William Irish

Les Eaux troubles de Javel
Léo Malet

La Colère noire
William Peter McGivern

La Position du tireur couché
Jean-Patrick Manchette

Le Secret
Francis Ryck

Les Enfants du massacre
Giorgio Scerbanenco

Touchez pas au grisbi
Albert Simonin

Monsieur Cauchemar
Pierre Siniac

L'Homme au balcon
Maj Sjöwall et Per Wahlöö

Quai des Orfèvres
Stanislas-André Steeman

La Lune d'Omaha
Jean Amila

Le Perroquet chinois
Earl Derr Biggers

Sueurs froides
Boileau-Narcejac

La Chambre ardente
John Dickson Carr

Meurtres pour mémoire
Didier Daeninckx

Les salauds vont en enfer
Frédéric Dard

Mouche
Alain Demouzon

Frontière belge
Nicolas Freeling

L'Affaire Lerouge
Émile Gaboriau

Sur la corde raide
Erle Stanley Gardner

La nuit tombe
David Goodis

Un blond évaporé
Joseph Hansen

813
Maurice Leblanc

Le Mystère de la chambre jaune
Gaston Leroux

Le Sourdingue
Edward McBain

Meurtre au comité central
Manuel Vasquez Montalban

Fausse Clé
Bill Pronzini

Les Corbeaux entre eux
Ruth Rendell

Fait comme un rat
Léo Rosten

Hallali
Jim Thompson

La bête qui sommeille
Don Tracy

Billy Ze Kick
Jean Vautrin

Le Cadavre japonais
Janwillem Van de Wetering

La Fille des collines
Charles Williams

• À vous de choisir le cinquantième livre. Peut-être est-il déjà dans votre bibliothèque.

... en 10 livres

Quand la ville dort

William Riley Burnett   1949
Trad. J.-G. Marquet   Carré noir (épuisé)
Vingt ans après *Le Petit César*, qui avait influencé Faulkner et Greene, Burnett fait paraître le premier volet d'une trilogie urbaine, dont le personnage central est la ville, jungle d'asphalte, et plus précisément ses entrailles nocturnes et malfamées.

Le facteur sonne toujours deux fois

James Mallahan Cain   1934
Traduit par S. Berritz   F.
Un classique, porté quatre fois à l'écran, mais aussi un style dont s'inspirera Camus pour *L'Étranger*... Quand un homme et une femme que tout oppose se rencontrent pour s'offrir un bout de paradis, cela débouche tout de suite sur un enfer très convenable.

Le Grand Sommeil

Raymond Chandler   1939
Traduit par Boris Vian   Carré noir
Ce matin-là, Philip Marlowe, qui allait devenir le privé le plus adulé de la planète littéraire, avait revêtu son complet bleu poudre. Il avait rendez-vous avec quatre millions de dollars et autant de coups tordus.

Traquenards

James Hadley Chase   1948
Traduit par H. Hécat   Carré noir
Mon premier est un nazi, mon second détraqué sexuel, ma troisième une voleuse et mon tout, un trio d'enfer réuni dans un huis clos du même acabit, par l'un des maîtres de la Série noire dont on lira aussi le classique *Pas d'orchidées pour Miss Blandish*.

Le Meurtre de Roger Ackroyd

Agatha Christie   1926
Trad. par Miriam Dou Desportes   L. P.
« Mme Ferrars mourut dans la nuit du 16 au 17 septembre, un jeudi. » Ainsi s'ouvre la plus stupéfiante des trente-trois enquêtes romanesques d'Hercule Poirot, celle qui fera sans doute le plus date tant elle a bousculé nombre de règles du roman policier d'énigme et fait de son auteur l'incontestable maître du genre, la seule personne — selon le mot de Churchill — pour qui le crime a payé.

Le Chien des Baskerville

Arthur Conan Doyle   1902
Traduit par
B. Tourville   Le Masque, L. P., P. P.
En 1893, Doyle précipite dans les chutes de Reichenbach le personnage qui l'a rendu célèbre : Sherlock Holmes. Mais la pression des admirateurs est telle qu'il doit le ressusciter, neuf ans plus tard, dans un quatrième roman, *Le Chien des Baskerville*, où le redoutable limier du 221 bis Baker Street démontre qu'il n'a rien perdu de ses sens olfactifs. Légendaire...

La Moisson rouge

Samuel Dashiell Hammett   1929
Traduit par P.-J. Herr
et H. Robillot   Carré noir
Une ville minière du nord-ouest des USA tombée sous la coupe des gangsters. Un privé de Frisco appelé par le fils d'un magnat local, lequel est assassiné avant même d'avoir rencontré le détective. Et son père qui l'engage à son tour pour découvrir le meurtrier et nettoyer la ville. Le premier roman de Hammett à propos duquel Gide écrivit : « des dialogues de main de maître qui en remontrent à Hemingway et à Faulkner même... ».

L'Inconnu du Nord-Express

Patricia Highsmith   1950
Traduit par Jean Rosenthal   P. P.
Guy Haines, jeune architecte de vingt-neuf ans, se trouve dans un train en direction de Metcalf (Texas) où sa femme

l'attend pour divorcer. Durant le voyage, il fait la connaissance de Charles Anthony Bruno, vingt-cinq ans, fils à papa et à problèmes. S'engage une conversation que Bruno conduit au paroxysme de ses idées fixes, allant jusqu'à proposer à Guy d'accomplir de concert un double crime parfait. Et le cauchemar va commencer...

Un linceul n'a pas de poches

Horace Mac Coy   1937
Traduit par S. Berritz
et M. Duhamel   Carré noir

Avec ce roman, l'auteur de *On achève bien les chevaux* a commis l'un des plus noirs réquisitoires contre la société américaine et son ordre établi. Il y dénonce sans concession la lâcheté, la corruption, le racisme avec une force telle qu'il s'est vu longtemps interdit de publication aux États-Unis.

La Nuit du carrefour

Georges Simenon   1931
       P.P.

Une enquête de Maigret, le «peseur d'âmes», le flic qui s'intéresse moins au crime qu'au criminel, moins à l'indice qu'au genre, moins à l'arme qu'au regard, et qui a marqué d'une indéfectible empreinte le roman policier contemporain.

... en 25 livres

Le Coucou

Georges-Jean Arnaud   1980
       Fleuve noir

Quand un homme de ménage découvre par hasard un appartement inhabité qu'il décide de faire sien, sans savoir que tout a été préconçu à ses dimensions pour qu'il devienne, à l'heure dite, l'hallucinant jouet d'un long conditionnement.

Le choix de Jean Vautrin

Tour à tour auteur de la Série noire et des Éditions Mazarine, Jean Vautrin se méfie des catalogues et des auteurs catalogués. Sa liste idéale se veut plus noire que polar avec, en numéro un, *Sanctuaire* de Faulkner «pour faire reculer les confins mystérieux qui séparent le roman noir du roman "à col blanc"». Vient ensuite Jim Thompson, avec *1275 âmes*, adapté au cinéma sous le titre *Coup de torchon*, réalisé par Bertrand Tavernier. Un livre «jubilatoire, résolument noir. Affectivement, c'est mon roman noir préféré», rappelle Vautrin.

Patricia Highsmith vient en bonne place sans titre précis mais «pour ses nouvelles, sa méthode insidieuse, la façon dont on se laisse vampiriser délicieusement par le crime». Même amour entier pour Goodis, «parce qu'il incarne la déchirure, la nuit, la crasse. Pour échapper à la réalité, les héros s'enfoncent dans le néant et dans l'alcool». Vient alors Hammett, l'inventeur du roman noir moderne, puis Chandler avec son Philip Marlowe qui reste «l'archétype du héros, le chevalier errant du XXᵉ siècle. L'écriture de Chandler, sa volonté d'écrire du polar, ses théories sur le genre en font un écrivain de premier plan». Avec Chester Himes et sa *Reine des pommes*, c'est le «Harlem démesuré ou le rire fabuleux d'un peuple obligé de vivre dans la crasse et la misère» qui touche l'écrivain. Puis, Horace Mac Coy pour *On achève bien les chevaux*, «roman réquisitoire contre une société de compromission où la vérité est systématiquement déformée par les médias qui prétendent la servir. Actuel, non?». Vautrin choisit enfin Irish pour «son univers crépusculaire» puis Charyn et sa *Marylin la dingue* pour son «humour juif, sa digression baroque et délirante». Il est un frère du «no man's land».

La Double Mort de Frédéric Belot

Claude Aveline 1932
Mercure de France et 10/18

Un soir que le chef de la PJ envoie le jeune inspecteur Simon Rivière au domicile du commissaire Frédéric Belot et qu'il le trouve gisant au milieu du salon, quelle n'est pas sa surprise de trouver, derrière le rideau, un second cadavre, qui est encore celui de Frédéric Belot !

Kermesse à Manhattan

Jérôme Charyn 1976
Carré noir

C'est à coups de situations délirantes, de personnages distordus, de dialogues colorés que le superflic de New York, Isaac Sidel, conduit sa guerre contre la tribu des Guzman.

Un nommé Louis Beretti

Donald Henderson Clarke 1929
Traduit par Z. Duvernet
et M. Dauzas Carré noir

Avec *Le Petit César* de Burnett, un des plus puissants romans sur le gangstérisme et la prohibition, vu du côté des bootleggers et notamment de l'un de ses petits napoléons, Louis Beretti en personne. Un morceau de choix, à rééditer d'urgence.

La Reine des pommes

Chester Himes 1957
Traduit par M. Dauzas Carré noir

Ici commence l'épopée brutale et dantesque des deux tornades noires de Harlem : Ed Coffrin dit Ed Cercueil et Grave Diggers Jones dit Fossoyeur.

L'Heure blafarde

William Irish 1944
Traduit par F. Gromaire
et H. Robillot Carré noir

Pour Quinn et Bricky, tout va se jouer entre une heure moins dix et six heures moins le quart. Ils n'ont qu'une chance sur mille d'en réchapper. Mais comment prendre l'aube de vitesse ? Une œuvre de fièvre et d'angoisse par le maître incontesté du cauchemar.

Les Eaux troubles de Javel

Léo Malet 1957
Fleuve noir

Un ancien clodo, devenu manœuvre chez Citroën, disparaît. Sa femme fait appel à Nestor Burma, le privé de choc qui nous entraîne dans un Paris perdu où les cadavres fleurissent comme autant de bornes kilométriques.

La Colère noire

William Peter McGivern 1954
Traduit par F.M. Watkins
et R. Amblard Carré noir

Steve Retnick a eu le temps pour méditer sur l'erreur judiciaire. Cinq ans passés au pénitencier de Sing Sing ont fait de lui un fauve chauffé à blanc. Amato et son gang n'ont qu'à bien se tenir, et le lecteur a bien s'accrocher, parce que ça déménage !

La Position du tireur couché

Jean-Patrick Manchette 1981
Carré noir

Le dernier Manchette. Un roman sobre et glacé comme ce vent venu de l'Arctique qui balaie la périphérie nord de Worcester où Martin Terrier, le tueur à gages, l'assassin professionnel, guette sa proie tandis que son destin l'attend.

Le Secret

Francis Ryck 1972
Carré noir

Que fuit Thomas : la prison, l'asile psychiatrique ? Est-il un mythomane, un espion, un assassin ? Et quel est ce terrible secret dont il se prétend détenteur ? David et Julia, les deux marginaux qui l'ont recueilli, vont bientôt l'apprendre à leurs dépens.

Les Enfants du massacre

Giorgio Scerbanenco 1968
Traduit par Roland Stragliati 10/18

Une jeune institutrice et une classe d'adolescents particulièrement difficiles. Son assassinat entraîne Duca Lamberti, héros préféré du père du roman noir italien, dans une sauvage descente aux enfers. Pour les connaisseurs, une sorte de chef-d'œuvre du genre.

Touchez pas au grisbi

Albert Simonin 1953
Carré noir

Le roman d'une langue, verte et crue, préfacé par Pierre Mac Orlan de l'académie Goncourt. Jovial et tonitruant ! Pour les non-initiés, un glossaire en fin de volume.

Monsieur Cauchemar

Pierre Siniac 1960
Néo

Quatre mille cent trois flics en grève sous les fenêtres du ministre, dans un froid vif et un brouillard à couper au couteau. Toutes les conditions sont réunies pour perpétrer le crime parfait. Et en plus, trois fins différentes. Du jamais lu !

L'Homme au balcon

Maj Sjöwall et Per Wahlöö 1967
Traduit par Michel Deutsch 10/18

Un Martin Beck, flic de son état, désabusé et mal marié, un Stockholm loin des clichés ressassés, et un homme sur son balcon, épiant les petites filles qui jouent dans la rue et dont certaines sont retrouvées sauvagement assassinées. Du grand polar.

Quai des Orfèvres

Stanislas-André Steeman 1942
Le Masque

Paru sous le titre *Légitime Défense*, adapté à l'écran par H.-G. Clouzot, *Quai des Orfèvres* fait logiquement figure de classique du roman de procédure policière (au même titre que *L'Assassin habite au 21* ou *Six Hommes morts* du même auteur).

Le choix de Claude Chabrol

Classiques et féminins, les choix de Claude Chabrol, avec un faible pour les héroïnes du Masque ! Le metteur en scène place ainsi en première position Dorothy Sawyers avec *Arrêt du cœur* vite suivie de Ruth Rendell avec *L'Analphabète*. Un choix qui privilégie le roman d'énigme face au roman noir. Vient ensuite le classique Dashiell Hammett avec *La Clé de verre* puis Philip Mac Donald avec *La nurse qui disparaît*. Deux passions de Claude Chabrol avec « le grand » Ellery Queen, *La Ville maudite*, puis Agatha Christie dont les titres choisis changent selon les moments avoue-t-il lui-même, hésitant entre *L'Heure zéro* et *Le Vallon*. Encore des femmes avec P.D. James et sa *Meurtrière*, *Le Jour des Parques* de Charlotte Armstrong (qui devint *La Rupture* au cinéma avec Jean-Pierre Cassel et Stéphane Audran) puis Joséphine Tey et sa *Fille du temps*.

La première bibliothèque idéale du roman policier

En 1950, s'amorça dans *Mystère Magazine* un palmarès des « dix meilleurs auteurs policiers de tous les temps ». Auprès de noms réellement indiscutables tels Conan Doyle, Chesterton, Maurice Leblanc, Agatha Christie, on a la stupeur de voir figurer plusieurs fois Jean Toussaint-Samat, E.P. Oppenheim, Vincent Starrett, voire Erich Kästner, romanciers certes estimables mais dont le choix, trente-sept ans plus tard, laisse l'amateur songeur...

Extrait de *L'Année du polar*
de Michel Lebrun (Ramsay).

... en 49 livres

La Lune d'Omaha

Jean Amila 1964
Carré noir

Dix-neuf ans après la fin de la Seconde Guerre mondiale, dans le cimetière d'Omaha Beach, en Normandie, George Hutchins, ex-déserteur de l'armée américaine, lit son nom sur une tombe...

Le Perroquet chinois

Earl Derr Biggers 1926
Trad. Christiane Poulain Le Masque

Un volatile bilingue à la langue trop bien pendue, un milliardaire américain en attente d'un précieux collier et Charlie Chan qui débarque d'Honolulu, sous les traits d'un cuisinier chinois. De quoi y laisser des plumes...

Sueurs froides

Boileau-Narcejac 1954
F.

D'où Hitchcock a tiré son film *Vertigo*. Une intrigue à la frontière du surnaturel, dominée par le fantôme d'une femme aimée.

La Chambre ardente

John Dickson Carr 1937
Traduit par M.-B. Endrèbe Néo

Un policier gothique, en vase clos, avec tous les ingrédients du genre, sur fond de logique implacable qui bascule dans le fantastique.

Meurtres pour mémoire

Didier Daeninckx 1984
Série noire

Paris, 1961 : Roger Thiraud est abattu par la police lors d'une manifestation. Toulouse, 1981 : son fils est tué, à son tour, en sortant de la Préfecture... Quand l'histoire revient comme un boomerang.

Les salauds vont en enfer

Frédéric Dard 1956
Fleuve noir

Flic ou truand, il est des moments où le bon et le mauvais côté de la barricade ne signifient plus grand-chose, surtout quand on côtoie l'enfer.

Mouche

1976
Alain Demouzon Flammarion

Une ville de province humide et froide, un privé à la cinquantaine désabusée, une vieille dame en quête de sa petite fille disparue et, derrière tout cela, un auteur qui — n'imitant que lui-même — est devenu difficilement imitable.

Frontière belge

Nicolas Freeling 1963
Traduit par M. Molltke-Huitfeld et G. Lavagne 10/18

Par un auteur injustement méconnu, une intrigue menée avec brio.

L'Affaire Lerouge

1866
Émile Gaboriau Four L.O.

Enfin réédité, le tout premier roman de procédure judiciaire. Gaboriau, c'est «l'alchimiste qui a découvert la pierre philosophale. Il a lancé le roman policier, et lancé loin» (Michel Lebrun).

Sur la corde raide

Erle Stanley Gardner 1933
Traduit par Monique Guilbot J. L.

Elle est jeune et élégante. Elle frappe à la porte d'un avocat célèbre et lui confesse ses ennuis. Elle prétend s'appeler Eva Griffin. Lui se nomme Perry Mason, et il va jouer sa carrière.

La nuit tombe

David Goodis 1947
Trad. François Gromaire Carré noir

Pourquoi James Vanning, dessinateur publicitaire sans histoires, se sent-il poursuivi par l'image obsédante d'un gros calibre, d'une carrosserie défoncée et d'un homme mort par balles ?

Un blond évaporé

Joseph Hansen 1970
Trad. par Florian Robinet Carré noir

Après vingt ans d'échecs successifs, un chanteur de folk song, qui vient de connaître un succès foudroyant, disparaît de la circulation. Un agent d'assurances homosexuel enquête. Du nouveau dans le polar...

813

Maurice Leblanc 1910
L. P.

On a tellement glosé sur l'Arsène gentleman-cambrioleur qu'on a fini par perdre de vue le Lupin patriote. Maurice Leblanc en donne ici une franche démonstration.

Le Mystère de la chambre jaune

Gaston Leroux 1908
Gallimard et L. P.

Une chambre hermétiquement close où gît le corps d'une femme. Un jeune journaliste, Rouletabille, et un flic qui a sa petite idée sur la question. Un face à face palpitant.

Le Sourdingue

Edward McBain 1972
Traduit par R. Fitzgerald Carré noir

Steve Carella et les gars de la 87e avaient bien assez à faire avec la routine, sans devoir encore se colleter avec un dur de la feuille qui leur promettait de braquer cinq cent mille dollars grâce à l'aide de la police...

Meurtre au Comité Central

Manuel Vasquez Montalban 1981
Trad. par Michèle Gazier Le Sycomore

Le secrétaire général du PC espagnol se fait descendre dans le noir le plus complet. L'enquête est menée par un privé galicien, passionné de gastronomie, qui découvre une Espagne en quête d'elle-même.

L'avis d'un libraire spécialisé : Stéphane Bourgoin

La clientèle du Troisième Œil (37, rue Montholon, 75009 Paris) se partage en deux types particuliers, explique Stéphane Bourgoin, dans sa petite boutique bourrée de revues et de livres rares ou récents :
— la traditionnelle clientèle de quartier qui recherche un Agatha Christie et pratique volontiers la reprise-échange hebdomadaire ;
— l'amateur endurci qui veut la perle rare, en général un titre ancien ou l'inédit récent, même peu connu, de son auteur de prédilection.

Ce sont les très jeunes (18/25 ans) et les personnes plus «installées» (40/50 ans) qui constituent les principaux clients de cette librairie qui maintenant ne travaille plus sur listes de recherche.

«Je le faisais auparavant, explique Stéphane Bourgoin, mais il y a trop de demandes aujourd'hui et une pièce rare se vend, de toute façon, très rapidement. Je préfère la laisser en vitrine et la céder à celui qui la verra le premier.»

Les goûts actuels ? La clientèle semble, de plus en plus, se diriger vers les classiques du genre et délaisser le roman noir.

Des collections à pâlir la nuit...

- «L'Instant noir», dirigée par Roger Martin. Éditions de l'Instant, 50, rue du faubourg Saint-Antoine, 75012 Paris.
- «Le Masque». Éditions Librairie des Champs-Élysées, 17, rue de Marignan, 75008 Paris.
- «Le Miroir obscur», dirigée par Hélène et Pierre-Jean Oswald. Nouvelles Éditions Oswald, 38, rue de Babylone, 75007 Paris.
- «La Série noire», dirigée par Robert Soulat. Éditions Gallimard, 5, rue Sébastien-Bottin, 75007 Paris.
- «Sueurs froides», dirigée par Michel Bernard. Éditions Denoël, 19, rue de l'Université, 75007 Paris.

Fausse Clé

Bill Pronzini   1973
Trad. par A. Vincent-Hamel   Carré noir

Ça débute comme une classique histoire d'adultère, mais le mari volage se fait descendre et soudain tout bascule. Le détective sans nom ne s'attend pas cependant à trouver la solution dans un bon vieux polar de vingt ans d'âge !

Les Corbeaux entre eux

Ruth Rendell   1985
Traduit par Jean André
et Claudine Rey   Le Masque

Entre un disparu, amateur d'adolescentes, et des auto-stoppeuses qui agressent les automobilistes, l'inspecteur Wexford doit jouer serré.

Fait comme un rat

Léo Rosten   1945
Traduit par Alex Grall   Carré noir

Une ambiance de kermesse avec ses aboyeurs, ses stands, son tintamarre et, sans qu'il s'en doute, les mâchoires d'un piège prêtes à se refermer sur lui. Ce soir-là, Bradford Galt, enquêteur privé et libéré sur parole, n'était pas au bout de ses peines...

Hallali

Jim Thompson   1957
Trad. par J.-P. Gratias   Fayard et M.

Une bonne douzaine de citoyens avaient des raisons évidentes pour assassiner la vieille Luana Devore, pipelette professionnelle et spécialiste ès rumeurs. Elle le savait, mais elle ne pouvait pas se taire...

La Bête qui sommeille

Don Tracy   1937
Traduit par M. Duhamel
et J. Laurent-Bost   Carré noir

Dans une petite ville du Maryland, un meurtre est commis. Un nègre est accusé. Les passions se déchaînent, le lynchage est au bout. Un récit hallucinant.

Billy Ze Kick

Jean Vautrin   1974
Carré noir, Mazarine et F.

Au milieu de la cité achélème, voici venir les petits enfants du béton, dont l'espiègle Julie-Berthe (fille du flic Chapeau) et ses potes : Hippo le schizo, Ed le moutard, Alcide le vioque. Et puis Billy Ze Kick, le tueur de jeunes mariés.

Le Cadavre japonais

Janwillem Van de Wetering   1977
Trad. par P. F. Angeloz   Mercure de France

Un commissaire néerlandais perclus de rhumatismes, un play-boy amoureux de son chat, un inspecteur passionné de percussions, lancés dans une affaire de trafics et de mafia japonaise. Une vraie tête d'atmosphère !

La Fille des collines

Charles Williams   1951
Trad. par Isabelle Reinharez   Rivages/Noir

Enfin publiée, la toute première œuvre de Charles Williams. Un tableau à l'eau-forte, avec des personnages hauts en couleur que n'auraient pas renié Caldwell ou Cain. À découvrir.

ATTENTION

La collection « Carré noir » (Gallimard) qui a publié un certain nombre des ouvrages de cette sélection va restreindre son activité au profit d'une nouvelle série en Folio, intitulée « Folio noir ». Celle-ci doit reprendre la plupart des titres édités actuellement en Carré noir.

• «Spécial-Police», dirigée par Patrick Siry et Suzanne Beaufils. Éditions Fleuve noir, 6, rue Garancière, 75006 Paris.

• «Rivages/Noir», dirigée par François Guérif. Éditions Rivages, 5, rue Paul-Louis-Courier, 75007 Paris.

• «Grands détectives», dirigée par Jean-Claude Zylberstein. Éditions UGE 10/18, 6, rue Garancière, 75006 Paris.

Élémentaire, mon cher Watson...

Dix indices pour retrouver dix enquêteurs célèbres du polar :

1. Il fume la pipe
2. Il fait pousser les orchidées
3. Il joue du violon
4. Elle fait du tricot
5. Il collectionne les «pulps»
6. Il boit du whisky Old Grandad
7. Il est manchot
8. Il est un cuisinier hors pair
9. Il est un cruciverbiste enragé
10. Il possède une pipe à tête de taureau

A. Philip Marlowe (Raymond Chandler)
B. Spencer (Robert B. Parker)
C. Dan Fortune (Michael Collins)
D. Le «Nameless» (Bill Pronzini)
E. Sherlock Holmes (A. Conan Doyle)
F. L'«Œuil» (Marc Behm)
G. Maigret (Georges Simenon)
H. Nestor Burma (Léo Malet)
I. Miss Marple (Agatha Christie)
J. Nero Wolfe (Red Stout)

Solution :
1G - 2J - 3E - 4I - 5D - 6A - 7C - 8B - 9F - 10H.

Les dix dates qui comptent

• 1841 : Edgar Allan Poe publie dans le *Graham's Magazine* : *Le Double Assassinat dans la rue Morgue.*

• 1863 : Émile Gaboriau a neuf ans à l'époque où le Chevalier Dupin s'emploie à résoudre *Le Double Assassinat*. Vingt-deux ans plus tard, l'ex-secrétaire de Paul Féval compose *L'Affaire Lerouge*, premier roman policier français qui paraîtra en feuilleton dans *Le Pays*.

• 1887 : Naissance littéraire du détective Sherlock Holmes. Adresse : 221 bis Baker Street. Père spirituel : Conan Doyle.

• 1908 : Héritier d'une fortune confortable qu'il dilapide en quelques mois, Gaston Leroux se lance dans le journalisme et crée le personnage de Rouletabille, avec l'idée affirmée de supplanter les exploits de Dupin et de Holmes. Cela nous vaut *Le Mystère de la chambre jaune.*

• 1920 : USA : premier numéro de la revue *Black Mask*. Grande-Bretagne : Agatha Christie publie son premier Poirot, *La Mystérieuse Affaire de Styles.*

• 1924 : Cette année-là, à bord du cotre *Ostrogoth*, Georges Simenon, qui allait devenir l'un des écrivains les plus productifs de ce siècle, créait le personnage de Maigret en publiant sa première enquête *Piet'r le Letton.*

• 1929 : Tandis qu'à Wall Street se produit le plus grand krach boursier, un ancien privé de l'agence Pinkerton publie un roman policier qui bafoue les règles du modèle britannique, au profit d'un récit à l'eau-forte et au parler gras. Avec *La Moisson rouge*, Dashiell Hammett ancre le roman policier dans un réalisme noir, à l'image de l'époque.

• 1939 : USA : première enquête du privé Philip Marlowe, créé par Raymond Chandler... Grande-Bretagne : James Hadley Chase fait paraître *Pas d'orchidées pour Miss Blandish.*

• 1943 : France : de retour de captivité, Léo Malet publie la première investigation de Nestor Burma, *120, rue de la Gare.*

• 1945 : Marcel Duhamel lance, aux Éditions Gallimard, la fameuse «Série noire», propulsant à l'avant-scène plusieurs générations d'auteurs, en majorité anglo-saxons, mais aussi français (tels Amila, Simonin, Lesou, Giovanni, Ryck, Siniac, Vautrin, Jonquet, Daeninckx, Bialot, Errer...) et Jean-Patrick Manchette dont *L'Affaire N'Gustro*, publié en 1971, sera considéré comme le roman fondateur de l'école dite du néo-polar.

La science-fiction

Science-fiction : tous ses malheurs proviennent de l'association des deux mots « science » et « fiction », accolés pour le meilleur comme pour le pire par Hugo Gernsback, fondateur d'*Amazing Stories*, premier magazine américain en 1926. Pour les uns, le côté science prédomine dans la S-F : découverte de l'espace grâce à une technologie dont nous ignorons encore tout aujourd'hui, recul définitif des maladies et de la mort... Le salut viendra des scientifiques.

Pour d'autres, au contraire, la fiction l'emporte avant tout. « La science n'intéresse la S-F que dans la mesure où elle est la croyance dominante, la grande mère de toutes les explications et de bien des pseudo-explications », estime Jacques Goimard.

La science-fiction ne concurrence pas les voyantes. Décrire à tout prix notre avenir n'est pas sa tâche essentielle. Avant tout, elle se sert de notre présent, le projette dans un miroir déformant pour mieux en faire ressortir les travers.

La S-F cultive les paradoxes. Jamais elle n'a autant fait partie de notre vie quotidienne.

Cinéma, télévision, jouets, publicité... Et pourtant, depuis quelques années, l'absence de revues, le brusque arrêt de plusieurs collections ont ramené la science-fiction dans le cercle restreint d'initiés et de spécialistes qu'elle avait cru pouvoir quitter dans les années soixante-dix, portée alors par la vague de contre-culture post-soixante-huitarde (appellation non péjorative).

C'est finalement là — au milieu de ses fans — que la S-F puise ces forces qui la différencient tant des autres littératures. Nulle part ailleurs les amateurs, mordus, conquis, ne se sentent aussi investis d'une mission presque prophétique, les obligeant à un prosélytisme constant face à l'incompréhension du commun des mortels pour qui la S-F n'est qu'une suite de clichés plus gros les uns que les autres. Conventions, assemblées, colloques, clubs, associations, fanzines, collectionneurs, tout cela tisse un piège mortel pour le profane qui n'aurait pas su mener sa propre quête initiatique. Apprentissage et persévérance seront ses maîtres mots. Il devra d'abord acquérir un nouveau langage où les mots space-opera, pistolaser, hyperespace, androïde ont une signification. Puis, le plus souvent conseillé par un aîné, il lira dans un ordre précis certains livres clés qui seront autant d'épreuves à franchir. Enfin et seulement, il atteindra la félicité et découvrira ce monde qu'il croyait hors d'atteinte.

Ne croyez pas que tout cela soit une esquisse caricaturale. L'une des forces de la S-F réside dans cet envoûtement qu'elle exerce sur de nombreux lecteurs. Pierre Versins a pu écrire : « La S-F n'est pas un genre littéraire mais un état d'esprit. »

La science-fiction

... en 49 livres

... en 25 livres

... en 10 livres

Fondation
Isaac Asimov

Ravage
René Barjavel

Terra
Stefano Benni

Les Chroniques martiennes
Ray Bradbury

Dune
Frank Herbert

*La Main gauche
de la nuit*
Ursula Le Guin

Le Monde inverti
Christopher Priest

Jack Barron et l'éternité
Norman Spinrad

De la terre à la lune
Jules Verne

La Guerre des mondes
Herbert George Wells

La Patrouille du temps
Poul Anderson

2001, l'odyssée de l'espace
Arthur C. Clarke

Ubik
Philip K. Dick

Les Amants étrangers
Philip Jose Farmer

Le Monde aveugle
Daniel Galouye

Neuromancien
William Gibson

Les Yeux géants
Michel Jeury

Solaris
Stanislas Lem

Malevil
Robert Merle

Delirium circus
Pierre Pelot

Le Rivage oublié
Kim Stanley Robinson

Demain les chiens
Clifford D. Simak

Les plus qu'humains
Theodore Sturgeon

A la poursuite des slans
Alfred Van Vogt

Oms en série
Stephen Wul

Radix
A.A. Attanasio

I.G.H.
Jim Ballard

L'Enfant du 5ᵉ Nord
Pierre Billon

Martiens go home!
Fredric Brown

Tous à Zanzibar
John Brunner

Les Lutteurs immobiles
Serge Brussolo

Orange mécanique
Anthony Burgess

Hestia
Carolyn Cherryh

Les Tripodes
John Cristopher

Une porte sur l'été
Robert Heinlein

Docteur Adder
K.W. Jeter

Nuage
Emmanuel Jouanne

Ne mords pas le soleil
Tanith Lee

Les Femmes de Stepford
Ira Levin

Je suis une légende
Richard Matheson

Le Navire des glaces
Michael Moorcock

Ora : clé
Kevin O'Donnel

Pèlerinage à la terre
Robert Scheckley

L'Homme dans le labyrinthe
Robert Silverberg

Les Seigneurs de l'instrumentalité
Cordwainer Smith

*Marilyn Monroe
et les samouraïs du père Noël*
Pierre Stolze

Stalker
Arcadi et Boris Strougatski

L'Homme tombé du ciel
Walter Tevis

Chromoville
Joëlle Wintrebert

La nuit des enfants rois
Bernard Lenteric.

• À vous de choisir le cinquantième livre. Peut-être est-il déjà dans votre bibliothèque.

... en 10 livres

Fondation

Isaac Asimov 1951
Traduit par Jean Rosenthal Denoël

L'un des cycles les plus célèbres de l'histoire de la science-fiction. Immense fresque qui met en scène l'empire de Trantor, aux vingt-cinq millions de planètes, pour qui Hari Seldon, le psychohistorien, tisse un destin sur plusieurs milliers d'années. Classée «Meilleure série de tous les temps» en 1966.

Ravage

René Barjavel 1943
Denoël et F.

La disparition de l'électricité entraîne la désagrégation de la société. Le primitif reprend vite le pas sur le civilisé. Pourtant certains s'efforceront de recréer un éden pastoral, dépouillé de toute technologie. Roman écologique avant l'heure.

Terra

Stefano Benni 1983
Traduit par Roland Stragliati Julliard

Journaliste écrivain à l'humour dévastateur, cet Italien a su apporter à la S-F une nouvelle dimension, proche de la bande dessinée et d'une certaine féerie, qui rend aux lecteurs leurs yeux d'enfants. Fraîcheur et imagination.

Les Chroniques martiennes

Ray Bradbury 1951
Traduit par Henri Robillot Denoël

Cette fin de siècle voit les premières expéditions terriennes sur Mars. L'humour parfois acide et surtout la poésie qui se dégage au fil de cette colonisation font de ce récit l'un des chefs-d'œuvre de la S-F.

Dune

Frank Herbert 1965
Trad. par M. Demuth Laffont et P.P.

Dune : la planète de sable dont la seule richesse est l'épice, source de longévité et de prescience, produite par les vers géants. Fresque historique à l'échelle d'une galaxie, étalée sur plusieurs milliers d'années. Premier tome — et de loin le meilleur — d'une série de six titres dont le dernier s'intitule *La Maison des mères*.

La Main gauche de la nuit

Ursula Le Guin 1969
Trad. J. Bailhache Laffont et L.P.

Vaste épopée romanesque sur la planète Nivôse, monde glacé où les habitants sont tantôt des hommes tantôt des femmes. Par deux fois le Hugo et le Nébula, les plus grands prix de S-F, sont venus récompenser l'une des rares femmes écrivains.

Le Monde inverti

Christopher Priest 1974
Trad. Bruno Martin Calmann-Lévy

«J'avais atteint l'âge de mille kilomètres.» Une ville avance sans cesse sur des rails, à la recherche d'un point optimum. Aliénation des hommes face à une civilisation qu'ils ont construite.

Jack Barron et l'éternité

Norman Spinrad 1969
Trad. Guy Abadia Laffont et J.L.

Présentateur de l'émission TV la plus populaire, Jack Barron défend les plus faibles face aux puissantes institutions. Tout est merveilleusement calculé par un gouvernement totalitaire dont Barron est la soupape de sécurité. Mais voici que s'ouvre à lui l'immortalité. Cette œuvre fit à l'époque scandale. Norman Spinrad est aussi l'auteur d'un autre grand roman : *Miroir de l'esprit*.

De la terre à la lune
Jules Verne 1865
L.P.
Le père de la science-fiction française décrivit une épopée que réaliseront les hommes un siècle plus tard. Visionnaire de talent, il avait situé sa rampe de lancement près du cap Canaveral dont on connaît le brillant destin.

La Guerre des mondes
Herbert George Wells 1898
Traduit par Henry Davray F.
La célèbre invasion des Martiens sur une Terre où seuls les microbes sauront efficacement résister. Difficile de choisir dans l'œuvre du créateur de la S-F moderne, qui a posé des fondations aussi indestructibles que l'homme invisible, le savant fou, la machine à remonter le temps.

... en 25 livres

La Patrouille du temps
Poul Anderson 1960
Traduit par Martin,
Deutsh et Durand Opta et J. L.
Afin d'éviter les paradoxes et les détournements temporels, les Gardiens du Temps veillent au bon déroulement de l'Histoire.

2001, l'odyssée de l'espace
Arthur C. Clarke 1968
Trad. par M. Demuth Laffont et J. L.
Roman écrit après le célèbre film de Stanley Kubrick qui immortalisa les fameux monolithes noirs et l'attendrissant cerveau positronique, HAL 9000.

Le choix de John Brunner

John Brunner, l'un des auteurs les plus connus de la Nouvelle Vague anglaise, a su être le premier à trouver le point de convergence entre les techniques du nouveau roman et les thématiques propres à la science-fiction. Plutôt enclin au pessimisme, il a exploré tous les thèmes apocalyptiques des années soixante-dix — ainsi la surpopulation dans son fameux *Tous à Zanzibar*. Il nous a paru intéressant de demander l'avis éclairé d'une personne telle que lui, étrangère au milieu français. Signalons que John Brunner maîtrise parfaitement toutes les subtilités de notre langue.

Ses préférences restent classiques, tout naturellement axées sur les problèmes humains. *1984* de George Orwell, *Les plus qu'humains* de Sturgeon, *Les Derniers et les Premiers* de Stapledon. Il ne dédaigne pas l'uchronie, comme *Le Maître du Haut-Château* de Dick — les nazis victorieux, installés aux USA. Il est également sensibilisé par toutes les menaces envers l'espèce humaine (*La Guerre des mondes* de Wells ou *Les Sirènes de Titan* de K. Vonnegut). La génétique le passionne, il cite *Les Animaux dénaturés* de Vercors, seul Français de sa liste.

Les meilleures anthologies

La science-fiction pour ceux qui détestent la science-fiction, par Terry Carr (Denoël, « Présence du futur ») ;
Le livre d'or de la S-F (Presses Pocket). Chaque volume est consacré à un auteur (bibliographie, biographie, textes) ;
Les Fenêtres internes, par H.L. Planchat (10/18) ;
Anthologie de la littérature de science-fiction, par Jacques Sadoul (Ramsay) ;
Histoire de.... Grande anthologie du Livre de Poche. Chaque volume traite d'un thème, illustré par les nouvelles des meilleurs auteurs anglo-saxons (histoires de robots, de mutants, de planètes, de pouvoir...).

Ubik

Philip K. Dick 1969
Trad. A. Dorémieux Laffont et J. L.

Sans doute le produit le plus représentatif de l'œuvre dickienne. Intrigue complexe, glissement de temps, désagrégation de la réalité, univers-gigogne, tout y est !

Les Amants étrangers

Philip Jose Farmer 1960
Traduit par Michel Deutsh Opta, J. L.

Le livre par qui le scandale arriva. Pour la première fois sont décrites des relations sexuelles entre terriens et extra-terrestres.

Le Monde aveugle

Daniel Galouye 1961
Traduit par Frank Straschitz Denoël

Depuis des générations ils vivent dans de profondes cavernes. Ils sont les derniers survivants d'une guerre atomique oubliée. Ils ont perdu la vue mais ont considérablement développé leurs autres sens.

Neuromancien

William Gibson 1984
Trad. par J. Bonnefoy La Découverte

Auteur phare du renouveau de la S-F américaine. Il ne se sert à l'aise que dans un monde hypertechnologique.

Les Yeux géants

Michel Jeury 1980
Laffont, P. P.

Écrit par le « Dick » français ! Il est vrai que ce livre — l'un des plus délirants consacrés aux OVNI — ressemble par ses digressions chronolytiques à l'œuvre du maître d'outre-Atlantique.

Solaris

Stanislas Lem 1961
Trad. Jean-Michel Jasienko Denoël

Face à une forme de vie radicalement différente, les hommes sauront-ils communiquer ? L'écrivain majeur des pays de l'Est.

Malevil

Robert Merle 1972
Gallimard et F.

L'après-atomique dans nos campagnes. Les paysans bricolent une civilisation.

Delirium circus

Pierre Pelot 1977
J. L.

La planète-cinéma. Tout y est faux, des paysages aux sentiments. Par l'un des auteurs les plus doués de sa génération.

Le Rivage oublié

Kim Stanley Robinson
Traduit par J.-P. Pugi J. L.

L'Amérique n'est plus qu'un pays dévasté où quelques survivants, placés sous haute surveillance par les Russes et leurs alliés, rêvent à leur passé prestigieux.

Demain les chiens

Clifford D. Simak 1952
Traduit par J. Rosenthal
Club du Livre et J. L.

Huit récits qui forment la légende que se racontent, le soir au coin du feu, les chiens. L'homme a-t-il vraiment existé ?

Les plus qu'humains

Théodore Sturgeon 1953
Traduit par Michel Chrestien
Hachette et J. L.

Une profonde réflexion sur la normalité et le racisme qu'elle engendre.

À la poursuite des Slans

Alfred Van Vogt 1946
Trad. J. Rosenthal Gallimard et J. L.

C'est *le* livre sur le thème du mutant. Les Slans sont télépathes. Haïs, pourchassés par les humains qui sont désormais du passé.

Oms en série

Stephen Wul   1957
               Denoël

Les hommes sont devenus les animaux de compagnie des draags, extra-terrestres géants. Topor et Laloux en ont tiré leur célèbre dessin animé *La Planète sauvage.*

... en 49 livres

Radix

A.A. Attanasio   1981
Traduit par J.P. Carasso   Laffont

Le parcours initiatique d'un jeune criminel dans un univers étrange, ravagé par un fléau venu de l'espace, où nul n'est épargné, même pas le lecteur.

I.G.H.

Jim Ballard   1975
Traduit par R. Louit   Calmann-Lévy

Immeuble à Grande Hauteur : l'ordre social. Par l'un des maîtres de la nouvelle vague anglaise, sensibilisé à l'aliénation des hommes face à une technologie de plus en plus envahissante.

L'Enfant du 5e Nord

Pierre Billon   1982
               Seuil

Thriller informatico-médical. Met en scène un enfant de dix ans qui tue les ordinateurs. Par un professeur d'art de l'université d'Ottawa.

Martiens go home !

Fredric Brown   1955
Traduit par A. Dorémieux   Denoël

La terre face à des petits hommes qui se glissent partout, fouinent dans les affaires et les pensées des gens, leur rendent la vie impossible.

À chacun sa définition

S'il est une chimère dans la science-fiction, c'est sûrement sa définition. Certains tentent, avec plus ou moins de bonheur, de cerner ce domaine littéraire, d'autres y renoncent purement et simplement.

Quant au Robert, il nous dit : «Genre littéraire autonome qui fait intervenir le scientifiquement possible dans l'imaginaire romanesque.» Même si cela n'est pas inexact, il faut une bonne dose d'imagination pour reconnaître la S-F derrière cette formule.

«Aucun de ceux qui l'écrivent ne sont capables de s'entendre sur sa définition», affirme Isaac Asimov. Mais n'est-ce pas là le signe d'une très grande richesse de thèmes, impossibles à englober en quelques lignes ?

Voici cependant quelques citations intéressantes* autour de la science-fiction : l'identité de leurs auteurs risque de surprendre le lecteur :

«La science-fiction est un œil ouvert sur l'avenir, l'autre est dans le présent» Charles Aznavour.

«Si la S-F intéresse les enfants, c'est qu'il y a quelque chose d'important en elle» Paloma Picasso.

«La S-F, c'est moi» David Bowie.

«Je crois que je suis le seul à vraiment comprendre le sens et la portée de la science-fiction» Guy Béart.

«Science-fiction ! Ces deux mots jurent à mon oreille. Ils se font l'un et l'autre une guerre inexpiable qui condamne le produit de leurs amours malheureuses à n'être qu'un avorton minable» Michel Tournier.

---

* Tirées du livre *L'Effet science-fiction*, par Igor et Grichka Bogdanoff (Laffont).

Tous à Zanzibar

John Brunner 1968
Traduit par D. Pemerie J. L.

L'explosion démographique au XXIe siècle. Violence et pollution pèsent lourd dans le quotidien des mégalopoles. L'espoir et le renouveau viendront peut-être d'un minuscule État africain.

Les Lutteurs immobiles

Serge Brussolo 1983
Fleuve noir

Pour vous punir, on vous lie psychiquement et physiquement à un objet — un livre ou un tank. Tout dommage envers lui peut vous être fatal. Alors commence le long calvaire de l'homme-objet que vous êtes devenu, tremblant au moindre choc.

Orange mécanique

Anthony Burgess 1962
Trad. G. Belmont et H. Chabrier L. P.

L'ultra-violence face à l'ultra-traitement, dans une vieille Angleterre, au futur chancelant, qui pense avoir trouvé là un remède efficace à ce fléau grandissant.

Hestia

Carolyn Cherryh 1979
Traduit par Iawa Tate J. L.

Un terrien au pays des félins. Il va construire un barrage afin de sauver les colons implantés sur Hestia, tout en y découvrant des créatures dont il ne soupçonnait même pas l'existence.

Les Tripodes

John Cristopher 1967
Trad. M. Poslaniec L'École des Loisirs

Trois volumes qui sont autant de récits plaisants destinés à une jeunesse avide de découvrir une S-F certes classique mais pleine de rebondissements.

Une porte sur l'été

Robert Heinlein 1957
Traduit par R. Vivier J. L.

Voyage dans le temps en compagnie d'un chat nommé Petronius le sage. Fable fraîche et agréable qui tranche avec d'autres morceaux d'une œuvre dont l'idéologie est parfois contestable.

Docteur Adder

K.W. Jeter 1984
Traduit par M. Lederer Denoël

Allen Limmit quitte l'unité de ponte de Phoenix pour un Los Angeles où sévit le docteur Adder qui mutile les prostituées selon les désirs et fantasmes de ses clients. Par l'élève de Dick qui a bien retenu la leçon.

Nuage

Emmanuel Jouanne 1983
Laffont

La planète kaléidoscope où rien n'est jamais pareil. Seule Prune, une petite fille, saura évoluer librement dans ce décor à la Lewis Carroll. Un nouveau style et un sang neuf pour la science-fiction française.

Ne mords pas le soleil

Tanith Lee 1976
Traduit par M. Barrière
Le Masque/Champs-Élysées

L'échange standard des corps par l'une des grandes écritures féminines qui peut, sans rougir, se ranger auprès d'Ursula Le Guin.

Les Femmes de Stepford

Ira Levin 1972
Trad. T. Prigent et N. Grutz J. L.

Alice au pays des Moulinex. Johanna, »nouvellement arrivée, découvre avec stupeur l'étrange comportement des autres femmes d'une petite ville américaine. Par l'auteur du fameux *Un bébé pour Rosemary*.

244

Je suis une légende

Richard Matheson   1954
Traduit par C. Helsen   Denoël

Un virus a décimé la population du globe, transformant les rares survivants en vampires. Seul un homme, miraculeusement épargné, tentera d'inverser le processus.

Le Navire des glaces

Michael Moorcock   1969
Traduit par J. Guyod   J. L.

Contes et légendes de la Glace-Mère qui recouvre désormais la planète entière. Par l'un des maîtres de l'heroic fantasy.

Ora : clé

Kevin O'Donnel   1983
Traduit par J. Polanis   Laffont

Les aventures d'Aël Elcatrevain dans son appartement électronique. Au-dehors il ne fait pas bon flâner car c'est désormais le territoire de chasse d'extra-terrestres belliqueux.

Pèlerinage à la terre

Robert Scheckley   1958
Traduit par J.M. Deramat   Denoël

Histoires loufoques de la célèbre agence A.A.A. Ace. Ironique, irrévérencieux, Sheckley est, avec Brown, l'un des rares auteurs de S-F à savoir manier l'humour avec autant de talent.

L'Homme dans le labyrinthe

Robert Silverberg   1969
Traduit par M. Rivelin   J. L.

Difficile de choisir dans l'œuvre de ce grand professionnel américain à qui l'on doit par ailleurs *L'Oreille interne* ou, plus près de nous, *Le Cycle de Valentin*.

Science-fiction ou fantastique ?

La différence entre la S-F et le fantastique est un sujet de discussion permanent entre amateurs. Le profane fait systématiquement l'amalgame. L'érudit rétorquera qu'aucun rapprochement n'est possible, excepté une racine commune appelée mythologie. «Dit-on que l'homme et l'oiseau se ressemblent sous prétexte qu'ils sont issus du même être unicellulaire?» avance un fervent.

La meilleure définition de la S-F et du fantastique est due à Roger Zelazny, prix Hugo 1966 : «Je crois que la différence fondamentale entre science-fiction et fantastique tient en ceci : le travail de l'imaginaire n'y est pas le même. Le fantastique se lit comme s'il avait déjà été lu. La science-fiction au contraire est toujours un texte à lire, une première lecture, une naissance.»

Si amalgame il y a, il est dû, la plupart du temps, au besoin de ces deux littératures, marginalisées, de s'accoupler pour mieux se faire entendre. D'où la confusion. Au fil de leurs lectures, les amateurs choisiront leur camp. Seules certaines passerelles comme le merveilleux ou l'heroic-fantasy les feront se retrouver le temps de quelques pages.

Les Seigneurs
de l'instrumentalité

Cordwainer Smith   1960
Trad. par S. Hilling et M. Demuth   P. P.

Fabuleuse saga — œuvre de toute une vie
— qui nous fait découvrir une S-F remplie
de poésie et d'amour. Quand les histoires
se transforment en légendes...

Marilyn Monroe et
les samouraïs du père Noël

Pierre Stolze   1986
                         J. L.

Tout le monde succombe aux charmes de
Marilyn, même le père Noël, quand le
conte de fées se matérialise pour devenir
une passionnante histoire d'amour.

Stalker

Arcadi et Boris Strougatski   1980
Traduit par Svetlana Delmotte   Denoël

Les restes d'un pique-nique d'extra-
terrestres. Certains hommes ne résistant
pas à l'envie tentent de récupérer des objets
dont ils ignorent totalement la fonction.
Mais les risques sont grands et la récolte
souvent pauvre.

L'Homme tombé du ciel

Walter Tevis   1963
Traduit par N. Tisserand   Denoël

Un extra-terrestre vient sur terre pour y
chercher l'eau qui fait cruellement défaut
à sa planète. L'incompréhension et la
bêtise de certains hommes le transforme-
ront en exilé permanent aux espoirs réduits
à néant.

Chromoville

Joëlle Wintrebert   1984
                             J. L.

L'ordre noir des couleurs. C'est l'une des
rares, pour ne pas dire la seule, femme
écrivain du domaine français. Lourde est
sa tâche, mais elle s'en acquitte avec brio.

L'histoire du futur

À toute histoire, sa préhistoire. De l'Antiquité au début de notre siècle, en passant par le Moyen Âge, nombreux furent les voyages imaginaires. Impossible pourtant d'omettre *Gargantua* de François Rabelais, les *Voyages de Gulliver* de Jonathan Swift, et *Micromégas* de Voltaire.

Plus près de nous, les précurseurs. Parmi eux, Jules Verne et H. G. Wells. À eux deux, ils surent, en inventant ses thèmes principaux, poser les bases indestructibles de la S-F moderne.

• **1920.** Malgré de grands auteurs tels qu'Abraham Merritt ou Lovecraft, la S-F reste avant tout européenne. L'œuvre la plus célèbre : *R.U.R.* de Karel Capek, inventeur du mot «robot».

• **1926 à 1938.** Apparition des premiers magazines américains (*pulps*) répondant aux noms prestigieux d'*Amazing Stories*, *Wonder Stories*, *Astounding* et *Weird Tales*.

• **1938 à 1945.** L'âge d'or. Désormais, il y a une plus grande véracité technologique dans les récits. Leurs auteurs ont pour nom : Heinlein, Van Vogt, Clarke, Asimov, Bradbury, Simak.

• **1945 à 1960.** Prolifération de la S-F. Mais on constate la venue d'une nouvelle génération d'auteurs qui ont une défiance toute particulière vis-à-vis de la technologie, et ce depuis l'emploi de la bombe atomique : Harry Harrison, Sheckley, Silverberg, Brunner.

• **1960 à 1975.** New Wave anglaise. La S-F ne rime plus avec le space-opera (aventures galactiques). On voit l'apparition de nouveaux thèmes comme la sexualité ou la politique, la sociologie, la théologie ou l'écologie. Les femmes sont plus présentes dans les romans. Moorcock et Ballard se préoccupent plus de la place de l'homme sur la Terre que sur d'autres planètes. Il s'agit d'un tournant de la S-F. Celle-ci devient adulte et joue un rôle pédagogique. Elle amène à une réflexion sur notre civilisation par le biais d'univers imaginaires.

• **1975 à 1980.** L'âge d'or français. C'est l'explosion. Les collections fleurissent tout à coup en France. La S-F est la littérature idéale et reconnue comme telle de la «contre-culture» issue de Mai 68. La nouvelle S-F française — que beaucoup jugeront trop tapageuse — voit le jour sous l'impulsion d'un petit groupe d'auteurs. Parmi eux, Bernard Blanc et son fameux *Pourquoi j'ai tué Jules Verne*. Curieusement, aux États-Unis, cette fin de période se révèle être celle d'une crise profonde, où la S-F est devenue complètement anodine, partagée entre l'heroic fantasy et les come-backs ratés des grandes séries de l'âge d'or (*La Fin du non-A*, Vogt, *2010 : Odyssée deux*, Clarke, etc.).

• **1980 à nos jours.** La stagnation puis le recul de la S-F ont touché plus tard le marché français, entraînant un préjudice à la création française qui s'en ressent encore. Seule une certaine S-F a pu tirer son épingle du jeu. Sous l'impulsion d'Emmanuel Jouanne, elle privilégie le mot de préférence à l'action, se situant parfois à la limite de la poésie et de l'essai. Elle a conquis un nouveau public tandis qu'elle en déroutait un autre plus conventionnel qui se reconnaît dans des auteurs comme Pierre Stolze, Richard Canal ou Jean-Claude Dunyach. Le grand espoir du renouveau de la S-F vient une nouvelle fois d'outre-Atlantique avec une génération d'auteurs qui sait concilier science et fiction en un regard et un langage, totalement renouvelés, ne dédaignant pas d'aborder le domaine politique. Un groupe nommé les «cyberpunks» (William Gibson, Greg Bear, Rudy Rucker, Howard Waldrop) fait figure de proue.

La nouvelle

Conte ou nouvelle ? Histoire courte ou petit roman ? Récit ou fiction ? La dénomination est floue. Et cela dans toutes les langues. La langue anglaise hésite aussi entre *tale*, *short novel* ou *short story*. Mais le genre lui-même, très florissant, ne fait-il pas montre d'une diversité étonnante ?

Si l'on s'en tient à la définition académique, la «nouvelle» est en effet un «roman court». Mais ce roman court est à l'origine un récit de veillée, une légende, un mythe, une petite aventure survenue à l'un ou à l'autre, une «moralité» bien tournée de façon à être édifiante pour tous, une chantefable, une narration épique... Et par la suite, il devient étude de mœurs, scène de genre, tableau réaliste, récit philosophique, conte fantastique, enquête policière, voire même fiction à but de propagande politique.

Sans cesse redéfinie, souvent condamnée, la nouvelle est toujours renaissante. Pour Friedrich Schlegel hier, c'était «une histoire qui n'appartient pas à l'histoire». Pour Daniel Boulanger aujourd'hui, c'est «un instantané qui s'épanouit comme une fleur de Jéricho». Plus prosaïque, André Gide affirme que la nouvelle «est faite pour être lue d'un seul coup, en une fois». Pour beaucoup de critiques elle passe pour un genre mineur, mais pour Georg Lukacs c'est «la plus artistique des formes». Et il est vrai qu'il n'y a pas de grand prosateur qui n'ait été aussi auteur d'excellentes nouvelles (Cervantès, Balzac, Flaubert, Faulkner ou Hemingway en attestent), de même bon nombre d'écrivains n'ont dû leur gloire qu'à leurs seules nouvelles (Boccace, Poe, Kleist ou Borges). Roman et nouvelle sont à ce point solidaires que la nouvelle se coule parfois dans le moule du roman : le cycle très autobiographique des histoires de Nick Adams d'Hemingway (rassemblées en un volume, *Les Aventures de Nick Adams*, Gallimard), les articulations entre les récits de *Descends Moïse* de Faulkner ou le flot puissant des histoires du goulag, rassemblées par Chalamov dans ses *Récits de la Kolyma* (La Découverte), voilà des recueils de nouvelles qui dépassent ce genre habituellement hétérogène pour atteindre à une forme romanesque ouverte et polyphonique. D'ailleurs la nouvelle apparaît souvent comme la quintessence de l'effet romanesque : une nouvelle, écrit William Faulkner dans une de ses lettres, « c'est la cristallisation d'un instant arbitrairement choisi où un personnage est en conflit avec un autre personnage, avec son milieu ou avec lui-même ».

Évidemment, il est impossible de rendre compte ici-même de la totalité d'un genre dont on retrouvera d'autres sommets dans des rubriques aussi diverses que le fantastique, la science-fiction, le roman policier ou la littérature des différents pays.

La nouvelle

... en 49 livres

... en 25 livres

... en 10 livres

Fictions
Jorge-Luis Borges

Descends, Moïse
William Faulkner

Trois Contes
Gustave Flaubert

Paradis perdu
Ernest Hemingway

Le Tour d'écrou
Henry James

*La Colonie pénitentiaire
et autres récits*
Franz Kafka

L'Homme qui voulut être roi
Rudyard Kipling

Contes et nouvelles
Guy de Maupassant

Histoires grotesques et sérieuses
Edgar Allan Poe

Récits
Anton Tchekhov

Les Diaboliques
Jules Barbey d'Aurevilly

Aventures
Italo Calvino

Jeunesse
Joseph Conrad

Les Enfants du jazz
Francis Scott Fitzgerald

Gens de Dublin
James Joyce

La Marquise d'O
Heinrich von Kleist

*Mario et le Magicien
suivi de
Expériences occultes et autres récits*
Thomas Mann

*Benito Cereno et autres nouvelles
de la véranda*
Herman Melville

Une beauté russe
Vladimir Nabokov

Les Bas-Fonds du rêve
Juan-Carlos Onetti

Histoires pragoises
Rainer Maria Rilke

Masques et Prodiges
Arthur Schnitzler

Chroniques italiennes
Stendhal

La Mort d'Ivan Ilitch
Léon Tolstoï

Contes
Voltaire

Winnesburg, Ohio
Sherwood Anderson

Le Passe-Muraille
Marcel Aymé

Fouette, cocher!
Daniel Boulanger

Les Nuits difficiles
Dino Buzzati

Nouvelles exemplaires
Miguel de Cervantès

Les Armes secrètes
Julio Cortázar

Lettres de mon moulin
Alphonse Daudet

Nouvelles asiatiques
J. A., comte de Gobineau

Le Fantôme et la Chair
William Goyen

Les Frères du soleil
Hermann Hesse

Andreas et autres récits
Hugo von Hofmannsthal

L'Homme qui était mort
David Herbert Lawrence

La Ballade du café triste
Carson McCullers

Trois femmes
suivi de Noces
Robert Musil

L'Heptaméron
Marguerite de Navarre

Pourquoi ces nations en tumulte?
Flannery O'Connor

Le Musée noir
André Pieyre de Mandiargues

Nouvelles pour une année
Luigi Pirandello

Un jour rêvé pour le poisson-banane
Jérôme David Salinger

Le Mur
Jean-Paul Sartre

Le Sanatorium au croque-mort
Bruno Schulz

Le Lieutenant Kije
Youri Tynianov

Contes cruels
Villiers de l'Isle-Adam

Anthologie de nouvelles
japonaises contemporaines

• À vous de choisir le cinquantième livre. Peut-être est-il déjà dans votre bibliothèque.

... en 10 livres

Fictions

Jorge-Luis Borges   1941-44
Traduit de l'espagnol
par P. Verdevoye et N. Ibarra   F.

L'écrivain de nouvelles par excellence : il n'a jamais écrit que des textes courts. Labyrinthes, livres imaginaires, bibliothèques fantastiques, sectes gnostiques, destins étranges... Un des plus grands écrivains du XXᵉ siècle, toujours à la frontière du rêve et de la philosophie.

Descends, Moïse

William Faulkner   1942
Traduit de l'américain
par R.-N. Raimbault   Gallimard

Lorsque plusieurs nouvelles mettant en scène le Sud profond s'ordonnent en une sorte de polyphonie romanesque, on atteint un des sommets de la littérature américaine. Paysages, personnages, incantations, écriture inoubliables.

Trois Contes

Gustave Flaubert   1877
                                  F., G. F., L. P.

La légende de saint Julien l'hospitalier comme celle d'Hérodiade qui a inspiré *Hérodias* figurent dans la cathédrale de Rouen, l'une sur un vitrail, l'autre sur le tympan d'un portail. Venue tout droit de l'enfance normande de Flaubert, la servante Félicité est l'héroïne d'*Un cœur simple*. Trois joyaux, très différents les uns des autres, rassemblés par l'écrivain comme pour montrer la diversité de son talent.

Paradis perdu

Ernest Hemingway   1939
Traduit de l'américain
par Marcel Duhamel   F.

Le style « maigre » et l'art de la conversation poussés jusqu'au vertige. Sous la plume d'Hemingway, la plus banale situa-

tion devient une sorte d'extase mystique. Parmi les nouvelles les plus réussies : *La Grande Rivière au cœur double*, *Camp indien*, *Paradis perdu*, *Un endroit propre et bien éclairé*, ou *Un chat sous la pluie*.

Le Tour d'écrou

Henry James   1898
Traduit de l'américain
par M. Le Corbeiller   Stock

Chez Henry James (1843-1916), la nouvelle semble n'occuper qu'une place modeste à côté des énormes romans. Mais le romancier y consacrait autant de soin. Atmosphère tendue, mystère, angoisse, *Le Tour d'écrou* est un des chefs-d'œuvre du fantastique psychologique. À lire aussi : *L'Autel des morts* (Stock), *Les Deux Visages* (Points-Seuil), *L'Élève* (10/18), *L'Image dans le tapis* (Horay).

La Colonie pénitentiaire et autres récits

Franz Kafka   1919
Traduit de l'allemand
par Alexandre Vialatte   F.

Fiction politique rêvée comme par anticipation des camps nazis, *La Colonie pénitentiaire* est la description minutieuse d'un monde cruel et logique, cauchemardesque et pourtant hyperréaliste. « Les récits de Kafka sont, dans la littérature, parmi les plus noirs, les plus rivés à un désastre absolu » (Maurice Blanchot).

L'Homme qui voulut être roi

Rudyard Kipling   1888-98
Traduit de l'anglais par L. Fabulet
et R. d'Humières   F.

Kipling (1865-1936) n'est pas seulement le chantre de l'épopée coloniale britannique. Certaines de ses nouvelles rassemblent de superbes portraits d'aventuriers, récits aux atmosphères fantastiques. Ses intrigues aux entrelacs métaphysiques annoncent à la fois Hemingway et Faulkner, et même Borges qui a reconnu lui devoir beaucoup. On trouve aussi divers regroupements de nouvelles de Kipling en 10/18 et dans « Bouquins ».

Contes et nouvelles

Guy de Maupassant   *(1850-1893)*
Pléiade (2 vol.)

Flaubert lui apprit à écrire. Mais il inventa un nouveau genre de récit court, impressionniste, souvent noir, et qui eut par la suite une influence décisive, surtout sur l'école américaine. Parmi ces quelque 260 nouvelles, des contes réalistes centrés sur la vie normande, des fables sociales parisiennes, des portraits de femmes et surtout les récits hallucinés de la fin.

Histoires grotesques et sérieuses

Edgar Allan Poe   1840-45
Traduit de l'américain
par Charles Baudelaire F., G. F., L. P.

L'inventeur de la nouvelle moderne, du roman policier à déduction, de la science-fiction, du burlesque grinçant et des labyrinthes philosophiques. Il a créé la littérature américaine mais seule l'Europe a su véritablement le découvrir, grâce à Baudelaire.

Récits

Anton Tchekhov   1881-99
Traduit du russe par Édouard Parayre
et Lily Denis   Pléiade (tomes 2 et 3)

La vie simple et courte d'Anton Tchekhov (1860-1904) a été entièrement tournée vers la littérature : théâtre et récits. «Il est un des rares dont on a envie de lire les nouvelles une seconde fois», disait de lui Tolstoï. Une quête du temps perdu dans la société russe au tournant du siècle, vue par un «joyeux mélancolique».

... en 25 livres

Les Diaboliques

Jules Barbey d'Aurevilly   1874
F., G. F., L. P.

Aristocrate normand confit de catholicisme, d'opium et d'alcool, Barbey d'Aure-

De la nouvelle au cinéma

La nouvelle est souvent une excellente amorce pour les scénaristes, les réalisateurs de cinéma, et de très longs films ont parfois pour origine des histoires fort courtes. C'est le cas par exemple de *L'Homme qui voulut être roi*, fable de Rudyard Kipling aux accents quelque peu fantastiques. John Huston en développa une vaste fresque de deux heures réunissant Michael Caine et Sean Connery. De même la courte nouvelle de Julio Cortázar, *Les Fils de la Vierge* (dans le recueil *Les Armes secrètes*), où Michelangelo Antonioni a puisé l'intrigue de son film *Blow up*, mais en la transformant complètement et en faisant dériver le mystère vers une histoire plus directement criminelle. Du *Roi Cophetua* de Julien Gracq, le cinéaste belge André Delvaux a fait *Rendez-vous à Bray* et, cette fois, l'étirement temporel du film provient d'une juste traduction de l'atmosphère lente et mystérieuse de la nouvelle. Même remarque pour un des chefs-d'œuvre de l'histoire du cinéma, *Senso* de Luchino Visconti : le cinéaste a travaillé à partir du court récit de Camillo Boito et a développé somptueusement tout ce qui n'était que discrètement suggéré par le texte (situation politique, décors, costumes...). Il lui a fallu d'ailleurs une armée de scénaristes parmi lesquels Paul Bowles et Tennessee Williams !

Edgar Poe, qui a beaucoup inspiré les réalisateurs de cinéma, a trouvé en l'américain Roger Corman une sorte d'adaptateur populaire. Avec fort peu de moyens et en tournant à toute vitesse, il a réalisé, au début des années soixante, *La Chute de la maison Usher*, *L'Enterré vivant*, *La Tombe de Ligeia*, *Le Masque de la mort rouge* et quatre ou cinq autres films plus ou moins bâclés, tirés ou inspirés de Poe. Ces films d'horreur, où l'on retrouve Vincent Price et Peter Lorre, ne manquent pas du charme un peu kitsch des «séries B» américaines. On peut leur préférer *La Chute de la maison Usher* de Jean Epstein (1927) où le blanc et noir expressionniste, l'usage du ralenti, les images oniriques

villy fut un des plus formidables anticonformistes de son époque. Ses histoires baroques d'un romantisme noir sentent souvent le fagot. «C'est le duc de Guise de la littérature», disait de lui Lamartine.

Aventures

Italo Calvino   1964
Traduit de l'italien
par M. Javion   Seuil

Acrobate du récit, jonglant avec le passé, Italo Calvino (1923-1985) a touché à tous les genres, aventures, science-fiction, fable. Il est aussi à l'aise dans l'observation aiguë de la société italienne contemporaine.

Jeunesse

Joseph Conrad   1902-06
Traduit de l'anglais
par G. Jean Aubry   Gallimard

La pure touche conradienne : densité, mystère, plongée progressive dans l'angoisse. La vérité n'apparaît que par ricochets comme dans les grands romans de l'écrivain britannique. Mais le lecteur est happé par une machinerie littéraire parfaite.

Les Enfants du jazz

Francis Scott Fitzgerald   1922
Traduit de l'américain
par Suzanne Mayoux   F.

La carrière brillante et mondaine du romancier fait parfois oublier l'importance de son travail d'écrivain. Fitzgerald a produit une grande quantité d'excellentes nouvelles. Outre ce recueil, *La Fêlure* (Folio) et les deux volumes de *Love boat* (Belfond) rassemblent les principales nouvelles.

Gens de Dublin

James Joyce   1914
Traduit de l'anglais
par Jacques Aubert   F.

Il n'y a pas qu'*Ulysse*. Les quinze nouvelles du grand écrivain irlandais sont d'une maîtrise parfaite et quand on sait qu'elles commencèrent à paraître dans les premières années du siècle, on devine ce que leur doivent Faulkner, Hemingway ou d'autres nouvellistes anglo-saxons. Parmi les plus délicates, *Éveline* ou *Arabie* ; la plus puissante, *Les Morts*.

La Marquise d'O

Heinrich von Kleist   1810-11
Traduit de l'allemand
par Armel Guerne   Phébus

Un ton froid, qui annonce Kafka, pour raconter des histoires pleines d'excès et de convulsion. *Le Tremblement de terre du Chili*, *L'Enfant trouvé*, *La Marquise d'O...*, autant de petites merveilles du plus farouche des romantiques allemands.

Mario et le magicien
suivi de Expériences occultes
et autres récits

Thomas Mann   1930
Traduit de l'allemand par André Gaillard
et Louise Servicen   Grasset

Un hypnotiseur de foire fascine son public. L'inquiétant personnage cache une satire à peine voilée de Mussolini. Ça se passe en Italie, comme cette autre fameuse nouvelle de Mann, *La Mort à Venise* (Fayard et L. P.).

Benito Cereno
et autres nouvelles
de la véranda

Herman Melville   1856
Traduit de l'américain
par Pierre Leyris   Gallimard

Un capitaine despote à l'origine d'un drame horrible dans une petite île déserte de l'archipel chilien. Mais avec *Benito Cereno*, il y a un autre conte, le plus célèbre de Melville, *Bartleby l'écrivain*. C'est l'histoire de la taciturne obstination d'un homme simple mais mystérieux. On a pu dire que c'était du Kafka avant Kafka.

Une beauté russe

Vladimir Nabokov   1922-40
Traduit de l'américain
par G.-H. Durand   Julliard et P. P.

« Je suis un auteur américain, né en Russie et formé en Angleterre par l'étude des écrivains français. » Ainsi se définit Nabokov, le cosmopolite, l'inclassable. Outre celui-ci, trois recueils de nouvelles : *L'Extermination des tyrans, Mademoiselle O, Détails d'un coucher de soleil*, et une longue nouvelle redécouverte après sa mort, *L'Enchanteur* (Rivages).

Les Bas-Fonds du rêve

Juan-Carlos Onetti   1976
Traduit de l'espagnol par C. Couffon,
A. Gerschenfeld et L. Guille-Bataillon
                                    Gallimard

Face à la grande famille des nouvellistes nord-américains, l'école sud-américaine se défend fort honorablement avec Borges, Cortazar et plusieurs autres écrivains de grande force. L'Uruguayen Onetti est certainement l'un des plus originaux. Des personnages déchus dans une ville imaginaire qui concentre en elle toute l'horreur provinciale, des tripots, des rêves sordides, la nuit, l'errance…

Histoires pragoises

Rainer Maria Rilke   (1875-1926)
Traduit de l'allemand par M. Betz,
H. Zylberberg et L. Des Portes   P. S.

« La ville des pignons et des tours est étrangement bâtie : le bruit de la grande Histoire ne s'y éteint jamais. L'écho des jours sonores vibre aux murs fermés », écrit Rilke. Mystères, conspirations, amours ténébreuses dans la Prague du tournant du siècle.

sont beaucoup plus fidèles à l'univers du nouvelliste. Si l'on peut dire que la nouvelle est au roman ce que le court métrage est au film de fiction, ces quelques exemples montrent que la correspondance est loin d'être évidente. Cependant la nouvelle a parfois su trouver sa parfaite extension dans le court métrage. Ainsi *Le Rideau cramoisi* de Barbey d'Aurevilly ne perd rien de sa force en passant par la caméra d'Alexandre Astruc et l'interprétation d'Anouk Aimée donne à jamais un visage angélique à l'anonyme héroïne littéraire.

William Faulkner : « Nouvelle ou roman ? »

« Le premier travail auquel l'artiste a à faire face est de dire la chose aussi vite et aussi simplement que possible, et s'il est bon, s'il est de premier ordre, comme Tchekhov, il peut le faire chaque fois en deux ou trois mille mots. Mais s'il n'est pas de première qualité, il lui faut parfois quatre-vingt mille mots. Mais ils se ressemblent et il essaie simplement de dire quelque chose qui est vrai le plus brièvement possible, puis, s'il a du bon sens, il s'arrête. C'est-à-dire que je ne crois pas que l'homme ou la femme s'installe à sa table et se dise : "Je vais écrire une nouvelle courte", ou : "Je vais écrire un roman." C'est une idée qui vous vient en pensant à un personnage ou en l'imaginant, ou à une anecdote, et presque en même temps, comme un éclair, cela prend forme, de sorte qu'il voit si ce sera une histoire courte ou un roman. Parfois pas toujours. Parfois il croit que ce sera une histoire courte et découvre qu'il ne peut pas. Parfois cela paraît devoir être un roman, et, après avoir travaillé dessus, il s'aperçoit que non, qu'il peut dire tout ce qu'il a à dire en deux ou cinq mille mots. Il n'y a pas de règle absolue. »

Vous est-il difficile de vous souvenir, disons : d'une histoire courte que vous auriez pu écrire en 1925 ou vers cette époque ?

« Je me rappelle les personnages, mais je ne peux pas me rappeler l'histoire, ni

Masques et Prodiges

Arthur Schnitzler *(1862-1931)*
Traduit de l'allemand
par Dominique Auclères   Stock

Arthur Schnitzler (1862-1931) a surtout connu la gloire comme auteur dramatique dans la Vienne de la Belle Époque. Mais ses récits en clair-obscur méritent plus qu'un détour. Amour et mort sont égaux dans la volupté. Freud s'y reconnaissait. Les nouvelles ont été publiées et republiées sous diverses formes : *La Pénombre des âmes* (Stock), *L'Appel des ténèbres*.

Chroniques italiennes

Henri Beyle dit Stendhal   *(1783-1842)*
F., G. F.

Les archives italiennes ont inspiré à Stendhal ces chroniques flamboyantes où se fondent les passions déchaînées et l'histoire implacable. Mais il a écrit d'autres nouvelles fameuses comme *Le Coffre et le Revenant*, *Le Philtre* ou encore *Le Rose et le Vert*.

La Mort d'Ivan Ilitch

Léon Tolstoï   1886
Trad. du russe par
Boris de Schloezer   Stock et L.P.

« Et si ma vie n'avait pas été ce qu'elle aurait dû être ? » Comment un homme ordinaire, fonctionnaire sans histoire, est gagné peu à peu par la maladie et l'angoisse de la mort. L'un des textes les plus accomplis de Tolstoï. « La plus grande de toutes les grandes nouvelles », selon Nabokov.

Contes

Voltaire   1747-59
Pléiade

Même lorsque Voltaire fait œuvre de fantaisie, raconte des histoires ou imite les *Mille et une nuits*, son style et ses thèmes se distinguent des autres productions du classicisme. Une prose étonnamment moderne mise au service d'une malice philosophique rarement égalée.

... en 49 livres

Winnesburg, Ohio

Sherwood Anderson   1919
Traduit de l'américain
par Marguerite Gay   Gallimard

Un recueil de nouvelles brèves qui a eu une très grande influence sur le développement de la littérature américaine contemporaine. Des personnages simples et la chronique d'une petite ville dans un monde en mutation brutale.

Le Passe-Muraille

Marcel Aymé   1943
Gallimard

Chez Marcel Aymé, le fantastique est toujours source de comique et de satire sociale. Quelques histoires aigres-douces dans la France du Front populaire, de l'Occupation et de l'après-guerre. *Les Contes du chat perché* du même auteur étaient destinés aux enfants. Ils ont beaucoup plu aux parents aussi.

Fouette, cocher !

Daniel Boulanger   1973
Gallimard

Romancier, dramaturge, scénariste, acteur même, Daniel Boulanger est actuellement notre plus grand nouvelliste. Il a même fait le vœu d'en écrire mille.

Les Nuits difficiles

Dino Buzzati   1971
Traduit de l'italien par M. Sager   L. P.

Journaliste fasciné par les bizarreries de la vie quotidienne, écrivain adepte du « réalisme magique », Dino Buzzati (1906-1972) excelle dans la nouvelle. Son meilleur recueil italien a été scindé en deux en français, celui-ci et *Le Rêve de l'escalier* (L. P.).

Nouvelles exemplaires

Miguel de Cervantès   1613
Traduit de l'espagnol
par Jean Cassou   F.

Publiées entre la première et la seconde partie du *Quichotte*, ces nouvelles sont vraiment exemplaires : ce sont les pages où le style de Cervantès est le plus travaillé. Picaresques, rêveuses, lyriques, ironiques, elles forment un étonnant tableau de l'Espagne au début du XVIIᵉ siècle.

Les Armes secrètes

Julio Cortázar   1959
Traduit de l'espagnol
par L. Guille-Bataillon   F.

Né à Bruxelles de parents argentins, Julio Cortázar (1914-1984) a vécu son enfance en Argentine et la fin de sa vie en France. Héritier des grands auteurs fantastiques comme Poe ou Borges, il s'est spécialisé dans une sorte d'hyperréalisme fabuleux où le moindre élément de vie quotidienne prend une dimension étrange et nouvelle.

Lettres de mon moulin

Alphonse Daudet   1866
                                         G. F.

Tous les petits Français ont appris à lire dans ce livre et dans *La Chèvre de Monsieur Seguin, L'Élixir du Révérend père Gaucher* ou *Les Trois Messes Basses* ; il y a quelques belles pages de notre littérature.

Nouvelles asiatiques

Joseph Arthur, comte de Gobineau   1876
                                      Garnier

L'auteur de l'*Essai sur l'inégalité des races* n'a pas bonne presse. Mais son pessimisme, sa misanthropie n'atténuent pas chez lui les dons de conteur. La Perse, ses derviches, ses danseuses, ses cavaliers et ses batailles à l'époque où le Moyen-Orient se libère du joug turc. Aventureux et lyrique...

toujours ce qu'ils font. Il faut que je relise pour démêler ce que le personnage faisait. Cependant je me rappelle le personnage. »

Extrait de *Faulkner à l'université*,
Gallimard 1964

Un maître
dans l'art de la nouvelle :
Daniel Boulanger

Prix de la nouvelle en 1963, de l'Académie française (pour les nouvelles encore) en 1971, Goncourt de la nouvelle en 1974 et membre de cette même académie depuis 1983, le palmarès est imposant et Daniel Boulanger s'est voué à la nouvelle comme à un sacerdoce, même s'il écrit aussi de nombreux scénarios, dialogues... Opposée aux «méandres du fleuve» romanesque, la nouvelle est pour lui semblable au «torrent qui s'abat sur vous en quelques secondes» ou encore «à la course du taureau, cette bête solaire éblouissante» dont seule la force compte en dépit du destin funeste qui la guette. La puissance et le désir d'absolu dominent ces métaphores. Pour cet écrivain qui n'a «jamais pu délayer», tout l'art de la nouvelle consiste à «rendre une vie à partir d'un rien, d'une phrase, d'un geste, de la traversée d'une rue» par un personnage dont il va falloir restituer toute la vie à travers cet acte anodin : «Je cherche à être dense et lisible, relu plutôt que lu. Dans mes nouvelles, tout est vrai mais la réalité se trouve gauchie. Par une disposition toute naturelle à tout embellir... Je voudrais reconstituer un grand miroir du monde. »

Cet idéalisme et ce bonheur d'écrire, il le puise dans les livres qu'il chérit par dessus tout. Ses auteurs préférés : Rimbaud, Queneau, Eluard, Paulhan, Morand, Valéry, Ponge... et ses titres, *L'Éducation sentimentale, Sido, La Vie de Rancé, Les Chants de Maldoror* ou *Les Contrerimes* de Toulet.

Le Fantôme et la Chair

William Goyen   1952
Traduit de l'américain
par M.-E. Coindreau   Gallimard

Le vieux Sud puritain a engendré des personnages à la limite de la folie et les mondes parfois grotesques de William Goyen (1915-1983) s'achèvent souvent dans les flammes. Autre recueil du même auteur : *Précieuse Porte* (Arcane 17).

Les Frères du soleil

Hermann Hesse   1954
Traduit de l'allemand
par Hervé du Cheyron de Beaumont
et Edmond Beaujon   P. P.

De la jeunesse à la maturité, un échantillon de sept nouvelles caractéristiques de l'art du grand écrivain de langue allemande. D'autres recueils fameux : *Enfance d'un magicien*, *Le Dernier Été de Klingsor*, *Une petite ville d'autrefois*, *Berthold* (Calmann-Lévy).

Andreas et autres récits

Hugo von Hofmannsthal   1874-1929
Traduit de l'allemand par Eugène Badoux
et Magda Michel   Gallimard

Les jeux et les mirages de la Venise du XVIIIᵉ siècle vus par un jeune voyageur qui donne son nom au recueil. D'autres contes dans la lignée des *Mille et une nuits* par le poète de la Vienne impériale.

L'Homme qui était mort

David Herbert Lawrence   1931
Traduit de l'anglais par Jacqueline Dalsace
et P. Drieu La Rochelle   Gallimard

Un long conte philosophique où Lawrence évoque le Christ. Ses soixante-dix nouvelles sont en cours de réédition chez Garnier (tome 1 paru). On en trouve aussi plusieurs recueils chez Presses Pocket (*La Nouvelle Ève et le vieil Adam*, *Le Cheval ensorcelé*).

La Ballade du café triste

Carson McCullers   1951
Traduit de l'américain
par Jacques Tournier   L. P.

Célèbre en 1940 à la publication de son roman *Le cœur est un chasseur solitaire*, Carson McCullers a écrit plusieurs nouvelles où l'on retrouve ses personnages solitaires et paumés. Autre recueil : *Le Cœur hypothéqué* (Stock).

Trois femmes
suivi de Noces

Robert Musil   1911 et 1924
Trad. de l'allemand
par Philippe Jaccottet   P. S.

Les mystères de la passion féminine explorés méticuleusement par l'auteur de *L'Homme sans qualités*. Les cinq uniques nouvelles de Musil.

L'Heptaméron

Marguerite de Navarre   *(1492-1549)*
       Garnier

Sœur de François Iᵉʳ, Marguerite ne fut guère heureuse en mariage avec son premier mari le duc d'Alençon ni avec son second, Henri d'Albret. Elle se consola avec la poésie et en protégeant Marot et quelques autres. *L'Heptaméron*, recueil de nouvelles à la manière de Boccace, a été un des best-sellers du XVIᵉ siècle.

Pourquoi ces nations
en tumulte ?

Flannery O'Connor   *(1925-1964)*
Traduit de l'américain
par Claude Fleudorge, Michel Gresset
et Claude Richard   Gallimard

Le monde des petits Blancs du Sud vu par une romancière morte jeune après avoir écrit une œuvre violente et dense.

Le Musée noir

André Pieyre de Mandiargues   1946
       Laffont

Marqué par le surréalisme, spécialiste du fantastique, Mandiargues est à la fois un romantique noir et un baroque lyrique. Il est bien meilleur dans l'eau-forte que dans la grande peinture et plusieurs de ses nouvelles, au hasard de ses nombreux recueils (entre autres *Le Lis de mer*, *Soleil des loups*, *Le Cadran lunaire*), sont de petites merveilles.

Nouvelles pour une année

Luigi Pirandello 1894-1919
Traduit de l'italien
par H. Valot Gallimard

Ce n'est pas seulement un homme de théâtre. Le titre de son recueil de nouvelles «peut sembler modeste», écrit-il, «mais, au contraire, est peut-être trop ambitieux». L'homme, ses limites, ses labyrinthes...

Un jour rêvé pour le poisson-banane

J. D. Salinger 1953
Traduit de l'américain
par J.-B. Rossi Laffont et 10/18

L'écrivain contemporain le plus mystérieux. Un court roman et trois recueils de nouvelles ont suffi à lui assurer une gloire mondiale. L'ironie tendre comme art de vivre dans un monde où enfants et adultes ne parviennent plus à communiquer.

Le Mur

Jean-Paul Sartre 1939
F.

Il n'en a écrit que cinq, mais si son œuvre romanesque a mal vieilli, ses nouvelles par contre valent le détour. *L'Enfance d'un chef* ou *Intimité* ont une touche sartrienne assez particulière et ne ressemblent à rien d'autre.

Le Sanatorium au croque-mort

Bruno Schulz 1937
Trad. du polonais par T. Douchy,
G. Sidre, G. Lisowski Denoël

Second recueil de nouvelles de Schulz, né en 1893 et abattu par un SS en 1942. La vie fantastique d'une petite ville de Pologne vue par un écrivain exubérant mais inquiet, formé aux rudes épreuves de l'humour juif.

Le Lieutenant Kijé

Youri Tynianov 1930
Trad. du russe par Lily Denis Gallimard

Un lieutenant qui n'existe que par suite d'une erreur d'écriture et qui devient une sorte de symbole, du moins aux yeux du tsar... C'est écrit en plein stalinisme par le maître du roman historique russe.

Contes cruels

Villiers de l'Isle-Adam 1883
G. F.

Des mythes fantastiques nés de la folie de quelques personnages inspirés, des machineries menaçantes, des destinées tragiques : un conteur effectivement cruel mais d'une verve inépuisable.

Anthologie de nouvelles japonaises contemporaines

Gallimard

Une spécialité de la littérature japonaise. Tous les grands écrivains, Kawabata, Tanizaki, Mishima... ont écrit des nouvelles. Cette anthologie en réunit un choix d'une grande diversité.

La littérature en miettes

De toute évidence, en littérature, qualité ne saurait rimer avec quantité. Savoir faire court, exprimer le maximum d'émotions avec le minimum de moyens représente même un art auquel peu d'écrivains accèdent. Mais qui, peut-être, est gage d'éternité.

Ces formes d'écriture plus modestes — mais aussi plus difficilement classables — existent dans toutes les cultures du monde.

Pensée brève, rêve, fait divers, aphorisme, maxime, adage, récit court, tableautin, poème en prose, sotie, prophétie, trait d'humour, saynète, fragment d'une œuvre perdue, bribes ou brouillons d'une œuvre à venir, la littérature en miettes peut prendre tous les masques. Elle donne souvent naissance à de minuscules ouvrages (La Rochefoucauld). Mais la matière fragmentaire peut aussi parfois s'accumuler jusqu'à former des volumes imposants (Nietzsche, Valéry). Elle peut naître d'une impuissance à composer de grands ouvrages (Novalis, Baudelaire, Kafka) ou, au contraire, s'ordonner à la longue en recueils cohérents (La Bruyère, Cioran, Blanchot). Elle affectionne les tonalités prophétique (Tchouang-tseu, Héraclite, Pascal), hermétique (Lao-tseu, Artaud, Char), ironique (Lichtenberg, Hérault de Séchelles, Musil, Allais), allusive (Kleist, Paulhan).

Mais, quelle que soit sa forme, elle observe une règle constante qui a fait son succès : tout doit être dit en quelques lignes. Ni l'humour, ni la morale, ni le paradoxe ne pourraient s'exprimer autrement. Et les philosophes préfèrent s'attarder sur une phrase énigmatique d'Héraclite plutôt que sur les immenses traités de Thomas d'Aquin ou de Hegel. On ne sait d'ailleurs pas exactement si tout ce que nous possédons d'Héraclite — quelques phrases — tient d'un genre volontairement elliptique ou si, au contraire, nous ne possédons là que les bribes d'un traité beaucoup plus important.

Dans les civilisations à culture essentiellement orale, où les poèmes épiques de la tradition peuvent avoir des dizaines de milliers de vers, la forme brève est une nouvelle écriture : une façon de faire passer un message précis et percutant — Tchouang-tseu ou le Christ ne parlent pas beaucoup mais affectionnent la parabole édifiante concentrée en peu de mots et en quelques images fortes.

Dans les civilisations de l'écriture, la forme brève apparaît souvent en réaction contre les lourdeurs académiques. Elle devient même parfois jeu de société. Autour de La Rochefoucauld — qui seul atteindra une gloire mondiale — tout le monde s'adonne à la fabrication artisanale de sentences et de maximes : Jacques Esprit, Bussy-Rabutin, Mme de Sablé, Mme de Sévigné. On s'écrit, on échange des phrases, on mesure sévèrement celles des autres. Mais, avant La Rochefoucauld, le jésuite espagnol Baltasar Gracián avait écrit des traités entiers — la plupart composés eux-mêmes de courtes séquences — sur l'«*agudezza*», le trait d'esprit, le parler net, les «paroles de soie», la contradiction, l'économie du langage de cour.

À l'époque romantique, le fragment n'est plus cette forme cristalline achevée, fermée sur elle-même, que prônaient Gracian ou La Rochefoucauld. Il est matériau d'un édifice géant impossible à construire, interminable, forme indéfiniment ouverte. À partir de chaque phrase de Lichtenberg, on pourrait composer un traité ou imaginer un roman. Goethe, Novalis puis Nietzsche accumulent jour après jour une matière énorme. Joubert, secrétaire de Diderot puis maître de Chateaubriand, marque bien cette transition : écrivain secret, il fait de son journal intime un fleuve immense de notations brèves.

Viendront ensuite la littérature en chantier perpétuel (les cahiers d'Henry James, ceux de Robert Musil, ceux de Paul Valéry), le goût moderne pour l'inachevé, le débris, le lacunaire, puis l'émergence de genres nouveaux — poème en prose, journalisme de faits divers, humour, slogan, chronique, parodie, critique littéraire ou artistique. La lecture récente de Kraus, de Kafka, de Valéry, de Cioran, nourrit à son tour une réflexion sur la littérature : chez Maurice Blanchot, Roland Barthes ou Marthe Robert, le fragmentaire devient un des éléments de la modernité. Et, paradoxe prévisible, ces réflexions sur le fragment ont le plus souvent elles-mêmes la forme de fragments.

La littérature en miettes

... en 49 livres

... en 25 livres

... en 10 livres

Le Spleen de Paris
Charles Baudelaire

Le Territoire de l'homme
Elias Canetti

Précis de décomposition
E.M. Cioran

Récits et fragments narratifs
Franz Kafka

Dits et contredits
Karl Kraus

Maximes
François de La Rochefoucauld

Aphorismes
Georg Christoph Lichtenberg

Par-delà le bien et le mal
Friedrich Nietzsche

Pensées
Blaise Pascal

Les philosophes taoïstes

L'Expérience intérieure
Georges Bataille

L'Écriture du désastre
Maurice Blanchot

Maximes et pensées, caractères
et anecdotes
Chamfort

La Parole en archipel
René Char

Théorie de l'ambition
Hérault de Séchelles

Sur le théâtre de marionnettes
Heinrich von Kleist

Caractères
Jean de La Bruyère

Plume
Henri Michaux

Œuvres préposthumes
Robert Musil

Les Causes célèbres
Jean Paulhan

Les Penseurs grecs avant Socrate

Je me souviens
Georges Perec

Les 99 haïku
Ryokan

Le Pèlerin chérubinique
Angelus Silesius

De la certitude
Ludwig Wittgenstein

Esquisses viennoises
Peter Altenberg

Mémoires de l'ombre
Marcel Béalu

Sens unique
Walter Benjamin

L'Imitateur
Thomas Bernhard

Le Mariage du ciel et de l'enfer
William Blake

Exégèse des lieux communs
Léon Bloy

Lenz
Georg Büchner

Sens plastique
Malcom de Chazal

Glas
Jacques Derrida

Haute Solitude
Léon-Paul Fargue

Œuvres
Félix Fénéon

Lettrines
Julien Gracq

Maximes et pensées
Joseph Joubert

L'Auteur et l'écriture
Ernst Jünger

L'Encyclopédie
Novalis

Papiers collés
Georges Perros

Voix
Antonio Porchia

Une gêne technique
à l'égard des fragments
Pascal Quignard

Histoires naturelles
Jules Renard

Vies imaginaires
Marcel Schwob

Briques et tuiles
Victor Segalen

Théâtre de chambre
Jean Tardieu

Livre de cuisine
Alice Toklas

Et c'est ainsi qu'Allah est grand
Alexandre Vialatte

• À vous de choisir le cinquantième livre. Peut-être est-il déjà dans votre bibliothèque.

... en 10 livres

Le Spleen de Paris

Charles Baudelaire (1827-1867)
G. F.

« Il faut être toujours ivre. » De « L'invitation au voyage » à « Mademoiselle Bistouri », du « Joujou du pauvre » à « Portraits de maîtresses », cinquante textes courts qui ouvrent toute l'ère littéraire moderne.

Le Territoire de l'homme

Elias Canetti 1973
Traduit de l'allemand
par A. Guerme Albin Michel

« Il tendit l'autre joue si longtemps qu'on y épingla une décoration. » Un journal intime tenu pendant trente ans mais composé essentiellement d'aphorismes. La traversée du siècle vue par un héritier de Lichtenberg et de Kafka. Prix Nobel 1981.

Précis de décomposition

E. M. Cioran 1949
Gallimard

« Dans tout homme sommeille un prophète, et, quand il s'éveille, il y a un peu plus de mal dans le monde... » Né en Roumanie, il écrit en français. Textes courts et aphorismes se retrouvent aussi dans *Syllogismes de l'amertume* ou *De l'inconvénient d'être né.*

Récits et fragments narratifs

Franz Kafka (1883-1924)
Traduit par Claude David, Marthe Robert
et Alexandre Vialatte Gallimard

Quelques centaines de récits. Certains font trois lignes et sont des aventures microscopiques ou des bribes de rêves. D'autres sont de véritables petits romans. (*La métamorphose* ou *La colonie pénitentiaire*).

Dits et contredits

Karl Kraus (1874-1936)
Trad. par Roger Lewinter Champ Libre

Journaliste et pamphlétaire dans la Vienne impériale, Kraus a publié dans son journal *Die Fackel (Le Flambeau)* près de 30 000 pages rédigées par lui. « Plus on serre un mot de près, disait-il, et plus il le prend de haut. »

Maximes

François de La Rochefoucauld 1662
G. F., F.

« Qui vit sans folie n'est pas si sage qu'il croit. » « L'hypocrisie est un hommage que le vice rend à la vertu. » D'un grand seigneur aventurier à l'époque de la Fronde, quelques centaines de maximes forgées dans une langue superbe.

Aphorismes

Georg Christoph Lichtenberg 1908
Traduit par Marthe Robert Denoël

« Un couteau sans lame, auquel manque le manche. » Mathématicien, astronome, professeur, observateur curieux de tout, Lichtenberg (1742-1799) est un écrivain percutant qui annonce Kafka et un philosophe aux thèmes d'une étonnante modernité.

Par-delà le bien et le mal et La Généalogie de la morale

Friedrich Nietzsche 1886 et 1887
Traduit par C. Heim,
J. Hildenbrand
et J. Gratien Gallimard

« Il est atroce de mourir de soif au milieu de la mer. Faut-il donc que vous saliez vos vérités au point qu'elles ne soient même plus bonnes à étancher la soif ? » Poète tourmenté, prophète du doute, moraliste contradictoire, Nietzsche a bouleversé de fond en comble la philosophie moderne.

Pensées

Blaise Pascal (1623-1662)
Mercure de France et F., L. P.

« Le silence des espaces infinis m'effraie. » Des liasses de papiers trouvées après la mort du savant mystique, entre huit et neuf cents fragments. Parfois très exaspérant (Pascal est un ardent propagandiste) mais traversé de traits de feu.

Les Philosophes taoïstes

La Pléiade

Lao-tseu (570-490 av. J.-C.), Tchouang-tseu (369-286 av. J.-C.), Lie-tseu (450-375 av. J.-C.), trois époques, trois styles. Mais la forme brève en commun : courts poèmes métaphysiques, petits récits édifiants, énigmes, rêves, légendes et moralités. «Un jour Tchouang Tcheou rêva qu'il était un papillon voltigeant et satisfait de son sort et ignorant qu'il était Tcheou lui-même. Brusquement il s'éveilla et s'aperçut avec étonnement qu'il était Tcheou. Il ne sut plus si c'était Tcheou rêvant qu'il était un papillon ou un papillon rêvant qu'il était Tcheou. »

... en 25 livres

L'Expérience intérieure

Georges Bataille   1943

Gallimard

Une mystique sans Dieu, pensée et vécue au jour le jour. Entre l'aphorisme nietzschéen et le journal intime, la genèse d'une pensée de la dilapidation qui donnera aussi quelques ultra-courts érotiques comme *Le Mort*, *Histoire de l'œil* ou *Madame Edwarda*.

L'Écriture du désastre

Maurice Blanchot   1980

Gallimard

Quand l'écriture fragmentaire ne peut se penser que par fragments. L'une des réflexions les plus fécondes sur les mutations de la culture à l'époque moderne.

Le choix de Marcel Béalu

On vient de rééditer chez Phébus les *Mémoires de l'ombre* de Marcel Béalu dont la première édition remonte aux années 40 et était introuvable depuis très longtemps. Ce petit chef-d'œuvre de la littérature fantastique (mais l'auteur n'aime pas les étiquettes) révèle merveilleusement comment des textes courts et concis, ciselés comme des joyaux, ouvrent autant de perspectives à l'imaginaire qu'un long roman-fleuve. Marcel Béalu est un autodidacte qui dut gagner sa vie dès l'âge de douze ans ; il fut l'ami de Max Jacob qui l'encouragea à écrire. Aujourd'hui libraire à Paris, il approche de ses quatre-vingts ans.

«Au début le manque de temps (écrire était pour moi un luxe) m'obligea à adopter cette forme du récit bref. Puis je dus y prendre goût. Oui, cela était aussi un peu lié au caractère onirique de ces textes. Il faut noter vite, au réveil, ce qui nous a bouleversés dans le sommeil. Et vite aussi les impressions fugitives des songes éveillés, durant le jour. Sans quoi elles disparaissent. J'ai toujours été traqué par la hantise de cet oubli, par la perte des idées qui surgissent en nous. Développer demande beaucoup de temps, écrire un roman-fleuve exige des années. J'adoptai le roman-goutte !

«La tendance à écrire des romans-fleuves n'est pas actuelle. On en parlait aussi beaucoup il y a quarante ans. Et cette question de savoir si les Français aiment ou n'aiment pas les textes courts, je l'ai entendue cent fois ramenée sur le tapis. Ce dont je suis sûr, c'est que le Français n'aime pas le ''fantastique'', long ou bref. Il y a cependant des fanatiques de ce genre, mais il faut reconnaître que les éditeurs ne les encouragent pas.

«Le livre de Paulhan qui se rapproche le plus des *Mémoires de l'ombre*, c'est *Les Causes célèbres*, paru en 1950. Mandiargues est de la même génération que moi et son premier livre, *Dans les années sordides*, parut à la même époque que le mien.

Maximes et pensées, caractères et anecdotes *(1740-1794)*

Chamfort   F.

Les dernières années de l'Ancien Régime sous le regard cruel d'un «moraliste de la révolte». C'est méchant, superbe et plein d'anecdotes. «On n'est pas un homme d'esprit pour avoir beaucoup d'idées, comme on n'est pas un bon général pour avoir beaucoup de soldats.»

La Parole en archipel   1962

René Char   Gallimard

Quand Héraclite renaît au bord de la fontaine de Vaucluse : «Regarder la nuit battue à mort; continuer à nous suffire en elle.»

Théorie de l'ambition suivi de Voyage à Montbard chez monsieur de Buffon

Hérault de Séchelles   1785
                                        Ramsay

Bréviaire de l'homme politique à la veille de la Révolution française. Hyper-brillant : «Il ne s'agit pas d'être modeste, mais d'être le premier.» Et le portrait de Buffon est le premier grand reportage du journalisme moderne.

Sur le théâtre de marionnettes

Heinrich von Kleist   *(1777-1811)*
                              Traversière

Un des plus petits essais jamais écrits. Beau comme du cristal. La marionnette humaine et l'état de grâce disséqués par le poète à la veille de son spectaculaire suicide à deux.

Caractères

Jean de La Bruyère   1688
                              F., L. P., 10/18

Le best-seller du XVIIe siècle. La langue la plus maîtrisée au service de maximes et de portraits qui sont devenus des modèles universels.

Plume

Henri Michaux   1930
                                      Gallimard

Un personnage rêveur et burlesque dans toutes sortes de minuscules aventures. Une sorte de frère littéraire de Charlot. «Écoute, dit Plume, ne te tracasse pas pour l'avenir. J'ai encore neuf doigts et puis ton caractère peut changer.»

Œuvres préposthumes

Robert Musil   1936
Trad. par Philippe Jaccottet   Seuil

Textes brefs parus en revue ou dans des journaux. Le rire du cheval, le papier tue-mouches, les couvercles de sarcophages, les pêcheurs de la Baltique inspirent Musil. Style aigu, ironie, une superbe introduction à *L'Homme sans qualités*.

Les Causes célèbres

Jean Paulhan   1950
                                      Gallimard

Le récit bref et pince-sans-rire, incandescent à force de maîtrise stylistique. «Vers six ans, j'ai été surpris de m'apercevoir que j'existais. Plus tard, j'ai tâché de me connaître.»

Les Penseurs grecs avant Socrate

Traduit par Jean Voilquin   G. F.

L'histoire les a rassemblés comme penseurs du bref et de l'éphémère. L'aube de la pensée européenne. «Je me suis cherché moi-même.» «Le rien existe aussi bien que le quelque chose» (Héraclite).

Je me souviens

Georges Pérec   1978
                                      Hachette

Le charme discret des années 50 au crible des souvenirs nostalgiques de l'auteur de *La Vie mode d'emploi*. «Je me souviens de *ploum ploum tra la la.*»

Les 99 haïku

Ryokan   *(1757-1831)*
Traduit du japonais
par Joan Titus-Carmel   Verdier
La plus petite forme littéraire possible — un poème de 17 syllabes — par un des maîtres du genre qui sait allier l'humour du vrai zen à un saisissant lyrisme bucolique.

Le Pèlerin chérubinique

Angelus Silesius   1657
Traduit de l'allemand
par Eugène Susini   P.U.F.
L'un des plus fameux textes de la pensée mystique. Ses phrases ambiguës, énigmatiques, n'ont pas cessé de tourmenter les philosophes : Leibniz, Hegel, Schopenhauer, Heidegger. « La rose est sans pourquoi... »

De la certitude

Ludwig Wittgenstein   1969
Traduit de l'allemand
par Jacques Fauve   Gallimard
676 fragments : les derniers qu'ait rédigés un des plus grands philosophes du siècle. Les mots, les choses et la pensée vus à travers les paradoxes du langage et de la logique.

... en 49 livres

Esquisses viennoises

Peter Altenberg   *(1859-1919)*
Traduit de l'allemand
par Michel Couffon   Pandora
Des petits tableaux poétiques et cruels.

Mémoires de l'ombre

Marcel Béalu   1944
                  Phébus
Récits de rêves (ou de cauchemars) aux couleurs rutilantes. Ce marginal héritier discret des surréalistes est un auteur fécond à redécouvrir : contes, poésies, récits ciselés. « Un roman-fleuve exige des années, dit-il. J'adoptai le roman-goutte ! »

Chez lui il ne s'agit pas de récits, mais de poèmes en prose. Malgré leur parenté, ces deux livres sont très différents. *Mémoires de l'ombre* raconte toujours des "petites histoires".

« J'ai beaucoup aimé, autrefois, les *Petits Poèmes en prose* de Baudelaire, malgré leur absence d'ambiguïté ; Ambrose Bierce, Kafka (les petits récits seulement), Buzzati, etc. Voilà ma vraie famille d'esprit. Parmi les contemporains, je rappellerai un court texte de Robert Margerit : *Ambigu* (admirable !), le Ghelderode de *Sortilèges*. Un écrivain trop méconnu, Marcel Spada : *La Fête rouquine* (Bourgois), *Les Jumeaux solitaires* (Gallimard), etc. Et Jean Ray, et Jünger (dans ses récits de rêve uniquement). Et Max Jacob ! N'oublions pas *Le Cornet à dés*, ancêtre du texte bref. Et Michaux parfois, et Léon-Paul Fargue, Pierre Bettencourt dans ses petits textes.

« Je pourrais aussi citer Mallarmé, Edgar Poe... J'aime les écrivains qui inventent, et qui inventent pour mieux avouer tous les *je* qui sont en chacun de nous. C'est ce que j'ai essayé de faire, autrefois, dans *Mémoires de l'ombre*. »

Le choix de Pierre Perret

Dans un entretien récent avec Patrice Delbourg, le chanteur Pierre Perret évoque l'influence de Léautaud et de ses lectures.
Vers quelles découvertes littéraires t'a-t-il guidé ?
« Les textes courts, sans gras, grattés à l'os. Saint-Simon, Chamfort, là où il n'y a rien à ajouter, à retrancher. »
Comme son alter ego Jules Renard, greffier atrabilaire.
« Oui, sauf que Jules Renard était un grand aigri, alors que Paul Léautaud n'a jamais couru après les honneurs, il se fou-

Sens unique

Walter Benjamin (1892-1940)
Traduit de l'allemand
par Jean Lacoste Lettres Nouvelles
L'autobiographie inachevée du théoricien de l'histoire comme catastrophe.

L'Imitateur

Thomas Bernhard 1978
Traduit de l'allemand
par J.-C. Hémery Gallimard
À la lisière du rêve et de l'horreur. Qu'il se passe à Lima, à Venise, à Turin ou dans la banlieue viennoise, le fait divers revu et corrigé par Thomas Bernhard fait souvent dresser les cheveux sur la tête.

Le Mariage du ciel et de l'enfer

William Blake 1793
Traduit de l'anglais
par André Gide José Corti
Les pensées percutantes du grand poète mystique. «Tout ce qu'il est possible de croire est un miroir de vérité.»

Exégèse des lieux communs

Léon Bloy 1846-1917
Gallimard et 10/18
Un imprécateur au vitriol. L'origine de quelques expressions comme «On doit le respect aux grands hommes», ou «être dans les nuages», ou encore «Il vaut mieux avoir affaire à Dieu qu'à ses saints».

Lenz

Georg Büchner 1839
Traduit de l'allemand
par Henri-Alexis Baatsch Bourgois
Aussi fascinant qu'un conte de Kafka, l'histoire de la folie du dramaturge allemand par un autre dramaturge inspiré. Un symbole de la littérature...

Sens plastique

Malcolm de Chazal 1974
Gallimard
Le poète de l'île Maurice redécouvert par les surréalistes : «Le regard indifférent est un perpétuel adieu.»

Glas

Jacques Derrida 1981
Denoël-Gonthier
Que reste-t-il du savoir absolu? s'interroge l'auteur en sous-titre. Et il fait éclater son texte qui se réfère à Hegel comme à Genet. Découpages, intercalages, glissements, variations typographiques composent une étrange partition musicale. Curieux mais stimulant.

Haute Solitude

Léon-Paul Fargue 1941
Gallimard
Les rêveries d'un promeneur halluciné. «L'artiste contient l'intellectuel. La réciproque est rarement vraie.»

Œuvres

Félix Fénéon (1861-1944)
Gallimard, Droz
Un virtuose du texte court. «Nous n'avons peut-être eu en cent ans qu'un critique, et c'est Félix Fénéon.» (Jean Paulhan.)

Lettrines

Julien Gracq 1974
José Corti
L'atelier poétique du romancier. «Il y a des stylistes en gros et en détail : Balzac est un styliste en gros», dit Gracq. Nous pourrions ajouter : «Gracq est un styliste de détail.»

Maximes et pensées

Joseph Joubert (1754-1824)
Silvaire
Un romantique raffiné : «Le soir de la vie apporte avec soi la lampe.»

L'Auteur et l'Écriture

Ernst Jünger 1983
Traduit de l'allemand
par Henri Plard Bourgois
L'art d'écrire en miettes : «Vous pouvez devenir écrivain. Mais il faut être auteur.»

L'Encyclopédie

Novalis *(1772-1801)*
Traduit de l'allemand
par Maurice de Gandillac Minuit
Quand le romantisme se frotte à la science, à la philosophie et à la médecine. «Il n'y a qu'un temple au monde et c'est le corps humain.» «Le destin, c'est le caractère.»

Papiers collés

Georges Perros 1978
Gallimard
Un des piliers de la Nouvelle Revue française : «On est parce que personne n'écoute», dit Georges Perros. Et aussi : «Moins je mens, plus je rougis» ou «La santé, c'est ce qui sert à ne pas mourir chaque fois qu'on est gravement malade».

Voix

Antonio Porchia 1975
Traduit de l'espagnol
par Roger Munier Fayard
Une sorte de rêveur taoïste né et mort obscur à Buenos Aires. «L'amour, s'il tient en une seule fleur, est infini.» «Parfois, la nuit, j'allume une lumière pour ne pas voir.»

Une gêne technique à l'égard des fragments

Pascal Quignard 1981
Fata Morgana
Quand un des plus intéressants romanciers contemporains, par ailleurs spécialiste de l'essai court, s'interroge sur les formes et les paradoxes des écritures fragmentaires.

tait de la Légion d'honneur comme de sa première paire de pantoufles. [...]»
Ta tendresse pour la sentence bien sentie, le mot qui fait mouche, vient de ta fréquentation des moralistes ?
«De famille j'ai toujours eu une attirance pour le dicton, le propos de saison, la réplique bien rincée. Plus tard, j'ai fréquenté Lichtenberg, Forneret, Pierre Dac au hasard des bouquinistes. Léautaud m'a très tôt sorti la tête du roman psychologique, du théâtre verbeux, tel celui de Montherlant dont il ne supportait pas l'emphatique niaiserie. [...]»
Les trois, quatre grands noms qui te semblent importants dans la poésie française d'après-guerre ?
«Jean Tardieu, c'est merveilleux. Cet insolite, cet univers faussement naïf me fait un bien fou. Henri Michaux, bien sûr. Ponge, que je trouve déconneur par endroits, il a une manière inimitable de transmettre son plaisir d'écrire au lecteur. En revanche, j'ai un mal fou à pénétrer dans l'univers fabriqué de René Char...»

L'Événement du Jeudi
4-10 décembre 1986

Roland Barthes : un filet d'écriture

Vous écrivez par « fragments ». Le terme fragment n'est-il pas ambigu en donnant l'impression qu'il s'agit de petits morceaux d'un tout ou de petits morceaux d'un édifice ?
«Je pourrais vous répondre d'une manière spécieuse en vous disant que ce tout existe et qu'effectivement l'écriture n'est jamais que le reste souvent assez pauvre et assez mince de choses merveilleuses que tout le monde a en soi. Ce qui vient à l'écriture ce sont de petits blocs erratiques ou des ruines par rapport à un ensemble compliqué et touffu. Et le problème de l'écriture, il est là : comment supporter que ce flot qu'il y a en moi aboutisse dans le meilleur des cas à un filet

Histoires naturelles

Jules Renard   1894
                                  G. F.

Style coupant, méchanceté : succulent. Drôles d'histoires naturelles par celui qui disait (mais ailleurs, dans son *Journal*, lui aussi succulent) : «Quel admirable animal que le cochon, il ne lui manque que de savoir faire lui-même son boudin. »

Vies imaginaires

Marcel Schwob   1896
                            Gérard Lebovici

Ou comment faire tenir tout un roman en un peu moins d'une page. Les âges révolus revivent en quelques images chatoyantes. Travail d'orfèvrerie luxueuse.

Briques et tuiles

Victor Segalen   1912
                            Fata Morgana

Le chantier d'écriture d'un écrivain rare à redécouvrir. Dans le même domaine, on pourra lire aussi *Peintures* ou *Stèles*.

Théâtre de chambre

Jean Tardieu   1955
                                  Gallimard

Le théâtre de l'absurde, mais sans emphase. D'autres petits textes courts et succulents du même auteur : *Un mot pour un autre* ou *Monsieur Monsieur*.

Livre de cuisine

Alice Toklas   1954
Traduit de l'anglais
par Claire Teeuwissen   Minuit

Celle qui fut la compagne de Gertrude Stein a accumulé tout au long de sa vie des recettes — essentiellement françaises — qu'elle a rédigées avec amour. Sommet de l'art fragmentaire, la recette de cuisine participe autant de la poésie que de la gastronomie. Au hasard des pages, se glissent d'ailleurs des fragments autobiographiques.

Et c'est ainsi qu'Allah est grand

Alexandre Vialatte   1978
                                  Julliard

Le premier traducteur de Kafka était aussi un chroniqueur étincelant d'humour. À lire aussi un autre recueil de chroniques : *L'Éléphant est irréfutable*.

d'écriture ? Personnellement, alors, je me débrouille mieux en n'ayant pas l'air de construire une totalité et en laissant à découvert des résidus pluriels. C'est ainsi que je justifie mes fragments.

«Cela dit, j'ai maintenant la tentation très forte de faire une grande œuvre continue et non pas fragmentaire. (C'est un problème typiquement proustien, puisque Proust a vécu la moitié de sa vie en ne produisant que des fragments et que, tout d'un coup, en 1909, il s'est mis à construire ce flot océanique de *La recherche du temps perdu*.) Cette tentation est telle, chez moi, que mon cours au Collège de France est construit par le biais de nombreux détours à partir de ce problème. Ce que j'appelle «faire un roman», j'en ai envie non pas dans un sens commercial mais pour accéder à un genre d'écriture qui ne soit plus fragmentaire.»

Cioran : des aphorismes par paresse

«J'ai écrit des aphorismes par paresse et parce qu'on a l'impression, en faisant très court, de dire quelque chose de plus profond... Je ne pouvais pas intituler un livre *Maximes*, parce qu'il y a une telle tradition de la maxime en France que ç'eut été prétentieux de ma part. "Voilà ce métèque qui s'amène avec des maximes..." J'ai donc préféré "syllogismes". *Syllogismes de l'amertume*, cela ne sonnait pas trop mal pour moi. Avec "maximes", on s'accorde une sorte de dignité et, par rapport à la tradition française, il faut être modeste. Je trouvais que mon titre allait mieux avec le ton, d'autant qu'il avait un caractère excessif que les livres français n'ont pas. Le Français est fin, il a du tact. Mais quand on vient des Balkans, le tact n'est pas indispensable.»

Distorsions

La littérature, bien sûr, c'est d'abord des textes, c'est-à-dire des pages composées de lignes empilées les unes sur les autres. Cette contrainte a paru tout à fait insupportable à bon nombre d'auteurs, et cela, dès l'antiquité. Au Moyen Âge, les *carmina figurata* donnent aux textes religieux la forme de la croix ou du ciboire. Rabelais laïcise la formule avec son poème sur la Dive bouteille qui, à l'issue du *Cinquième livre*, prend la forme du flacon tant vanté. Quelques siècles plus tard, Lewis Carroll raconte une histoire (*tale*) de queue (*tail*) et l'histoire se rétrécit, se contorsionne et adopte la forme souple d'une queue de souris, liant indissolublement le jeu de mots et le jeu graphique. Apollinaire délite son poème, en tord les fils et fabrique un jet d'eau, une mandoline ou une cravate. Mais ce n'est là qu'un aspect des détournements possibles de l'écriture. Les comptines et les rébus, les glossolalies et les onomatopées, les langues ou les écritures imaginaires, les fausses étymologies, les jeux engendrant des textes ou les textes engendrant des jeux, les « à la manière de » ou les parodies burlesques, les graffitis ou les slogans, les fatrasies ou les non-sens, les charades ou les contrepéteries, les collages ou les découpages, tout cela appartient plus ou moins à la littérature, et les plus grands écrivains — Swift, Joyce, Proust, Jarry, Aragon — s'y sont adonnés avec passion. Certains auteurs en sont même devenus des spécialistes incontestés — Roussel, Calvino, Queneau, Perec. D'autres comme William Burroughs ont prétendu ne plus vouloir écrire qu'à coups de ciseaux (technique du *cut up*).

Évidemment, les ouvrages intégralement basés sur de tels principes (comme *Finnegans Wake*, *Impressions d'Afrique* ou *Exercices de style*) n'existent qu'en nombre limité. Par contre, il est facile de trouver, ici ou là, des fragments ou des formes brèves, dus à de nombreux écrivains très différents les uns des autres. C'est pourquoi on trouvera dans cette rubrique un choix d'anthologies ou de dictionnaires plus important que d'habitude. Il ne faut pas oublier cependant que certains auteurs — l'Anglais Edward Lear avec ses *limericks*, le Russe Khlebnikov avec ses néologismes — sont à peine transposables en français et ne sont donc pas représentés ici. Nous n'aurons garde d'oublier les «fous littéraires» dont le génial J.-P. Brisset, en son temps sacré par dérision «prince des penseurs», est sans doute le représentant le plus passionnant. Mais d'ailleurs qui oserait vraiment classer Brisset dans cette catégorie marginalisée alors que certains passages de ses œuvres son dignes d'Artaud, de Roussel ou de Joyce?

Les distorsions

... en 49 livres

... en 25 livres

... en 10 livres

Calligrammes
Guillaume Apollinaire

Artaud le Mômo
Antonin Artaud

La Chasse au Snark
Lewis Carroll

*Les Comptines de langue
française*
recueillies par
J. Baucomont

*Gestes et opinions
du docteur Faustroll*
Alfred Jarry

Finnegans Wake
James Joyce

*Un coup de dés jamais
n'abolira le hasard*
Stéphane Mallarmé

Cantos
Ezra Pound

Exercices de style
Raymond Queneau

Impressions d'Afrique
Raymond Roussel

Le Paysan de Paris
Louis Aragon

Les Origines humaines
Jean-Pierre Brisset

Le Château des destins croisés
Italo Calvino

95 poèmes
Edward Estlin Cummings

Corps et biens
Robert Desnos

Griffe au nez
Charles Fourier

Glossaire : j'y serre mes gloses
Michel Leiris

Paralipomenes
Gherasim Luca

La Disparition
Georges Perec

Le Désir attrapé par la queue
Pablo Picasso

Pastiches et mélanges
Marcel Proust

Écritures
Saul Steinberg

Un mot pour un autre
Jean Tardieu

Erica
Roland Topor

Œuvres complètes
Tristan Tzara

Jours effeuillés
Jean Arp

Les Dingues du non-sens
Robert Benayoun

Les Champs magnétiques
André Breton et Philippe Soupault

Le Métro blanc
William Burroughs

Mobile
Michel Butor

Marelle
Julio Cortázar

La Botte à Nique
Jean Dubuffet

Duchamp du signe
Marcel Duchamp

Petite fabrique de littérature
Alain Duchesne et Thierry Leguay

*Dictionnaire des injures
de la langue française :
les 9 300 gros mots*
Robert Édouard

Dictionnaire érotique
Pierre Guiraud

Prostitution
Pierre Guyotat

Manuel de contrepet
Joël Martin

La Lettre et l'Image
Massin

Du calligramme
Jérôme Peignot

391
Francis Picabia

Les Épiphanies, mystères profanes
Henri Pichette

Dictionnaire des mots sauvages
Maurice Rheims

Dans le labyrinthe
Alain Robbe-Gillet

Codex
Maurice Roche

Le Français en liberté
Agnès Rosenstiehl

*Les mots sous les mots,
les anagrammes de Ferdinand de Saussure*
Jean Starobinski

Dictionnaire du mépris
Jacques Sternberg

*L'Oulipo : atlas de littérature
potentielle*

• À vous de choisir le cinquantième livre. Peut-être est-il déjà dans votre bibliothèque.

... en 10 livres

Calligrammes
Guillaume Apollinaire   1918
     P.G.

Le poème s'évade, se contorsionne, s'enroule, et prend les formes des objets ou des paysages eux-mêmes : un jeu graphique du Moyen Âge remis au goût du jour par le plus grand des poètes français modernes.

Artaud le Mômo
Antonin Artaud   1947
     Gallimard (Œuvres complètes, t. XII)

Les langages imaginaires — entre cri et prophétie — giclent par saccades dans le déroulement de poèmes déjà extrêmement violents. Fabuleux. À compléter par les *Nouvelles Révélations de l'être* (tome VII), et par *Pour en finir avec le jugement de Dieu* (tome XIII) dont il faut absolument écouter l'enregistrement (INA - La Manufacture).

La Chasse au Snark
Lewis Carroll   1876
Trad. H. Parisot   Gallimard (épuisé)

À moitié serpent (*snake*), à moitié requin (*shark*) ? Ou bien une entité abstraite qui fait s'agiter les hommes dans une absurde et burlesque cavalcade ? Ce poème intraduisible a été pourtant mis maintes fois en français. Outre les versions successives d'Henri Parisot, signalons celle d'Aragon (1929) et celle de Florence Gillam et Guy Lévis Mano (1948, GLM) avec les illustrations originales d'Henri Holiday.

Les Comptines de langue française
Recueillies par J. Baucomont, et divers collaborateurs dont Philippe Soupault   1961
     Seghers

La Souris verte, le petit cochon pendu au plafond, am-stram-gram, pigeon vole, turlututu, piani-piano. Comptines, formulettes, devinettes, jeux phonétiques, mots sauvages et mots valises : l'invention permanente des crèches, des salles de récréation, des marchés, de la rue. Et quelques grands écrivains y ont joué, d'Hugo à Desnos.

Gestes et opinions du Docteur Faustroll
Alfred Jarry   1911
     Grasset, P. G.

Les fondements de la « pataphysique » au travers des aventures incertaines d'un héros aléatoire et paradoxal. Un récit qui part à la dérive entre les jeux de langage, les personnages grotesques, une géographie cahotique et l'imagerie scientifique d'avant 1914. Étrange.

Finnegans Wake
James Joyce   1939
Traduit par Philippe Lavergne   Gallimard

Un texte babélien réputé intraduisible. Après quelques tentatives très partielles (André du Bouchet, Michel Butor, Philippe Sollers), le livre des livres a été subtilement mis en français par un joycien passionné de communication. Creuset des langues, fleuve de mots, intelligence, humour, culture, mythes, la plus longue et la plus réussie des « distorsions » littéraires.

Un coup de dés jamais n'abolira le hasard
Stéphane Mallarmé   1842-1898
     Baudouin

Poème typographique expérimental, l'étrange « coup de dés » éclate dans le ciel serein de la littérature Belle Époque. Il aura une vaste postérité littéraire. À rapprocher de cette autre tentative mythique de Mallarmé, le *Livre*.

Cantos

Ezra Pound   1917-1960
Traduit de l'américain par Jacques Darras,
Yves di Manno, Philippe Mikriammos,
Denis Roche et François Sauzey
                          Flammarion
Un énorme flux mental. Une composition
étalée sur un demi-siècle à travers les vicissitudes d'une vie plutôt mouvementée.
Toutes les langues s'y mêlent, mais aussi
l'histoire, l'économie, les mythes, les
dynasties, et des collages parfois insolites.
La fin et le recommencement de toute poésie. Monumental. Polyphonique. Inspiré
et inspirant.

Exercices de style

Raymond Queneau   1947
                   Gallimard et F.
Un petit incident sur la plate-forme d'un
autobus. Une scène de rien du tout qui
tient en quelques lignes. Mais raconté de
99 façons différentes en passant en revue
tous les styles, toutes les figures de rhétorique, cela devient à la fois burlesque et
mythologique.

Impressions d'Afrique

Raymond Roussel   1910
                         L. P.
Chez Talon VII, empereur de Ponukélé,
on trouve de tout, depuis des rails en mou
de veau jusqu'à des chats qui jouent aux
barres. Des aventures vraiment très étranges sorties directement des images suggé-
rées par les mots. Roussel explique son
procédé dans *Comment j'ai écrit certains de
mes livres* (Pauvert et 10/18).

... en 25 livres

Le Paysan de Paris

Louis Aragon   1926
                           F.
L'art du collage surréaliste appliqué à un
vrai reportage sur le Paris d'après la Première Guerre mondiale. Ah, si Aragon
avait gardé toute sa vie cette liberté
d'esprit !

La bibliothèque oulipienne

L'Oulipo, c'est-à-dire l'OUvroir de LIttérature POtentielle, est né le 25 novembre 1960. Fondé par Raymond Queneau
et François Le Lionnais, il propose — c'est
une formule de Jacques Roubaud — «des
contraintes pour la composition des textes
littéraires». Ces contraintes sont souvent
inspirées des mathématiques, les membres
de l'Oulipo étant pour la plupart écrivains
et mathématiciens ou l'inverse. On trouve
bien des combinaisons et bien des facéties
dans ces deux volumes de la bibliothèque
oulipienne, publiés chez Ramsay, et qui
regroupent les trente-sept plaquettes de
quelques pages, publiées entre 1974 et
1987 et tirées à cent cinquante exemplaires.

Extraites du fascicule collectif intitulé *La
Cantatrice sauve*, voici quelques variations
autour du nom de la célèbre diva Montser-
rat Caballé :

Un homme atteint d'une hernie spléni-
que se fit faire un corset qui se serait révélé
tout à fait efficace s'il n'avait eu tendance
à toujours remonter ; il remédia à cet inconvénient en l'attachant à ses fixe-
chaussettes, je ne porte, dit-il, MON
SERRE-RATE QU'À BAS LIÉ.

Mon ami espagnol, arrivant dans mon
ignoble taudis et m'entendant ronchonner
contre la crasse qui m'entoure, s'écrie :
MON SER, T'AS QU'À BALAYER !

Dayan fera-t-il partie de la délégation
chargée de négocier avec l'OLP ? demande
Rabin à Allon ; impossible, répond Allon :
MOISHE Y IRA QUE BRAS LIÉS.

Dans un des jardins publics de cette ville
suisse qui se trouve aux frontières de l'Allemagne et de la France, est exposé un rongeur géant, dont les dimensions sont telles
que l'étranger croit d'abord avoir devant
lui une haute colline. Mais les indigènes le
renseignent vite : MONT ? C'EST RAT QU'A
BALÉ EST.

La mère chatte devina que son petit avait
commencé à manger un rongeur dont

Les Origines humaines

Jean-Pierre Brisset 1913
Baudouin

Version définitive de *La Science de Dieu*. De Brisset, André Breton disait qu'il était «une des plus grandes singularités qu'offre l'esprit humain». À savourer. Mais, dans son délire, bien plus sérieux qu'il n'en a l'air.

Le Château des destins croisés

Italo Calvino 1973
Traduit de l'italien
par J. Thibaudeau Seuil

Un roman construit sur les images et les stratégies du jeu de tarot. «On pourrait croire, dit Calvino, que d'imposer des tours de force pareils ne peut aboutir qu'à étouffer toute liberté d'écriture; au contraire, c'est en se fixant des parcours obligés que l'imagination est stimulée à faire appel à toutes ses ressources secrètes. »

95 poèmes

Edward Estlin Cummings 1923-1963
Traduit de l'américain
par J. Demarcq Flammarion

Les langues se mélangent, la typographie se disloque, la syllabe, la lettre apparaissent dans leur nudité. Rythmes nouveaux, calligrammes, virtuosité, grande innovation formelle.

Corps et biens

Robert Desnos 1930
P. G.

L'Ode à Coco, Rose Sélavy, L'Aumonyme, Langage cuit... quelques textes ciselés d'un magicien du langage, formidable inventeur de slogans poétiques : «aimable souvent est sable mouvant».

Griffe au nez

Charles Fourier 1974
Présenté par Simone Debout Anthropos

Quand le fameux utopiste s'adonne au délire verbal. Deux pages inédites commentées par Simone Debout. «Geai ressue mât chair l'or, lin vite à sion queue tu mats à dresser... » (j'ai reçu ma chère Laure l'invitation que tu m'as adressée...).

Glossaire : j'y serre mes gloses in *Mots sans mémoire*

Michel Leiris 1939
Gallimard

Publié par *La Révolution surréaliste*, un dictionnaire onirique et lyrique de la langue. «Une monstrueuse aberration fait croire aux hommes que le langage est né pour faciliter leurs relations mutuelles. »

Paralipomènes

Gherasim Luca 1976
Corti

«Comment s'en sortir sans sortir ? » Un kaléidoscope de jeux de langage et de lapsus programmés par un magicien roumain trop à l'aise dans la langue française.

La Disparition

Georges Perec 1976
Denoël

Un roman entier sans une seule fois la lettre «e». Chiche ! Perec l'a fait et ça sonne drôlement.

Le Désir attrapé par la queue

Pablo Picasso 1945
Gallimard

Du théâtre surréaliste ? Pas seulement. Ce géant de la peinture avait saisi bien des subtilités de l'inconscient langagier.

Pastiches et mélanges

Marcel Proust 1919
Gallimard

Le meilleur d'un genre assez couru. On pourra relire aussi la série des *À la manière de* de Paul Reboux (1908-1950) ou encore *Prête-moi ta plume* de Robert Scipion (Gallimard, 1945) et *la Chine m'inquiète* de Jean-Louis Curtis (Grasset).

Écritures

Saul Steinberg

Épuisé

Cette fois ce n'est pas l'écriture qui se fait dessin mais le dessin qui se fait écriture. Un artiste aussi intelligent et subtil se doit de toute façon de figurer dans la bibliothèque.

Un mot pour un autre
in *Le professeur Froeppel*

Jean Tardieu   1951
Gallimard

«Mais j'y fouille, vous flotterez bien quelque chose; une clique de Zoulou, deux doigts de loto?» - «Merci, avec grand soleil.»

Erica

Roland Topor

Épuisé

Beaucoup de papier blanc pour peu de texte — un mot par page — mais un vrai roman d'amour sauvage. Une performance époustouflante et, d'une certaine façon, un vrai chef-d'œuvre.

Œuvres complètes

Tristan Tzara   1975-1982
Flammarion

De Dada à la recherche érudite, via l'écriture automatique, le surréalisme, le collage... un beau parcours dans l'expérimentation poétique.

... en 49 livres

Jours effeuillés

Jean Arp   1966
Gallimard

Il est l'un des fondateurs du dadaïsme. Aussi à l'aise dans les arts graphiques — peinture, sculpture — que dans la poésie. Humour, jeux de mots et... «arpades».

la chair était bien trop corsée pour son encore jeune estomac : «MONTRE CE RAT QU'T'AVALAIS!»

À la sortie d'un conseil des ministres, le porte-parole de l'Élysée remarque que le président de la République a l'air ennuyé. Il lui demande pourquoi. «Je ne sais pas ce qui se passe, répond Giscard, mais j'ai comme le sentiment que mon Premier ministre n'est plus aussi attentif que par le passé aux affaires du gouvernement : MON CHIRAC A BAILLÉ. »

Une réunion de l'OPEP se tient dans le chef-lieu du Hainaut. Les Irakiens proposent une motion dure qui passe grâce à l'appui inattendu d'une des îles de la Sonde. Le lendemain les journaux titrent : MONS : IRAK À BALI.

Le 20 janvier 1793, le malheureux Louis XVI dit à Marie-Antoinette : «J'ai peur de la guillotine.» Elle lui répondit : «MON CHER, T'AS QU'À PAS Y ALLER!»

On poussait un amnésique à parler, dans l'espoir que cela rouvrirait quelque souvenir replié; mais il savait bien, lui, que cela aurait l'effet contraire : MOT NE SERT QU'À OUBLIER.

Un faf exaspéré entra un jour dans la librairie Maspero en criant : «MAO SERA ÉCRABOUILLÉ!»

Au cours d'un casse, des truands tombèrent sur un quidam armé d'un fusil de marque allemande dont il se révéla qu'il savait très bien se servir. Pas possible, firent les gangsters en battant en retraite, ce miché a passé un pacte avec son flingue! MAUSER À CAVE ALLIÉ.

On sert toujours certain réputé fromage d'Alsace avec du cumin : c'est une grossière erreur : le carvi serait infiniment plus indiqué : MUNSTER À CARVI LIÉ.

L'amoureuse murmure à son amant fougueux : Je te préfère nu, MON CHÉRI, QU'HABILLÉ!

Un seigneur a tué un dix-cors à la chasse et il se réjouit de le manger cuit dans un bouillon avec beaucoup d'ail. Aussi, pas-

Les Dingues du non-sens

Robert Benayoun   1957
                                 Balland

Tous les dingues de la littérature en un joli bouquet de textes succulents. Lewis Carroll, Ring Lardner, Rabelais ou Alphonse Allais s'y donnent la main.

Les Champs magnétiques

André Breton et Philippe Soupault 1919
                                 Gallimard

Un peu plus d'une centaine de pages d'«écriture automatique». Deux jeunes gens, au lendemain de la Première Guerre mondiale, sèment le désordre dans les lettres et inventent le surréalisme.

Le Métro blanc

William Burroughs   1976
Traduit de l'américain par C. Pelieu
et M. Beach   Seuil

La théorie du *cut up* et sa pratique ou la littérature passée à la moulinette : du collage à l'écriture automatique.

Mobile

Michel Butor   1962
                                 Gallimard

Entre le catalogue d'oiseaux et le guide touristique, la découverte émerveillée des États-Unis par un des inventeurs du «nouveau roman».

Marelle

Julio Cortazar   1963
Trad. de l'espagnol par L. Guille-Bataillon
et F. Rosset   Gallimard

Le roman en kit ou l'éclatement du récit : combinatoires, cycles et emboîtages. L'«œuvre ouverte» dans toute son extension.

La Botte à Nique

Jean Dubuffet   1967
                                 Gallimard

Reprise aujourd'hui dans *Prospectus et autres écrits* (Gallimard), une des petites plaquettes dans laquelle le peintre faisait à lui seul sa réforme de l'orthographe.

Duchamp du signe

Marcel Duchamp   1975
                                 Flammarion

Les œuvres écrites (et orales) d'un des plus intelligents distillateurs d'aphorismes de l'époque. «À coups trop tirés», «La bagarre d'Austerlitz», «Lits et ratures», «objet-dard», et tout le reste...

Petite fabrique de littérature

Alain Duchesne et Thierry Leguay   1985
                                 Magnard

Collage, pastiche, découpage, calligramme, liponyme, polyglossie, langues imaginaires, paradoxe, dictionnaire... tous les mécanismes d'engendrement du littéraire. Drôle et inspirant.

Dictionnaire des injures de la langue française : les 9 300 gros mots

Robert Édouard   1983
                                 Sand

L'injure est une langue parallèle, un contre-langage, la distorsion suprême. Ce livre méconnu est un travail splendide d'érudition et un hommage à l'imagination linguistique. De «ferme ton sucrier, tu attires les mouches !» à «Oh, dis ! écrase !», 10 000 gros mots !

Dictionnaire érotique

Pierre Guiraud   1978
                                 Épuisé

La rencontre de l'asperge et du callibistri. Ça ne doit manquer ni de mouilles, ni de pelotes, encore moins de trébillons. Et si vous godez pour une bourbeteuse méfiez-vous de la castapiane. Un dictionnaire qui témoigne de la fabuleuse contamination de la langue par la sexualité. Savoureux !

Prostitution

Pierre Guyotat   1975
                                 Gallimard

«Debout, la bouch' ! j'a b'soin !» Une langue argotique, sexuelle, vicelarde raconte l'épopée désespérante des corps prostitués. Étrange, souvent terrifiant.

Manuel de contrepet
1986

Joël Martin — Albin Michel

« L'art de décaler les sons » est une spécialité bien française. À compléter par le classique *L'Art du contrepet* de Luc Étienne (Jean-Jacques Pauvert, 1957).

La Lettre et l'Image
1973

Massin — Gallimard

Depuis l'origine de l'écriture, l'accouplement de la lettre et de l'image a toujours été tumultueux. Massin nous invite à une somptueuse dérive dans l'imaginaire des alphabets et des écritures.

Du calligramme
1978

Jérôme Peignot — Chêne

La tradition historique d'une pratique qui se situe à mi-chemin entre le dessin et la poésie : des carrés magiques latins aux graffitis de Steinberg.

391
1960

Francis Picabia — Losfeld

La réédition en fac-similé de la revue : outre les poèmes-dessins de Picabia, on rencontre, au hasard des pages, Man Ray, Duchamp, Erik Satie, Arp, Breton, Éluard, Tzara, Cocteau.

Les Épiphanies, Mystères profanes
1948

Henri Pichette — P. G.

Mystère profane, dédié à Gérard Philipe qui le créa avec Maria Casarès et Roger Blin, c'est un festival étincelant de jeux de langage, de formules, d'aphorismes, de déclarations surréalistes et poétiques.

Dictionnaire des mots sauvages

Maurice Rheims — 1969
Épuisé

Si vous aimez la brouchtoucaille, ne soyez pas bouliphagique. Si vous aimez les frivoleuses, ne fréquentez pas la pusaille. Méfiez-vous des fornarines qui gondolinent, flonflonnent et vous incaguent. Tous

sant devant les cuisines, crie-t-il à son cuisinier : « MON CERF À KUB AILLÉ ! »

Rentrant chez lui fin rond, un pauvre père indigne ordonne à la pauvre mère indigne d'attacher leur pauv'gosse sur l'infâme couche qui leur sert de pieu : « MÔME SERA À GRABAT LIÉ. »

Oui, bouffe tout ton saoul ! Cours le monde ! Sois boulimique ! Oui !!! MANGE ! ERRE ! AVALE ! YÉ !!

À vous de jouer

Pouvez-vous, « de chic », rattacher les mots suivants — enfantés par plusieurs termes — à leurs définitions « logiques » (?) respectives ? Exemple : 1 (Horriflamme) et D (Drapeau destiné à semer l'effroi).

1. Horriflamme
2. Pitrailleur
3. Parlementeur
4. Cabrioleur
5. Cumularnimbus
6. Infantillage
7. Hypodrome
8. Chatinette
9. Franginepane
10. Aigrevisse
11. Magnétofaune
12. Zodiacre
13. Servideur
14. Rocamballe
15. Mirouette
16. Hebdromadaire
17. Trombereau
18. Roguette

A. Malandrin qui saute par-dessus murs et clôtures ; B. Symptôme sous-jacent ; C. Nabot qui exerce simultanément de nombreux emplois ; D. Drapeau destiné à semer l'effroi ; E. Sœur très affectueuse : la « crème » des sœurs ! F. Domestique chargé d'écarter les importuns ; G. Caprice de jeune prince espagnol ; H. Humoriste dont chaque trait fait mouche ; I. Groupe de douze laïcs pieux ; J. Sauce âcre accompagnant les crustacés ; K. Miroir tournant ; L. Projectile autopropulsé qui émet une sorte de grognement ; M. Averse diluvienne ; N. Journal distribué à domicile par des chameliers ; O. Diplomate rusé, fourbe ; P. Luxueux lieu d'aisances pour félins ; Q. Appareil diffusant des cris de satyre au fond des bois ; R. Variété d'oignon dont les bulbes sont gigantesques.

les néologismes inventés, de Huysmans à Queneau, de Balzac à Céline, Nerval, Montherlant…

Dans le labyrinthe

Alain Robbe-Grillet 1959
Minuit

Plus on avance plus on est perdu. Le livre, la phrase, les mots se font labyrinthe devant les pas d'un héros égaré. Inquiétude et fascination d'un monde nocturne, par le principal théoricien du «nouveau roman».

Codex

Maurice Roche 1974
Seuil

Le roman drolatique et archéologique de la langue. La fiction gicle sous le calembour : c'est épique, comique, typographique et… diabolique.

Le Français en liberté

Agnès Rosenstiehl 1983
Larousse

«Moi je suis moi et toi tais-toi!» Un livre pour enfants tout entier fabriqué à l'aide de ces «mots écumants dont les éclats hachent ma langue» (Paul Valéry). Un vrai festival d'énigmes, de lapsus, de calembours, d'équivoques et autres piliers de la langue française. On savourera, du même auteur, *L'Alphabet fou.*

Les mots sous les mots, les anagrammes de Ferdinand de Saussure

Jean Starobinski
Gallimard

Une enquête surprenante sur une bizarre lubie du père de la linguistique moderne. Celui-ci avait décelé toute une infrastructure de mots cachés sous les vers de la poésie latine.

Dictionnaire du mépris

Jacques Sternberg 1973
Épuisé

La chronique amère de l'époque par un de ses meilleurs humoristes.

L'Oulipo : atlas de littérature potentielle 1981
Gallimard

Les méthodes de composition imaginées par Queneau, Perec, Calvino, Roubaud et quelques autres. Et les textes nouveaux qui sortent de ces étonnantes machines mathématiques.

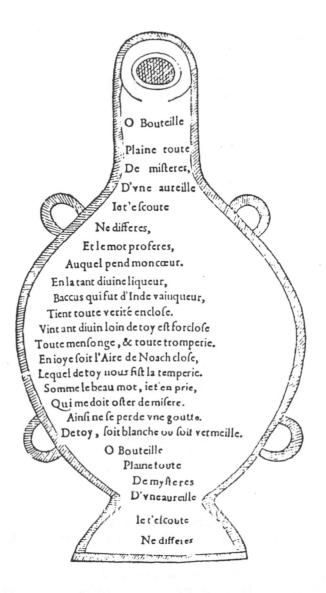

O Bouteille

Plaine toute

De misteres,

D'vne aureille

Iot'escoute

Ne differes,

Et le mot proferes,

Auquel pend mon cœur.

En la tant diuine liqueur,

Baccus qui fut d'Inde vainqueur,

Tient toute verité enclose.

Vint ant diuin loin de toy est forclose

Toute mensonge, & toute tromperie.

En ioye soit l'Aire de Noach close,

Lequel de toy nous fist la temperie.

Somme le beau mot, iet'en prie,

Qui me doit oster de misere.

Ainsi ne se perde vne goutte.

De toy, soit blanche ou soit vermeille.

O Bouteille

Plaine toute

De mysteres

D'vne aureille

Iet'escoute

Ne differes

« La dive bouteille. » Rabelais (Chinon, 1494 - Paris 1583). Dépliant placé à la fin du *Cinquiesme et Dernier Livre des faicts et dicts héroïques du bon Pantagruel auquel est contenue la visitation de l'oracle de la dive Bacbuc et le mot de la bouteille pour lequel avoir est entrepris tout ce long voyage. Nouvellement mis en lumière.* Imprimé l'an MDLXV. L'attribution du Cinquième Livre qui fut publié en 1564, dix ans environ après la mort de Rabelais, reste matière à controverses. Unique exemplaire connu de cette édition publiée en 1565, elle est la première à comporter à la fin du volume un dépliant représentant la bouteille dont les contours déterminent la disposition typographique du texte de la prière de Panurge. Au chapitre XLV, la bouteille est décrite sous forme d'un gros livre d'argent, en forme d'un demi-muy, ou d'un gros quart de sentences... « Et pensions que fut véritablement un livre, à cause de sa forme qui estait comme d'un bréviaire, mais c'estait un bréviaire vray et naturel flascon plein de vin de Phalerne. »

Mémoires
et autobiographies

Le genre littéraire défini par le mot « mémoire » renvoie d'abord à un exercice plutôt scolaire, à la communication savante, à l'acte de justice ou au rapport d'ambassadeur et il y a là rarement matière au « plaisir du texte ». La marque du pluriel, supposant l'enchaînement de plusieurs rapports ou communications, et la majuscule, qui confère au mot une certaine solennité, réfèrent ensuite à la chronique historique. Le grand homme politique laisse à la postérité une justification de ses actes. Mais les Mémoires relèvent aussi de « la » mémoire et c'est sans doute grâce à ce subtil passage du souvenir à l'écrit que des hommes obscurs deviennent aussi fameux que des Césars par la narration des exploits comme des méfaits de leurs maîtres : Joinville ou Commynes fondent le genre historique. Retz ou Saint-Simon, hommes politiques frustrés, dépassent l'histoire pour devenir d'immenses écrivains. Tous ceux qui, de près ou de loin, ont joué, comme acteurs ou comme témoins, un rôle dans la grande tragi-comédie de l'histoire de France, ont voulu laisser à la postérité au moins quelques pages d'eux-mêmes. Citons pêle-mêle, Marguerite de Valois, le duc de Nevers, le duc de Rohan, Condé, le maréchal de Bassompierre, Madame de Caylus, le duc de Choiseul, l'abbé de Choisy, Madame Roland, le prince de Joinville... Dans cette mise en scène du « moi » dans l'histoire, les styles diffèrent : Agrippa d'Aubigné ou Retz pratiquent l'introspection, Cellini la confession impudique. Entre la fin du XVIIIᵉ et le début du XIXᵉ siècle, les Mémoires deviennent un lieu d'éclatement et d'expérimentation littéraire fait d'errance libertine et aventurière (Casanova), de sensibilité romantique (Rousseau), d'esprit littéraire et de galanterie (Gozzi), de quête d'un bonheur impressionniste

(Stendhal), de méditation sur la condition humaine (Chateaubriand). Le genre aura un tel succès qu'il est désormais difficile d'en rendre compte : tous les écrivains marquants sont un jour ou l'autre tentés par l'écrit autobiographique. De Tolstoï à Leiris, de Thomas De Quincey à Sartre, de Renan à Nabokov, les vies se sont racontées de mille façons différentes, en cent pages ou en trois mille, selon un ordre chronologique ou sous forme éclatée, avec la sincérité la plus impudique ou à l'aide de multiples masques. Et puis, il n'y a pas que les écrivains qui écrivent ! Les hommes de sciences, de Jérôme Cardan à François Jacob, les musiciens, de Berlioz à Chostakovitch, les artistes, de Cellini à Oskar Kokoschka, laissent aussi volontiers des Mémoires. Sans oublier militaires et hommes politiques, mais dans ces domaines, les leçons de style de Retz ou de Saint-Simon sont bien oubliées.

Enfin, il existe une littérature immense d'inspiration autobiographique, impossible à citer ici dans son ensemble. Que l'on songe par exemple à la *Confession d'un enfant du siècle* d'Alfred de Musset ou au *René* de Chateaubriand ou, plus récemment, au *Portrait de l'artiste en jeune homme* de James Joyce. Et d'ailleurs, Jules Vallès ou Tolstoï, en écrivant leur vie, font comme Stendhal et changent les noms de leurs personnages, dérivant presque du côté du roman. A l'inverse, d'authentiques romans (les *Mémoires de Fanny Hill* ou *Les Mémoires d'un âne*) ont pris ce masque pour mieux séduire... Et il ne faut pas oublier aussi les Mémoires inventés de toutes pièces : ainsi ceux de D'Artagnan, rédigés en fait par Courtilz de Sandras et ramenés par Alexandre Dumas à leur juste dimension, celle du roman.

Mémoires et autobiographies

... en 49 livres

... en 25 livres

... en 10 livres

La Langue sauvée
Elias Canetti

Histoire de ma vie
Jacques Casanova

La Vie de Benvenuto Cellini
écrite par lui-même

Mémoires d'outre-tombe
François René
de Chateaubriand

Autres rivages
Vladimir Nabokov

Mémoires
Cardinal de Retz

Les Confessions
Jean-Jacques Rousseau

Les Confessions
Saint Augustin

Mémoires
Saint-Simon

La Vie d'Henri Brulard
Stendhal

L'Origine
Thomas Bernhard

Mémoires
Cardinal de Bernis

Le Fleuve Alphée
Roger Caillois

D'un château l'autre
Louis-Ferdinand Céline

Mémoires
Philippe de Commynes

Mémoires
Lorenzo Da Ponte

*Mémoires pour servir à l'histoire
de ma vie et à celle de son théâtre*
Carlo Goldoni

Mémoires inutiles
Carlo Gozzi

Les Sept Piliers de la sagesse
Thomas Edward Lawrence

L'Âge d'homme
Michel Leiris

Le Miroir des limbes
André Malraux

Autobiographie
John Cowper Powys

Voix dans la nuit
Frédéric Prokosch

Les Mots
Jean-Paul Sartre

Le Chêne et le Veau
Alexandre Soljenitsyne

La Cérémonie des adieux
Simone de Beauvoir

Mémoires du règne de Louis XVI à la Révolution
Comtesse de Boigne

Mémoires
Bussy-Rabutin

Avant-Mémoire
Jean Delay

Mémoires de guerre
Charles de Gaulle

Le Tournant
Klaus Mann

Mémoires du général baron de Marbot
Jean-Baptiste de Marbot

Mémoires intérieurs,
Nouveaux Mémoires intérieurs
François Mauriac

La Gloire de mon père
Marcel Pagnol

Souvenirs d'enfance et de jeunesse
Ernest Renan

Moi je,
Claude Roy

Souvenirs-récits
Umberto Saba

Histoire de ma vie
George Sand

Enfance
Nathalie Sarraute

Mémoires intimes
Georges Simenon

Révolutionnaires sans révolution
André Thirion

Ma vie
Léon Trotsky

L'Enfant
Jules Vallès

Vie de Giambattista Vico
écrite par lui-même

Mémoires
Eugène François Vidocq

Mémoires pour servir à la vie de M. de Voltaire
Voltaire

Archives du Nord
Marguerite Yourcenar

Mars
Fritz Zorn

Le Monde d'hier
Stefan Zweig

• À vous de choisir le cinquantième livre. Peut-être est-il déjà dans votre bibliothèque.

... en 10 livres

La Langue sauvée

Histoire d'une jeunesse
Elias Canetti   1977
Traduit de l'allemand par Bernard Kreiss
                              Albin Michel et L. P.

De la Bulgarie du début du siècle à la Vienne impériale, de l'Angleterre à la Suisse, l'odyssée intellectuelle hors du commun d'un des grands témoins du XXe siècle. Cette autobiographie se prolonge avec *Le Flambeau dans l'oreille, histoire d'une vie* (Albin Michel) et *Jeux de regards, histoire d'une vie, 1931-1937* (Albin Michel).

Histoire de ma vie

Jacques Casanova   1822
                                 Pléiade (3 vol.)

Son amour de la langue française a fait composer à ce Vénitien plus de trois mille pages sublimes. Longtemps ignoré, méprisé, c'est avec Diderot, Sade ou Voltaire, un de nos plus grands écrivains du XVIIIe siècle. Malheureusement, la seule édition véritablement authentique de ces Mémoires, celle de Brockhaus et Plon (1960), n'a jamais été rééditée et nul ne sait pourquoi !

La Vie de Benvenuto Cellini

écrite par lui-même   (1500-1571)
Traduit par Nadine Blamoutier   Scala

Orfèvre maniériste, il fut aussi un sacré larron. Aventurier, coureur de routes, voleur, violent, volontiers sodomite, traitant d'égal à égal avec Michel-Ange ou François Ier, il est tellement mauvaise langue que ses portraits de papes ou de grands seigneurs sont de terribles caricatures. Le roman de cape et d'épée de la Renaissance.

Mémoires d'outre-tombe

François René de Chateaubriand   1822
                                 Pléiade (2 vol.)

Écrits sur plus de trente ans, ces Mémoires contiennent sans doute quelques-unes des plus belles pages de la littérature française, les seules qu'on lit et relit en classe. Il faut aller plus loin et saisir dans son ensemble cette vaste fresque composée comme une symphonie romantique.

Autres rivages

Vladimir Nabokov   1951
Traduit de l'anglais
par Yvonne Davet   Gallimard

Pas question d'écrire la moindre autobiographie, avait toujours proclamé Nabokov. Mais vers 1947, il a fini par livrer quelques épisodes de sa jeunesse. Et ce recueil de souvenirs est un de ses meilleurs livres.

Mémoires

Jean-François Paul de Gondi,
cardinal de Retz   (1613-1679)
                                 Pléiade (Œuvres)

Il avait du style, dans sa vie comme dans ses écrits. Formé par saint Vincent de Paul, il montra plus de talents pour la galanterie et les duels que pour la religion. Cela ne l'empêcha pas de devenir cardinal, bon paravent pour celui qui fut le roi des frondeurs. L'ambition, le jeu, le cynisme et l'esprit se retrouvent dans ses Mémoires, sans doute aussi pleins de délicieux mensonges.

Les Confessions

Jean-Jacques Rousseau   1782 et 1789
                                      F., G. F.

«Avec Voltaire, c'est le monde ancien qui finit, avec Rousseau, c'est un monde nouveau qui commence», disait Goethe. Et en effet, Rousseau appartient à notre sensibilité moderne, même si on lui préfère souvent Chateaubriand, Nerval ou Proust. Son lyrisme et son courage font oublier son humeur souvent grincheuse.

Les Confessions

Saint Augustin   400
Traduit par Joseph Trabucco   G. F.

Il s'adresse sans arrêt à Dieu et cela surprend le lecteur, mais il est un des premiers écrivains à avoir merveilleusement parlé de l'amitié, un des premiers à s'être montré sous son vrai jour, souvent peu flatteur, un des premiers à avoir su tisser élégamment la philosophie et l'autobiographie.

Mémoires

Louis de Rouvroy,   *(1675-1755)*
duc de Saint-Simon   Pléiade (7 vol.)

Cent soixante-treize cahiers, deux mille sept cent cinquante pages d'une écriture serrée, huit mille cinq cents personnages, des phrases de plusieurs pages dont s'inspirera Proust, une vivacité d'esprit incroyable, un vocabulaire immense, des pages de fureur, des traits d'une rare méchanceté, des tableaux étincelants, des scènes de guerre ou des intrigues de palais... C'est un incroyable phénomène littéraire.

La Vie d'Henri Brulard

Marie-Henri Beyle,
dit Stendhal   1835-1836
                 F.

«Marcher droit à l'objet», c'est la démarche de Stendhal. Une façon de gagner son «bonheur parfait». Et celui du lecteur. A lire aussi les *Souvenirs d'égotisme*.

... en 25 livres

L'Origine
Simple indication

Thomas Bernhard   1975
Traduit de l'allemand
par Albert Kohn   Gallimard

Dans un internat dirigé par un nazi, le romancier autrichien découvre la vie bornée de Salzbourg. La guerre, les bombardements, l'horreur. Ce mince ouvrage, admirable, a été suivi de plusieurs autres : *La Cave, Le Souffle, Le Froid, Un enfant.*

Le choix de Philippe Sollers

«Le roman serait un désir de Mémoires.»

«L'ouvrage canonique, celui qui dépasse tous les autres, qui donne sa consistance à la notion même de ''Mémoires'', c'est bien entendu celui de Saint-Simon. Les *Mémoires* de Saint-Simon, c'est la génétique même du genre. Le duc s'excusait de son style qu'il jugeait son point faible (''à la diable'', disait-il, selon le mot fameux de Chateaubriand) et il ne se doutait pas que c'était justement ce style qui allait tout bouleverser. Personnellement, j'y reviens toujours, comme pour une sorte de pénitence, d'exercice spirituel.

Bien entendu, Casanova est le modèle de la façon dont la vie peut devenir une écriture directe. Il m'est particulièrement cher car il pose dans son écriture le problème du passage de la mémoire à la mythobiographie. Donc, le XVIIIᵉ siècle ! Tout est là ! Tout naît là ! La grande question qui naît à ce moment-là chez ces gens-là, c'est ''avoir raison contre l'histoire''.

Évidemment, auparavant, il y avait eu saint Augustin et ses *Confessions*. C'est plus loin de nous. C'est un autre monde. Mais on voit bien que s'il n'y avait pas eu le christianisme, le genre n'aurait pas été possible. Ensuite, Chateaubriand avec cette idée d'outre-tombe. L'écrivain règle son compte avec la mort. Ose parler depuis l'au-delà. Mais on ne peut pas parler des ''Mémoires'' en général et seulement des ''Mémoires''. Je crois que le roman est une sorte de retard, de courbe que fait l'écrivain sur la mémoire, sur les mémoires. Le roman serait un désir de Mémoires.

Chez un écrivain comme Nabokov, par exemple avec *La Vraie Vie de Sébastien Knight*, on retrouve un principe de Mémoires déguisés, d'un sujet mis en position de fausse mémoire.

Il faut donc placer Proust et Céline dans la descendance de Saint-Simon. *D'un châ-*

Mémoires

François-Joachim de Pierre,
cardinal de Bernis   *(1715-1794)*
Mercure de France

Protégé par Madame de Pompadour, ambassadeur à Venise, il y partagea avec Casanova une fameuse nonne débauchée.

Le Fleuve Alphée

Roger Caillois   1978
Gallimard

S'inspirant d'une fable grecque, Caillois raconte le cheminement de sa pensée, comment elle a failli se dissoudre dans l'océan de la culture et pourquoi il doit au végétal et au minéral d'avoir pu aborder de nouveau la terre ferme.

D'un château l'autre

Louis-Ferdinand Céline   1957
F.

Céline part en exil en Allemagne juste après le débarquement américain. Des semaines de folie en compagnie de tous les laissés-pour-compte de la Collaboration. Horrible et comique à la fois. Un de ses meilleurs romans-souvenirs. Le premier d'une trilogie : suivent *Nord* et *Rigodon* (Pléiade).

Mémoires

Philippe de Commynes   *(1447-1511)*
Belles Lettres

Intime de Charles le Téméraire, il passe au service de Louis XI dont il partage la vie. Témoin d'une époque troublée, il est un observateur clé, mais il parle plus des autres que de lui, ce qui en fait un de nos premiers grands historiens.

Mémoires

Lorenzo Da Ponte   1823-27
Traduit par M.C.D. de La Chavanne
Mercure de France

Il est surtout connu comme le librettiste de Mozart. Mais il vécut exactement à cheval sur le XVIIIe siècle galant et le XIXe romantique, et, de Venise à New York, sa vie est une fort étrange aventure.

Mémoires pour servir à l'histoire de ma vie et à celle de son théâtre

Carlo Goldoni   *(1707-1793)*
Éd. P. de Roux, Mercure de France

Venise au XVIIIe siècle. Une vie de théâtre, souvent difficile, et un exil parisien. La gentillesse et la mélancolie d'une époque qui disparaît.

Mémoires inutiles

Carlo Gozzi   1797
Trad. de l'italien par N. Frank   Phébus

Le rival de Goldoni. Plus méchant que lui, il laisse de Venise, de ses mœurs et de ses aventuriers un tableau sans doute plus violemment coloré mais complémentaire.

Les Sept Piliers de la sagesse

Thomas Edward Lawrence   1926
Traduit de l'anglais
par Charles Mauron   Payot

L'adolescent esthète s'était d'abord tourné vers l'art. Devenu aventurier, il mena la grande épopée de la révolte des Arabes contre les Turcs et en tira, à son retour, un des plus grands livres du siècle.

L'Âge d'homme

Michel Leiris   1939
F.

Comment écrire ses Mémoires après le surréalisme et la psychanalyse ? Une autobiographie composée à partir des rêves, des mots obsédants, des images et des fantasmes. Elle s'est prolongée par la série de la *Règle du jeu* : *Biffures* (1948), *Fourbis* (1955), *Fibrilles* (1966) et *Frêle bruit* (1976).

Le Miroir des limbes

André Malraux   1967-75
Pléiade

Il a connu tous les grands hommes du siècle et il nous les livre sans chronologie, plutôt au fil de ses méditations sur la destinée humaine. *Le Miroir des limbes* rassemble et refond plusieurs œuvres autobiographiques dont les *Antimémoires*, *Lazare* ou *Les Chênes qu'on abat*.

Autobiographie

John Cowper Powys   1934
Traduit de l'anglais
par Marie Canavaggia   Gallimard

Né dans un presbytère du Derbyshire et initié par son père à diverses formes de fétichisme, voyeur, tourmenté, poursuivant des rêves érotiques et mystiques impossibles, Powys finit par partir à l'aventure aux États-Unis où il sera conférencier de ville en ville avant de devenir écrivain. Une surprenante confession.

Voix dans la nuit

Frederic Prokosch   1984
Traduit de l'anglais par Léo Dilé   Fayard

De Gertrude Stein à T. S. Elliot en passant par Joyce, Ezra Pound, Malraux, Nabokov, Virginia Woolf ou Chagall, une peinture de soi-même à travers le regard, d'une acuité souvent moqueuse, porté sur d'autres créateurs.

Les Mots

Jean-Paul Sartre   1964
                        Gallimard et F.

Sans doute l'exercice littéraire le plus brillant que le philosophe ait pratiqué. Une sorte de psychanalyse existentielle mais dix fois plus brève que celle qu'il applique à Flaubert.

Le Chêne et le Veau

Alexandre Soljenitsyne   1975
Traduit du russe
par R. Marichal   Seuil

Les démêlés de l'auteur d'*Une journée d'Ivan Denissovitch* avec le pouvoir soviétique. Quand un homme en arrive à symboliser à lui seul toutes les résistances au pouvoir totalitaire. Un document irremplaçable sur l'après-stalinisme.

teau l'autre ou *Rigodon* sont les mémoires de notre temps. Et dans la *Recherche*, on voit très bien en œuvre la biologie même du ''Mémoire'' qui se constitue. Proust reprend l'appareil saint-simonien et cela, c'est un des plus grands événements de la littérature.

Je vois les Mémoires comme l'apanage du français. Je ne vois pas d'exemples dans d'autres langues qui soient à la hauteur de ceux-là. Il est possible que la langue française soit faite pour ce type de narration. Exemple : Casanova qui choisit le français pour raconter sa vie, et toutes les péripéties qui s'ensuivirent, ses manuscrits traduits, réécrits, perdus, retrouvés...

Donc mes quatre cavaliers de l'Apocalypse : Saint-Simon, Chateaubriand, Proust, Céline. Et à côté d'eux, en chevau-léger, Casanova. »

De la difficulté de commencer...

• B. Cellini : « Ceux qui ont connu dans leur vie une grande réussite ou quelque chose d'approchant devraient avec la sincérité de l'honnête homme écrire eux-mêmes leur biographie ; mais sans s'attaquer à ce beau travail avant quarante ans. »

• Retz : « Madame, quelque répugnance que je puisse avoir à vous donner l'histoire de ma vie, qui a été agitée de tant d'aventures différentes, néanmoins, comme vous me l'avez commandé, je vous obéis, même aux dépens de ma réputation. »

• Saint-Simon : « Je suis né la nuit du 15 au 16 janvier 1675 de Claude, duc de Saint-Simon, pair de France, etc., et de sa seconde femme Charlotte de L'Aubespine, unique de ce lit. De Diane de Budos, première femme de mon père, il avait eu une seule fille et point de garçon. Il l'avait mariée au duc de Brissac, pair de France, père unique de la duchesse de Villeroi. Elle était morte en 1684 sans enfants, et depuis longtemps séparée d'un mari qui ne la méritait pas, et par son testament m'avait fait son légataire universel. »

• Rousseau : « Je forme une entreprise qui n'eut jamais d'exemple, et dont l'exécution n'aura point d'imitateur. Je veux

... en 49 livres

La Cérémonie des adieux 1981

Simone de Beauvoir   Gallimard

Elle décrit, sans cachotteries, la fin émouvante de Sartre. Pour connaître les années trente à soixante-dix, la lecture des *Mémoires d'une jeune fille rangée* (1958), de *La Force de l'âge* (1960), de *La Force des choses* (1963) ou de *Tout compte fait* (1972) est indispensable.

Mémoires du règne de Louis XVI à la Révolution

Charlotte Louise Adélaïde d'Osmond,
comtesse de Boigne   *(1781-1866)*
Mercure de France

Elle portait, dit Sainte-Beuve, « l'esprit de rigueur jusqu'à la justesse ».

Mémoires

Roger de Rabutin, comte de Bussy,
dit Bussy-Rabutin   *(1618-1693)*
Lattès

Il avait autant d'esprit que sa cousine de Sévigné. Plusieurs de ses écrits lui valurent d'être embastillé. Aventurier d'estoc et d'alcôve, il est aussi mauvaise langue.

Avant-Mémoire

Jean Delay   1979-86
Gallimard (4 vol.)

Constatant que la mémoire s'arrête, selon l'expression de Péguy, «aux murs des quatre» formé par les grands-parents, le psychiatre Jean Delay a tenté une exploration de son avant-mémoire pour rétablir une «socio-biographie» de sa famille maternelle ayant vécu à Paris (1555 à 1855).

Mémoires de guerre

Charles de Gaulle   1954-59
P. P. (3 vol.)

Tous les grands militaires, tous les hommes d'État du siècle ont écrit leurs Mémoires. Lui seul s'est inventé un style. Entreprise poursuivie avec *Mémoires d'espoir*, inachevé.

Le Tournant

Klaus Mann   *(1906-1949)*
Traduit de l'allemand
par N. et H. Roche   P. S.

Certainement l'un des meilleurs témoignages sur la montée du nazisme en Allemagne et une fresque où apparaissent Richard Strauss, Cocteau ou Greta Garbo.

Mémoires du général baron de Marbot

Jean-Baptiste de Marbot   *(1782-1854)*
Mercure de France

C'est l'homme qui a participé à toutes les campagnes de Napoléon. Un des grands documents sur l'Empire et sur la stratégie napoléonienne.

Mémoires intérieurs, Nouveaux Mémoires intérieurs

François Mauriac   1959 et 1965
Flammarion et G. F.

Sans aucune chronologie, les souvenirs et les lectures du romancier. Une petite musique nostalgique.

La Gloire de mon père 1957

Marcel Pagnol   P. P.

Les souvenirs d'enfance de Pagnol racontés sur le ton du grand-père à ses petits-enfants. Se poursuit avec *Le Château de ma mère*, *Le Temps des secrets*, *Le Temps des amours*.

Souvenirs d'enfance et de jeunesse 1883

Ernest Renan   F., G. F.

Un Breton catholique ébranlé dans sa foi par le souffle du romantisme et la philosophie allemande.

Moi je, 1969

Claude Roy   F.

Suivi de *Nous* et de *Somme toute* avec lesquels il forme une trilogie, un essai autobiographique et une méditation sur l'histoire du siècle et ses personnages.

Souvenirs-récits

Umberto Saba   (1883-1957)
Le libraire de Trieste fut le plus grand poète italien contemporain. Il a traversé deux guerres et connu tous les écrivains italiens de son époque. À rééditer.

Histoire de ma vie

George Sand   1854-55
                              Pléiade (2 vol.)
Même si elle dit peu de choses sur ses amants, celle qui fut au cœur de la vie littéraire, artistique, politique, sociale d'une bonne partie du XIXᵉ siècle nous livre le récit alerte et vivant, plein d'humour et de sensibilité de sa vie mouvementée.

Enfance

Nathalie Sarraute   1983
                              Gallimard et F.
Une petite fille tiraillée entre la Russie et la France, une mère et un père qui se séparent, mais aussi jouant, allant à l'école, se promenant, ayant peur, riant, rêvant.

Mémoires intimes

Georges Simenon   1950
                                     P. P.
Le plus lu des romanciers de langue française du XXᵉ siècle raconte à sa fille Marie-Jo, morte volontairement, la vérité nue, complexe et souvent choquante de son père.

Révolutionnaires sans révolution

André Thirion   1972
                                   Laffont
Un témoin de premier plan dans le monde surréaliste.

Ma vie

Léon Trotsky   1930
Traduit du russe
par M. Parijanine   Gallimard et F.
Les aventures et les complots du plus intelligent des bolcheviks.

montrer à mes semblables un homme dans toute la vérité de sa nature ; et cet homme, ce sera moi. »

• Casanova : « Je commence par déclarer à mon lecteur que, dans tout ce que j'ai fait de bon ou de mauvais durant tout le cours de ma vie, je suis sûr d'avoir mérité ou démérité, et que, par conséquent, je dois me croire libre. »

• Chateaubriand : « Il y a quatre ans qu'à mon retour de la Terre sainte, j'achetai près du hameau d'Aulnay, dans le voisinage de Sceaux et de Chatenay, une maison de jardinier cachée parmi les collines couvertes de bois. »

• George Sand : « Je ne pense pas qu'il y ait de l'orgueil et de l'impertinence à écrire l'histoire de sa propre vie, encore moins à choisir, dans les souvenirs que cette vie a laissés en nous, ceux qui nous paraissent valoir la peine d'être conservés. »

• Stendhal : « Je me trouvais ce matin, 16 octobre 1832, à San Pietro in Montorio, sur le mont Janicule, à Rome, il faisait un soleil magnifique. »

• Nabokov : « Le berceau balance au-dessus d'un abîme, et le sens commun nous apprend que notre existence n'est que la brève lumière d'une fente entre deux éternités de ténèbres. »

• Sartre : « En Alsace, aux environs de 1850, un instituteur accablé d'enfants consentit à se faire épicier. »

• Malraux : « Je me suis évadé, en 1940, avec le futur aumônier du Vercors. Nous nous retrouvâmes peu de temps après l'évasion, dans le village de la Drôme dont il était curé, et il donnait aux israélites, à tour de bras, des certificats de baptême de toutes dates, à condition pourtant de les baptiser : ''Il en restera toujours quelque chose...'' »

• Th. Bernhard : « La ville est peuplée de deux catégories de gens : les faiseurs d'affaires et leurs victimes. »

• Zorn : « Je suis jeune et riche et cultivé ; et je suis malheureux, névrosé et seul. »

• Claude Roy : « Je n'ai pas gardé un souvenir absolument net de ma première sortie, du chaud et froid de naître, ni de l'entrée inaugurale de l'air dans mon sac à souffler. »

L'Enfant

Jules Vallès 1879
G. F., L. P.

Le début d'une célèbre trilogie autobiographique (*Le Bachelier*, *L'Insurgé*) par un des chefs de la Commune.

Vie de Giambattista Vico

écrite par lui-même *(1668-1744)*
Présenté par Alain Pons Grasset

Le philosophe napolitain a mis un beau style au service de ses visions prophétiques.

Mémoires

Eugène-François Vidocq 1828-1829
Presses de la Renaissance

Une histoire bien française : un truand devient chef de la police. Inspira Balzac et Eugène Sue.

Mémoires pour servir à la vie de M. de Voltaire

Voltaire *(1694-1778)*
Mercure de France

On n'est jamais si bien servi que par soi-même.

Archives du Nord

Marguerite Yourcenar 1977
Gallimard et F.

Généalogie romanesque de la famille paternelle de Marguerite de Crayencour. Une méditation sur le destin située en ce point où s'entrecroisent la psychologie et l'histoire.

Mars

Fritz Zorn 1977
Traduit de l'allemand
par G. Lambrichs Gallimard et F.

Implacable voyage au bout de soi-même d'un riche jeune homme suisse souffrant d'un cancer et qui pense avoir été programmé à mourir.

Le Monde d'hier

Stefan Zweig 1942
Belfond

Témoin de la Vienne impériale, il a parcouru le monde entier avec une avide curiosité. Ses souvenirs sont à rééditer.

Un spécialiste de l'autobiographie : Philippe Lejeune

À une époque où l'autobiographie fleurit (celle de personnalités politiques, scientifiques, de gens du monde, des arts et du spectacle et aussi celle d'inconnus) et où bon nombre de romans s'annoncent comme plus ou moins autobiographiques, il était nécessaire de faire le point sur ce genre débordant afin de lui donner un statut, d'en fixer les limites, de démêler le vrai du faux. C'est ce qu'a fait Philippe Lejeune en écrivant *Le Pacte autobiographique* (Seuil). Il y définit ainsi l'autobiographie comme le «récit rétrospectif en prose qu'une personne réelle fait de sa propre existence, lorsqu'elle met l'accent sur sa vie individuelle, en particulier sur l'histoire de sa personnalité». Ce récit suppose une identité absolue entre l'auteur, le narrateur, le personnage, assumée par la personne dont le nom propre figure sur la couverture du livre. Essai théorique, *Le Pacte autobiographique* permet désormais de ne plus confondre autobiographie, biographie et roman personnel, mais il nous offre aussi et surtout une passionnante lecture d'extraits d'autobiographies célèbres : *Les Confessions* de Rousseau, *Les Mots* de Sartre, les écrits de Michel Leiris... car Philippe Lejeune est d'abord un merveilleux lecteur et interprète. Il n'en poursuit pas moins sa réflexion sur toutes les formes d'autobiographies, qu'elles soient parlées, filmées... Par tous les truchements des supports modernes, «Je» s'exprime, se met en scène, et «Je est un autre», selon la formule célèbre de Rimbaud, reprise en titre d'un des récents ouvrages (paru au Seuil) de Philippe Lejeune.

Journaux et carnets

Le journal intime est un genre absolument moderne. C'est-à-dire qu'on chercherait vainement dans l'Antiquité ou le Moyen Âge quelque tentative littéraire analogue. Seuls les pays d'Asie nous en offrent des exemples avec notamment les fameuses *Notes de chevet* de Shei Shonagon, recueil de notations au jour le jour écrit au XIᵉ siècle par une dame d'honneur du palais impérial de Tokyo (voir « Le rêve asiatique »). Pour se cantonner au domaine européen, on voit nettement éclater le genre à la Renaissance : registres, chroniques, livres de raison, journaux intimes se mettent soudain à proliférer, témoignant sans doute de l'accession à une culture plus raffinée de classes bourgeoises qui triomphent par ailleurs dans les affaires ou la vie politique. Pierre de l'Estoile en France, Samuel Pepys, premier du genre en Angleterre, en sont les meilleurs représentants.

Mais les carnets, cahiers, esquisses des grands philosophes ou des chercheurs prennent aussi, après la mort de leur auteur, une sorte de dimension nouvelle, accèdent au rang de « journal intime » de la pensée : en témoignent les carnets de Léonard de Vinci (qui ne seront publiés en fait qu'à la fin du XVIIIᵉ siècle) ou les *Pensées* de Pascal. Ce qui relevait du besoin de témoigner chez des hommes aux sensibilités nouvelles et critiques, traversant des époques déchirées mais riches en faits et en idées, est devenu par la suite une sorte de parcours obligé de l'Européen moderne. De l'enfant qui sent s'éveiller en lui le langage et la vie — voir le premier journal d'Anaïs Nin ou celui d'Anne Frank — jusqu'au militaire en campagne — voir Jünger ou Segalen ; de l'écrivain en quête de bonheur — voir Stendhal ou Larbaud — à celui que terrasse le mal de vivre — voir Kafka ou Artaud ; de l'artiste célèbre — voir Delacroix ou Nijinsky — au chroniqueur inconnu — voir Mugnier ou Ringelblum ; de l'obscur ecclésiastique voué à une célébrité future — voir Swift ou Carroll — au monarque célèbre dont ne restent ensuite que quelques lignes énigmatiques — voir Louis II de Bavière ou sa cousine Élisabeth d'Autriche —, il semble que tout le monde écrive son journal et que ce qui est publié ne représente en fait qu'une infime partie de l'immense production souterraine mondiale.

Et que dire alors de ceux qui systématiquement, régulièrement quoi qu'il arrive, confient pendant toute leur vie plusieurs pages chaque jour à leurs cahiers. Si la vie se prolonge, le journal perdure, devient énorme, monumental, parfois monstrueux. En tête Amiel : 16 900 pages ! Il est suivi par les Goncourt, Samuel Pepys, Léautaud, Virginia Woolf, E. Jünger, Anaïs Nin, Du Bos, Gide, Julien Green, Claude Mauriac. Et d'autres journaux intimes, qui dorment encore dans les archives, pourraient bien un jour apporter quelques surprises : Roger Martin Du Gard, Raymond Queneau, Marcel Moré, Léautaud non censuré, Graham Greene, Allen Ginsberg, Gilbert Lély...

Le genre « journal intime » a aussi donné naissance à des centaines de romans : la notation au jour le jour de l'évolution d'une action fictive par un personnage qui dit « je » est indiscutablement la forme la plus aiguë de subjectivité romanesque. « Vrai » ou fictif, le journal intime est sans doute un genre immortel.

Journaux et carnets

... en 49 livres

... en 25 livres

... en 10 livres

Journal intime d'un mélancolique
James Boswell

Journal
André Gide

Journal
Witold Gombrowicz

Journal
Franz Kafka

Journal
Søren Kierkegaard

Journal littéraire
Paul Léautaud

Journaux
Robert Musil

Journal
Jules Renard

Journal
Stendhal

Carnets
Léonard de Vinci

Journal intime
Henri Frédéric Amiel

Cahiers de Rodez
Antonin Artaud

Journaux
Lewis Carroll

Journal de l'année de la peste
Daniel De Foe

Journal
Eugène Delacroix

Journal
Edmond et Jules de Goncourt

Jardins et routes
Premier journal parisien
Second journal parisien
Ernst Jünger

Journal
Katherine Mansfield

Le Temps immobile
Claude Mauriac

Journal
Vatslav Nijinski

Journal
Anaïs Nin

Journal
Samuel Pepys

Journal des îles
Victor Segalen

Cahiers
Paul Valéry

Journal
Virginia Woolf

Journal intime :
au Portugal et en Espagne
William Beckford

Journal de travail
Bertolt Brecht

Élisabeth de Bavière,
impératrice d'Autriche
Constantin Christomanos

Opium
Journal d'une désintoxication
Jean Cocteau

Journal
Charles Du Bos

Journal
Anne Frank

Solde
Bernard Frank

Journaux indiens
Allen Ginsberg

Voyage en Italie
Johann Wolfgang Goethe

Journal du sire de Gouberville
par lui-même

Les Années faciles
Julien Green

Choses vues
Victor Hugo

Journal
Jean-René Huguenin

A.O. Barnabooth,
son journal intime
Valéry Larbaud

Journal pour le règne de Henri IV
Pierre de L'Estoile

Journal de voyage en Italie
par la Suisse et l'Allemagne
Michel de Montaigne

Journal
Jules Michelet

Journal
Abbé Arthur Mugnier

Le Métier de vivre
Cesare Pavese

Chronique du ghetto de Varsovie
Emmanuel Ringelblum

Carnets de la drôle de guerre
Jean-Paul Sartre

Journal à Stella
Jonathan Swift

Carnets 1914-1916
Ludwig Wittgenstein

Carnets d'enquêtes
Émile Zola

• À vous de choisir le cinquantième
livre. Peut-être est-il déjà dans votre
bibliothèque.

... en 10 livres

Journal intime d'un mélancolique

James Boswell 1762-1769
Traduit de l'anglais par M. Blanchet,
C. Bertin et R. Villoteau Hachette

Un aristocrate écossais rencontre les grands hommes de son époque — Reynolds, Johnson, Garrick, Hume, Sheridan, Rousseau, Voltaire —, mais s'ennuie ferme. « Je suis fait pour la volupté », dit-il. Il voyage, prend le thé, va au théâtre ou à la Chambre des Communes, flirte, se marie et couche sa mélancolie très XVIIIe dans les pages de son journal très intime mais légèrement snob.

Journal

André Gide 1889-1939
Pléiade

Une curiosité proprement universelle qui lui fait côtoyer trois générations de Parisiens, les milieux littéraires, la vie intellectuelle, la politique, les voyages : mais aussi un art d'une rare élégance pour porter le non-conformisme jusque dans l'introspection. La « Belle Époque », la Première Guerre mondiale, l'Afrique du Nord, l'Occupation, la Libération, la N.R.F., l'Union soviétique et ses désillusions, la décolonisation, un déjeuner avec De Gaulle, le prix Nobel : la traversée d'un siècle. Le premier à entrer vivant dans la Pléiade.

Journal

Witold Gombrowicz 1957-1966
Trad. du polonais par Christophe Jezewski et Dominique Autrand
Bourgois, Nadeau

Farouche individualiste, polémiste sarcastique, Gombrowicz est à l'aise dans le journal intime. On y retrouve l'atmosphère particulière des romans et l'on suit l'auteur depuis son exil argentin jusqu'à son installation en France. Son *Journal Paris-Berlin* qui couvre les années 1963 à 1965 a été publié à part (Bourgois, 1968).

Journal

Franz Kafka (1883-1924)
Traduit de l'allemand par Marthe Robert
Grasset, L. P.
Pléiade (t. 3 des Œuvres complètes)

Dans la Prague bilingue du début du siècle, un jeune juif choisit de devenir écrivain et de sortir « des rangs des assassins ». La solitude, la maladie, la culpabilité et la recherche d'un style. Un des grands documents littéraires de ce siècle.

Journal

Søren Kierkegaard 1834-1855
Traduit du danois par K. Ferlov et J.-J. Gateau Gallimard (5 vol.)

Énorme, étalé sur vingt ans, fourmillant d'aventures métaphysiques et de mésaventures terrestres, ce journal dont ne sont donnés ici que de larges extraits mérite d'être mieux connu. Sombre religiosité, mélancolie, désespoir, exaltation, satire, polémique y alternent de la façon la plus paradoxale qui soit. L'ancêtre de Kafka, de Heidegger et de l'existentialisme.

Journal littéraire

Paul Léautaud 1893-1956
Mercure de France (3 vol. et index)

La photographie a immortalisé le clochard grincheux dans son taudis hanté par les chats. Il fut d'abord chroniqueur dramatique et secrétaire du *Mercure de France*. Il tint son journal pendant plus de soixante ans, ce qui en fait déjà un étrange objet : Parisien, contradictoire, bougon, volontiers pornographe (mais beaucoup de ces fragments-là restent encore à publier), burlesque caricatural. Bref, exaspérant et fascinant à la fois.

Journaux

Robert Musil　　　　　*(1880-1942)*
Traduit de l'allemand
par Philippe Jaccottet　　Seuil (2 vol.)
Vingt-cinq cahiers échelonnés sur toute la vie de Musil. Notes de journal, esquisses d'œuvres diverses, réflexions, notes de lectures, citations, analyses de thèses ou de journaux, portraits de personnages, scènes vécues, tableaux... C'est l'atelier de l'écrivain, là où s'élabore ce que deviendra *l'Homme sans qualités*.

Journal

Jules Renard　　　　　　1887-1910
　　　　　Pléiade et 10-18 (4 vol.)
Ses mots d'esprit — souvent fort méchants — sont devenus légendaires. Mais le journal est aussi un formidable témoignage sur les écrivains du tournant du siècle (Barrès, Huysmans, Verlaine) et sur la politique (affaire Dreyfus). Un étonnant analyste de la genèse du monde moderne, un virtuose du fragmentaire.

Journal

Stendhal　　　　　　*(1783-1842)*
　　　　　Pléiade (1 vol.)
Il le commence à son entrée à Milan en 1800. La vie et les aventures d'un libertin joyeux, ennemi des tyrannies et en quête d'instants de bonheur. « Si tu as une chemise et un cœur, vends ta chemise et va vivre en Italie. »

Carnets

Léonard de Vinci　　　*(1452-1519)*
Traduit de l'italien
par Louise Servicen　　Gallimard
Carnets de voyages, de brouillons, de comptes, d'esquisses. Courts traités sur la forme des nuages, la couleur, la géologie, l'architecture, écrits à l'envers, abondamment illustrés et criblés de fragments aussi étonnants que les tableaux du peintre.

Le journal dans le journal

Je ne quitterai plus ce Journal. C'est là qu'il me faut être tenace, car je ne puis l'être que là. Comme j'aimerais expliquer le sentiment de bonheur qui m'habite de temps à autre, maintenant par exemple. C'est véritablement quelque chose de mousseux qui me remplit entièrement de tressaillements légers et agréables, et me persuade que je suis doué de capacités dont je peux à tout instant, et même maintenant, me convaincre en toute certitude qu'elles n'existent pas.

Franz Kafka, *Journal*,
16 décembre 1910.

Je viens de relire en arrière les pages de ce mois. Ce qui fait l'ennui de ce Journal, c'est ce qui rend ma vie ennuyeuse, l'éternelle et détestable rechute sur moi-même ; mais serait-il journal *intime* autrement ? Je pourrais certainement noter ce qui se passe au-dehors, et j'en ai eu souvent la tentation. Mais ne serait-ce pas substituer les *Mémoires* à un tout autre but ? — J'avais, il y a longtemps, pensé à une foule de carnets parallèles, dont les titres existent ; plus tard à deux au moins : Extérieur et Intérieur. — Manque de temps, je n'ai fait que suivre l'ornière déjà tracée.

Henri Frédéric Amiel, *Journal*,
28 avril 1850.

Tous les hommes ont un cancer qui les ronge, un excrément quotidien, un mal récurrent : leur insatisfaction ; le point de rencontre entre leur être réel, squelettique, et l'infinie complexité de la vie. Et tous s'en aperçoivent tôt ou tard. Il faudra chercher à connaître la lente prise de conscience ou l'intuition fulgurante de chacun. Presque tous — semble-t-il — retrouvent dans leur enfance les signes de l'horreur adulte. Chercher à connaître cette pépinière de découvertes rétrospectives, d'effrois, l'angoisse qu'ils ont à se retrouver préfigurés dans des gestes et des

... en 25 livres

Journal intime

Henri Frédéric Amiel *(1821-1881)*
Intégrale en cours :
L'Âge d'Homme (depuis 1976)
Extraits : *Journal intime,* Ed. Complexe
En 1883, on publiait 500 pages extraites du journal intime d'un écrivain suisse peu connu et l'ouvrage fit sensation. Entre ses dix-huit ans (1839) et sa mort (1881), Amiel a écrit 16 900 pages de journal ! Le champion de l'introspection, géologue du moi profond, a fasciné tout le monde, de Renan à Georges Poulet, de Du Bos à Maurice Blanchot.

Cahiers de Rodez

Antonin Artaud 1945-1946
Gallimard (t. XV à XXI
des *Œuvres complètes*)
Interné à l'hôpital psychiatrique de Rodez entre 1943 et 1945, Artaud a une production incessante, quotidienne. Pas à proprement parler un journal mais un grand chantier d'écriture et de folie.

Journaux

Lewis Carroll *(1832-1898)*
Traduit de l'anglais
par Philippe Blanchard Bourgois
La vie au jour le jour du génial photographe-pasteur-écrivain. Bien sûr, il y a l'obsession des petites filles : quelques allusions très ambiguës mais aucun faux pas. Sous l'excentrique, un grand maniaque rêveur.

Journal de l'année de la peste

Daniel De Foe 1722
Trad. de l'anglais par J. Aynard F.
Censé évoquer les années 1664-1665 mais paru en 1722, cet ouvrage extraordinaire de De Foe est une reconstitution totale faite à partir de souvenirs. Les terreurs de l'épidémie dans une ville en folie.

Journal

Eugène Delacroix *(1822-1863)*
Plon
« C'était l'esprit le plus ouvert à toutes les notions et à toutes les impressions, le jouisseur le plus éclectique et le plus impartial », a dit de lui Baudelaire. Comme les gens que ce peintre cultivé fréquente se nomment Arago, Byron, Chateaubriand, Chopin, David, Géricault, Gautier, Ingres, Dumas, Sand ou Baudelaire, c'est évidemment un document irremplaçable.

Journal

Edmond et Jules de Goncourt
(1822-1896 et 1830-1870)
Extraits : Cottet-Dumoulin
Deux frères au cœur de la société littéraire du Second Empire. Ils vivent ensemble, partagent la même maîtresse et tiennent ensemble un seul journal intime qui est un monument. En 1887, dix-sept ans après la mort de son frère, Edmond commencera à en publier des extraits mais ce n'est qu'en 1956 qu'a paru l'édition intégrale, avec tous les passages auparavant censurés. Elle est actuellement épuisée.

Jardins et routes (1939-40)
Premier journal parisien (1941-43)
Second journal parisien (1943-45)

Ernst Jünger
Traduit de l'allemand
par Henri Plard Bourgois (3 vol.)
Déja venu en France pendant la Première Guerre mondiale, Jünger revient à Paris comme officier des troupes d'occupation. Sa position hautaine et quelque peu en marge lui permet de traverser toutes ces années noires plutôt en témoin qu'en acteur. Des portraits colorés et de splendides réflexions mais toujours d'une perverse ambiguïté. Le journal a continué : de *La Cabane dans la vigne* (1945-1948, Bourgois) à *Soixante-dix s'efface* (1965-1980, Gallimard).

Journal

Katherine Mansfield   *(1888-1923)*
Traduit par Marthe Duproix   Stock

Superbement douée pour l'écriture romanesque, et en particulier pour la nouvelle, Katherine Mansfield a tenu un journal aussi petit que sa vie fut brève, mais qui se lit comme ses nouvelles. Du même auteur : *Cahier de notes* (Stock), une sorte de journal brouillon, plein d'ébauches, de notations, de citations glanées ici ou là.

Le Temps immobile

Claude Mauriac   1974-1985
Grasset

Les volumes déjà parus de cette curieuse entreprise littéraire ont parfaitement rempli le programme du titre. Claude Mauriac mêle ses pages de journal intime des années vingt à celles des années quarante, cinquante ou soixante-dix. Étranges effets de miroir, raccourcis, ruptures et permanences... Suite : *Les Espaces imaginaires* (1975), *Et comme l'espérance est violente* (1976), *La Terrasse de Malagar* (1977), *Aimer De Gaulle* (1978), *Signes, rencontres et rendez-vous* (1983), *Bergère ô Tour Eiffel* (1985).

Journal

Vatslav Nijinski   1953
Traduit du russe
par G.S. Solprav   Gallimard

En 1919, à Saint-Moritz, en Suisse, le grand danseur Nijinski, qui sombre dans la démence, note ses souvenirs et décrit ses hallucinations. Retrouvé des années plus tard dans les papiers de sa fille, c'est un document.

Journal

Anaïs Nin   1966-1980
Traduit de l'anglais
par M.C. Van der Elst Stock (7 vol.), L. P.

Monumental ! D'abord en français puis en anglais. Les États-Unis, la France, l'Espagne, une vie aventureuse, amoureuse et curieuse, et la confession quotidienne d'une des grandes figures féministes du siècle. Il faut y joindre *Journal d'enfance*

paroles irréparables de l'enfance. Les *Fioretti* du Diable. Contempler sans pose cette horreur : ce qui a été sera.

> Cesare Pavese, *Le métier de vivre*,
> 26 novembre 1937.

Le journal de Claude Mauriac

Fils d'un grand écrivain, secrétaire privé du général de Gaulle, ami d'André Malraux, de Michel Foucault, de Maurice Clavel, Claude Mauriac a rencontré toutes les grandes figures de son époque qu'il restitue au fil des neuf volumes de son journal *Le Temps immobile*. Il s'agit d'une œuvre originale, écrite avec la distance des Mémoires et la précision du Journal intime, selon une technique particulière que son auteur définit ainsi :

«En 1962-1963, j'ai fait cette découverte que, je crois, personne n'avait faite avant moi : se servir d'un journal pour faire autre chose qu'un journal, sans jamais tricher d'aucune manière, sans jamais corriger aucun passage ; le journal intime est un genre littéraire très vieux, et tout le monde avait jusqu'à présent publié son journal en coupant dedans ce qu'il ne voulait pas qu'on publie, et si ce n'était pas lui, c'était sa femme ou ses successeurs. C'était publié chronologiquement et de façon brute. Moi, je me suis servi de ces pages datées de mon journal comme un cinéaste se sert d'une caméra. (...) Les pages datées sont des espèces de petits bouts de pellicule, je les photocopie, je coupe, je colle avec du scotch et je fais exactement un film de montages. Je prends ainsi un plan qui a été tourné, ou plutôt enregistré, par exemple le 1er janvier 1960, et un autre le 1er janvier 1930, et je les rapproche parce que c'est le 1er janvier. Ou alors, je fais des rapprochements thématiques entre deux événements très éloignés. »

Chaque volume se constitue ainsi autour d'un thème central que le lecteur peut modifier ou compléter à volonté.

(2 vol.), *Journal d'une fiancée* (1923-1927) et les *Cahiers secrets* qui rassemblent les pages impudiques jadis écartées de la publication.

Journal

Samuel Pepys   *(1633-1703)*
Traduit de l'anglais
par René Villoteau   Mercure de France

Secrétaire de l'Amirauté à Londres à la fin du XVIIᵉ siècle, Pepys tenait son journal en langage chiffré. Il parle de tout — musique, science, politique, littérature —, est témoin de la peste et de l'incendie de Londres, et développe un sens de l'observation et de l'instant tout à fait original. Déchiffré seulement au XIXᵉ siècle !

Journal des îles   *(1878-1919)*

Victor Segalen   Éditions du Pacifique

« L'exotisme est tout ce qui est autre », disait-il. Le voyage de Segalen, médecin de la marine, sur le navire *La Durance* : le Pacifique, cyclone aux Touamotou, recherches sur Gauguin à Tahiti. Il est lui-même un grand coloriste.

Cahiers   *(1871-1945)*

Paul Valéry   Pléiade (2 vol.)

Pas un jour sans une ligne, pas une ligne sans une pensée intelligente. Deux mille pages d'idées...

Journal

Virginia Woolf   *(1882-1941)*
Traduit de l'anglais
par Colette-Marie Huet
                        Stock (5 vol. parus)

Tenu à partir de 1915 et avec seulement de très courtes interruptions, jusqu'à son suicide en 1941, c'est à la fois un véritable journal intime où la dépression et l'angoisse sont souvent présentes, et une délicieuse galerie de portraits où défilent tous les contemporains prestigieux que Virginia Woolf fréquenta : T.S. Eliot, E.M. Forster, J.M. Keynes, K. Mansfield et tant d'autres. Un écrivain doué, doublé d'une journaliste à l'œil vif.

... en 49 livres

Journal intime : au Portugal et en Espagne

William Beckford   1787-1788
Traduit de l'anglais
par R. Kann   José Corti

Étrange journal de voyage où l'on retrouve à chaque page la curiosité d'un excentrique anglais bisexuel et les tourments contradictoires d'un aventurier esthète.

Journal de travail

Bertolt Brecht   1938-1955
Traduit de l'allemand
par P. Ivernel   L'Arche

De l'exil américain au Berliner Ensemble, les dernières années du dramaturge. À compléter par le recueil *Journaux, 1920-1922* suivi de *Notes autobiographiques, 1920-1954* (L'Arche).

Élisabeth de Bavière, impératrice d'Autriche

Constantin Christomanos   1900
                        Mercure de France

Le journal intime très étrange, les propos et conversations insolites de « Sissi », une grande figure tourmentée de la Belle Époque, le symbole mélancolique et nihiliste de la Vienne impériale.

Opium, journal d'une désintoxication

Jean Cocteau   1930
                                Stock

Quand les souvenirs, les portraits, les aphorismes affluent à mesure que l'opium dévastateur se retire. Un très beau livre méconnu.

Journal

Charles Du Bos   1946-1962
                              (Épuisé)

Quand le journal d'un écrivain est une recherche de la spiritualité et une lente évolution vers la conversion au catholicisme.

Journal

Anne Frank (1929-1945)
*Traduit par Tylia Caren
et Suzanne Lombard* L. P., P. P.

Ce journal simple d'une adolescente juive persécutée est devenu un symbole universel de la résistance à l'oppression.

Solde

Bernard Frank 1980
Flammarion

Une sorte de café littéraire où l'auteur le plus brillant et le plus paresseux de sa génération, prodigieusement doué pour le coq à l'âne, la rosserie, l'espièglerie et la formule assassine fait l'éloge de la littérature à travers une savoureuse chronique mondaine de la presse et de l'édition.

Journaux indiens

Allen Ginsberg 1970
Traduit de l'anglais par P. Mikriammos
Bourgois et 10/18

Bribes de conversations, notes, rêves, lettres, poèmes, méditations, dessins, photos : quand le gourou des beatniks allait se plonger dans le Gange.

Voyage en Italie

Johann Wolfgang Goethe 1816-1817
*Traduit de l'allemand par J. Porchat
et M. Besset* Champion

Le plus grand des écrivains romantiques allemands descend chercher les vérités italiennes. Un beau texte fourmillant de tableaux brillants.

Journal du sire de Gouberville

Gilles Picot, sire de Gouberville vers 1576
(À rééditer)

Un document formidable sur la vie rurale normande au XVIᵉ siècle. Les goûts, les couleurs, les usages et les fêtes de province sous l'Ancien Régime.

« Il participe au livre par ses propres souvenirs. Lorsque je parle de mon père, il pense à son père, lorsque j'évoque la propriété de famille, s'il a eu dans son enfance un endroit où il allait régulièrement, il y a des enchaînements. Ce qui me frappe le plus dans toutes les lettres que je reçois, c'est que les gens se reconnaissent dans *Le Temps immobile* : ils peuvent refaire les constructions qu'ils veulent et, en ce sens-là, c'est une œuvre ouverte… et une œuvre anonyme. Et, à la limite, je serais très heureux que cela serve de modèle à des entreprises du même genre, soit que les gens se servent de leurs propres matériaux, soit qu'ils montent différemment mes propres livres pour publier quelque chose qui, d'ailleurs, m'étonnerait peut-être beaucoup. Étant donné toutes les questions d'ordre juridique et d'héritage, ce ne sera possible d'une façon libre qu'après ma mort, mais je le souhaite beaucoup. Et j'espère, du reste, que ce sera imité : *Le Temps immobile* est un instrument, une technique que j'ai trouvée par hasard ; on pourra l'utiliser et ce ne sera même pas la peine de me citer ; on ne saura même plus qui l'avait inventée. »

Le point de vue de Gabriel Matzneff

Gabriel Matzneff est l'un des seuls écrivains aujourd'hui à publier son journal (dernier tome : *Un galop d'enfer*, La Table Ronde) et à vouloir se raconter sans fard, comme Léautaud dont il dit que son journal « sonne à l'oreille comme un vieux roman cochon ».

« Publier un journal, surtout ''scandaleux'' ou, disons, impudique n'a de justification que si on livre tout tel quel, brut, au lecteur. Le journal c'est le degré zéro de l'écriture. Une des principales raisons pour lesquelles on publie son journal intime de son vivant c'est d'échapper ainsi au risque de caviardage par les héritiers. Je pense toujours à l'exemple de mon cher Byron. Sa femme, son meilleur ami et son

Les Années faciles

Julien Green   1976
Plon et Pléiade
(t. IV et V des Œuvres complètes)

Les confessions d'un écrivain tourmenté, né avec le siècle, élevé dans le puritanisme et qui découvre tout à la fois un monde contradictoire et la gloire littéraire. Ce premier titre a été suivi d'une dizaine d'autres. L'entreprise continue...

Choses vues

Victor Hugo   *(1802-1885)*
F. (4 vol.)

Quand Hugo vit son temps au jour le jour : la rue, la politique, l'histoire littéraire et la grande histoire. Quotidien mais visionnaire, comme toujours. D'étincelants portraits, des mots terribles. Le souffle épique jusque dans l'anecdote de trottoir.

Journal

Jean-René Huguenin   1964
Seuil

Nouvelles passions romantiques dans la France des années cinquante. Tué en voiture à 26 ans, il aurait pu devenir un grand écrivain. Il n'a laissé que quelques pages tremblantes, émouvantes.

A.O. Barnabooth
Son journal intime

Valéry Larbaud   1954-1955
Gallimard

Un itinéraire sentimental à travers une Europe rêveuse. Trains, bars, hôtels, fumoirs, amours. La vie était si légère avant 1914.

Journal pour le règne de Henri IV

Pierre de L'Estoile   *(1546-1611)*
Gallimard (3 vol.)

La vie parisienne au lendemain de la Saint-Barthélemy. La chronique colorée d'un bourgeois catholique tolérant.

Journal de voyage en Italie par la Suisse et l'Allemagne

Michel de Montaigne   *(1533-1592)*
F.

Il quitte sa chère «librairie» pour aller visiter quelques stations thermales. Une aventure à cheval d'un an et demi ! A été publié pour la première fois en 1774.

Journal

Jules Michelet   1828-1874
Gallimard (4 vol.)

En marge de l'œuvre immense de l'historien, une vie pimentée de quelques thèmes obsessionnels étranges.

Journal

Abbé Arthur Mugnier   *(1853-1944)*
Mercure de France

Il convertit Huysmans. Il fréquenta avec ses gros souliers et sa soutane tout le milieu littéraire et les salons des gens du monde. Drôle d'abbé, drôle de monde...

Le Métier de vivre

Cesare Pavese   *(1908-1950)*
Traduit de l'italien
par M. Arnaud   F. (2 vol.)

On a découvert son journal intime après son suicide en 1950. La réflexion quotidienne d'un grand écrivain sur la littérature, l'art et aussi sur les difficultés d'avoir, à côté de cela, une vie privée.

Chronique du ghetto de Varsovie

Emmanuel Ringelblum   1958
Traduit du yiddish et de l'anglais
par L. Poliakov   (Épuisé)

Par une équipe de témoins, le journal de la lutte et de la chute du ghetto. Un texte terrible, enterré sur place et retrouvé après la guerre.

Carnets de la drôle de guerre

Jean-Paul Sartre   1983
                                   Gallimard

Ce n'est que le journal d'un soldat en Alsace entre septembre 1939 et juin 1940, mais c'est aussi sans doute une des œuvres les plus fortes de Sartre.

Journal à Stella

Jonathan Swift   *(1667-1745)*
Traduit de l'anglais
par R. Villoteau   Gallimard

Le précepteur épouse son élève mais ne vit pas près d'elle : d'où cette succulente chronique épistolaire qui nous en apprend tellement sur la vie de Swift et sur les mœurs de son temps. Drôle, léger, et en même temps énigmatique et sérieux.

Carnets

Ludwig Wittgenstein   1914-1916
Traduit de l'allemand
par G.G. Granger   Gallimard

Les carnets d'un philosophe qui n'arrête pas de penser, même au cœur de la tourmente guerrière. Malheureusement censuré de ses passages mystiques ou érotiques.

Carnets d'enquêtes

Émile Zola   *(1840-1902)*
                                       Plon

Les enquêtes et les matériaux amassés par Zola pour ses romans. Prodigieusement captivant !

éditeur se sont entendus pour détruire ses Mémoires... C'est un geste monstrueux ! [...]

Un roman, c'est la vérité stylisée, modifiée, transfigurée. Le journal, c'est la vérité brute. J'ai souvent l'impression de mettre les gens mal à l'aise, ils doivent me considérer comme un peu fou. Ce qui dérange, c'est la folie d'un type qui réclame le "droit au déshonneur", comme disait Dostoïevski. Se confesser sur la place publique, c'est mal élevé. Cela ne se fait pas. [...]

Quand, vers l'âge de dix-sept ans, j'ai commencé à tenir mon journal, je me souviens que je lisais un ouvrage du philosophe Louis Lavelle, *Les Erreurs de Narcisse*, mettant en garde contre les dangers du journal intime : le repli sur soi, le nombrilisme et même la schizophrénie. Tout cela est vrai. Mais le journal, c'est comme la langue d'Ésope : c'est à la fois le poison et le remède. C'est un régulateur qui vous délivre de l'angoisse, d'un trop-plein. Si je vivais cette vie sans rien noter, elle deviendrait très vite insupportable et odieuse. D'un autre côté, j'aggrave mon cas. Je persiste et signe mes crimes. L'image assez sombre de ma personnalité qui transparaît dans le journal, je me surprends à m'y conformer parfois dans l'existence. Le journal, c'est un outil à double tranchant. Le mien devient de plus en plus un journal amoureux, érotique, et c'est un peu embêtant de se laisser envahir par la sensualité. Peut-être que si j'arrêtais de tenir mon journal, je draguerais moins...

Les correspondances

Peut-on parler d'un genre épistolaire ? Cette question est restée long-temps à l'ordre du jour. Un exemple : au XVIe siècle, la querelle du «cicéronianisme», c'est-à-dire du retour à la pureté de la langue latine, a réintégré la lettre comme forme littéraire (voir notamment la théorie du «laconisme» de Juste Lipse dans son *Epistolica institutio*, de 1591). Pendant les deux siècles qui ont suivi, la lettre, feinte ou réelle, source de fiction ou lieu de réflexion, a beaucoup servi : pensons aux *Provinciales*, de Pascal, aux *Lettres persanes*, de Montesquieu, à la *Lettre sur les spectacles*, de Rousseau, ou à la *Lettre sur les aveugles à l'usage de ceux qui voient*, de Diderot. À la fin du XVIIIe siècle, tout le monde écrit des lettres, sur tous les sujets, et même des *Lettres pour faire progresser l'humanité* (Johann Gottfried Herder, entre 1793 et 1797). Mais, à les examiner, force est de constater qu'on y apporte tout ce qu'on veut, à ce genre littéraire sans règles. Entre la marquise de Sévigné et Laclos, il y a de nombreuses lieues d'écart : la première s'adresse à un public restreint (ses lettres étaient faites pour être lues en public), le second tend vers le roman. Le genre épistolaire suffisamment souple, ouvert, permet toutes les variations, et le choix présenté ici s'efforce de les refléter.

À la lettre savante ou mondaine du XVIIIe succède la «correspondance» qui, dans le courant romantique du XIXe, devient lieu d'échanges, moyen de s'épancher, de se connaître, de se faire comprendre, voire pardonner. De Flaubert à Kafka, de Chateaubriand à Paulhan, nous en apprenons beaucoup plus sur l'intimité, sur les préoccupations des auteurs, et ce sont autant d'éclairages précieux pour comprendre leurs œuvres. Mais on rencontre aussi de tout : depuis les billets de Proust, qui servent souvent à fixer un rendez-vous, aux brûlantes missives d'Artaud, à Rodez. Car beaucoup de ces correspondances n'étaient pas destinées, dans l'esprit de leurs auteurs, à être publiées et elles n'en sont que plus passionnantes. D'autres sont déjà, comme certains journaux, empreintes du souci de la publication : on les sent *tenues* et comme *mises en scène*. Ce qui les rapproche, c'est l'effet de distance. On écrit parce qu'on est loin, ou séparé de la société : lettres de voyage (Custine), d'exil, ou même d'enfermement (Mirabeau, Sade, Artaud). Si Georges Perros, par exemple, est l'un des derniers épistoliers contemporains, c'est que, jusqu'à sa mort, il s'était volontairement exilé à Douarnenez, et contraint de correspondre avec d'autres écrivains (Paulhan, Butor, etc.). Aujourd'hui la distance est abolie par l'avion, le téléphone ou la voiture et l'on assiste à un «assèchement» de l'art épistolaire. Qui, parmi les écrivains vivants de notre époque, tient encore de véritables correspondances ? Bien peu probablement. Les rencontres sont plus fréquentes, on se téléphone, on ne prend plus le temps de jeter sur du papier à lettres ses réflexions du jour et les notations quotidiennes qui font toute la vivante épaisseur des correspondances d'autrefois. Les familles n'auront plus à censurer les lettres de leurs membres illustres, comme ce fut le cas pour Van Gogh. Dernier exemple connu de contrôle : les *Lettres au Castor*, de Sartre, revues par Simone de Beauvoir. Heureusement, la littérature épistolaire n'est pas réservée aux seuls écrivains : il faut lire les lettres de Mozart, de Delacroix (d'une grande richesse, et qu'il faudrait rééditer d'urgence), de Michel-Ange, de Wagner, de Pissaro, de Noverre (sur la danse et les spectacles), de Van Gogh, bien sûr... C'est souvent là que les secrets de la création sont révélés. Hélas ! bien peu d'entre elles sont disponibles. Comme d'ailleurs les lettres souvent fascinantes de tous ces témoins des époques révolues, nos ancêtres, qui savaient tourner élégamment une missive et dont les écrits dorment dans les greniers.

Les correspondances

... en 49 livres

... en 25 livres

... en 10 livres

Lettres à Sophie Volland
Denis Diderot

Correspondance
Gustave Flaubert

Lettres à Milena
Franz Kafka

Correspondance
Wolfgang Amadeus
Mozart

Lettres à un jeune poète
Rainer Maria Rilke

*Lettres et mélanges littéraires
écrits à Vincennes
et à la Bastille*
D.A.F. Marquis de Sade

Lettres
Madame de Sévigné

Correspondance
Stendhal

Lettres à son frère Théo
Vincent Van Gogh

*Lettres philosophiques
ou lettres anglaises*
Voltaire

Correspondance
Honoré de Balzac

Correspondance
Joë Bousquet

*Correspondance complète
de la marquise du Deffand*

Lettres à la princesse Élisabeth
René Descartes

*Lettres à Zelda
et autres correspondances*
Francis Scott Fitzgerald

*La Naissance de la psychanalyse :
lettres à Wilhelm Fliess*
Sigmund Freud

Correspondance
André Gide

Lettres portugaises
Joseph de Guilleragues

Lettres
James Joyce

D'où viens-tu Hawthorne ?
Herman Melville

*Lettres à Sophie
écrites du donjon de Vincennes*
Honoré Gabriel Riqueti de Mirabeau

Correspondance à trois (1926)
Pasternak, Rilke, M. Tsvétaïeva

Correspondance
Marcel Proust

Lettres de sa vie littéraire
Arthur Rimbaud

Correspondance
Jacques Rivière et Alain-Fournier

Lettres et journaux intimes
Lord Byron

Lettres
Raymond Chandler

Correspondance
Paul Claudel et Jean-Louis Barrault

Lettres à Jacques Maritain
Jean Cocteau

Correspondance d'Érasme
et de Guillaume Budé

Correspondance d'Héloïse et Abélard

Lettres choisies (1917-61)
Ernest Hemingway

Lettres
Thomas Edward Lawrence

Les Loisirs de la poste
Stéphane Mallarmé

Lettres
Katherine Mansfield

Correspondance
Roger Martin du Gard

Correspondance privée
Henry Miller, Joseph Delteil

Lettres persanes
Charles-Louis de Montesquieu

Lettres sur la danse
Jean-Georges Noverre

Deux cent vingt-six lettres inédites
à Étiemble (1933-1967)
contribution à l'étude
du mouvement littéraire en France
Jean Paulhan

Lettres 1924-1950
Cesare Pavese

Lettres à Michel Butor
Georges Perros

Correspondance 1931-1966
Jean Rhys

Correspondance
Vita Sackville-West
et Virginia Woolf

Correspondance
George Sand

Lettres à Lucilius
Sénèque

Lettres de guerre
Jacques Vaché

L'Enchanteur et le roi des ombres
Richard Wagner
et Louis II de Bavière

Correspondance
Émile Zola

• À vous de choisir le cinquantième
livre. Peut-être est-il déjà dans votre
bibliothèque.

... en 10 livres

Lettres à Sophie Volland

Denis Diderot   *(1713-1784)*
                    Gallimard et F.

Écrites entre 1759 et 1774, ces lettres à
une amie et confidente retracent, avec un
grand souci d'authenticité, toute la période
de la constitution de l'Encyclopédie, et se
font l'écho des combats de Diderot. Elles
ont été publiées pour la première fois en
1829.

Correspondance

Gustave Flaubert   1887-1893
                          Pléiade

Un ensemble de lettres aussi passionnantes que les romans, et profondément révé-
latrices du labeur quotidien de l'écrivain.
Flaubert les adressa à sa maîtresse, Louise
Colet, à ses amis, Louis Bouilhet et
Maxime du Camp, à sa famille, notamment
sa mère et sa sœur Caroline, et à ses proches en littérature. On le voit vivre, lui qui
souhaitait «faire croire à la postérité qu'il
n'avait jamais vécu», on l'entend parler,
jurer, «gueuler» en toute liberté.

Lettres à Milena

Franz Kafka   *(1883-1924)*
Traduites par Alexandre Vialatte
                          Gallimard

Milena Jesenska, morte à Ravensbrück en
1944, fut la destinataire de ces lettres qui
permettent de mieux comprendre le désir
de sincérité et le projet littéraire de l'auteur
du *Procès*, et de mesurer l'échec de l'amour
qu'il portait à sa traductrice en tchèque.
Un indispensable complément à son *Journal intime* (Grasset, 1945).

Correspondance

Wolfgang Amadeus Mozart   *(1756-1791)*
Traduit de l'allemand
par G. Geffray   Flammarion (2 vol.)

Pour la plupart adressées à sa famille, ces
lettres reflètent non seulement l'évolution
créatrice du compositeur, mais également
la société du XVIIIᵉ siècle, telle que le jeune
Mozart la perçoit à travers les cours européennes qui l'invitent. Les dernières lettres font état de la grande misère de Mozart
à la fin de sa vie.

Lettres à un jeune poète

Rainer Maria Rilke   *(1875-1926)*
Traduites de l'allemand par B. Grasset
et R. Biemel   Grasset

Précédées de *Réflexions sur la vie créatrice*,
par B. Grasset, ces Lettres témoignent de
l'exigence spirituelle et poétique de Rilke,
et abordent tous les thèmes de son œuvre :
solitude, angoisse, fécondité de la chair,
exultation, dans une forme littéraire parfaite. À lire absolument, sa *Correspondance*
avec Lou Andreas Salomé (Gallimard,
1984) qui éclaire non seulement son œuvre
mais toute une partie de l'aventure intellectuelle de ce début du XXᵉ siècle.

Lettres et mélanges littéraires écrits à Vincennes et à la Bastille

Donatien Alphonse
François de Sade   *(1740-1814)*
                          Pauvert

Toute la personnalité du divin marquis est
enfermée dans cette correspondance qui
reste également un modèle de style. La
meilleure introduction, en dépit du volume
(1 184 pages) à l'œuvre et à la philosophie
sadiennes.

Lettres

Madame de Sévigné   1677
                          Pléiade

Notre fameuse épistolière et chroniqueuse
du règne de Louis XIV que nous ne
connaîtrions pas si son gendre, le comte
de Grignan, n'avait eu la bonne idée de

séparer la fille de la mère. Critique sociale, humour, théâtre, une pointe de romantisme dans l'évocation de la nature, tout est présent dans ces Lettres qui sont autant de petits chefs-d'œuvre, et des documents de première main sur le Grand Siècle.

Correspondance ·
Stendhal (1783-1842)
Pléiade (2 vol.)

La conversation de Stendhal au quotidien, qui nous permet de visiter l'Italie, Vienne, Berlin et Moscou, de savoir ce qui était à la mode à l'époque, et de goûter, grâce aux petits détails «vrais», aux plaisirs d'un égotiste.

Lettres à son frère Théo
Vincent Van Gogh (1853-1890)
Grasset

Une histoire (largement censurée) d'amour fraternel, et l'itinéraire tourmenté d'un peintre : c'est sans réserves que Van Gogh exprime à son frère toutes ses pensées et toutes ses peurs depuis Paris et Londres, où il découvre les milieux artistiques, jusqu'à Auvers-sur-Oise d'où part, après une tentative de suicide, sa dernière lettre. Une description passionnante et authentique du processus de la création artistique, qui éclaire, sans l'expliquer, le secret de Vincent. Mais le lecteur est en droit d'attendre une édition complète de ces lettres.

Lettres philosophiques ou Lettres anglaises
Voltaire 1734
G. F.

Un document politique fondé sur le séjour en Angleterre de Voltaire (en raison d'un exil de trois ans), qui rend hommage au système social et politique outre-Manche, sans oublier d'évoquer la littérature anglaise (les tragédies de Shakespeare, «monstrueuses farces») et de prendre part aux débats religieux et scientifiques de l'époque. Une apologie de l'esprit de tolérance.

Le choix de Christiane Baroche

Dans *L'Hiver de beauté* (Gallimard, 1987), Christiane Baroche, lectrice des *Liaisons dangereuses*, reconstruit, à près de deux siècles de distance, le roman épistolaire de Choderlos de Laclos, dans une recherche de la beauté perdue. Un très beau roman qui témoigne de l'intérêt de Christiane Baroche pour l'art de la correspondance littéraire, qu'elle pratique régulièrement avec l'écrivain Paule Constant, comme une suite naturelle à la conversation. Elle retient trois correspondances d'écrivains, auxquelles, affirme-t-elle, elle revient souvent :
— la correspondance de Flaubert, étonnante par sa liberté de ton, par sa violence, et par un style qui préfigure un Céline ;
— la correspondance de Flannery O'Connor (Gallimard), qui s'apparente au journal intime ;
— et, dominant toutes les autres, la correspondance de Rainer Maria Rilke, un ensemble passionnant de lettres adressées à Rodin, Lou Andreas Salomé, et aux femmes qui l'ont entouré : on y remarque un souci constant du destinataire et une très grande rigueur d'analyse des différentes formes de création.
Christiane Baroche s'intéresse également aux correspondances du XVIIIᵉ siècle : elle apprécie notamment les lettres de madame du Deffand, adressées aux plus grands esprits européens de son temps, et dont la principale vertu est de «dire par des voies détournées». Aujourd'hui, la correspondance n'a plus ce caractère de continuation de la conversation, la notion d'ami intime et de confident littéraire s'est perdue, et les échanges de lettres de nos contemporains sont plus immédiats et utilitaires, même si parfois ils sont révélateurs comme les correspondances de Henry Miller avec Anaïs Nin ou Lawrence Durrell.

... en 25 livres

Correspondance

Honoré de Balzac   de 1832 à 1850
                          Garnier (5 vol.)

Les demandes, les interventions et les commentaires de Balzac sur ses contemporains éclairent *La Comédie humaine*. À rééditer d'urgence : les *Lettres à Madame Hanska*, qui ne figurent pas à cette édition, et qui constituent un exemple unique de liaison amoureuse par correspondance.

Correspondance

Joë Bousquet   1897-1950
                          Gallimard

Ce poète, paralysé très jeune, a noué, depuis son lit, avec ses contemporains, de multiples conversations littéraires et esthétiques qui lui ont donné une extrême sensibilité aux événements du monde extérieur.

Correspondance complète de la marquise du Deffand avec ses amis, le président Hénault, Montesquieu, d'Alembert, Voltaire, Horace Walpole

                          (1697-1780)
                          Slatkine

Une amitié intellectuelle — qui rend compte de toute la vie de l'esprit au XVIIIᵉ siècle — entre un maître du roman gothique anglais, les philosophes des «Lumières» et l'une des femmes les plus influentes qui tenaient salon à Paris.

Lettres à la princesse Élisabeth

in *Œuvres complètes*
René Descartes   1642-49
                          Vrin/C.N.R.S.

Interrogé sur un point des *Méditations métaphysiques*, Descartes, dans cette ultime période de sa vie, explique les principes de sa philosophie à une fidèle disciple.

Lettres à Zelda et autres correspondances

Francis Scott Fitzgerald   *(1896-1940)*
Traduites de l'américain
par Tanguy Kenc'hdu   Gallimard

La correspondance d'un couple qui s'est déchiré, et qui a voyagé suffisamment pour y évoquer l'entre-deux-guerres aux États-Unis, en France, en Angleterre, etc., avec un sens aigu de l'ironie.

La Naissance de la psychanalyse : lettres à Wilhelm Fliess

Sigmund Freud   1887-1902
Traduit de l'allemand
par A. Berman   P.U.F.

La mise au point progressive des théories psychanalytiques dans le contexte intime de S. Freud. À lire aussi sa Correspondance avec C.G. Jung (Gallimard, 1976).

Correspondance

André Gide   entre 1897 et 1950
                          Gallimard

Gide s'adressant à ses confrères : Martin du Gard, Larbaud, Charles du Bos, Mauriac, etc. : d'une écriture surveillée, comme s'il savait que la postérité se penchait sur son épaule.

Lettres portugaises

(suivies de Lettres d'une Péruvienne et d'autres romans d'amour par lettres)
Gabriel Joseph de Guilleragues   1669
                          Flammarion

Attribuées à la religieuse Mariana Alcoforado, et publiées sous l'anonymat, ces Lettres dénoncent un officier français qui abandonne et oublie sa victime après l'avoir séduite. Elles expriment avec une très grande finesse le sentiment amoureux et une passion destructrice. Il a fallu attendre 1926 pour connaître le véritable auteur des Lettres, qui se serait inspiré de diverses correspondances de militaires français au cours de la Campagne du Portugal.

Lettres

James Joyce   *(1882-1941)*
Traduites de l'anglais
par Marie Tadié   Gallimard (4 vol.)
Dublin, Trieste, Paris, les contemporains (Svevo, Larbaud, Pound, Yeats...) décrits avec une certaine distance par l'auteur d'*Ulysse*, et un désir de sauvegarde de l'intimité du créateur.

D'où viens-tu Hawthorne?

Herman Melville   *(1819-1891)*
Traduit de l'américain
par Pierre Leyris   Gallimard
Des lettres d'une grande sincérité qui permettent de comprendre les ambiguïtés de Billy Budd, et de découvrir l'amitié qui unissait les deux écrivains américains les plus importants du siècle dernier.

Lettres à Sophie
écrites du donjon de Vincennes

Honoré Gabriel
Riqueti de Mirabeau   1777-80
             Ed. d'Aujourd'hui
Mirabeau, emprisonné pour dettes, a connu une passion amoureuse qui s'épanche à travers cette correspondance, où il inscrit également ses préoccupations politiques et religieuses (et il s'agit aussi d'un traité d'athéisme).

Correspondance à trois
(été 1926)

Boris Pasternak, Rainer Maria Rilke,
Marina Tsvétaïeva
Traduit par Lily Denis, Philippe Jaccottet
et Ève Malleret   1983
                 Gallimard
Une étonnante correspondance entre trois des plus grands écrivains de ce siècle : Pasternak, isolé en Russie, Rilke, qui va mourir et Marina Tsvétaïeva dont l'envoûtante personnalité domine le tout.

Distance
et absence

«On écrit en l'absence de l'autre, pour s'en rapprocher. Mais, en fait, les choses ne se passent que rarement de cette façon. Kafka feint de s'en apercevoir, quasiment la veille de ses fiançailles avec Felice, après lui avoir écrit plusieurs centaines de lettres : ''Mais regarde un peu, voilà plus d'un an et demi que nous courons l'un au-devant de l'autre, et pourtant au bout du premier mois déjà nous semblions être presque cœur à cœur. Et maintenant après si longtemps, après une aussi longue course, nous sommes toujours tellement loin l'un de l'autre.'' La lettre est un principe d'éloignement bien plus que de rapprochement. Elle est productrice d'une distance ; d'une distance qui, à vrai dire, n'existerait pas s'il n'y avait pas la lettre pour l'affirmer, la maintenir. Certaines correspondances (Kafka, Proust) s'affolent d'ailleurs (comme on le dit d'un cardiogramme) lorsque devient imminente la menace d'un rendez-vous : il s'agit alors de multiplier les obstacles à la rencontre. Un des gestes les plus exemplaires à cet égard, c'est sans doute celui de Rimbaud, après son départ pour l'Afrique. S'enfonçant dans le Harar, de plus en plus éloigné des siens, il leur écrit pour leur demander des nouvelles, ou à accuser réception, tout en se mettant de plus en plus radicalement hors de portée. Il prend, c'est le cas de le dire, la distance à la lettre, plutôt que de continuer encore à la mettre en littérature. Situation sans doute extrême, mais qui devrait permettre une réévaluation du voyage ''littéraire'' en général : celui-ci se joue peut-être autant par rapport à un autre plus ou moins exotique que par rapport à ceux qu'on laisse derrière soi, qu'on met à distance pour leur faire signe.»

Extrait d'un article
de Vincent Kaufmann :
«Relations épistolaires»
in *Poétique* (novembre 1986).

Correspondance

Marcel Proust   *(1871-1922)*
Plon (15 vol.)

Grâce à la formidable érudition de l'Américain Philip Kolb, Proust, qui pratiquait quotidiennement l'envoi de lettres, billets, et «petits bleus», apparaît comme un personnage de *La Recherche*, et très préoccupé de sa gloire littéraire.

Lettres de sa vie littéraire

Arthur Rimbaud   1870-75
Gallimard

Il n'y a pas que les fameuses *Lettres du voyant*. Un ensemble de lettres avec toute une génération d'écrivains, qu'il faut confronter aux rapports que, plus tard, il envoya d'Abyssinie à son employeur.

Correspondance

Jacques Rivière et Alain-Fournier   1926
Gallimard. À rééditer

Deux jeunes gens, condisciples de Lakanal, échangent leurs impressions sur la vie littéraire et artistique de la France d'avant 1914, et commentent leurs essais littéraires : l'un est le futur directeur de la N.R.F. et l'autre tombe au front en septembre 1914. Un exemple d'amitié littéraire à une époque où l'on savait écrire.

... en 49 livres

Lettres et journaux intimes

Lord Byron   entre 1813 et 1824
*Traduit de l'anglais par J.-P. Richard
et P. Bensimon*   Albin Michel

Une aventure européenne vécue jusqu'à l'engagement aux côtés des insurgés grecs à Missolonghi.

Lettres

Raymond Chandler   *(1888-1959)*
*Traduites de l'américain
par M. Doury*   Bourgois

Le maître du polar américain livre quelques secrets à travers sa correspondance avec ses éditeurs et des écrivains.

Correspondance

Paul Claudel et Jean-Louis Barrault   1974
Gallimard. À rééditer

Les rapports entre l'homme de scène et le dramaturge : on en apprend beaucoup sur la création du *Partage de midi*, ou de *L'Annonce faite à Marie*.

Lettres à Jacques Maritain

Jean Cocteau   1889-1963
Stock

De longs échanges qui montrent un Cocteau préoccupé de l'âme et de la survie par l'art et la création.

Correspondance

d'Érasme   *(1466-1536)*
et de Guillaume Budé   *(1467-1540)*
Vrin

Traduites du latin, écrites dans un style alerte et vivant, ces lettres sont représentatives de l'esprit de la Renaissance.

Correspondance

d'Héloïse   *(1101-1164)*
et Abélard   *(1079-1142)*
10/18, U.G.E. (épuisé)

Un mythe amoureux et l'écho de débats sur la religion par un couple blessé par la mort d'Astrolabe, leur enfant, et l'incompréhension du monde.

Lettres choisies

Ernest Hemingway   *(1917-1961)*
*Traduit de l'anglais
par M. Arnaud*   Gallimard

Potins, anecdotes littéraires, plaisanteries plus ou moins légères, récriminations à l'égard des éditeurs ou des «raseurs» de tout poil, ces lettres ont le charme de la volubilité, de la sincérité, de l'impromptu.

Lettres

Thomas Edward Lawrence *(1888-1935)*
Traduit de l'anglais par Yassu Gauclère
et René Etiemble Gallimard

D'Oxford en Arabie, et d'Arabie au Dorset, un complément indispensable à la lecture des *Sept Piliers de la sagesse*.

Les Loisirs de la poste

in Œuvres complètes
Stéphane Mallarmé 1894
Pléiade

Pour le plaisir du texte, tous les envois postaux et mondains de Mallarmé, ce qui ne dispense pas de lire sa *Correspondance* éditée par Henri Mondor (Gallimard).

Lettres

Katherine Mansfield *(1888-1923)*
Traduites de l'anglais
par Madeleine Guéritte Stock

Des instantanés revécus par la romancière néo-zélandaise, insatisfaite et angoissée, qui tomba sous l'influence du redoutable Gurdjieff.

Correspondance

Roger Martin du Gard T. I : 1913-1934
T. II : 1934-1951
Gallimard

Un homme au courant de tout, des idées et des êtres, et un excellent témoignage sur «l'aventure intellectuelle du XXe siècle» (R.M. Albérès).

Correspondance privée

Henry Miller - Joseph Delteil 1935-1978
Traduit de l'américain
par F.J. Temple Belfond

Des jours tranquilles de Clichy aux jours heureux de Big Sur.

Lettres persanes

Charles-Louis de Montesquieu 1721
G.F.

À une époque où l'art de la correspondance atteint son apogée, Montesquieu utilise ce procédé des lettres de voyage pour

Comment écrire ?

Le téléphone, mode moderne de communication, remplace de plus en plus souvent le courrier. Cependant, tous les échanges ne peuvent être téléphoniques et il faut bien écrire à son percepteur, à son assureur, à son propriétaire... Dans le quotidien aussi, certaines nouvelles sont parfois plus «faciles» à annoncer par écrit, la lettre ménageant un espace de temps, sorte de répit pour l'émetteur comme pour le destinataire. Mais comment «dire» l'amitié avec ses conventions (vœux, invitations, félicitations, remerciements), l'amour dans ses approches, ses déclarations et ses ruptures, la maladie, la mort.... ?

Dans un ouvrage paru aux Éditions Larousse, *500 lettres pour tous les jours*, Dominique Sandrieu propose des types de lettres adaptées à toutes les circonstances de la vie familiale, sociale, professionnelle avec des conseils généraux pour la présentation, les délais, les messages particuliers et les formules de politesse. Parmi celles-ci figurent, dans le paragraphe sur «Les lettres que vous n'écrirez sans doute jamais», de «précieux» conseils sur la manière de s'adresser au pape :

«Pour écrire au pape, on emploie du papier grand format ; on se sert comme en-tête de la formule ''Très Saint Père'' ; on écrit à la troisième personne en désignant le pape par les mots ''Votre Sainteté'', et l'on termine par les lignes suivantes, sans en changer la disposition :

''Prosterné aux pieds de Votre Sainteté
et implorant
la faveur de sa bénédiction apostolique,
j'ai l'honneur d'être,
Très Saint Père,
avec la plus profonde vénération,
de Votre Sainteté,
le très humble et très obéissant
serviteur et fils.''

» Un non-catholique écrira : ''Que Votre Sainteté daigne accepter l'assurance de mon profond respect.''»

prêter à Rica et Usbek, Persans en visite en Europe, une analyse complète de la société civile et des mœurs dans les dernières années du règne de Louis XIV. L'humour et la critique souvent violente qui caractérisent ces lettres préparent *l'Esprit des lois* et annoncent Voltaire. Elles ont eu un énorme succès.

Lettres sur la danse

Jean-Georges Noverre   1760
                                        Ramsay

Cette brève correspondance (35 lettres) fonde la danse moderne, depuis Vigano et Bournonville jusqu'à Fokine et Lifar, en exprimant toutes les opinions du chorégraphe des *Fêtes chinoises* (1755) vivement attaqué pour sa modernité.

Deux cent vingt-six lettres inédites à Étiemble Contribution à l'étude du mouvement littéraire en France

Jean Paulhan   1933-1967
                                    Klincksieck

Entre le directeur de la N.R.F. et l'universitaire spécialiste de toutes les littératures, un échange de qualité, qui permet de comprendre la littérature contemporaine.

Lettres 1924-1950

Cesare Pavese
Traduit de l'italien
par Gilbert Moget   Gallimard

L'auteur du *Camarade* engagé dans une correspondance européenne, jusqu'aux mois qui précédèrent son suicide en 1950.

Lettres à Michel Butor

Georges Perros   1968-1978
                                         Ubacs

Douarnenez-Nice : l'un voyage, l'autre ne bouge pas, et ils échangent des lettres sur la littérature et les contemporains.

Correspondance 1931-1966

Jean Rhys
Traduit de l'anglais
par Claire Fargeot   Denoël

Trente-cinq ans de la vie d'une romancière, dont les lettres éclairent la « disparition » pendant vingt ans (au point qu'on la crut morte), et la genèse de son dernier et plus important roman, *La Prisonnière des Sargasses*. Un exemple de rigueur d'analyse et d'écriture.

Correspondance

Vita Sackville-West
et Virginia Woolf   *(1882-1941)*
Traduit de l'anglais
par Raymond Las Vergnas   Stock

L'esprit de Bloomsbury souffle sur ces échanges entre deux femmes qui se sont passionnément aimées.

Correspondance

George Sand   *(1804-1876)*
Éditée par Georges Lubin   Garnier

La dame de Nohant, ses ex., ses amis, les contemporains, et de nombreuses et précieuses réflexions sur l'art et la littérature. 22 volumes déjà parus.

Lettres à Lucilius

Sénèque   63-65 après J. C.
Éditées par F. Préchac
                          Belles Lettres (5 vol.)

Au nombre de 124, elles enseignent, sur le mode d'une conversation sans afféteries, tous les aspects de la philosophie de Sénèque, destinées à un jeune poète que celui-ci veut initier à la recherche du bonheur.

Lettres de guerre

Jacques Vaché   *(1895-1919)*
                                   Éric Losfeld

Précédées de quatre essais d'André Breton, ces lettres d'un jeune surréaliste prématurément disparu ont ouvert la voie au dadaïsme.

L'Enchanteur et le Roi des ombres

Richard Wagner   *(1813-1883)*
et Louis II de Bavière   *(1845-1886)*
Traduit de l'allemand
par B. Ollivier   Perrin

C'est un souverain qui s'adresse à un égal, avec une souveraine ambition. Également un journal de la création des principaux opéras de Wagner.

Correspondance
Émile Zola

de 1868 à 1886
Éd. du C.N.R.S.

Tous les échos des conversations de Médan, de l'affaire Dreyfus, de la publication de *J'accuse*, et des liaisons vécues par Zola.

Le théâtre

Si la finalité de l'œuvre théâtrale est bien sûr d'être représentée, chaque mot, chaque période du texte destiné à être proféré compte et possède un pouvoir évocateur auquel le lecteur aussi, mais différemment du spectateur, est sensible. Voilà pourquoi nous avons garni l'un des rayons de la bibliothèque idéale avec des ouvrages de théâtre. Il est possible, voire même indispensable de lire du théâtre. Certes Aristote, dans sa *Poétique*, avait déjà défini les limites du genre : le texte seul ne suffit pas, il doit s'incarner en un lieu réunissant acteurs et spectateurs. Beaucoup plus tard Nietzsche dans *L'Origine de la tragédie* dira : «Celui-là est dramaturge qui ressent une irrésistible impulsion à se métamorphoser soi-même, à vivre et à agir par d'autres corps et d'autres âmes. » La représentation qui unit l'auteur, les acteurs et le public est le fondement même du théâtre. Le texte ne constitue qu'un élément de cette totalité où comptent tout autant la mise en scène et le regard du spectateur. Il n'empêche : au théâtre seul le texte reste, par définition, comme un invariant, source inépuisable d'interprétations. L'une de celles-ci commence tout simplement avec la lecture, parfois la moins contraignante et la plus libre des «représentations». Alfred de Musset ne le suggérait-il pas à sa façon qui, en 1832, proposait un *Spectacle dans un fauteuil* dont la mise en scène est quasiment impossible ?

Dans l'immense répertoire disponible nous avons donc choisi 49 œuvres en essayant d'abord de refléter les principales étapes d'une histoire qui a pour souche l'antiquité grecque et les pièces fondatrices de Sophocle ou Eschyle. Mais tout en respectant, comme il se doit, les monuments classiques, nous avons largement ouvert la scène de notre bibliothèque idéale à beaucoup d'auteurs contemporains qui, pour certains d'entre eux, ne sont pas à leur juste place (Audiberti) ou pas assez connus du public français (Michel Tremblay). Sans doute avons-nous aussi privilégié la comédie par rapport à la tragédie en ne dédaignant pas, le cas échéant, des incursions du côté du «boulevard».

Faut-il justifier ce parti pris ? Disons seulement que nous avons voulu rendre hommage à Molière quand il s'exprimait, à travers Dorante, dans *La Critique de l'école des femmes* : «C'est une étrange entreprise que celle de faire rire les honnêtes gens.» Et quand il ajoutait : «Je voudrais bien savoir si la grande règle de toutes les règles n'est pas de plaire et si une pièce de théâtre qui a attrapé son but n'a pas suivi un bon chemin.»

Le théâtre

... en 49 livres

... en 25 livres

... en 10 livres

En attendant Godot
Samuel Beckett

Le Soulier de satin
Paul Claudel

Les Perses
Eschyle

Peer Gynt
Henrik Ibsen

*Le Jeu de l'amour
et du hasard*
Pierre de Marivaux

Tartuffe
Molière

Andromaque et *Phèdre*
Jean Racine

Hamlet
William Shakespeare

Œdipe roi
Sophocle

Les Trois Sœurs
Anton Tchekhov

Le Cavalier seul
Jacques Audiberti

Le Mariage de Figaro
Pierre-Augustin Caron
de Beaumarchais

La Résistible Ascension de Arturo
Bertolt Brecht

Le Festin de Balthazar
Pedro Calderon de la Barca

L'Illusion comique
Pierre Corneille

Faust
Wolfgang Goethe

La Trilogie de la villégiature
Carlo Goldoni

Le Rhinocéros
Eugène Ionesco

Ubu roi
Alfred Jarry

Frédéric, prince de Hombourg
Heinrich von Kleist

Un chapeau de paille d'Italie
Eugène Labiche

Don Juan
présenté par Jean Massin

Six personnages en quête d'auteu
Luigi Pirandello

Le Songe
August Strindberg

L'Éveil du printemps
Frank Wedekind

322

Le Voyageur sans bagages
Jean Anouilh

La Mort de Danton
Georg Büchner

La Visite de la vieille dame
Friedrich Dürrenmatt

Le Dindon
Georges Feydeau

Noces de sang
Federico Garcia Lorca

Les Bonnes
Jean Genet

La Ballade du grand macabre
Michel de Ghelderode

La guerre de Troie n'aura pas lieu
Jean Giraudoux

Le Revizor
Nicolas Gogol

Ruy Blas
Victor Hugo

Lorenzaccio
Alfred de Musset

La Charrue et les Étoiles
Sean O'Casey

Le Long Voyage dans la nuit
Eugene O'Neill

Trahisons
Harold Pinter

Œuvres complètes
Plaute-Térence

La Célestine
Fernando de Rojas

Knock
Jules Romains

Cyrano de Bergerac
Edmond Rostand

Pygmalion
George Bernard Shaw

Huis clos
Jean-Paul Sartre

Guillaume Tell
Friedrich von Schiller

Les Belles-Sœurs
Michel Tremblay

Capitaine Bada
Jean Vauthier

Un tramway nommé désir
Tennessee Williams

• À vous de choisir le cinquantième livre. Peut-être est-il déjà dans votre bibliothèque.

... en 10 livres

En attendant Godot

Samuel Beckett 1953
Minuit

Le chef-d'œuvre du génial Irlandais francophone est devenu un classique universel. Conversation à bâtons rompus entre deux clochards, Estragon et Vladimir, qui attendent... on ne sait quoi. Un sens extraordinaire du dialogue rend cette pièce désespérée constamment amusante, bien qu'il ne s'y passe rien ou presque : tour de force unique dans l'histoire du théâtre.

Le Soulier de satin

Paul Claudel 1942
Gallimard et F.

Monument élevé à la gloire du catholicisme triomphant de la Renaissance. Divisé en 4 «journées», cet opéra parlé nous conduit d'Europe en Afrique et en Asie. Rudes conflits côté cœur, et aussi dans les âmes : appétit de puissance et renoncement, amour charnel et grâce. Les thèmes claudéliens sont portés par un irrésistible flot lyrique.

Les Perses

in « Tragédies »
Eschyle 472 av. J.-C.
Trad. par Paul Mazon F., G. F., Denoël

Dans le palais du roi Xerxès à Suse, un messager relate la déroute des Perses contre les Grecs à la bataille de Salamine. La défaite est bientôt confirmée par le retour piteux du roi. Barbarie de la guerre, démesure et méfaits des ambitions humaines, mystère et toute-puissance des dieux : le créateur de la tragédie grecque continue de fasciner par la grandeur, la majesté, l'étrangeté de son théâtre.

Peer Gynt

Henrik Ibsen 1867
Trad. du norvégien par Prozor Billaudot

Au départ, portrait satirique d'un fanfaron inspiré par un conte populaire norvégien. Mais l'aventurier Peer Gynt prend une telle dimension humaine qu'il est devenu un mythe. Toute la Scandinavie éclaire ce «drame fantastique» au cours duquel Ibsen fait parler les trolls. On y découvre à chaque épisode des valeurs allégoriques ou symboliques baignant dans un univers d'une grande fraîcheur.

Le Jeu de l'amour et du hasard

Pierre de Marivaux 1730
«Classiques» Bordas, Hachette, Larousse

Fiancés par leurs parents sans se connaître, Dorante et Sylvie veulent s'observer en secret avant de s'engager l'un à l'autre. Leur stratagème prend la forme de déguisements : faux maître, faux serviteur, fausse maîtresse, fausse servante. Justesse dans l'analyse des sentiments et peinture délicate du dépit et de la coquetterie font de cette parfaite comédie un manuel de stratégie amoureuse.

Tartuffe

Molière 1664
«Classiques» Bordas, Hachette, Larousse

Ces cinq actes transgressent les limites habituelles du théâtre. Ils suscitèrent dès leur création polémique, cabales, interdiction, malgré le soutien constant de Louis XIV. Autour du personnage central (faux dévot, hypocrite et finalement escroc) gravitent les acteurs d'une «comédie humaine» à la Balzac. La plus féroce satire de Molière a évolué, dans l'esprit des metteurs en scène d'aujourd'hui, vers le drame sociologique, voire psychanalytique.

Andromaque et Phèdre

Jean Racine 1667 et 1677
«Classiques» Bordas, Hachette, Larousse

Croqueurs d'alexandrins comme on dit «croqueuse de diamants», ne cherchez plus : quelques-uns des plus beaux vers de la langue française sont ici. Toutes deux inspirées par Euripide, ces tragédies peignent l'âme féminine avec une vérité et une profondeur qui laissent pantois. Si Andromaque est prête à se sacrifier pour sauver son jeune enfant, dans la même pièce Hermione inaugure la série des héroïnes follement amoureuses qu'immortalisa l'auteur de *Phèdre*. La «fille de Minos et de Pasiphaé» est, pour sa part, en extase devant son beau-fils. Tout finit mal mais on ne résiste pas à l'envoûtement : «Ariane, ma sœur, de quel amour blessée / Vous mourûtes aux bords où vous fûtes laissée...»

Hamlet

William Shakespeare   1600
Traduit de l'anglais par Yves Bonnefoy
             F., G. F., L. P.

Dans les brumes du château d'Elseneur on trouve tout et le reste : fantôme, vengeance, folie simulée, méditations sur le destin («Être ou ne pas être...»), théâtre dans le théâtre, suicide, faux duel, assassinats pimentés d'erreurs sur les victimes, etc. Partagé entre le désir d'agir et la faiblesse, Hamlet est devenu pour l'humanité, avec Faust, Don Juan, Prométhée et quelques autres, une «figure» fascinante.

Œdipe roi

in « Tragédies »
Sophocle   env. 430 av. J.-C.
Traduit par Paul Mazon   F. et G. F.

L'incarnation la plus célèbre d'un mythe majeur de la tragédie grecque. Œdipe, l'«expert en énigmes fameuses», mène l'enquête, à Thèbes, sur le meurtre impuni du vieux roi Laïos, sans savoir qu'il en est lui-même la clé. Les dieux pourtant avaient prédit qu'il tuerait son père et épouserait sa mère... Grandeur et misère de l'humaine condition : Œdipe aveugle, rejeté par la cité, est l'une des figures les plus «tragiques» que nous a léguées le maître du théâtre au siècle de Périclès.

Les Trois Sœurs

Anton Tchekhov   1901
Traduit du russe par G. Cannac
et G. Perros   F.

Trois sœurs s'enlisent dans la grisaille de la vie de province tout en poursuivant de vieux rêves («Partir à Moscou!») sans cesse remis au lendemain. Touches impressionnistes pour peindre des person-

Le choix de Françoise Fabian

«Il y a les auteurs avec lesquels je vis, ceux que j'aime sans réserve : Tchekhov, pour sa recherche du temps perdu ; Labiche pour sa méchanceté et sa drôlerie. Et puis il y a les auteurs dont certaines œuvres m'habitent : *Antoine et Cléopâtre*, de Shakespeare ; *Le Misanthrope, Don Juan, Les Femmes savantes*, de Molière ; *Le Jeu de l'amour et du hasard*, de Marivaux ; *Phèdre, Andromaque, Bérénice*, de Racine. J'oubliais *Le Partage de midi*, de Claudel, la pièce qui est pour moi la poésie par excellence, celle qui a su dire l'amour... Beckett ? Ah non ! Je ne pourrais pas vivre avec Beckett. Aussi absurde que d'imaginer qu'aucun des auteurs que j'aime puisse vivre en bibliothèque. Le théâtre, c'est un dialogue qui n'existe que lorsqu'il passe par le filtre de l'acteur. Ainsi j'aurais voulu citer l'œuvre pleine d'humour, de vérité, d'auto-dérision, du Napolitain Eduardo de Filippo, mais il faut la voir en napolitain, c'est intraduisible... Bien sûr, on peut imaginer un lecteur idéal, celui qui aurait l'imagination et la sensibilité suffisantes pour lire du théâtre aussi facilement qu'un roman... Malheureusement, je me demande si les Français sentent vraiment le théâtre : ils cherchent une histoire dans ce qui est d'abord déploiement du verbe. En Angleterre, en Allemagne, aux États-Unis, le langage théâtral est sans doute mieux compris.»

Le choix de Daniel Mesguich

«Je n'arrive pas à choisir un titre, je choisis des noms : Shakespeare d'abord ; Racine, Marivaux, Tchekhov, Claudel, Genet, Beckett ensuite ; Molière, Corneille ou Hugo ne viennent qu'après. Quand une pièce m'émeut, me bouleverse, m'entraîne dans son rêve, elle n'est pas isolée, elle fait partie d'un bouquet de pièces,

nages voués à l'échec faute d'envergure. Résultat : une indescriptible émotion. Avec Tchekhov la «vie quotidienne» faisait son entrée sur la scène. Elle ne l'a guère quittée depuis.

... en 25 livres

Le Cavalier seul

Jacques Audiberti   1955
Gallimard

Le chevalier Mirtus, parti pour la croisade, fait illusion à Byzance auprès de l'autocrate Théopompe III et de sa femme Zoé, puis se rend à Jérusalem pour contempler le Saint-Sépulcre. Délire somptueux d'un des plus grands auteurs français du XXᵉ siècle.

Le Mariage de Figaro ou la folle journée

Pierre-Augustin Caron de Beaumarchais   1784
F. et G. F.

C'est la suite du *Barbier de Séville* et le début du théâtre moderne. Les impertinences de l'auteur lui ont valu la prison et la gloire. Créée cinq ans avant que n'éclate la Révolution, la pièce fourmille des idées nouvelles qui y conduisirent, avec en supplément celle-ci : «Tout finit par des chansons. »

La Résistible Ascension de Arturo Ui

Bertolt Brecht   1941
Trad. de l'allemand par A. Jacob   L'Arche

L'ascension de Arturo Ui n'est autre que celle d'Adolf Hitler. L'extraordinaire caricature qu'en propose Brecht (il s'agit pour Arturo — en éliminant tout ce qui se trouve en travers de sa route — de dominer le commerce des choux-fleurs à Chicago) est un des exemples les plus réussis de théâtre politique.

Le Festin de Balthazar

Pedro Calderon de la Barca   1634
Traduit de l'espagnol par M. Pomes
Klincksieck

Le grand classique espagnol, auteur de *La vie est un songe* (que l'on retrouvera au rayon «philosophie» de la bibliothèque idéale), a aussi donné ses lettres de noblesse au genre de l'«auto sacramentale» (représentation allégorique du saint sacrement). Cette évocation du roi Balthazar (qui met en scène le prophète Daniel, la Mort, l'Idolâtrie...) en est une des illustrations les plus réussies.

L'Illusion comique

Pierre Corneille   1636
«Classiques» Bordas et Larousse

Avant de donner *Le Cid*, Corneille propose une comédie «baroque» : grotte enchantée, faux magicien, vrais acteurs et ce drôle de personnage de Matamore devenu si populaire qu'on en a fait un nom commun.

Faust

Wolfgang Goethe   1790
Traduit de l'allemand par Gérard de Nerval
G. F.

«Colossal» monument littéraire érigé en l'honneur de Faust. Goethe y travailla durant sa vie entière et réussit à remplir cet admirable poème dramatique divisé en deux parties fort différentes de toutes ses idées sur le monde, la vie, l'homme. Encyclopédique et vertigineux.

La Trilogie de la villégiature

Carlo Goldoni   1761
Traduit de l'italien par Félicien Marceau   Comédie française

Civilisation des loisirs au XVIIIᵉ siècle : dans cette trilogie, Goldoni peint l'engouement d'une certaine société pour les «maisons de campagne» : le départ, le séjour et le retour de vacances servent de prétexte à une satire aigre-douce. Drôlerie, frivolité et désenchantement.

Le Rhinocéros

Eugène Ionesco 1958
F. et Bordas

Le pape du «théâtre de l'absurde» propose avec ce chef-d'œuvre la vision d'un système totalitaire dans lequel chacun se métamorphose en rhinocéros : cauchemar loufoque et mise en garde de la part de l'un des maîtres du théâtre contemporain.

Ubu roi

Alfred Jarry 1888
F. et L. P.

«Merdre», bien sûr. A 15 ans, Jarry écrit cette rabelaisienne bouffonnerie en cinq actes. Il campe une sorte de bourgeois féroce et lui insuffle une telle vigueur que, sortant de l'encre et du papier, Ubu devient un mythe prompt à s'incarner de nos jours en X, Y ou encore Z.

Frédéric, prince de Hombourg

Heinrich von Kleist 1810
Traduit de l'allemand par H. Thomas
Gallimard

Conflit exemplaire entre le romantisme du prince — jeune officier victorieux — et la rigueur de l'État — la victoire n'ayant pas été remportée dans les règles, il convient de sanctionner l'indiscipline du héros. L'individu contre l'ordre, le cœur contre la raison.

Un chapeau de paille d'Italie

in « Théâtre »
Eugène Labiche 1851
G. F.

C'est l'alpha et l'oméga du vaudeville français. Un cheval dévore un chapeau de paille : point de départ saugrenu d'une effarante et hilarante succession de coïncidences, quiproquos, malentendus et coups de théâtre. Cortège de noces qui se trompe de réception, vrai mari cocu, faux ténor italien, etc. Mais aussi portraits au vitriol des bourgeois et des «notables». Daumier était-il dans la coulisse ?

et Shakespeare, Tchekhov ou Claudel sont les noms de ces bouquets. Lorsque je monte *Hamlet*, *Platonov* ou *Tête d'or*, je ne fais que recueillir un petit peu de terre d'un grand continent d'écriture. Et cette poignée de terre ou cette fleur nous disent beaucoup plus qu'elle-même ; c'est ce que certains esprits chagrins, défenseurs de la loi, de l'univocité, de la lecture ''juste'', ne peuvent supporter que difficilement... Car le texte n'appartient pas à un seul, fût-il l'auteur, mais s'ouvre, infiniment, sur des océans de sens. Cela, le théâtre moderne le sait, du moins le théâtre que j'aime et que j'aime faire. En ce qui me concerne, je ne sépare pas la littérature de théâtre de la littérature en général : sans des écrivains comme Kafka, Borges, Joyce, Proust, Cixous, Cohen, et sans des philosophes comme Derrida, Blanchot, Barthes, Deleuze, Foucault, Lévinas, je ne ferais pas de théâtre. Pourtant je ne crois pas qu'on s'initie au théâtre par la lecture des livres, mais en allant au théâtre, où l'on découvre le désir de brasser, d'embrasser, de reprendre, de déplacer, de bouleverser ce que l'on aime. C'est ce qu'ont très bien écrit mes *pères* en théâtre, Jouvet, Dullin, Vilar, Vittez. »

Le choix de
Jean-Louis Barrault

«Le théâtre, c'est la vie. *L'Orestie* d'Eschyle est toujours actuelle, parce qu'elle pose le problème du destin en des termes qui soulignent la liberté humaine. Chez Sophocle, que je n'aime pas, le destin devient totalitaire... La liberté revient au Moyen Age, avec Rutebeuf. Le maître du théâtre ? Shakespeare. Dans *Hamlet*, que j'ai travaillé pendant 25 ans, la liberté devient hésitation à vivre, où triomphe finalement le désir. C'est encore cela, le théâtre : au-delà de la saturation, du pire désespoir, éprouver comme un éclat de soleil la sonnerie des trompettes au moment le plus sombre de la tragédie d'*Hamlet*. Cette effervescence de vie, on

Don Juan

présenté par Jean Massin 1987
Stock

Réunis en un seul volume de poche, les Don Juan de Tirso de Molina (vers 1630), Molière (1665), Da Ponte et Mozart (1787), Hoffmann (1813), Pouchkine (1830), Lenau (1844) et même Baudelaire (1846). Comment suivre le dernier des grands mythes modernes à travers ses multiples avatars.

Six personnages en quête d'auteur

Luigi Pirandello 1921
Trad. de l'italien par M. Arnaud F.

Des acteurs incarnant les personnages d'une pièce non terminée se débattent dans d'inextricables intrigues. L'originalité du sujet a permis au grand dramaturge italien d'éblouir, d'inquiéter et de poser pour la première fois quelques questions sur l'essence du théâtre.

Le Songe

in « Théâtre complet » tome 5
August Strindberg 1902
Trad. par C. G. Bjurström
et A. Mathieu L'Arche

La fille d'Indra (souverain du ciel) descend sur terre pour épouser un avocat puis, déçue, y remonte tandis qu'on voit marcher Jésus sur les flots. Le génie « habité » de l'auteur de *La Danse de mort* donne vie à ce drame symboliste.

L'Éveil du printemps

Frank Wedekind 1891
Trad. par François Regnault Gallimard

L'un des grands auteurs allemands nous invite à une plongée dans le monde de la sexualité d'adolescents victime de l'oppression bourgeoise. Naturalisme forcené et symbolisme à tendance sentimentale composent un cocktail trouble et attirant.

... en 49 livres

Le Voyageur sans bagages

Jean Anouilh 1937
F.

Dans cette « pièce noire » de 1937, le voyageur amnésique est récupéré par une famille dont il ne veut pas : les souvenirs qu'on lui propose l'effraient. Son dégoût lui fait, en fin de compte, « adopter » une autre famille représentée par un petit garçon sans histoire.

La Mort de Danton

in « Théâtre complet »
Georg Büchner 1835
Traduit par Arthur Adamov L'Arche

Drame placé sous le signe de la fatalité historique. L'auteur n'avait que 22 ans quand il a analysé de façon impressionnante les différents comportements de Danton, Robespierre ou Desmoulins dans la fournaise de la Révolution.

La Visite de la vieille dame

Friedrich Dürrenmatt 1956
Traduit par J.-P. Porret Flammarion

Une milliardaire sur le retour propose aux habitants d'une petite ville en déclin de les sauver de la ruine... à condition qu'ils exécutent l'un des leurs. Comédie noire d'un auteur suisse allemand hanté par toutes les apocalypses — l'atome, le totalitarisme, l'étatisme... — qui menacent en cette fin de millénaire.

Le Dindon

Georges Feydeau 1896
Avant-scène

L'une des rares pièces disponibles d'un maître du vaudeville Belle Époque : quand se décidera-t-on à rééditer Feydeau ?

Noces de sang

in « Théâtre II »
Federico Garcia Lorca 1933
Traduit de l'espagnol par M. Auclair
Gallimard

Le soir même de ses noces un jeune homme tue son rival et succombe lui-même à ses blessures. Tout le lyrisme tragique du grand poète espagnol, fusillé en 1936 par les gardes civils.

Les Bonnes
Jean Genet 1946
F.

En l'absence de leur maîtresse, deux bonnes, dont l'une joue à la patronne, se disent de cruelles vérités. Présentée en 1946, cette pièce courte mais incisive est l'occasion pour l'auteur du *Balcon* de donner la parole aux opprimés et aux maudits. Du théâtre plus «engagé» qu'il n'en a l'air.

La Ballade du grand macabre
in « Théâtre II »
Michel de Ghelderode 1934
Gallimard

Transposition audacieuse de l'univers du peintre Breughel. Les Flandres et leur truculence, un visionnaire se prenant pour «l'ange du mal», l'apparition d'une comète sont les ingrédients de cette fable féroce écrite en 1934 par le génial auteur belge de *Fastes d'Enfer* et de *La Farce des ténébreux.*

La guerre de Troie n'aura pas lieu
Jean Giraudoux 1935
L. P.

Les personnages de l'Antiquité (Hector, Ulysse, Andromaque...) parlent un langage d'une clarté toute française. Naturellement, les tentatives d'Hector pour éviter la guerre ne serviront à rien et la pessimiste Cassandre aura le dernier mot. Louis Jouvet a créé cette tragédie en 1936. Était-elle prémonitoire ?

Le Revizor
Nicolas Gogol 1836
Trad. du russe
par Arthur Adamov G.F.

Quiproquo classique de comédie : un scribouillard pétersbourgeois est pris pour un haut personnage par les notables d'un trou ne la trouve pas dans les tragédies de Corneille, que je n'apprécie que dans ses comédies de jeunesse, trop mal connues du public. Là, ses personnages sont aussi tourmentés, aussi paradoxaux que le superbe *Don Juan* de Molière. Je place très haut *Tête d'or*, de Claudel. Ce garçon qui tient sa tête d'or sous le bras en 1789, c'est pour moi l'incarnation de l'anarchisme. J'ai été orphelin à huit ans, mais comme mon père était mort de la grippe espagnole pendant une permission, ma mère n'a jamais été déclarée veuve de guerre. Je réfléchissais, je ne comprenais pas, d'où une angoisse croissante de la mort et un sentiment de solitude dans la société. C'est pourquoi j'aime *Huis clos*, de Sartre. Mais Beckett est le seul génie des cinquante dernières années : *Oh, les beaux jours !* c'est une pure merveille. Bien sûr, j'aime aussi *Rhinocéros*, de Ionesco, et *Les Paravents*, de Genet. *La Cantatrice chauve ?* Zéro. Ou, pour être gentil, c'est le cadre d'un tableau à venir... En matière de théâtre, avoir de la culture ne gâte rien, mais je préfère aux comédiens à culture les comédiens à tempérament. J'irai même plus loin : je me méfie d'une culture *idéale*, et forcément partielle : pas de fascisme de la culture. Je ne suis pas un intellectuel, et j'en suis fier : j'agis, je réfléchis après. J'ai peur de cette réflexion détachée du réel qui prétendrait me gouverner sans moi... »

Souvenirs d'un critique de théâtre

« Le théâtre devrait se dire que ce que le cinéma fait aussi bien ou mieux que lui, il ne faut pas le faire. Sa chance tient à ses données essentielles, le texte, la voix, le corps du comédien réellement présent. Ce sont les éléments du miracle dont le résultat est la vérité réellement présente elle aussi. Chaque soir le spectateur guette la minute de perfection, le point de fusion du comédien et de la parole. Et cela arrive, l'éclair jaillit, le comédien fait entendre comme une parole neuve les mots d'Euripide, de Shakespeare, de Molière, de

de province. Dans l'étrange univers en trompe-l'œil de Gogol, cela devient une «histoire invraisemblable». Irrésistible.

Ruy Blas

Victor Hugo   1838
            G.-F. et Hachette-Classiques

Un des grands drames typiquement romantiques : les seigneurs y ont des âmes de valets, les valets (comme Ruy Blas) des âmes de seigneurs. Le héros, devenu amant de la reine, finira ministre, sur fond d'alexandrins qui ne manquent pas de panache.

Lorenzaccio

Alfred de Musset   1834
       F., G.-F., L.-P., Hachette-Classiques

De Sarah Bernhardt à Gérard Philipe, bien des acteurs ont incarné le jeune Lorenzo de Medicis. Débauche, intrigues, complots dans la Florence de la Renaissance. Ce drame influencé par Shakespeare fut créé, bien après la mort de son auteur, en 1896.

La Charrue et les Étoiles

Sean O'Casey   1926
Traduit par Robert Soulat   L'Arche

Le grand écrivain irlandais dresse en 1926 un dur réquisitoire contre le désordre et l'inefficacité engendrés par une action révolutionnaire incohérente. Les quartiers pauvres de Dublin servent de décor à l'évocation de l'insurrection de 1916. Truculence pathétique et lucidité.

Le Long Voyage dans la nuit

in « Théâtre », vol. X
Eugene O'Neill   1941
Traduit de l'américain
et représenté en 1956   L'Arche

Entre une mère morphinomane et un frère alcoolique, un drame familial — et autobiographique — à la limite du soutenable (près de quatre heures de représentation...).

Trahisons

Harold Pinter   1978
Traduit de l'anglais par E. Kahane
                                  Gallimard

De la fin d'une liaison à son ébauche, une aventure amoureuse revécue à rebours par les trois protagonistes — la femme, le mari et l'amant.

Œuvres complètes

Plaute-Térence
                                    Pléiade

Rassemblées et traduites par P. Grimal, les vingt-six pièces qui nous restent des deux comiques latins — Térence, le «peseur d'âmes» (190-159 av. J.-C.) et Plaute (254-184 av. J.-C.), le premier des grands «farceurs».

La Célestine

in « Théâtre espagnol du XVIᵉ siècle »
attribué à Fernando de Rojas   1499
                                    Pléiade

Une des toutes premières pièces de la littérature espagnole et en même temps un portrait riche en couleurs d'une entremetteuse. Calixte et Mélibée, deux amoureux tendres, survivront-ils à la corruption de la société hispanique ?

Knock
ou le triomphe de la médecine

Jules Romains   1923
                                         F.

Cette féroce satire de la crédulité humaine a été présentée par Louis Jouvet en 1923. Le docteur-charlatan réussit à mettre au lit tout un village et la farce, à la fin, fait s'interroger sur le pouvoir, l'argent et autres formes de domination.

Cyrano de Bergerac

Edmond Rostand   1897
                                      L. P.

Pour ses détracteurs, c'est «le buffet Henri II du théâtre français». Mais aussi un héros au long nez, bravache et cœur tendre, qui a pris rang parmi les monstres sacrés de la scène.

Pygmalion

George Bernard Shaw 1914
Trad. de l'anglais par M. Habart L'Arche

Comment transformer — par les vertus de la phonétique — une petite marchande de fleurs en duchesse. Une comédie grinçante.

Huis clos

Jean-Paul Sartre 1944
F.

Enfermés après leur mort dans un salon Second Empire, Inès, Estelle et Garcin découvrent la damnation existentielle : « L'enfer, c'est les autres ! »

Guillaume Tell

Friedrich von Schiller 1804
Traduit de l'allemand
par A. Ehrhard Aubier-Montaigne

La légende du célèbre arbalétrier suisse, en révolte contre la domination autrichienne. Sur fond de lacs et de paysages alpestres passe le souffle épique du « prince du théâtre » allemand.

Les Belles-Sœurs

Michel Tremblay 1973
Lemeac

Quinze femmes enfermées dans une cuisine parlent de leurs problèmes. Une formidable fable sociale qui est déjà un classique du théâtre québécois.

Capitaine Bada

Jean Vauthier 1952
Gallimard

Croqué par un auteur de la génération des Beckett, Adamov ou Ionesco, un héros de la parole qui a « le don poétique de métamorphoser les choses ».

Un tramway nommé désir

Tennessee Williams 1947
L. P.

Frustrations sexuelles, semi-inceste, folie, promiscuité à la Nouvelle-Orléans.

Marivaux, de Musset, d'Ibsen, de Pirandello, de Claudel et de beaucoup d'autres. Le texte prend sa valeur de présentation au-delà de la représentation. Jacques de Bourbon-Busset écrit quelque part que pour rajeunir la vieille question : "Si vous étiez abandonné sur une île déserte, quel livre emporteriez-vous ?", il faudrait demander aujourd'hui quel livre emporteriez-vous en prison, puisqu'il y a beaucoup plus de chance pour que la politique nous enferme dans une cellule plutôt que la tempête sur une île, et il répond, non la Bible, mais Shakespeare et je crois que je ferais comme lui, parce que je ne connais pas de plus riche trésor d'images et de situations, c'est-à-dire de moyens poétiques bien propres à faire sauter les murs de toute prison. »

Robert Kanters
A perte de vue - Souvenirs, Seuil.

L'écrivain et son œuvre

Écrire la biographie d'un écrivain, évoquer les rapports entre sa vie et son œuvre : la tâche est périlleuse. Le fameux pamphlet de Proust, *Contre Sainte-Beuve*, a rendu l'exercice encore plus ardu. Si, comme l'affirme l'auteur de *La Recherche*, le moi de l'écrivain n'apparaît que dans ses livres, à quoi bon s'intéresser encore à son existence ?

Et pourtant ce type d'ouvrage fleurit, passionne les amateurs comme les érudits. Un goût qui n'épargne pas les proustiens à en croire le nombre de textes qu'ils publient au sujet de leur auteur préféré. Parmi eux, le magistral essai de Painter. Dans le choix de biographies que nous vous présentons, beaucoup d'auteurs tentent de justifier leur démarche. Certains plaident coupable : « L'existence d'un homme, fût-il Victor Hugo, n'est pas un spectacle — écrit Hubert Juin —, il n'existe pas de biographe innocent. » Son *Victor Hugo* prouve cependant avec brio qu'il peut y avoir échange constant entre l'homme et le livre, entre l'écriture et la vie, sans que l'auteur tente pour autant de réduire le génie à un quelconque déterminisme social.

À l'instar du *William Shakespeare* de Hugo, la biographie d'écrivain semble avant tout un exercice d'admiration. Outre son intérêt historique, le genre répond avant tout au besoin de ressusciter, de fixer pour l'éternité un personnage hors du commun, comme l'explique Canavaggio dans son *Cervantès*. Enfin, et en particulier lorsque le biographe est aussi un créateur, le livre devient un moyen de dialoguer avec l'écrivain, une forme de communication empathique : « J'aimerais réagir avec lui, penser comme lui», écrit Härtling à propos de Hölderlin. L'empathie se teinte parfois de sentiments aigus, mélange de fascination et de rejet pour Sartre dans *L'Idiot de la famille*.

De l'identification à l'autobiographie déguisée, la frontière est souvent ténue. La biographie dévoile alors un «autre moi» du biographe. Robert Merle l'explique dans sa préface à *Oscar Wilde* : «C'est au fond moi-même en tant qu'écrivain que je tâchais d'approfondir en analysant Wilde, et c'était ma conception de la vie que je tentais de préciser en essayant de définir la sienne. »

Ce chapitre, qui vient compléter «Le livre comme miroir» consacré à la critique littéraire, associe biographies d'écrivains et essais critiques sur une œuvre : Bakhtine enracine l'étude de Rabelais dans celle de la culture populaire, Etiemble se penche sur l'abondante littérature suscitée par Rimbaud, Starobinski aborde l'auteur des *Confessions* par l'analyse de son œuvre. Les écrivains français sont largement représentés dans cette rubrique, qui ne prétend pas, en 49 ouvrages, offrir une vue d'ensemble de la littérature mondiale ! Le choix a été orienté par l'auteur autant que par l'écrivain étudié : de grands biographes (Lacouture, Maurois, Orieux, Troyat) y figurent, mais on a également privilégié les essais de créateurs comme Giraudoux, Hugo, Marceau, Nabokov, Yourcenar ou Zweig. Le but de ce chapitre : la découverte des écrivains, bien sûr, mais aussi, suivant le vœu implicite de tous leurs biographes, l'incitation à lire leur œuvre.

L'écrivain et son œuvre

... en 49 livres

... en 25 livres

... en 10 livres

Cervantès
Jean Canavaggio

Le Mythe de Rimbaud
René Etiemble

William Shakespeare
Victor Hugo

Dante ou la passion de l'immortalité
Jacques Madaule

Voltaire
Jean Orieux

Marcel Proust
George D. Painter

Dostoïevski, l'homme et l'œuvre
Pierre Pascal

La Création chez Stendhal
Jean Prévost

L'Idiot de la famille
Jean-Paul Sartre

*Jean-Jacques Rousseau,
la transparence et l'obstacle*
Jean Starobinski

*L'Œuvre de François Rabelais
et la culture populaire au Moyen Age
et sous la Renaissance*
Mikhaïl Bakhtine

Balzac
Maurice Bardèche

La Jeunesse d'André Gide
Jean Delay

Joyce
Richard Ellmann

François Villon
Jean Favier

Les Cinq Tentations de La Fontaine
Jean Giraudoux

Nietzsche
Daniel Halévy

Érasme
Léon E. Halkin

Mauriac
Jean Lacouture

Albert Camus
Herbert R. Lottman

La vie de Jean Racine
François Mauriac

Don Juan ou la vie de Byron
André Maurois

Le Très Curieux Jules Verne
Marcel More

Nicolas Gogol
Vladimir Nabokov

Montaigne
Stefan Zweig

• À vous de choisir le cinquantième livre. Peut-être est-il déjà dans votre bibliothèque.

... en 10 livres

Cervantès

Jean Canavaggio   1986
      Mazarine

Expliquer Cervantès est une entreprise hasardeuse : «L'auteur de Don Quichotte est toujours au-delà de l'image que nous nous en faisons.» Après plus d'un siècle de recherches et d'investigations sur le mystérieux écrivain espagnol, Canavaggio tente de distinguer la vérité de l'affabulation, de replacer Cervantès dans son siècle, et enfin, en suivant le fil de son destin, d'«aller à sa rencontre».

Le Mythe de Rimbaud

René Etiemble   1968
      Gallimard

Le prophète révélé par Verlaine, le dieu Rimbaud adulé par les surréalistes, l'enfant romantique dont on vénère «l'admirable cécité» et «l'égoïsme absolu» : Etiemble étudie les multiples avatars du culte d'Arthur Rimbaud, en France et à l'étranger, grâce à une énorme documentation constituée de dizaines de milliers de lettres et d'articles, véritables monuments érigés à la gloire du poète.

William Shakespeare

Victor Hugo   *(1802-1885)*
      Bouquins

Pour Hugo, «la grande critique vit d'admiration». Dans cet essai sur le génie, l'auteur des *Misérables* applique sa méthode d'analyse romantique à ces «immobiles géants de l'esprit humain» que sont Homère, Eschyle, Lucrèce, Tacite, Dante, Rabelais et bien sûr William Shakespeare. À travers cet hommage, Hugo contemple aussi sa propre image démultipliée dans ces «esprits suprêmes».

Dante ou la passion de l'immortalité

Jacques Madaule   1965
      Plon

Depuis la rencontre avec Béatrice, révélation de sa vocation amoureuse et poétique jusqu'à l'exil, l'itinéraire de l'auteur de *La Divine Comédie*. Le texte se défend d'être une biographie : l'auteur veut garder intact le secret de Dante. Une méditation sur l'œuvre et la destinée du grand poète florentin du XIIIᵉ siècle.

Voltaire

Jean Orieux   1966
      Flammarion

«Quelle comédie que ma vie !» aurait pu s'exclamer François-Marie Arouet, s'il avait eu la chance de pouvoir lire ce récit où l'analyse et la finesse du jugement le disputent à la qualité du style. Il faut dire que Voltaire ou «la royauté de l'esprit» était un sujet en or.

Marcel Proust

George D. Painter   1965
Traduit de l'anglais par G. Cattaui
et R.P. Vial   Mercure de France

Décomposée élément par élément, la subtile alchimie du «petit Marcel», de Combray au faubourg Saint-Germain. Painter analyse le matériel autobiographique de *La Recherche* avec «la conviction que le roman de Proust ne peut être pleinement compris sans qu'on connaisse sa vie».

Dostoïevski, l'homme et l'œuvre

Pierre Pascal   1970
      L'Âge d'homme, Agora

Une analyse globale de l'univers de Dostoïevski par un spécialiste de cet «écrivain-né». Pierre Pascal nous parle de l'homme tourmenté, malade, que fut l'auteur des *Possédés* et nous offre une lecture de son œuvre et de sa pensée. L'accent est mis sur son itinéraire politique et religieux. Un Dostoïevski chrétien, même s'il dit avoir perdu le Christ, apparaît au travers de ses romans. L'expression de cette foi culmine dans *Les Frères Karamazov*.

La Création chez Stendhal

Jean Prévost   1951
              Mercure de France

Difficile de choisir parmi les nombreux spécialistes de Stendhal : Martineau, Victor Del Litto, Crouzet lui ont consacré d'excellents essais. Celui de Jean Prévost se présente comme une analyse chronologique de l'œuvre de Stendhal, des tâtonnements littéraires aux chefs-d'œuvre. Mais cette réflexion sur le travail littéraire et sur le métier d'écrire ne se limite pas à une étude de l'esprit. Pour l'auteur, « art d'écrire, art de vivre, art de penser se fondent en une seule création ».

L'Idiot de la famille

Jean-Paul Sartre   1972
                   Gallimard

« Que peut-on savoir d'un homme aujourd'hui ? » Un essai d'approche totale d'un homme, Flaubert, et de son œuvre. La « psychanalyse existentielle » de Sartre explique l'enracinement de la production romanesque dans son temps sans toutefois porter atteinte à son irréductible singularité. A la fois texte théorique et ouvrage d'imagination, *L'Idiot de la famille* nous renvoie à l'enfance de l'auteur des *Mots* autant qu'à celle de l'auteur de *Madame Bovary*...

Jean-Jacques Rousseau, la transparence et l'obstacle

Jean Starobinski   1958-1970
                   Gallimard

Bien qu'il s'astreigne à suivre l'évolution des attitudes et des idées de Rousseau, cet ouvrage n'est pas une biographie : il se définit comme un regard sur une œuvre, l'observation des structures propres au monde du philosophe. Mais ce grand essai dépasse l'analyse intérieure, car, nous dit Starobinski, on ne peut interpréter l'œuvre de Rousseau sans tenir compte du monde auquel elle s'oppose.

Jeu

Retrouvez les auteurs des citations parmi la liste suivante : Byron, Gide, Montesquieu, Valéry, Kafka, Wilde, Stendhal, Érasme, Dostoïevski, Baudelaire, Hugo.

1 - « Les tragédies des autres sont toujours d'une banalité désespérante. »
2 - « Plus j'aime l'humanité en général, moins j'aime les gens en particulier. »
3 - « Qui sait si l'homme n'est pas un repris de justice divine ? »
4 - « Quand vient l'heure de l'adversité, tous deviennent courageux contre celui qui tombe. »
5 - « Celui qui connaît l'art de vivre avec soi-même ignore l'ennui. »
6 - « Le sage est celui qui s'étonne de tout. »
7 - « Cent ans après sa mort, le plus grand bonheur qui puisse arriver à un grand homme, c'est d'avoir des ennemis. »
8 - « Que serions-nous sans le secours de ce qui n'existe pas ? »
9 - « Il faut pleurer les gens à leur naissance, et non pas à leur mort. »
10 - « Le mal se fait sans effort, naturellement, par fatalité : le bien est toujours le produit d'un art. »
11 - « ... si nous n'en avions pas été chassés, le Paradis aurait dû être détruit. »

Extrait du *Dictionnaire inattendu des citations*
Alain Dag Naud et Olivier Dazat,
Hachette, 1983

Réponses : 1 - Oscar Wilde. 2 - Dostoïevski. 3 - Victor Hugo. 4 - Lord Byron. 5 - Érasme. 6 - André Gide. 7 - Stendhal. 8 - Paul Valéry. 9 - Montesquieu. 10 - Baudelaire. 11 - Kafka.

... en 25 livres

L'Œuvre de François Rabelais et la culture populaire au Moyen Âge et sous la Renaissance

Mikhaïl Bakhtine 1970
Traduit du russe
par Andrée Robel Gallimard

Rabelais considéré comme l'héritier de plusieurs millénaires de rites et manifestations comiques. Son œuvre donne accès à la compréhension de la nature profonde de la culture populaire.

Balzac

Maurice Bardèche 1980
Julliard

« Balzac dans sa vie, Balzac dans son œuvre nous donne la même leçon que ses personnages. Et cette vie dramatique est peut-être le plus pathétique des romans de Balzac. »

La Jeunesse d'André Gide

Jean Delay 1957
Gallimard

Celui qui se présentait comme « un petit garçon qui s'amuse, doublé d'un pasteur protestant qui s'ennuie » vu par un grand médecin qui, avec cet ouvrage, illustre un genre nouveau : « la psychobiographie ».

Joyce

Richard Ellman 1959 et 1982
Traduit de l'anglais par André Coeuroy
et Marie Tadié Gallimard

Une analyse pénétrante de la personnalité de l'écrivain irlandais. Ellman montre comment, dans la vie de Joyce, les événements inspirent la création et comment, à son tour, l'art modèle une partie de l'existence.

François Villon

Jean Favier 1982
Fayard

« J'ai longtemps interrogé mes témoins et j'ai lu Villon. Un jour j'ai pensé qu'il m'avait beaucoup dit. Sur lui et sur les autres. Sur le vrai et sur le faux : son vrai et son faux. Bien sûr, c'est un poète. Allais-je récuser le témoin Villon pour cause de génie ? » Un historien et un poète.

Les Cinq Tentations de La Fontaine

Jean Giraudoux 1938
Grasset

La paresse, la sensualité, le monde, l'ambition, l'orgueil : autant de pièges que La Fontaine devra surmonter pour écrire enfin ses célèbres fables...

Nietzsche

Daniel Halévy 1944
H.P.

Ce travail de plus de cinquante ans tend vers une « analyse totale » de la vie et de l'œuvre du philosophe allemand. Nietzsche lui-même disait qu'il faut juger les systèmes de pensée d'après la biographie de leur auteur.

Érasme

Léon E. Halkin 1987
Fayard

Un essai de synthèse sur l'un des esprits les plus originaux de la Renaissance. À travers l'étude de son œuvre, Halkin esquisse le portrait d'un humaniste dont la pensée est parmi nous toujours aussi présente.

Mauriac

Jean Lacouture 1980
Seuil (à rééditer)

Le portrait sans concession d'un écrivain qui fut aussi un homme de cœur et de courage. Cette passionnante saga retrace la lente et irrésistible ascension du talent chez Mauriac.

Albert Camus

Herbert R. Lottman 1978
Traduit par M. Veron P.S.

Un exemple de biographie à l'américaine. D'innombrables détails et faits minutieusement collectés sur la vie et l'œuvre de l'auteur de *L'Étranger*.

La Vie de Jean Racine

François Mauriac 1928
Perrin

Un excellent exemple de l'étrange relation qui s'établit entre un biographe et son sujet : ou comment l'auteur du *Nœud de vipères* a pu s'assimiler totalement au créateur de *Phèdre*.

Don Juan
ou la vie de Byron

André Maurois 1952
Grasset

Amoureux des romantiques, Maurois a trouvé en Byron le plus bel exemple de ces écrivains pour qui la vie aussi est une œuvre. La course au malheur du sulfureux poète britannique.

Le Très Curieux Jules Verne

Marcel More 1960
Gallimard

Ce bel ouvrage constitue une tentative pour arracher à l'œuvre de Jules Verne les secrets enfouis par le prolixe et mystérieux romancier. Suivi de *Nouvelles Explorations sur Jules Verne*.

Nicolas Gogol

Vladimir Nabokov 1944
Trad. par Bernard Géniès Rivages

Dans le panthéon des écrivains russes qu'il établissait pour ses étudiants de l'université Cornell, Nabokov plaçait Gogol dans les toutes premières places, juste après Tolstoï. L'auteur des *Âmes mortes*, du *Revizor*, du *Nez* ou du *Manteau*, qui sem-

Un maître : André Maurois

Intellectuel prudent et anglophile bien élevé, André Maurois s'est bien vite imposé comme le maître de l'art biographique (Shelley, Disraeli, Byron, Victor Hugo, George Sand, Balzac). Dans un court ouvrage publié en 1928, *Aspects de la biographie*, il explique, à propos de son *Disraeli*, la relation étrange qui s'établit entre le biographe et son sujet : « La biographie peut devenir un merveilleux instrument pour se délivrer des désirs qui ne sont pas satisfaits, ou de vains regrets. Plus tard, je découvris qu'elle délivrerait le lecteur en même temps que le biographe. »

Herbert R. Lottman et l'art du biographe

« L'un des risques de la biographie littéraire est que le lecteur puisse être mené à croire que l'essentiel s'y trouve, qu'il n'est plus besoin de rien lire d'autre, alors que l'essence de la vie de l'auteur tient dans ce qu'il a dit. La biographie d'un écrivain peut parfois ressembler à un banquet où l'invité d'honneur serait absent. Il revient donc au biographe d'attirer l'attention sur l'œuvre sans jamais prétendre y substituer son propre livre » (in *Albert Camus*).

ble pourtant son antithèse, le fascinait par son irréductible «étrangeté». La «biographie critique» qu'il lui consacre, si elle est avare de détails sur la vie de Gogol, est avant tout une analyse pénétrante de son art et une brillante introduction à l'œuvre. On peut également lire, dans *Littérature II* (Fayard), le cours qu'il consacra à son auteur de prédilection.

Montaigne

Stefan Zweig (1881-1942)
Trad. de l'allemand par Jean-Jacques Lafay et François Brugier
Révisé par J.-L. Bauder P.U.F.
Ce que Zweig, l'humaniste cosmopolite, admire en Montaigne, c'est sa lutte pour préserver sa liberté intérieure : «Je vois en lui l'ancêtre, le protecteur et l'ami de chaque homme libre sur terre.»

... en 49 livres

Montesquieu, la politique et l'histoire

Louis Althusser 1969
P.U.F.
Althusser nous renvoie une image vivante du fondateur de la science politique : un penseur passionné qui prend parti dans les luttes de son temps.

Virginia Woolf

Quentin Bell 1972
Traduit de l'anglais
par Francis Ledoux Stock (2 vol.)
Le portrait de la romancière anglaise par son neveu. Une biographie dénuée de prétention critique, à lire comme un roman.

Saint-Simon l'admirable

José Cabanis 1974
Gallimard
Celui qui a assisté au théâtre de la vie à Versailles savait que la sagesse réside dans «un profond mépris des choses d'ici-bas». José Cabanis évoque un homme admirable qui a su déceler les failles de son temps.

L'Autre «Procès», Lettres de Kafka à Felice

Elias Canetti 1969
Traduit de l'allemand
par Lily Jumel Gallimard
Un autre regard sur l'œuvre de Kafka à la lumière de sa correspondance avec sa fiancée Felice Bauer. De l'influence réciproque de l'amour et de la création littéraire.

Tolstoï

Pietro Citati 1983
Traduit de l'italien
par Jacques Barberi Denoël
Narcissique, instable, inquiet, mystique : Pietro Citati trace le portrait subtil de Tolstoï et nous guide dans les dédales de la création de *Guerre et Paix* et d'*Anna Karenine*.

Joseph Kessel ou sur la piste du lion

Yves Courrière 1985
Plon
Deux grands reporters, deux amis, unis par le même amour de l'humanité et une biographie monumentale à la mesure de la vie et de l'œuvre de Joseph Kessel.

Lewis Carroll

Jean Gattegno 1974
P.S.
«L'auteur d'Alice est-il un autre homme ou le même que le révérend-professeur-mathématicien de Christ Church College?» La juxtaposition des univers de Carroll nous révèle peu à peu ses différents visages.

L'Homme des Mémoires d'outre-tombe

Henri Guillemin   1964
Gallimard

La véritable personnalité de Chateaubriand : tricheur, hâbleur, coureur de femmes... Guillemin lève (avec humour) le voile sur «le festival de menteries» que colportent les *Mémoires* de l'écrivain.

Hölderlin, biographie

Peter Härtling   1978
Traduit de l'allemand
par Philippe Jaccottet   Seuil

Avec toute la force d'intuition du romancier, Härtling communique outre-tombe avec le fascinant poète romantique. Plus qu'une biographie : une résurrection.

Rilke par lui-même

Philippe Jaccottet   1970
Seuil

Le portrait plein de finesse de l'un des derniers «poètes magiques» dont Robert Musil disait qu'il représentait «l'une de ces hauteurs sur lesquelles le destin de l'esprit avance de siècle en siècle».

Dickens

Edgar Johnson   1978
Traduit de l'anglais
par Marie Tadié   Julliard

L'histoire émouvante de l'un des titans de la littérature. Démesuré, fantastique, éclatant de vitalité, évoluant de la tragédie à la comédie, Dickens apparaît lui-même comme un personnage de Dickens.

Victor Hugo

Hubert Juin   1980
Flammarion (2 vol.)

Du légitimiste au républicain, du spirite au coureur de jupons, du poète au romancier, Hubert Juin suit la trace d'un homme multiple et unique à la fois. Il prouve que l'on ne peut dissocier l'homme de l'œuvre.

Des collections d'écrivains

• Aux Éditions du Seuil, la collection «Écrivains de toujours» réunit une série de grands romanciers et poètes, d'Apollinaire à Zola, présentés par de non moins grands auteurs, écrivains ou critiques. Pour en citer quelques-uns : *Michelet* par Roland Barthes, *Pascal* par Albert Béguin, *Rimbaud* par Yves Bonnefoy, *Mallarmé* par Charles Mauron, *Malraux* par Gaëtan Picon, *Benjamin Constant* par Georges Poulet, *Stendhal* par Claude Roy, *Montesquieu* par Starobinski... Cette prestigieuse collection comprend aussi une fausse biographie : un certain *Ronceraille* par Claude Bonnefoy.

• «Qui êtes-vous ?» : c'est la question posée par les Éditions de la Manufacture à diverses personnalités du monde contemporain. Chaque volume nous invite à découvrir les aspects essentiels d'une vie et d'une œuvre d'écrivain, de philosophe ou d'artiste. Des personnages aussi différents que Gide ou Frédéric Dard, Antonin Artaud, Malraux, Colette, Elie Wiesel ou Julien Gracq y sont présentés par des spécialistes.

• La collection «Poètes d'aujourd'hui» (Seghers) permet une approche de l'univers et de l'œuvre poétique d'un auteur. D'Aragon à Whitman, les écrivains du XXe siècle : Pierre Emmanuel, Michaux ou Soupault y côtoient les classiques : Hugo, Baudelaire ou Nerval. Les repères biographiques s'accompagnent d'un choix de textes de l'auteur.

• Chez Gallimard, «La bibliothèque des idées» comprend des essais consacrés à de grands écrivains, parmi lesquels : *Nietzsche, sa vie et sa pensée* de Ch. Andler, *Corneille et la dialectique du héros* de Doubrowsky, *Montaigne* de H. Friedrich, *La poétique de Céline* de H. Godard, *La Carrière de Jean Racine* de Picard, *Proust et le roman* de J.-Y. Tadié.

Joseph Conrad, trois vies

Frederick R. Karl 1979
Traduit de l'anglais
par Philippe Mikriammos Mazarine

La biographie fouillée de l'un des grands écrivains anglais, né polonais. L'auteur de *Lord Jim* connaîtra — malgré lui — un destin d'aventurier.

Casanova, une insolente liberté

Félicien Marceau 1983
Gallimard

Un commentaire incisif des aventures de Casanova, célèbre mémorialiste, encore plus célèbre par ses exploits amoureux. « Parfaite illustration de son siècle, Casanova est aussi un homme de notre temps. »

Oscar Wilde

Robert Merle 1948 et 1984
Perrin

La destinée de l'écrivain irlandais dont l'homosexualité attira les foudres de la société anglaise du XIXᵉ siècle. À sa sortie, la thèse de Robert Merle provoqua un autre scandale dans les milieux anglicistes.

Monsieur Valéry

Daniel Oster 1981
Seuil

Une approche fragmentée, reflet des rouages de la pensée de l'homme des *Cahiers*, dont la vie apparaît comme une succession de crises.

Baudelaire

Claude Pichois et Jean Ziegler 1987
Julliard

Des traductions d'Edgar Poe à la publication des *Fleurs du mal*, de la condamnation à la reconnaissance de Baudelaire : l'ouvrage fait le point sur cent vingt ans de recherches et d'études biographiques.

Maupassant et « l'Autre »

Alberto Savinio 1975
Traduit de l'italien
par Michel Arnaud Gallimard

« Qui est donc ce noir locataire qui a surgi dans le corps de Maupassant et qui maintenant y loge en maître ? » L'auteur du *Horla* vu par un grand écrivain italien.

Molière, une vie

Alfred Simon 1987
La Manufacture

Une vie, une mort qui s'enracinent dans le théâtre. Alfred Simon montre ce que le destin du grand Molière doit « au rayonnement originel d'un art dont il domine l'histoire en compagnie de Shakespeare ».

Les Contes de Perrault, culture savante et tradition populaire

Marc Soriano 1968
Gallimard

De qui sont les contes de Perrault ? Une enquête qui tente de démêler l'histoire embrouillée de cette œuvre, de faire la part entre la légende et la réalité, de comprendre le sens qu'elle avait à cette époque.

Tchekov

Henri Troyat 1984
Flammarion

Parmi les nombreuses biographies que Troyat a consacré aux écrivains russes, celle-ci nous fait découvrir la courte vie d'un des auteurs les plus émouvants de la littérature russe.

La vie de Céline

Frédéric Vitoux 1987
Grasset

Une biographie enfin totale de Louis-Ferdinand Destouches par un auteur familier de son œuvre qui, de plus, fait la synthèse des nombreux travaux consacrés à ce révolutionnaire du langage.

Diderot, sa vie, son œuvre

Arthur Wilson   1972
Traduit par G. Chahine, A. Lorenceau
et A. Villelaur   Bouquins

La somme sur Diderot, notre contemporain du XVIIIᵉ siècle, par un universitaire américain qui lui a consacré trente-six ans de son existence !

Mishima
ou la vision du vide

Marguerite Yourcenar   1980
                                      Gallimard

Une esquisse de l'écrivain japonais dont la mort préméditée est aussi une œuvre. Par cet acte, Mishima a rejoint à contre-courant le Japon héroïque des samouraïs.

• Chez Gallimard toujours, « La bibliothèque idéale » nous propose l'approche d'un homme et d'une œuvre. Des biographies critiques complétées par des entretiens et des morceaux choisis. Quelques titres : *Queneau* de Jacques Bens, *Michaux* de R. Brechon, *Martin du Gard* de J. Brenner, *Jouhandeau* de J. Cabanis, *Arland* de Duvigneau, *Supervielle* de Étiemble, *Bernanos* de M. Esteve, *Kafka* de Marthe Robert.

• « Les cahiers de l'Herne » publient des dossiers qui rassemblent témoignages, correspondances, textes critiques, biographies et inédits de poètes et de romanciers. Des volumes de qualité consacrés, entre autres, à Beckett, Borges, Lewis Carroll, Dostoïevski, Pierre-Jean Jouve, Mauriac, Michaux, Queneau et Jules Verne.

Le livre comme miroir

« Entrer dans une œuvre, c'est changer d'univers, c'est ouvrir un horizon » (Jean Rousset). C'est vers de multiples horizons que la critique nous entraîne dans sa diversité actuelle. « Cette contrepartie de tous les autres genres », comme la définissait Brunetière au siècle dernier, possède aujourd'hui une histoire, engendre elle-même un discours qui lui confère un statut de genre littéraire à part entière. Pendant des siècles, des traités d'Aristote à ceux de Du Bellay, Corneille ou Boileau, la critique s'est attachée à définir les dogmes fondamentaux de l'art, et, surtout au XVIIe, de l'art théâtral. Le siècle des Lumières voit scintiller de brillants esprits critiques comme Voltaire, Diderot et les Encyclopédistes. Mais on situe généralement la naissance de la critique moderne au XIXe. Au siècle de l'histoire, la critique tente de s'ériger en science véritable. Sainte-Beuve préconise une critique rationnelle, impartiale. Son but : déterminer des « familles d'esprits » à partir de l'analyse des œuvres et de la biographie des auteurs : Taine et Renan pousseront encore plus loin l'exigence scientifique. Tandis que des écrivains (Hugo, Gautier) protestent contre les prétentions de la critique, d'autres, comme Baudelaire et Barbey d'Aurevilly, instaurent une critique « romantique » qui s'intéresse plus à déceler la singularité d'un créateur et de son œuvre qu'aux rapports de l'œuvre au monde. Pour Baudelaire, l'art est irréductible à toute pensée rationnelle. Au début du XXe siècle, un autre créateur, Proust, s'insurge contre Sainte-Beuve : « Un livre est le produit d'un autre moi que celui que nous manifestons dans la société. » Il ouvre la voie aux écrits critiques d'un Claudel ou d'un Valéry, à la recherche du processus créateur de l'œuvre.

En 1909, la fondation de la N.R.F. (nouvelle revue française) autour d'André Gide donne une nouvelle impulsion à la critique. Marquée par un souci de rigueur analytique et une sensibilité créatrice, la N.R.F. servira de tribune à des hommes comme Suarès, Thibaudet, Schlumberger, Du Bos, Paulhan, Rivière et Arland. Après la Seconde Guerre mondiale, la critique va s'appuyer sur le développement des sciences humaines : elle s'inspire de la sociologie marxiste avec Luckàcs et Goldmann, de la linguistique de Saussure et des apports des formalistes russes avec Todorov, Barthes ou Genette, de la psychanalyse avec Charles Mauron. La psychanalyse inspire aussi plus librement des philosophes comme Sartre qui fonde une «psychanalyse existentielle» ou Bachelard qui l'applique à une exploration du rêve et de l'image poétique. Dans sa lignée, Marcel Raymond, Albert Béguin, Georges Poulet, Jean Rousset ainsi que Jean-Pierre Richard s'exercent à une «critique des profondeurs». D'autres comme Bataille ou Blanchot voient dans l'écriture une expérience des limites. Certains tenteront une synthèse de différents courants : ainsi Barthes alliera étude structuraliste et recherche du plaisir du texte. Starobinski prônera l'équilibre entre «un regard surplombant» et «une intuition identifiante».

Sans tenter de brosser un panorama complet de la critique, ce chapitre nous invite à une promenade littéraire parmi ces courants qui nous enseignent, à l'instar de Gaëtan Picon, différents «usages de la lecture». Enfin, Borges nous le rappelle : «ordonner une bibliothèque est une façon silencieuse d'exercer l'art de la critique».

Le livre comme miroir

... en 49 livres

... en 25 livres

... en 10 livres

La Poétique
Aristote

Mimésis
Erich Auerbach

La Poétique de la rêverie
Gaston Bachelard

La Littérature et le Mal
Georges Bataille

L'Art romantique
Charles Baudelaire

L'Art poétique
Nicolas Boileau

Le Grand Code
Northrop Frye

Ce Vice impuni : la lecture
Valéry Larbaud

Contre Sainte-Beuve
Marcel Proust

Variétés
Paul Valéry

Esthétique et théorie du roman
Mikhaïl Bakhtine

Le Degré zéro de l'écriture
Roland Barthes

L'Art romantique et le rêve
Albert Béguin

Défense et illustration de la langue
française
Joachim du Bellay

Le Livre à venir
Maurice Blanchot

Le Livre des préfaces
Jorge Luis Borges

Manifestes du Surréalisme
André Breton

Répertoires
Michel Butor

Préférences
Julien Gracq

Les Fleurs de Tarbes
ou la terreur dans les lettres
Jean Paulhan

Usages de la lecture
Gaëtan Picon

Études sur le temps humain
Georges Poulet

De Baudelaire au Surréalisme
Marcel Raymond

Roman des origines
et origines du roman
Marthe Robert

Physiologie de la critique
Albert Thibaudet

• À vous de choisir le cinquantième livre. Peut-être est-il déjà dans votre bibliothèque.

... en 10 livres

La Poétique

Aristote   vers 344 avant J.-C.
                                          Seuil

L'ouvrage qui détermina la conception classique de l'esthétique. Il ne nous en reste que la partie concernant la tragédie dont Aristote définit la structure narrative idéale selon sa métaphysique. Le philosophe décrit l'ensemble des genres poétiques (comédie, tragédie, épopée, art musical) comme des imitations formelles du réel. Le traité affirme l'unité de l'art et détermine les règles générales qui régissent la poétique. Le livre suscita une foule de commentaires : *L'Art poétique* d'Horace, *La Poétique* de Scaliger à la Renaissance, pour en citer quelques-uns.

Mimésis

Erich Auerbach   1946
Traduit de l'allemand
par Cornélius Heim   Gallimard

L'interprétation du réel à travers la représentation (ou imitation) littéraire. L'auteur dégage les tendances fondamentales du style homérique et de celui de l'Ancien Testament pour montrer leur influence dans l'imitation de la réalité jusqu'à la fin de l'Antiquité. Les analyses de textes de Rabelais jusqu'à Virginia Woolf mettent en évidence l'évolution de la vision esthétique : de l'émancipation au XIXe siècle de la théorie classique des niveaux stylistiques (avec Balzac, Stendhal) jusqu'à la conception éclatée du réalisme moderne du roman d'entre les deux guerres.

La Poétique de la rêverie

Gaston Bachelard   1960
                                          P.U.F.

À la différence du rêve, la rêverie ne se raconte pas, elle s'écrit. Dans ces «rêveries sur la rêverie», Bachelard étudie non pas la rêverie somnolente, mais celle qui prépare les œuvres. Le philosophe applique sa méthode phénoménologique à l'image poétique prise comme «une origine absolue», «une origine de conscience». Il tente de communiquer avec «la conscience créante du poète». La réflexion de Bachelard porte sur l'*anima* (principe féminin qui sous-tend la rêverie), sur l'enfance et sur le cosmos. «Là-haut au ciel, le paradis n'est-il pas une immense bibliothèque ?»

La Littérature et le Mal

Georges Bataille   1957
                                          Gallimard

«Ces études répondent à l'effort que j'ai poursuivi pour dégager le sens de la littérature. La littérature est l'essentiel ou n'est rien. Le Mal — une forme aiguë du Mal —, dont elle est l'expression, a pour nous, je le crois, la valeur souveraine. Mais cette conception ne commande pas l'absence de morale, elle exige une "hypermorale".» À travers ces études consacrées à Emily Brontë, Baudelaire, Michelet, William Blake, Sade, Proust, Kafka, Genet, la littérature plaide coupable.

L'Art romantique

in Œuvres complètes, IV
Charles Baudelaire   (1821-1867)
                                          N.R.F.

«Pour être juste, c'est-à-dire pour avoir raison d'être, la critique doit être partiale, passionnée, politique.» Ce recueil d'essais de Baudelaire regroupe les articles sur ses «contemporains» poètes (Hugo, Desbordes-Valmore, Banville, Flaubert, Gautier, Leconte de Lisle...) mais aussi peintres et musiciens (Delacroix, Wagner). Pour l'auteur des *Fleurs du Mal*, il n'y a pas discontinuité mais correspondance entre les différents domaines de la création. Dans le chapitre consacré à Théophile Gautier, Baudelaire définit sa conception de l'esthétique : «L'amour exclusif du beau» est la condition génératrice des œuvres d'art.

L'Art poétique

in Œuvres complètes
Nicolas Boileau   1674
                                   Pléiade et Bordas

Un tableau de la poésie française du Moyen Âge jusqu'à Malherbe. Boileau définit les règles et préceptes de vie de l'écrivain et établit la distinction des genres poétiques (comédie, tragédie, épopée). Il s'attaque aussi aux modes de son temps : le burlesque, le précieux et le pédant. Le poète doit s'en tenir à l'imitation de la nature, la raison doit rester son guide. Le caractère dogmatique de ce traité, imprégné de la tradition des classiques, n'alla pas sans susciter quelques réactions hostiles : ainsi *La Querelle des anciens et des modernes* de Charles Perrault (1687).

Le Grand Code

Northrop Frye   1982
Traduit de l'anglais
par Catherine Malamoud   Seuil

Une étude de la Bible, «le grand code de l'art», selon l'expression de Blake, sous l'angle de la critique littéraire. L'auteur contourne le champ de la théologie pour s'intéresser aux structures narratives du livre sacré. Il met en évidence son influence sur la littérature et la culture occidentale. En combinant l'exigence d'une approche interne de la littérature et l'adoption d'une attitude systématique de recherche, Frye renoue avec la tradition de la poétique qui existe depuis Aristote, dit Todorov dans son introduction.

Ce vice impuni : la lecture

Valery Larbaud   1936
                                                Gallimard

La lecture, ce réconfort, peut devenir un vice raffiné. Larbaud nous le prouve à travers le parcours d'un lecteur imaginaire que sa passion va exposer à des tentations successives : l'amour du livre comme objet matériel, la vanité de faire partie d'une élite, enfin celle de se faire critique... À moins que le lecteur n'évite ces pièges et se contente d'essayer de faire connaître quelques auteurs à ses amis. Cette méditation teintée d'ironie est suivie d'un choix de lectures d'écrivains de langue anglaise, dont Samuel Butler et Joyce que Larbaud a traduits et fait connaître en France.

Jorge Luis Borges

«Plus qu'un livre, c'est le souvenir d'un livre qui compte. Lorsqu'on commence à le changer, à le modifier, à l'imaginer d'une autre façon. Toute cette rêverie autour d'un livre fait partie de sa lecture et compte beaucoup plus en définitive. Les lectures sont de véritables événements de la vie. Certains sont même devenus fous à force de lire comme l'a montré Cervantès avec le personnage de Don Quichotte. La lecture d'un livre de Cervantès, de Flaubert, de Schopenhauer, de Melville, de Whitman, de Stevenson ou Spinoza est une expérience aussi forte que de voyager ou d'être amoureux. La plupart des gens divisent la vie en deux : d'un côté les choses réelles, de l'autre, le rêve et l'imagination. Je ne suis pas du tout d'accord. La vie est un tout et il n'est même pas impossible que finalement tout ne soit qu'un rêve.

Je crois que le livre, n'importe quel livre, est en lui même quelque chose de sacré. Je peux difficilement expliquer la raison mais je sens le livre comme un objet sacré que nous ne devons pas détruire. ''Le monde existe pour aboutir à un livre'', disait Mallarmé. Ce qui est une reconnaissance du caractère théologique des livres. Pour les musulmans, le Coran est un attribut de Dieu. Les juifs voient dans les lettres de l'alphabet et leurs combinaisons une œuvre divine. D'après un traité du VIe siècle, le *Sefer Yetsirah*, ils pensent même que telle lettre a un pouvoir sur le feu, telle autre encore sur le soleil. Quant aux chrétiens et leurs philosophes, par exemple Bacon au XVIIe siècle, ils pensent que Dieu a écrit deux livres : les Écritures saintes qui expriment sa volonté et l'univers qui exprime sa puissance. »

Contre Sainte-Beuve

Marcel Proust 1910
F.

«Chaque jour j'attache moins de prix à l'intelligence.» Proust s'élève contre la méthode critique rationnelle de Sainte-Beuve attachée à replacer une œuvre dans la vie de son auteur et dans son temps. À travers l'étude de trois écrivains qui lui semblent irréductibles à ce type d'investigation : Balzac, Nerval et Baudelaire, l'auteur de *La Recherche* montre que «le moi créateur» de l'écrivain est tout entier contenu dans son œuvre. L'essai a ouvert la voie à la critique de la critique.

Variétés I, II, III, IV, V

Paul Valéry 1924-1944
Gallimard

Cette œuvre qui s'échelonne sur vingt ans regroupe des essais classés sous différentes rubriques : «Études littéraires» (qui comprennent en particulier des articles sur Mallarmé, la révélation intellectuelle, le modèle de Valéry), «Études philosophiques», «Essais quasi politiques» (dont la fameuse «Crise de l'esprit»), «Théorie politique et esthétique», «Enseignement» et «Mémoires du poète». Rejetant l'histoire littéraire, l'écrivain veut se préoccuper de l'essentiel, «l'acte même des muses». Une pensée marquée par l'exigence de la rigueur, l'art de «Re-penser».

... en 25 livres

Esthétique et théorie du roman

Mikhaïl Bakhtine 1965
Traduit du russe
par Daria Olivier Gallimard

Une méthode critique novatrice qui comprend le roman comme phénomène social. Bakhtine étudie les éléments de culture comique populaire contenus dans l'œuvre de Rabelais et de Gogol.

Le Degré zéro de l'écriture

suivi de Nouveaux Essais critiques
Roland Barthes 1953-1972
Seuil

Le sémiologue définit cet ouvrage comme une introduction à ce qui pourrait constituer une histoire formelle de la littérature. Le texte-phare de la «nouvelle critique».

L'Âme romantique et le rêve

Albert Béguin 1939
Corti

La grandeur du romantisme, nous dit Albert Béguin, est d'avoir saisi la ressemblance entre état poétique et spiritualité. Un superbe essai qui dégage les correspondances entre les romantiques allemands (Hoffman, Novalis) et la poésie française de Nerval aux surréalistes.

Défense et illustration de la langue française

Joachim du Bellay 1549
Bordas

Le premier manifeste de l'histoire littéraire. Cette œuvre polémique prône la dignité de la langue française à l'instar du latin et de l'italien, et l'utilisation de la richesse de ses formes et de son vocabulaire.

Le Livre à venir

Maurice Blanchot 1959
F.

Il y a plusieurs façons de concevoir l'écriture. La première voit en elle une façon pour l'écrivain de s'épanouir dans son art. Maurice Blanchot nous parle d'un autre niveau de l'expérience littéraire : obscure, périlleuse, sans issue. Épreuve de l'impossibilité, elle exige le sacrifice de l'écrivain qui devient «le lieu vide et inanimé où retentit l'appel de l'œuvre». Des essais sur Proust, Mallarmé, Artaud, Borges, Bataille, Beckett qui dessinent une philosophie de l'essence de l'écriture.

Le Livre des préfaces

Jorge Luis Borges   1975
Traduit de l'espagnol
par Françoise-Marie Rosset   Gallimard

«Une préface, quand elle est réussie, n'est pas une manière de toast, c'est une forme latérale de la critique», remarque l'écrivain argentin dans sa préface des préfaces. Un livre où voisinent des auteurs comme Cervantès, l'onirique Lewis Caroll, Thomas Carlyle, «le père du nazisme», ou James. Shakespeare apparaît comme «le moins anglais des écrivains d'Angleterre» tandis que la vision de la mort de Valéry est qualifiée d'espagnole. Un recueil marqué par l'érudition et l'éclectisme de Borges.

Manifestes du Surréalisme

André Breton   1924-1929
      F.

Le credo du mouvement qui a bouleversé la vie artistique au XXᵉ siècle. Dans ces écrits théoriques, Breton revendique le droit au rêve, à l'imagination et sa filiation avec les romantiques, le mouvement Dada et avec «les grands émancipateurs du désir» : Sade, Fourier, Lautréamont.

Répertoires I, II, III, IV, V

Michel Butor   1960-1982
      Minuit

L'un des représentants du nouveau roman développe l'idée d'une littérature conçue comme le laboratoire du récit. L'exercice du *Répertoire* consiste en une exploration fragmentée de l'histoire littéraire.

Préférences

Julien Gracq   1961
      Corti

Quand l'auteur du *Rivage des Syrtes* évoque ses auteurs de prédilection : Chateaubriand, Poe, Rimbaud ou Breton. Ce recueil contient le célèbre pamphlet, «La littérature à l'estomac», une dénonciation de la République des lettres.

Michel Butor

«Pour écrire dans le sens le plus positif du mot, c'est-à-dire pour passer un grand nombre d'heures sur un travail énorme dont le profit financier est — c'est le moins que l'on puisse dire — très incertain, il faut des raisons extraordinairement puissantes. Écrire est une espèce de folie. Si l'on fait ce travail c'est que, grâce à l'écriture, on essaie de changer quelque chose autour de soi et en soi ; et si l'on va jusqu'à la publication c'est parce qu'on sent très bien qu'il faut que les autres nous aident, qu'on n'arrivera pas à sortir de ses problèmes tout seul. Au départ, chez l'écrivain comme chez le peintre ou le musicien, il y a, si vous voulez, un sentiment de scandale : il y a cette impression que les choses ne sont pas du tout comme elles devraient être, qu'elles ne sont pas utilisées comme on le pourrait. L'artiste souffre particulièrement de cet état de fait et, du coup, il se sent différent de la plupart des gens qu'il rencontre. Cette différence est vraiment très difficile à supporter. Il y a deux façons de supprimer la différence entre les autres et soi. La première, c'est de se supprimer soi-même : puisque l'on n'est pas comme les autres et qu'on est malheureux parmi eux il suffit de disparaître purement et simplement. Ou alors on peut devenir conforme aux autres : on vous guérit, on vous adapte, on vous normalise et l'écrivain en puissance que vous étiez disparaît. Le second moyen de résoudre le problème de la différence c'est, au contraire, d'essayer de transformer les autres : par un certain nombre de procédés et tout en sachant que ce sera extrêmement long, difficile, complexe, vous essayez de transformer autrui. En ce sens c'est le fou qui guérit autrui.

«C'est celui que les autres considèrent, quelquefois avec beaucoup de gentillesse, comme un malade qui va montrer aux autres que c'est eux qui sont peut-être malades. Dans le premier cas, lorsque les autres réussissent à gommer cette différence, il y a suicide soit complet, soit

Les Fleurs de Tarbes
ou la terreur dans les lettres

Jean Paulhan   1941
Gallimard

Le directeur de la N.R.F. se livre à une attaque du terrorisme qu'exerce la critique littéraire à l'encontre du cliché, du lieu commun. Pour se rendre maître de ces fleurs du langage, l'écrivain doit s'en faire le complice.

Usages de la lecture

Gaëtan Picon   1960-1961
Mercure de France (2 vol.)

« De la vie ouverte de l'œuvre, finalement, rien ne témoigne mieux que l'approche la plus simple : la vie ouverte d'une lecture. » De passionnantes approches de Balzac, Baudelaire, Malraux, Michaux, Artaud, ou Julien Green.

Études sur le temps humain

Georges Poulet   1949-1968
Éditions du Rocher (4 vol.)

Du développement massif et continu du temps dans le roman naturaliste, la « permanence des essences » dans la poésie mallarméenne, à la « momentanéité du roman proustien » : un essai sur la durée dans la littérature qui explore la profondeur intérieure propre à chaque écrivain.

De Baudelaire au Surréalisme

Marcel Raymond   1940
Corti

« Il m'a semblé qu'une ligne de force dont le dessin apparaîtra ici de lieu en lieu commandait le mouvement poétique depuis le romantisme. » Marcel Raymond met l'accent sur les fonctions éthiques et compensatrices de la poésie dans notre société.

Roman des origines et origines du roman

Marthe Robert   1972
Gallimard

À partir de la théorie freudienne du « roman familial », Marthe Robert définit deux types de romanciers : « l'enfant trouvé », isolé dans ses chimères, tel le Don Quichotte de Cervantès, et le « bâtard réaliste » comme Balzac, qui tente d'incorporer le réel à son œuvre.

Physiologie de la critique

Albert Thibaudet   1930
Nizet

La critique constitue un genre littéraire à part entière. Thibaudet en trace les limites et lui assigne trois fonctions : le goût, la construction et la création.

... en 49 livres

Propos

Alain   1934
Pléiade (2 tomes)

Dans ces petits textes, le philosophe évoque son admiration pour quelques grands livres : *La Chartreuse de Parme*, de Stendhal, *Consuelo*, de George Sand ou *Jean-Christophe* de Romain Rolland.

Essais
et nouveaux essais critiques

Marcel Arland   1952
Gallimard (à rééditer)

Ce recueil d'études, esquisses et propos, comprend le fameux article paru en 1924 dans la N.R.F. : « Sur un nouveau mal du siècle. » L'écrivain y affirme la nécessité du lien entre littérature et éthique.

La Poésie pure

Henri Brémond   1926
Grasset (épuisé)

De l'action des vers, ces « grâces secrètes », ces « vibrations fugitives » sur l'individu. Une conception mystique de la poésie, « magie recueillante qui nous invite à la prière ».

L'Allemagne romantique

Marcel Brion 1977
Albin Michel (4 vol.)

Constitué d'études consacrées aussi bien à Novalis, Kleist et Hoffmann qu'à Hermann Hesse, Hofmannstahl ou Thomas Mann, ce livre n'est pas seulement une introduction au romantisme allemand. Il est aussi, au-delà des limites d'un genre ou d'une époque, une initiation à toute la culture allemande.

Loin de Byzance

Joseph Brodski 1985
Trad. de l'anglais et du russe par
L. Dyèvre et V. Schiltz Fayard

Ce recueil d'essais du Prix Nobel 1987 présente, entre autres textes, les portraits de poètes russes : Marina Tsvétaïeva, Ossip Mandelstam, Anna Akhmatova, et des réflexions sur l'histoire de Rome et de Byzance.

La Machine littérature

Italo Calvino 1980
Traduit de l'italien par Michel Orcel
et François Wahl Seuil

«De la littérature comme processus combinatoire», «la littérature comme projection du désir», «le roman comme spectacle» : une initiation aux rouages de la pensée d'Italo Calvino.

Approximations

Charles Du Bos 1926
Buchet-Chastel

Rejetant le terme de critique, Charles Du Bos se définit comme «un artiste dont l'art propre a pour matière celle des autres». Une approche métaphysique de Shakespeare, de Proust, de Claudel ou de Chardonne.

L'Œuvre ouverte

Umberto Eco 1962
Traduit de l'italien par Chantal Roux
de Bezieux avec André Boucourechliev P.S.

À travers quelques essais, dont une magistrale analyse de la poétique de Joyce, la linguistique fait de la notion d'ambiguïté la condition et la finalité de toute œuvre d'art.

incomplet. Dans le second cas, et notamment avec la littérature, il y a une tentation pour renverser cette situation et pour guérir ceux qui vous croient malade. Ce qui n'empêche d'ailleurs pas l'écrivain d'être réellement un peu malade et de se rendre compte que dans le divorce entre lui et les autres il faut de toutes les façons guérir les deux.»

Les manuels de littérature

Anthologie et histoire littéraire, par André Lagarde et Laurent Michard, 6 volumes (du Moyen Âge au XXe siècle), dernière édition : 1985, Bordas.
Canonique, monumental et quasi inchangé depuis 1948. Indispensable pour réviser son Montaigne ou son Rousseau.

Collection *« Textes et contextes »*, par Biet, Brighelli, Rispail, 4 volumes (du XVIe au XXe siècle), complété par *Littératures de l'Europe médiévale*, de M. Gally et C. Marchello-Nizia, première édition : 1983, Magnard.
Tout et tous ! critiques, scientifiques, peintres... et grands auteurs. Un travail méritoire de documentation et de recherche hors sentiers battus.

Collection *« Perspectives et confrontations »*, par Xavier Darcos, Bertrand Tartayre, Brigitte Agard, Marie-France Boireau, 4 volumes parus (du Moyen Âge au XIXe siècle), première édition : 1986, Hachette.
Un équilibre équitable entre grands auteurs de la tradition scolaire et courants soulignés par la critique contemporaine : poésie baroque, romantismes européens.

Littérature, collectif sous la direction de Henri Mitterrand, 3 volumes parus (du XVIIe au XIXe siècle), première édition : 1986, Nathan.
Un panorama détaillé de la littérature, des chapitres chronologiques ou thématiques clairs. Sérieux, solide, savant.

Essais de littérature (vraiment) générale

Étiemble   1947-1975
                               Gallimard

« Et si nous admettions candidement que l'ensemble des littératures nationales forme la *littérature* ? » Une critique de la *Théorie littéraire* de Wellec et Warren, un héritage selon Étiemble de « l'impérialisme blanc ».

Seuils

Gérard Genette   1987
                                     Seuil

Du titre à la préface, de l'épigraphe aux notes, sans oublier les quatrièmes de couverture ou les interviews de l'auteur : une analyse minutieuse de tout ce qui entoure un texte (le « paratexte ») et qui constitue autant de *seuils* pour y accéder.

Mensonge romantique et vérité romanesque

René Girard   1961
                    Grasset, Fasquelle et H. P.

De la nature triangulaire du désir : celui-ci passe par une médiation. Girard réserve le terme de romantique aux œuvres qui reflètent la présence du médiateur sans la révéler (*Don Quichotte*) et romanesque à celles qui la révèlent (*Le Rouge et le Noir*).

Le Dieu caché

                                     1955
Lucien Goldmann   Gallimard

Une application de la méthode de pensée marxiste à la littérature. L'étude de la vision tragique chez Racine permet de comprendre l'essence de phénomènes d'ordre idéologique, philosophique et littéraire.

Promenades littéraires

Rémy de Gourmont   1913
                    Mercure de France (3 vol.)

Une flânerie érudite à travers des siècles de littérature. L'accent est mis sur les auteurs du XIXᵉ.

Roman du roman

                                     1977
Jacques Laurent   Gallimard

Les avatars du genre romanesque évoqués avec la passion et l'émotion du romancier.

Jacques Laurent épingle au passage la critique, Sartre, le nouveau roman...

Essai sur les limites de la littérature les sandales d'Empédocle

Claude-Edmonde Magny   1945
                                           Payot

« Les critiques ont été jusqu'ici perdus par la superstition de l'impartialité. » Faire abstraction de sa subjectivité à la lecture d'une œuvre, c'est se condamner au néant de la pensée.

Des métaphores obsédantes au mythe personnel

                                     1963
Charles Mauron   Corti

Par la superposition des textes d'un même auteur, l'inventeur de la psychocritique fait apparaître des réseaux d'associations, « les métaphores obsédantes ». Leur analyse éclairera la personnalité inconsciente du créateur, son « mythe personnel ».

Littératures I et II

Vladimir Nabokov   1980
Trad. de l'anglais par H. Pasquier Fayard

Flaubert, Joyce, Dickens, Dostoïevski, Gogol, Tolstoï... Nabokov définit ces cours de littérature étrangère comme « une sorte d'enquête policière menée sur le mystère des structures littéraires ».

Poésie et profondeur

                                     1955
Jean-Pierre Richard   P.S.

Des lectures de Nerval, Baudelaire, Verlaine et Rimbaud qui exhalent « une certaine expérience de l'abîme ». Une critique des profondeurs dans la lignée de Bachelard et de Poulet.

Situations II Qu'est-ce que la littérature ?

Jean-Paul Sartre   1948
                                     Gallimard

Un recueil de trois textes dont la présentation des *Temps Modernes*. Mais « la littérature engagée ne doit pas faire oublier la littérature ».

Études de style

Leo Spitzer   1970
*Traduit par Éliane Kaufholz, Alain Coulon
et Michel Foucault*   Gallimard

L'éclairage de la «globalité organique»
d'une œuvre à partir de l'analyse d'aspects
particuliers comme «l'art de la transition»
chez La Fontaine ou «l'effet de sourdine»
dans le style classique.

La Relation critique
L'œil vivant II

Jean Starobinski   1970
                       Gallimard

Une réflexion sur la critique qui relativise
l'analyse structurale. La structure même
de l'œuvre la renvoie à son univers extérieur. L'idéal : un composé de rigueur
méthodologique et de réflexion libre.

Après Babel

George Steiner   1975
*Traduit de l'anglais
par L. Lotringer*   Albin Michel

Trilingue, d'éducation cosmopolite, critique littéraire, George Steiner préfère, plutôt que d'établir une théorie scientifique
de la langue, sonder les voies intérieures.
D'Homère à Beckett, une brillante poétique du discours.

Trois hommes :
Pascal, Ibsen, Dostoïevski

André Suarès   1913
                       Gallimard

«Le premier point est de se retirer soi-
même et de laisser place à l'objet.» Une critique qui s'efface devant l'œuvre pour
mieux y adhérer.

Histoire de l'édition française

*Jean-Pierre Vivet, Henri-Jean Martin
et Roger Chartier*   1983-86
                Promodis (4 vol.)

Un historique des formes du livre sous
l'aspect aussi bien technique qu'esthétique, économique, ses implications politiques et morales.

*Dictionnaires
et histoires littéraires*

Dictionnaire des littératures, sous la direction de Jacques Demougin, Larousse,
1985, 2 volumes.
Histoire des littératures, sous la direction de
Raymond Queneau, La Pléiade, 1956,
3 volumes.
*Dictionnaire des littératures de langue fran-
çaise*, J.-P. de Beaumarchais, D. Couty,
A. Rey, Bordas, 1987, 4 volumes.
Histoire de la littérature française, sous la
direction de P. Brunel, Bordas, 1977,
2 volumes.
Histoire littéraire de la France, sous la direction de Pierre Abraham et Roland Desné,
1987, Messidor, 6 volumes.
Littérature, Claude Rommery, Henri
Lemaitre, Bordas, 1982-1987, 4 volumes
parus.
*Histoire de la littérature française de 1940
à nos jours*, Jacques Brenner, Fayard,
1978.
*Dictionnaire des œuvres de tous les temps et
de tous les pays*, Laffont-Bompiani, Bouquins, 1986, 6 volumes + index des
auteurs.

Arts de tous les temps

Si l'on songe à l'immensité de l'histoire des arts, dans le temps (de Lascaux à Keith Harring) comme dans l'espace (de la porcelaine Ming à la peinture flamande), et à son infinie diversité (peinture, sculpture, architecture, affiche, arts décoratifs, etc.), il peut sembler absurde de désigner les 49 livres qui composeraient à eux seuls une sorte de bibliothèque idéale des « Beaux-Arts ». Et, d'ailleurs, qu'est-ce donc qu'un livre d'art ? Une monographie sur un peintre ? Un bel album de reproductions ? Un essai sur une forme ou sur une esthétique ? Un livre d'histoire des techniques architecturales ou plastiques ? Les souvenirs d'un marchand de tableaux ? Les œuvres littéraires d'un peintre ? La correspondance d'un architecte ? Le catalogue d'une exposition ? On voit que les frontières sont difficiles à définir. Et pourtant, il y a d'excellents catalogues d'exposition dont les commentaires valent à eux seuls des bibliothèques entières. La correspondance de certains peintres est souvent exceptionnelle (citons Van Gogh et son frère). Delacroix est indiscutablement un bon écrivain comme Michel-Ange était un excellent poète. Et les écrits de Gauguin sont dignes de sa peinture. Par ailleurs, plusieurs essais d'historiens des arts ont transformé complètement notre vision du monde : qu'on songe à Burckhardt, à Panofsky, à Francastel notamment. Et quelques albums de reproductions d'œuvres d'art sont des réussites exceptionnelles qui marquent l'histoire de l'édition. Notre choix reflète donc cette diversité, pour ne pas dire ce disparate. Nous nous sommes efforcés d'y inclure à la fois la plupart des grandes périodes de l'histoire des arts et quelques ouvrages d'auteurs de base. Et on retrouvera dans d'autres rubriques bon nombre d'artistes qui se sont illustrés aussi par l'écriture (Picasso, Dubuffet, Duchamp, Cellini, Van Gogh, Vinci, Delacroix, etc.). Évidemment, dans l'élaboration d'un choix aussi serré manquent beaucoup d'auteurs classiques (Vitruve, Alberti, Vasari, Palladio, ...). Du moins sont-ils cités par bon nombre des auteurs rassemblés ici.

Arts de tous les temps

... en 49 livres

... en 25 livres

... en 10 livres

Curiosités esthétiques
Charles Baudelaire

Conversations
avec Cézanne

Histoire de l'art
Élie Faure

Journal
Paul Klee

Les Voix du silence
André Malraux

Écrits et propos sur l'art
Henri Matisse

L'Art
Auguste Rodin

Les Propos sur la peinture
du moine Citrouille-amère
Shitao

Traité de la peinture
Léonard de Vinci

Renaissance et baroque
Heinrich Wölfflin

Les Peintres cubistes
Guillaume Apollinaire

Les Peintres italiens de la Renaissan
Bernard Berenson

La Théorie des arts en Italie
de 1450 à 1600
Anthony Blunt

L'Espace du rêve :
mille ans de peinture chinoise
François Cheng

Le Nu
Kenneth Clark

Lettres et traité des proportions
Albert Dürer

Vie des formes
Henri Focillon

La Figure et le lieu,
l'ordre visuel au Quattrocento
Pierre Francastel

Oviri : écrits d'un sauvage
Paul Gauguin

L'Art et l'illusion : psychologie
de la représentation picturale
Ernst Hans Gombrich

Michel-Ange
V. Guazzoni, P. L. de Vecchi,
E. N. Girardi, A. Nova

La Perspective
comme forme symbolique
Erwin Panofsky

Histoire de l'impressionnisme
John Rewald

Histoire de la critique d'art
Lionello Venturi

Watteau

• À vous de choisir le cinquantième livre. Peut-être est-il déjà dans votre bibliothèque.

... en 10 livres

Curiosités esthétiques

Charles Baudelaire   1868
                                        Garnier

Au cœur du romantisme français, naissance d'une esthétique de la modernité. La peinture, la mode, l'opposition entre l'universel et le contingent sont prétextes pour le poète à fonder une nouvelle façon de voir.

Conversations avec Cézanne

Édition présentée par P. M. Doran   1978
                                        Macula

Cézanne vu par ses contemporains Émile Bernard, Maurice Denis, Ambroise Vollard, etc. À compléter par sa *Correspondance* (Grasset). Propos brefs, concis, prophétiques, de celui qui disait : « Je vous dois la vérité en peinture et je vous la dirai. »

Histoire de l'art

Élie Faure   1909-1921
                        (5 vol.) Denoël et L. P.

Médecin, plutôt anarchiste et déjà fameux en son temps pour avoir défendu Dreyfus, Faure a connu une gloire posthume avec cette histoire devenue très populaire (elle existe aussi bien en édition de luxe qu'en édition de poche). La permanence d'une conscience artistique à travers les flux et les reflux de l'histoire de l'humanité.

Journal

Paul Klee   *(1879-1940)*
Traduit de l'allemand
par Pierre Klossowski   Grasset

Publiés par son fils Félix, seize ans après la mort du peintre, les 1134 paragraphes soigneusement numérotés et retravaillés des journaux qu'il a tenus à partir de ses dix-huit ans. Un document étonnant. Quand l'Allemagne descend vers l'Italie à la recherche des sourires de femmes et des couleurs.

Les Voix du silence

André Malraux   1950-1951
                        Gallimard (à rééditer)

Esquissée à partir de 1930, repensée pendant les années de la Seconde Guerre mondiale, cette « psychologie de l'art » est la première des grandes enquêtes de Malraux au sein des cultures mondiales. L'art ? « Ce chant sacré sur l'intarissable orchestre de la mort. » À lire aussi : son essai sur Goya (1950), son *Musée imaginaire de la sculpture mondiale* (1955) et *La Métamorphose des dieux* (1957-1976).

Écrits et propos sur l'art

Henri Mattisse (1869-1954)   1972
                                        Hermann

Notes, notices, entretiens, écrits, propos rapportés, témoignages, lettres dessinent le profil d'un des plus grands peintres du siècle. Une intelligence magnifique au cœur de « l'éternel conflit du dessin et de la couleur ».

L'Art

Auguste Rodin   1911
Entretiens réunis par Paul Gsell   Grasset

Gsell lui dit « maître », Rodin lui répond « mon cher ami ». La forme de ces entretiens peut paraître désuète. Mais les grandes œuvres sont commentées l'une après l'autre et Rodin dit tout sur l'art et son histoire. Grand document.

Les Propos sur la peinture du moine Citrouille-amère

Shitao   (vers 1710-1720)
Traduction du chinois et commentaires
de Pierre Ryckmans   Hermann

Un manuel de peinture chinoise, certes, mais qui dépasse tous les discours sur l'art. Hors du temps (« l'œuvre ne réside pas dans le pinceau... »), hors des contingences de la peinture (« n'importe qui peut faire de la peinture, mais nul ne possède l'Unique Trait de Pinceau... »), c'est aussi un véritable ouvrage de philosophie.

Traité de la peinture

Léonard de Vinci   vers 1490-1519
Trad. par André Chastel   Berger-Levrault
Savamment réunis par André Chastel, les
écrits sur la peinture de Léonard de Vinci
dispersés dans toutes sortes de manuscrits
recomposent un vrai projet de Léonard de
Vinci. L'homme le plus intelligent de son
époque résume les savoirs artistiques traditionnels et innove dans tous les domaines.

Renaissance et baroque

Heinrich Wölfflin   1888
Traduit de l'allemand
par Guy Ballangé   L.P. (à rééditer)
Un des livres clés de l'histoire de l'art.
Élève de Burckhardt, Wölfflin réhabilite
magistralement le baroque. Ses catégories,
ses couples d'opposition (linéaire-pictural,
plan-profondeur, œuvre ouverte-œuvre
fermée) font désormais partie de
l'esthétique moderne.

... en 25 livres

Les Peintres cubistes

Guillaume Apollinaire   1913
                                        Hermann
Il était l'ami du Douanier Rousseau, de
Braque, de Picasso, des Delaunay. Plongé
au cœur de la révolution picturale, il a su
cependant y voir clair et en expliquer la
surprenante nouveauté.

Les Peintres italiens
de la Renaissance

Bernard Berenson   1907
Traduit de l'américain par L. Gillet
                            Gallimard (épuisé)
Américain d'origine lituanienne, Berenson
a su mêler l'amour lyrique de l'Italie
artistique et la science rigoureuse de l'historien d'art. Il a rénové totalement la façon
de classer, de juger et d'expertiser. Les
concepts élaborés dans cet ouvrage
fondamental restent des plus féconds. Le
reste de son œuvre est, hélas, moins connu
en France.

Cézanne au Louvre

*Nous arrivons. Il est empourpré. Il
rayonne. Son pardessus qu'il tient par une
manche derrière lui balaie le parquet. Il
redresse sa haute taille. Il exulte. Je ne l'ai
jamais vu ainsi. Lui, si timide d'habitude,
jette à droite et à gauche des regards de triomphe. Le Louvre est à lui... Dans un coin, il
avise une échelle de copiste. Il bondit.*
   Enfin !... Nous allons le voir.
Il traîne l'échelle. Il y grimpe.
   Venez. Venez... Sacrédié !... Que c'est
beau...
Les gardiens accourent, l'interpellent.
   Foutez-moi la paix... Je regarde
Courbet... Placez-moi ça dans son jour, et
on ne vous embêtera plus...
Il trépigne sur sa petite plate-forme.
   Mais non, voyez ce chien... Velasquez !
Velasquez ! Le chien de Philippe est moins
chien, tout chien de roi qu'il était... Vous
l'avez vu... Et l'enfant de chœur, ce rouge
joufflu... Renoir peut y venir...
Il se monte, il se grise.
   Gasquet, Gasquet... Il n'y a que Courbet
qui sache plaquer un noir, sans trouer la
toile... Il n'y a que lui... Ici, comme dans
ses rochers et ses troncs, là-bas. Il pouvait, d'une coulée, descendre tout un pan
de vie, l'existence minable d'un de ces
gueux, voyez, et il revenait ensuite, avec
pitié, par bonhomie de doux géant qui
comprend tout... La caricature se trempe
de larmes... Ah ! laissez-moi tranquille,
vous là-bas. Allez chercher votre directeur... Je lui alignerai deux mots, à cet
homme...
*On s'attroupe. Il fait une véritable
harangue.*
   C'est une infamie, nom de Dieu !...
Non, à la fin, mais c'est vrai... Nous nous
laissons toujours faire... C'est un vol...
L'État, c'est nous... La peinture... c'est
moi... Qui est-ce qui comprend
Courbet ?... On le fout en prison dans cette
cave... Je proteste... J'irai trouver les
journaux, Vallès...
Il crie de plus en plus fort.
   Gasquet, vous serez quelqu'un un jour...
Promettez-moi que vous ferez porter cette
toile à sa place, dans le salon carré... Nom
de Dieu, dans le salon des modernes...

La Théorie des arts en Italie de 1450 à 1600

Anthony Blunt 1940
Traduit de l'anglais par Jacques Debouzy
éd. Gérard Monfort

La fin de la vie de Sir Anthony a été quelque peu assombrie par les désagréables révélations sur sa carrière d'espion soviétique. Spécialiste de Poussin, dont il a établi le catalogue, et de Picasso, son premier ouvrage a sans cesse été réédité en Angleterre. En langue française, il est moins facile à trouver. Une excellente introduction à la mentalité des artistes de la Renaissance.

L'Espace du rêve : mille ans de peinture chinoise

François Cheng 1980
Phébus

« Ce n'est que lors du grand réveil qu'on sait que tout n'a été qu'un grand rêve », dit Tchouang tseu. Le rêve, l'évanescence des formes et des couleurs... un somptueux survol de la peinture chinoise.

Le Nu

Kenneth Clark 1955
Traduit de l'anglais par Martine Laroche H. P.

L'historien britannique poursuit un thème à travers toute l'histoire de l'art : les grandes et les petites aventures du corps dévêtu. Formes, symboles, miroir de notre identité. Une grande synthèse par l'auteur d'un magistral *Léonard de Vinci* (Le Livre de Poche).

Lettres et traité des proportions

Albert Dürer (1471-1528)
Traduit par Pierre Vaisse
Hermann (à rééditer)

Un monde bascule, un autre naît. Les écrits de Dürer sur la peinture et sur la perspective marquent l'éclosion de la Renaissance. Fondamental. Et une correspondance vraiment très étonnante !

Vie des formes

Henri Focillon 1934
P.U.F.

Les rapports entre l'expérience de l'espace et les formes sensibles, entre l'évolution des techniques et la création des formes. Une écriture magnifique au service d'une vaste érudition que l'on retrouve aussi dans son *Art d'Occident* (Armand Colin).

La Figure et le lieu, l'ordre visuel du Quattrocento

Pierre Francastel 1967
Denoël (in *Œuvres*, t. 2)

L'analyse du langage plastique comme expression d'un mode de pensée autonome. A lire aussi du même auteur : *Peinture et société* (1951) et *La Réalité figurative* (1965).

Oviri : écrits d'un sauvage

Paul Gauguin (1848-1903)
Gallimard

L'œuvre écrite de Gauguin est peu connue dans son ensemble. Les grands textes comme *Noa-Noa* mais aussi d'autres moins connus nous font découvrir l'un des plus vifs contestataires de son temps. Surprenant.

L'Art et l'illusion : Psychologie de la représentation picturale

Ernst Hans Gombrich 1960
Traduit de l'anglais par Guy Durand Gallimard

L'activité artistique à la lumière de la psychologie expérimentale. La tradition, l'individu, la nouveauté, les illusions des sens, dans l'évolution des idées et des styles.

Michel-Ange

Valerio Guazzoni, Pier Luigi de Vecchi, Enzo Noe Girardi, Alessandro Nova 1984
Traduit de l'italien par Armand Monjo Cercle d'Art (3 vol.)

Architecte, peintre, sculpteur : le portrait somptueux d'un artiste de la Renaissance au génie ombrageux mais titanesque.

La Perspective comme forme symbolique

Erwin Panofsky 1927
*Traduit de l'allemand
par Guy Ballangé* Minuit

Sans doute l'ouvrage le plus célèbre sur un des moments clés de l'histoire de l'art, l'apparition de la perspective. Mais *Essais d'iconologie* (Gallimard), *Architecture gothique et pensée scolastique* (Minuit) ou son *Albrecht Dürer* (Hazan) sont aussi des ouvrages de tout premier plan.

Histoire de l'impressionnisme

John Rewald 1955
*Traduit de l'anglais
par Nancy Goldet-Bouwens* Albin Michel

L'aventure épique d'un groupe de peintres qui, en moins d'une génération, a révolutionné de fond en comble le monde des arts plastiques.

Histoire de la critique d'art

Lionello Venturi 1936
Traduit de l'italien
Flammarion (à rééditer)

Disciple de Croce et de Wölflin, il devient un grand critique et ses ouvrages sur Giorgione, Caravage, Cézanne ou Pissaro font autorité. Passionné par l'évolution du «goût», il est le premier à faire systématiquement l'histoire de sa discipline.

Watteau

Catalogue de l'exposition 1984-1985 1984
Réunion des Musées nationaux

Les métamorphoses de l'imprimerie et de l'édition en France ont permis la réalisation d'ouvrages sur l'art de grande qualité. Parmi les splendides catalogues en couleurs édités depuis une dizaine d'années et consacrés à Chardin, Courbet, Lorrain, Raphaël, Renoir ou Picasso, celui-ci, véritable somme artistique et scientifique, mérite d'être distingué.

Les gardiens ramassent son pardessus, son melon.

Foutez-moi la paix, vous autres... Je descends... Nous avons en France une machine pareille, et nous la cachons... Qu'on foute le feu au Louvre, alors... tout de suite... Si on a peur de ce qui est beau... Au salon des modernes, Gasquet, au salon des modernes... Vous me le promettez...

Il dégringole de l'échelle. Il promène un regard de maîtrise sur tout l'attroupement qui nous entoure...

Je suis Cézanne.

Il devient encore plus rouge... Il se fouille. Il fourre des louis dans la main des gardiens... Il s'enfuit, en m'entraînant... Il pleure.

Paul Cézanne, Joachim Gasquet (1921) repris dans *Conversations avec Cézanne* (Macula, 1978)

Écrivains et peintres : Rencontres

Au départ, Stéphane Mallarmé. Il y a un siècle, le poète symboliste réagissait contre l'usage immodéré de l'illustration issue du romantisme : on agrémentait les œuvres littéraires de gravures représentant fidèlement ce qui était écrit. Mallarmé, lui, pensait le livre comme un «instrument spirituel» dont tous les éléments devaient concourir à «réaliser» l'esprit souhaité. Mais chacun jouant sa partition : le format, le papier, la typographie et les illustrations éventuelles. Le livre ainsi mis à plat, tout devenait possible, y compris la rencontre des écrivains et des artistes. En 1875, la traduction du *Corbeau* d'Edgar Poe par Mallarmé, illustré par Manet, fut le signe précurseur d'un phénomène d'édition de grande ampleur. Le célèbre marchand de tableaux Ambroise Vollard, ami des impressionnistes, allait s'adresser aux peintres — plutôt qu'aux illustrateurs habituels — pour accompagner la réédition de grands textes. Il fit ainsi appel à

... en 49 livres

Anamorphoses

Jurgis Baltrusaitis   1955 et 1984
Flammarion

L'histoire de l'art c'est aussi celle de ses déviations. Le livre d'un chercheur original qui a fait redécouvrir dans le monde entier les bizarreries, les marges et les mystères de la vie des formes.

Greco
ou le secret de Tolède

Maurice Barrès   1911-1923
Flammarion

La redécouverte de Greco par un écrivain fin de siècle. Le livre, très subjectif, plein d'évocations de la Tolède moderne, est un beau morceau de style.

L'Œil du Quattrocento

Michael Baxandall   1972
Traduit de l'anglais
par Yvette Delsant   Gallimard

Le peintre, son contrat, ses méthodes et ses commanditaires. Le marché de l'art au XVe siècle : les liens étroits du social et du visuel. Passionnant.

Le Bernin

Franco Borsi   1984
Traduit de l'italien
par H.A. Baatsch   Hazan

Un sculpteur devient architecte et c'est la naissance de la Rome baroque. Carrière tumultueuse, œuvre stupéfiante.

Charpentes :
la géométrie secrète des peintres

Charles Bouleau   1963
Seuil

Le cadre, les lignes, les perspectives, le nombre d'or, toute la théorie géométrique de l'art à travers des dizaines d'exemples classiques.

Conversations avec Picasso

Brassaï   1964
Gallimard

Trente ans de dialogues entre le photographe et le peintre. Le meilleur document sur Picasso.

Le Grand Atelier

André Chastel   1966
Gallimard

Un des meilleurs volumes de la collection «L'Univers des formes» par notre plus grand spécialiste de la Renaissance.

Comprendre l'impressionnisme

Jean Clay   1984
Chêne

Un ouvrage pédagogique d'une remarquable clarté. Tous les problèmes visuels de l'histoire de l'art à la lumière de la révolution impressionniste.

L'Archéologie industrielle
en France

Maurice Daumas   1980
Laffont

Une nouvelle discipline : quand la fabrique et le haut fourneau deviennent objets de science et de contemplation.

Enquête
sur Pierro della Francesca

Carlo Ginzburg   1981
Traduit de l'italien
par Monique Aymard   Flammarion

Les énigmes d'une œuvre emblématique déchiffrées par un des meilleurs historiens italiens. Une enquête qui aboutit à une nouvelle interprétation.

L'Art et l'Homme

René Huyghe   1959-1963
Flammarion

Tous les arts — de l'architecture au cinéma —, leurs rapports entre eux, les sociétés qui les engendrent, une ample synthèse sous la direction d'un des meilleurs spécialistes français.

L'Art calligraphique arabe

*Abdelkebir Khatibi
et Mohammed Sijelmassi*   1976
                                       Chêne

L'écriture aussi peut être un art. De Cordoue à Téhéran, la magie des entrelacs mystiques.

Les Arts de l'Afrique noire

Jean Laude   1966
                          Chêne (à rééditer)

Un continent méconnu entre dans l'histoire de l'art. Un excellent manuel pour s'y retrouver dans les masques, les sculptures et les objets rituels.

Quand les cathédrales étaient blanches

*Charles Édouard Jeanneret,
dit le Corbusier*   1937
                                       Denoël

Le grand pionnier du style international de l'architecture moderne. Décorateur et aussi urbaniste, il est également célèbre par d'autres écrits : *Propos d'urbanisme* (1945) ou *L'Atelier de la recherche patiente* (1960).

L'Art religieux du XIIIᵉ siècle en France

Émile Mâle   1908-1922
                      Armand Colin et L.P.

Le renouvellement de nos connaissances sur l'art médiéval. Un classique.

Du baroque

Eugenio D'Ors   1935
*Traduit de l'espagnol par Agathe
Rouart-Valéry*   Gallimard (à rééditer)

Le baroque est partout. Un essai «romanesque» qui, écrit au milieu des années trente, a eu un impact décisif sur l'évolution de la critique artistique.

Lascaux

                                       1986
Mario Ruspoli   Bordas

Maintenant que la vraie grotte est fermée au public et qu'on ne peut visiter qu'une copie, le bel ouvrage posthume du prince Ruspoli nous console d'une telle frustration.

Bonnard pour *Parallèlement* de Verlaine ; à Odilon Redon pour *La Tentation de saint Antoine* de Flaubert ; à Picasso pour *Le Chef-d'œuvre inconnu* de Balzac ; à Rouault pour *Cirque* de Suarès ; à Degas pour *Danse* de Valéry...

Un peu plus tard, Daniel Henry Kahnweiler, marchand de tableaux et ami des cubistes, passa commande de textes et d'illustrations avec l'intention de «provoquer une conflagration». Celle-ci eut lieu avec Juan Gris et Tristan Tzara dans *Mouchoir de nuage*, avec Derain et Max Jacob dans *Les Œuvres burlesques et mystiques de frère Matorel, mort au couvent*, ou avec Masson et Bataille dans *Anus solaire*. Albert Skira, Aimé Maeght, Iliazd, Teriade, Pierre Lescure, Louis Broder, Pierre-André Benoit ont poursuivi dans cette voie royale de l'édition d'art.

Les écrivains et les artistes se rencontraient aussi dans de somptueuses revues. Par exemple *Verve*, surnommée «la plus belle revue du monde». Tout simplement. Il faut dire qu'en consultant les sommaires depuis le premier numéro, qui paraît en 1937 avec une couverture signée Matisse, et le dernier, en 1960, avec une couverture cette fois-ci de Chagall, il y a de quoi être épaté : pêle-mêle on y retrouve les noms de Gide, Léger, Miró, Michaux, Brassaï, Picasso, Cartier-Bresson, Joyce, Leiris...

Philosophie de l'art

Hippolyte Taine 1880
(« Corpus ») Fayard

De l'influence du milieu physique et du climat, entre autres, sur le tempérament et l'évolution des formes. Un classique qui a bien vieilli mais qui réserve encore quelques belles surprises.

Baroque et classicisme

Victor-Lucien Tapié 1957
H. P.

Un affrontement qui traverse les XVIe et XVIIIe siècles mais qui est toujours d'actualité. Ouvrage de référence.

L'Art brut

Michel Thévoz 1980
Skira

Hors des poncifs culturels, la création spontanée des gens en marge. Lancé par Paulhan, Dubuffet, Breton, l'art brut a son musée à Lausanne et ses *Cahiers de l'art brut* où sont publiés des monographies sur les principaux artistes comme Adolf Wölfli, Aloïse ou Joseph Crépin.

Souvenirs d'un marchand de tableaux

Ambroise Vollard 1937
Albin Michel

L'homme qui a lancé Cézanne, Gauguin, Bonnard, Van Gogh, Renoir, Rousseau, Matisse,... C'est tout ? Non ! Il y a aussi Derain, Vlaminck, Rouault, et bien d'autres ! Naissance d'une figure moderne de marchand de tableaux.

Paris-Berlin

Éditions du centre Pompidou 1978
Épuisé

Le meilleur catalogue d'une des grandes expositions de la série *Paris-New York, Paris-Moscou, Paris-Paris*. Les grands courants de l'art du XXe siècle vus par le centre Pompidou.

Les Grands Peintres et leur technique

1980
Éditions du Fanal

Comment peignaient Giotto, Van Eyck, Titien, Bosch, Rubens, Vermeer, Cézanne, Klee, Bonnard. Une encyclopédie captivante.

Petit Larousse de la peinture

1979
Sous la direction de Michel Laclotte
Larousse (2 vol.)

Les artistes, les écoles, les techniques, les collections en 9 000 articles illustrés. Un instrument sans équivalent.

Yves Bonnefoy
et l'émerveillement
devant la peinture

En quoi l'art est-il, plus que jamais, une nécessité fondamentale?

En me souvenant d'une page de Luther sur la musique, je prononcerai le mot d'*émerveillement*. Luther montrait là une aptitude à percevoir le son musical comme quelque chose de plein et d'énigmatique, non comme une simple donnée qui va de soi. Cet *émerveillement*, c'est ce qu'il nous faut tenter de rétablir. Notre société, dominée par la prévalence du regard scientifique, ne sait plus s'émerveiller. Or nous disposons d'une extraordinaire réserve : les milliers de leçons d'émerveillement que peuvent nous donner les grands peintres de la tradition occidentale. Et cela devient une fonction du futur, une forme de l'avant-garde poétique, que de se retourner vers la peinture du passé pour la faire témoigner de ce besoin que nous avons à résoudre.

Que vous inspirent les foules immenses se bousculant aujourd'hui dans les musées et les grandes expositions?

Dans une certaine mesure, elles sont la preuve de ce besoin insatisfait. Et ce qui est intéressant, c'est de remarquer quels sont les peintres qui déplacent le plus de monde. Aux États-Unis par exemple, Van Gogh a attiré des foules énormes : n'est-ce pas surtout parce que Van Gogh est le peintre du champ de blé, celui qui est là comme une présence au monde, presque trop proche d'ailleurs? Van Gogh est comme brûlé par le monde, et c'est bien tout le drame de la société moderne qui commence avec lui. De même les impressionnistes sont-ils très en vogue : ce sont les peintres de la terre, du jardin, des nuances du ciel le soir. Dans un essai j'ai laissé transparaître comme une jalousie à l'égard de Claude Monet car si, moi, j'écris «rouge», lui il peut peindre le rouge avec les mille nuances d'immédiateté de la nature. Voilà pourquoi aussi, dans un autre genre, Poussin me requiert d'une manière absolue, parce qu'il est précisément le peintre de la lumière traversant le ciel.

La musique

On ne pouvait avoir l'ambition, dans notre bibliothèque idéale, d'englober toutes les musiques. À l'exception du jazz qui fait partie intégrante de notre culture, ne sont donc considérés ici que la musique occidentale (appelée couramment classique même lorsqu'elle est moderne) et les livres qui y sont consacrés. Étant donné le nombre des titres, le choix se révèle déjà compliqué, d'autant plus que certains éditeurs semblent avoir misé depuis quelques années sur un domaine peu menacé par la précarité de la mode.

Des oublis, il y en a de volontaires. Écartés les ouvrages trop « techniques », du *Traité de l'harmonie* de Rameau au choix d'études de Schönberg (*Le Style et l'Idée*, Buchet-Chastel) ou aux cours de direction d'orchestre de Herman Scherchen (Actes Sud). Cette bibliothèque veut être celle de l'honnête homme, non du spécialiste. On y trouvera quatre types d'ouvrages.

D'abord ceux des musiciens eux-mêmes lorsqu'ils sont excellents écrivains (Berlioz, Debussy, Satie, Markevitch) ou qu'ils s'expriment clairement sur leur art et leur vie (Roussel, Dukas, Bartók, Stravinski, Milhaud, Messiaen), une place étant réservée aux interprètes, notamment aux chefs d'orchestre (Ansermet ou Bruno Walter écrivant sur son maître Gustav Mahler) et aux pianistes (Glenn Gould, Alfred Brendel).

Ensuite viennent les correspondances ou les journaux des grands créateurs ou de leurs familiers (Wagner vu par Cosima, les carnets de Beethoven, la «petite chronique d'Anna Magdalena Bach», le dialogue de Robert et Clara Schumann) qui constituent évidemment des documents irremplaçables.

Mais on ne saurait négliger, dans un troisième groupe, le travail des musicologues. Le choix ici a été particulièrement délicat et on pourra nous reprocher bien des injustices. Difficile de privilégier tel ouvrage d'ensemble ou telle étude.

Enfin — et c'est peut-être l'aspect le moins attendu de notre liste —, la parole a été confiée aux littérateurs. C'est toujours intéressant de lire les propos parfois contestables (réactions d'humeur plutôt) de Nietzsche sur Wagner ou de Gide sur Chopin. On admirera sans réticence ceux de Jouve sur *Don Giovanni* ou *Wozzeck*. Et surtout on aura un faible pour les conteurs et les romanciers qui ont placé la musique au centre de certaines de leurs fictions (Hoffmann, compositeur lui-même, Romain Rolland, Thomas Mann, Alejo Carpentier...), dévoilant ainsi à leur manière de secrètes affinités entre les deux arts. Car la musique n'existe pas seulement dans les notes, elle devrait être aussi et «avant toute chose», selon le souhait bien connu de Verlaine, dans les mots.

La musique

Écrits sur la musique
Ernest Ansermet
et Jean-Claude Piguet

Le Jeune Homme à la trompette
Dorothy Baker

Les Cinq Grands Opéras
Henry Barraud

Musique de la vie
Béla Bartók

La Musique pour piano de Schumann
Marcel Beaufils

Histoire d'un Ring
Pierre Boulez, Patrice Chéreau,
Richard Peduzzi et Jacques Schmidt

La Neige était noire
Malcolm Braly

Réflexions faites
Alfred Brendel

Le Coq et l'Arlequin
Jean Cocteau

*Chroniques musicales sur deux siècles
(1892-1932)*
Paul Dukas

Jazz
André Francis

Notes sur Chopin
André Gide

Entretiens avec J. Cott
Glenn Gould

Écrits sur la musique
Ernest Theodor Amadeus Hoffmann

Liszt en son temps
Pierre Antoine Huré
et Claude Knepper

Le Compositeur et son double
René Leibowitz

Franz Schubert
Brigitte Massin

La Rage de vivre
Milton Mezz Mezzrow
et Bernard Wolfe

Notes sans musique
Darius Milhaud

Faut-il jouer moins fort?
Gerald Moore

Chopin ou le poète
Guy de Pourtalès

Jean-Christophe
Romain Rolland

Johannes Brahms
Claude Rostand

*Consuelo
suivi de la Comtesse de Rudolstadt*
George Sand

• À vous de choisir le cinquantième
livre. Peut-être est-il déjà dans votre
bibliothèque.

... en 10 livres

Mémoires

Hector Berlioz (1803-1869)
G. F.

Berlioz compose des partitions, dirige des orchestres, voyage à travers le monde, écrit des lettres et des critiques musicales pour *Le Journal des débats*, tout cela avec une vitalité et une fougue peu communes.

Concert baroque

Alejo Carpentier 1974
Traduit de l'espagnol
par René L.F. Durand Gallimard et F.

Le grand romancier cubain avait aussi du mélomane en lui. Fiction ou réalité ? Nous partons en tout cas dans la Venise du XVIIIᵉ siècle, en compagnie d'un grand seigneur mexicain, à la découverte de Vivaldi et de son temps.

Monsieur Croche et autres écrits

Claude Debussy (1862-1918)
Gallimard

L'anticonformisme, la verve et la causticité d'un génie aux fulgurantes intuitions. Ce recueil rassemble l'intégralité de l'œuvre critique du compositeur et, en particulier, les chroniques musicales qu'il assura au début du siècle pour *La Revue blanche*.

Jean-Sébastien Bach

Karl Geiringer 1970
Traduit de l'américain par Rose Celli
Seuil

« Si l'on tentait de caractériser d'un seul mot la musique de Bach, ce mot serait "unification". » Le musicologue et spécialiste de la musique du XVIIᵉ siècle tient compte de multiples recherches sur Bach et trace une vue d'ensemble sur l'homme et l'œuvre.

Dictionnaire de la musique

sous la direction de Marc Honegger 1970
Bordas

Le *Who's Who* de la musique. Le souci d'exhaustivité — plusieurs remises à jour ont eu lieu depuis la première édition — et l'impartialité des 5 700 articles consacrés aux hommes et aux œuvres en font l'ouvrage de référence par excellence. À compléter par le tout récent *Dictionnaire de la musique* publié chez Larousse sous la direction de Marc Vignal.

Le Nocturne

Vladimir Jankélévitch 1957
Albin Michel

« Le nocturne est un deuil, mais il est aussi la paix. » Le philosophe et poète qu'est Jankélévitch analyse berceuses, barcarolles, marches funèbres et nocturnes chez Fauré, Chopin et Satie. Une élégie sur la musique du soir, équivoque et enchanteresse. À rééditer d'urgence !

Le Docteur Faustus

Thomas Mann 1947
Traduit de l'allemand
par Louise Servicen Albin Michel et L.P.

La vie d'un compositeur de génie (et atteint de la syphilis) qui croit avoir fait un pacte avec le diable. Par le biais du roman, Thomas Mann propose une inoubliable méditation sur les pouvoirs — parfois maléfiques — de la musique. Pour quelques mélomanes, c'est aussi une approche insolite du « dodécaphonisme ».

Journal intime

Robert et Clara Schumann (1810-1856)
Buchet-Chastel

Schumann, au quotidien dans ce journal, écrit en quelque sorte à deux mains par sa femme Clara et lui-même. Le génie n'est pas toujours au rendez-vous mais l'émotion demeure. Un des plus beaux chants d'amour romantiques. À rééditer !

Journal

Cosima Wagner   1869-1883
Traduit de l'allemand par Martin Gregor-
Dellin et Dietrich Mack   Gallimard
Document irremplaçable sur un génie, ou
Wagner vu dans tous ses états par la plus
inconditionnelle de ses adoratrices : la fille
de Liszt, Cosima, qu'il épousa en 1870.

Mozart
Sa vie musicale et son œuvre

Theodor de Wyzewa
et Georges de Saint-Foix   1912-1946
                                   Bouquins
La bible mozartienne par excellence. La
vie et l'œuvre du «divin» y sont suivies pas
à pas grâce à des évocations et des analyses qui sont restées insurpassées. Sinon
peut-être par l'autre «bible» : *La Pensée
de Mozart*, par Jean-Victor Hocquard
(Seuil). À lire également, le très exhaustif
Wolfgang Amadeus Mozart de Jean Massin
(Fayard).

... en 25 livres

Philosophie de la nouvelle musique

Theodor W. Adorno   1958
Trad. de l'allemand par Hans Hildenbrand
et Alex Lindenberg   Gallimard
Le philosophe de l'école de Francfort
analyse deux musiques antithétiques : celles de Schönberg et de Stravinski.

La petite chronique d'Anna Magdalena Bach

                                   1701-1760
Traduit par M. et E. Buchet
                         Buchet-Chastel
Ce best-seller anonyme est le roman émouvant et exact de l'amour qui unit le compositeur à sa deuxième femme.

Musique et littérature

Si les compositeurs d'opéra ont souvent
fait appel aux dramaturges, (Shakespeare,
Goldoni, Beaumarchais, Goethe, Büchner,
Wedekind...), c'est qu'ils avaient un lieu
et un point communs : le théâtre. Mais les
romanciers ont, eux aussi, fourni à la musique sujets ou personnages. Tout le monde
connaît *Werther*, *Carmen* ou *Manon*, le
roman de l'abbé Prévost a inspiré non seulement *Manon* à Massenet et *Manon Lescaut* à Puccini, mais aussi, en 1952,
Boulevard solitude à Hans Werner Henze.

Parmi les textes célèbres dont on ne sait
pas toujours qu'ils ont été — avec plus ou
moins de bonheur — à l'origine d'opéras,
on peut citer, au XIXᵉ siècle, *La Dame de
pique* de Pouchkine : Tchaïkovski ;
Salammbô, de Flaubert : le premier opéra
(resté inachevé) de Moussorgski ; *Le Rêve*,
de Zola : Alfred Bruneau ; *Le Mariage*, de
Loti, devenu *Lakmé* de Léo Delibes ;
Jocelyn de Lamartine : Benjamin Godard ;
ou encore *Les Années d'apprentissage de
Wilhelm Meister* de Goethe, devenu *Mignon*
d'Ambroise Thomas.

Notre siècle voit les compositeurs faire
une étonnante consommation des chefs-
d'œuvre de la littérature. La liste qui suit
est loin d'être exhaustive : *La Chartreuse
de Parme*, de Stendhal : Henri Sauget ;
Madame Bovary, de Flaubert : Emmanuel
Bondeville ; *Guerre et paix*, de Tolstoï :
Serge Prokofiev ; *Le Joueur*, de Dostoïevski : Serge Prokofiev ; *Le Tour
d'écrou*, d'Henry James : Benjamin Brit-
ten ; *Le Nez*, de Gogol : Dimitri Chostakovitch ; *Le Silence de la mer*, de Vercors :
Henri Tomasi.

Enfin quelques curiosités attirent l'attention du mélomane «littéraire» : *Passion
selon Sade*, de Bussotti ; *Propos d'Alain*, de
Goffredo Petrassi, pour voix et douze instruments ; *Les Chants de Maldoror* de Lautréamont, oratorio «chorégraphique» de
Marius Constant, ou *Une saison en enfer*,
de Rimbaud, qui inspira respectivement
Gilbert Amy et Henry Barraud.

Carnets intimes

Ludwig van Beethoven   *(1770-1827)*
Traduit de l'allemand par M. V. Kubié
Buchet-Chastel

Émouvante simplicité et gaucherie des propos quotidiens du titan de la musique.

La Musique romantique

Alfred Einstein   1957
Traduit de l'anglais
par Jacques Delalande   Gallimard

Une vaste analyse des différentes formes musicales et de leur évolution après Beethoven, et les rapports de la musique avec les autres arts.

Wozzeck, d'Alban Berg

Pierre Jean Jouve et Michel Fano   1925
Bourgois

L'un des plus grands opéras du XXe siècle vu à travers le regard d'un singulier poète.

Tout l'opéra

Gustave Kobbé   *(1857-1918)*
Traduit de l'anglais par M.C. Aubert
et D. Collins   Laffont

Résumés exemplaires de la plupart des œuvres du répertoire universel à l'exception des grands ouvrages lyriques de l'époque baroque ou classique.

Être et avoir été

Igor Markevitch   1980
Gallimard

De l'adolescence du compositeur prodige à la maturité du brillant chef d'orchestre.

Ravel

Marcel Marnat   1987
Fayard

Une image renouvelée de l'auteur du *Boléro*. Le portrait psychologique d'un artiste qu'on savait avare de confidences.

Correspondance

Wolfgang Amadeus Mozart   *(1756-1791)*
Traduit de l'allemand
par Geneviève Geffray   Flammarion

Pour la première fois, la correspondance de Mozart traduite intégralement en français. Deux volumes (sur cinq à paraître) sont publiés à ce jour.

Le Cas Wagner
Nietzsche contre Wagner

Friedrich Wilhelm Nietzsche   1888
Traduit de l'allemand
par J.-C. Hemery   Gallimard

Autrefois grand admirateur de Wagner, le philosophe rompt à la fin de sa vie avec le wagnérisme et lui oppose la clarté méditerranéenne d'un Bizet.

Lettres et écrits

Albert Roussel   *(1869-1937)*
Flammarion

Où l'on découvre la vie de l'auteur du *Festin de l'araignée*, ses avis et analyses sur de nombreux musiciens, contemporains ou pas.

Entretiens avec Olivier Messiaen

Claude Samuel   1967
Belfond

Comment en savoir davantage sur le numéro 1 de la musique contemporaine, son alchimie sonore, son mysticisme, ses rythmes exotiques et ses chants d'oiseaux. À lire aussi l'excellent *Olivier Messiaen* d'Harry Halbreich (Fayard).

Écrits

Erik Satie   *(1866-1925)*
Lebovici

L'énigmatique et excentrique compositeur des *Sarabandes* et de *Parade* était aussi un écrivain à l'ironie cinglante.

Chroniques de ma vie

Igor Stravinski   *(1882-1971)*
Denoël

Ce que le maître veut bien dire sur sa carrière et sa création. Un ouvrage capital pour mieux connaître le «Picasso de la musique». À rééditer d'urgence ! À signaler le *Stravinski* d'Eric Walter White (Flammarion).

Gustav Mahler

Bruno Walter 1979
H. P.

Le chef d'orchestre exprime son admiration pour le célèbre compositeur qu'il a bien connu et dont il a souvent créé les œuvres.

... en 49 livres

Écrits sur la musique

Ernest Ansermet et Jean-Claude Piguet 1948
La Baconnière

Le mathématicien, musicologue et chef d'orchestre (il fonda et dirigea l'Orchestre de la Suisse romande) se fait ici le grand défenseur de la musique contemporaine.

Le Jeune Homme à la trompette

Dorothy Baker 1950
Trad. de l'anglais par Boris Vian F.

Devenu un véritable classique pour tous les amoureux du jazz, ce roman révèle la vision très personnelle de l'auteur sur ce style de musique.

Les Cinq Grands Opéras

Henry Barraud 1972
Seuil

Introductions essentielles à *Don Giovanni, Tristan und Isolde, Boris Goudounov, Pelléas et Mélisande* et *Wozzeck*, par un compositeur qui fut aussi fondateur du groupe Triton, en 1932, et dont le propos était de défendre la musique contemporaine.

Pour en savoir plus sur la musique

Pour tous les publics et à tous les prix, voici quelques ouvrages de références et dictionnaires pour les lecteurs mélomanes.

Histoire de la musique occidentale, par Jean et Brigitte Massin, deux volumes illustrés, Messidor, repris par Fayard.

Histoire de la musique, par Lucien Rebatet, «Bouquins», Laffont.

Histoire de la musique, par Marie-Claire Beltrando-Patier, Bordas.

Histoire de la musique, par Émile Vuillermoz, Le Livre de Poche.

Le Dictionnaire de la musique, par Gérard Pernon, Le Livre de Poche.

Dictionnaire de musique et Dictionnaire des musiciens, par Roland de Candé, «Microcosmes», Seuil.

Science de la musique. Technique, formes, instruments, sous la direction de Marc Honneger, deux volumes, Fayard.

Guide de la musique symphonique, par François-René Tranchefort, «Les indispensables de la musique», Fayard.

Guide de l'opéra, par Harold Rosenthal et John Warrack, ibid., Fayard.

Dictionnaire des disques, sous la direction de Gilles Cantagrel, «Bouquins», Laffont.

Histoire de l'orchestre en France, par Philippe Lègre, ibid., Laffont.

Larousse de la musique, sous la direction d'Antoine Goléa et Marc Vignal.

L'Opéra, par François-René Tranchefort, «Points-Musique», Seuil.

Les Instruments de musique dans le monde, par François-René Tranchefort, ibid., Le Seuil.

L'opéra, dictionnaire chronologique de 1597 à nos jours, Le Livre de Poche.

Musique de la vie

Béla Bartók   *(1881-1945)*
Trad. du hongrois
par P.A. Autexier   Stock

Autobiographie, lettres et autres écrits d'une figure de proue de la musique du XXe siècle, qui sut trouver le lien entre la musique populaire et l'écriture savante.

La musique pour piano de Schumann

Marcel Beaufils   1979
                    Phébus

Ou la méditation d'un philosophe et spécialiste de l'Allemagne romantique sur le langage schumannien. Avec une préface de Roland Barthes.

Histoire d'un Ring, der Ring des Nibelungen de Richard Wagner, Bayreuth

Pierre Boulez, Patrice Chéreau,
Richard Peduzzi,
Jacques Schmidt   1976-1980
                    H. P.

Le centenaire de la *Tétralogie* wagnérienne.

La Neige était noire

Malcolm Braly   1963
Trad. de l'américain
par F.M. Watkins   Gallimard

Un polar où le jazz a la part belle.

Réflexions faites

Alfred Brendel   1976
Traduit par D. Miermont
et B. Vergne   Buchet-Chastel

Ou un essai sur l'art d'interpréter par le pianiste autrichien, élève d'Edwin Fischer, et reconnu comme un des plus grands interprètes de Liszt et Beethoven.

Le Coq et l'Arlequin

Jean Cocteau   1918
                    Stock

Écrit pour valoriser le fameux «Groupe des Six», manifeste provoquant sans doute un peu dépassé dans son propos, mais conservant une belle vitalité.

Chroniques musicales sur deux siècles (1892-1932)

Paul Dukas   1980
                    Stock

Pour découvrir l'esthétique du compositeur, auteur de trop rares chefs-d'œuvre comme la cantate *Velleda* ou son unique opéra *Ariane et Barbe-Bleue*, mais aussi la clairvoyance du critique.

Jazz

André Francis   1973
                    Seuil

Un dictionnaire de poche devenu un classique. Voir aussi *Le Jazz*, par François Billard, chez MA.

Notes sur Chopin

André Gide   *(1869-1951)*
                    Arche

Gide, amoureux de Chopin et l'interprétant au piano, raconte...

Entretiens avec J. Cott

Glenn Gould   1983
Traduit de l'anglais
par J. Brion   Lattès

Le pianiste canadien qui a renoncé à tout concert public à l'âge de 32 ans, et dont les compositeurs favoris sont Bach, Beethoven et Schönberg, se raconte.

Écrits sur la musique

Ernst Theodor Amadeus Hoffmann
                    (1776-1822)
Traduit de l'allemand par B. Hebert
et A. Montandon   L'Âge d'homme

Le célèbre auteur de contes fantastiques qui, dans *Le Chat Murr*, invente un personnage de chef d'orchestre, Johannes Kreisler, qui inspira Schumann, était aussi un compositeur et un critique musical célèbres.

Liszt en son temps

*Pierre Antoine Huré
et Claude Knepper* 1987
H. P.

À partir de documents d'époque, les auteurs décrivent l'itinéraire du compositeur virtuose.

Le Compositeur et son double : essais sur l'interprétation musicale

René Leibowitz 1971 et 1986
Gallimard

Analyses difficiles, mais souvent passionnantes d'un musicologue inspiré.

Franz Schubert

Brigitte Massin 1977
Fayard

Pour une fois sans la collaboration de son époux Jean Massin... une grande spécialiste de la musique travaille à «débroussailler» la légende de Schubert. Une somme de 1 300 pages.

La Rage de vivre

*Milton Mezz Mezzrow
et Bernard Wolfe* 1957
*Traduit de l'américain par M. Duhamel
et M. Gautier* Buchet-Chastel

Un témoignage débordant de vie et un récit passionné mais un peu partial (critique du jazz moderne et défense inconditionnelle du style Nouvelle-Orléans).

Notes sans musique

Darius Milhaud 1949
Julliard (épuisé)

Une autobiographie à bâtons rompus qui complète *les Notes sur la musique* de l'auteur du *Bœuf sur le toit*.

Faut-il jouer moins fort ?

Gerald Moore 1962
*Traduit de l'anglais
par Léo Dilé* Buchet-Chastel

Les souvenirs du plus célèbre pianiste accompagnateur du siècle disparu récemment. Une mine d'anecdotes savoureuses sur les vedettes du chant, de Chaliapine à Élisabeth Schwarzkopf en passant par Axsel Schiotz. Ému lorsqu'il évoque Kathleen Ferrier et sa fin prématurée, il peut être d'une ironie réjouissante quand il traque le cabotinage, même chez les plus célèbres.

Chopin ou le poète
in La Vie de Franz Liszt

Guy de Pourtalès 1980
Gallimard

«On ne saurait s'appliquer à faire une analyse intelligente des travaux de Chopin sans y trouver des beautés d'un ordre très élevé», écrivait Liszt au lendemain de la mort de son ami Chopin. Il allait lui consacrer quatre ans plus tard une biographie et G. de Pourtalès reprend naturellement la vie de ces deux grands compositeurs.

Jean-Christophe

Romain Rolland 1904-1912
Albin Michel

Musicien, fils de musicien, Jean-Christophe symbolise le génie en lutte contre la médiocrité humaine. Un roman-fleuve dédié au culte de la musique.

Johannes Brahms

Claude Rostand 1978
Fayard

Critique musical au *Monde* et au *Figaro littéraire* dans les années cinquante et soixante, Claude Rostand signe ici l'étude la plus exhaustive consacrée au grand romantique.

Consuelo suivi de
La Comtesse de Rudolstadt

George Sand 1842-1843
Ed. Aurore

Une vaste épopée romanesque et romantique où la musique joue un rôle primordial. L'héroïne, bohémienne et artiste du chant, erre d'Italie en Bohême, d'Autriche en Prusse, guidée par la musique étrange du violon d'Albert de Rudolstadt.

De la photographie au cinéma

« Le MacGuffin, c'est le prétexte, c'est ça ?

— C'est un biais, un truc, une combine, on appelle cela un "gimmick". Alors, voilà toute l'histoire du MacGuffin. Vous savez que Kipling écrivait fréquemment sur les Indes et les Britanniques qui luttaient contre les indigènes sur la frontière de l'Afghanistan. Dans toutes les histoires d'espionnage écrites dans cette atmosphère, il s'agissait invariablement du vol des plans de la forteresse. Cela, c'était le MacGuffin. MacGuffin est donc le nom que l'on donne à ce genre d'action : voler... les papiers, voler... les documents, voler... un secret. Cela n'a pas d'importance en réalité et les logiciens ont tort de chercher la vérité dans le MacGuffin. Dans mon travail, j'ai toujours pensé que les "papiers", ou les "documents", ou les "secrets" de construction de la forteresse doivent être extrêmement importants pour les personnages du film mais sans aucune importance pour moi, le narrateur. Maintenant, d'où vient le terme Mac-Guffin ? Cela évoque un nom écossais et l'on peut imaginer une conversation entre deux hommes dans un train. L'un dit à l'autre : "Qu'est-ce que c'est que ce paquet que vous avez placé dans le filet ?" L'autre : "Ah ça ! C'est un MacGuffin." Alors le premier : "Qu'est-ce que c'est un MacGuffin ?" L'autre : "Eh bien ! c'est un appareil pour attraper les lions dans les montagnes Adirondak." Le premier : "Mais il n'y a pas de lions dans les montagnes Adirondak." Alors l'autre conclut : "Dans ce cas ce n'est pas un MacGuffin." Cette anecdote vous montre le vide du MacGuffin... le néant du MacGuffin. »

C'est un extrait des entretiens entre Alfred Hitchcock et François Truffaut, le fameux passage où Hitchcock montre que tous ses films reposent sur un prétexte et que tout se passe en fait dans les démêlés du héros ou de l'héroïne avec ce MacGuffin inconsistant. Le *Hitchcock-Truffaut* est aujourd'hui un des «must» de la littérature cinématographique. Cinéma et photo n'ont pas toujours connu dans l'édition cette prospérité qui semble être leur lot aujourd'hui. Beaucoup de séries — au Seuil, chez Seghers ou ailleurs — sont mortes au cours des années soixante et soixante-dix. Aujourd'hui, Rivages, le Cerf, Ramsay, Atlas, Le Chêne, Stock, les Cahiers du Cinéma, le centre Pompidou, Hatier, Flammarion, Herscher ont des collections de cinéma ou de photographie, parfois les deux. Et le Centre national de la photographie, avec sa collection «Photo-Poche», a mis la photo à la portée de tous : petits livres, excellents tirages.

Est-il logique de lier photographie et cinéma ? Peut-être, si l'on considère que le second est né de la première. C'est moins évident vu sous l'angle de la bibliothèque idéale : la photographie se laisse enfermer sagement dans le livre alors que le film est irréductible sauf sous forme de... photographies. Là où l'album de photographies montre les œuvres elles-mêmes, les livres de cinéma se situent déjà dans une sorte de second degré. Ici aussi, comme dans le cas de l'art, on retrouvera un assemblage assez hétérogène : biographies, livres d'images, monographies sur un auteur ou sur un film, réflexions de photographes ou de cinéastes, dictionnaires ou guides pratiques, enfin essais plus savants sur les formes d'expression en images. Le choix ne prétend pas rendre compte de toute l'histoire des images fixes ou mouvantes, ni de tous les auteurs, mais seulement offrir quelques directions de lecture, dans un domaine où l'abondance n'est pas toujours synonyme de qualité.

Cinéma et photographie

... en 49 livres

... en 25 livres

... en 10 livres

Voyages en ville
Jean-Eugène Atget

Qu'est-ce que le cinéma ?
André Bazin

Ombre de lumière
Bill Brandt

Notes sur le cinématographe
Robert Bresson

Le Film : sa forme, son sens
Sergueï Eisenstein

Photomontages antinazis
John Heartfield

Hitchcock - Truffaut

Trois cents ans de cinéma
Henri Langlois

Tout Chaplin
Jean Mitry

Hommes du XXᵉ siècle
August Sander

Les portfolios d'Ansel Adams

Des ombres et des lumières
Henri Alekan

La Chambre claire
Roland Barthes

Henri Cartier-Bresson photographe
Yves Bonnefoy

Entretiens sur le cinématographe
Jean Cocteau

L'Image-mouvement et l'Image-temps
Gilles Deleuze

Réflexion sur mon métier
Carl Theodor Dreyer

L'Écran démoniaque
Lotte H. Eisner

Écrits
Jean Epstein

Godard par Godard

Le Burlesque
ou morale de la tarte à la crème
Petr Kràl

Histoire de la photographie
dir. Jean-Claude Lemagny
et André Rouillé

Lettres et documents
Nicéphore Niepce

Ma vie et mes films
Jean Renoir

La Photographie
Susan Sontag

Visages de l'Ouest
Richard Avedon

Le Regard de Buster Keaton
Robert Benayoun

Latèrna màgica
Ingmar Bergman

Le Champ aveugle
Pascal Bonitzer

Un art moyen,
essai sur les usages sociaux
de la photographie
Pierre Bourdieu

Minnelli
P. Brion, D. Rabourdin
et T. de Navacelle

L'Hôtel
Sophie Calle

La Banlieue de Paris
Blaise Cendrars et Robert Doisneau

Les Américains
Robert Franck

Photographie et société
Gisèle Freund

Instants de ma vie
Jacques-Henri Lartigue

Kino
Jay Leyda

Marilyn
Norman Mailer

Man Ray photographe

Essais sur la signification au cinéma
Christian Metz

Dictionnaire des photographes
Carole Naggar

La Disparition des lucioles
Denis Roche

Le Cinéma révélé
Roberto Rossellini

Histoire Générale du cinéma
Georges Sadoul

Truffaut par Truffaut

Guerre et cinéma :
Logistique de la perception
Paul Virilio

Amérique, les années noires

Du bon usage de la photographie

Identités,
de Disderi au photomaton

• À vous de choisir le cinquantième livre. Peut-être est-il déjà dans votre bibliothèque.

... en 10 livres

Voyages en ville

Jean Eugène Atget   1979
                                    Chêne (épuisé)

Un photographe inspiré erre dans le Paris de Zola entre 1900 et 1920. Inconnu, il sera redécouvert par Man Ray et les surréalistes. « Ce ne sont que des documents ! » disait-il modestement : en fait ses clichés sont d'une irréfutable beauté.

Qu'est-ce que le cinéma ?

André Bazin   1958
                                    Cerf

Que ce soit sur *M. Hulot* ou *Le Monde du silence*, sur Bresson ou Pagnol, sur le western ou le réalisme italien, sur les rapports entre peinture, photo et cinéma, Bazin, au lendemain de la Seconde Guerre mondiale, écrivit quelques-uns des textes les plus pertinents de l'histoire de la critique cinématographique. D'autres ont suivi : *Le Cinéma de la cruauté, Charles Chaplin, Orson Welles*. Celui-ci reste la meilleure introduction à un écrivain fondamental.

Ombre de lumière

Bill Brandt   1977
                                    Chêne (épuisé)

Un recueil des meilleures photographies choisies dans les époques successives du grand photographe britannique. Un formidable manipulateur des blancs neigeux et des noirs charbonneux. Des nus jamais égalés.

Notes sur le cinématographe

Robert Bresson   1975
                                    Gallimard

Aphoristique, court, pointu, ce livre de Bresson est dépouillé comme ses propres films. Il s'en dégage une éthique bien plus encore qu'une esthétique.

Le Film : sa forme, son sens

Sergueï Eisenstein   (1898-1948)
                                    Bourgois

Eisenstein a beaucoup écrit (œuvres complètes en cours d'édition chez 10/18). Cet essai rassemble et résume l'essentiel de ses théories formalistes sur le plan, le montage, le rythme, les structures filmiques.

Photomontages antinazis

John Heartfield   (1891-1968)
Préface de Denis Roche
Trad. de Laurent Dispot   Chêne (épuisé)

L'homme qui a subverti la photographie et s'en est servi comme d'une véritable arme de guerre. Des centaines d'idées fortes que les graphistes depuis ne font que copier.

Hitchcock - Truffaut

                                    1966
                                    Ramsay

Le plus célèbre de tous les livres de cinéma. Existe en tirage de luxe et en poche... « Hitch » raconte ses films à Truffaut : c'est drôle, intelligent, formidable...

Trois cents ans de cinéma

Henri Langlois   1986
                                    Cahiers du cinéma
                                    Cinémathèque française

Enfin rassemblés, les textes du fondateur de la cinémathèque française. Une vie entière consacrée à lutter contre l'oubli et la destruction. L'idée d'une « cinémathèque idéale ». Le champion des confrontations culturelles. Intelligence éblouissante.

Tout Chaplin

Jean Mitry   1957-1987
                                    Atlas

La bible du chaplinomane. Tous les films, leurs scénarios et leurs images par l'un des meilleurs analystes et critiques du cinéma français.

Hommes du XXe siècle

August Sander — 1981
Chêne

Il avait fait le projet de photographier toutes les classes sociales de l'Allemagne. Les nazis brûlèrent une bonne partie de ses archives. Ce qui reste est absolument prodigieux.

... en 25 livres

Les Portfolios d'Ansel Adams

1977
Chêne (épuisé)

Le plus grand paysagiste de l'histoire de la photographie. « Je crois dans les choses qui poussent et dans celles qui ont poussé et sont mortes avec magnificence... »

Des ombres et des lumières

Henri Alekan — 1984
Sycomore

Celui qui a éclairé tout le cinéma français raconte en images ses films, ses trucs et ses petits secrets.

La Chambre claire

Roland Barthes — 1980
Gallimard, Seuil

Dernier écrit de Barthes, c'est une suite de réflexions intelligentes sur la photographie et ses illusions. On trouve aussi d'autres essais sur l'image dans l'ouvrage posthume *L'Obvie et l'obtus* (Seuil, 1982).

Henri Cartier-Bresson photographe

Texte d'Yves Bonnefoy — 1980
Delpire

Le sommet de la simplicité au service d'un humanisme classique. Et un poète le présente.

Le point de vue de François Truffaut

« J'ai eu une passion pour les deux livres d'Henri-Pierre Roché, *Jules et Jim* et *Les Deux Anglaises et le continent*. Je les lisais chaque année sans avoir l'idée d'en faire un film, seulement pour mon plaisir. A force de les lire, je me suis dit que je devais les tourner. Je n'ouvre pratiquement jamais de recueils de poésie et pourtant, les écrivains que je préfère sont des poètes dont j'aime la prose : Audiberti, Cocteau, Genet, Queneau, je les préfère à des écrivains décrétés plus intelligents, plus profonds ou plus engagés. De Queneau, j'aime surtout *Odile*, le roman le plus sincère qu'il ait écrit, un roman d'amour déchirant et drôle. C'est l'histoire de sa rencontre avec sa femme et sa rupture avec le mouvement surréaliste. D'Audiberti, j'aime les histoires d'amour, principalement *Marie Dubois*, surnom que j'ai donné plus tard à une jeune actrice. De Cocteau, je lis souvent *Les Enfants terribles* et tout ce qu'il a écrit sur le music-hall. Il avait le don de très bien décrire les gens. On a été très sévère avec lui. C'était un homme extraordinairement généreux, passionnant, ouvert et compréhensif. Il n'a jamais été ni mesquin ni envieux. Il comprenait tout du travail des autres et, surtout, en parlait très bien.

« Si je n'avais pas été capable, physiquement, de tourner *La Femme d'à côté* (qui est un scénario original), je suppose que je l'aurais écrit sous la forme d'un roman. *Les 400 coups*, mon premier film sur ma jeunesse, était conçu comme un premier roman. Mais maintenant, si j'écrivais, mon style ne serait pas très pur ; je penserais toujours au cinéma. Et pourtant, le travail de l'écrivain est proche en bien des points de celui du cinéaste. Quand on est au laboratoire pour l'étalonnage d'un film (pour homogénéiser les couleurs), c'est la même chose que relire son livre, polir les phrases. Qu'on écrive un roman ou un scénario, on organise des rencontres, on vit avec des personnages ; c'est le même plaisir, le même travail, on intensifie la vie.

Entretiens sur le cinématographe

Jean Cocteau   1951-1973
Belfond et Ramsay-Poche

De la difficulté d'être cinéaste... Cocteau à cœur ouvert raconte sa découverte du 7ᵉ art, ses inventions révolutionnaires, ses méthodes de travail.

L'Image-mouvement, L'Image-temps

Gilles Deleuze   1983-1985
Minuit (2 vol.)

Le philosophe tente de classer les images et les signes du cinéma. Et il montre que les cinéastes sont des penseurs à part entière. Un des essais les plus intéressants des années 80.

Réflexion sur mon métier

Carl Theodor Dreyer   1959-1964
Traduit du danois
par Maurice Drouzy   Cahiers du cinéma

Les rares textes et entretiens de l'auteur de *Vampyr* et de *La Passion de Jeanne d'Arc*. Peu bavard, il dit des choses essentielles.

L'Écran démoniaque

Lotte H. Eisner   1965
Losfeld et Ramsay-Poche

La grande époque du cinéma expressionniste allemand. Un trésor d'images, de rêves, de fantasmes dans le clair-obscur d'un monde qui sombre.

Ecrits

Jean Epstein   *(1897-1953)*
Seghers (2 vol.)

Il ne fut pas seulement un des pionniers du cinéma mais aussi un théoricien. Des idées par centaines au fil de ses articles, scénarios et projets.

Godard par Godard

1985
Cahiers du cinéma

L'œuvre complète — écrits et images — du grand remueur du cinéma contemporain. L'évolution d'une pensée cinématographique qui manie à merveille le paradoxe et la provocation.

Le Burlesque ou morale de la tarte à la crème

Petr Kràl   1984
Stock

Les gags du burlesque sont éternels. Ils attendaient leur philosophe. C'est presque mieux que Bergson...

Histoire de la photographie

Sous la direction de Jean Claude Lemagny et André Rouillé   1986
Bordas

Une des meilleures synthèses sur l'histoire de la photographie disponibles en français. Une nouvelle façon de décrire les grandes étapes d'un art universel lié à tous les soubresauts de nos sociétés.

Lettres et documents

Nicéphore Niepce   1983
Photo-Poche,
Centre national de la photographie

Dans une excellente collection de poche qui présente des monographies sur les photographes, l'inventeur de la photographie avait sa place : des textes touchants et le portrait d'un inventeur à l'ancienne qui crée sans le savoir un monde nouveau.

Ma vie et mes films

Jean Renoir   1974
Flammarion

L'enfance auprès de son père le peintre, la découverte du cinéma, les tournages de *La Grande Illusion* ou de *La Règle du jeu*. La voix familière de Renoir.

La Photographie

Susan Sontag
Traduit par Gérard-Henri Durand
et Guy Durand   1973-1977
                                        Seuil

Elle a commencé à émettre quelques idées
dans la *New York Review of Books*. Il y a
eu des réactions. Et c'est devenu l'un des
livres les plus stimulants sur la photographie.

... en 49 livres

Visages de l'Ouest

Richard Avedon   1985
                                        Chêne

Dans l'Amérique un peu folle des années
soixante, un regard cruel sur les célébrités
du jour et quelques autres contemporains.

Le Regard de Buster Keaton

Robert Benayoun   1982
                    Herscher et Ramsay-Poche

Un bel essai en images sur le « grand visage
de pierre ». Du dadaïsme à la métaphysique
en passant par le glamour hollywoodien.
Keaton ne serait-il pas devenu un véritable
mythe moderne ?

Laterna magica

Ingmar Bergman   1986
Traduit du suédois par C.G. Bjurström
et L. Albertini   Gallimard

Le réalisateur des *Fraises sauvages* et de
Cris et chuchotements, réputé pour être un
homme secret, se dévoile à la fois avec
froideur et volubilité, évoquant son
enfance rigide dominée par la notion de
péché.

Le Champ aveugle

Pascal Bonitzer   1982
                    Cahiers du cinéma, Gallimard

Qu'est-ce donc qu'un plan ? Lumière,
Eisenstein, Rossellini, Hitchcock, Godard
et quelques autres sont analysés. Et aussi
un fameux débat sur le « hors-champ ».

« (...) Il est plus facile d'écrire un roman
qu'un scénario. En revanche, il est plus
difficile de construire une pièce de théâtre
qu'un scénario. Le roman est plus facile
à créer parce qu'on ne vous reproche jamais de ne pas avoir écrit un « vrai » roman.
Tandis que d'un film, on dit souvent : ce
n'est pas un film (...).

« Il y a une grande tolérance à l'égard du
roman. Vous pouvez avoir des descriptions
et aucun dialogue, ou l'inverse, toutes les
formes sont acceptées et l'on ne vous dira
pas que ce n'est pas un roman. Si, dans un
film, vous faites beaucoup de commentaires, on vous dira que ce n'est pas
« cinématographique ». Le cinéma est plus
rigide. Que ce soit un gros roman ou une
nouvelle, au cinéma, vous devez avoir une
espèce d'égalité de traitement. Vous avez
droit à quatre-vingt-dix minutes ! La lutte
avec la durée, c'est la lutte du cinéaste, pas
celle du romancier. »

Jean-Luc Godard et l'adaptation des œuvres littéraires au cinéma

Lire : Lorsqu'on examine l'histoire de la
« nouvelle vague », on a l'impression que
Truffaut, Chabrol et vous, vous avez voulu
démontrer qu'on pouvait faire de bons
films à partir de n'importe quel petit
roman de Série Noire, en réaction contre
les grandes adaptations académiques de la
littérature française par les cinéastes qui
vous avaient précédés.

Jean-Luc Godard : On a réagi en effet
à un certain type de cinéma. On trouvait
le cinéma plus vivant dans les films
commerciaux ou dans les petits films de
série B américains.

Lire : Adapter *Le Rouge et le Noir*,
comme l'a fait Autant-Lara, ça ne vous
intéressait pas ?

J.-L.G : Non. Mais en même temps,
nous avions quand même des projets

Un art moyen, essai sur les usages sociaux de la photographie

Pierre Bourdieu 1965
Minuit

Un essai qui a toujours mis en rage les photographes. Cependant un des premiers grands travaux sociologiques sur la photographie. Les images de la vie privée, leurs rituels et la culture populaire.

Minnelli

*Patrick Brion, D. Rabourdin
et Thierry de Navacelle* 1985
Hatier

L'œuvre complète d'un magicien de la couleur. De *Tous en scène* à *La Femme modèle* en passant par *Gigi*, *Un Américain à Paris* ou *Le Pirate*.

L'Hôtel

Sophie Calle 1984
Éditions de l'Étoile

Un livre stupéfiant : une jeune photographe se fait engager comme chambrière dans un hôtel vénitien et, jour après jour, photographie le contenu des chambres. Les rapports terribles de la photographie et du voyeurisme sont mis en évidence.

La Banlieue de Paris

Blaise Cendrars et Robert Doisneau 1949
Denoël

L'écrivain et le photographe réunis pour composer un hymne à un univers aujourd'hui presque totalement disparu : boulevards de ceinture, fortifs, terrains vagues, guinguettes, bords de Seine ou de Marne du dimanche. Histoire, sociologie et... nostalgie.

Les Américains

Robert Franck 1958
Delpire

Un Suisse devenu photographe américain. Il a suivi Kerouac sur les routes, a expérimenté toutes sortes de styles et regardé les Américains avec une stupeur amusée.

Photographie et société

Gisèle Freund 1974
Seuil

Une fameuse photographe, qui fut d'abord sociologue en Allemagne avant l'arrivée de Hitler, s'interroge sur les rapports entre la photographie et l'histoire contemporaine.

Instants de ma vie

Jacques-Henri Lartigue 1973
Chêne (épuisé)

L'apothéose de la photographie d'amateur. Il commence en 1905 et photographie jusqu'à la fin des années quatre-vingt. Et il accumule pendant toutes ces décennies les magnifiques images du temps perdu.

Kino

Jay Leyda 1959
Trad. de l'anglais par Claude-Henri Rochat
L'Âge d'homme

Le formidable bouillonnement de l'avant-garde russe peu à peu étouffé par la bureaucratie. Une histoire trouble patiemment disséquée par un excellent connaisseur. Les héros de l'épopée s'appellent Eisenstein, Dovjenko ou Vertov.

Marilyn

Norman Mailer 1973
Traduit de l'américain par Magali Berger
Stock, Ramsay-Poche.

L'enfant terrible du roman américain s'attaque à l'enfant terrible du cinéma. Un roman biographique criblé d'images : Mailer a-t-il trouvé le secret des mythes hollywoodiens ?

Man Ray photographe

1982
Centre Pompidou - Philippe Sers

Un Américain à Paris. L'œuvre presque complète d'un de ceux qui ont transformé le regard au XXe siècle. Portraits des surréalistes et beaux nus marmoréens.

Essais sur la signification au cinéma

Christian Metz 1968 et 1972
Klincksieck (2 vol.)

Au carrefour de la phénoménologie et de la linguistique, ces essais, parus autour de mai 68, forment une des toutes premières tentatives de sémiologie du cinéma.

Dictionnaire des photographes

Carole Naggar 1982
Seuil

Un des outils les plus pratiques pour ceux qui voudraient découvrir l'univers complexe de la photographie.

La Disparition des lucioles

Denis Roche 1982
Éditions de l'Étoile

Réflexions sur l'acte photographique par le biais de fictions, d'essais, de fragments de journal intime et même de photographies. «Toute photo est une intelligence qu'épuise une lumière. »

Le Cinéma révélé

Roberto Rossellini 1984
Textes réunis et préfacés par Alain Bergala
Étoile - Cahiers du Cinéma

Les écrits et entretiens qui décrivent assez fidèlement le parcours d'un cinéaste exemplaire dont est sorti tout le cinéma contemporain.

Histoire générale du cinéma

Georges Sadoul 1973
Denoël

L'invention, les pionniers, la naissance d'un art, le temps du muet. Un grand cycle historique malheureusement inachevé, mais dont les volumes parus sont une mine d'informations.

«classiques». Moi, je voulais tourner des pièces de Racine. Rivette, c'était Corneille. Rohmer avait fait des adaptations d'Edgar Poe. Et *Les Faux-Monnayeurs* ont été longtemps un de mes projets. Nous ne réagissions pas contre *Le Rouge et le Noir* mais plutôt contre la façon dont c'était tourné. On se disait que dans la scène où Julien Sorel hésite, on ne pouvait pas faire un plan comme celui-là. Mais ça ne nous a pas empêchés de défendre Autant-Lara pour un autre film à l'époque. *Les Régates de San Francisco*, un film tellement vulgaire que, dans la propreté ambiante, il avait le mérite d'exister.

J'ai eu une éducation non imagée, surtout littéraire et musicale. Je suis venu au cinéma très tard, peut-être en réaction. Et j'en ai gardé quelque chose, à tel point que si vous me demandez mes grands livres, la littérature qui me plaisait c'est celle qui était moderne entre 1900 et 1940. J'en suis toujours là, c'est ce que je considère comme le plus moderne et c'est ce qui m'a amené aux vrais classiques que j'ai commencé à aborder bien plus tard ou que je n'ai pas encore abordés... Très jeune, j'ai découvert Gide, *Les Nourritures terrestres*. Ensuite Sartre et Camus, au sortir du lycée. C'était là un de mes projets de films à l'époque : adapter *Le Mythe de Sisyphe !*

Truffaut par Truffaut

1985
Éd. du Chêne

Carnets, photos, plans de travail, notes de service, correspondance, fragments de scénario, le cinéma révélé dans sa genèse même.

Guerre et cinéma : Logistique de la perception

Paul Virilio 1984
Étoile-Cahiers du cinéma

La guerre comme transformation du regard et des images. Un essai d'une profonde originalité sur les étranges rapports entre la science militaire et la fabrication des images.

Amérique, les années noires, FSA 1935-1942

1986
Photo-Poche

Dans l'Amérique de la crise et de la sécheresse, la Farm Security Administration envoie quelques reporters photographier la misère des fermiers. Dorothea Lange, Walker Evans, Ben Shahn, Arthur Rothstein signent là quelques-uns des chefs-d'œuvre de l'histoire de la photographie.

Du bon usage de la photographie

1987
Photo-Poche

Anthologie de textes de base sur la photographie : Arago, Baudelaire, Delacroix, Marey, Bertillon, Benjamin et plusieurs autres.

Identités, de Disderi au photomaton

1985
Centre national de la photographie, Chêne

La photographie à la naissance de la notion d'identité individuelle. Le catalogue d'une exposition fort impressionnante.

Photos d'écrivains

Gisèle Freund a fait une thèse sur la photographie au XIXᵉ siècle et la plupart des grands auteurs contemporains ont posé devant son objectif. Voici ce qu'elle en dit :

« Le visage humain m'a toujours fascinée, passionnée. Je crois que le visage d'un être reflète sa personnalité. J'ai photographié (les écrivains) que je lisais, ceux que j'aimais et que j'admirais.

La photo de Claudel a été faite dans la librairie. Il parlait avec Adrienne Monnier. Il s'est prêté de mauvaise grâce à la pose. Quand j'ai montré la photographie à François Mauriac, il s'est écrié : Ne la lui montrez jamais ! Qu'il a l'air méchant ! Cet homme ne peut parler qu'à Dieu ! (…)

Gide était un extraordinaire poseur. (…)

J'ai aimé photographier Joyce parce que je l'admirais comme écrivain. J'ai d'ailleurs rarement rencontré un écrivain aussi conscient de son génie. Je l'ai photographié plusieurs fois. J'ai fait un reportage chez lui. Il m'a dit : Vous allez photographier mes quatre générations de Joyce. Et ça s'est fait sous le portrait de son père, avec son fils et son petit-fils. Joyce m'a conseillé d'aller photographier d'autres écrivains en Angleterre. H.G. Wells m'a donné une lettre de recommandation pour George Bernard Shaw. Surtout ne coupez pas ma barbe ! m'a dit Shaw. Il avait une merveilleuse barbe blanche, la peau rose d'un bébé et des yeux très bleus. Il avait plus de 80 ans. Malgré cela, il se mit à genoux et me dit : Comme cela vous aurez une belle perspective sur ma barbe ! Au moment de prendre la photo, tous les plombs ont sauté ; mes lampes ne servant plus à rien, j'ai ouvert les rideaux. Il y avait un magnifique clair de lune. Je pourrais vous photographier au clair de lune, mais il faudrait rester immobile au moins trois minutes et vous n'en êtes pas capable ! Vexé, il prit la pose. Il me fallut moins d'une minute, mais je le laissai un peu plus longtemps pour éprouver sa patience. Et finalement sa barbe était beaucoup trop longue : je l'avais coupée et je n'ai jamais osé lui envoyer la photo.

J'ai aussi photographié T.S. Eliot que j'avais déjà rencontré à Paris. Il avait répondu à ma lettre en me disant : Je suis un peu alarmé à l'idée d'une photographie en couleurs, parce que je ne crois pas avoir une belle couleur… J'ai toujours été frappée par le fait que la plupart des écrivains avaient du mal à accepter leur propre image. Après une projection en 1939, Mauriac m'a dit : Vous auriez dû me photographier vingt ans plus tôt ! Duhamel : J'aurais dû mieux me raser ce jour-là ! Maurois : Vous auriez dû me prendre avec mon uniforme d'académicien. Et Sartre : Nous avons tous l'air de revenir de guerre ! »

La bibliothèque idéale des jeunes

« L'enfant dicte et l'homme écrit », dit Julien Green dans son journal. Surgis des profondeurs, les récits d'enfance comptent parmi les plus émouvants, les plus marquants, les plus universels de la littérature. En lisant le choix d'œuvres que propose ce chapitre, on est frappé par la cruauté qui se dégage de nombre de ces romans, *Le Petit Chose* de Daudet, *Poil de Carotte* de Jules Renard ou *Oliver Twist* de Dickens. Le grand écrivain est souvent un enfant malheureux qui n'a rien oublié de sa détresse passée. Ces livres, s'ils n'étaient pas toujours destinés aux enfants, restent appréciés à l'âge où l'on sait encore que l'enfance ne ressemble pas toujours à un vert paradis.

Fort heureusement, l'humour y trouve aussi sa place : de grands enfants, comme Jerome K. Jerome, Louis Pergaud ou Roald Dahl, continuent de nous faire partager leurs fous rires.

D'autres ouvrages viennent alimenter de leur fantaisie l'imaginaire de l'enfant. Réminiscences d'un monde où tout est possible, où les animaux parlent comme chez Marcel Aymé, les pantins se révoltent comme le Pinocchio de Collodi, les gouvernantes savent voler telle Mary Poppins, ils répondent à un besoin fondamental : le rêve.

Pour qu'un enfant adhère à une histoire, nous dit Bettelheim, il faut bien sûr qu'elle le divertisse, qu'elle stimule son imagination mais aussi qu'elle s'accorde à ses difficultés en lui suggérant des solutions. Les aventures de héros obligés de surmonter des épreuves, des obstacles considérables, répondent aux angoisses de l'enfant et lui fournissent des clefs symboliques pour s'orienter dans le monde. D'où l'éternel pouvoir d'attraction des contes de fées peuplés de créatures mythiques, de bons, de méchants qui attendent leur châtiment ou leur rédemption. Et le succès des *Contes de la rue Broca* et de ses fameuses sorcières en donne une preuve actuelle.

À quelle tranche d'âge cette rubrique s'adresse-t-elle ? On peut en fixer les limites aux huit-treize ans. Mais chaque enfant possède son rythme propre. Certains textes comme les contes sont d'un accès facile ; d'autres, *Les Misérables* en particulier, requièrent plus de maturité et surtout un véritable goût pour la lecture.

Quelques auteurs favoris de la jeunesse (Lewis Caroll, Selma Lagerlöf, Stevenson ou Tolkien) se trouvent dans d'autres chapitres : littérature étrangère, roman d'aventure, fantastique...

Un enfant qui ne lit pas est un enfant qui n'a pas trouvé *son livre*. En puisant dans une multitude de genres : mystère, aventure, humour, drame, surnaturel, notre choix tente de refléter la richesse de l'univers de l'enfance et de la littérature qui lui est consacrée. Mais ce chapitre n'exclut pas les adultes : il les invite au contraire à renouer avec les secrets de leur enfance.

La bibliothèque idéale des jeunes

... en 49 livres

... en 25 livres

... en 10 livres

Pinocchio
Carlo Collodi

Oliver Twist
Charles Dickens

Les Misérables
Victor Hugo

Trois Hommes dans un bateau
Jerome K. Jerome

Le Livre de la jungle
Rudyard Kipling

Sans famille
Hector Malot

Poil de carotte
Jules Renard

Le Petit Prince
Antoine de Saint-Exupéry

Les Aventures de Tom Sawyer
Mark Twain

Vingt Mille Lieues sous les mers
Jules Verne

Les Contes rouges du chat perché
Les Contes bleus du chat perché
Marcel Aymé

La Case de l'oncle Tom
Harriet Beecher-Stowe

Le Baron perché
Italo Calvino

Le Grand Livre des fées
contes réunis par Jane Carruth

Le Petit Chose
Alphonse Daudet

Le Bossu
Paul Féval

Le Capitaine Fracasse
Théophile Gautier

Contes de la rue Broca
Pierre Gripari

Le Lion
Joseph Kessel

L'Aiguille creuse
Maurice Leblanc

Mon bel oranger
José Mauro de Vasconcelos

La Guerre des boutons
Louis Pergaud

Ivanhoé
Walter Scott

Les Malheurs de Sophie
Comtesse de Ségur

Vendredi ou la vie sauvage
Michel Tournier

Les Quatre Filles du docteur March
Louisa May Alcott

L'Enfant et la rivière
Henri Bosco

Bennett au collège
Anthony Buckeridge

L'Or
Blaise Cendrars

*Contes et récits de l'Iliade
et de l'Odyssée*
Georges Chandon

Légendes de la mer
Bernard Clavel

Le Dernier des Mohicans
Fenimore Cooper

Le Bon Gros Géant
Roald Dahl

Le Pays où l'on n'arrive jamais
André Dhôtel

Tistou les pouces verts
Maurice Druon

Treize à la douzaine
Ernestine et Franck Gilbreth

La Quête du Graal
adapté par François Joan

L'Enfant noir
Camara Laye

Croc-Blanc
Jack London

L'Ancre de miséricorde
Pierre Mac Orlan

Sierra brûlante
Pierre Pelot

La Petite Fadette
George Sand

Le Petit Nicolas
Sempé-Goscinny

Heidi
Johanna Spyri

L'Enfant de la haute mer
Jules Supervielle

Mary Poppins
Pamela Lyndon Travers

Les Disparus de Saint-Agil
Pierre Véry

La Machine à explorer le temps
Herbert George Wells

*Le Fantôme de Canterville
et autres contes*
Oscar Wilde

• À vous de choisir le cinquantième livre. Peut-être est-il déjà dans votre bibliothèque.

... en 10 livres

Pinocchio

Carlo Collodi   1883
Traduit de l'italien par Nathalie Castagné
Gallimard, F. Junior
Imaginez la stupeur de maître Gepetto, après avoir achevé de tailler un pantin dans un morceau de bois, lorsque... celui-ci se met à remuer et à le regarder fixement dans les yeux. Les aventures cocasses et instructives d'une marionnette devenue enfant. Pinocchio n'est pas méchant mais il se laisse facilement entraîner par ses mauvaises fréquentations : un chat voleur et un renard rusé. Un chef-d'œuvre de la littérature enfantine, immortalisé au cinéma par Walt Disney.

Oliver Twist

Charles Dickens   1838
Traduit de l'anglais par Sylvère Monod
Garnier
Enfant abandonné, Oliver est confronté à la réalité de l'orphelinat et de la misère. Victime de mauvais traitements, il s'enfuit à Londres où il découvre l'univers de la délinquance. Cette fresque de l'enfance malheureuse est aussi un roman social : dénonciation du système d'éducation et peinture virulente de la bourgeoisie de l'Angleterre puritaine du XIXe siècle.

Les Misérables

Victor Hugo   1962
Hachette, F.
Ce grand roman populiste continue de fasciner des générations de jeunes et d'adultes et de susciter une multitude d'adaptations au cinéma et au théâtre. Les figures bouleversantes que constituent Fantine, la petite Cosette, Gavroche ou le forçat Jean Valjean rendent inoubliable cette épopée où le réalisme le dispute à l'invraisemblable.

Trois hommes dans un bateau

Jerome K. Jerome   1889
Traduit de l'anglais
par Déodat Serval   P.P.
À force de dévorer des encyclopédies médicales, l'auteur se sent affligé de toutes les maladies de la terre, en particulier celle qu'une brochure appelle «une répugnance générale pour tout travail quel qu'il soit». Ses amis George et Harris souffrent de maux similaires. Pour lutter contre le surmenage, nos trois compères décident d'effectuer une croisière sur la Tamise. Le récit de leur expédition reste l'un des sommets de l'humour anglais.

Le Livre de la jungle

Rudyard Kipling   1895
Trad. de l'anglais par Louis Fabuler et
Robert d'Humières Gallimard, F., P. P.
Les aventures de Mowgli, le petit d'homme, élevé dans la jungle au milieu des loups, avec ses amis, l'ours Baloo, la panthère Bagheera et le serpent Kaa. En grandissant, Mowgli découvre qu'il est un homme et qu'il devra retourner parmi les siens. Un roman quasi mythique qui exalte les vertus de la nature et symbolise le dur passage à l'âge adulte.

Sans famille

Hector Malot   1878
F. Junior, L.P., Hachette...
Rémi, enfant trouvé, est recueilli par la mère Barberin. Mais le mari de celle-ci vendra Rémi pour quarante francs à un comédien ambulant qui dirige une troupe d'animaux savants. L'enfant et son nouvel ami le signor Vitalis errent à travers la France. Rémi ne désespère pas de retrouver ses vrais parents. Un récit passionnant et bouleversant.

Poil de carotte

Jules Renard   1894
Flammarion
«Tout le monde ne peut pas être orphelin.» Le roman cruel de l'enfance sans amour. Poil de carotte, souffre-douleur de la sadique madame Lepic, devient à son

tour sournois et méchant. Un roman où Jules Renard règle ses comptes avec sa propre mère. Il existe aussi une pièce en un acte tirée de ce livre.

Le Petit Prince

Antoine de Saint-Exupéry   1943
Gallimard et F. Junior

Il n'est pas nécessaire de présenter ce texte désormais universel et ce petit personnage venu d'une toute petite planète, possesseur d'une fleur unique au monde, objet de tout son amour et de tous ses tourments. Merveilleux et poésie imprègnent le récit et les dialogues du petit Prince avec la rose, le renard, l'allumeur de réverbères... et l'auteur, sont dans toutes les mémoires.

Les Aventures de Tom Sawyer

Mark Twain   1876
Trad. de l'anglais par François de Gael
Gallimard et F. Junior

Tom et Huck, deux garnements inséparables, font l'école buissonnière, partent à l'aventure et à la chasse au trésor. Une nuit, voulant enterrer un chat dans le cimetière du village, ils sont témoins d'un assassinat. La suite de l'histoire dans *Les Aventures de Huckleberry Finn* (F. Junior).

Vingt Mille Lieues sous les mers

Jules Verne   1870
Gallimard

Trois hommes s'embarquent à bord de la frégate *Abraham Lincoln* afin de capturer un poisson monstrueux. Ce dernier s'avère être en réalité un sous-marin, le *Nautilus*, habité par le mystérieux capitaine Nemo qui accueillera nos héros à son bord. Suivent une série de péripéties extraordinaires dont la découverte de l'Atlantide. Ce grand roman d'aventures forme une trilogie avec *Les Enfants du capitaine Grant* et *L'Île mystérieuse* (L. P.).

Le choix de Michel Tournier

« Je ne sais pas ce qu'est un livre pour la jeunesse. Je n'en ai jamais écrit. Quand un livre est bon, il doit être lu par tout le monde.

Je choisirais plutôt des auteurs que des livres. De Jack London, *Le Vagabond des étoiles*, de Curwood, *Le Goût du fleuve*, de Kipling, *Kim*. *Le Chemin des écoliers* de Marcel Aymé, un livre assez dur. *La Fortune de Gaspard* de la comtesse de Ségur. Pour moi, c'est son seul chef-d'œuvre, équivalent à du Balzac ou à du Stendhal. Un livre extraordinaire qui commence comme *Le Rouge et le Noir*.

Je vous dirais bien *L'Île mystérieuse* de Jules Verne ou *Les Misérables* de Victor Hugo mais ce sont de tels classiques que tout le monde doit y penser. Pour citer des auteurs moins connus : de Victor Cherbuliez, *le Comte Kostia*. Un beau roman d'un romantisme échevelé ; je ne sais pas s'il est disponible. Et pourquoi pas un Alexandre Dumas : *Les Trois Mousquetaires*, quelques nouvelles de Maupassant, les plus accessibles, *Les Trois Contes* de Flaubert, *Le Vieil Homme et la mer*, de Hemingway, une bonne petite nouvelle, mais sa réputation est un peu démesurée.

La grande révélation de mes neuf ans, ça a été *Le Merveilleux Voyage de Nils Holgersson*. C'est comme ça que je suis quasiment entré en littérature. À l'époque, tout le monde lisait *Le Tour de France de deux enfants*. Selma Lagerlöf a voulu refaire la même chose en Suède, seulement, elle, avait du génie... J'ai oublié le principal : Michel Tournier ! »

... en 25 livres

Les Contes rouges du chat perché
Les Contes bleus du chat perché

Marcel Aymé   1950-1958
                    Gallimard et F. Junior

Marcel Aymé a écrit « pour les enfants de 4 à 75 ans » ces courts récits pleins de fantaisie qui mettent en scène Delphine et Marinette. Les deux petites vivent dans une ferme, entourées d'animaux qui parlent comme des humains.

La Case de l'oncle Tom

Harriet Beecher-Stowe   1852
Traduit de l'anglais
par L. Enault   Hachette

Un riche propriétaire du Kentucky vend son meilleur esclave, Tom, et un jeune enfant, Henri. L'un des romans les plus célèbres dans le monde et qui joua un rôle dans la guerre de Sécession.

Le Baron perché

Italo Calvino   1957
Traduit de l'italien
par Juliette Bertrand   Gallimard

Un jour d'été, le jeune Côme Laverse du Rondeau quitte la table et grimpe sur un arbre dont il ne redescendra jamais. Du haut de son perchoir, il observe le monde.

Le Grand Livre des fées

Contes réunis par Jane Carruth   1980
Traduit et adapté par Hélène Faton
et Élisabeth Servan-Schreiber
                    Les Deux Coqs d'or

Des contes d'Andersen, Perrault, Grimm, Beaumont, d'autres anonymes nous permettent de retrouver la belle et la bête, la petite sirène, Aladin, le chat botté ou les trois petits cochons.

Le Petit Chose

Alphonse Daudet   1868
                    Hachette

L'auteur se livre totalement dans ce récit d'une jeunesse dure et révoltée. Il y exprime toute la détresse et l'humiliation liées à la pauvreté.

Le Bossu

Paul Féval   1858
                    Gallimard

Le preux chevalier de Lagardère, déguisé en bossu, lutte vaillamment contre le traître Philippe de Nevers. Duels, poursuites, enlèvements : un grand roman de cape et d'épée.

Le Capitaine Fracasse

Théophile Gautier   1863
                    Gallimard et F.

Au XVIIe siècle, le baron de Sigognac, isolé dans son château de Gascogne à l'abandon, reçoit la visite de comédiens qui l'entraînent dans leur troupe. Il prendra le nom de capitaine Fracasse.

Contes de la rue Broca

Pierre Gripari   1967
                    La table ronde

La sorcière de la rue Mouffetard, le géant aux chaussettes vertes, le gentil petit diable ou le petit cochon futé : autant de personnages adorés des enfants qu'habite l'univers pittoresque de Gripari.

Le Lion

Joseph Kessel   1958
                    Gallimard et F. Junior

Cette belle histoire d'amour a pour décor une réserve d'animaux, le parc royal du Kenya et pour acteurs le lion King et Patricia, la jeune fille qui l'a recueilli et nourri.

L'Aiguille creuse

Maurice Leblanc   1901
                    L. P.

L'une des nombreuses aventures d'Arsène Lupin, gentleman cambrioleur, doué d'une intelligence et d'une habileté hors du commun, maître du déguisement et du mystère.

Mon bel oranger

José Mauro de Vasconcelos
Trad. du brésilien par Alice Raillard   1969
Stock, L. P. Jeunesse

L'histoire émouvante et poétique de Zézé, un enfant pauvre, maltraité, « un petit animal battu sans pitié et sans savoir pourquoi ». Mais l'enfant sait chanter « en dedans » et trouve le réconfort auprès de son bel oranger.

La Guerre des boutons

Louis Pergaud   1912
Gallimard et F. Junior

« J'ai voulu restituer un instant de ma vie d'enfant dans son expression crue et savoureuse », dit l'auteur de ce récit gaulois et tonique d'une guérilla enfantine.

Ivanhoé

Walter Scott   1819
Trad. de l'anglais par De Faucompret
Gallimard et F. Junior (2 vol.)

La lutte entre Saxons et Normands sous le règne de Richard Ier. Ivanhoé part en croisade avec Richard Cœur-de-Lion dont le frère félon cherche à s'emparer du trône. Tournois, assauts, batailles ; un roman épique.

Les Malheurs de Sophie

Comtesse de Ségur   1864
Hachette, Bibl. Rose

Les mésaventures cocasses d'une petite fille gourmande, menteuse, coléreuse, désobéissante et très attachante. On la retrouve avec plaisir dans *Les Petites Filles modèles* et *Les Vacances*.

Vendredi ou la vie sauvage

Michel Tournier   1977
Flammarion et F. Junior

La vie de Robinson et de Vendredi sur l'île déserte après le naufrage de la *Virginie*. Dans cette nouvelle version du mythe créé par Daniel De Foe, les rôles sont inversés : Vendredi n'accepte pas la servitude.

Les meilleures ventes

Il convient de distinguer les ventes de la bibliothèque rose et la bibliothèque verte où, à 70 %, les enfants choisissent eux-mêmes les livres, de celles des autres collections, où les livres sont au contraire choisis à 70 % par les parents ou prescrits par les enseignants.

— Les meilleures ventes de la bibliothèque rose : la série de la comtesse de Ségur et la série du club des cinq (E. Blyton).

— En bibliothèque verte : la série des Alice (C. Quine) et des six compagnons (E. Blyton).

— Dans le livre de poche-jeunesse : *Mon bel oranger* (de Vasconcelos) ; *Tistou les pouces verts* (M. Druon) ; *Mon ami Frédérick* (H.P. Richter).

— La série des Jules Verne continue de faire ses preuves dans la collection Hachette grandes œuvres ou à l'École des Loisirs.

— En Folio Junior : *Le Petit Prince* (Saint-Exupéry) ; *Vendredi ou la vie sauvage* (Michel Tournier) ; *Charlie et la chocolaterie* (Roald Dahl).

— Folio Cadet : *Les Contes du chat perché* (Marcel Aymé).

— Collection Gallimard 1 000 soleils : *Le Lion* (Joseph Kessel) ; *L'Enfant et la rivière* (Henri Bosco) ; *Alice au pays des merveilles* (Lewis Carroll).

Leurs premiers livres

— Encyclopédies : *Nouvelle Encyclopédie Nathan* (l'histoire de France, la mythologie grecque et romaine, le ciel et l'univers, etc.) ; *La Nouvelle Encyclopédie des jeunes*, Pélican ; *Encyclopédie de l'univers en couleurs*, Larousse ; *Échos-encyclopédie*, Hachette (le corps humain, les grandes sources d'énergie, éducation civique, dinosaures et animaux disparus...) ; *Le Grand Livre*, éd. des Deux Coqs d'or

... en 49 livres

Les Quatre Filles du docteur March

Louisa May Alcott 1868
Trad. de l'américain par Anne Joba L. P.
Le Dr March parti à la guerre, ses quatre filles Meg, Jo, Beth et Amy se débrouillent comme elles peuvent. Des portraits attachants de jeunes américaines au XIXᵉ siècle, surtout celui de Jo, le «garçon manqué».

L'Enfant et la rivière

Henri Bosco 1953
Gallimard et F. Junior
Pascalet vit à la campagne avec sa tante Martine. Il rêve nuit et jour de la rivière où on lui interdit d'aller. Un matin d'avril, il cède à la tentation...

Bennett au collège

Anthony Buckeridge 1972
Texte français d'Olivier Séchan
Hachette, Bibliothèque verte
Dans leur pensionnat anglais, Bennett et son copain Mortimer causent bien du souci à leur directeur avec leurs sottises. Une série de qualité, débordante d'humour.

L'Or

Blaise Cendrars 1925
Gallimard et F.
«La merveilleuse histoire du général Johann August Suter», vagabond, escroc, aventurier qui fonda un petit État en Californie, «La nouvelle Helvétie». Une vision colorée de l'Amérique à l'époque des chercheurs d'or.

Contes et récits de l'Iliade et de l'Odyssée

Georges Chandon 1962
Nathan
Les grands épisodes des deux chefs-d'œuvre du monde grec dans une version accessible aux enfants. Une excellente collection qui permet de découvrir les légendes du monde entier.

Légendes de la mer

Bernard Clavel 1975
L. P. Jeunesse
Des légendes maritimes peuplées de créatures étranges aux pouvoirs fabuleux, de génies, de sorcières, de sirènes qui attirent les pêcheurs de toutes les mers du monde.

Le Dernier des Mohicans

Fenimore Cooper 1826
Traduit de l'américain
par G. Berton F. Junior
Ce classique du roman d'aventures se déroule pendant la guerre franco-anglaise, au XVIIIᵉ siècle, dans le nord de l'Amérique. Le commandant Monro menacé par le commandant français Montcalm sera sauvé par Uncas, le dernier des Mohicans.

Le Bon Gros Géant

Roald Dahl 1982
Traduit de l'anglais
par C. Fabien F. Junior
Dans son orphelinat, Sophie est enlevée par un géant pas comme les autres, le BGG, géant souffleur de rêves, qui parle un horrible «baragouinage».

Le pays où l'on n'arrive jamais

André Dhôtel 1955
Horay
L'évasion de deux enfants à la recherche du «grand pays». Une grande puissance onirique émane de cette histoire de la quête du bonheur.

Tistou les pouces verts

Maurice Druon 1967
L. P. Jeunesse
Tistou est un petit garçon curieux qui pose trop de questions. Et surtout, il n'admet pas cette manie des grandes personnes à vouloir toujours «expliquer l'inexplicable».

Treize à la douzaine

Ernestine et Franck Gilbreth
Traduit de l'américain   1949
par J.-N. Faure-Biguet   F. Junior
Douze enfants : six garçons et six filles et un père obsédé de rendement et d'économie de temps. Une cascade de situations tordantes relatées par deux membres de cette joyeuse couvée.

La Quête du Graal

Adapté par François Johan
      Casterman, (2 vol.)
Quand Galaad, fils de Lancelot du Lac, rejoint la cour du roi Arthur, les chevaliers de la table ronde partent quérir le Graal, le vase sacré, afin de réaliser la prédiction de Merlin l'enchanteur.

L'Enfant noir

Camara Laye   1953
      P. P.
À travers ce récit d'enfance autobiographique, Camara Laye dépeint avec amour sa Haute-Guinée natale. Il nous initie à ses coutumes, ses cérémonies, ses fêtes. Il nous fait découvrir un pays où règnent les guérisseurs et les griots.

Croc-Blanc

Jack London   1906
Trad. de l'américain par
Daniel Alibert-Kouraguine
      Hachette Bibliothèque verte
« Manger ou être mangé » : la loi du Grand Nord. Croc-Blanc, le louveteau, la découvre très tôt, à la chasse et au combat. Des Indiens faiseurs de feu tenteront de le domestiquer. Mais Croc-Blanc est par nature indomptable.

L'Ancre de miséricorde

Pierre Mac Orlan   1941
      F. Junior
Au XVIIIᵉ siècle en Bretagne, Petit Morgat, un adolescent de seize ans, rencontre Jean de la Sorgue, un ancien forçat. Celui-ci veut se venger de Petit Radet qui lui a « volé son honneur ».

(le grand livre de la terre, des animaux, des plantes, des sciences et techniques, etc.).
— Sciences : Collection « Sciencimage », Nathan (la communication - la perception - le mouvement - la terre) ; *La Vie Secrète des bêtes*, Hachette.
— Histoire : Échos - la vie quotidienne - Hachette (au temps de la guerre de Troie, au temps des croisades, etc.) ; Collection « des enfants dans l'histoire », Casterman (du temps des cavernes au temps des premières usines) ; Collection « histoire vivante » (Seuil) (dieux et héros grecs, le jour J - le débarquement, etc.)
— Géographie : *Mon atlas en couleur*, Nathan.
— Cuisine : *C'est moi le chef : 20 recettes pour apprentis gastronomes*, Brigitte Lecoq, Casterman.
— Musique : *Mon premier livre de musique*, Collin Gillet, Épigones.
— Peinture : *Premier Livre d'art*, André Belves, Gauthier-Languereau.
— Langues : *Le Premier Dictionnaire d'anglais*, Pélican.

Poésie

- La Fontaine, *Fables*.
- Victor Hugo, *Poèmes choisis* (Nathan).
- *Chantefables et chantefleurs*, Robert Desnos (Gründ).
- Jacques Prévert, *En sortant de l'école* ; *Histoire de cheval* ; *Le Dromadaire mécontent* ; *Page d'écriture* ; *Chanson pour chanter à tue-tête et à cloche-pied* (Gallimard F.-B.).
- Eugène Guillevic (Gallimard F.J.).
- Jean Tardieu (Gallimard F.J.).
- Claude Roy, *Nouvelles enfantasques*, (F.J.).

Sierra brûlante

Pierre Pelot 1971
F. Junior

Un indien navajo s'évade de sa réserve avec sa femme et son petit garçon. À cause de chevaux volés, il sera accusé d'assassinat. Un roman d'action, plein de rebondissements.

La Petite Fadette

George Sand 1849
G. F.

Gémellité et sorcellerie en Berry à travers l'histoire de Landry, Sylvinet et la Fadette, sauvageonne à l'âme loyale et pure.

Le Petit Nicolas

Sempé-Goscinny 1960
F. Junior

Nicolas et ses copains en font voir de toutes les couleurs à la maîtresse d'école et à leur surveillant Le Bouillon. Une série irrésistible.

Heidi
1 - Monts et merveilles
2 - Devant la vie

Johanna Spyri 1880
Traduit de l'allemand par L. de Goustine et A. Huriot L'École des Loisirs

L'histoire d'Heidi, petite orpheline élevée par son grand-père, ermite dans les Alpes, connaît, depuis sa parution, un succès considérable dans le monde entier avec, entre autres, une multitude d'adaptations à la télévision, à la radio et au cinéma.

L'Enfant de la haute mer

Jules Supervielle 1931
Gallimard et F.

« Marins qui rêvez en haute mer, les coudes appuyés sur la lisse, craignez de penser longtemps dans le noir de la nuit à un visage aimé. » Des contes où se manifeste toute l'originalité du grand poète.

Mary Poppins

Pamela Lyndon Travers 1934
Traduit de l'anglais
par Vladimir Volkoff L. P. Jeunesse

Jane et Michael ont de la chance de posséder une gouvernante comme Mary Poppins, qui se déplace dans les airs accrochée à son parapluie et possède une boussole magique !

Les Disparus de Saint-Agil

Pierre Véry 1935
F. Junior

L'élève Mathieu Sorgues, alias numéro 95, a disparu du pensionnat de Saint-Agil : évasion ou enlèvement ? Quelques jours plus tard, c'est le tour du numéro 7, Philippe Mecroy. Une palpitante intrigue policière.

La Machine à explorer le temps

Herbert George Wells 1895
Traduit de l'anglais
par Henry D. Davray Gallimard et F.

Un voyage dans la 4e dimension grâce à l'étonnante machine de l'explorateur du temps. Le premier roman de l'un des maîtres incontestés du roman d'anticipation.

Le Fantôme de Canterville
et autres contes

Oscar Wilde (1856-1900)
Traduit de l'anglais
par Jules Castier L.P. Jeunesse

Mr Hiram B. Otis fait la folie d'acheter le domaine de Canterville, un manoir hanté dont les bruits de chaîne terrorisent la région. Mais le pauvre fantôme qui l'habite subira bien des déboires.

Comptines

- *60 poésies, 60 comptines*, Agnès Rosenstiehl (Centurion Jeunesse).
- *Comptines pour les enfants d'ici et les canards sauvages*, Luc Bérimond (Saint-Germain-des-Prés).

Anthologies

- *Premier Livre de poésie*, Rolande Causse (Gauthier-Languereau).
- *Le Livre d'or des poètes*, Jean Georges (Seghers 3 t.).
- *Dictionnaire des poètes et de la poésie*, Jacques Charpentreau (F.J.).

La bande dessinée

La bande dessinée a connu un long purgatoire durant lequel l'opinion publique la réservait aux cancres et aux adultes demeurés. Il y a une vingtaine d'années, quelques intellectuels furent à l'origine de sa réhabilitation : Francis Lacassin, Alain Resnais, Jacques Sadoul, Umberto Eco... Aujourd'hui, la question ne se pose plus : la BD est un phénomène éditorial et culturel indéniable — il n'est que de voir les rayons pris d'assaut dans les grandes librairies pour s'en convaincre. C'est en France que l'édition d'albums de bandes dessinées a eu le plus fort développement, au point d'éclipser les périodiques (*Pilote*, *Spirou*,...) qui avaient pourtant connu un immense succès. Et même si la production accuse un fléchissement ces dernières années, elle reste nettement au-dessus de 500 titres nouveaux par an !

On peut faire remonter l'histoire de ce genre — qui a son *Que sais-je ?* — aux peintures préhistoriques, aux bas-reliefs égyptiens ou à la tapisserie de Bayeux. Il est pourtant couramment admis que le génial précurseur en la matière fut le Suisse Rodolphe Töpffer, réalisant dès 1827 des « histoires en images » qui enchantèrent Goethe (elles sont publiées aujourd'hui chez Horay). Mais c'est aux États-Unis que les « comics » — mot entré dans le Petit Larousse en 1981 — prirent leur essor au tournant du siècle. Richard Dutcault en 1895 ouvre la voie à la BD dans les quotidiens new-yorkais avec *The Yellow Kid*, puis *Buster Brown* (Éditions Horay). Les «strips» deviendront un atout non négligeable de la concurrence entre les grands empires de presse. En Europe plusieurs suites dessinées et légendées firent la joie d'un large public : à partir de 1889 *La Famille Fenouillard* de Christophe (Éditions Armand Colin), en 1892 *Bécassine*, de Pinchon et Caumery (Éditions Gauthier-Languereau). Mais il faudra attendre les années 1920 pour que la bande dessinée en France et en Belgique se démarque véritablement du récit en images : en 1924 apparaissent les premières bulles de *Zig et Puce*, et en 1929 Hergé dessine la première aventure de Tintin. La BD est alors destinée essentiellement aux enfants, souvent dans des intentions édifiantes. Après la Seconde Guerre mondiale, l'heure était au patriotisme et au protectionnisme. Les parlementaires chrétiens et communistes s'allièrent pour voter des lois empêchant l'arrivée trop massive de BD américaines. Le grand départ se situe dans les années soixante, particulièrement autour de Goscinny et du journal *Pilote*. La BD aborde aujourd'hui tous les domaines — western, guerre, érotisme, histoire... Mais le 9e art s'est surtout épanoui dans l'humour, l'aventure et le rêve, avec l'énorme vertu d'être un genre mineur.

La bande dessinée

... en 49 livres

... en 25 livres

... en 10 livres

Terry et les pirates
Milton Cannif

Mickey et l'île volante
Walt Disney

Lagaffe nous gâte
André Franquin

Astérix et Cléopâtre
René Goscinny
et Albert Uderzo

Le Lotus bleu
Hergé

Blake et Mortimer,
Le Mystère
de la grande pyramide
Edgar P. Jacobs

Little Nemo
Winsor McCay

Lucky Luke,
Le Pied-Tendre
Maurice Morris
et René Goscinny

Vive les femmes
Jean-Marc Reiser

Zig et Puce
Alain Saint-Ogan

Les Frustrés
Claire Bretécher

Le Grand Duduche
Cabu

Blueberry,
La Mine de l'Allemand perdu
Jean-Michel Charlier et Jean Gira

Fritz the Cat
Robert Crumb

Les Pieds nickelés arrivent
Louis Forton

Le Petit Cirque
Othon Fred

Krazy Cat
George Herriman

Cœurs de sable
Loustal/Paringaud

La Ballade de la mer salée
Hugo Pratt

Snoopy écrivain
Charles Schulz

Félix le chat
Pat Sullivan

L'Art moderne
Jooste Swarte

Adèle et la bête
Jacques Tardi et Jean-Claude For

Surboum sur 4 roues
Maurice Tillieux

Tragiques destins
Vuillemin

Bicot président de club
Martin Branner

La bête est morte !
la guerre mondiale
chez les animaux
E.F. Calvo

Les Trafiquants de la mer Rouge
Jean-Michel Charlier
et Victor Hubinon

Les Mille et Une Nuits
Richard Corben

Spirit, qui a tué Cox Robin ?
Will Eisner

Mandrake
L.-E. Falk et Phil Davis

Barbarella
Jean-Claude Forest

Prince Vaillant
Hal Foster

Les Naufragés du temps
Paul Gillon et Jean-Claude Forest

Route vers l'enfer
Goossens

La Rubrique-à-brac
Marcel Gotlib

Dick Tracy
Chester Gould

Le Roi des Zôtres
Michel Greg

Ooooo Bill
Benito Jacovitti

Jean Valhardi, détective
Joseph Jijé

Pim Pam Poum
Harold Knerr

Les Pionniers de l'espérance
Roger Lecureux
et Raymond Poïvet

La Cité des eaux mouvantes
Jean-Claude Mézières
et Pierre Christin

Alack Sinner, flic ou privé
José Munoz et Carlos Sampayo

Le Chien des Basketville
Pétillon

Flash Gordon
Alex Raymond

Popeye
Elzie C. Segar

Bob et Bobette
Le Fantôme espagnol
Willy Vandersteen

Un max de Mad

• À vous de choisir le cinquantième
livre. Peut-être est-il déjà dans votre
bibliothèque.

... en 10 livres

Terry et les pirates

Milton Cannif   1934
Futuropolis

On l'a appelé «le Rembrandt de la bande dessinée»... Ses œuvres furent d'ailleurs exposées au Metropolitan Museum of Art. Cannif est le grand maître du clair-obscur et les ambiances qu'il crée sont dignes des plus grands films d'espionnage. Une Chine mystérieuse, des femmes langoureuses et souvent redoutables qui évoquent Marlène Dietrich et Jane Russel, tous les ingrédients d'un succès considérable.

Mickey et l'île volante

Walt Disney   1937
Hachette BD

Ce n'est un secret pour personne : la petite souris américaine anthropomorphe a fait le tour de la terre. Dans ce volume, un des meilleurs d'une immense série, l'humour traditionnel, la lutte éternelle du bien et du mal, qui constitue les fondements des scénarios, se doublent d'une intrigue empruntée à la science-fiction. On y découvre le professeur Mirandus, réplique parfaite d'Einstein, dépositaire du secret de la bombe atomique, convoité par l'ignoble Pat Hibulaire...

Lagaffe nous gâte

André Franquin   1977
Dupuis

Arrivé en 1957, un peu par hasard, au journal belge *Spirou* pour être un faire-valoir temporaire, il devait insidieusement s'imposer à son créateur. Champion toutes catégories confondues dans sa spécialité — la gaffe — il installe des ménageries dans son bureau, dépense des trésors d'imagination pour assouvir sa passion immodérée du farniente et joue à l'occasion du gaffophone, seul instrument de musique capable de mettre à bas une escadrille de chasse...

Astérix et Cléopâtre

René Goscinny et Albert Uderzo   1965
Dargaud

C'est avec Astérix que Goscinny a déculpabilisé les adultes qui lisaient des BD. C'est si vrai qu'il est considéré aujourd'hui comme partie intégrante de la culture française au même titre que la 2CV ou le n° 5 de Chanel. Plus que la potion magique, son secret réside dans un humour percutant, le plus souvent lisible à différents niveaux, et dans un dessin parfaitement mémorisable.

Le Lotus bleu

Hergé   1934
Casterman

Est-il besoin de présenter le jeune reporter belge ? Le 5e volume de ses aventures est un tournant dans l'œuvre. Inspiré par le trait dépouillé des artistes orientaux, Hergé s'y lance véritablement dans la ligne claire — qui devait inspirer tant d'émules — à tel point que certaines vignettes sont de véritables estampes. Pendant les deux tiers de l'aventure, Tintin y est vêtu à l'orientale ; on sent bien qu'il ne quitte cette tenue qu'à regret.

Blake et Mortimer
Le mystère
de la grande pyramide

Edgar P. Jacobs   1954-1955
Dargaud

Classique parmi les classiques, Jacobs, un des chefs de file de l'école belge, est sans doute le dessinateur le plus méticuleux de tous les temps. La lutte éternelle de Blake, capitaine de l'armée de sa très gracieuse Majesté, de Mortimer, un savant plein de punch, opposés à l'infâme Olrik est le thème central d'une saga où s'épanouissent la peur et l'étrange.

Little Nemo

Winsor McCay   1905
Horay

Paru exclusivement dans la presse quotidienne américaine, *Little Nemo*, c'est une invention plastique et spatiale constante et des changements de perspective très novateurs. Des splendides arabesques « Art Nouveau », des aventures poétiques de Little Nemo au pays du sommeil, de l'atmosphère particulière, entre le rêve et la réalité, on a dit qu'elles étaient inspirées par la drogue.

Lucky Luke
Le Pied-Tendre

Maurice Morris et René Goscinny   1968
Dargaud

Né de la passion de Morris, un auteur belge, pour les États-Unis, l'univers de Lucky Luke respecte toutes les images et tous les plans classiques du western, traités sur le mode humoristique, jusqu'aux noms des villes et des personnages historiques : les frères Dalton, Calamity Jane, Billy the Kid, le Juge Roy Bean... Après plus de 50 albums, le célèbre cow-boy n'a guère changé. Seul signe des temps, il a troqué son éternelle cigarette contre un brin d'herbe.

Vive les femmes

Jean-Marc Reiser   1978
Albin Michel

Un trait particulier, hâtif, presque schématique et pourtant terriblement efficace, une vulgarité qui se proclame, s'affiche et qui pourtant ne parvient pas à être réellement vulgaire tant elle sonne juste. Entre la BD et le dessin satirique, les dessins de Reiser sont un fleuron de la BD française et de la verve soixante-huitarde.

Zig et Puce

Alain Saint-Ogan   1925
Futuropolis

Peut être le moins connu des grands classiques. Zig et Puce sont pourtant les héros de la première bande dessinée française dotée de bulles et non plus de simples légendes. Le petit gros et le grand maigre, accompagnés d'Alfred, leur pingouin, dont la renommée devait dépasser celle de ses maîtres, puisqu'il est devenu le symbole du festival international de la BD d'Angoulême.

Le choix de Bretécher

Claire Bretécher a été l'un des pionniers de *Pilote* — le magazine qui a ouvert la BD à l'âge adulte —, puis l'un des membres fondateurs, avec Gotlib et Mandryka, de *l'Écho des Savanes*. Parmi ses grands succès : Cellulite, la première princesse de conte de fées laide et stupide et surtout cinq volumes de *Frustrés* qui constituent aujourd'hui une des grandes références de la satire sociale.

Bretécher privilégie d'abord le comique et ne goûte guère la BD réaliste. Si elle apprécie en effet les décors achevés, directement inspirés par la réalité, elle préfère pour les personnages une présentation humoristique. Ainsi cite-t-elle en premier *Lucky Luke*, avec des albums comme *Calamity Jane* ou *Le Pied-Tendre*, dont le scénario est signé Goscinny. Les mêmes raisons la conduisent ensuite à évoquer Tillieux et son *Gil Jourdan*, pour ses intrigues bien ficelées, sa grande habileté à dessiner les accidents de voitures et les paysages aquatiques — dans *La Voiture immergée* par exemple. Sa référence ultime demeure néanmoins *Spirou*. Surtout dans *Parade à Champignac*, suivi, dans l'édition Dupuis, d'une bande très courte, *Bravo les Brothers*, « une histoire de singes savants qui est un véritable morceau d'anthologie ». *Achille Talon* recueille aussi ses suffrages, pour son texte d'une verve inégalée.

Loin d'être une inconditionnelle de la BD américaine — qu'elle avoue d'ailleurs mal connaître —, Bretécher aime toutefois beaucoup *Li'l Abner* d'Al Capp, et *Le Petit Roi* d'Otto Soglow, pour sa simplicité et son humour.

Parmi les grands ancêtres, elle a une mention particulière pour le *Sapeur Camembert* de Christophe, beaucoup plus drôle que *Le Savant Cosinus* du même auteur, qui bénéficie pourtant d'une notoriété plus importante.

Des auteurs plus récents, elle distingue deux noms : Pétillon et Jano. Pétillon, pour l'opposition qui existe entre son héros fétiche, Jack Palmer, totalement caricatu-

... en 25 livres

Les Frustrés

Claire Bretécher 1975 Ed. Bretécher

Le monde des intellos, des cadres moyens et des petits nantis brocardé de main de maître, un sens aigu de la satire sociale et une fascinante habileté à dénicher les ridicules de tous...

Le Grand Duduche

Cabu 1967 Dargaud

Potache soixante-huitard, artisan de la dénonciation d'une société hypocrite et violente vue à travers le microcosme lycéen.

Blueberry
La Mine de l'Allemand perdu

*Jean-Michel Charlier
et Jean Giraud* 1972 Dargaud

Du western à l'état pur : grands espaces, saloons, crachoirs et longues chevauchées.

Fritz the Cat

Robert Crumb N° spécial d'*Actuel* 1972 Épuisé

Un horrible matou libidineux et pervers, prétexte à une satire de la contre-culture hippie américaine vue de l'intérieur.

Les Pieds nickelés arrivent

Louis Forton 1908-1927 Veyrier (épuisé)

Trois compères, escrocs anarchisants à la subversion rigolarde et aux trognes patibulaires qui ont beaucoup fait pour la mauvaise presse de la BD auprès des mères de famille.

Le Petit Cirque

Othon Fred 1973 Dargaud

Fred a défini un nouveau standard de l'humour : l'absurde. Absurde d'une poésie cruelle, absurde d'un monde irréel et insolite qui suscite une étrange nostalgie.

Krazy Kat

George Herriman 1911 Futuropolis

Il a séduit les intellectuels américains avant de devenir l'enfant chéri des dadaïstes.

Cœurs de sable

Loustal/Paringaud 1985 Casterman

Couleurs envoûtantes, paquebots de luxe, équipées exotiques, déserts infinis... le goût du voyage.

La Ballade de la mer salée

Hugo Pratt 1975 Casterman

Une des meilleures aventures de Corto Maltese, le marin solitaire à l'anneau d'or. Un superbe traitement du noir et blanc.

Snoopy écrivain

Charles M. Schulz 1950 Dargaud

Snoopy le chien philosophe, Charlie Brown l'éternel perdant, Linus le surdoué inquiet, Schroeder le musicien égocentrique forment les « Peanuts ». Leurs dialogues n'ont cessé à travers des millions de « strips » de donner un sens à la vie, essentiellement avec des points de suspension...

Félix le chat

Pat Sullivan 1923 Horay

Transfuge du dessin animé, dans lequel il s'illustre dès 1919, Félix, chat vagabond et agressif, s'ébat dans un monde mi-réel mi-onirique au sein de paysages poétiques et exotiques.

L'Art moderne

Joost Swarte 1980 Futuropolis

L'apothéose de la ligne claire, l'humour subversif en sus.

Adèle et la bête

*Jacques Tardi
et Jean-Claude Forest*   1976
                                    Casterman

Adèle Blansec, une héroïne à part, dans un Paris scrupuleusement restitué, où se précise de jour en jour le spectre meurtrier de la guerre de 14...

Surboum sur 4 roues

Maurice Tillieux   1961
                                      Dargaud

Pour les amoureux de «Dauphines» et autres «403»...

Tragiques destins

Vuillemin   1985
                                  Albin Michel

Plus noir que noir, un humour et un dessin féroces qui n'épargnent rien ni personne, un monument dédié à la bêtise et à la méchanceté.

... en 49 livres

Bicot président de club

Martin Branner   1920
                                      Veyrier

L'humour américain des années 20.

La bête est morte ! la guerre mondiale chez les animaux

E.F. Calvo   1944
                                   Futuropolis

Conçue sous l'Occupation, une fresque animalière raconte la Seconde Guerre mondiale. Partisan et passionnant.

Les Trafiquants de la mer Rouge

*Jean Michel Charlier
et Victor Hubinon*   1966
                                       Dupuis

Trio d'aviateurs yankees successivement en bute aux faces de citrons, faces de prunes, bastards et autres rascals...

tural, et les autres personnages de ses bandes. Quant à Jano, elle apprécie tout particulièrement son personnage central, *Kebra*, un rat anthropomorphe très vindicatif qui s'ébat dans un univers presque réaliste.

Repères chronologiques

La préhistoire

• 1825 : Allemagne, première BD : *Les Voyages en zig-zag*, de Rodolphe Töpffer, instituteur : illustrations de récits écrits à l'intention de ses élèves.
• 1860 : Allemagne : *Max und Moritz*, de Wilhelm Busch.
• 1889 : France : *La Famille Fenouillard*, *Le Savant Cosinus*, de Christophe (Georges Colomb).
• 1897 : États-Unis : *Les Katzenjammer Kids* (France : *Pim, Pam, Poum*), de Rudolph Dirks.
• 1905 : France : *Bécassine*, de Pinchon et Caumery.
• 1905 : États-Unis : *Little Nemo in Slumberland*, de Winsor McCay.
• 1908 : France : *Les Pieds Nickelés*, de Louis Forton.

L'histoire

• 1925 : première BD française dotée de bulles : *Zig et Puce*, d'Alain Saint-Ogan.
• 1929 : États-Unis : *Popeye*, de Elsie Crisler Segar.

L'âge d'or

• 1929 : Belgique : *Tintin chez les Soviets*, de Hergé (Georges Rémi).
• 1930 : États-Unis : première BD de *Mickey*, par Walt Disney.
• 1931 : États-Unis : première BD policière : *Dick Tracy*, de Chester Gould.
• 1938 : Belgique, naissance de *Spirou*, le magazine et le personnage, dessiné par Rob-Vel.
• 1938 : *Superman*, de Shuster et Siegel, première BD américaine à paraître hors quotidiens.
• 1947 : Belgique : *Lucky Luke*, de Morris.
• 1950 : États-Unis : *Peanuts*, de Schulz.

Les Mille et Une Nuits

Richard Corben   1979
Les Humanoïdes associés
Histoires et couleurs crues.

Spirit : Qui a tué Cox Robin ?

Will Eisner   1987
« Spécial USA », Albin Michel
Violence et mystère, un très grand classique créé en 1940.

Mandrake

Lee Falk et Phil Davis   1934
Futuropolis
Un magicien masqué, des aventures qui évoquent tout autant Arsène Lupin que Lewis Caroll.

Barbarella

Jean-Claude Forest   1962
Dargaud
Belle et libérée, l'idole des adolescents d'avant 68.

Prince Vaillant

Hal Foster   1940
Futuropolis
Une BD sans bulles, un Moyen Âge incertain mais le plaisir d'intrigues savamment orchestrées.

Les Naufragés du temps

Paul Gillon et Jean-Claude Forest   1974
Humanoïdes associés
Un dessin très épuré, des aventures baroques dans le temps et l'espace.

Route vers l'enfer

Goosens   1986
Fluide glacial
Le père Noël en combattant...

La Rubrique-à-brac

Marcel Gotlib   1970
Dargaud
Le professeur Burp, entomologiste délirant, Bougret et Charolles, les policiers franchouillards... La grande époque du journal *Pilote*.

Dick Tracy

Chester Gould   1931
Futuropolis
Le célèbre détective au nez d'aigle et au menton carré, la première BD policière.

Le Roi des Zôtres

Michel Greg   1977
Dargaud
Achille Talon, prince de la logorrhée et du calembour.

Ooooo Bill

Benito Jacovitti   1975
Lattès (épuisé)
Quand le western devient surréaliste.

Jean Valhardi, détective

Joseph Jijé   1945
Dupuis (épuisé)
Pour les amateurs de belles autos et d'intrigues policières bien ficelées.

Pim Pam Poum

Harold Knerr
Slatkine (épuisé)
Les aventures de deux garnements rebelles à toute autorité. Sur le modèle des *Katzenjammer Kids* créés en 1897 par Rudolph Dirks.

Les Pionniers de l'espérance

Roger Lecureux et Raymond Poïvet   1945
Futuropolis
Aventures dans une nature préhistorique et décharnée.

La Cité des eaux mouvantes

*Jean-Claude Mézières
et Pierre Christin*   1970
                                          Dargaud

Les aventures spatio-temporelles de Valérian et de sa compagne éprise de justice sociale...

Alack Sinner, flic ou privé

José Munoz et Carlos Sampayo   1983
                                        Casterman

Une ligne très chargée pour des histoires très sombres.

Le Chien des Basketville

Pétillon   1979
                                      Albin Michel

Un détective privé à la logique tortueuse, des histoires à lire plusieurs fois pour en épuiser tout le sel.

Flash Gordon

Alex Raymond   1934
                                       Futuropolis

Une épopée qui mélange les genres de la science-fiction et du roman de chevalerie.

Popeye

Elzie Crisler Segar   1929
                                       Futuropolis

Cet anti héros laid, borgne et antipathique a réussi à faire ingurgiter des tonnes d'épinards à des générations de jeunes fans...

Bob et Bobette,
Le Fantôme espagnol

Willy Vandersteen   1952
                       Erasme - Standar-Uidgverij

Deux jeunes héros dans la lignée de Tintin, un gigantesque succès.

Un max de Mad

                                             1952
                       « Spécial USA » Albin Michel

Le temple du « nonsense », outre-Atlantique, qui a su faire de la dérision un art...

BD adulte et contre-culture

• 1952 : Naissance du magazine satirique américain *Mad*.
• 1959 : France : naissance de *Pilote*, premier journal de BD «adulte» (Gotlib, Bretécher, Reiser...).
• 1967 : *Freak Brothers*, de Shelton, manifeste de la contre-culture US.

Depuis lors, une multitude de courants, de magazines et d'œuvres...

Hugo Pratt

Corto Maltese, le marin à longue veste et boucle à l'oreille gauche, a fait son apparition dans *Pif* en 1970. Il est devenu depuis l'un des héros les plus connus de la BD. Son créateur, Hugo Pratt, né en 1927 à Venise, se définit avant tout comme un artisan du dessin. «La bande dessinée, c'est la fantaisie, l'imagination au service d'une histoire que l'on raconte et que le lecteur doit parcourir vite au rythme du montage choisi par le dessinateur. Voilà pourquoi il ne faut pas un dessin trop beau, trop chatoyant qui arrêterait longtemps le regard, le créateur doit parvenir à un équilibre subtil entre le texte, la décomposition des plans et la succession des images... La BD n'a pas à se chercher des grands ancêtres qui n'en sont pas comme la tapisserie de Bayeux ou la colonne Trajane. La bande dessinée est née de la grande presse et de l'Amérique, un point c'est tout. Elle n'a pas à se préoccuper d'être un art. Moi, en tout cas, je ne suis pas un artiste. À Venise, il y a les peintres et il y a les artisans. Eh bien, moi, je me considère comme un artisan qui s'exprime par un moyen souple, ne nécessitant pas de gros investissements mais offrant des possibilités formidables... La bande dessinée, c'est comme le cinéma, même si c'est un cinéma de pauvres. Ce que j'aimerais, ce serait de parvenir à raconter, devant un public, des histoires : ''Voilà Corto Maltese, sa silhouette se découpe sur la ligne d'horizon, il vient vers nous et...'' Comme Mark Twain lorsqu'il parlait. »

Les grands textes
de l'histoire

Qu'est-ce que l'histoire? «La science des hommes dans le temps et qui sans cesse a besoin d'unir l'étude des morts à celle des vivants», écrit Marc Bloch dans son *Apologie pour l'histoire*. Une science qui permet, dit-il, de comprendre le passé par le présent et de comprendre le présent par le passé.

L'histoire possède sa propre histoire. Elle a connu une évolution, des mutations, des révolutions. Les chroniqueurs du Moyen Âge racontaient des anecdotes, évoquaient des faits pêle-mêle et ne se souciaient guère de la véracité et de l'objectivité de leur récit. Du XVIᵉ au XVIIᵉ siècle, l'histoire s'enrichit de nouvelles méthodes de recherche sous l'impulsion des travaux de confréries religieuses comme les bénédictins de Saint-Maur. Peu à peu, un besoin d'explication se fait jour. Au XVIIIᵉ, Voltaire «observe l'esprit de son temps», Montesquieu et Vico tentent de dégager des lois de leur observation. Mais le grand siècle de l'histoire reste le XIXᵉ. Le choc de la Révolution a ouvert de nouvelles perspectives à la réflexion d'historiens comme Guizot, Tocqueville ou Michelet qui conçoit l'histoire comme «la résurrection de la vie intégrale». Taine, Renan, Fustel de Coulanges fondent une histoire scientifique et objective dans ses méthodes. Un autre grand tournant s'effectue au XXᵉ siècle avec la fondation des *Annales* par Marc Bloch et Lucien Febvre en 1929. La célèbre revue inaugure une nouvelle conception de l'histoire. Celle-ci se veut désormais «histoire totale», utilisant toutes les ressources des autres sciences de l'homme : économie, sociologie, démographie, anthropologie. L'histoire devient «la somme de toutes les histoires possibles » selon la formule de Fernand Braudel, le successeur des cofondateurs des *Annales*. Elle concerne à présent les civilisations, les mentalités, les valeurs.

Aujourd'hui, grâce à des historiens comme Duby, l'histoire se tourne vers le rêve, l'imaginaire. Ce qui explique sans doute son succès croissant auprès du public français : livres, revues d'histoire, biographies et romans historiques sont prisés par le lecteur au même titre que les romans. C'est peut-être parce qu'elle touche à tous les domaines de la vie, qu'elle s'intéresse au destin des grands de ce monde, mais aussi au quotidien, que l'histoire passionne et parle parfois plus à la sensibilité qu'une certaine forme de littérature.

Le choix de textes proposé ne se prétend pas exhaustif mais permet d'aborder quelques-uns des grands thèmes que recouvre l'histoire actuelle. Il veut aussi présenter les auteurs classiques et contemporains qui ont marqué « l'histoire de l'histoire », qui en ont fait un art et une science. L'histoire occidentale et l'histoire de France, en particulier, y tiennent une bonne place. Il est vrai que cette dernière attire l'attention de nombreux historiens dans le monde, des Américains comme Paxton, Kuisel ou Darnton. On ne citera pas de biographies parmi cet éventail de textes ; elles font l'objet d'un chapitre à part. De même les historiens de l'Antiquité, Hérodote ou Tacite, sont classés dans d'autres rubriques. Celle-ci concerne les auteurs du Moyen Âge à nos jours, de Joinville à Elias ou Ariès, qui ont su faire de l'histoire le « roman vrai » de l'humanité.

Les grands textes de l'histoire

... en 49 livres

... en 25 livres

... en 10 livres

L'Homme devant la mort
Philippe Ariès

Les Découvreurs
Daniel Boorstin

*La Méditerranée
et le monde méditerranéen
à l'époque de Philippe II*
Fernand Braudel

Le Temps des cathédrales
Georges Duby

La Civilisation des mœurs
Norbert Elias

L'Automne du Moyen Âge
Johan Huizinga

L'Histoire de France
Jules Michelet

Dictionnaire d'histoire universelle
Michel Mourre

Vies parallèles
Plutarque

Le Siècle de Louis XIV
Voltaire

La Société féodale
Marc Bloch

*Civilisation de la Renaissance
en Italie*
Jacob Burckhardt

Le Temps des réformes
Pierre Chaunu

*Le problème de l'incroyance
au XVIe siècle*
Lucien Febvre

*La Fin des notables
La République des ducs*
Daniel Halévy

Discours sur l'histoire universelle
Ibn Khaldun

L'Histoire romaine
Theodor Mommsen

*Considérations sur les causes
de la grandeur des Romains
et de leur décadence*
Montesquieu

Qu'est-ce qu'une nation ?
Ernest Renan

Le Déclin de l'Occident
Oswald Spengler

*Les Origines
de la France contemporaine*
Hippolyte Taine

Souvenirs
Alexis de Tocqueville

La Civilisation à l'épreuve
Arnold J. Toynbee

Principes d'une science nouvelle
Giambattista Vico

*Historiens et chroniqueurs
du Moyen Âge*

Histoire de la pensée politique
Jean-Jacques Chevalier

L'aventure de l'Encyclopédie
(1775-1800) :
un best-seller au siècle des Lumières
Robert Darnton

La Peur en Occident
Jean Delumeau

Maîtres et esclaves :
la formation de la société brésilienne
Gilberto Freyre

La Cité antique
Denis Fustel de Coulanges

Louis XIV
et vingt millions de Français
Pierre Goubert

L'Empire des steppes :
Attila, Gengis Khan, Tamerlan
René Grousset

La Destruction des juifs d'Europe
Raul Hilberg

L'heure qu'il est
David S. Landes

Venise, une république maritime
Frederic C. Lane

Les Intellectuels au Moyen Âge
Jacques Le Goff

Histoire du climat depuis l'an mil
Emmanuel Le Roy Ladurie

L'Apparition du livre
Henri-Jean Martin et Lucien Febvre

Technique et civilisation
Lewis Mumford

La France de Vichy (1940-1944)
Robert O. Paxton

Histoire de l'antisémitisme
de Voltaire à Wagner
Léon Poliakov

Histoire de la papauté
pendant les XVIᵉ et XVIIᵉ siècles
Leopold von Ranke

Histoire de la campagne française
Gaston Roupnel

Or et monnaie dans l'histoire
Pierre Vilar

La Ville
Max Weber

Histoire des passions françaises
Théodore Zeldin

Histoire économique
et sociale de la France
sous la direction de F. Braudel et
E. Labrousse

Histoire de la France urbaine
sous la direction de G. Duby

Histoire de la vie privée
sous la direction de G. Duby

• À vous de choisir le cinquantième
livre. Peut-être est-il déjà dans votre
bibliothèque.

... en 10 livres

L'Homme devant la mort

Philippe Ariès   1977
                                P.S. (2 vol.)

De la mort apprivoisée à la mort occultée, l'évolution de la vision et des conceptions occidentales de la mort depuis la christianisation de l'Empire romain jusqu'à nos jours. « Ce grand essai de psychologie historique sur les attitudes devant la mort débouche sur une histoire de la conscience de soi. » (A. Burguière.)

Les Découvreurs

Daniel Boorstin   1983
Traduit de l'américain par J. Balacu,
J. Bodin et B. Vierne   Seghers

Une somme colossale de faits, d'événements, de biographies qui nous entraîne dans le sillage de ces navigateurs, scientifiques, philosophes et grands voyageurs, d'Hérodote à Copernic, de Christophe Colomb à Faraday, sans oublier les nombreux inconnus dont la trace dans nos mémoires fut moins durable que leur importance dans l'évolution de l'humanité.

La Méditerranée et le monde méditerranéen à l'époque de Philippe II

Fernand Braudel   1966
                                Colin

La géo-histoire de « la plus grande Méditerranée », celle qui réunit l'Europe, l'Afrique et l'Asie. L'historien saisit l'espace dans sa réalité physique, sociale, humaine, dans sa durée et dans son rythme... Celui du temps géographique est le plus lent, fait de cycles sans fin. Autour de ce temps immobile s'articulent l'histoire sociale, celle des États et des civilisations, et l'histoire des faits et des hommes, « une histoire à oscillations brèves, rapides, nerveuses ».

Le Temps des cathédrales (980-1420)

Georges Duby   1976
                                Gallimard

Après l'an mil, dans le « nouveau printemps du monde », la création artistique, jusqu'alors propriété des princes, passe dans les mains des moines. Elle devient médiation entre l'homme et le sacré. Au XIVᵉ siècle, l'initiative du grand art revient aux souverains et s'ouvre au monde profane. Duby nous propose une explication sociologique de l'art et montre comment les transformations sociales influent sur les intentions de l'acte créateur. Le chef-d'œuvre du médiéviste.

La Civilisation des mœurs

Norbert Elias   1939 et 1969
Traduit de l'allemand
par P. Kamnitzer Calmann-Lévy et H.P.

L'histoire des mœurs, du Moyen Âge jusqu'aux temps modernes, est celle du contrôle progressif des pulsions et de la progression du seuil de la pudeur. À travers des traités de savoir-vivre comme ceux d'Érasme, le sociologue allemand étudie la mutation des normes de civilité en Europe depuis la Renaissance et analyse l'émergence de la notion de civilisation en France.

L'Automne du Moyen Âge

Johan Huizinga   1919
Traduit du hollandais
par J. Bartin   Payot, M.

Ouvrage novateur et prophétique de l'un des plus grands historiens néerlandais. À travers une description des aspirations, des idées et des rêves de la société médiévale, Huizenga abolit les frontières entre la psychologie collective et l'histoire et ouvre la voie à une histoire des mentalités. L'ouvrage porte aussi la marque d'un grand styliste. Un livre « habité de bruits, de parfums et même de caresses », écrit J. Le Goff.

L'Histoire de France

Jules Michelet   1833-67
                            Flammarion (2 vol.)

«Cette œuvre laborieuse d'environ quarante ans fut conçue d'un moment de l'éclair de Juillet. Dans ces jours mémorables, une grande lumière se fit et j'aperçus la France.» Selon Michelet, l'histoire a un sens, elle est un univers de symboles. Pour l'historien du peuple, elle apparaît comme le triomphe progressif de la liberté sur la fatalité. De cette série de tableaux éclatants émane une vision audacieuse et passionnée du monde et des hommes.

Dictionnaire d'histoire universelle

Michel Mourre   1968
                            Éd. Universitaires

Une version allégée du dictionnaire en huit volumes. Le «Mourre», œuvre d'un seul homme et de toute une vie, s'est imposé comme l'ouvrage de référence dans le domaine de l'histoire. Ce monument d'érudition dépasse la simple énumération de faits et de personnages pour aborder des thèmes essentiels à la compréhension de l'histoire des États, des institutions et des idéologies.

Vies parallèles

Plutarque   1ᵉʳ siècle apr. J.-C.
Trad. par R. Flacelière et E. Chambry
                      Belles-Lettres et Garnier

Cinquante biographies des hommes illustres de l'Antiquité gréco-romaine, que Plutarque rapproche deux à deux en raison de leurs caractères ou de leurs rôles historiques ou culturels.

Le Siècle de Louis XIV

Voltaire   1751
                                  G.F. (2 vol.)

L'hommage d'un penseur des Lumières à un grand souverain et à son siècle. Mais

L'histoire aujourd'hui

Trois représentants de la «nouvelle histoire» font le point sur le succès du genre historique auprès du public et sur la fonction de l'historien.

Emmanuel Le Roy Ladurie :

«En France, il existe une situation assez originale qui provient d'un goût national pour l'histoire. Cet engouement est une originalité typique de la culture française. On le retrouve, par exemple, en Roumanie qui est justement un pays très marqué par la culture française. Il me semble que le roman est un peu au bout du rouleau et que le public cherche plutôt des témoignages sur le vécu. De plus, les historiens français ont su adapter certains de leurs travaux universitaires et les publier en collections de poche. D'un autre côté d'ailleurs, cela n'empêche pas des livres chers comme l'*Histoire de la France rurale* d'être des succès de librairie.

Quant à la biographie, bien maniée elle reste le moyen de voir une époque à travers un homme. Surtout la nôtre. Car il faut reconnaître que l'histoire nouvelle s'applique assez mal aux périodes contemporaines avec leurs changements très rapides. Paradoxalement, l'histoire nouvelle s'intéresse à des mondes qui changent peu. On a tout le temps de voir les choses comme Fernand Braudel étudiant le monde méditerranéen sur des centaines d'années. Mais le XXᵉ siècle, on ne peut plus le voir comme le Moyen Âge et là je reconnais que les sociologues et les journalistes sont souvent mieux armés que l'historien.

Ce qui se produit actuellement — pas assez à mon goût, du reste — c'est que l'histoire cannibalise les sciences sociales. Les historiens sont un peu comme des charognards occupés à prendre les idées des autres et à les appliquer à leur domaine. Les historiens, en fait, n'ont pas tellement d'idées personnelles mais ils en prennent beaucoup aux sociologues, aux anthropologues ou aux économistes. Et c'est très bien ainsi.»

Voltaire ne veut écrire l'histoire « ni en flatteur, ni en panégyriste, ni en gazetier mais en philosophe ». Il dépeint les progrès accomplis dans les lettres, les arts et les sciences sous le règne de Louis XIV et retrace les événements marquants, les affaires politiques et militaires.

... en 25 livres

La Société féodale

Marc Bloch   1940
                                    Albin Michel

Une analyse des relations de vassalité qui s'appuie sur l'examen préalable des manières de vivre et de penser des hommes au Moyen Âge et débouche sur l'étude des différentes formes de pouvoir. Un exemple d'« histoire totale ».

Civilisation de la Renaissance en Italie

Jacob Burckhardt   1860
Traduit de l'allemand
par H. Schmitt   Plon et L. P.

L'État, les fêtes, la politique et le développement de l'individu. L'art modèle le comportement de l'homme de la Renaissance. Une vision d'ensemble de l'esprit d'une époque.

Le Temps des réformes

Pierre Chaunu   1951
                                Complexe (2 vol.)

Les deux réformes de l'Église, réforme protestante d'abord, catholique ensuite. Pour Pierre Chaunu, l'histoire religieuse constitue « un champ d'observation privilégié des systèmes de civilisation, la meilleure approche d'une histoire globale ».

Le Problème de l'incroyance au XVIᵉ siècle : la religion de Rabelais

Lucien Febvre   1942
                                    Albin Michel

Un essai sur le sens et l'esprit du XVIᵉ siècle dont l'auteur tente de restituer « une physionomie vivante et cohérente ».

La Fin des notables
La République des ducs

Daniel Halévy   1929 et 1937
                                A. Sauret (2 vol.)

La fin de la monarchie française, le début des institutions républicaines, la restauration manquée de 1873 vues par l'un des représentants de l'histoire narrative.

Discours sur l'histoire universelle, Al-Muqaddima

Ibn Khaldun   1383
Traduit de l'arabe
par V. Monteil   Sindbad (3 vol.)

La civilisation des Arabes et des Berbères, la naissance du pouvoir, des dynasties et des classes sociales : au XIVᵉ siècle, l'historien musulman fonde la sociologie, une philosophie de l'histoire et introduit la critique historique des documents.

L'Histoire romaine

Theodor Mommsen   1856-1885
Traduit de l'allemand
par C.A. Alexandre   Bouquins

La rencontre entre l'histoire et l'étude des vestiges matériels de l'antiquité. Ce monument — inachevé — valut à Mommsen le prix Nobel de littérature en 1902.

Considérations sur les causes de la grandeur des Romains et de leur décadence

Montesquieu   1734
                                            G. F.

« Mon but est d'observer l'esprit du temps, c'est lui qui dirige les grands événements de l'histoire. » Avec cette fresque de l'Empire romain, Montesquieu met en place une conception novatrice de l'histoire.

Qu'est-ce qu'une nation ?

Ernest Renan   *(1823-1892)*
Calmann-Lévy

Dans cette conférence célèbre, Renan formule la définition du fait national qui deviendra au XXe siècle le droit à l'auto-détermination ou «droit des peuples à disposer d'eux-mêmes».

Le Déclin de l'Occident

Oswald Spengler   1922
Traduit de l'allemand
par M. Tazerout   Gallimard (2 vol.)

Qu'est-ce qu'une culture ? Un art, une philosophie, une morale. «Une culture naît au moment où une grande âme se réveille.» L'essai de Spengler a trait à l'esprit des cultures occidentales, leur éveil et leur chute.

Les Origines de la France contemporaine

Hippolyte Taine   1893
Bouquins (2 vol.)

Taine analyse en doctrinaire et en polémiste le passage de la société de l'ancien régime au nouveau régime. Il brosse les portraits féroces de ceux qui, comme Danton, Robespierre ou Marat, ont provoqué cette métamorphose.

Souvenirs

Alexis de Tocqueville   1851
F.

Ces souvenirs couvrent une période assez brève de l'histoire de France : des événements de 1848 à octobre 1849, date à laquelle Tocqueville, député, quitte le ministère des Affaires étrangères. Dans ces notes, le philosophe porte des jugements acérés et pessimistes sur les faits et les hommes de son temps. L'avènement de la démocratie reste au cœur de ses préoccupations. Il en a analysé les effets en Amérique et envisage ses dangers en France.

Georges Duby :

«Il existe en France une telle curiosité pour l'histoire que le devoir des historiens professionnels est aussi d'être de véritables écrivains. *Le Temps des cathédrales* m'a permis d'accéder à un public plus large et satisfait mon désir d'écrire des livres d'histoire comme des livres de littérature. Je ne serais pas ce que je suis si je n'avais pas eu tout au long de ma vie commerce avec les livres, notamment avec le roman, si je n'avais pas eu le goût d'écrire, plaisir qui est à la fois si douloureux et si gratifiant. L'histoire exige de la clarté, de la lucidité, de la patience mais aussi du style et de l'imagination. Du lyrisme en somme. Transmettre une émotion devant les vestiges d'un passé relève de l'art. J'ai souvent dit que je ne croyais pas en l'objectivité de l'historien. Il doit être un homme passionné, il doit savoir se mettre en cause car c'est alors qu'il fera le mieux comprendre les temps dont il parle.

Le Moyen Âge et notre époque ont peut-être quelque chose en commun : un même désir d'image, de représentation. Nous sommes nous aussi pris dans cette fameuse société du spectacle et c'est à ce titre que m'intéressent le cinéma et la télévision qui sont les médias de masse.

Dans l'univers de surinformation qu'est le nôtre, dans lequel notre cerveau doit faire face à un perpétuel bombardement d'images et de mots, l'historien a encore une fonction. Celle d'éclairer la réalité par-delà les apparences trompeuses et les témoignages contradictoires. Celle de perpétuer chez ses concitoyens le sens du civisme et de l'esprit critique. Cette fonction-là me paraît fondamentale.»

Jacques Le Goff :

«Je pense, plus que jamais, que l'histoire est nécessaire à la compréhension du monde contemporain : ce qui paraît être — faut-il le préciser ? — la fonction de l'histoire. Je suis de ceux, pour cela, qui ont adopté comme moyen d'investigation le problème de la ''longue durée'' parce que je crois que notre histoire repose sur une histoire de la longue durée qui éclaire

La Civilisation à l'épreuve

Arnold J. Toynbee 1948
Traduit de l'anglais
par R. Villoteau Gallimard

Toute la vision de l'histoire de Toynbee s'exprime ici : sa théorie de la naissance et du déclin des civilisations dont il tente d'éclaircir «le mystérieux spectacle».

Principes d'une science nouvelle relative à la nature commune des nations

Giambattista Vico 1725
Traduit de l'italien
par A. Doubine Nagel

L'œuvre qui influença fortement Michelet. Vico dégage les lois fondamentales d'évolution de l'humanité, insiste sur l'importance du religieux dans la formation des civilisations et fonde une théorie cyclique de l'histoire.

Historiens et chroniqueurs du Moyen Âge

Pléiade

L'art de l'anecdote de Joinville, l'imagination romanesque de Froissart, le talent de mémorialiste de Commynes réunis dans ce volume où l'on retrouve aussi Robert de Clari et Villehardouin.

... en 49 livres

Histoire de la pensée politique

Jean-Jacques Chevalier 1979
Payot (3 vol.)

La pensée politique a son histoire propre à l'intérieur de l'histoire générale. Depuis son éveil dans la cité grecque, elle a contribué à forger les civilisations. J.-J. Chevalier intéresse le lecteur à la fois à la richesse de son contenu et à ses conséquences sur les conduites humaines.

L'Aventure de l'Encyclopédie (1775-1800) : un best-seller au siècle des Lumières

Robert Darnton 1978
Traduit de l'américain
par M.A. Revellat Perrin

«La plus grande entreprise de l'histoire du livre» à travers toutes les étapes de son évolution.

La Peur en Occident

Jean Delumeau 1978
Fayard et H. P.

Des peuples primitifs aux sociétés contemporaines, la peur est présente dans les secteurs les plus divers de la vie quotidienne. Une recherche qui révèle l'un des ressorts cachés de notre civilisation.

Maîtres et esclaves : la formation de la société brésilienne

Gilberto Freyre 1952
Traduit du portugais
par R. Bastide Gallimard

Une véritable redécouverte du Brésil, de ses origines, de son identité par le plus grand sociologue du pays. Il démontre en particulier l'importance de la culture africaine dans la «civilisation du métissage».

La Cité antique

Denis Fustel de Coulanges 1864
Flammarion

Les sociétés grecque et romaine se fondent sur trois faits indissociables : la religion domestique, la famille et le droit de propriété. Fustel de Coulanges accorde une place essentielle à la religion dans l'analyse de la cité antique.

Louis XIV et vingt millions de Français

Pierre Goubert 1966
Fayard et H. P.

«Confronter Louis à son royaume et à son temps», intéresser le lecteur aux infrastructures économiques et sociales de l'époque, tel est le sujet de cet ouvrage original et controversé.

L'Empire des steppes, Attila, Gengis Khan, Tamerlan

René Grousset   1965
Payot

« Je voudrais évoquer ici, dominé par les trois grandes puissances inscrites au frontispice de ce livre et en les expliquant, ce peuple de grands barbares en marche à travers dix siècles d'histoire, des frontières de la Chine à celles de notre Occident. »

La Destruction des juifs d'Europe

Raul Hilberg   1985
Trad. de l'anglais par M.-F. de Paloméra et A. Charpentier   Fayard
À partir de l'analyse de milliers de documents d'archives, cet historien américain explique avec une rigueur hors pair comment cinq millions de juifs ont été exterminés pendant la dernière guerre mondiale par le nazisme.

L'heure qu'il est

David S. Landes   1983
Trad. de l'anglais par P.-E. Dauzat et L. Evrard   Gallimard
En trois mouvements (culture, sciences, économie), cet historien de Harvard explique la naissance du monde moderne par la possibilité de mesurer le temps, notamment avec la diffusion de l'horloge mécanique dès le XIIIe siècle.

Venise, une république maritime

Frederic C. Lane   1985
Traduit de l'américain par Y. Bourdoiseau et M. Ymonet   Flammarion
Comment une petite république maritime a-t-elle pu dominer le monde par son éco-

notre présent. Je ne pense évidemment pas que le présent est la continuation du passé. Dans mon livre, *La Naissance du purgatoire*, je me suis élevé contre l'idée qu'il y avait une finalité dans l'histoire. Il y a hasard, création : c'est pourquoi le présent échappe au passé. Le présent se fait par d'autres moyens que la réflexion historique.

Je m'élève avec force contre ceux qui voudraient reléguer l'histoire parmi les amusements, sans comprendre que la fonction de la mémoire est aussi importante que celle du calcul. L'histoire est une dimension fondamentale de l'esprit humain et des sociétés. Et je m'élèverais en même temps contre ceux qui favorisent un ''impérialisme de l'histoire''. L'histoire sert à éclairer les phénomènes actuels, mais, à elle seule, elle est impuissante à éclairer les phénomènes qui ont leur nouveauté et leur vie propre.

En ce qui concerne le succès de la nouvelle histoire, je rappellerai qu'elle n'est qu'un avatar relativement spectaculaire d'une ''fonction'' historique très ancienne où prennent place des gens comme Voltaire, Chateaubriand ou Michelet. »

Manuels, dictionnaires et atlas historiques

A) Histoire de France.

Parmi les ouvrages récents :
— *Histoire de la France*, sous la direction de Georges Duby, 1982, Larousse (3 vol.).
— *Histoire de France*, sous la direction de Jean Favier, 1984, Fayard, 5 tomes actuellement parus.
En poche :
— *Histoire de la France*, Georges Duby, Larousse.
— *Histoire de la France*, P. Miquel, Marabout, 1976 (2 vol.).
— *Initiation à l'histoire de France*, P. Goubert, 1984, H.P.
— *Nouvelle histoire de la France contemporaine*, P.S. (16 vol.).

nomie et sa culture ? Pour Fernand Braudel cette étude se présente comme « la seule œuvre de référence à jour et vraiment solide » sur l'histoire de Venise.

Les Intellectuels au Moyen Âge

Jacques Le Goff   1957
                            P. S.
Le XIIᵉ siècle marque l'apparition des intellectuels, ceux qui font métier de penser et d'enseigner leur pensée. Cette esquisse de sociologie historique de l'intellectuel occidental est aussi une galerie de portraits : d'Abélard à Ockham, saint Thomas d'Aquin ou Brabaud.

Histoire du climat depuis l'an mil

Emmanuel Le Roy Ladurie   1967
                            Flammarion
« Le climat est une fonction du temps, il varie, il est sujet à des fluctuations ; il est sujet d'histoire. » L'enquête touche à la fois l'histoire du climat et la géographie des oscillations climatiques.

L'Apparition du livre

Henri-Jean Martin et Lucien Febvre 1958
                            Albin Michel
Avec cet ouvrage, le livre entre dans le champ d'investigation de l'histoire. Les auteurs n'ont pas voulu réécrire une histoire de l'imprimerie mais montrer comment l'expansion du livre a influencé la société qui a favorisé son apparition.

Technique et civilisation

Lewis Mumford   1946
Traduit de l'américain
par Denise Moutonnier   Seuil
S'il reconnaît la valeur de la technique pour l'homme, Mumford rejette la philosophie qui subordonnerait ses buts à la machine. Un bilan critique de la civilisation mécanique du Xᵉ siècle à nos jours.

La France de Vichy (1940-1944)

Robert O. Paxton   1973
Trad. de l'américain par C. Bertrand P.S.
Dans l'historiographie de Vichy, il y a l'avant-Paxton et l'après-Paxton. L'utilisation d'archives allemandes et les recherches de l'historien américain ont démontré que le gouvernement Pétain, loin d'avoir subi la collaboration, l'avait devancée.

Histoire de l'antisémitisme de Voltaire à Wagner

Léon Poliakov   1968
                    Calmann-Lévy et H. P.
L'histoire des attitudes face au peuple de la Bible par les grands idéologues, des philosophes des Lumières aux précurseurs du nazisme. Voltaire apparaît comme le prototype de l'antisémite moderne.

Histoire de la papauté pendant les XVIᵉ et XVIIᵉ siècles

Leopold von Ranke   1834-36
Traduit de l'allemand
par J.B. Haiber   Bouquins
L'un des fondateurs de l'histoire scientifique allemande brosse le tableau impartial de deux siècles de politique pontificale, de mouvements et de conflits religieux.

Histoire de la campagne française

Gaston Roupnel   1932
                            Plon et P. P.
Une belle étude historique de la campagne des vieux terroirs, de ses traits caractéristiques, de son influence sur la société et les hommes à la lumière du témoignage de ses vestiges.

Or et monnaie dans l'histoire (1450-1920)

Pierre Vilar   1966
                            Flammarion
Un essai de clarification pédagogique des problèmes posés par la monnaie au cours de l'histoire. L'auteur évoque les rapports

entre fait monétaire, histoire économique et histoire générale.

La Ville

Max Weber   (1864-1920)
Traduit de l'allemand
par Ph. Fritsch   Aubier-Montaigne

Interrogeant les civilisations passées et présentes, Max Weber dresse une typologie des villes. Un texte majeur de l'histoire des institutions et du phénomène urbain.

Histoire des passions françaises (1848-1945)

Theodore Zeldin   1977
Traduit de l'américain par P. Bolo et
D. Demoy Éd. Recherches (5 vol.), P. S.

L'ambition, l'amour, l'intelligence, l'orgueil, le goût... L'historien américain décompose tout ce qui a façonné nos habitudes et notre héritage intellectuel.

Histoire économique et sociale de la France

sous la direction de Fernand Braudel
et Ernest Labrousse   1976
                                        P.U.F.

La recherche du «concret collectif» prenant appui sur la connaissance statistique, voilà les moyens. Quant à la finalité de ce traité, elle reste l'ouverture vers le social.

Histoire de la France urbaine

sous la direction de Georges Duby   1980
                              Seuil (5 vol.)

Prolongement naturel de l'*Histoire de la France rurale* (Seuil), cet ouvrage collectif tente de définir le phénomène urbain, son évolution, ses mutations et sa place dans l'ensemble du système économique, social et politique.

Histoire de la vie privée

sous la direction de Georges Duby   1985
                              P.S. (5 vol.)

Le plaisir, la mort, le mariage, la vie domestique : les auteurs de cet ouvrage collectif se penchent sur la face cachée du comportement humain et appliquent le concept de vie privée dans ses variations sur plus de deux millénaires en Occident.

B) Histoire de l'Europe.

— *Histoire générale de l'Europe*, sous la direction de G. Livet, R. Moustier, 1980, P.U.F. (3 vol.).

C) Histoire générale.

— *Histoire générale des civilisations*, sous la direction de Maurice Crouzet, 1969, P.U.F. (7 vol.).
— *Dictionnaire encyclopédique d'histoire*, Michel Mourre, Bordas (8 vol.), nouvelle édition, 1982.
— *Histoire universelle*, sous la direction de R. Grousset et E. Leonard, 1958, Gallimard/Pléiade (3 vol.).
— *Les Grandes Civilisations*, Arthaud, 1965, Ouvrages de Grimal, Le Goff, Chaunu, Soboul et C. et V. Elisseff. Certains volumes sont réédités en poche.
— *Histoire du monde*, le Grand Quid illustré, Laffont, 1983.

En poche :
— *Histoire universelle*, Carl Grimberg, Marabout, 1983 (12 vol.).

D) Atlas.

Parmi les plus récents :
— *Atlas historique des villes de France*, sous la direction de P.H. Wolff et Higounet, 1981, C.N.R.S.
— *Atlas historique*, P.U.F., Clio (3 vol.).
— *Atlas historique*, sous la direction de Pierre Vidal-Naquet (Hachette).
— *Atlas historique*, L'histoire du monde en *317 cartes*, sous la direction de Georges Duby, 1987, Larousse.
— *Le Grand Atlas de l'histoire mondiale*, Universalis, 1979 (traduction du *Time Atlas of World History*).
— *Atlas de l'histoire des XIXᵉ et XXᵉ siècles*, L'Europe depuis 1815, Colin Mc Evedy, 1985, Laffont/Bouquins.

E) Réflexion sur l'histoire.

— *Comment on écrit l'histoire*, Paul Veyne, 1971, Points-Seuil.

Les grandes figures
de l'histoire

Près de 100 000 biographies sont déposées à la Bibliothèque nationale : de quoi peupler une ville entière ! Si le terme n'est apparu qu'au début du XVIIIᵉ, le genre, sous différentes appellations — «vies», «actes», «éloges», «oraisons», «notices» etc. —, est millénaire. L'*Odyssée* n'est-elle pas la biographie d'un personnage nommé Ulysse, et les quatre Évangiles, quatre «biographies» de Jésus ? À peu près à la même époque, Suétone et Plutarque écrivaient *Les Vies*.

Le phénomène d'identification, le désir — avoué ou non — d'imitation, est certainement l'un des fils conducteurs de la biographie. Paul Murray Kendall le reconnaît : «Sur la piste d'un autre homme, le biographe doit se résigner à se trouver lui-même à chaque tournant : toute biographie abrite, avec gêne, une autobiographie en son sein.» La biographie n'a pas que des adeptes ; en 1716, déjà, l'Anglais Addison s'élève contre «ceux qui guettent la mort des grands hommes comme autant d'entrepreneurs de pompes funèbres pour en faire argent». Baudelaire, lui, met en doute l'utilité des biographies-compilations : «Mène-t-on la foule dans les ateliers de l'habilleuse ou du décorateur ?» Il loue au contraire «celles qui permettent de vérifier les mystérieuses aventures du cerveau».

Pourtant, en dépit de ses détracteurs, les grandes biographies sont attendues comme des événements littéraires. Comment expliquer ce retour en force ?

Outre le désir du public d'en savoir plus sur les «stars» qui nous ont gouverné, on peut y voir également les effets secondaires de la crise des sciences humaines. Le territoire biographique a toujours entretenu des relations ambiguës avec ses voisins : l'histoire d'un côté, la fiction de l'autre. Profitant de l'évolution de ces sciences, le biographe réunit désormais l'un et l'autre pour mettre en relief le personnage.

La bibliothèque idéale se doit d'être le reflet de ces nouvelles perspectives. Elle n'en reste pas moins naturellement limitée et subjective. Elle rassemble uniquement des textes concernant des personnages ayant joué un rôle politique dans l'histoire du monde, de quelque époque historique ou lieu géographique qu'ils soient, en privilégiant toujours l'individu par rapport à la période concernée. Elle a donc comme complément indispensable les grands textes historiques présentés dans un autre chapitre. Devant l'abondance de textes les choix étaient périlleux. Ils ont été guidés d'abord par la notoriété du «biographé» mais également par l'intérêt historique du texte, sa capacité à n'être ni une simple compilation ni une fiction sur fond de vérité, et enfin sa qualité littéraire, ce qui conduit à inclure des ouvrages tendant vers l'essai ou le roman. Compte tenu de l'évolution continuelle des recherches historiques, certains ouvrages désormais dépassés n'ont pas été retenus mais les classiques demeurent dont on ne saurait se dispenser.

Les grandes figures de l'histoire

... en 49 livres

... en 25 livres

... en 10 livres

Mirabeau
Guy Chaussinand-Nogaret

Madame de Staël
Ghislain de Diesbach

L'Éminence grise
Aldous Huxley

Histoire de Saint Louis
Jean de Joinville

Frédéric II
Ernst Kantorowicz

Louis XI
Paul Murray Kendall

Pierre le Grand
Robert K. Massie

Vie de Disraeli
André Maurois

Fouquet ou le Soleil offusqué
Paul Morand

Talleyrand
Jean Orieux

Ibn Séoud
Jacques Benoist-Méchin

Louis XIV
François Bluche

Jules César
Jérôme Carcopino

Richelieu
Michel Carmona

Louis XIII
Pierre Chevallier

Philippe le Bel
Jean Favier

Bismarck
Lothar Gall

Cicéron
Pierre Grimal

De Gaulle
Jean Lacouture

Le Régent
Jean Meyer

Jeanne d'Arc
Jules Michelet

Staline
Boris Souvarine

Napoléon ou le mythe du sauveur
Jean Tulard

*Histoire de Charles XII
roi de Suède*
Voltaire

Marie Stuart
Stefan Zweig

Beaudouin IV de Jérusalem,
le roi lépreux
Pierre Aube

Louis II de Bavière
Jacques Bainville

Essai sur la vie de Mao Zedong
Henri Bauchan

Néron
Eugène Cizec

Soliman le Magnifique
André Clot

Laurent le Magnifique
Ivan Cloulas

Une dynastie américaine :
les Rockefeller
Peter Collier et David Horowitz

Guillaume le Maréchal
ou le meilleur chevalier du monde
Georges Duby

Louis XV
Pierre Gaxotte

Lincoln
Gore - Vidal

Marco Polo
Jacques Heers

François Ier
Jean Jacquart

Alexis de Tocqueville
André Jardin

Les Hommes de la liberté
Claude Manceron

Winston Churchill
William Manchester

Poincaré
Pierre Miquel

Colbert
Inès Murat

Trotski vivant
Pierre Naville

Soundjata ou l'épopée mandingue
Djibrill Tamsir Niane

Bolivar, le libertador
Gilette et Marie-France Saurat

Mussolini
Denis Mac Smith

Adolf Hitler
John Toland

Catherine la Grande
Henri Troyat

Guillaume le Conquérant
Paul Zumthor

• À vous de choisir le cinquantième
livre. Peut-être est-il déjà dans votre
bibliothèque.

... en 10 livres

Mirabeau

Guy Chaussinand-Nogaret 1982
Seuil

Un spécialiste de la noblesse d'Ancien Régime restitue Mirabeau au-delà de ses faiblesses humaines, dans son héroïque grandeur, grâce à une étude qui n'est ni une hagiographie ni un simple récit biographique mais qui témoigne de la volonté de lui rendre son véritable visage : « Sa passion sans mesure pour un mot dont les hommes vivent et pour lequel ils meurent : liberté. »

Madame de Staël

Ghislain de Diesbach 1984
Perrin et P. P.

Cette biographie, qui entend selon son auteur se « réduire » aux faits et gestes de Germaine de Staël, nous restitue mieux que toute autre la femme la plus vive, la plus imaginative, la plus brillante, la plus intelligente, ennemie jurée de Napoléon qui ne trouvait d'autre moyen pour la faire taire que de l'exiler. Benjamin Constant disait d'elle : « Si elle avait su se gouverner, elle aurait gouverné le monde. »

L'Éminence grise

Aldous Huxley 1941
Traduit de l'anglais
par Brigitte Véraldi Table Ronde et F.

Seule biographie qu'ait jamais écrite Huxley, fasciné par ce personnage extraordinaire qu'était le père Joseph, conseiller de Richelieu, fondateur de l'ordre du Calvaire, chef de redoutables services spéciaux, missionnaire, poète et mystique. Huxley s'attache à résoudre l'énigme la plus étrange de cette vie : celle d'un homme passionnément occupé de connaître Dieu et en même temps passionnément engagé dans une politique de force des plus dangereuses et sanglantes qui soient.

Histoire de Saint Louis

Jean de Joinville 1867
Pléiade

Joinville, familier de Louis IX, entreprit dès sa mort cette histoire du roi qui devait servir de modèle au futur Louis X. La volonté morale l'emporte sur le souci chronologique, mais on a rarement approché de si près, dans ses gestes de tous les jours, un roi de France. Un document de toute première main.

Frédéric II

Ernst Kantorowicz 1928
Traduit de l'allemand
par Albert Kohn Gallimard

Le livre clé d'un des plus grands historiens du siècle, jusqu'ici à peu près totalement inconnu en France. Une énorme analyse érudite de l'empereur fédérateur du Saint Empire romain germanique. Le livre a soulevé polémiques, interrogations, révisions et sa lecture a été bien souvent ambiguë. Le pouvoir centralisateur est toujours une question d'actualité.

Louis XI

Paul Murray Kendall 1971
Traduit de l'anglais
par Éric Diacon Fayard et M.

« Une histoire étrange et complexe, tour à tour grotesque et stupéfiante, souvent absurde et toujours agitée », par le Faulkner de la biographie américaine qui fait revivre, débarrassé de ses mythes effrayants et inepties, un roi aux capacités exceptionnelles, en lutte pendant quarante ans avec son père, menant son gouvernement au galop, habile à charmer, curieux, loyal, cachant derrière toute une comédie une fabuleuse simplicité : un acteur étonnant.

Pierre le Grand

Robert K. Massie 1980
Traduit de l'anglais
par Denise Meunier Fayard

À ce géant russe de plus de deux mètres de haut, à Pierre Ier, tsar de toutes les Russies, personnage hors du commun, il fallait une biographie hors du commun. Celle de Massie est à la fois une épopée où passe toute la démesure, tout le génie d'un tsar qui fut le premier à doter son pays d'une marine digne de ce nom, à l'ouvrir vers l'Occident, et un travail d'une rare érudition.

Vie de Disraeli

André Maurois   1927
Gallimard et F.

À travers le portrait du fondateur du parti conservateur qui a dominé la seconde moitié du XIXᵉ siècle, grandeurs et servitudes de la vie politique ; en occupant audacieusement un terrain dominé par les Anglais, André Maurois s'est révélé le maître de la biographie en France. Mais l'Angleterre aussi lui réserva le meilleur accueil.

Fouquet ou le Soleil offusqué

Paul Morand   1961
Gallimard

La plume rapide et étincelante de Paul Morand au service du trop somptueux surintendant de Louis XIV. « L'homme le plus vif, le plus naturel, le plus brillant, le plus français, va être pris dans un étau entre deux orgueilleux, secs, prudents, dissimulés, épurateurs impitoyables. Il succombera... confiant et aveugle, n'ayant su ni juger Colbert ni prévoir Louis le Grand. » À signaler le dernier livre de réhabilitation de Fouquet, homme de finances émérite : *Fouquet* de Daniel Dessert (Fayard, 1987).

Talleyrand

Jean Orieux   1970
Flammarion

L'une des figures les plus fascinantes de la fin du XVIIIᵉ siècle. Talleyrand connut cinq régimes, quatre ans d'exil, et fut pendant quarante ans après la Révolution l'incarnation brillante et vétuste de ce siècle des Lumières, de cet Ancien Régime toujours prêt à se plier au lendemain pour faire honneur à la vie et perpétuer la civi-

Le point de vue de P.M. Kendall

Brillant auteur de *Louis XI*, publié chez Fayard, P.M. Kendall parle dans *The Art of Biography* (George Allen and Unwin, 1965) de la difficulté du genre biographique. Pour lui, le biographe est « une sorte d'animal bifurqué, fouilleur et rêveur ; car la biographie est un impossible amalgame : à moitié arc-en-ciel, à moitié roc ». Deux écueils la menacent, la biographie romancée qui simule la vie mais ne respecte pas les matériaux dont elle dispose, et la biographie-compilation, gorgée de faits, mais qui ne fait pas revivre l'homme. « L'une manque la vérité, l'autre l'art. Entre les deux s'étend l'impossible artisanat de la vraie biographie. »

Henri Troyat biographe

Inspiré principalement par la Russie, son pays d'origine, Henri Troyat est passé maître dans l'art de la biographie.

Pour Henri Troyat, la biographie doit avoir la rigueur d'une œuvre scientifique et l'agrément d'une œuvre d'art. Quand il écrit une biographie, il essaie de lire tout ce qui se rapporte au personnage : mémoires, correspondances, souvenirs des contemporains. Peu à peu, il le sent vivre et, quand il l'entend parler, il se sent prêt à écrire sa biographie. Mais il n'épuise pas tout de suite la documentation : il descend progressivement dans le détail et tente de découvrir avec le personnage les péripéties de son existence. Comme son héros, il vit l'histoire pas à pas, événement après événement...

Henri Troyat ne souhaite pas devenir historien : plus que la grande histoire, c'est l'homme qui l'intéresse. Le piment de la biographie, c'est d'ailleurs d'arriver à se glisser dans la peau d'un personnage. Ce qui ne va pas parfois sans difficulté. Ainsi l'armure d'Ivan le Terrible fut-elle considérablement difficile à porter !

lisation. Jean Orieux nous restitue sans masque (ou presque) celui dont il dit : «Il était capable de tout, même de faire le bien.»

... en 25 livres

Ibn Séoud

Jacques Benoist-Méchin 1955
Albin Michel

En 1902, roi de 22 ans, il s'élance avec quarante hommes à la conquête de la péninsule arabique. Cela durera trente-deux ans. Une épopée bédouine aux allures de chanson de geste.

Louis XIV

François Bluche 1986
Fayard

À travers un travail d'une remarquable érudition, Bluche propose une vision plus «objective» du Roi-Soleil : «Le pouvoir absolu a, plus souvent qu'aucun autre, son cahier des charges, il serait étrangement paradoxal de le priver de toute responsabilité positive.»

Jules César

Jérôme Carcopino 1935
P.U.F.

Sans cesse enrichi, renouvelé et vivant, le travail le plus soutenu et le plus brillant, sur le maître des Gaules, par un autre maître...

Richelieu

Michel Carmona 1983
Fayard et M.

Une nouvelle lecture de ce «prodigieux animal politique», rendue nécessaire par la publication de nombreux inédits ces dernières années. Ce volume est consacré à l'aspect politique du cardinal. Un second, à Richelieu dans son temps : *La France de Richelieu*.

Louis XIII

Pierre Chevallier 1979
Fayard et M.

Un homme de volonté et de devoir, qui a fait sienne cette maxime de saint Augustin : «Pouvoir ce que l'on veut et vouloir ce qu'il faut.»

Philippe le Bel

Jean Favier 1978
Fayard

Une longue familiarité avec les années 1300 conduit Jean Favier à apporter pour la première fois une mise au point d'ensemble sur les problèmes que posèrent au dernier des «grands capétiens» sa couronne et son royaume.

Bismarck

Lothar Gall 1980
Traduit de l'allemand
par J.-M. Gaillard-Paquet Fayard

Une thèse solidement étayée qui, à travers Bismarck, mène au cœur des problèmes fondamentaux de l'histoire allemande et européenne tout en replaçant le protagoniste dans la problématique hégélienne du grand homme dans l'histoire.

Cicéron

Pierre Grimal 1984
Fayard

Par un spécialiste de l'histoire romaine (il a écrit aussi un *Virgile*, un *Sénèque*...), la vie du «maître» des discours de la Rome nouvelle, Père de la Patrie, assassiné sur ordre par un parricide. Une biographie placée sous le signe du père.

De Gaulle

Jean Lacouture 1984-86
Seuil

Cette vie de Charles de Gaulle, en plus de deux mille pages, nous restitue fidèlement les événements qu'il a traversés sinon façonnés, grâce à une foule de témoignages nouveaux, de documents oubliés et une écriture qui doit autant au journalisme qu'à la littérature.

Le Régent

Jean Meyer   1985
                                Ramsay

« Dans les multiples facettes de l'homme, tout un chacun y trouve sa part de séduction, sa part aussi de répulsions. Quel est donc ce diable d'homme ? » Un portrait par petites touches, une esquisse de l'homme et non une histoire de la régence, une approche qui précise les lignes du Régent en évitant les jugements trop abrupts. Pour une histoire de la régence, lire *Le Régent*, Christian Petit-Fils (Fayard).

Jeanne d'Arc

Jules Michelet   1853
                                F.

Extrait du tome V de son *Histoire de France*, ce portrait d'une héroïne dont la popularité ne s'est guère démenti à travers les siècles se garde bien d'« en faire une légende », mais s'attache à « en conserver pieusement tous les traits, même les plus humains, et à en respecter la réalité touchante et terrible ».

Staline

Boris Souvarine   1935
                                Lebovici

Du vivant de Staline, la vision terrifiante par un ancien de la Troisième Internationale de « l'homme de fer » ou le socialisme à visage inhumain. Le temps devait lui donner tristement raison.

Napoléon ou le mythe du sauveur

Jean Tulard   1977
                                Fayard

« Venu dans des circonstances tragiques (coup d'État, Révolution, défaite nationale), le sauveur disparaît dans une atmosphère d'apocalypse » et dans un contexte suicidaire auquel de Gaulle lui-même n'aurait pas échappé si l'on en croit Malraux.

Un modèle : la biographie anglo-saxonne

Dans un article paru en juin 1979 dans la revue *L'Histoire*, Jean-Noël Jeanneney plaidait en faveur d'un renouveau de la biographie française, mettant en valeur l'art des biographes anglo-saxons : « Outre-Manche, outre-Atlantique, la tradition rhétorique, la tradition culturelle ne redoutent pas l'énoncé simple des faits que n'éclairent pas des idées générales — au long du fil d'une vie, simplement. On met plus souvent que chez nous une passion d'entomologiste à les recenser pour eux-mêmes [...]. C'est grâce à eux que nous possédons des biographies intégrales ou partielles de Gambetta, de Jaurès, de Delcassé, de Millerand, de Tardieu, de Weygand, de Mandel, de Clemenceau [...]. Toute l'évolution de notre historiographie, en revanche, depuis deux générations, a tendu à déprécier, malgré le goût du public, les travaux de ce type. »

La biographie en France

• Mieux vaut être un homme : tous les siècles confondus, les femmes ne représentent que 12 % du total... et encore, parmi celles qui ont eu la chance d'être « biographées », nombreuses sont les épouses, veuves, mères, maîtresses ou saintes !
• Les écrivains (710 biographies) battent sur le fil les personnages historiques (707). A noter que l'écrivain français le plus biographé reste Céline, dont même le chat Bébert a fait l'objet d'une compilation de Frédéric Vitoux. Parmi les personnages historiques, le choix des auteurs porte sur les personnages contestés (les « collaborateurs » sont souvent plus biographés que les résistants), morts tragiquement ou victimes d'une quelconque malédiction (par exemple Louis II de Bavière).
• Derrière ces leaders, philosophes, musiciens, peintres et sculpteurs se partagent à parts égales les faveurs des biographes,

Histoire de Charles XII, roi de Suède

Voltaire 1731
Orban

Contemporain de Charles XII et fasciné par celui qu'il définissait «moitié Alexandre, moitié don Quichotte», Voltaire nous offre un chef-d'œuvre de la littérature historique française.

Marie Stuart

Stefan Zweig 1933
Traduit de l'allemand
par Alzir Hella Grasset et L. P.

Il fallait un esprit libre et le grand talent de Zweig pour rendre à Marie Stuart, reine d'Écosse à six jours et de France à dix-sept ans, sa dimension tragique et romanesque.

... en 49 livres

Beaudouin IV de Jérusalem, le roi lépreux

Pierre Aube 1981
Tallandier

Ce livre, fruit des recherches les plus fouillées, ressuscite un personnage entre tous pathétique : le petit roi lépreux mourant à vingt-quatre ans après une vie remplie d'exploits.

Louis II de Bavière

Jacques Bainville 1964
Complexe

Cette biographie est remarquable de par sa sobriété face à une figure qui prêta plus que toute autre au romantisme et à la tragédie.

Essai sur la vie de Mao Zedong

Henri Bauchau 1982
Flammarion

En l'absence de toute grande biographie sur l'auteur du *Petit Livre rouge*, cet essai, qui ne prend parti ni pour ni contre, cherche moins encore à juger Mao mais simplement à «l'entendre» à travers ce qu'il a été. C'est déjà beaucoup.

Néron

Eugène Cizec 1982
Fayard

Le *Néron* de Cizec offre de ce personnage, à la personnalité hors série, une lecture à la mesure du talent de cet universitaire roumain, spécialiste mondial de l'empereur romain et de son époque.

Soliman le Magnifique

André Clot 1983
Fayard

«Sultan des sultans, ombre de Dieu sur terre», il fut le contemporain de Charles Quint, Henri VIII et François 1er. La splendeur du grand Turc se reflétait jusque dans les décorations et les rites du sérail.

Laurent le Magnifique

Ivan Cloulas 1982
Fayard et M.

Un envoûtant voyage sur les traces de Laurent de Médicis, l'homme politique, le banquier, le mécène et le poète, «à la fois Apollon victorieux et Marsyas écorché», tels qu'ils figurent sur le cachet des Médicis.

Une dynastie américaine, les Rockefeller

Peter Collier et David Horowitz 1976
Traduit de l'américain
par Robert et Magali Merle Seuil

Sur quatre générations, l'épopée d'une véritable dynastie qui pendant un siècle a modelé ses ambitions sur la destinée impériale des États-Unis. Une fabuleuse chronique.

Guillaume le Maréchal ou le meilleur chevalier du monde

Georges Duby 1984
Fayard et F.

À travers l'irrésistible ascension de Guillaume le Maréchal, le meilleur analyste en France des trois ordres de la société médiévale reconstitue, dans l'un de ses plus beaux récits, le théâtre de la chevalerie.

Louis XV

Pierre Gaxotte 1933
Flammarion

Un «classique» et une réhabilitation de Louis XV, roi au siècle des Lumières et du développement économique. Une galerie de portraits brillants.

Lincoln

Gore-Vidal 1984
Traduit de l'américain
par G. Joulié Julliard

Un pari osé et réussi : faire du principal personnage d'une période historique donnée le héros central du roman qui la raconte. Pas à pas, et presque scientifiquement, l'itinéraire politique et humain du plus grand président des États-Unis.

Marco Polo

Jacques Heers 1983
Fayard

Ce livre est le fruit de deux aventures : celle de l'intrépide Vénitien qui passa vingt ans au service de l'empereur mongol, et celle de son livre, *Le Devisement du monde*, plus probablement écrit en collaboration. Les premiers «nègres» littéraires ?

François Ier

Jean Jacquart 1981
Fayard et M.

Biographie du Roi-Chevalier et de l'homme de la Renaissance, elle est aussi, replacée dans le siècle et nourrie des plus récents travaux, une représentation de la France du début du XVIe siècle.

les Grecs et Freud remportant la palme des philosophes biographés (Simone Weil a toutefois fait l'objet de six biographies).
• Les recordmen de la biographie ? Pas de surprise, les géants sont là : de Gaulle (113 biographies), Napoléon (105), Jeanne d'Arc (28), Hitler (19), Staline (19), Lénine (18), Alexandre le Grand (18), Robespierre (15)...
• Les biographies des personnages du XXe siècle représentent environ le tiers de l'ensemble.
• Dernière remarque sur le paysage biographique : sur 100 000 biographies déposées à la Bibliothèque nationale, 3 % seulement sont disponibles en librairie.

Source : Catalogue 1986
du Cercle de la Librairie.

Trouvez les dates de leurs règnes

1) Charlemagne
2) Henri VIII
3) François-Joseph
4) Louis XI
5) Catherine II
6) Henri IV
7) Élisabeth Ire
8) Hugues Capet
9) Louis XVIII
10) Pierre le Grand
11) Louis XIV
12) Philippe le Bel

a) 1762 - 1796
b) 1461 - 1483
c) 1814 - 1824
d) 1558 - 1603
e) 1509 - 1547
f) 1682 - 1725
g) 1643 - 1715
h) 768 - 814
i) 1848 - 1916
j) 1285 - 1314
k) 1562 - 1610
l) 987 - 996

Réponses :
1 h - 2 e - 3 i - 4 b - 5 a -
6 k - 7 d - 8 l - 9 c - 10 f -
11 g - 12 j

Alexis de Tocqueville

André Jardin   1984
                                  H. P.

Écrite par l'un des meilleurs spécialistes du sujet, cette étude biographique approfondie est indispensable à la connaissance d'un des grands penseurs politiques modernes.

Les Hommes de la liberté

Claude Manceron   1972-87
                              Laffont (5 vol.)

— 1 - Les vingt ans du Roi, 1774-1778 ;
— 2 - Le vent d'Amérique, 1778-1782 ;
— 3 - Le bon plaisir, 1782-1785 ;
— 4 - La révolution qui lève, 1785-1787 ;
— 5 - Le pain de la Bastille, 1787-1789.

Des dix mille fiches de l'auteur se lèvent des hommes de chair et de sang qui, ensemble, ont vécu l'une des plus formidables aventures du monde. Cette œuvre ne se raconte pas, elle se vit.

Winston Churchill

William Manchester   1983
Traduit de l'américain
par Odile Demange   Laffont

À travers une documentation impressionnante, une évocation du Vieux Lion britannique, qui naît à l'apogée de l'Empire anglais et ne se résignera jamais à son déclin.

Poincaré

Pierre Miquel   1961
                                  Fayard

Par l'auteur de *La Grande Guerre*, ce portrait d'un président, l'un des personnages les plus représentatifs de la IIIe, aux prises avec un drame national.

Colbert

Inès Murat   1980
                              Fayard et M.

Portrait magistral de ce grand commis de l'État, dont Madame de Sévigné disait : «Colbert, c'est le Nord», et qui porta pour le compte de Louis XIV tout le poids de la vie économique et financière du pays.

Trotski vivant

Pierre Naville   1962
                           Ed. d'Aujourd'hui

Pierre Naville a travaillé en collaboration avec Trotski de 1927 à 1940. Il offre ici non une biographie, mais des souvenirs, des impressions personnelles, où il a «tenté de faire passer quelque chose de ce qu'[il] avait recueilli auprès de Trotski». Remarquable pour faire connaissance avec ce dernier.

Soundjata ou l'épopée mandingue

Djibril Tamsir Niane   1971
                         Présence Africaine

L'unification de l'Afrique de l'Ouest par l'empereur Soundjata, un Charlemagne africain, musicien, inventeur du balafon avec lequel il charmait ses ennemis.

Bolivar, le Libertador

Gilette et Marie-France Saurat 1979
                                  Lattès

Malheureusement épuisé. Une fresque passionnante et remarquable de clarté historique qui retrace le parcours de celui dont, un siècle et demi après sa mort, «les œuvres et la pensée deviennent chaque jour davantage la bible et l'espérance des peuples latino-américains». À signaler une des parutions des *Cahiers de l'Herne* consacrée à Simon Bolivar, sous la direction de Laurence Tacou (1986).

Mussolini

Denis Mac Smith   1981
Traduit de l'anglais
par Brigitte Gyr   Flammarion

Le portrait très vivant et critique d'un personnage paradoxal, envers qui le jugement de l'histoire n'est pas indulgent mais auquel l'Italie doit dans une certaine mesure sa seule période de relative unité.

Adolf Hitler

John Toland   1976
Traduit par L. Dilé   Laffont

Deux cents interviews, des documents d'archives secrets, sans doute la biographie la plus «objective» qui soit sur le Führer.

Catherine la Grande

Henri Troyat   1977
      Flammarion

Cette aventure d'une petite Allemande qui voulut incarner la Russie et y réussit superbement se dévore comme un roman. On y sent passer l'âme russe et le souffle des grandes histoires.

Guillaume le Conquérant

Paul Zumthor   1979
      Tallandier

Le 29 septembre 1066, Guillaume le Bâtard, duc de Normandie, débarque en Angleterre à la tête de ses troupes. La suite, c'est la fameuse bataille de Hastings où fut tué son rival au trône. Mais Guillaume ne fut pas seulement un homme de guerre, il pacifia la Normandie et fut un grand bâtisseur qui porta l'art roman à un degré de perfection inégalé.

L'Antiquité et nous

Légendes et paysages, monuments et œuvres littéraires : la notion d'Antiquité recouvre et évoque bien des images différentes, de «*rosa, rosa, rosam...*» et la classe de latin aux pyramides égyptiennes, de la légende d'Œdipe et de ses prolongements freudiens à l'esthétique classique incarnée par la statuaire grecque ou encore de la Bible au voyage d'Ulysse.

Si ce rayon antique de la bibliothèque idéale a parfois des allures de bric-à-brac c'est parce que notre imagination est elle-même dans ce domaine des plus composites, constituée des couches successives que l'héritage antique de notre culture et de notre histoire a déposées en elle. Littérature antique mais aussi moderne, histoire et philosophie, art et archéologie et même une bande dessinée : les livres que nous avons choisis appartiennent à des genres très divers.

Si l'Antiquité a une unité, celle-ci est bien sûr en premier lieu historique. La période comprise ici sous le terme d'Antiquité va, en gros, de la Haute Antiquité égyptienne et des débuts de la civilisation hébraïque à l'Antiquité tardive chrétienne et à la chute de l'Empire romain (voir notre encadré chronologique). Il nous a, par exemple, semblé qu'un auteur comme saint Augustin représentait bien la fin de l'Antiquité et que s'esquissait avec lui le passage à la littérature et à la pensée modernes.

Mais pour nous l'Antiquité se définit non seulement chronologiquement mais aussi géographiquement : par «l'Antiquité et nous», nous entendons cette Antiquité dont nous sommes issus et qui vit aujourd'hui encore dans notre langue et notre culture, c'est-à-dire essentiellement celle des civilisations du bassin méditerranéen. La Perse, l'Inde ou la Chine, présentes ailleurs, sont donc absentes de notre choix.

Au premier plan des œuvres littéraires que l'Antiquité nous a léguées, se trouve naturellement le livre par excellence, la Bible, et nous avons plus précisément choisi l'Ancien Testament, souche commune des religions et des cultures juive et chrétienne. Cette antiquité biblique est également représentée par des travaux d'historiens comme la *Naissance de Dieu* de Jean Bottéro et l'*Histoire d'Israël* de S.W. Baron.

Mais le rayon le mieux fourni de cette bibliothèque antique est, à l'évidence, celui de la littérature grecque et latine. La plupart des formes littéraires qui sont aujourd'hui les nôtres y ont leur origine et nous avons essayé de donner de cette littérature, dans laquelle tant de nos écrivains ont puisé leur inspiration quand ils n'y ont pas aussi appris à lire, une image qui en reflète la variété : le théâtre avec les tragiques grecs (Eschyle, Sophocle et Euripide) et les comédies d'Aristophane ; l'histoire avec Hérodote, que les Anciens appelaient «le père de l'Histoire», et Thucydide dont les analyses nous semblent si modernes, mais aussi, pour Rome, Tite-Live, César, Tacite et Suétone ; la poésie grecque avec Ésope, le fabuliste auquel La Fontaine doit tant, et Pindare qu'admirait Nietzsche ; la poésie latine avec Virgile, Horace et Lucrèce ; le roman avec Pétrone ; la philosophie enfin, qui est d'abord grecque, avec les présocratiques, Platon et les stoïciens.

Mais l'Antiquité n'a pas seulement nourri notre littérature. Elle a aussi joué un rôle important dans l'histoire récente des sciences humaines, comme en témoigne notamment l'œuvre de Georges Dumézil. D'autres historiens et chercheurs méritaient aussi d'être à l'honneur parmi lesquels nous avons choisi Jean-Pierre Vernant, Pierre Vidal-Naquet, M.I. Finley et Peter Brown.

La notion d'Antiquité est du reste une notion moderne par excellence : il faut être et se savoir moderne pour avoir une quelconque conscience de l'Antiquité et la *Naissance de la tragédie* de Nietzsche illustre cette prise de conscience et cette modernité de l'Antiquité.

Enfin l'Antiquité est invitation au voyage. Nous avons essayé d'y répondre avec la *Description de l'Attique* de Pausanias ou l'*Été grec* de Jacques Lacarrière qui ouvrent notre bibliothèque à ce ciel grec à nul autre pareil sous lequel nous avons, en un certain sens, vu le jour.

L'Antiquité et nous

... en 49 livres

... en 25 livres

... en 10 livres

Ancien Testament

Théâtre complet
Aristophane

Théâtre
Eschyle et Sophocle

*Dictionnaire de la mythologie
grecque et romaine*
Pierre Grimal

L'Iliade
Homère

Œuvres complètes
Hérodote - Thucydide

De la Nature
Lucrèce

Satiricon
Pétrone

Apologie de Socrate
Platon

L'Énéide
Virgile

La Trinité
Saint Augustin

Historiens romains
César, Salluste, Tite-Live

Pro Murena
Cicéron

Philippiques
Démosthène

Mythes et épopées
Georges Dumézil

Fables
Ésope

Théâtre
Euripide

Les Aventures de Télémaque
Fénelon

*Théogonie,
Les travaux et les jours,
Le bouclier*
Hésiode

Odes et épodes
Horace

L'Été grec
Jacques Lacarrière

L'Art d'aimer
Ovide

Description de l'Attique
Pausanias

Les Antigones
George Steiner

Annales
Tacite

Histoire d'Israël
S.W. Baron

Naissance de Dieu
Jean Bottéro

Genèse de l'Antiquité tardive
Peter Brown

*La Vie quotidienne à Rome
à l'apogée de l'Empire*
Jérôme Carcopino

Homosexualité grecque
Sir Kenneth Dover

Le Monde d'Ulysse
Moses Finley

*Histoire du déclin et de la chute
de l'Empire romain*
Edward Gibbon

Guide romain antique
G. Hacquard, J. Dautry, O. Maisani

La Grèce antique et la vie grecque
A. Jardé

Promenades étrusques
David Herbert Lawrence

Les Derniers Jours de Pompéi
Edward George Bulwer Lytton

Le Fils de Spartacus
Jacques Martin

La Naissance de la tragédie
Friedrich Nietzsche

Extraits des orateurs attiques

L'Art grec
sous la direction
de Kostas Papaioannou

Odes pythiques
Pindare

Les Stoïciens

Vie des douze Césars
Suétone

Quo vadis ?
Henryk Sienkiewicz

À la recherche de l'Égypte oubliée
Jean Vercoutter

Mythe et tragédie en Grèce ancienne
Jean-Pierre Vernant
et Pierre Vidal-Naquet

Œuvres complètes
Xénophon

Mémoires d'Hadrien
Marguerite Yourcenar

Égypte
Guide Bleu

• À vous de choisir le cinquantième livre. Peut-être est-il déjà dans votre bibliothèque.

... en 10 livres

Ancien Testament

XIe-Ier siècle av. J.-C.
Traduction œcuménique
de la Bible (T.O.B.) L. P.
Faut-il présenter le livre par excellence ?
Écrit en hébreu, l'Ancien Testament
regroupe les livres bibliques communs aux
religions juive et chrétienne. Il est constitué pour l'essentiel de la loi juive, ou
Torah, reçue de Dieu par Moïse sur le
mont Sinaï ; les chrétiens y reconnaissent
le texte annonciateur de la venue du Christ.
Livre fondateur de notre culture, l'Ancien
Testament, dont la rédaction s'est prolongée sur plus de dix siècles, est aussi un
document historique de premier plan et
l'un des plus beaux poèmes de l'histoire
de l'humanité.

Théâtre complet

Aristophane *(445-386 av. J.-C.)*
Traduit par V.-H. Debidour F.
Il n'y avait pas que les grandes représentations sacrées de tragédies dans l'ancienne
Grèce. Les bouffonneries canailles d'Aristophane, son sens de la langue populaire,
son utilisation de la scène, des dialogues
avec le public ou des costumes délirants,
sa façon de se moquer de tous et en particulier des politiciens annoncent, vingt-
quatre siècles à l'avance, l'heureuse époque du cinéma burlesque.

Théâtre

Eschyle *(525-455 av. J.-C.)*
et *Sophocle* *(496-406 av. J.-C.)*
Traduit par J. Grosjean
et R. Dreyfus Pléiade
Du théâtre de Racine à l'Œdipe freudien,
la tragédie grecque n'en finit pas de nourrir notre imaginaire et notre réflexion. Ces
héros qui expient des fautes qu'ils n'ont
pas commises sont des nôtres. « Ni tout à
fait coupable, ni tout à fait innocente » : le
mot de Racine parlant de Phèdre caracté-
rise bien le destin tragique en général.

Par-delà leur signification religieuse proprement grecque, les tragédies d'Eschyle
(*l'Orestie, les Perses, Prométhée enchaîné*) et
de Sophocle (*Antigone, Électre, Œdipe roi*)
nous parlent peut-être plus que tout autre
texte de l'Antiquité.

Dictionnaire de la mythologie grecque et romaine

Pierre Grimal 1951
P.U.F.
Les mythes, les dieux et les héros de
l'Antiquité sont partout présents, parfois
à notre insu, dans notre langue, notre littérature, notre peinture ou notre musique.
Le dictionnaire de Pierre Grimal, spécialiste renommé de littérature latine, est un
indispensable fil d'Ariane pour s'y retrouver dans cet univers foisonnant.

L'Iliade

Homère *(vers le IXe s. av. J.-C.)*
Traduit par Jean Bérard F.
Le poème épique de la guerre de Troie. La
colère d'Achille, la mort de Patrocle ou le
duel entre Hector et Achille sont des sommets de l'art homérique. *L'Odyssée*, qui
figure ailleurs, ne saurait bien sûr non plus
être oubliée.

Œuvres complètes

Hérodote *(vers 485-425 av. J.-C.)*
et *Thucydide* *(vers 470-400 av. J.-C.)*
Traduit par A. Barguet
et D. Roussel Pléiade
Hérodote, grand voyageur, était curieux de
tout et avait un excellent coup d'œil mais
il eut plutôt mauvaise presse dans l'Antiquité : on l'accusait de raconter... des histoires ! Thucydide, dont la vie fut agitée
par la politique (il mourut assassiné), est
plus méfiant. Il jette un regard froid sur
l'interminable lutte entre Sparte et Athènes et fonde en quelque sorte la méthode
historique.

De la nature

Lucrèce   (98-55 av. J.-C.)
Traduit par Henri Clouard   G. F.
Reprenant la doctrine philosophique de son maître Épicure, des principes physiques aux conséquences morales, Lucrèce lui a donné la forme d'un long poème. Les descriptions de la nature et la célèbre invocation à Vénus qui ouvre le premier livre comptent parmi les plus belles pages de la littérature latine.

Satiricon

Pétrone   (1er siècle après J.-C.)
Traduit par Pierre Grimal   F.
On n'en connaît pas exactement l'auteur qu'on confond peut-être avec un sénateur du temps de Néron, mais c'est un des premiers romans de l'histoire de ce genre littéraire. C'est picaresque, burlesque, satirique, voire même assez érotique (et il y en a pour tous les goûts puisque l'amour rival des personnages se partage entre des femelles dévorantes et le charmant Giton).

Apologie de Socrate

Platon   (428-348 av. J.-C.)
Traduit par Émile Chambry   G.F. et F.
Le procès de Socrate, en 399 avant Jésus-Christ, à l'issue duquel le philosophe fut condamné à mort et but la ciguë. Socrate, face à ses juges, se défend des accusations portées contre lui selon lesquelles il serait impie et corromprait la jeunesse. Le procès de Socrate est l'événement qui détermina Platon à devenir philosophe et à défendre la mémoire de son maître victime de l'injustice.

L'Énéide

Virgile   (70-19 av. J.-C.)
Traduit par P. Klossowski   Gallimard
Inspiré par *l'Odyssée*, Virgile évoque l'arrivée mythique des Troyens en Italie. Énée, qui serait donc l'ancêtre de Romulus, vit quelques aventures en Méditerranée : ses amours avec Didon ou sa descente aux Enfers près du site de Cumes sont des

Les classiques Budé

Depuis 1920, de Platon à Suétone, de Lucrèce à Plutarque, les auteurs grecs et latins ont trouvé refuge dans la collection Budé. 590 textes et traductions ont d'ores et déjà paru sous les fameuses couvertures orange ornées de la louve romaine pour les Latins, chamois frappées de la chouette d'Athéna pour les Grecs.

À l'origine de cette entreprise, l'Association Guillaume Budé (95, boulevard Raspail, 75006 Paris). Créée en 1917 pour «remettre à l'honneur la science française» et permettre la publication des auteurs grecs et latins, elle avait pour objectif immédiat de rompre le monopole des éditeurs de Leipzig ou de Berlin auxquels les étudiants et professeurs français étaient contraints de s'adresser pour se procurer des textes classiques. Après un bref séjour chez Hachette, l'association fonde la société d'édition les Belles Lettres. En 1920 paraissent les *Dialogues* de Platon et *De la nature* de Lucrèce. Aujourd'hui, le premier écoule sa douzième édition avec 39 000 exemplaires vendus, le second, sa seizième avec 63 000 exemplaires vendus. «Des best-sellers!» affirme Jean Malye, directeur des Belles Lettres. En effet, quand on sait que le tirage de chaque titre ne dépasse pas 2 500 exemplaires. «Si tout va bien, et si c'est un bon titre, on peut espérer en vendre 1 000 la première année, dont 700 d'office à des bibliothèques du monde entier, puis cela tombe à 100, 50, 20... On en a au moins pour quinze ans.» Une collection prestigieuse mais dont la rentabilité, on l'aura deviné, n'est pas le souci majeur. Et qui connaît aujourd'hui des difficultés financières, car ses auteurs à succès — Virgile, Platon ou Homère — sont à présent disponibles dans des collections moins coûteuses (Folio, Garnier-Flammarion, Le Livre de Poche et Médiations) auxquelles la société d'édition a cédé les droits de publication en «poche».

Ces considérations économiques ne doivent cependant pas masquer le formidable travail qu'effectuent les chercheurs en amont. La réalisation d'une édition origi-

morceaux d'anthologie. La langue est d'une musique extraordinaire et la traduction de Klossowski respecte la structure surprenante de la phrase latine.

... en 25 livres

La Trinité

Saint Augustin   *(354-430 après J.-C.)*
Traduit par J.-M. Lamarre   Magnard

Nul n'incarne mieux que saint Augustin la littérature chrétienne des premiers siècles. Son *De Trinitae* est, à certains égards, d'une étonnante modernité. Avec ce Père de l'Église, contemporain de la chute de l'Empire romain, c'est déjà un autre monde qui se met en place.

Historiens romains de la République

César   *(100-44 av. J-C.)*
Salluste   *(86-35 av. J.-C.)*
Tite-Live *(59 av. J.-C. - 17 après J.-C.)*
Traduit par G. Walter   Pléiade

De Romulus et Remus à la conquête de la Gaule et aux guerres civiles de la fin de la République, l'histoire légendaire de Rome.

Pro Murena

Cicéron   63 av. J.-C.
Trad. par A. Boulanger   Belles Lettres

Avocat, homme politique, écrivain et philosophe, Cicéron est avant tout le maître de l'éloquence latine. Tout à la fois discours judiciaire et discours politique, ce plaidoyer pour Murena est caractéristique du style et de la rhétorique cicéroniennes.

Philippiques

Démosthène   351 av. J.-C.
Traduit par M. Croiset   Belles Lettres

L'une des grandes figures de la démocratie athénienne exhorte ses concitoyens à résister aux menées de Philippe de Macédoine. Un classique de l'art oratoire.

Mythes et épopée

Georges Dumézil   1968-1973
          Gallimard

Les trois volumes de cette immense fresque ont pour titre : *L'Idéologie des trois fonctions dans les épopées des peuples indo-européens* (1968), *Types épiques indo-européens : un héros, un sorcier, un roi* (1971), *Histoires romaines* (1973). L'analyse de l'«idéologie trifonctionnelle», c'est-à-dire comment la société, et la culture dans son ensemble, sont divisées en trois structures hiérarchiques : la souveraineté, la force physique, la fécondité. On retrouve les trois fonctions aussi bien chez Hésiode que dans les sagas islandaises, le roman classique ou, comme le remarque ironiquement Dumézil (*Entretiens avec Didier Eribon*, Folio), chez Eugène Sue ou dans la bande dessinée.

Fables

Ésope   *(VII-VIe siècle av. J.-C.)*
Traduit par E. Chambry   Belles Lettres

Cet esclave affranchi, dont nous savons peu de choses et que la légende nous décrit laid, bègue et bossu, a inspiré à La Fontaine un grand nombre de ses fables.

Théâtre

Euripide   *(480-406 av. J.-C.)*
Trad. par M. Delcourt-Curvers   Pléiade

La folie, la fureur, les contradictions du cœur, la confusion des sentiments, le destin tragique, la mort violente chez des individus comme tous les autres. On ne plane plus chez les dieux comme chez Eschyle, mais on se retrouve en plein bourbier humain et dans les ténèbres d'un inconscient souvent cauchemardesque. «Le plus tragique des poètes», disait Aristote.

Les Aventures de Télémaque

Fénelon 1699
Texte établi par Jeanne-Lydie Goré
Garnier

Précepteur du Dauphin à la cour de Louis XIV, Fénelon écrivit à l'usage de son élève une suite à l'*Odyssée*. L'aventure, la morale, l'amour, la politique revus et corrigés par un habile helléniste de l'âge baroque.

Théogonie, Les travaux et les jours, Le bouclier

Hésiode (VIIIe siècle av. J.-C.)
Trad. par Paul Marzon Belles Lettres

Paysan né sur les pentes de l'Hélicon, Hésiode invente la poésie didactique avec *Les travaux et les jours*. Il est un formidable observateur de la nature (notations succulentes dignes de Buffon ou de Jules Renard) et en même temps un théoricien des races ou des âges successifs, inventeur (ou recopieur) de mythes sur lesquels Georges Dumézil et d'autres se sont penchés avec curiosité.

Odes et épodes

Horace 30 à 13 av. J.-C.
Trad. par F. Villeneuve Belles Lettres

Sans doute l'un des plus grands poètes latins avec Virgile. À la fois lyrique et classique, le poète du «*carpe diem*» a exercé une grande influence sur les écrivains de la Renaissance.

L'Été grec

Jacques Lacarrière 1976
«Terre Humaine», Plon

Quand un amoureux fou de la Grèce part à la recherche d'Eschyle et d'Homère dans les paysages d'aujourd'hui. Les ruines et les hauts lieux, mais aussi les ports, les petits cafés, les terrasses, les ermites du mont Athos, les marchés et les saveurs de l'Attique. Le plus succulent des livres de voyages.

nale demande entre cinq et dix ans. Première étape : la confrontation. Elle consiste à comparer les copies manuscrites du texte original, de cinq à vingt selon les auteurs, et à noter les différences. «À la Renaissance, explique Jean Irigoin, vice-président de l'Association Guillaume Budé, les copistes prenaient un peu de liberté avec le texte. En revanche, au Moyen Âge, ils étaient très consciencieux — mais pas toujours à bon escient : une petite note écrite en marge par un copiste précédent pouvait être prise pour un morceau de l'original et intégrée dans le corps du texte. » Au chercheur de déceler ces erreurs et de choisir la version la plus crédible, selon sa connaissance du sujet, de l'auteur et de la généalogie du manuscrit, l'objectif étant d'élaborer un modèle commun. Cette histoire est méticuleusement «racontée» dans l'apparat critique sous forme de codes, de références et de notes, hermétiques au profane. Vient ensuite la traduction proprement dite, pour laquelle, souligne Jean Malye, «il ne suffit pas d'être latiniste ou helléniste : il faut également, selon le type de l'ouvrage, être un spécialiste des plantes, des métaux, des pierres ou de la médecine… ».

Un travail de bénédictin que les éditeurs de textes classiques — c'est le nom que l'on donne à ces chercheurs — mettent au service d'une collection unique au monde, que chacun s'accorde à admirer (même si personne ne souhaite s'en encombrer…). Et qui, en dépit des contingences commerciales, s'obstine dans sa volonté de répandre la bonne parole humaniste.

L'Art d'aimer

Ovide   1 av. J.-C. à 2 après J.-C.
Traduit par Henri Bornecque   F.
Poème érotique et didactique : ou l'art de séduire par le poète des *Métamorphoses*. Un temps poète favori de l'aristocratie romaine, Ovide tomba en disgrâce et fut exilé par Auguste jusqu'à sa mort.

Description de l'Attique

Pausanias   *(IIIᵉ siècle après J.-C.)*
Trad. par Marguerite Yon   La Découverte
Les descriptions et les commentaires de ce géographe grec de l'Antiquité constituent le meilleur des guides de voyage pour qui veut retrouver la Grèce éternelle sous le béton de la banlieue d'Athènes.

Les Antigones

George Steiner   1984
Traduit par P. Blanchard   Gallimard
Fille des rapports incestueux d'Œdipe avec Jocaste, Antigone brave les ordres de Créon pour inhumer Polynice, son frère. Cette histoire qui se retrouve dans absolument toutes les cultures, et qui a inspiré Sophocle comme Eschyle, Anouilh comme Cocteau, Hegel comme Hölderlin, a persisté à travers toutes les tribulations de l'histoire moderne. Et si le conflit Créon-Antigone, demande Steiner, était un des grands axes de la conscience intellectuelle moderne ?

Annales

Tacite   *(vers 55-120 après J.-C.)*
Traduit d'après Burnouf
par H. Bornecque   G. F.
«Les hommes comme Tacite sont malsains pour l'autorité», écrivait Victor Hugo. Le bruit, la fureur, les folies du pouvoir tyrannique vus par un grand pessimiste, doué de plus d'un beau style baroque. Ses *Histoires* (Folio) ont les mêmes sombres qualités.

... en 49 livres

Histoire d'Israël

S.W. Baron   1952
Traduit par V. Nikiprowetsky   P.U.F.
L'histoire du peuple juif et de sa religion, des origines aux premiers siècles de l'ère chrétienne.

Naissance de Dieu

Jean Bottéro   1986
                         Gallimard
La Bible considérée avec le regard d'un historien. L'histoire d'un livre et d'une aventure spirituelle. Du même auteur on peut lire aussi *Mésopotamie* (Gallimard).

Genèse de l'Antiquité tardive

Peter Brown   1978
Traduit par Aline Rousselle   Gallimard
De l'Antiquité païenne au christianisme, l'analyse de la mutation culturelle dont nous sommes issus, par l'un des grands historiens anglais actuels.

La Vie quotidienne à Rome à l'apogée de l'Empire

Jérôme Carcopino   1939
                         Hachette et L. P.
Ce récit vivant et pittoresque est un des classiques du genre. L'historien Jérôme Carcopino, mort en 1970, a été avant-guerre le grand spécialiste des études romaines en France.

Homosexualité grecque

Sir Kenneth Dover   1978
Traduit de l'anglais
par Suzanne Saïd   La Pensée sauvage
La première étude approfondie sur les
mœurs sexuelles de la Grèce ancienne. Partant des peintures sur vases, de la poésie,
des dialogues de Platon, des plaidoieries,
du théâtre, Dover analyse les interdits et
les tolérances dans les pratiques homo-
sexuelles répandues à l'époque.

Le Monde d'Ulysse

Moses Finley   1954
Traduit de l'anglais par C. Vernant-Blanc
et M. Alexandre   La Découverte
Les Grecs du temps d'Homère, vus à tra-
vers les personnages pittoresques de
L'Odyssée. Un autre ouvrage de Finley,
L'Économie antique (Minuit), est fonda-
mental.

Histoire du déclin et de la chute de l'Empire romain

Edward Gibbon   1776-1788
Traduit de l'anglais par M.F. Guizot
                         Bouquins/Laffont
Les notions de déclin et de décadence sont
aujourd'hui très contestées mais la somme
de Gibbon qui, en son temps, fit scandale,
reste impressionnante et pleine de riches
trouvailles.

Guide romain antique

G. Hacquard, J. Dautry
et O. Maisani   1952
                            Hachette
Pour tout savoir sur la maison à péristyle,
les dieux lares, les légionnaires, le «cursus
honorum», le forum, la tuile romaine,
Cicéron, Virgile, les arènes de Nîmes, le
théâtre d'Orange, *alea jacta est !* la chaise
à porteurs et la culture de l'olivier... entre
autres.

La tragédie grecque selon J.-P. Vernant

Auteur de nombreux ouvrages qui ont
renouvelé les études grecques, titulaire
depuis 1975 de la chaire d'études compa-
rées des religions antiques au Collège de
France, Jean-Pierre Vernant parle de la tragédie grecque :

«La tragédie représente quelque chose
de très privilégié pour quelqu'un qui,
comme moi, fait de la psychologie historique. Ce sont des œuvres littéraires d'une
extraordinaire puissance, qui ont eu un
retentissement considérable. Pour celui qui
s'intéresse à ce qu'on peut appeler les formes psychologiques du sujet humain dans
la Grèce du Ve siècle av. J.-C., c'est un
document exceptionnel. De plus, c'était
une véritable institution sociale : le rapport
est étroit entre la vie politique, l'organisation civique et l'organisation de la tragédie. La tragédie est le meilleur exemple que
l'on puisse prendre pour étudier l'impact
du fait littéraire sur la vie civique, l'imbri-
cation de la création littéraire et de l'institution politique. Les trois ancêtres, les trois
patrons — et c'était vrai pour les Grecs
eux-mêmes —, sont Eschyle, Sophocle et
Euripide.

«La tragédie est donc à la fois une innovation artistique incroyable, une institution
sociale, et le moyen de poser, sur le plan
psychologique, les problèmes des rapports
de l'homme et de ses actes, problèmes que
le droit avait abordés au niveau des tribu-
naux et du déroulement des procès mais
jamais en les exposant aux yeux de tous.
La tragédie ne pose pas cette question : qui
suis-je ? mais qu'est-ce que je vais faire ?
Se posent ainsi les problèmes de la responsabilité (l'agent est-il maître de ses actes ?),
de l'ambiguïté de l'homme et de ses
valeurs. La tragédie n'est pas une réponse
théorique à ces questions, mais une interrogation, un questionnement. Et un questionnement spectaculaire.
*D'où l'importance de la représentation théâ-
trale, de la scène tragique dans l'univers mental des Grecs ?*

La Grèce antique et la vie grecque

A. Jardé   1914
                                           Delagrave

Histoire, littérature, art, vie publique et vie quotidienne : ce petit ouvrage à l'usage des lycéens reste l'un des meilleurs livres d'initiation à l'antiquité grecque.

Promenades étrusques

David Herbert Lawrence   1932
Traduit par T. Aubray   Gallimard

Pourquoi ne pas partir en compagnie de l'écrivain britannique à la recherche de l'art étrusque, cette «floraison naturelle de la vie» ? Tarquinia, Cerveteri, Volterra vus par Lawrence au moment même où l'on commençait à les fouiller sérieusement.

Les Derniers Jours de Pompéi

Edward George Bulwer Lytton   1834
                                         P. P.

Un roman historique dans la tradition de Walter Scott mais appliqué au petit monde de la célèbre ville de villégiature au pied du Vésuve. Un peu kitsch, assez moralisateur, ce livre, qui fut pendant des générations une des lectures favorites des enfants, a suscité aussi pas mal de vocations d'archéologues.

Le Fils de Spartacus

Jacques Martin   1975
                              .   Casterman

Panique à Rome : Spartacus aurait eu un fils ? Intrigues et complots dans l'Italie de Pompée, avec expédition en Ligurie et en Lombardie. Les aventures d'Alix, bande dessinée superbement documentée sur le monde antique, font rêver depuis plus de quarante ans.

La Naissance de la tragédie

Friedrich Nietzsche   1872
Trad. par Geneviève Bianquis Gallimard

Apollon contre Dionysos. L'esprit grec interprété à partir de la tragédie. Ce livre, par lequel Nietzsche, jeune professeur de grec de 26 ans, se fit connaître, a eu une influence décisive sur notre conscience moderne de l'Antiquité.

Extraits des orateurs attiques

V^e-IVe siècle av. J.-C.
Traduit par Louis Bodin   Hachette

Ce recueil regroupe les textes des principaux orateurs grecs — Lysias, Eschine, Isocrate... — autres que Démosthène. À lire en priorité *Sur l'Olivier* et *Pour l'Invalide* de Lysias. Ces plaidoyers sont aussi des évocations pittoresques de la vie quotidienne en Grèce à l'époque classique.

L'Art grec

                                        1972
sous la direction de Kostas Papaioannou
                                       Mazenod

L'Antiquité c'est aussi les temples, les statues et les vases ! Précédé d'un très beau texte de présentation du philosophe K. Papaioannou, ce livre d'art est un des plus beaux et des plus complets du genre.

Odes pythiques

Pindare   (521-441)
Traduit par Aimé Puech   Belles Lettres

Avec ces odes triomphales qui étaient mises en musique et chantées en l'honneur des vainqueurs des jeux delphiques, Pindare représente le sommet de l'art lyrique grec. Ces textes d'une grande beauté laissent entendre l'écho de la sagesse tragique des Grecs.

Les Stoïciens

IVe s. av. J.-C.-IIe s. après J.-C.
Traduit par É. Bréhier   Pléiade

Cléanthe, Cicéron, Sénèque, Épictète et Marc-Aurèle : ce volume regroupe les principaux textes latins et grecs d'un cou-

« En effet, la tragédie marque un changement considérable sur le plan des formes littéraires. Il n'y a plus un poète qui chante ses histoires, mais un spectacle. Par conséquent, l'attitude du public, du récepteur, n'est plus du tout la même : les acteurs sont sur la scène, on voit Œdipe, Agamemnon. C'est tout le problème de l'imitation du style direct qui est posé. Ce changement opéré par la tragédie va de pair avec d'autres changements — la représentation plastique, l'imagerie, la statuaire et il débouche aussi sur une réflexion philosophique chez Platon : quel est le statut du fictif, qu'est-ce que c'est qu'une image, etc. La tragédie est donc une sorte de point focal, où toute une série de dimensions sont nouées, c'est l'exemple privilégié de ce que Mauss appelait un «phénomène social total», un phénomène où toutes les dimensions de la vie collective se trouvent condensées : le social, le politique, l'esthétique, l'imaginaire, etc. »

Magazine littéraire
juin 1986

Chronologie de l'Antiquité

2500 av. J.-C. Unification de l'Égypte. 1re dynastie.

2530-2395 av. J.-C. 4e dynastie. Grandes pyramides, Sphinx de Gizeh.

2500 av. J.-C. Débuts de la civilisation minoenne en Crète.

1675 av. J.-C. Code d'Hammourabi.

XVIe-XIIe siècle av. J.-C. Civilisation mycénienne.

1290-1224 av. J.-C. Ramsès II.

XIIe siècle av. J.-C. Guerre légendaire de Troie.

1200 av. J.-C. Installation des hébreux en terre promise.

1010-970 av. J.-C. David roi des juifs.

814 av. J.-C. Fondation de Carthage.

800 av. J.-C. Composition des poèmes homériques.

753 av. J.-C. Fondation de Rome.

594 av. J.-C. Lois de Solon à Athènes.

557-529 av. J.-C. Règne de Cyrus en Perse.

534 av. J.-C. Création d'un concours de tragédie à Athènes.

490 av. J.-C. Bataille de Marathon.

478-432 av. J.-C. Siècle de Périclès.

472 av. J.-C. Les Perses d'Eschyle.

441 av. J.-C. Antigone de Sophocle.

438 av. J.-C. Consécration du Parthénon.

430 av. J-C. Peste d'Athènes.

404 av. J.-C. À l'issue de la 3e guerre du Péloponnèse, Sparte occupe Athènes.

403 av. J.-C. Rétablissement de la démocratie à Athènes.

399 av. J.-C. Procès et mort de Socrate.

359 av. J.-C. Avènement de Philippe de Macédoine.

351 av. J.-C. Première Philippique de Démosthène.

336-323 av. J.-C. Règne d'Alexandre. Conquête de l'Asie.

332 av. J.-C. Fondation d'Alexandrie.

323-301 av. J.-C. Fondation et apogée des monarchies hellénistiques.

264-241 av. J.-C. Première guerre punique entre Rome et Carthage.

219-201 av. J.-C. Deuxième guerre punique (Hannibal).

rant de pensées qui a joué un rôle décisif tant dans le domaine philosophique que moral ou politique.

Vie des douze Césars

Suétone   121 après J.-C.
Traduit par Henri Ailloud   F.

De César à Domitien, la galerie de portraits des empereurs romains. Contemporain de Tacite dont les *Annales* et les *Histoires* couvrent la même période, Suétone a une autre conception de l'histoire, plus impersonnelle et objective.

Quo Vadis ?

Henryk Sienkiewicz   1895
Traduit par B. Kozakiewicz
et J.P. de Janasz   L. P.

Situé à Rome au temps de Néron et des persécutions antichrétiennes, le roman de ce Polonais (prix Nobel de littérature en 1905) a eu un immense succès. Néron lui doit, du moins en partie, sa mauvaise réputation.

À la recherche de l'Égypte oubliée

Jean Vercoutter   1986
                    Gallimard

Des voyageurs de l'Antiquité à Champollion, la découverte d'une terre de mythes, de pierres et de signes. Quand l'archéologie devient une aventure métaphysique.

Mythe et tragédie en Grèce ancienne

Jean-Pierre Vernant
et Pierre Vidal-Naquet   1972
                La Découverte

Plusieurs textes fameux relevant de l'analyse structurale appliquée au décodage de quelques mythes grecs, en particulier celui d'Œdipe. J.-P. Vernant avait entamé ces travaux avec *Mythes et pensée chez les Grecs* (La Découverte, 1965) et il expose sa méthode et ses recherches sur le panthéon grec dans sa leçon inaugurale au Collège de France : *Religion grecque, religions antiques* (La Découverte).

Œuvres complètes

Xénophon   *(vers 430-355 av. J.-C.)*
Traduit par P. Chambry   G.F.

Il dirigea la retraite des dix mille après l'expédition désastreuse de Cyrus, et la description des Grecs retrouvant la mer — «Thalassa ! Thalassa !» — est une des grandes pages de la littérature grecque. Il fut historien, philosophe et fermier. Il a même écrit des traités d'équitation ou de chasse. Ses successeurs l'avaient appelé «l'Abeille attique». On retiendra surtout l'*Anabase*, le *Banquet* et l'*Apologie de Socrate*.

Mémoires d'Hadrien

Marguerite Yourcenar   1951
              Gallimard et F.

En imaginant les Mémoires d'un grand empereur romain, M. Yourcenar a voulu «refaire du dedans ce que les archéologues du XIXe siècle ont fait du dehors». Ce roman est celui qui a valu à son auteur la notoriété.

Égypte

Guide bleu   1986
               Hachette

Pour partir à la découverte de la Vallée des rois, du temple de Louqsor ou de la grande pyramide. Et tenter de déchiffrer, petit dictionnaire d'égyptologie à l'appui, les secrets d'une civilisation vieille de plus de cinq millénaires, et qui a plus que nulle autre fait rêver les hommes.

149-146 av. J.-C. Troisième guerre punique.

146 av. J.-C. Prise et destruction de Carthage. Fin de l'indépendance de la Grèce.

133-121 av. J.-C. Tribunat des Gracques.

82-79 av. J.-C. Dictature de Sylla.

73-71 av. J.-C. Guerre des esclaves dirigée par Spartacus.

63 av. J.-C. Consulat de Cicéron. Conjuration de Catilina.

60 av. J.-C. Premier Triumvirat (Pompée, César et Crassus).

58-50 av. J.-C. Conquête des Gaules par César.

48-44 av. J.-C. Dictature de César. Assassinat de César en 44.

43 av. J.-C. Second Triumvirat (Antoine, Octave et Lépide).

41 av. J.-C. Rencontre d'Antoine et de Cléopâtre.

37-31 av. J.-C. Guerre entre Antoine et Octave, qui se termine avec la défaite d'Antoine à Actium en 31.

27 av. J.-C. Octave devient empereur sous le nom d'Auguste.

23 av. J.-C. Odes d'Horace.

19 av. J.-C. Mort de Virgile. Publication de l'*Énéide*.

14 après J.-C. Mort d'Auguste.

14-37. Tibère.

37-41. Caligula.

54-68. Néron. Incendie de Rome (64). Persécution des chrétiens.

79. Destruction d'Herculanum et de Pompéi.

105. Les *Histoires* de Tacite.

117-138. Hadrien.

161-180. Marc-Aurèle.

306-337. Constantin.

364-395. Partage de l'empire en deux : Orient et Occident.

410. Prise de Rome par Alaric, roi des Wisigoths.

430. Mort de saint Augustin.

La guerre

Qu'est-ce que l'histoire des hommes sinon l'histoire des guerres que se livrent les hommes depuis Neandertal et Cro-Magnon, que l'on nous représente généralement une arme à la main ? Simplement, elles ne laissent pas un même souvenir, chez les chroniqueurs et mémorialistes. Le mot célèbre d'Apollinaire gravement blessé en 14-18, «Ah ! Dieu que la guerre est jolie ! », n'aurait pas l'agrément de tous, il s'en faut.

«Douce » pour La Fontaine, la guerre est «souvent injuste » selon Diderot ; Vigny la juge «maudite de Dieu » ; Maupassant la trouve «horrible » ; Hugo, «fort noble » ; quant à Proudhon, il la trouve «immortelle ».

La guerre demeure pour les écrivains une référence obligée. Peu nombreux sont les thèmes qui suscitent un semblable engouement. En fait, la guerre partage avec l'amour ce privilège. Ce n'est pas un hasard : l'un comme l'autre dynamisent les intrigues et donnent du ressort à l'action. Avec une particularité cependant pour la guerre : dans les romans elle sert presque toujours de «toile de fond ». Elle donne un contexte historique, une portée dramatique à l'intrigue principale qui y gagne en réalisme.

Ce n'est pas tout à fait un hasard : le premier historien, véritable saint patron de la corporation, n'est autre que Thucydide, auteur d'un passionnant récit sur la guerre du Péloponnèse. Depuis, conflits et batailles ont suffisamment secoué la planète pour que l'étude de la guerre ne relève plus seulement de la littérature de guerre dans ce qu'elle a de meilleur (*Orages d'acier* de Jünger), de la sagesse philosophique (*L'Art de la guerre* de Sun Tzu) ou du grand reportage sur le terrain (*La Guerre d'Algérie*, d'Yves Courrière). Désormais, après quelques dizaines de siècles de combats acharnés sous toutes les latitudes avec les armes les plus diverses, la guerre est enfin une science, naturellement appelée «polémologie» (du grec *polémos* qui signifie : guerre) dont Clausewitz, Raymond Aron et Gaston Bouthoul sont les pères fondateurs. Mais qu'il s'agisse de textes purement historiques ou romanesques, tactiques ou polémologiques, entièrement consacrés à la guerre ou ne l'utilisant que comme un prétexte, ils ont tous leur place dans cette sélection dans la mesure où la guerre en est l'axe central.

Nonobstant la célèbre phrase de Clemenceau «La guerre est une chose trop grave pour être laissée aux militaires», tactique et stratégie jugées trop complexes ont longtemps été réservées aux seuls spécialistes. Aujourd'hui, si la tactique continue à n'intéresser que les militaires, la stratégie et la polémologie gagnent de l'audience auprès des politiques et des intellectuels. De la même manière, l'étude historique des conflits et des batailles a éveillé une attention croissante du grand public. Quant aux récits et romans de guerre, ils ont, en revanche, toujours connu la faveur des lecteurs. Ce n'est un secret pour personne, la guerre se vend bien. «Sublime rencontre du courage et de la peur», selon Drieu La Rochelle, la guerre permet (quand elle ne les suscite pas) d'évoquer la plupart des passions humaines, de l'amour au nationalisme, de l'honneur à la xénophobie, de la science à l'esthétique. Elle est l'action par excellence.

Ce choix recouvre, dans la mesure du possible, tous les continents, toutes les époques, tous les types de guerre et, bien entendu, tous les genres évoqués ci-dessus (à l'exception des livres de tactiques, trop techniques). Un choix non pas exhaustif mais... stratégique.

La guerre

... en 49 livres

... en 25 livres

... en 10 livres

Clausewitz, penser la guerre
Raymond Aron

La Guerre des Gaules
Jules César

Le Dimanche de Bouvines
(27 juillet 1214)
Georges Duby

Les Maîtres de la stratégie
Edward M. Earle

Putain de mort
Michael Heer

Orages d'acier
Ernst Jünger

L'Art de la guerre
Sun Tzu

Histoire de la guerre
du Péloponnèse
Thucydide

Guerre et Civilisation
Arnold Toynbee

Le Grand Empire, 1804-1815
Jean Tulard

L'Empire du Soleil
J.G. Ballard

60 jours qui ébranlèrent l'Occident
(10 mai-10 juillet 1940)
Jacques Benoist-Méchin

Essais de polémologie
Gaston Bouthoul

La Guerre secrète
Cave Brown

Nord
Louis-Ferdinand Céline

La Campagne de 1814
Carl von Clausewitz

La Guerre d'Algérie
Yves Courrière

Les Poilus
Joseph Delteil

L'Invaincu
William Faulkner

La Guerre de Cent Ans
Jean Favier

La Guerre
Flavius Josèphe

La Guerre des gauchos
Leopoldo Lugones

Les Voies de la stratégie
Lucien Poirier

À l'Ouest, rien de nouveau
Erich Maria Remarque

La Guerre du feu
Rosny aîné

Foch
Jean Autin

Le Pont de la rivière Kwaï
Pierre Boulle

Comme neige au soleil
William Boyd

La Guerre du Pacifique
John Costello

La Bataille de Poitiers
Jean Devoine et Jean-Henri Roy

La Guerre civile froide
André Fontaine

*Les Batailles décisives
du monde occidental*
John Frederich
Charles Fuller

Le Récit de l'Inca
Garcilaso de la Vega

Lépante
Michel Lesure

Si c'est un homme
Primo Levi

L'Invincible Armada
Michael Lewis

MacArthur, un César américain
William Manchester

*La Résistance indienne
aux États-Unis*
Élise Marienstras

Feux
Lorenzo Mattoti

Mahan et la maîtrise des mers
Pierre Naville

Les Feux
Ooka Shoei

La Guerre de Trente Ans
Geoffrey Parker

Le Guerrier appliqué
Jean Paulhan

La 317e Section
Pierre Schoendoerffer

La Guerre d'Espagne
Hugh Thomas

Les Armuriers d'Isher
A.E. Van Vogt

La Guerre de la fin du monde
Mario Vargas Llosa

La Treizième Vallée
John del Vecchio

Le Silence de la mer
Vercors

• À vous de choisir le cinquantième
livre. Peut-être est-il déjà dans votre
bibliothèque.

... en 10 livres

Clausewitz, penser la guerre

Raymond Aron   1976
Gallimard

À travers deux forts volumes, Raymond Aron présente Clausewitz, penseur militaire allemand du XVIIIᵉ siècle, souvent cité mais fort peu lu en France, et surtout étudie son œuvre maîtresse *De la guerre*. Théorie et pratique, le premier volume, *L'Âge européen*, traite à la fois de l'influence de Clausewitz sur la stratégie et la conduite des guerres qui précédèrent 1870. Quant au second volume, *L'Âge planétaire*, il développe les mêmes thèmes appliqués à celles qui suivirent cette date. Un ouvrage d'érudition néanmoins accessible grâce à la clarté de R. Aron.

La Guerre des Gaules

Jules César   env. 58 av. J.-C.
Trad. du latin par Maurice Rat   G. F. et F.

Témoignage d'autant plus précieux aux chercheurs qu'il est presque unique et minutieusement établi — la matière y est traitée, découpée, disséquée, année après année, saison après saison avec un scrupuleux souci du détail —, *La Guerre des Gaules* est pourtant beaucoup plus qu'une source de renseignements historiques. Œuvre de propagande césarienne où l'auteur-mémorialiste se fait le héraut de ses propres faits d'armes, l'ensemble du texte est un véritable morceau de bravoure littéraire où César atteint un équilibre quasi parfait entre narration dépouillée et embellissement oratoire.

Le Dimanche de Bouvines
(27 juillet 1214)

Georges Duby   1973
Gallimard

Le XIIIᵉ siècle, c'était hier ! Avec *Le Dimanche de Bouvines*, Georges Duby montre que l'histoire, même ancienne, même traitée avec la plus grande des rigueurs, même étayée par des textes d'époque, peut être aussi vivante et aussi poignante qu'un livre d'aventures. Un récit circonstancié de la bataille, certes, mais surtout les portraits de ses acteurs, la vie des populations alentour et la portée historique des combats.

Les Maîtres de la stratégie

Edward M. Earle   1943
Traduit par Annick Pelissier
Berger-Levrault et Flammarion

Deux brillants volumes, réalisés par un groupe de chercheurs réunis sous la direction de Earle, consacrés aux grands noms de la stratégie, retraçant évolution et principales étapes de la pensée militaire à travers les siècles. Le premier tome traite de la période s'étendant de la Renaissance à la fin du XIXᵉ siècle, le second, de la fin du XIXᵉ à Hitler. Les pensées et doctrines de Machiavel, Vauban, von Bülow, Clausewitz, Marx, Foch, Lyautey, Churchill... y sont bien sûr développées et commentées, mais leur étude est conçue dans le but de mettre à jour les mouvements plus généraux de la pensée humaine et de la politique : montée des nationalismes, influences religieuses, guerres idéologiques, combat révolutionnaire.

Putain de mort

Michael Heer   1975
Traduit par Pierre Alien   Albin Michel

Le récit autobiographique d'un journaliste américain de 20 ans qui, ayant décidé de vivre la guerre du Viêt-nam, s'engage pour un an comme correspondant de guerre en 1967. Une chronique bouleversante de son existence et de la détresse des combattants, ponctuée des récits d'accrochages, d'escarmouches et de séjours à l'arrière, dans Saigon, ville de mirages. Ce témoignage émouvant qui jamais ne sombre dans le misérabilisme, livre-fétiche de nombreux anciens du Viêt-nam outre-Atlantique, est écrit d'une plume puissante par le co-scénariste d'*Apocalypse now*, le film de Coppola.

Orages d'acier

Ernst Jünger   1961·
Traduit de l'allemand
par Henri Plard   Flammarion, F.

Sans doute l'œuvre la plus célèbre d'Ernst Jünger. Ce récit lucide et émouvant, référence indispensable de ceux que l'histoire de ce siècle intéresse, est celui d'un double apprentissage : apprentissage de la guerre de 1914, pour un jeune engagé volontaire allemand de vingt ans, apprentissage plus spirituel du sens et de la grandeur de la vie, quelles qu'en soient les vicissitudes.

L'Art de la guerre

Sun Tzu   VIe s. av. J.-C.
Trad. par Francis Wang   Flammarion

Treize articles, treize bases de la logique militaire enseignées comme des leçons, au sens le plus magistral que ce terme puisse prendre. Véritable «mode d'emploi» dialectique de la guerre, le traité de Sun Tzu (Sunzi) joue sur les dispositions matérielles, les déterminismes psychologiques des armées et de leurs dirigeants. Il transcende les époques et les particularités chinoises pour devenir un livre précurseur de la logique militaire appliquée à la guerre populaire et qui fut la référence constante de la doctrine militaire de Mao Tsé-toung.

Histoire de la guerre du Péloponnèse

Thucydide   (v. 460-v. 400 av. J-C.)
Traduit du grec ancien
par Jean Voilquin   G. F.

Sans doute créateur de la science historique, Thucydide s'écarte délibérément des récits légendaires, de l'évocation des interventions divines qui formaient l'essentiel des textes historiques de l'époque. Son but est plutôt d'obtenir, par la description minutieuse des événements contemporains, d'utiles leçons philosophiques. Il n'en abandonne pas pour autant le souffle épique. L'évocation des combats, des stratégies militaires évoque une tragédie historique qui se voudrait objective.

Gérard Chaliand : La pensée stratégique en France

En France, une tradition bien établie veut que les militaires soient des sots. Et la stratégie, science militaire entre toutes — ce qui ne signifie pas qu'elle doive être laissée aux seuls militaires —, souffre d'une même condamnation sans appel. Voilà qui explique pourquoi, au contraire des pays anglo-saxons où la plus petite librairie dispose d'un rayon «stratégie», peu de textes français lui sont aujourd'hui encore consacrés...

Pourtant, ainsi que le remarquait Gérard Chaliand, fondateur de la collection «Stratégies» chez Berger-Levrault, dans une interview accordée à *Lire* (novembre 1980) : «... La stratégie, c'est le politique, et le politique, l'affaire de tous les citoyens. Il est indispensable de savoir comment la partie s'évalue et se joue, de comprendre quels sont les intérêts de la géopolitique d'un État... »

Hormis quelques cas isolés donc, tels Pierre Naville ou Raymond Aron, rares sont les intellectuels français qui, dans un passé récent, se sont penchés sur l'histoire ou la pratique de la stratégie. Cette désaffection, toujours selon Gérard Chaliand, provient des traditions politiques de la gauche française, à la fois marquées par un antimilitarisme et un pacifisme très convaincus et des assimilations hâtives entre stratégie et guerres absurdes ou entre stratégie et guerres coloniales abusives. Pour la droite, cette désaffection, explique-t-il encore, est plus récente : avant la Seconde Guerre mondiale, existait en effet toute une lignée de penseurs stratégiques français de grande valeur, dont le plus célèbre fut sans conteste de Gaulle. La défaite française de 40 a sonné le glas de cette tradition.

«Il n'en est resté que cette idée très conservatrice, ajoute Gérard Chaliand, celle du statu quo, la peur de toute déstabilisation alors que le monde est fait pour être déstabilisé et restabilisé sans cesse au terme de nouveaux équilibres. »

Guerre et Civilisation

Arnold Toynbee   1950
Traduit de l'anglais
par Albert Colnat   Gallimard

Militarisme et pacifisme traités par un des plus grands historiens britanniques dont l'audience est, hélas, fort limitée de ce côté-ci de la Manche. Une réunion de textes prémonitoires (car tous antérieurs à 1939), appelant à une plus grande vigilance face à la montée des périls et des dictatures... Mais aussi, des analyses d'une grande pertinence et d'une actualité certaine sur le développement des arsenaux, sur le pacifisme et la recherche d'une méthode capable de régler les conflits sans avoir recours à la guerre.

Le Grand Empire
1804-1815

Jean Tulard   1982
                                Albin Michel

C'est la France, grande nation guerrière de la Révolution, qui engendra ce Grand Empire et non Napoléon seul. Jean Tulard, un des plus éminents spécialistes de la période, raconte l'histoire de cette domination et de son échec dû, entre autres, au réveil des nationalismes et à l'hétérogénéité des armées levées par Napoléon à partir de 1807.

... en 25 livres

L'Empire du soleil

J.G. Ballard   1984
Traduit de l'anglais
par Élisabeth Gille   Denoël

L'histoire vécue d'un enfant de 11 ans dans les camps japonais lors de l'avancée des troupes nipponnes à Shanghai. Éclairage remarquable et poignant sur la guerre en Extrême-Orient.

60 jours qui ébranlèrent l'Occident
(10 mai - 10 juillet 1940)

Jacques Benoist-Méchin   1956
                                  Bouquins

Description minutieuse de la campagne de France, explication détaillée d'une guerre éclair dont l'issue ne stupéfia pas seulement les Français mais encore le monde entier, par un des meilleurs germanistes français, observateur à Berlin, qui se dévoya ensuite dans la collaboration.

Essais de polémologie

Gaston Bouthoul   1976
                                   Denoël

« Pour éviter que la paix ne soit à court ou à long terme enceinte d'une guerre », une étude sur la philosophie, l'histoire, la morale de la guerre et des guerres par l'homme qui fut le créateur et le principal animateur de l'École française de polémologie.

La Guerre secrète

Cave Brown   1975
Traduit de l'anglais
par Y. Mauvais et Y. Dubois   Pygmalion

La Seconde Guerre mondiale vue à travers l'action clandestine, souterraine et ultra-discrète de ces combattants de l'ombre qui s'exprimaient par code. Document passionnant.

Nord

Louis-Ferdinand Céline   1960
                                        F.

En route vers le Danemark, Céline, son chat Bébert, sa femme Lili et l'acteur Robert Le Vigan traversent l'Allemagne de 1944. Vision hallucinante d'un pays en pleine débâcle, dévasté par les bombardements, où règnent le système D, la lutte pour trouver sa pitance ou pour sauver sa peau.

La Campagne de 1814

Carl von Clausewitz   *(1780-1831)*
Traduit par G. Duval de Fraville
         Champ Libre (1972)

Forces en présence, chefs de corps, mouvements et composition des armées, topographie : l'analyse méticuleuse de la campagne napoléonienne de 1814 qui devait s'achever par Waterloo.

La Guerre d'Algérie

Yves Courrière   1968-1971
                       Fayard

En quatre volumes, une étude qui s'étend de 1954 à 1962 et constitue une des références historiques primordiales pour cet épisode de notre histoire par un grand reporter qui fut un témoin d'événements capitaux.

Les Poilus

Joseph Delteil   1926
                     Grasset

La geste des soldats de la Grande Guerre, tout entière consacrée à leur gloire et à celle de leurs chefs, Joffre, Gallieni, Clemenceau...

L'Invaincu

William Faulkner   1938
Traduit de l'anglais
par C.P. Vorce   Gallimard

L'«invaincu» c'est le Sud, malgré la guerre de Sécession, et tous ses habitants qui regardent déjà l'avenir. Un livre qui proclame les limites de la force armée...

La Guerre de Cent Ans

Jean Favier   1980
                     Fayard

La guerre la plus longue depuis l'histoire de Rome, vue des champs de bataille mais surtout à travers une évocation des acteurs de la guerre : petits seigneurs féodaux, officiers du roi, prélats et piétaille...

À l'heure actuelle, on voit ressurgir, même en France, un intérêt certain pour la stratégie et la pensée stratégique. «Maintenant que les idéologies sont en crise, explique Gérard Chaliand, il me semble qu'il existe en France un public désirant comprendre ce qui se passe réellement sans mettre des lunettes religieuses.» Gérard Chaliand a visé juste si l'on en juge par le succès de son *Atlas stratégique* (Fayard, cosigné avec Jean-Pierre Rageau). De Machiavel jusqu'aux accords Salt sur l'armement nucléaire, la stratégie, il faut s'en convaincre, reste sans doute le moyen le plus sûr d'éviter la guerre !

Le choix
du général Buis

«Lorsque je suis entré dans la carrière militaire, la liste des ouvrages conseillés à un jeune officier n'était pas longue. À dire vrai, elle était même inexistante ! Lire autre chose que les manuels d'instruction était extrêmement mal vu...

Et pourtant le corps militaire est sans doute celui qui a fourni le plus grand nombre d'écrivains. Une floraison de textes ont tous valu à leurs auteurs des tracasseries sans nombre de la part de leurs chefs. Je pense par exemple à Gallieni qui, chaque jour, tenait son journal en trois langues, un journal d'un très grand intérêt qui, pourtant, ne connut les honneurs de l'édition que vers 1930, pour une très courte période. Ou encore à Mangin. Et surtout à l'amiral Castex...

La vie militaire, une vie très dure quoi qu'on en dise, l'éloignement de Paris et du Vᵉ et VIᵉ arrondissement n'empêche pas le jeune militaire de continuer à suivre la vie intellectuelle... Le résultat ? Rendez-vous donc à la bibliothèque de l'École militaire et vous le verrez : tous les grands noms de l'art militaire, ceux même qui sont inconnus, ont laissé une trace écrite de leurs études. Certains l'ont d'ailleurs payé de leur carrière : Pierre Loti par exemple... D'où un nombre considérable de pseudonymes. Une précaution contre un mal qu'a très bien résumé Mac-Mahon

La Guerre

Flavius Josèphe   (37-env. 100 apr. J.-C.)
Traduit par Arnaud d'Andilly
Lidis, Belles Lettres et Minuit
Le récit très vif des guerres qui opposèrent le peuple juif à Rome sous Vespasien et Titus et s'achevèrent par la conquête de Jérusalem...

La Guerre des gauchos

Leopoldo Lugones   1906
À rééditer
Récit coloré, fougueuses chevauchées des gauchos légendaires aux prises avec les armées espagnoles dans les pampas argentines, de 1814 à 1818.

Les Voies de la stratégie

Lucien Poirier   1985
Fayard
Inconnu du grand public mais admiré par les spécialistes toutes opinions confondues, Lucien Poirier, après avoir publié *L'Arme atomique* (Fayard), hélas épuisé, dresse ici la généalogie de la pensée stratégique française. Il analyse l'héritage fantastique représenté par la pensée de deux grands stratèges du siècle des Lumières : Guibert et Jomini qui a influencé Napoléon, l'Autriche, l'Angleterre et l'état-major prussien jusqu'à la veille de la Première Guerre mondiale.

À l'ouest, rien de nouveau

Erich Maria Remarque   1929
Traduit de l'allemand par A. Hella
et O. Bournac   Stock et L. P.
Roman consacré au premier conflit mondial vu du côté allemand. Un sévère acte d'accusation contre la guerre et les horreurs du combat.

La Guerre du feu

Rosny aîné   1911
M. et L. P.
«Roman historique» de la préhistoire, *La Guerre du feu* servit de trame au film du même nom, puissante évocation de la vie d'une tribu et de ses efforts pour retrouver le feu perdu.

... en 49 livres

Foch

Jean Autin   1987
Perrin
Consacré au grand militaire tout autant qu'au stratège, ce livre, entièrement gagné au maréchal Foch, retrace un destin hors du commun et sans faille aucune...

Le Pont de la rivière Kwaï

Pierre Boulle   1952
P. P.
Dans la jungle thaïlandaise, les terribles conditions de vie de 1 000 prisonniers de guerre britanniques obligés de construire pour l'occupant japonais un pont de chemin de fer. Le conflit paradoxal de l'idéal du travail bien fait et du patriotisme.

Comme neige au soleil

William Boyd   1983
Traduit de l'anglais
par Christiane Besse   Balland et P.S.
L'écho de Sarajevo dans les colonies d'Afrique orientale ; situations ubuesques, échauffourées meurtrières, une sévère dénonciation de la guerre traitée pourtant avec tendresse et ironie.

La Guerre du Pacifique

John Costello   1981
Trad. Claude Bernanose   Pygmalion
Historique très complet des origines du conflit à son issue, de nombreux éléments d'appréciation nouveaux provenant de la «déclassification» de 500 000 données et documents restés secrets jusqu'alors. Midway et Pearl Harbour comme si vous y étiez.

La Bataille de Poitiers

Jean Devoisse et Jean-Henri Roy   1966
Gallimard
Publié dans la fameuse collection «Les trente jours qui ont fait la France», l'étude d'une courte bataille qui en octobre 732 marqua la fin de l'expansion arabo-musulmane dans le sud de l'Europe.

La Guerre civile froide

André Fontaine   1965-1967
                   Fayard et P. S.

Comment l'Europe a survécu politiquement et économiquement au lendemain de la libération dans une guerre idéologique Est-Ouest qui ne voulait pas dire son nom. Une analyse magistrale par un observateur du journal *Le Monde*.

Les Batailles décisives du monde occidental

John Frederick Charles Fuller   1939
Trad. par M. Herpe-Voslinsky
            Berger-Levrault (épuisé)

Trois volumes consacrés aux batailles les plus célèbres, caractérisées par un même souci du détail et une même richesse de documentation : de la Grèce antique à la chute de Constantinople, de la Renaissance à Waterloo, de la chute de Napoléon à la Seconde Guerre mondiale.

Le Récit de l'Inca

Garcilaso de la Vega   1605
Traduit par Alain Gheerbrant
            Gallimard (à rééditer)

Extraits des Commentaires royaux de l'Inca Garcilaso, un récit des guerres des Incas, épopée grandiose qui s'acheva en 1533 par la défaite devant les Espagnols et la captivité pour Atahualpa, leur dernier roi.

Lépante, la crise de l'Empire ottoman

Michel Lesure   1973
                   Gallimard

Lépante vu du côté turc : une bataille que les chrétiens considérèrent comme la fin des croisades et qui ne marque pourtant pas le déclin de l'Empire ottoman.

Si c'est un homme

Primo Levi   1947
Trad. de l'italien par
Martine Schruoffeneger Julliard et P. P.

Le récit de la détention à Auschwitz d'un écrivain italien qui s'est donné la mort en 1987. Détaillée avec minutie, jusqu'à provoquer la nausée, la vie au quotidien dans l'un des plus sinistres camps nazis.

lorsqu'il disait : "Quand je vois le nom d'un officier sur la couverture d'un livre, je le raye de la liste d'avancement."

Mon itinéraire personnel a été marqué dès l'adolescence par la lecture : les grands classiques et puis les contemporains, ceux qui paraissaient alors dans la *Revue des Deux Mondes*, la défunte *Revue de France* ou au *Mercure de France*, Anatole France, Claudel, Loti... Ma première extase, je l'ai connue avec un poème de Rilke. Puis au moment où j'entrais à Saint-Cyr, j'ai découvert les Surréalistes.

À un jeune officier d'aujourd'hui, je conseillerais d'abord la lecture des grands livres de stratégie : Sun Tze, bien sûr, Machiavel, que l'on juge trop hâtivement sur trente ou quarante pages du *Prince* et qui a passé sa vie à écrire sur l'art et l'organisation de la guerre. Le comte de Guibert, ensuite, un véritable phare de la pensée stratégique éternelle : *De la grande tactique. De la force publique considérée sous tous ses emplois*. Clausewitz, bien entendu. Et encore Napoléon, si l'on veut bien toutefois se limiter à ce qu'il a dit et écrit lui-même. Ne pas oublier Ardant du Picq, un admirable écrivain qui avait un peu la plume du cardinal de Retz, un colonel d'artillerie mort à la guerre de 70, qui a étudié le problème des forces morales dans l'armée. Moins connu que ceux que j'ai cités précédemment, il est pourtant à mon sens un des plus grands.

Mahan, l'Américain, et ses théories sur la guerre navale, si éclairantes à la fois pour les guerres du passé et celles du temps présent. Et Castex, fondamental pour une bonne compréhension des années qui ont précédé la guerre, un de ces prophètes que personne n'écoute, qui écrivit de très grandes pages... De Gaulle, évidemment *Le Fil de l'épée*, et *Vers l'armée de métier*. Plus récemment, Aron, un excellent commentateur... Et Lucien Poirier sur les stratégies nucléaires.

Cet axe est celui de l'étude de la guerre. Celui des lectures sur la guerre, à titre de divertissement culturel en quelque sorte, offre un éventail beaucoup plus large, presque infini pourrait-on dire, si l'on songe à la masse de documentations écrites sur les conflits de tous lieux et de tous

L'Invincible Armada

Michael Lewis 1962
Traduit de l'anglais par E. Gille Payot

L'odyssée dramatique de la flotte de guerre espagnole envoyée par Philippe II d'Espagne contre l'Angleterre en 1588. Une défaite magistrale qui précipita la fin de l'Empire espagnol.

MacArthur, un César américain

William Manchester 1983
Traduit de l'américain
par Odile Demange Laffont

Construite comme une bataille, la biographie d'un homme « fait d'étonnantes contradictions : noble et ignoble, attachant et révoltant, arrogant et timide », qui haïssait l'Europe et avait l'estime de Churchill et de De Gaulle...

La Résistance indienne aux États-Unis

Elise Marienstras 1980
Gallimard

Des origines à nos jours, l'histoire d'une lutte continuelle pour la dignité et la survie.

Feux

Lorenzo Mattoti 1984
Traduit de l'italien
par Gabrielle Borile Albin Michel

Une bande dessinée qui exprime l'essence de la guerre par des couleurs et un graphisme flamboyants. Parcours onirique décrit en formes barbares, art étrange, mi-figuratif, mi-abstrait. Sublime.

Mahan et la maîtrise des mers

Pierre Naville 1981
Berger-Levrault

L'amiral Mahan (1840-1914), apôtre du « Sea Power », c'est-à-dire de la maîtrise des mers, est le plus grand théoricien de la guerre maritime. Pierre Naville présente et commente ses textes les plus éclairants...

Les Feux

Ooka Shoei 1951
Traduit du japonais
par Selichi Motono Seuil (à rééditer)

Œuvre inoubliable, atroce dans sa cruelle perfection. L'odyssée d'un soldat japonais aux Philippines, isolé, talonné par la faim, la peur et le remord de ses crimes...

La Guerre de Trente Ans

Geoffrey Parker 1984
Traduit de l'anglais
par J. Charpentier Aubier-Montaigne

Ouvrage qui tente d'établir une synthèse parmi la documentation d'époque foisonnante et parfois contradictoire, et éclaire les figures des empereurs habsbourgeois comme celles de Mazarin et Richelieu.

Le Guerrier appliqué

Jean Paulhan 1917
Gallimard

Du *Guerrier appliqué*, premier roman de Paulhan, l'auteur dit lui-même : « On peut, avec de la patience y démêler une métaphysique de la guerre. » C'est surtout le roman d'un anti-héros plein de plaisante bonne volonté...

La 317e section

Pierre Schoendoerffer 1963
F.

Huit jours d'errance au cœur de la jungle indochinoise pour une section composée de Français et de Vietnamiens, mêlés dans une même souffrance et une même estime. Un grand livre qui fut aussi un grand film.

La Guerre d'Espagne

Hugh Thomas 1961
Traduit par J. Brousse, L. Hess
et C. Bonney... Bouquins

Une guerre qui n'opposa pas seulement des Espagnols à des Espagnols mais où se trouvèrent affrontés fascisme et démocratie, centralisme et régionalisme... un conflit international tout autant qu'une guerre civile.

Les Armuriers d'Isher

A.E. Van Vogt 1951
Traduit par Michel Deutsch J. L.

« Être armé c'est être libre », devise de ce curieux magasin d'armes dans lequel un journaliste est transporté jusqu'à la 4784e année de l'Impériale Maison d'Isher...

La Guerre de la fin du monde

Mario Vargas Llosa 1981
Traduit de l'espagnol
par Albert Bensoussan Gallimard et F.

Une petite communauté d'hommes et de femmes, décidés à vivre en complète autarcie dans le Brésil du XIXe siècle, résiste en vain aux attaques des forces morales et religieuses d'alors qui ne peuvent supporter cette insubordination. Plaidoyer contre l'intolérance.

La Treizième Vallée

John del Vecchio 1982
Traduit de l'anglais
par Robert Louit Denoël

Deux semaines d'engagement près de la frontière du Nord-Viêt-nam, pour un bataillon américain. Deux semaines de « lente spirale vers l'enfer », le visage d'une guerre mis à nu sans complaisance.

Le Silence de la mer

Vercors 1942
L. P.

Roman paru clandestinement qui évoque, sans haine mais avec une grande lucidité, l'état de la France sous le joug de l'Occupation et les limites de la « collaboration spirituelle » à travers les relations entre un officier allemand et une famille française.

siècles... Il faut savoir, en ce sens, distinguer les livres sur les guerres et les livres de stratégie, de philosophie de la guerre. *La Conquête des Gaules* de César est, par exemple, un récit passionnant mais pas une philosophie de la conquête. À titre de détente, on éprouvera un grand plaisir à parcourir un récit des conquêtes napoléoniennes ; à titre d'étude, on trouvera plus de matière dans la philosophie de ces conquêtes analysées par Clausewitz. »

Jeu

1515 ? Marignan ! La réponse est immédiate. Serez-vous aussi prompt si l'on vous dit :

1 - 52 av. J.-C. ?
2 - 15 août 778 ?
3 - Octobre 732 ?
4 - 2 décembre 1805 ?
5 - 30 avril 1975 ?
6 - 21 février 1915 ?
7 - 18 avril 1861 ?
8 - 7 juin 1863 ?
9 - 7 et 8 décembre 1941 ?
10 - 15 juillet 1099 ?

1 - Siège d'Alésia.
2 - Mort de Roland.
3 - Bataille de Poitiers.
4 - Bataille d'Austerlitz.
5 - Entrée des Khmers rouges à Geiger.
6 - Début de la bataille de Verdun.
7 - Début de la guerre de Sécession.
8 - Entrée des Français à Mexico.
9 - Pearl Harbour.
10 - Godefroi de Bouillon conquiert Jérusalem.

Révoltes, révolutions et contre-révolutions

Qu'on les mythifie ou qu'on leur jette l'anathème, insurrections et révolutions, ces détonateurs de l'histoire, déterminent nos modes de pensée, façonnent l'évolution des sociétés et de leurs institutions. Comme les guerres, les révolutions s'appuient sur la violence, mais elles opèrent à l'intérieur de leur propre pays. Elles possèdent d'autre part le caractère d'un «projet en vue d'un autre monde — aperçu avant d'être construit» (F. Perroux).

À travers ouvrages et documents de toutes sortes (biographies, romans, textes de références, recueils d'archives), ce chapitre se propose de présenter un panorama, d'esquisser une typologie de ces formes de guerres sociales, de leur mode le plus archaïque, la jacquerie (évoquée dans *Les Primitifs de la révolte*, de Hobsbawm) à l'ébauche de mouvements plus organisés comme les sectes millénaristes étudiées par N. Cohn dans *Les Révoltés de l'Apocalypse*. D'autres soulèvements populaires tels que la Commune de Paris y sont observés par leurs acteurs mêmes (Lissagaray, Louise Michel). Viennent ensuite les grandes révolutions modernes, française, américaine, russe, chinoise ou turque, qui tiennent une place de choix parmi les textes présentés, et celle de 1789 en particulier. Champs de bataille des historiens et des idéologues, elles ont modifié en profondeur les structures de leur pays et les mentalités des hommes. L'écrivain est là également pour en témoigner et les événements révolutionnaires ont inspiré de grandes œuvres de la littérature comme *Les Possédés* (Dostoïevski), *Quatre-vingt-treize* (Victor Hugo), *La Condition humaine* (Malraux)...

En outre, on ne saurait dissocier l'approche de la révolution de celle de la contre-révolution. Phénomène tout aussi radical, même s'il affiche des buts contraires : retour à l'Ancien Régime comme dans la Vendée de 1793 ou affirmation de la pérennité d'une nation comme dans les mouvements fascistes étudiés par Milza.

À mi-chemin entre guerre et révolution, le coup d'État, même s'il annonce des intentions révolutionnaires, reste le fait d'un petit groupe d'individus. Marx analyse celui de Louis-Napoléon Bonaparte dans *Le 18 Brumaire*.

Enfin, un panorama des mouvements sociaux se doit de faire la place aux révoltes ouvrières. Le *Germinal* de Zola en offre une superbe vision symbolique, d'autres ouvrages comme ceux de Michelle Perrot ou de Rolande Trempé permettent d'appréhender leur sociologie.

Certains rebondissements historiques plus marginaux sont également abordés dans ce chapitre : l'épisode des cristeros — une révolte dans une révolution — ou celui des marins de Cronstadt — quand la révolution retourne ses armes contre ses propres enfants.

Dans ce tableau des bouleversements, des à-coups de l'histoire vous trouverez aussi les portraits de ces personnages hors du commun qui dirigèrent les insurrections : de Thomas Münzer à Gandhi en passant par Zapata ou Mustapha Kemal, ainsi que les textes d'un théoricien révolutionnaire comme Saint-Just, contre-révolutionnaire comme Joseph de Maistre.

L'approche du bicentenaire de la Révolution française rend plus que jamais nécessaire, dans un pays où la révolution « mit le feu à la terre entière » (H. Arendt), et donna un sens, un contenu au mot même de révolution, de mieux saisir les causes de la naissance et des retombées de ces lames de fond, qui, périodiquement, changent le paysage du monde.

Révoltes, révolutions et contre-révolutions

... en 49 livres

... en 25 livres

... en 10 livres

L'Homme révolté
Albert Camus

Les Fanatiques de l'Apocalypse
Norman Cohn

Les Possédés
Fedor Dostoïevski

*Les Primitifs de la révolte
dans l'Europe moderne*
Eric J. Hobsbawm

Quatre-vingt-treize
Victor Hugo

La Condition humaine
André Malraux

Histoire de la Révolution française
Jules Michelet

Hommage à la Catalogne
George Orwell

*Mémoires d'un révolutionnaire :
1909-1941*
Victor Serge

Germinal
Émile Zola

*Thomas Münzer,
théologien de la révolution*
Ernst Bloch

*Toussaint-Louverture :
La révolution française
et le problème colonial*
Aimé Césaire

Penser la Révolution française
François Furet

*Le carnaval de Romans :
De la Chandeleur au Mercredi
des cendres, 1579-1580*
Emmanuel Le Roy Ladurie

*Les Habits neufs du président Ma
Chronique de la Révolution culturel*
Simon Leys

Histoire de la Commune de 1871
Hippolyte Prosper Olivier Lissaga

Le 18 brumaire de Louis Bonapa
Karl Marx

La Révolution française
Albert Mathiez

Les Fascismes
Pierre Milza

Hitler m'a dit
Hermann Rauschning

L'Esprit de la révolution
Louis de Saint-Just

Réflexions sur la violence
Georges Sorel

Les causes de la Révolution angla
Lawrence Stone

Histoire de la Révolution russe
Léon Trotsky

Emiliano Zapata
John Woomack

L'Opium des intellectuels
Raymond Aron

La Révolte de Cronstadt, 1921
Henri Arvon

*Mustapha Kemal
ou la mort d'un empire*
Jacques Benoist-Méchin

Goliath, la marche du fascisme
Giuseppe-Antonio Borgese

Révolution en Allemagne (1917-1923)
Pierre Broué

*Mythes révolutionnaires
du tiers monde*
Gérard Chaliand

*La Protestation populaire en France
(1789-1820)*
Richard Cobb

*L'Utopie au pouvoir :
L'histoire de l'URSS
de 1917 à nos jours*
Michel Heller et Alexandre Nekritch

La Longue Marche
Présenté par Claude Hudelot

Les Camisards
Présenté par Philippe Joutard

L'Indépendance américaine (1763-1789)
Présenté par André Kaspi

Paroles d'un révolté
Pierre Alexievitch Kropotkine

Considérations sur la France
Joseph-Marie de Maistre

Technique du coup d'État
Curzio Malaparte

La Vendée et la France
Jean-Clément Martin

*Apocalypse et révolution au Mexique :
la guerre des cristeros (1926-1929)*
présenté par Jean Meyer

Souvenirs et aventures de ma vie
Louise Michel

Gandhi
Robert Payne

Les Ouvriers en grève 1871-1890
Michelle Perrot

10 jours qui ébranlèrent le monde
John Reed

Journal de la Commune étudiante
Présenté par Alain Schnapp
et Pierre Vidal-Naquet

*La Droite révolutionnaire en France
(1885-1914) :
les origines françaises du fascisme*
Zeev Sternhell

Le Printemps de Prague
Pavel Tigrid

Les Mineurs de Carmaux (1848-1914)
Rolande Trempé

• À vous de choisir le cinquantième livre. Peut-être est-il déjà dans votre bibliothèque.

... en 10 livres

L'Homme révolté

Albert Camus   1951
       Gallimard

« L'homme est la seule créature qui refuse d'être ce qu'elle est. » La révolte est « le mouvement de la vie ». Inhérente à l'homme, elle manifeste sa grandeur devant l'absurdité du monde. Camus opère une distinction radicale entre révolte et révolution. La révolution se retourne contre ses origines révoltées et détruit l'humanité. Un bel essai d'histoire et de morale, dont l'individualisme suscita de nombreuses critiques.

Les Fanatiques de l'Apocalypse

Norman Cohn   1962
Traduit de l'anglais
par Simone Clémendot   Payot

Entre le XIe et le XVe siècle, des sectes millénaristes apparaissent dans certaines populations pauvres de l'Europe occidentale. Propagé par des « prophètes » qui recrutent parmi les déracinés, le millénarisme répand l'idée d'une rénovation du monde par l'extermination des méchants (les juifs, le clergé, les riches, etc.). Une étude passionnante de ces mouvements révolutionnaires, de la croisade des pauvres aux flagellants ou aux anarchistes mystiques qui débouche sur une comparaison avec des phénomènes plus récents.

Les Possédés

Fedor Dostoïevski   1871-72
Traduit du russe
par Boris de Schloezer   F. et L. P.

Une poignée d'agités se réclamant de la révolution et du terrorisme vont jusqu'à assassiner l'un des leurs. « Parti de la liberté illimitée, j'arrive au despotisme illimité », déclare l'un des « démons » imaginés par Dostoïevski. Inspiré par une sinistre affaire qui défraya la chronique politique russe — l'exécution d'un étudiant par le nihiliste Sergueï Netchaïev, âme damnée de Bakounine —, cet extraordinaire roman, foisonnant jusqu'à l'extravagance, a pris aujourd'hui figure de prophétie.

Les Primitifs de la révolte dans l'Europe moderne

Eric J. Hobsbawm   1963
Traduit de l'anglais
par Reginald Laars   Fayard

« Une préhistoire de l'agitation sociale. » Hobsbawm dresse une typologie des mouvements de révolte archaïques dans l'Europe moderne : les hors-la-loi, la mafia, la populace des grandes cités et les sociétés politiques secrètes. Il étudie les rites dans ces mouvements sociaux d'où découleront les formes modernes de l'organisation révolutionnaire.

Quatre-vingt-treize

Victor Hugo   1874
      Garnier, F. et G. F.

Ce dernier roman de Victor Hugo retrace l'épopée de la Révolution française à travers l'histoire de trois hommes, le marquis de Lantenac, meneur de la contre-révolution vendéenne, l'abbé Cimourdain, acquis aux idées du peuple, et Gauvain, son fils adoptif, neveu du marquis. Un chef-d'œuvre habité par le thème hugolien de la rédemption.

La Condition humaine

André Malraux   1933
      F.

À Shangai, en mars 1927, c'est le début de l'offensive de Tchang Kaï-chek contre l'Empire chinois. Une autre tragédie se joue entre les différents protagonistes du roman, Kyo, le leader, Tchen, le terroriste, Gisors, l'esthète opiomane, et Ferral le capitaliste. Chacun des héros tente à sa manière d'échapper à la solitude. Mais l'homme ne peut se dérober à sa condition.

Histoire de la Révolution française

Jules Michelet   1853
Bouquins (2 vol.)

Alors qu'il rédigeait son *Histoire de France*, Michelet s'interrompit pour écrire celle de la Révolution : « Je ne comprendrais pas les siècles monarchiques si d'abord, avant tout, je n'établis en moi l'âme et la foi du peuple. » Certains historiens ont critiqué chez Michelet le recours perpétuel à l'interprétation symbolique mais sa vision de l'histoire où reste constant le souci de percer le sens des événements a fortement influencé la représentation populaire de la Révolution en France.

Hommage à la Catalogne

George Orwell   1938
Traduit de l'anglais
par Yvonne Davet   Lebovici

Combattant antifranquiste pendant la guerre d'Espagne, Orwell témoigne de la répression de l'anarchisme à Barcelone par les communistes en 1937. Mis hors la loi, il devra fuir la Catalogne. Dans ce récit sincère, l'écrivain apparaît comme un révolté ayant tous les totalitarismes en horreur.

Mémoires d'un révolutionnaire : 1909-1941

Victor Serge   *(1890-1947)*
Seuil

Dès l'enfance, Victor Serge, fils d'émigrés révolutionnaires russes, connaît le sentiment de « vivre dans un monde sans issue d'où il ne restait plus qu'à se battre pour une évasion possible ». Adolescent, il découvre les anarchistes à Paris, luttera à leurs côtés à Barcelone. Il adhérera par la suite au socialisme et rejoindra la Révolution russe. Le destin d'un éternel dissident — l'intellectuel lié à la bande à Bonnot puis à Trotsky — et d'un grand écrivain.

Quelques citations

« Au commencement, l'insurrection est émeute, de même que le fleuve est torrent. Ordinairement, elle aboutit à cet océan : Révolution » (Victor Hugo).

« Lorsqu'on rompt violemment ses entraves, on est presque réenchaîné ; il n'y a de liberté durable que pour ceux dont le temps a usé les fers » (Chateaubriand).

« Si c'est pour supprimer sa tragédie qu'un homme compte sur la révolution, il pense de travers » (Malraux).

« La révolution sera la floraison de l'humanité comme l'amour est la floraison du cœur » (Louise Michel).

« Les révolutions sont les manifestations successives de la justice dans l'humanité. C'est pour cela que toute révolution a son point de départ dans une révolution antérieure… la révolution, il y a dix-huit siècles, s'appelait l'Évangile… le christianisme créa le droit des gens, la fraternité des nations, ce fut en raison de son dogme et de sa devise que furent abolis simultanément l'idolâtrie et l'esclavage » (Proudhon, *Le Peuple*, 17 octobre 1848).

« Il serait ridicule de présenter notre révolution comme une sorte d'idéal pour tous les pays, d'imaginer qu'elle a fait toute une série de découvertes géniales et introduit un tas d'innovations socialistes. Jamais je n'ai entendu dire une chose pareille et je soutiens que nous ne l'entendrons pas » (Lénine, VIIe congrès du Parti, mars 1919).

Germinal

Émile Zola 1885
F., G. F., J. L., P. P., L. P.

Embauché dans une compagnie minière, le jeune Étienne Lantier découvre la réalité de l'exploitation et de la misère ouvrière. Il devient le porte-parole des mineurs et dirigera la longue et terrible grève qui sera réprimée par la force militaire. Un ouvrage novateur, porteur de justice sociale, qui aborde pour la première fois crûment et sans détour les conflits du monde du travail. Sans doute le chef-d'œuvre de Zola.

... en 25 livres

Thomas Münzer, théologien de la révolution

Ernst Bloch 1921
Traduit de l'allemand
par M. de Gandillac Julliard (épuisé)

Une étude qui se situe aux confins de la philosophie et de l'histoire de la religion. La vie et la pensée d'un prophète révolutionnaire allemand, opposé à Luther. Meneur de la lutte des paysans, il sera décapité en 1525.

Toussaint-Louverture : La révolution française et le problème colonial

Aimé Césaire 1960
Présence Africaine

Comment un esclave noir, Toussaint-Louverture, transforma une émeute en révolution. Celle-ci aboutit à la proclamation de l'autonomie de l'île de Saint-Domingue en 1800.

Penser la Révolution française

François Furet 1978
Gallimard et F.

Une nouvelle lecture de la Révolution française qui, à travers l'analyse des écrits de Tocqueville et d'Augustin Cochin, tente de rompre avec l'histoire commémorative et donne le primat à la conceptualisation des faits.

Le carnaval de Romans : De la Chandeleur au Mercredi des cendres, 1579-1580

Emmanuel Le Roy Ladurie 1975
Gallimard

Au cours du carnaval de Romans de février 1580, les artisans se soulèvent contre les gros bonnets et les seigneurs de la ville. Une Chandeleur qui s'achève dans le sang.

Les Habits neufs du président Mao : Chronique de la Révolution culturelle

Simon Leys 1971
Lebovici

Simon Leys démontre que la Révolution culturelle chinoise, qui «n'eut de révolutionnaire que le nom et de culturel que le prétexte tactique initial», se réduisit à une lutte pour le pouvoir menée au sommet par une poignée d'individus.

Histoire de la Commune de 1871

Hippolyte Prosper Olivier Lissagaray 1896
La Découverte

La chronique heure par heure de «la plus haute marée du siècle» par un «simple du rang» comme il se définit, à la fois acteur et témoin de l'histoire. Un classique.

Le 18 brumaire de Louis Bonaparte

Karl Marx   1852
Présentation de R. Huard
Traduit par G. Cornillet   Éd. Sociales

Dans ce tableau de la Révolution de 1848, qui constitue une sorte de conclusion à *La Lutte des classes en France*, Marx pose les fondements de la théorie de la dictature du prolétariat.

La Révolution française

Albert Mathiez   1922
Denoël (3 vol.)

Une fresque claire et vivante de la Révolution française sous tous ses aspects. L'accent est mis sur l'enchaînement des faits, l'étude des mentalités de l'époque, le jeu des intérêts et les forces en présence.

Les Fascismes

Pierre Milza   1985
Imprimerie nationale

Un spécialiste du fascisme dégage les traits caractéristiques de ces mouvements contre-révolutionnaires et les conditions qui favorisèrent leur apparition en Europe au lendemain de la Première Guerre mondiale.

Hitler m'a dit

Hermann Rauschning   1939
Hachette (épuisé)

Des entretiens authentiques avec Hitler avant et après sa prise de pouvoir. Le Führer expose ses véritables intentions au milieu de ses fidèles. Un document essentiel à la compréhension du nazisme.

L'Esprit de la Révolution

Louis de Saint-Just   1791
10/18 (épuisé)

La condamnation méthodique des abus de l'Ancien Régime et l'exposé méthodique des principes révolutionnaires par l'un des principaux acteurs de la Terreur, guillotiné à 27 ans.

Jeu

Révisez votre catéchisme révolutionnaire en retrouvant les événements associés à ces dates explosives :

1 — Début de la Révolution russe.
2 — Zapata et Pancho Villa entrent à Mexico à la tête des troupes révolutionnaires.
3 — Proclamation de la Commune de Paris à l'hôtel de ville.
4 — Premier jour des Trois Glorieuses.
5 — Soulèvement populaire qui marque la fin de la monarchie orléaniste.
6 — Déclaration d'indépendance des États-Unis d'Amérique.
7 — Insurrection royaliste de la Vendée. Le 13 Vendémiaire.
8 — Indépendance de l'Union indienne.
9 — Mao proclame la République populaire chinoise.
10 — Manifestation à Paris des ligues de droite et d'extrême droite qui aboutit à la démission de Daladier.

A — 27 juillet 1830
B — 6 février 1934
C — 22 février 1848
D — 5 octobre 1795
E — 23 mars 1871
F — 25 octobre 1917
G — 4 juillet 1776
H — 10 décembre 1914
I — 15 août 1947
J — 1er octobre 1949

Réponses : 1F - 2H - 3E - 4A - 5C - 6G - 7D - 8F - 9J - 10B.

Réflexions sur la violence

Georges Sorel   1908
                                        Slatkine

Penseur inclassable, Georges Sorel inspira le communiste Gramsci aussi bien que Mussolini. Dans ce recueil d'articles, le syndicaliste révolutionnaire expose sa théorie de la grève générale.

Les causes de la Révolution anglaise

Lawrence Stone   1972
Traduit de l'anglais
par Antoine Hertier   Flammarion

L'historien américain met à jour les chaînes de causalités qui déclencheront la Révolution anglaise de 1640. Il démontre que, malgré son échec, son legs d'idées en fait la première grande révolution mondiale.

Histoire de la Révolution russe

Léon Trotsky   1930
Traduit du russe
par Maurice Parijanine   Seuil

«Durant les deux premiers mois de 1917, la Russie était encore la monarchie des Romanov. Huit mois plus tard, les bolcheviks tenaient déjà le gouvernail...» La grande Révolution analysée par l'un de ses acteurs et l'une de ses victimes.

Emiliano Zapata

John Woomack   1969
Traduit de l'américain
par F. Illouz   La Découverte (épuisé)

En 1910, les villageois de l'État de Morelos au Mexique se lancent dans une guérilla qui durera presque neuf ans. Ils avaient plusieurs leaders mais la figure de proue de la Révolution paysanne mexicaine reste Emiliano Zapata.

... en 49 livres

L'Opium des intellectuels

Raymond Aron   1955
                                          Agora

Le philosophe critique les idéologies de gauche : la révolution, le prolétariat. Une réflexion sur l'intelligentsia en France et dans le monde. «Appelons de nos vœux la venue des sceptiques s'ils doivent éteindre le fanatisme.»

La Révolte de Cronstadt, 1921

Henri Arvon   1980
                                        Complexe

En mars 1921, les marins de Cronstadt, fidèles à l'idéal des soviets, se rebellent contre la dictature bolchevique et instaurent une commune révolutionnaire qui sera écrasée par l'Armée rouge.

Mustapha Kemal ou la mort d'un empire

Jacques Benoist-Méchin   1954
                                      Albin Michel

Le portrait de l'homme qui incarne le réveil du Proche-Orient. Après avoir renversé le sultanat, Kemal fonde la première république turque en 1922.

Goliath, la marche du fascisme

Giuseppe-Antonio Borgese   1937
Traduit de l'allemand
par Étiemble   Desjonquères

Trois grandes périodes rythment ce livre : l'avant-fascisme, la marche sur Rome et la marche sur le monde. Un essai pénétrant et fougueux, indispensable à ceux qui veulent comprendre l'essence du fascisme.

Révolution en Allemagne (1917-1923)

Pierre Broué   1971
                                          Minuit

En 1918, le mouvement Spartakus popularise à Berlin le mot d'ordre de la Révolution russe : «conseils d'ouvriers et de soldats», et donne le signal d'une guerre civile acharnée. L'insurrection sera supplantée par la contre-révolution hitlérienne.

Mythes révolutionnaires du tiers monde

Gérard Chaliand 1979
Seuil

Les millénarismes de notre époque ne sont pas moins illusoires que ceux des siècles précédents. Le bonheur n'est ni dans le tiers monde, ni pour demain...

La Protestation populaire en France (1789-1820)

Richard Cobb 1970
Traduit de l'anglais par
M.-F. de Palomera Calmann-Lévy

Une vue d'ensemble des différents mouvements populaires spontanés de l'an II. Richard Cobb se penche sur le mode d'apparition de ces sans-culottes, tente de cerner leur mentalité. Une étude de la violence populaire en paroles et en actes.

L'Utopie au pouvoir : L'histoire de l'URSS de 1917 à nos jours

Michel Heller et Alexandre Nekritch 1982
Traduit du russe
par V. Berclowitch Calmann-Lévy

Deux historiens russes dissidents jugent la réalité du système soviétique mis en place par les pères de la Révolution. L'histoire d'une société asservie par un parti.

La Longue Marche

Présenté par Claude Hudelot 1971
Gallimard

Documents d'archives et témoignages racontent la longue marche de l'Armée rouge de Mao qui, entre octobre 1934 et octobre 1935, parcourut plus de 12 000 kilomètres grâce au soutien de la population chinoise.

Slogans révolutionnaires

«Vivre en travaillant ou mourir en combattant» (Les canuts, 1831).

«Donnez-nous du pain, mais donnez-nous aussi des roses» (grève 1912, calicot des ouvrières textiles du Massachusetts).

«Tout le pouvoir aux soviets» (Révolution russe, 1917).

«La liberté ou la mort» (1848).

«Ne me libère pas, je m'en charge» (Mai 68).

«Cours camarade, le vieux monde est derrière toi» (Mai 68).

«Le pouvoir est au bout du fusil» (Révolution culturelle chinoise, 1966-69).

«Changer la vie, changer l'homme!» (Chine 1966, 69).

«El pueblo unido jamás sera vencido» (Le peuple uni ne sera jamais vaincu, Chili).

«La révolution est la femme fatale qui cocufiera la bourgeoisie» (Lisbonne, 1974).

1789 - 1989

Si François Furet est devenu incontestablement le «roi» de la Révolution, l'imposant dictionnaire qu'il a conçu avec Mona Ozouf et une quinzaine de collaborateurs est le livre clef de la commémoration. Fiabilité, diversité, entrées multiples, sans oublier l'optique «critique» de l'entreprise qui permet de tout trouver sur : féodalité, religion révolutionnaire, nuit du 4 Août, séparation des pouvoirs, mais aussi Hérault de Séchelles, Rivarol, Turgot...

Dictionnaire critique de la Révolution française
par François Furet et Mona Ozouf,
Flammarion, 1126 p.

Les Camisards

Présenté par Philippe Joutard 1976
Gallimard

«Guérilla d'inspirés», la révolte des camisards de 1701, mouvement populaire qui dura deux ans, ne présente aucun des caractères habituels des guerres de religions, ni des soulèvements de croquants.

L'Indépendance américaine (1763-1789)

Présenté par André Kaspi 1976
Gallimard

André Kaspi a rassemblé textes et documents, comme la Déclaration d'indépendance de 1776 ou les discours des pères fondateurs des États-Unis (Jefferson, etc.) pour décrire la naissance d'une nouvelle nation.

Paroles d'un révolté

Pierre Alexievitch Kropotkine 1885
Flammarion

La nécessité de la Révolution, l'esprit de révolte, la Commune : un recueil d'articles importants du «prince noir», Kropotkine, choisis par Élisée Reclus. La profession de foi du théoricien anarchiste.

Considérations sur la France

Joseph-Marie de Maistre 1796
Garnier

Un royaliste franc-maçon, figure importante de la contre-révolution, décrypte à sa manière la Révolution française. Une apologie de l'Ancien Régime, de l'ordre et de la tradition.

Technique du coup d'État

Curzio Malaparte 1930
Traduit de l'italien
par Juliette Bertrand Grasset

La conquête d'un État envisagée sous son aspect technique. Une réflexion sur la lutte entre Trotsky et Staline, le coup d'État de von Kapp en 1920 et celui de Mussolini.

La Vendée et la France

Jean-Clément Martin 1987
Seuil

Symbole même de la contre-révolution, la Vendée a pris conscience d'elle-même à partir de 1793, au fil des luttes et des massacres. Quand la révolte «accouche» d'une région.

Apocalypse et révolution au Mexique : La guerre des cristeros (1926-1929)

Présenté par Jean Meyer 1974
Gallimard

Pendant la révolution mexicaine, face à un État absolutiste qui persécute l'Église, des dizaines de milliers de paysans prennent les armes au cri de «Vive le Christ roi». Un épisode de l'histoire longtemps enseveli par les autorités du Mexique.

Souvenirs et aventures de ma vie

Louise Michel *(1830-1905)*
La Découverte

Les souvenirs de la «vierge rouge», l'une des grandes figures de la Commune de Paris. Militante anarchiste, Louise Michel fut déportée en Nouvelle-Calédonie où elle embrassa la cause des Canaques.

Gandhi

Robert Payne 1969
Traduit de l'anglais
par Pierre Rocheron Seuil

Le portrait du libérateur de l'Inde, celui que l'on appelait Mahatma (la grande âme). Génie politique et grand mystique, Gandhi démontra que la non-violence pouvait être aussi efficace que les armes.

Les Ouvriers en grève 1871-1890

Michelle Perrot 1974
Mouton (épuisé)

Une étude sociologique de la grève dans une période déterminée : son déclenchement, son déroulement et son dénouement, l'analyse de ses composantes stables et dynamiques et la description de ses leaders.

10 jours qui ébranlèrent le monde

John Reed 1919
Traduit de l'anglais
par Vladimir Pozner Éd. Sociales

Journaliste, poète, révolutionnaire, John Reed nous livre le récit « sous pression » des débuts de la Révolution russe de 1917, dont il fut le témoin oculaire. Un classique du grand reportage.

Journal de la Commune étudiante

Textes et documents
présentés par Alain Schnapp
et Pierre Vidal-Naquet 1969
Seuil (épuisé)

Un ensemble de documents triés sur le vif, essentiels à la compréhension du mouvement de mai 68. Les deux historiens font apparaître toutes les dimensions d'une révolte qui faillit devenir une révolution.

La Droite révolutionnaire en France (1885-1914) : les origines françaises du fascisme

Zeev Sternhell 1978
Seuil

Les précurseurs français du fascisme : la ligue des patriotes, l'Action française. Le livre cerne les origines de la droite antidémocrate, dans ses composantes et ses avatars.

Le Printemps de Prague

Pavel Tigrid 1968
Seuil

Un témoignage sur le mouvement spectaculaire de contestation qui vit le jour en 1968 à Prague et se traduisit par la défaite du stalinisme en Tchécoslovaquie.

Les Mineurs de Carmaux (1848-1914)

Rolande Trempé 1971
Éditions ouvrières (2 vol.)

Une importante étude sur l'histoire sociale réalisée à partir de documents patronaux. Le sujet de l'ouvrage dépasse largement Carmaux. L'auteur décrit l'éveil de la conscience de classe à travers grèves successives et affrontements quotidiens à l'usine.

Énigmes et grandes affaires

Rien de tel, semble-t-il, qu'une «affaire» pour assurer de temps à autre les manchettes des journaux. Rien de tel aussi qu'une énigme pour nourrir périodiquement, d'hypothèses en supputations, notre goût du mystère. Mais les affaires et les grandes énigmes, si elles nous fascinent, sont aussi une porte d'accès à l'histoire. De l'affaire du collier de la reine — symptomatique d'une fin de régime — à celle du Watergate — qui déboulonne le président de la première puissance mondiale —, tous ces dossiers «sensibles» agissent, à travers chaque cas particulier, comme le révélateur d'une époque, d'une société, d'un pouvoir. D'où l'intérêt de proposer une bibliothèque idéale de ce qu'il est convenu d'appeler les «histoires secrètes», en 49 affaires allant de l'assassinat d'Henri IV à celui de Kennedy, du faux Louis XVII au «vrai-faux» demi-frère de Louis XIV, de l'invraisemblable Cagliostro aux supputations sur les origines de Jeanne d'Arc...

Certaines de ces affaires s'imposaient d'évidence : comme l'affaire Dreyfus, prototype de l'erreur judiciaire, qui fut à l'origine, dans les années 1890, de la division de la France en deux blocs politiques; ou encore l'affaire Calas, plaidée — près d'un siècle et demi avant Zola — par Voltaire. À mi-chemin du secret d'État et du secret d'alcôve, d'autres épisodes — pourtant parfaitement authentiques — semblent quant à eux sortir tout droit d'un roman d'espionnage, depuis les tribulations d'une fausse danseuse reconvertie dans le renseignement (Mata Hari) jusqu'aux taupes infiltrées plus récemment dans les services secrets britanniques (l'affaire Blunt). Abondamment fourni également le chapitre des scandales politiques ou financiers : Panama, l'affaire Stavisky dans l'entre-deux-guerres ou ceux qui ont marqué la France des années soixante-dix. Sans oublier les dossiers explosifs ou accablants — l'affaire Ben Barka, le procès Barbie — et les mises au point nécessaires qui soulèvent un coin du voile jeté pudiquement par l'histoire (le massacre des 15 000 officiers polonais de Katyn).

Nous n'avons pas pour autant négligé les énigmes mythiques — l'Atlantide, l'île de Pâques ou le mystère des pharaons — qui exercent une fascination millénaire. Ni, à l'autre bout de l'échelle, le simple fait divers, de la rumeur d'Orléans analysée par le sociologue Edgar Morin, à Jack l'Éventreur, l'assassin légendaire des bas-fonds de Londres, en passant par les échecs et les « ratés » de la Justice : le cas Marie Besnard (empoisonneuse ou innocente ?) ou encore l'affaire du pull-over rouge, patiemment reconstituée par Gilles Perrault.

Autant d'histoires en marge de l'Histoire... Longtemps tenue en suspicion — en particulier par les « nouveaux historiens » —, cette porte dérobée de la « petite » histoire suscite peu à peu un regain d'intérêt. Peut-être parce que, fouillant dans les cuisines parfois peu ragoûtantes du passé (ou de l'actualité), elle a la vertu de porter l'éclairage sur ces zones d'ombre que constituent les « dérapages » des individus et des États.

Énigmes
et grandes affaires

... en 49 livres

... en 25 livres

... en 10 livres

Les Fous du président
Carl Bernstein
et Bob Woodward

Un climat de trahison
Andrew Boyle

L'Affaire
Jean-Denis Bredin

Vie et mort
de l'ordre du Temple
Alain Demurger

Joseph Basalmo
Alexandre Dumas

Stavisky, l'homme
que j'ai connu
Joseph Kessel

L'Assassinat de Henri IV
Roland Mousnier

Jeanne d'Arc
Régine Pernoud et
Marie-Véronique Clin

L'Affaire Calas
Voltaire

Le Suaire de Turin :
linceul du Christ ?
Ian Wilson

Ils ont tué Kennedy : Mafia, CIA...
Robert Sam Anson

Louis XVII
André Castelot

Sacco et Vanzetti
Ronald Creagh

Enquête sur les affaires d'un septennat
Jacques Derogy, Jean-Marie Pontaut

Fouquet
Daniel Dessert

Le Drame des poisons
Frantz Funck-Brentano

Ben Barka, ses assassins :
16 ans d'enquête
Daniel Guérin

Profumo, les dessous
d'une affaire d'État
Philipp Knightley, Caroline
Kennedy

Katyn, l'armée polonaise assassinée
Alexandra Kwiatkowska-Viatteau

La Révolution qui lève
in Les Hommes de la liberté
Claude Manceron

Montségur et l'énigme cathare
Jean Markale

La Rumeur d'Orléans
Edgar Morin

Le Pull-Over rouge
Gilles Perrault

Dossier Rosenberg
Ronald Radosh et Joyce Milton

La Malédiction des pharaons
Philipp Vandenberg

La Chapelle des damnés
Robert Ambelain

Leurs figures
Maurice Barrès

L'Atlantide retrouvée : le 8ᵉ continent
Charles Berlitz

Gilles de Rais ou la passion du défi
Jacques Bressler

Les Diables de Loudun
Michel Carmona

Le Retour de Martin Guerre
Nathalie Zenon Davis

Grands secrets, grandes énigmes
Alain Decaux

Marie Besnard
ou la justice empoisonnée
René Héricotte

L'Affaire Caillaux,
ainsi finit la Belle Époque
Paulette Houdyer

Barbie
Ladislas de Hoyos

Lucy, une jeune fille de 3 millions
et demi d'années
Donald Johanson et Maitland Edey

Le Mystère Petiot
Marcel Jullian

L'Affaire Finally telle que je l'ai vécue
Moïse Keller

L'Affaire Lyssenko
Joël et Dan Kotek

Le Dossier secret de l'île de Pâques
Franz Kowaks

Mata Hari : songes et mensonges
Fred Kupferman

Jeanne d'Arc
Edward Lucie-Smith

Jack l'Éventreur
Roland Marx

L'Affaire du courrier de Lyon
Gabriel Olivier

Le Réseau Sorge
Gordon W. Prange

Le Dictionnaire des assassins
René Réouven

L'Affaire Manouchian
Philippe Robrieux

Anastasia, la grande-duchesse retrouvée
Jean-Jacques Thierry

Mayerling, la mort trouble
Victor Wolfson

• À vous de choisir le cinquantième livre. Peut-être est-il déjà dans votre bibliothèque.

... en 10 livres

Les Fous du président

Carl Bernstein et Bob Woodward   1974
Trad. C. Cowen   Laffont (épuisé)

Oubliez Robert Redford et Dustin Hoffmann et laissez-vous aller à la lecture de ces pages éblouissantes où l'on voit l'entourage du président à l'œuvre. Pendant les années Nixon la Maison-Blanche n'aura-t-elle été qu'un repaire de psychotiques et de paranoïaques habités par le soupçon et la haine ? Une leçon de journalisme par ceux qui ont fait tomber Nixon.

Un climat de trahison

Andrew Boyle   1978
Traduit par L. Stayns,
A. Mizes, O. Fitzgerald   Lattès

La « conspiration de Cambridge » ou la trahison de quatre mousquetaires, purs produits de l'enseignement haut de gamme britannique : Philby (qui a écrit *Ma guerre silencieuse*, Laffont, 1968, hélas épuisé), Mac Lean, Burgess et Blunt. Comment ce dernier, fils de pasteur anobli, conseiller artistique de la reine, spécialiste éminent de Poussin et du baroque italien, a-t-il pu lier partie avec les services secrets de Staline et faire office de recruteur d'agents doubles au service du KGB ?

L'Affaire

Jean-Denis Bredin   1983
     Julliard et P. P.

Une somme sur ce qui est resté l'Affaire par excellence. Quelques scènes mémorables : la dictée qui « trahit » Dreyfus ; la dégradation dans la cour de l'École Militaire qui inspira ce commentaire à Jaurès : « un spectacle plus excitant que la guillotine » ; les lettres de Dreyfus à sa femme datées de l'île du Diable ; les émeutes antisémites dans plusieurs villes de France après le « J'accuse » de Zola. Une affaire de conscience, une affaire de référence.

Vie et mort de l'ordre du Temple

Alain Demurger   1985
     Seuil

Grandeur et décadence de cette milice du Christ qui fut dans ses dernières années l'enjeu de la formidable rivalité entre le pouvoir pontifical et le roi de France. Philippe le Bel qui rêvait de prendre la tête d'une croisade pour reconstruire le royaume de Jérusalem ne pouvait accepter que les moines-chevaliers du Temple prétendent échapper à son commandement. Les premiers soubresauts de la monarchie centralisatrice.

Joseph Balsamo

Alexandre Dumas   1849
     Presses de la Renaissance

Tout y est faux mais quelle importance ! Qui prétend dire la vérité sur ce personnage un peu alchimiste, vaguement faussaire, un tantinet maître-chanteur et assurément génial mystificateur ? Dumas fait de Joseph Balsamo, alias comte de Cagliostro, le pourvoyeur de Louis XV en vierges diaphanes et innocentes.

Stavisky, l'homme que j'ai connu

Joseph Kessel   1974
     Gallimard

« J'ai connu Alexandre. Je me suis assis à sa table. Je le tutoyais. » Un court récit de Kessel qui a l'avantage de rompre avec les stéréotypes du Stavisky escroc, Fregoli de la carambouille et manipulateur d'un milieu politique sous influence. Ici «monsieur Alexandre» apparaît comme un homme presque ordinaire et de commerce agréable. La deuxième partie est consacrée à l'affaire elle-même que raconte Raymond Thévenin. À lire aussi, en bibliothèque car il est épuisé, le passionnant récit de J.-M. Charlier et M. Montarron : *Stavisky, les secrets du scandale* (Laffont).

L'Assassinat de Henri IV

Roland Mousnier 1964
Gallimard

Convaincu que les protestants préparaient avec la bienveillance de Henri IV une revanche de la Saint-Barthelémy, grand lecteur des libelles et pamphlets contre «le tyran d'usurpation» et disciple des prêcheurs qui absolvaient le meurtre des rois félons, Ravaillac se crut l'instrument d'une mission d'ordre divin. Les Guise et la Ligue étaient vengés. Remarquable pour la description de cette conjuration des méfiances à l'encontre de Henri IV.

Jeanne d'Arc

*Régine Pernoud
et Marie-Véronique Clin* 1986
Fayard

Tout ce que l'on peut savoir sur Jeanne en l'état actuel des connaissances. Un livre-référence, synthèse brillante des études parues, et qui rend justice à certaines légendes obstinées qui courent encore sur la Pucelle (était-elle une bâtarde royale?). Une épopée qui, de Vaucouleurs au bûcher de Rouen, n'aura pas duré trois ans, et dont l'irruption dans une France ravagée et déchirée reste le premier mystère.

L'Affaire Calas

Voltaire 1763
F.

L'affaire Calas, comme l'affaire du chevalier de La Barre exécuté pour avoir refusé de se découvrir au passage du Saint-

André Castelot et Jean Favier devant les énigmes de l'histoire

Demander à André Castelot quelles seraient les trois grandes affaires ou énigmes qui méritent d'être retenues plus que toutes les autres n'est pas du meilleur goût. Lui qui n'est pas suspect de négliger la «petite histoire» au profit de longues digressions sur les mentalités ou les techniques nouvelles du métier à tisser sous Napoléon est pour le moins dans l'embarras. N'a-t-il pas écrit sur à peu près toutes les énigmes? «En privilégier une plutôt qu'une autre, reconnaît-il, ne m'enchante pas. Elles se bousculent toutes dans mon esprit.»

Poser la même question à Jean Favier, le directeur des Archives nationales, relève d'un tout autre exercice. Les affaires ne sont pas son affaire. Quant aux énigmes, valent-elles qu'on en parle et en reparle puisque, de toute manière, elles n'ont guère de chance d'être jamais élucidées. «Ce sont des thèmes pour lesquels je ne vibre pas vraiment. Louis XVII? On ne saura sans doute jamais rien. Le Masque de fer? Même réponse.»

N'y aurait-il donc pas un événement, un personnage à propos duquel le mot d'affaire ou d'énigme ne serait pas déplacé? Si, tout de même! Et l'auteur du *Philippe le Bel* (Fayard, 1979) cite, il va de soi, le petit-fils de Saint Louis. «Philippe le Bel, oui, nous interroge à lui seul. Ses relations avec le pape ou avec les Templiers ne sont pas sans nous interpeller. Mais ce n'est pas en termes d'énigmes que je vois les choses. À moins que le sens que l'on donne à ce mot ne recouvre finalement la personnalité de ce souverain. C'était une figure de marbre, mais il était très pénétré des charges et des devoirs que lui imposait son métier de roi.»

On le voit, il y a affaire et affaire, énigme et énigme. Pour André Castelot, ces nuances-là ne s'imposent pas. Les affaires, il connaît. Les énigmes, c'est sa tasse de

Sacrement, est un cri contre l'intolérance et le fanatisme. Un procès en réhabilitation au siècle des Lumières : celui d'un commerçant protestant roué vif après avoir été faussement accusé d'avoir assassiné son fils qui voulait embrasser la religion catholique.

Le Suaire de Turin : linceul du Christ ?

Ian Wilson   1984
Traduit par R. Albeck   Albin Michel

Authentique ? Faux ? L'auteur ne conclut pas. À partir du XIVe siècle on peut refaire aisément l'itinéraire du linceul entre la Champagne, Chambéry, Annecy et Turin. Mais avant ? Le Saint-Suaire était-il le Mandylion, ce portrait présumé du Christ retrouvé au VIe siècle et qui était la propriété des empereurs de Byzance jusqu'au sac de la ville en 1204 ? Était-il le Saint-Graal ? ou bien la fameuse « tête barbue » qu'adoraient les Templiers ?

... en 25 livres

Ils ont tué Kennedy : Mafia, CIA ?

Robert Sam Anson   1976
Traduit par F.-M. Watkins   Denoël

Un livre épais qui pose moult questions : Pourquoi les deux fameuses photos montrant Oswald armé d'un fusil sont-elles des montages ? Pourquoi l'assassin qui n'a probablement pas agi seul a-t-il été présenté successivement comme pro-castriste puis anti-castriste ? Le FBI et la CIA n'ont-ils pas eu intérêt à la disparition de Kennedy ? Que dire enfin des accointances de la Mafia avec le syndicat de Jim Hoffa, bête noire du clan Kennedy ?

Louis XVII

André Castelot   1974
Perrin

Naundorff ne serait pas celui qu'il prétendait être, mais le dauphin se serait bel et bien évadé du Temple. Les passionnés de cette « énigme » pourront également lire *Louis XVII et l'énigme du Temple* par G. Lenôtre (Perrin).

Sacco et Vanzetti

Ronald Creagh   1984
La Découverte

« La colère a les yeux purs et les mains vides », écrivait Eluard au lendemain de la double exécution en 1927. Le 23 août de cette année-là, *L'Humanité* sortait une édition spéciale, vendue à 192 000 exemplaires et titrée : « Électrocutés ! Le prolétariat les vengera ! »

Enquête sur les affaires d'un septennat

Jacques Derogy, Jean-Marie Pontaut   1981
Laffont

De l'affaire Boulin à l'affaire de Broglie en passant par les diamants de Bokassa, le septennat de Giscard ne sort pas grandi. Même le meurtre de l'ancien ministre Fontanet, qui ne fut pas en soi une affaire (un crime de rôdeur), montre à quel degré de déconsidération un régime peut atteindre.

Fouquet

Daniel Dessert   1987
Fayard

Grandeur et décadence d'un ministre qui faisait trop d'ombre à son roi. Daniel Dessert reprend tous les éléments de l'affaire et démonte l'accusation portée contre le surintendant. Si riche fût-il au moment de sa chute, n'était-il pas aussi fort endetté ? Colbert, son rival heureux, subit ici quelques sérieux éreintements.

Le Drame des poisons

Frantz Funck-Brentano 1889
Tallandier
Arsenic et vieilles dentelles au Grand Siècle. De l'inquiétante Brinvilliers à l'imprudente Montespan. Racine lui-même manqua de se compromettre.

Ben Barka, ses assassins : 16 ans d'enquête

Daniel Guérin 1975
Plon
Barbouzes et fripouilles dans les eaux troubles d'une affaire où trempèrent le SDECE et quelques «barons». Le livre d'un spécialiste très engagé, fondateur (avec Mauriac) du Comité pour la vérité sur l'affaire Ben Barka.

Profumo, les dessous d'une affaire d'État

*Philipp Knightley
et Caroline Kennedy* 1987
Trad. par Brice Matthieussent Bourgois
Un ministre de la Défense, officier de l'Ordre de l'Empire britannique, amant d'une call-girl, elle-même maîtresse d'un agent des renseignements soviétiques et d'un ostéopathe bien connu du demi-monde londonien et de l'entourage du prince d'Édimbourg : un cocktail explosif.

Katyn, l'armée polonaise assassinée

Alexandra Kwiatkowska-Viatteau 1982
Complexe
Quinze mille officiers polonais abattus entre 1939 et 1941. Roosevelt en 1944 se dit «absolument convaincu que les Russes n'ont rien commis de tel». Le gouvernement (communiste) polonais a longtemps rejeté sur les Allemands la responsabilité du massacre.

thé. Mais, encore une fois, lesquelles placerait-il au-dessus du lot? Après un temps de réflexion il finit par livrer son tiercé. Dans l'ordre : l'énigme du Temple, le Saint-Suaire et le Masque de fer.

«Le Temple en premier lieu, parce que c'est ce qui m'a orienté vers l'histoire. J'ai entrepris mes premières études sur Louis XVII en 1935, alors que je me destinais au journalisme, et je me suis mis en quête d'un cheveu du dauphin. Je n'ai abouti qu'après quatre années de démarches et de recherches et c'est en confrontant cette relique avec une mèche de Naundorff que j'ai acquis alors la conviction que celui-ci était bien le fils de Louis XVI et de Marie-Antoinette. D'où un premier livre naundorffiste. Mais depuis je suis revenu de cette thèse et j'en ai écrit un second qui conclut négativement.»

Il est vain de se risquer à interrompre Castelot sur le sujet, il est intarissable. Il n'a de cesse de porter sa lanterne dans les caves de l'histoire, quitte à ce que le mystère reste bien gardé. «Mieux vaut une belle et bonne énigme, dit-il, qu'une solide certitude.» Énigme, vous avez dit énigme ? Mais d'abord qu'entend-on par là ? Pour Jean Favier, il y a matière à scepticisme. Ce n'est pas qu'il perçoive une manière de futilité mais plutôt un certain talent de tourner en rond. «L'énigme, la véritable énigme, lâche-t-il pour finir, c'est de comprendre le passé. Un point, c'est tout. Voilà, si vous y tenez, la grande affaire qui m'occupe. Pour le reste, j'ai lu tant de sottises sur des personnages de l'époque qui est l'objet de mes travaux...»

Que cela ne relâche pas pour autant votre intérêt pour les coups de théâtre du Watergate ou les tenants et les aboutissants du drame de Mayerling. Jean Favier d'ailleurs parle excellemment de la fin des Templiers et des brus scandaleuses de Philippe le Bel. Courez-y vite si vous aimez aussi les dessous de l'histoire.

La révolution qui lève
in Les hommes de la liberté, tome IV

Claude Manceron   1979
Laffont

Parmi tant d'autres symptômes de cette fin de règne, l'affaire du collier de la Reine, traitée par un grand spécialiste de la Révolution.

Montségur et l'énigme cathare

Jean Markale   1986
Pygmalion

Montségur fut le symbole de la résistance désespérée de ces occitans hérétiques. L'occasion d'un voyage étonnant à travers les religions qui ont inspiré les « Parfaits ». Une foi qui fut d'abord celle des élites et se nourrissait, trois siècles avant Luther, de la répulsion que suscitaient les fastes de l'Église et les mœurs de ses clercs.

La Rumeur d'Orléans

Edgar Morin   1969
Seuil

Disparitions de jeunes filles dans des salons d'essayage, traite des blanches… dans une petite ville bien tranquille. Autant de rumeurs sans fondements réels dont l'origine n'a jamais été découverte et que le sociologue Edgar Morin analyse dans ce livre.

Le Pull-Over rouge

Gilles Perrault   1978
Ramsay

La reconstitution minutieuse et presque minutée d'un crime et, dit l'auteur, d'une dramatique erreur judiciaire. Christian Ranucci, 20 ans, accusé du meurtre d'une fillette, avoue, se rétracte, se perd dans ses mensonges. Un imbroglio qui se dénoue fil à fil.

Dossier Rosenberg

Ronald Radosh et Joyce Milton   1985
Traduit par A.M. Sitnik   Hachette

Julius était coupable, concluent les auteurs, même si sa trahison était de peu de poids. Ethel, elle, ne l'était pas. Ils étaient juifs et leur condamnation mobilisa les Occidentaux.

La Malédiction des pharaons

Philipp Vandenberg   1975
Traduit par Paul Chaudronnier
Belfond (épuisé)

Lord Carnarvon, qui découvrit le tombeau de Toutankhamon, mourut mystérieusement. Et combien d'autres qui voulurent aussi percer les secrets des Égyptiens ? Où l'on parle alors de chauves-souris porteuses du virus de l'histoplasmose, le mal des cavernes, et de vers à glandes venimeuses ! Par un spécialiste des grands pharaons.

… en 49 livres

La Chapelle des damnés

Robert Ambelain   1982
Laffont

Fouquet au centre d'un incroyable complot visant à substituer le fils adultérin d'Anne d'Autriche à Louis XIV. La manœuvre échoue. Le surintendant est destitué et l'usurpateur condamné à porter un masque. Sur l'énigme du Masque de fer, on préférera peut-être le livre déjà ancien mais plus sobre de Georges Mongrédien (Hachette, 1952) qui n'impose pas de solution et suggère simplement de se limiter à deux possibilités : le diplomate Matthioli ou le « valet » Eustache Dauger.

Leurs figures

Maurice Barrès   1902
L. P. (épuisé)

Le scandale de Panama à travers une fiction — le dernier volet de la trilogie intitulée « Le Roman de l'Énergie nationale » — où l'on voit défiler les Clemenceau et autres Freycinet.

L'Atlantide retrouvée : le 8ᵉ continent

Charles Berlitz   1984
Traduit par P. Couturiau   Éd. du Rocher

Par l'auteur du *Triangle des Bermudes*, linguiste passionné d'archéologie, le récit et les photos de ses explorations sous-marines à la recherche du Continent Perdu. Pour C. Berlitz, il n'est désormais plus possible d'en nier l'existence.

Gilles de Rais
ou la passion du défi

Jacques Bressler 1981
Payot

Sodomite, alchimiste, hérétique, grand massacreur d'adolescents, Gilles, le preux compagnon de Jeanne ou le chemin de croix d'un damné prêt au martyre.

Les Diables de Loudun
sorcellerie et politique
sous Richelieu

Michel Carmona 1988
Fayard

Le dossier complet de cette affaire de possession qui se déroula au couvent des Ursulines en 1632 et divisa les Français du XVIIe siècle.

Le Retour de Martin Guerre

Nathalie Zenon Davis, Jean-Claude Carrière et Daniel Vigne 1982
Laffont

Un film et aussi un très beau livre. Au cœur d'un «ostal» ariégeois au début du XVIe siècle, un homme prend la place d'un autre.

Grands secrets,
grandes énigmes

Alain Decaux 1971
Perrin

Un des volumes du spécialiste des énigmes et mystères du passé.

Marie Besnard
ou la justice empoisonnée

René Héricotte 1980
Éditions J. A.

Trois procès en cour d'assises qui tournent à la confusion et aboutissent à l'acquittement. Restent treize morts, treize meurtres inexpliqués. L'histoire d'un «ratage» judiciaire.

Le point de vue
d'Alain Decaux

Face aux nouvelles tendances de l'histoire, Alain Decaux reste l'un des partisans de l'histoire événementielle.

« Je suis un défenseur de l'anecdote. Par rapport à un personnage ou à un événement, l'anecdote est un trait saillant qui illustre le comportement de ce personnage ou le déroulement de cet événement. Il ne faut pas que l'anecdote soit inventée, il faut qu'elle soit vraie. Et si l'anecdote est vraie, elle frappe, elle symbolise, elle retient l'attention. Il ne faut pas privilégier l'anecdote mais il ne faut pas non plus l'éliminer. Quand M. Duby ou M. Le Roy Ladurie parlent des mentalités au Moyen Âge, je les écoute avec passion parce que ce qu'ils disent est très intéressant. Moi, c'est autre chose que je veux faire. Je pense que la réflexion, l'analyse des mentalités, «la nouvelle histoire», c'est important. Je suis un lecteur de cette nouvelle histoire. Mais je dis, et j'en suis sûr, que ce que je fais est tout aussi utile, ni moins ni plus, mais aussi utile. D'ailleurs Ernest Labrousse, qui est le père de la "nouvelle histoire" — les historiens de la nouvelle histoire le tiennent justement pour leur maître —, m'a dit : "Vous avez donné à la vulgarisation ses lettres de noblesse." Je suis curieux de tout et c'est pour cela que je m'intéresse à des époques et à des personnages tellement différents, et que je ne veux pas être un spécialiste. Peut-être mes détracteurs diront-ils que je ne vais pas au fond des choses. Je répondrai que si, tout de même, j'essaye d'aller au fond des choses. Ayant choisi l'histoire pour le plus grand nombre, je suis à même de satisfaire constamment ma curiosité. Je change de sujet à chaque instant, et les moments, les semaines, les années que je passe sur tel ou tel événement ou avec tel ou tel personnage font que je retrouve ma fraîcheur d'esprit à chaque fois. D'où le bonheur. Et ce bonheur, cette curiosité, j'espère qu'ils m'accompagneront jusqu'au bout. »

L'Affaire Caillaux, ainsi finit la Belle Époque

Paulette Houdyer   1977
                              Le Cercle d'Or

Un coup de feu qui n'eut pas les consé-quences de celui de Sarajevo quelque temps plus tard mais qui, à sa manière, mit un terme à une certaine idée de la France.

Barbie   1984

Ladislas de Hoyos   Laffont

Une très grande connaissance du dossier.

Lucy, une jeune fille de 3 millions et demi d'années

Donald Johanson et Maitland Edey   1983
Traduit par Odile Demange   Laffont

Une découverte sans précédent puisqu'il s'agit du plus vieux squelette «humain» jamais mis au jour. Les inventeurs de ce véritable trésor relatent la rencontre au fin fond de l'Éthiopie avec Lucy — un prénom sorti tout droit d'un air des Beatles !

Le Mystère Petiot   1980

Marcel Jullian   Éditions n° 1

Conseiller général de l'Yonne sous l'éti-quette S.F.I.O., partisan du Front popu-laire, médecin des humbles, Petiot Marcel était aussi un monstre. Fut-il finalement un collaborateur qui s'empara des biens des Juifs qu'il assassinait ou bien un résis-tant proche des communistes ? On s'y perd.

L'Affaire Finaly telle que je l'ai vécue   1960

Moïse Keller   Lib. Fischbacher

Une affaire judiciaire et religieuse qui opposa juifs et catholiques français au début des années 50.

L'Affaire Lyssenko   1986

Joël et Dan Kotek   Complexe

Le charlatanisme élevé au rang de science absolue. L'agriculture soviétique ne s'en est jamais tout à fait remise...

Le Dossier secret de l'île de Pâques   1979

Franz Kowaks   Belfond

Le «mana» a-t-il permis de dresser les «moaïs», ces statues en pierre volcanique qui tournent le dos à l'océan ? L'île fut-elle un sanctuaire ou le dernier refuge d'une civilisation engloutie ?

Mata Hari : songes et mensonges

Fred Kupferman   1982
                                  Complexe

Agent secret et demi-mondaine, cette fausse danseuse orientale en était réduite au moment de la guerre à courir les cachets minables.

Jeanne d'Arc

Edward Lucie-Smith   1981
Traduit par Philippe Erlanger   Perrin

Un regard anglais sur le mythe de Jeanne. Bien servi par une remarquable traduction.

Jack l'Éventreur

Roland Marx   1987
                                  Complexe

Et si les éviscérations et autres mutilations auxquelles procédait cet assassin mythique dans les bas-fonds de Londres réfléchis-saient les passions et les lubies de la société victorienne ?

L'Affaire du courrier de Lyon

Gabriel Olivier   1966
                             Arthaud (épuisé)

Lesurques exécuté, l'affaire reprend de plus belle. Parmi les agresseurs de la malle-poste qui allait rejoindre l'armée d'Italie figurait le beau-frère d'un ambassadeur piémontais...

Le Réseau Sorge

Gordon W. Prange 1987
Trad. par Michel Breitman Pygmalion

L'espion avait donné à Staline, qui ne le crut pas, la date de l'invasion du territoire soviétique par les troupes allemandes.

Le Dictionnaire des assassins

René Réouven 1986
Denoël

L'alpha et l'omega du crime, de la nuit des temps à Mesrine. Au passage la Brinvilliers, le Vampire de Dusseldorf, Jack l'Éventreur ou la charmante comtesse Bathory qui pensait reculer l'outrage des ans en se baignant dans le sang des vierges.

L'Affaire Manouchian

1986

Philippe Robrieux Fayard

N'est-ce pas parce que Manouchian était suspect de trotskysme aux yeux de Moscou qu'il aurait été lâché par la direction clandestine du P.C.F. et même livré à la police ? Le livre de Robrieux a été contesté par Adam Rayski dans *Nos illusions perdues* (Balland, 1985) qui, dans cette affaire, reprocha surtout au P.C. ses imprudences et ses négligences.

Anastasia, la grande-duchesse retrouvée

Jean-Jacques Thierry 1982
Belfond

À l'encontre du point de vue d'Alain Decaux (*L'Énigme Anastasia*, Rombaldi, 1971), Mme Anderson serait bien la fille de Nicolas II, rescapée du massacre d'Ekaterinenbourg.

Mayerling, la mort trouble

Victor Wolfson 1970
Traduit par Marie-Louise Audiberti
Laffont (à rééditer)

Adieu légende dorée ! Il n'y eut pas suicide mais crime politique, et l'assassin est désigné : c'est Bismarck. Rodolphe nourrissait des sentiments francophiles et profondément anti-allemands. François-Joseph accrédita la thèse du suicide pour jeter le déshonneur sur ce successeur qui aurait mené l'Autriche vers d'autres alliances.

De quelles affaires sont-ils les personnages ?

1 - Jack Ruby
2 - La Voisin
3 - Colonel Henry
4 - Christine Keeler
5 - Boucheseiche
6 - Marie Vetsera
7 - Cardinal de Rohan
8 - Gaston Calmette
9 - Simon
10 - Jacques de Molay

A - Les Templiers
B - Profumo
C - Affaire Caillaux
D - Collier de la reine
E - Affaire du Temple
F - Affaire des Poisons
G - Affaire Dreyfus
H - Affaire Ben Barka
I - Assassinat de Kennedy
J - Mayerling

Réponses :
1 - I - 2 F - 3 G - 4 B - 5 H - 6 J -
7 D - 8 C - 9 E - 10 A

La politique

Par réflexe, on aurait plutôt tendance à éliminer de la notion de « bibliothèque idéale » toute idée de « politique ». Les livres « politiques » actuels — qu'ils traitent de divers aspects de la vie publique, ou qu'ils soient l'œuvre d'hommes politiques désireux d'obtenir quelque écho supplémentaire — sont la plupart du temps contingents, saisonniers, vulgaires, et ils sembleraient donc incompatibles avec les idées de permanence et de culture d'une vraie bibliothèque. C'est oublier un peu vite que, dans son sens platonicien le plus noble, la politique est le souci des choses de la cité, du gouvernement des hommes et que la veine « politique », lorsqu'elle n'est pas elle-même à l'origine d'œuvres littéraires considérables (la Bible ou *l'Iliade*, par exemple), a donné naissance à plusieurs genres féconds comme l'essai ou l'utopie. Et puis des auteurs comme Calderon, Shakespeare, Machiavel, Montesquieu, Retz, Rousseau, Camus ou Soljenitsyne, que font-ils d'autre sinon de parler surtout, parfois même exclusivement, de politique ? Et d'ailleurs, toute « grande » littérature — d'*Antigone* au *Château*, de l'*Odyssée* à *Faust*, de *Gargantua* à *La Chartreuse de Parme* — n'est-elle pas le récit d'une quête de la liberté ? On aura donc privilégié dans ce choix le versant littéraire, en ne donnant qu'un aperçu des principales utopies qui ont été inventées au cours des vingt-quatre siècles qui nous séparent de Platon (voir encadré) et surtout en éliminant la littérature de propagande ou les écrits des innombrables politiciens, ou chefs d'État, grenouilles qui ont voulu se faire passer pour des bœufs littéraires. Il convient en effet dans ce domaine de garder la tête froide : si l'on devait tenir compte du nombre de pages des «œuvres complètes» ou de leurs tirages colossaux, il est certain qu'on devrait faire figurer dans ces listes Staline, Mao, Kim Il Sung, Ceausescu ou Enver Hodja, dictateurs de pays où s'est pratiqué un culte délirant de la personnalité (Leonid Brejnev a bien obtenu le prix Lénine de *littérature* pour son roman *Les Terres vierges*). Contre ces flots de propagande indigeste qui submergent le monde, on a tenté ici de donner quelques aspects d'une tradition de philosophie politique riche et variée.

Ce choix est forcément limité mais on retrouvera une thématique politique dans de nombreux autres titres disséminés aussi bien dans le chapitre sur les «Mémoires» (Saint-Simon, Marbot, de Gaulle, etc.) que dans «la littérature en miettes» (Karl Kraus, Benjamin), la «biographie» (de Martin Luther, ou Staline, ou Hitler...), la «science-fiction» (Asimov, Bradbury, Wells) ou même le «théâtre» (Calderon, Jarry, Brecht).

La politique

... en 49 livres

... en 25 livres

... en 10 livres

Les Origines du totalitarisme
Hannah Arendt

Masse et Puissance
Elias Canetti

Le Héros
Baltasar Gracián

Discours
de la servitude volontaire
Étienne de La Boétie

Le Prince
Nicolas Machiavel

L'Esprit des lois
Montesquieu

1984
George Orwell

La République
Platon

Richard III
William Shakespeare

L'Archipel du goulag
Alexandre Soljenitsyne

Paix et guerre entre les nations
Raymond Aron

Le livre du courtisan
Baldassare Castiglione

Géographie de la faim
Josué de Castro

La Société contre l'État
Pierre Clastres

L'État et la Révolution
Lénine

Manifeste du parti communiste
Karl Marx et Friedrich Engels

Le Peuple
Jules Michelet

La Société ouverte et ses ennemis
Karl Popper

Histoire de la conjuration
du comte Jean-Louis de Fiesque
Jean-François Paul de Gondi,
cardinal de Retz

Ni Marx ni Jésus,
La Tentation totalitaire
Comment les démocraties finissent
Jean-François Revel

Du contrat social
Jean-Jacques Rousseau

Conjuration des Espagnols
contre Venise
Abbé de Saint-Réal

Walden ou la vie dans les bois
Henry David Thoreau

De la démocratie en Amérique
Alexis de Tocqueville

Le Livre des ruses

Esquisse d'un tableau historique
des progrès de l'esprit humain
Marie-Jean Antoine Caritat
de Condorcet

Surveiller et punir
Michel Foucault

Le Nouveau Monde amoureux
Charles Fourier

La Machine et les rouages
Michel Heller

Le Citoyen
Thomas Hobbes

Dialogue aux enfers
entre Machiavel et Montesquieu
Maurice Joly

Du pouvoir
Bertrand de Jouvenel

Le Nœud gordien
Ernst Jünger

Mourir pour la patrie
Ernst H. Kantorowicz

Éléments d'une critique
de la bureaucratie
Claude Lefort

Traité du gouvernement civil
John Locke

L'Aveu
Arthur London

L'Utopie
Thomas More

Théorie de la justice
John Rawls

Les Droites en France
René Rémond

La Psychologie de masse du fascisme
Wilhelm Reich

L'Unique et sa propriété
Max Stirner

De la tyrannie
Leo Strauss

Traité de savoir-vivre
à l'usage des jeunes générations
Raoul Vaneigem

Théorie de la classe de loisir
Thorstein Veblen

Le Despotisme oriental
Karl Wittfogel

Dangers du discours

Dictionnaire des œuvres politiques
François Châtelet, Olivier Duhamel
et Évelyne Pisier

Le Droit d'être un homme
sous la direction de Jeanne Hersch

• À vous de choisir le cinquantième
livre. Peut-être est-il déjà dans votre
bibliothèque.

... en 10 livres

Les Origines du totalitarisme

Hannah Arendt 1951
Traduit de l'anglais en trois parties : Sur l'antisémitisme *par M. Pouteau, Calmann-Lévy et P.S.* ; L'impérialisme *par M. Leiris, Fayard ;* Le système totalitaire *par J.L. Bourget, R. Davreu et P. Lévy, P.S.*
Ce triptyque (bizarrement morcelé et éparpillé dans sa version française) est la première grande tentative — et jusqu'ici elle n'a pas été dépassée — pour rendre compte du phénomène totalitaire qui est la marque du XXᵉ siècle. Même si certaines des thèses ont pu être contestées, c'est indiscutablement un ouvrage qui offre d'immenses perspectives philosophiques et politiques.

Masse et Puissance

Elias Canetti 1960
Traduit de l'allemand par Robert Rovini Gallimard
À l'époque des grands mouvements de masse, des guerres, des révolutions violentes, il fallait interroger les archaïsmes qui continuent de gouverner la politique mondiale. C'est le travail auquel Elias Canetti s'est livré pendant plus de vingt ans. Résultat : un livre fabuleux qui n'a pas encore trouvé tout à fait son public en France, et qui pourtant voit chaque jour ses thèses illustrées par les incompréhensibles sursauts d'un monde en folie.

Le Héros

Baltasar Gracián 1637
Traduit par Joseph de Courbeville Champ Libre/Lebovici
Une version espagnole du machiavélisme par un jésuite dont la fine intelligence a imprégné tout l'âge baroque. Le goût, la grandeur, l'héroïsme, le secret, l'ascendant, la fortune et, par-dessus tout, ce fameux «je ne sais quoi» qui est, dit Gracián, «l'âme de toutes les bonnes qualités». Trois autres textes «politiques» fondamentaux, traduits dans une belle langue du XVIIIᵉ siècle : *L'Homme universel, Dom Ferdinand* et *L'Homme de cour* (Champ libre/G. Lebovici).

Discours de la servitude volontaire

Étienne de La Boétie 1546
Publié sous forme tronquée vers 1575-1576 G. F., Payot
L'ami de Montaigne («parce que c'était lui, parce que c'était moi») n'a pas vécu très vieux. Sept ans après sa mort, Montaigne publie ses maigres œuvres mais n'ose pas y adjoindre ce discours qui circule clandestinement et qu'on a vite rebaptisé «*Le Contr'Un*» parce que c'est un pamphlet contre la tyrannie. Cinquante pages pleines de formules étonnantes, fulgurantes, écrites par un jeune homme de dix-huit ans, rageur et révolté et qui s'interroge sur la complaisance des peuples vis-à-vis de leurs tyrans. Bien évidemment toujours d'une brûlante actualité.

Le Prince

Nicolas Machiavel 1513, publié en 1532
Traduit du latin par Yves Lévy G. F.
Le plus grand contresens de l'histoire : comme Marx n'était pas «marxiste», Machiavel n'était certainement pas «machiavélique». La première tentative de l'époque moderne pour définir la chose politique. Mais si sa pensée a inspiré Fichte, Nietzsche, Cassirer, Leo Strauss, Merleau-Ponty ou Claude Lefort, elle reste difficile à cerner.

L'Esprit des lois

Charles Louis Secondat,
baron de Montesquieu   1748
                                G. F.

Attaqué par les jésuites et les jansénistes, l'ouvrage clé de Montesquieu connaît un succès immense entretenu par les encyclopédistes. Il recherche la raison du droit positif dans tous les pays et à toutes les époques. Il fonde la science politique et élabore la théorie de la séparation des pouvoirs.

1984

George Orwell   1949
Traduit de l'anglais
par Amélie Audiberti   Gallimard et F.

Le plus célèbre roman d'anticipation politique de notre époque : l'État totalitaire a pris le contrôle de tous les aspects de la vie quotidienne et il continue à conquérir la mémoire, la langue, les rêves de ses citoyens. La lutte désespérée d'un homme face aux pièges fatals de la propagande et à la machine répressive.

La République

Platon   427-347 av. J.-C.
Traduit du grec ancien
par Robert Baccou   G. F.

L'ouvrage le plus long de Platon (dix livres de dialogues) qu'il retravaillait, dit la légende, sur son lit de mort. La recherche d'une «cité idéale» par un penseur méfiant. Le livre a chatouillé les philosophes et les écrivains pendant plus de vingt siècles et il continue à inspirer beaucoup de réflexions, même en réaction contre lui (telles celles de Karl Popper).

Richard III

William Shakespeare   vers 1592
Traduit de l'anglais
par François-Victor Hugo   G. F.

L'ascension et la chute d'un tyran. Une sorte d'épure sur les vicissitudes du pouvoir. Quand la loi est tournée par celui-là même qui en est le garant, quand le meurtre

L'utopie
comme genre littéraire

Lorsque Platon fait dans sa *République* le tableau de l'État idéal ou lorsque dans le *Timée*, il évoque le pays imaginaire de l'Atlantide, il jette sans le savoir les bases de deux courants littéraires qui, aujourd'hui, vingt-quatre siècles plus tard, sont toujours aussi vivants : l'essai utopique et l'utopie-roman. En fait, les utopies abondaient déjà chez les pythagoriciens et on retrouve fréquemment le thème utopique avant Platon ou juste après lui dans des fragments romanesques, des poésies ou même des pièces de théâtre. Ainsi dans *L'Assemblée des femmes* d'Aristophane, les femmes prennent le pouvoir et créent une sorte de communisme sexuel et gastronomique fort plaisant.

Au Moyen Âge, dans la chrétienté ou dans le judaïsme, l'utopie religieuse est assez fréquente, qu'elle relève d'un rêve d'harmonie universelle soudée par la religion comme dans *La Cité de Dieu* de saint Augustin ou de dérives hérétiques, égalitaires, gnostiques, voire «anarchistes», comme dans *L'Évangile éternel* de Joachim de Flore. Avec la Renaissance, en même temps que le mot d'«utopie» est créé (par Thomas More qui le forge à partir de racines grecques : *ou* non ; *topos*, lieu), la raison laïque s'empare de ce genre hautement spéculatif. Campanella est certes un moine bénédictin mais il sait qu'avant de gagner son paradis il vaut mieux organiser la vie sur terre : sa *Cité du soleil* se préoccupe de beaucoup de détails contingents. Auparavant, l'*Utopie* de More avait adapté le modèle de Platon à la société marchande du XVIe siècle et donné l'image d'une île imaginaire où l'État tout-puissant, dirigé par un Prince et un sénat, prend en charge l'organisation de la vie sociale, économique et morale (mais il n'abolit pas l'esclavage). L'abbaye de Thélème imaginée par Rabelais est une sorte d'anti-monastère, où ne sont reçus que les êtres beaux qui se lèvent «quand bon leur semble» et qui passent leur vie à

et la spoliation sont devenus la loi du monarque, que reste-t-il à espérer? Le *happy end* ne fait guère illusion : tout recommencera sans doute un jour... «Mon royaume pour un cheval!»

L'Archipel du goulag

Alexandre Soljenitsyne 1973-1976
Traduit du russe par J. Lafond,
J. et G. Johann, R. Marichal,
S. Oswald et N. Struve Seuil (3 vol.)

Un énorme reportage-enquête sur le phénomène concentrationnaire en Russie. Toute la mémoire d'un peuple immense de déportés recueillie fidèlement par un romancier au destin incroyable. Les camps, les prisons, les déportations, l'extermination à l'échelle d'un continent.

... en 25 livres

Paix et guerre entre les nations

Raymond Aron 1962 et 1984
Calmann-Lévy

Comment comprendre les relations internationales, comment les organiser en cette fin du XXᵉ siècle? Lorsque la théorie s'efface derrière une sociologie active et pragmatique : une morale mondiale de la coexistence.

Le Livre du courtisan

Baldassare Castiglione 1528
Traduit de l'italien d'après Gabriel
Chappuis par Alain Pons Lebovici

Une conversation entre trois amis dans le décor somptueux du palais ducal d'Urbino : l'art des bonnes manières en société, depuis les relations entre hommes et femmes jusqu'aux relations entre princes — éclairés ou non. Une sorte de «contrat social» de la Renaissance. À la hauteur du célèbre portrait de B. Castiglione par Raphaël.

Géographie de la faim

Josué de Castro 1961
Traduit du brésilien par Jean Dupont P.S.

L'entrée sur la scène politique de thèmes désormais familiers : économies de pénurie, famines, pauvreté, sécheresse. Comment vit l'autre moitié du monde.

La Société contre l'État

Pierre Clastres 1974
Minuit

La leçon politique de ceux qu'on appelle «primitifs» : et si l'État n'était pas inéluctable? En partant surtout de son étude des Indiens guayaki à qui il a consacré un beau livre (*Chronique des Indiens guayaki*, Plon, 1972), Clastres se livre à de splendides et stimulantes réflexions sur le pouvoir et sur ses antidotes.

L'État et la Révolution

Vladimir Ilitch Oulianov
dit Lénine 1917
Messidor, Éd. Sociales

Écrit à la veille de la révolution d'Octobre, ce texte énonce les principes de la théorie léniniste de l'État. Il a inspiré des générations de militants révolutionnaires et marqué l'histoire politique de ce siècle.

Manifeste du parti communiste

Karl Marx et Friedrich Engels 1848
Traduit par Francis Brière
10/18 et L.P., Lebovici, Éditions sociales,
Éditions de Pékin en langues étrangères,
Pléiade (t. I)

Difficile de lire ce texte en faisant abstraction de tout ce qui s'est passé depuis. Pamphlet, message politique, leçon d'histoire et de morale, appel à la révolution : un document historique.

Le Peuple

Jules Michelet 1846
Champs Flammarion

Du servage à l'éducation... Une rêverie sociale, romantique, utopique par le plus prolixe des historiens français. La rédemption des humbles par l'amour et le savoir. Étrange et visionnaire.

La Société ouverte et ses ennemis

Karl Popper 1945
Traduit de l'anglais par Jacqueline Bernard et Philippe Monod Seuil (2 vol.)

À la société fermée, immuable, féodale ou totalitaire, Popper oppose la société ouverte, démocratique, respectant les libertés individuelles. Une attaque vive mais argumentée de Platon, Hegel et Marx.

Histoire de la conjuration du comte Jean-Louis de Fiesque

Jean-François Paul de Gondi, cardinal de Retz 1665
Ressouvenances

L'éloge de la conspiration contre la tyrannie par un des frondeurs les plus acharnés de son temps. Texte superbe et secret dont le style est à lui seul toute une philosophie de l'histoire.

Ni Marx ni Jésus (1970)
La tentation totalitaire (1976)
Comment les démocraties finissent (1983)

Jean-François Revel
Laffont

Évoluant au cœur des questions politiques de notre temps — totalitarisme ou démocratie, dirigisme ou libéralisme, guerre ou coexistence —, la réflexion de Revel a eu des échos dans le monde entier. Enjeux du «néo-libéralisme».

Du contrat social

Jean-Jacques Rousseau 1762
G. F., 10/18 et Pluriel

«L'homme est né libre, et partout il est dans les fers.» De ce fameux et irritant paradoxe sur la déchéance de l'homme naturel, Rousseau a construit une œuvre foisonnante où les questions du droit et de la morale, de la volonté populaire, des modes de gouvernement sont abordées d'une façon qui a été longtemps mal comprise, même par les révolutionnaires de 1789.

«jouer d'instruments harmonieux, parler de cinq ou six langages». Près d'un siècle plus tard la «Nouvelle Atlantide» imaginée par Francis Bacon (1620) est plus réaliste : monarchie scientifique, la vertu y règne, contrôlée par des Sages qui se livrent à la sélection naturelle et à l'expérimentation technique.

Avec ses *Voyages aux États du Soleil* (1657), Cyrano de Bergerac apporte au genre sa dimension de «science-fiction» (il voyage en fusée), ainsi qu'une bonne dose de satire sociale et de burlesque (les «lunatiques» parlent à l'aide de sons musicaux et se nourrissent d'odeurs). Dans les *Voyages de Télémaque*, Fénelon fabrique des pays utopiques à la mesure de ses besoins pédagogiques. Parmi ceux qui, à la suite de Cyrano, se rendent dans la lune, dans les volcans, sous terre, sous mer, dans des Afriques ou des Amériques de rêve, on retiendra surtout les plus célèbres des voyages, ceux de Gulliver, dus à la plume acide de Jonathan Swift : mais les pays imaginaires visités sont, bien plus que des utopies, des satires sociales et même des satires de l'utopie de type classique. Au siècle de Swift, l'utopie est en effet devenue un genre littéraire à part entière au point qu'à un moment ou à un autre tous les auteurs y sacrifient : Mandeville avec sa *Fable des Abeilles* (1705), Rétif de la Bretonne avec plusieurs de ses œuvres, Sébastien Mercier avec *L'An 2440* (1770), Voltaire avec *Micromégas*, Diderot et Marivaux qui mettent sur la scène du théâtre des îles ou des pays imaginaires, Rousseau et Bernardin de Saint-Pierre qui inventent la nature idyllique, Sade enfin qui fabrique société secrète sur société secrète. Le socialisme utopique apporte au XIXe siècle non seulement des systèmes lourds de volumes plus ou moins indigestes, mais aussi des débuts d'expérimentation. Les écrits de Saint-Simon, d'Owen, de Fourier font naître toutes sortes de communautés dans les régions industrielles de l'Europe ou des encore lointaines Amériques.

Depuis le milieu du XIXe siècle, le genre est resté très florissant : *Erewhon* de Samuel Butler (1872), *Nouvelles de nulle part* de William Morris (1890), *Regard en*

Conjuration des Espagnols contre Venise

Abbé de Saint-Real   1674
L'impensé radical

Un texte court mais flamboyant pour les *happy few*. Dans le goût de Retz — son aîné et son maître ès conspirations —, un obscur épisode décrit par un abbé diplomate et mondain, galant ami de la belle Hortense Mancini. Il déclare : « De toutes les entreprises des hommes, il n'en est point de si grandes que les conjurations. »

Walden ou la vie dans les bois

Henry David Thoreau   1854
Traduit de l'anglais
par G. Landre-Augier   Aubier-Montaigne

La théorie de l'autarcie naturelle par un idéaliste romantique qui a influencé jusqu'au mouvement écologique actuel. Les théories de Thoreau se prolongent avec *De la désobéissance civile* (1849).

De la démocratie en Amérique

Alexis de Tocqueville   1835-1840
F. et G. F.

Comment séparer l'idée de révolution de celle de démocratie ? Une belle écriture romantique au service d'un prophétisme lucide. Savant et classique.

Le Livre des ruses

La stratégie politique des Arabes
                vers la fin du XIIIᵉ siècle
Traduit par René R. Khawan   Phébus

Un traité de science politique mais grouillant d'anecdotes et de personnages savoureux. Fables, paraboles, récits de ruses, sagas de kalifes, de vizirs ou de juges madrés : une apologie de la malice et de la diplomatie intelligente.

... en 49 livres

Esquisse d'un tableau historique des progrès de l'esprit humain

Marie-Jean Antoine Caritat
de Condorcet   1794
Vrin

Écrite dans la clandestinité, six mois avant la condamnation à mort du philosophe, *L'Esquisse* affirme la perfectibilité de l'être humain et prophétise le règne du bonheur. Le chantre du progrès et l'un des pères du positivisme.

Surveiller et punir

Michel Foucault   1975
Gallimard

« Peut-on faire la généalogie de la morale moderne à partir d'une histoire politique des corps ? » demande Foucault. L'une des plus vives pensées de notre époque s'interroge sur l'essence du pouvoir.

Le Nouveau Monde amoureux

Charles Fourier   1967
Slatkine

L'utopiste par excellence : malgré ses évidentes loufoqueries, son influence a été énorme. À la *Théorie des quatre mouvements* (1808) et au *Nouveau monde industriel et sociétaire* (1829), on préférera ce manuscrit fantasmagorique, écarté par les disciples et révélé seulement un an avant Mai 68 : un grand délire tout plein d'idées lumineuses.

La Machine et les rouages

Michel Heller   1985
Traduit du russe
par A. Coldefy-Faucard   Calmann-Lévy

Un spécialiste de l'URSS analyse la formation de l'«homme soviétique».

Le Citoyen

Thomas Hobbes   1642
Traduit de l'anglais
par Samuel Sorbière   G. F.

La théorie d'un état artificiel pensé comme corps politique prend naissance dans cet essai et s'épanouira dans le fameux *Léviathan* (1651).

Dialogue aux enfers entre Machiavel et Montesquieu

Maurice Joly   1865
     Allia

Un vibrant plaidoyer contre le despotisme rédigé en exil par un républicain proscrit par Napoléon III. Machiavel et Montesquieu dialoguent. Les phrases cyniques et paradoxales mises dans la bouche de Machiavel furent utilisées par la police secrète russe au début du XXᵉ siècle pour forger les fameux *Protocoles des sages de Sion*.

Du pouvoir

Bertrand de Jouvenel   1945
     Pluriel

La question centrale de la philosophie politique depuis la naissance des sociétés industrielles. Pouvoir ou liberté ?

Le Nœud gordien

Ernst Jünger   1953
Traduit de l'allemand
par Henri Plard   Bourgois

Vingt ans après sa *Mobilisation totale* (1931) et son *Travailleur* (1932), si proches de la pensée totalitaire, Jünger prend ses distances avec la politique : une réflexion hautaine sur les fatalités de l'histoire et la raison d'État.

Mourir pour la patrie

Ernst H. Kantorowicz   1951
Traduit par Laurent Mayali
et Anton Schütz   P.U.F.

Pourquoi les pouvoirs exigent-ils la mort de leurs administrés ? Une magistrale étude par un des plus grands intellectuels du siècle dont il faut lire aussi *Les Deux Corps du roi* (Gallimard).

arrière de Bellamy (1888), *Flatland* d'Edwin A. Abbott (1844) sont parmi les œuvres marquantes de la langue anglaise. Plusieurs des livres d'Herbert George Wells, comme *La Machine à explorer le temps* ou *La Guerre des mondes*, sont des sortes d'utopies. De même plusieurs romans de Jules Verne mettent en scène des sociétés artificielles (naufragés, équipages, usines, etc.) régies selon des lois nouvelles ou artificielles : *L'Île mystérieuse*, *Les Indes noires*, *Les 500 millions de la Bégum... Nous autres* d'Evguéni Zamiatine (1925), *Le Meilleur des Mondes* d'Aldous Huxley (1932) ou *1984* de George Orwell (1949) montrent ce que deviennent les utopies de papier quand par malheur elles ont été réalisées. À l'inverse, dans la lignée des *Derniers et Premiers Hommes* d'Olaf Stapledon (1930), toutes sortes d'utopies plutôt positives ont été inventées par des auteurs de science-fiction comme Asimov, Van Vogt, Bradbury. Des univers romanesques puissants reposent sur des pays ou des sociétés utopiques : citons par exemple *Sur les falaises de marbre* d'Ernst Jünger ou *Le Rivage des Syrtes* de Julien Gracq. Et les univers fantastiques plaisent toujours autant depuis Beckford, Poe, Carroll, Andersen jusqu'à Lovecraft ou Borges (voir « fantastique »). L'opéra enfin reste un grand lieu d'utopie : qu'il suffise de citer Mozart, Wagner ou Richard Strauss.

La politique en 12 citations brèves

L'homme est naturellement un animal politique. (Aristote, *Politique*)

C'est un extrême malheur que d'être assujetti à un maître, dont on ne peut être jamais assuré qu'il soit bon, puisqu'il est toujours en sa puissance d'être mauvais quand il voudra. (Étienne de La Boétie, *Discours de la servitude volontaire*)

Au plus élevé trône du monde, si ne sommes assis que sur notre cul. (Montaigne, *Essais*)

Éléments d'une critique de la bureaucratie

Claude Lefort   1971
                          Gallimard

Une nouvelle façon d'analyser et de penser le politique. Du même auteur : *Le Travail de l'œuvre, Machiavel* (1972), *L'Invention démocratique* (1981), *Essais sur le politique* (1986).

Traité du gouvernement civil

John Locke   1690
Traduit de l'anglais
par David Mazel   G. F.

Plus «optimiste» que Hobbes, plus «raisonnable» que Descartes, Locke marie nature et raison, se méfie de l'État et de la religion. Un des pères de la pensée laïque moderne.

L'Aveu

Artur London   1969
                             F.

Les témoignages sur l'univers totalitaire ne manquent pas. Celui-là montre sobrement la mécanique politique policière et juridique des «procès de Prague». Terrible et poignant.

L'Utopie

Thomas More   1516
Traduit par Marie Delcourt   G.F.

Il a créé le mot «utopie» et un genre littéraire qui allait devenir plutôt fécond. La rêverie politique d'un homme politique de la Renaissance.

Théorie de la justice

John Rawls   1971
Traduit de l'américain
par Catherine Audard   Seuil

Une des dernières grandes réflexions sur les fondements philosophiques de la chose politique. Comment repenser aujourd'hui le lien social à la lumière des grands échecs de l'époque? Parfois difficile mais stimulant.

Les Droites en France

René Rémond   1982
                    Aubier-Montaigne

Un classique de l'analyse des clivages socio-politiques de la société française.

La psychologie de masse du fascisme

Wilhelm Reich   1933
Traduit par Pierre Kamnitzer   Payot

Culte du chef, théories raciales, répression sexuelle, famille autoritaire forment le noyau idéologique du fascisme. Une analyse brillante et assez convaincante malgré ses raccourcis.

L'Unique et sa propriété

Max Stirner   1844
Traduit de l'allemand
par P. Gallissaire   L'Âge d'homme

Le livre où les paradoxes de la liberté de l'individu sont poussés jusqu'à leur extrême. Le penseur de l'anarchie absolue. Il aurait même influencé Nietzsche.

De la tyrannie

Léo Strauss   1948
Traduit de l'anglais
par Hélène Kern   Gallimard

Un commentaire du *Hiéron*, de Xénophon, par un subtil philosophe qui prône le retour à la vérité ésotérique des Grecs. Avec la critique de Kojève et une mise au point. Grand débat.

Traité de savoir-vivre à l'usage des jeunes générations

Raoul Vaneigem   1967
                          Gallimard

Paru un an avant mai 68, le manifeste d'un des fondateurs de l'Internationale situationniste. La théorie de l'«autogestion généralisée» et une incitation à la subversion permanente.

Théorie de la classe de loisir

Thorstein Veblen   1899
Traduit de l'anglais
par Louis Évrard   Gallimard

Tout en montrant que la science économique est une science de l'évolution, Veblen annonce la société technocratique et la société de consommation. Présenté par Raymond Aron.

Le Despotisme oriental

Karl Wittfogel   1957
Traduit de l'anglais
par Micheline Pouteau   Minuit

Peut-on établir une filiation entre les sociétés despotiques orientales et les sociétés totalitaires modernes ? Controversé mais d'une géniale intelligence.

Dangers du discours

IVᵉ-IIIᵉ siècle av. J.-C.
Traduit du chinois par Jean Lévi Alinéa

La pensée politique des anciens Chinois. De l'anecdote à la théorie : toujours paradoxal.

Dictionnaire des œuvres politiques

François Châtelet, Olivier Duhamel
et Évelyne Pisier   1986
P.U.F.

Pour y voir clair à travers trente siècles d'écrits politiques de l'extrême droite à l'extrême gauche en passant par tous les centrismes et tous les libéralismes.

Le Droit d'être un homme
Anthologie mondiale de la liberté

Recueil préparé sous la direction
de Jeanne Hersch   1968
Unesco-J.-C. Lattès

Mille fragments de tous les temps et de tous les pays depuis la plus haute antiquité jusqu'à la déclaration universelle des droits de l'homme de 1948.

Les peuples d'Europe ayant exterminé ceux de l'Amérique, ils ont dû mettre en esclavage ceux de l'Afrique, pour s'en servir à défricher tant de terres. (Montesquieu, *L'Esprit des lois*)

La bonne politique est de faire croire aux peuples qu'ils sont libres. (Napoléon)

Toute nation a le gouvernement qu'elle mérite. (Joseph de Maistre)

L'unique garantie des citoyens contre l'arbitraire, c'est la publicité. (Benjamin Constant)

La politique n'est pas une science exacte. (Otto von Bismarck)

Je ne m'occupe pas de politique. C'est comme si vous disiez : «Je ne m'occupe pas de la vie.» (Jules Renard, *Journal*, 23 août 1905)

La société politique contemporaine : une machine à désespérer les hommes. (A. Camus, *Actuelles, I*)

Le pouvoir doit se définir par la possibilité d'en abuser. (A. Malraux, *La Voie royale*)

Les clés du pouvoir sont dans la boîte à gants. (San Antonio)

La philosophie

Une bibliothèque idéale de philosophie ? Il faudrait d'abord se mettre d'accord sur ce que l'on entend par philosophie et par livre de philosophie. La philosophie n'est pas, en effet, un genre littéraire comme un autre, et si son histoire a souvent rencontré celle de la littérature, leurs origines et leurs intentions sont cependant distinctes. La philosophie, qui est selon son étymologie «amour de la sagesse», est en quête de vérité. Or la vérité n'est pas nécessairement contenue dans les livres. Le cas de Socrate est, de ce point de vue, exemplaire : le plus célèbre de tous les philosophes, la figure quasi emblématique de la philosophie, est absent de notre liste et pour cause ! puisqu'il n'a jamais donné à son enseignement la forme du livre, l'écriture ayant à ses yeux — si l'on en croit les propos que lui prête Platon — l'inconvénient de figer la pensée.

Que la philosophie ne soit pas un genre littéraire en soi trouve sa confirmation et son illustration dans la diversité des formes d'écriture adoptées par les philosophes : quelle différence entre le poème de Parménide ou celui de Lucrèce et cette véritable mise en scène que constitue un dialogue de Platon, ou bien entre l'autobiographie qu'est le *Discours de la méthode* de Descartes et l'*Éthique* de Spinoza «démontrée suivant l'ordre géométrique» ! Et à cette diversité des œuvres philosophiques, nous osons ajouter une pièce de théâtre (*La vie est un songe* de Calderon) et même Sherlock Holmes ! Non pour satisfaire au plaisir facile de l'originalité ou du paradoxe, mais pour rappeler, à notre manière, qu'il y a peut-être, à côté des livres de philosophie, d'abord des livres qui invitent à la philosophie ; avant les bibliothèques de philosophie, d'abord des bibliothèques de philosophes.

Mais si tout peut être occasion à philosopher et si, pour reprendre un mot de Georges Canguilhem, «la philosophie ne se nourrit que de ce qui n'est pas elle », cela ne signifie pas pour autant que tout soit de la philosophie. S'il existe une unité de la philosophie, elle n'a rien à voir avec l'unité d'un genre littéraire ou d'un savoir spécialisé : elle est l'unité d'une démarche intellectuelle, d'une manière d'appréhender les choses. La philosophie serait, dit-on parfois non sans exagération, l'art de poser les questions plutôt que celui de trouver les réponses. En réalité, il s'agit de distinguer entre le savoir et l'expérience humaine d'une part, la réflexion et l'interrogation philosophiques sur ce savoir et cette expérience d'autre part : la politique, la science ou la religion appartiennent à l'expérience humaine et sont comme telles des occasions philosophiques, mais elles ne sont pas en elles-mêmes de la philosophie ; il faut donc les distinguer de la philosophie politique, de la philosophie des sciences ou de la réflexion sur l'existence de Dieu. Ce principe impliquait ainsi de choisir saint Anselme et non sainte Thérèse d'Avila, Bergson et Foucault mais pas Darwin et Freud.

La philosophie a une histoire et nous avons essayé de représenter toutes les époques et tous les courants. Si un déséquilibre apparaît notamment en faveur des auteurs grecs ou allemands, il ne tient pas à un parti pris mais au fait que la philosophie, comme dit Heidegger, « parle grec », ou plus généralement qu'elle est une des formes de la culture occidentale, même s'il nous a semblé nécessaire d'ouvrir notre bibliothèque à d'autres pensées, l'arabe et la chinoise (Confucius, Granet, Corbin).

Ainsi, en réunissant ces titres, nous avons essayé de faire nôtre l'idée que le sage n'est pas nécessairement un érudit et qu'être un esprit philosophique, c'est-à-dire universel, ne consiste pas à tout lire, mais à avoir le souci de l'essentiel.

La philosophie

... en 49 livres

... en 25 livres

... en 10 livres

La Métaphysique
Aristote

Histoire de la philosophie
Émile Bréhier

Discours de la méthode
René Descartes

La Raison dans l'histoire
G.W.F. Hegel

Essais et conférences
Martin Heidegger

Critique de la raison pure
Emmanuel Kant

Les Essais
Michel de Montaigne

Le Gai Savoir
Friedrich Nietzsche

Le Banquet
Platon

Éthique
Baruch de Spinoza

L'Évolution créatrice
Henri Bergson

La vie est un songe
Pedro Calderon de la Barca

Entretiens
Confucius

Histoire de la philosophie islamique
des origines jusqu'à la mort
d'Averroès
Henry Corbin

Lettre sur les aveugles
Denis Diderot

Les Frères Karamazov
Fiodor Dostoïevski

Manuel
Épictète

La Crise des sciences européennes
et la phénoménologie
transcendantale
Edmund Husserl

Traité du désespoir
Sören Kierkegaard

Essais de théodicée
Gottfried Wilhelm Leibniz

La Fable des abeilles
Bernard de Mandeville

L'Idéologie allemande
Karl Marx et Friedrich Engels

Œuvres complètes
Blaise Pascal

Le monde comme volonté
et comme représentation
Arthur Schopenhauer

Tractatus logico-philosophicus
Ludwig Wittgenstein

Théorie esthétique
Theodor Adorno

Proslogion
Saint Anselme de Canterbury

Nouveau Vocabulaire
des études philosophiques
Sylvain Auroux et Yvonne Weil

Traité des principes de la
connaissance humaine
George Berkeley

Le Normal et le Pathologique
Georges Canguilhem

La Logique sans peine
Lewis Carroll

La Philosophie des Lumières
Ernst Cassirer

Traité des sensations
Étienne de Condillac

Étude en rouge
Sir Arthur Conan Doyle

Vie, doctrines et sentences
des philosophes illustrés
Diogène Laerce

Les Mots et les Choses
Michel Foucault

La Pensée chinoise
Marcel Granet

Léviathan
Thomas Hobbes

Enquête sur l'entendement humain
David Hume

Du monde clos à l'univers infini
Alexandre Koyré

Éthique et Infini
Emmanuel Lévinas

Entretien d'un philosophe chrétien
et d'un philosophe chinois
Nicolas Malebranche

L'Œil et l'Esprit
Maurice Merleau-Ponty

Poème
Parménide

La Quête inachevée
Karl Popper

Émile
Jean-Jacques Rousseau

La Nausée
Jean-Paul Sartre

Les Origines de la pensée grecque
Jean-Pierre Vernant

Dictionnaire philosophique
Voltaire

• À vous de choisir le cinquantième
livre. Peut-être est-il déjà dans votre
bibliothèque.

... en 10 livres

La Métaphysique

Aristote   *(384-322 av. J.-C.)*
Ed. J. Tricot   Vrin

L'un des deux monuments de la philosophie grecque avec Platon, dont il fut l'élève. Ce penseur encyclopédique a fourni à la philosophie une part décisive de ses outils et de ses problèmes. Métaphysique, logique, philosophie morale ou politique passent par Aristote. Une œuvre gigantesque, difficile mais fondamentale.

Histoire de la philosophie

Émile Bréhier   1925-1949
                                              PUF

Cet ouvrage, aujourd'hui classique, du grand historien de la philosophie que fut Émile Bréhier (mort en 1952) est l'un des meilleurs du genre dont puisse disposer le public français. Certains chapitres constituent à eux seuls d'excellentes études de telle ou telle philosophie.

Discours de la méthode

René Descartes   1637
          Classiques Larousse, L. P., G. F.

« Je pense, donc je suis. » Sans aucun doute le texte le plus célèbre du plus célèbre de nos philosophes. Cette autobiographie intellectuelle, que l'on peut considérer comme l'acte de naissance du rationalisme moderne, a 350 ans cette année. A lire aussi, plus difficiles, mais non moins essentielles : les *Méditations*.

La Raison dans l'histoire

Georg Wilhelm Friedrich Hegel   *(1770-1831)*
Traduit par K. Papaioannou   10/18

L'un des géants de la philosophie allemande. Hegel comprend l'histoire universelle comme étant, en dépit du bruit et de la fureur, la réalisation de la raison dans le monde. Pour Hegel, « ce qui est rationnel est réel, et ce qui est réel est rationnel ». Sa conception est l'archétype des philosophies du sens de l'histoire et de la nécessité historique.

Essais et conférences

Martin Heidegger   1954
Traduit par A. Préau   Gallimard

«Pourquoi y a-t-il quelque chose et non pas rien ? » Cette formulation donnée par Leibniz de l'interrogation métaphysique pourrait caractériser la méditation heideggerienne : la question de l'être et de son sens en occupe le centre. Les *Essais et conférences* constituent une introduction lisible, ce qui n'est pas le cas de toutes les traductions françaises de Heidegger, à l'une des plus grandes pensées de ce siècle.

Critique de la raison pure

Emmanuel Kant   1781
Traduit par Tremesaygues
et B. Pacaud   PUF et G. F.

Avec cette critique des prétentions de la raison à connaître l'absolu s'achève l'âge de la métaphysique classique, celle des démonstrations de l'existence de Dieu. La *Critique* est en ce sens le livre inaugural de la philosophie moderne.

Les Essais

Michel de Montaigne   1580
                            La Pléiade, L. P.

Une méditation sur « l'humaine condition » dans l'une des plus belles proses de la littérature française. Le scepticisme de Montaigne est l'héritier de la sagesse antique et ne vise, comme elle, rien moins qu'à nous rendre plus lucides, plus forts et plus heureux.

Le Gai Savoir

Friedrich Nietzsche   1881-1887
Traduit par P. Klossowski
                             Gallimard et 10/18

La « philosophie à coups de marteau », ou la critique joyeusement féroce de nos préjugés et de nos fictions morales et religieuses par l'un des penseurs qui, avec Marx et Freud, a le plus influencé la vie intellectuelle du XXᵉ siècle.

Le Banquet

Platon   *(427-347 av. J.-C.)*
Traduit par E. Chambry   G. F.

L'un des chefs-d'œuvre de Platon. Dans ce dialogue sur l'amour, plein de couleur et de vie, Socrate nous invite à reconnaître la philosophie dans le désir amoureux et l'amant sous les traits du philosophe. La philosophie, cet amour de la sagesse, prise, en quelque sorte, à la lettre de son étymologie.

Éthique

Baruch de Spinoza   *(1632-1677)*
Traduit par C. Appuhn   G. F., Vrin

Peut-être le livre le plus fascinant de toute l'histoire de la philosophie, tant par la rigueur de son architecture que par le caractère exemplaire de son projet. «Tout philosophe, dira Bergson, a deux philosophies : la sienne et celle de Spinoza.» Aucun ami de la philosophie ne peut ignorer ce livre beau et austère comme la vérité.

... en 25 livres

L'Évolution créatrice

Henri Bergson   1907
                              PUF

Biologie et philosophie. La vie et l'évolution des espèces interprétées comme un mouvement de l'esprit traversant la matière. A lire aussi : *Le Rire*.

La vie est un songe

Pedro Calderon de la Barca   1635
Edition bilingue français-espagnol
                  Aubier-Flammarion

Et si le monde que nous tenons pour réel n'existait pas ? Cette hypothèse philosophique classique mise en scène par l'une des principales figures du «Siècle d'or» espagnol.

Le choix de Michel Tournier

Une âme de philosophe : c'est ainsi que le lecteur des *Météores*, du *Roi des aulnes* ou de *Vendredi* pourrait qualifier Michel Tournier. A juste titre, car, philosophe de formation, sa «maison intellectuelle» fut bâtie de la lecture des grands textes, et c'est là qu'il vit encore. Sa botte de philosophe, à l'instar de celle de l'ogre, contient sept titres. *L'Éthique*, de Spinoza, le plus grand des livres et un système total, mais «écrit à l'envers, car l'auteur y abuse de la démonstration par l'absurde — l'esprit est contraint sans être éclairé —, et il faudrait le réécrire à l'endroit». *De l'origine radicale des choses*, de Leibniz, un ouvrage délicieux. *La Critique du jugement*, d'Emmanuel Kant, fondamental mais particulièrement ardu. *L'Être et le Temps*, de Martin Heidegger. *L'Être et le Néant*, de Jean-Paul Sartre : «Quand ce livre a paru en 1942, je l'ai considéré, avec d'autres, comme une bombe, puis la popularité de Sartre nous a dégoûtés. Pour moi, *La Nausée* est le roman modèle, rigoureusement philosophique, dans lequel il n'y a pas un mot de philosophie. C'est un chef-d'œuvre. *La Nausée* découle de Heidegger : l'être nous est révélé par le sentiment de la nausée, le néant par celui de l'angoisse. Quant au reste de l'œuvre de Sartre, ce n'est rien.» L'*Essai sur les éléments principaux de la représentation*, d'Octave Hamelin (1907), «l'anti-Bergson, le contraire de l'*Essai sur les données immédiates de la conscience*». Les *Réflexions sur les notions de normal et de pathologique*, de Georges Canguilhem, «un petit livre fondamental, parce qu'il s'attache à des notions importantes : lorsqu'on interroge des médecins sur la notion de normal et de pathologique, on constate très vite qu'ils n'en savent rien, car c'est un problème de valeur. Canguilhem considère qu'il y a deux types de maladie, d'abord par intervention d'un agent extérieur, ensuite par autodestruction de l'organisme. Être en bonne santé, c'est disposer d'un capital

Entretiens

Confucius   (551-479 av. J.-C.)
Traduction Pierre Ryckemans   Gallimard
Aphorismes et maximes du plus célèbre des philosophes et moralistes chinois. Ce maître de sagesse qui fait penser à Socrate et Montaigne est la figure centrale de la culture chinoise classique.

Histoire de la philosophie islamique des origines jusqu'à la mort d'Averroès

Henry Corbin   1964
     Gallimard
Pour ceux qui auraient oublié que la philosophie n'est pas seulement grecque ou allemande. L'auteur, mort il y a quelques années, était unanimement reconnu comme notre meilleur spécialiste de la culture islamique.

Lettre sur les aveugles

Denis Diderot   1749
     G. F., L. P.
La contribution du maître d'œuvre de l'*Encyclopédie* à un débat caractéristique du Siècle des lumières. Un classique de la philosophie matérialiste.

Les Frères Karamazov

Fiodor Dostoïevski   1880
Traduit du russe
par E. Guertik   L. P., F.
En forme d'énigme policière et d'imbroglio familial (lequel de ses trois fils a tué le vieux Karamazov ?), une «polyphonie romanesque» qui vaut bien des traités de métaphysique.

Manuel

Épictète   (50-125)
Traduit par M. Meunier   G. F.
Livre à avoir toujours sous la main : c'est le sens de son titre. Ici réuni avec les *Pensées pour moi-même* de Marc-Aurèle qui est avec Épictète l'un des principaux représentants du stoïcisme.

La Crise des sciences européennes et la phénoménologie transcendantale

Edmund Husserl   1936
Traduit par G. Granet   Gallimard
A la veille de la guerre, le fondateur de la phénoménologie s'interroge sur la crise de la culture et son destin.

Traité du désespoir

Sören Kierkegaard   1849
Traduit par MM. Ferlov et Gateau
     Gallimard
«La vérité est subjective.» Ce philosophe danois, qui incarne dans la philosophie du XIXᵉ siècle le pôle opposé à Hegel, est généralement considéré comme le premier existentialiste.

Essais de théodicée

Gottfried Wilhelm Leibniz   1710
     G. F.
Dieu lavé du soupçon d'être responsable du mal dans le monde. Mathématicien, juriste, diplomate et philosophe, Leibniz est un des plus grands esprits de l'histoire des idées.

La Fable des abeilles

Bernard Mandeville   1714
Traduit par P. Carrive   Vrin
Ou comment construire le bien public sur les vices et les égoïsmes individuels ? Cet Anglais est un des classiques de la philosophie libérale.

L'Idéologie allemande

(1ʳᵉ partie)
Karl Marx et Friedrich Engels   1846
Traduit par R. Cartelle
et G. Badia   Éditions sociales
«Les philosophes n'ont fait qu'interpréter le monde de différentes manières, ce qui importe, c'est de le transformer.» L'un des premiers exposés du matérialisme historique.

Œuvres complètes

Blaise Pascal   *(1632-1662)*
                   Seuil

Contre Descartes jugé «incertain et inutile», ce «chrétien géomètre» qu'est Pascal éprouve les limites de la raison et restaure les droits du cœur et de la religion. Une écriture d'une rare beauté.

Le Monde comme volonté et comme représentation

Arthur Schopenhauer   1818
Traduit par A. Burdeau
et R. Roos   P. U. F.

Je veux, donc je suis. Ce philosophe du vouloir-vivre a notamment inspiré la première philosophie de Nietzsche.

Tractatus logico-philosophicus

Ludwig Wittgenstein   1921
Traduit par P. Klossowski   Gallimard

«Ce dont on ne peut parler, il faut le taire.» Ce petit livre, beau et difficile, a joué un rôle central dans le positivisme logique du «Cercle de Vienne».

... en 49 livres

Théorie esthétique

Theodor Adorno   *(1903-1969)*
Traduit par M. Jimenez   Klincksieck

Principalement consacrée à des analyses musicologiques, l'œuvre de l'un des principaux représentants de l'École de Francfort.

Proslogion

Saint Anselme de Canterbury (1033-1109)
Traduit par A. Koyré   Vrin

L'origine de toute la controverse classique sur l'existence de Dieu. La preuve d'Anselme sera reprise par Descartes.

qu'on peut dilapider. Un être sain, c'est quelqu'un qui a trop de tout, de poumons, de reins, d'oreilles, d'yeux, etc. On approche ainsi d'une notion d'économie du corps.»

Voyage au pays des « ismes »

Rationalisme, empirisme, scepticisme, etc. La philosophie utilise beaucoup de mots en «isme» pour désigner et classer les théories. Voici quelques rappels et repères terminologiques

Le *déterminisme* est la doctrine selon laquelle l'état actuel de l'univers est la conséquence nécessaire de ceux qui ont précédé et rend à son tour nécessaires, c'est-à-dire seuls possibles, ceux qui suivront (Spinoza, Leibniz, Laplace). Son contraire est *l'indéterminisme* pour lequel l'avenir est, au contraire, ouvert.

L'*empirisme* désigne toute théorie qui pense que nos idées et nos connaissances viennent des sens et de l'expérience (Locke, Hume). Il s'oppose au *rationalisme* pour qui la raison est la source, sinon unique, du moins fondamentale de notre savoir (Descartes, Spinoza, Leibniz).

Le *matérialisme* est la doctrine pour laquelle la matière est la seule réalité et suffit à tout expliquer (Démocrite, Épicure, Diderot, Marx). Le *spiritualisme* et l'*idéalisme* font en revanche valoir l'impossibilité de rendre compte de l'esprit par le recours à la seule matière (Platon, Descartes, Hegel, Bergson). L'idéalisme peut aller jusqu'à nier l'existence de la matière, il devient alors un *immatérialisme* (Berkeley).

Pour le *positivisme* les seules vérités légitimes sont celles données par les sciences (Auguste Comte, Cercle de Vienne), ce qui implique le rejet de la métaphysique.

Le *pragmatisme* est la théorie selon laquelle le vrai c'est l'utile : la vérité d'une idée se mesure à son efficacité (Peirce, W. James).

Le *scepticisme* pense qu'aucune vérité ne résiste au doute et en conclut qu'il faut suspendre son jugement (Carnéade, Pyrrhon).

Nouveau Vocabulaire des études philosophiques

Sylvain Auroux et Yvonne Weil 1985
Hachette

Une bibliothèque comporte des usuels. Une «bibliothèque idéale» aussi.

Traité des principes de la connaissance humaine

in Œuvres I
George Berkeley 1710
Sous la direction de G. Brykman PUF

L'idéalisme radical. Pour cet évêque et philosophe irlandais, la matière n'existe pas. «Être, c'est être perçu.»

Le Normal et le Pathologique

Georges Canguilhem 1966
PUF

La thèse de médecine d'un philosophe. Une analyse des concepts de norme et de maladie.

La Logique sans peine

Lewis Carroll 1896
Traduit par J. Gattegno et E. Coumet
Hermann

L'auteur d'*Alice au pays des merveilles* était aussi professeur de mathématiques à Oxford. Une initiation à la logique pleine d'humour et de fantaisie.

La Philosophie des Lumières

Ernst Cassirer 1932
Traduit par P. Quillet
Fayard, G. Monfort, Agora

L'esprit des Lumières saisi dans son unité. Exemplaire. Cassirer, mort aux USA après avoir quitté l'Allemagne nazie, est l'auteur de *La Philosophie des formes symboliques*.

Traité des sensations

Étienne de Condillac 1754
Fayard

D'où viennent nos idées? Des sens. L'hypothèse de la statue de Condillac est un classique de la philosophie.

Étude en rouge

Sir Arthur Conan Doyle 1887
Traduit par P. Baillargeon
Le Masque, L. P.

Non, ce n'est pas une erreur. Avec ce discours de la méthode de Sherlock Holmes, Conan Doyle s'affirme bel et bien comme le digne représentant de la tradition philosophique anglaise.

Vie, doctrines et sentences des philosophes illustrées

Diogène Laerce IIIe siècle après J.-C.
Traduit par R. Genaille G. F.

Une chronique des philosophes de l'Antiquité. Des anecdotes, des légendes et aussi beaucoup de textes, comme ceux d'Épicure, qui ne nous sont connus que par ce livre.

Les Mots et les Choses

Michel Foucault 1966
Gallimard

Une «archéologie» de notre culture par le philosophe de «la mort de l'homme».

La Pensée chinoise

Marcel Granet 1934
Albin Michel

L'autre grande tradition intellectuelle. L'œuvre de Marcel Granet a joué un rôle décisif dans la découverte de la pensée chinoise en France.

Léviathan

Thomas Hobbes 1651
Traduit de l'anglais
par F. Tricaud Sirey

De la violence de l'état de nature à la construction de la paix civile. La théorie hobbsienne du pacte social est l'un des textes fondateurs de la philosophie politique moderne.

Enquête sur l'entendement humain

David Hume   1748
Traduit par A. Leroy   G. F., Aubier

Cet Écossais est l'un des plus grands philosophes de langue anglaise. Kant dira de lui qu'il l'a «réveillé de son sommeil dogmatique». Sa critique de l'idée de causalité est un des temps forts de la philosophie moderne.

Du monde clos à l'univers infini

Alexandre Koyré   1957
Traduit de l'anglais
par Raïssa Tarr   Gallimard

De la représentation antique du monde à l'univers de la physique et de l'astronomie moderne. La révolution copernicienne analysée par l'un des plus grands noms de la philosophie des sciences.

Éthique et Infini

Emmanuel Levinas   1982
               Fayard et L. P.

Une réflexion issue de la rencontre de la phénoménologie et de la pensée juive. Ce livre reprend des entretiens à «France-Culture».

Entretien d'un philosophe chrétien et d'un philosophe chinois

Nicolas Malebranche   1688
                      Vrin

Ou Descartes contre Confucius. La philosophie de Malebranche est une des grandes philosophies classiques avec celles de Descartes, Spinoza et Leibniz.

L'Œil et l'Esprit

Maurice Merleau-Ponty   1964
              Gallimard et F.

La phénoménologie de la perception appliquée à l'analyse de la peinture et de la vision. Le dernier texte de ce philosophe mort en 1961 et qui fut l'un des fondateurs des *Temps modernes* aux côtés de Sartre.

Interrogations philosophiques

La philosophie est aussi, dans notre pays, une matière d'enseignement et d'examen. Voici quelques sujets proposés ces dernières années aux candidats au baccalauréat. Durée de l'épreuve : 4 heures. Bon courage !

- Un citoyen peut-il se prévaloir d'un droit de résistance ? (Paris. B 1986)
- Peut-on accéder à la réalité sans passer par l'abstraction ? (Bordeaux. B 1986)
- Comment une philosophie ancienne peut-elle être actuelle ? (Bordeaux. A 1986)
- La moralité consiste-t-elle à être animé de bons sentiments ? (Aix-en-Provence. A 1982)
- La politique n'est-elle que la continuation de la guerre par d'autres moyens ? (Dijon. C et D 1982)
- Le silence a-t-il un sens ? (Paris. B 1982)
- Peut-on comparer les mathématiques à un jeu ? (Lille. C et D 1983)
- Qu'est-ce qu'être amoureux ? (Nantes. A 1984)
- Qu'est-ce que le présent ? (Montpellier. A 1984)
- Quand nous percevons, comment savons-nous que nous ne rêvons pas ? (Aix-en-Provence. A 1984)
- Qu'y a-t-il à reprocher à la bonne conscience ? (Bordeaux. B 1984)
- La recherche du plaisir est-elle digne d'être érigée en idéal moral ? (Maroc. C et D 1983)
- Qui parle quand je dis «je» ? (Rennes. B 1983)
- Pourquoi défendre le faible ? (Paris. A 1983)
- Pourquoi la nature obéirait-elle à des lois ? (Nice. C et D 1983)
- Faut-il faire de la philosophie ? (Nantes. C et D 1983)
- La superstition est-elle l'affaire des sots ? (Dijon. A 1983)
- Ai-je un corps ou suis-je mon corps ? (Reims. B 1983)
- Ni le soleil ni la mort ne se peuvent regarder en face. (Limoges. A 1983)
- Le hasard peut-il bien faire les choses ? (Toulouse. A 1983)

Poème

Parménide   Ve siècle av. J.-C.
Traduit par J. Beaufret   PUF

Belle et énigmatique, la méditation sur l'être de l'un des principaux présocratiques.

La Quête inachevée

Karl Popper   1974
Trad. par R. Bouveresse   Calmann-Lévy

L'autobiographie d'un philosophe. Principalement tournée vers les problèmes de la connaissance scientifique, la réflexion de cet Anglais d'origine autrichienne est une des grandes philosophies contemporaines.

Émile

Jean-Jacques Rousseau   1762
                   G. F.

La plus célèbre des utopies pédagogiques. Il va de soi que le *Discours sur l'inégalité* et le *Contrat social* ne sauraient être non plus ignorés.

La Nausée

Jean-Paul Sartre   1938
           Gallimard et F.

La liberté vécue comme une maladie. Ce roman à thèse fut une des premières œuvres publiées de Sartre, dont le grand texte philosophique demeure toutefois *L'Être et le Néant*.

Les Origines de la pensée grecque

Jean-Pierre Vernant   1962
                   PUF

Les origines du «miracle grec» par l'un des chercheurs qui a le plus contribué au renouvellement des études grecques en France.

Dictionnaire philosophique

Voltaire   1764
          Hachette, G. F.

Rarement original dans le domaine des idées, Voltaire n'en est pas moins un vulgarisateur de grand talent. Avec le style et l'ironie en prime.

Tintin et le philosophe

Dans le volume 2 d'*Hermès*, Michel Serres consacre un article à l'album de Tintin, *Les Bijoux de la Castafiore*. Il s'en explique...

«Parler de Tintin, c'est très sérieux. Leibniz m'a enseigné — je le cite presque mot à mot — qu'il n'y a pas de matériau déshonorant, que même les contes de bonne femme m'en apprennent peut-être plus que Newton. Hergé est un écrivain qui a eu du succès auprès de quatre générations différentes. C'est donc un phénomène important. Je l'ai lu, mes enfants l'ont lu, mes petits-enfants le lisent. Il n'y a pas beaucoup d'écrivains qui peuvent se vanter d'une telle continuité. Et je sais que c'est un matériau noble.

L'œuvre d'Hergé est une œuvre profonde. Il y a à la fois le support qui est nouveau, la bande dessinée, et là-dessus, une culture complète, toute une théorie de la circulation de l'information. Ce qu'on peut dire de mieux à propos d'Hergé, c'est ce qu'a fait *Libération* le jour de sa mort. Les journalistes ont mis une vignette tirée de son œuvre pour illustrer chacun des articles du journal. Il n'y avait pas d'article auquel une vignette d'Hergé ne réponde. Hergé a fait la synthèse de son temps. Il a construit un monde. Une œuvre, c'est un monde à construire, pas autre chose.»

De qui est-ce?

A. «Philosopher c'est apprendre à mourir.»

B. «On n'apprend pas la philosophie mais seulement à philosopher.»

C. «Nous n'estimons pas que toute la philosophie vaille une heure de peine.»

D. «Je sais que je ne sais rien.»

E. «Mais veistes vous oncques chien rencontrant quelque os medulare? C'est, comme dict Platon, beste du monde plus philosophe.»

F. «La philosophie est comme un arbre dont les racines sont la métaphysique, le tronc est la physique et les branches qui sortent de ce tronc sont toutes les autres sciences.»

G. «La philosophie boite... La claudication du philosophe est sa vertu.»

H. «Quoi que puisse dire Aristote et toute la philosophie, il n'est rien d'égal au tabac.»

I. «C'est l'étonnement qui poussa, comme aujourd'hui, les premiers penseurs aux spéculations philosophiques.»

J. «Les philosophes n'ont fait qu'interpréter le monde de différentes manières, ce qui importe, c'est de le transformer.»

1. Aristote
2. Descartes
3. Kant
4. Marx
5. Merleau-Ponty
6. Molière
7. Montaigne
8. Pascal
9. Rabelais
10. Socrate

Réponses : A7, B3, C8, D10, E9, F2, G5, H6, I1, J4.

Spiritualité et religions

« On trouve des sociétés qui n'ont ni science, ni art, ni philosophie. Mais il n'y a jamais eu de sociétés sans religion », remarque Bergson dans *Les Deux Sources de la morale et de la religion*. Il y a en effet une universalité de l'expérience et du fait religieux comme le suggèrent *Les Religions de la préhistoire* d'André Leroi-Gourhan ou *L'Histoire des croyances et des idées religieuses* de Mircea Eliade. Un choix de textes sur ce sujet se devait donc de prendre en compte cette diversité de la spiritualité religieuse indienne (représentée par la *Bhagavad Gîtâ*), chinoise (et le livre de Henri Maspéro offre une initiation de choix), islamique (*Le Coran* et les analyses de Louis Massignon), juive (Maïmonide, Buber, Scholem et bien sûr la Bible) et chrétienne. Si celle-ci occupe, et de loin, la première place, il ne s'agit pas d'un parti pris mais de la conséquence du rôle prépondérant joué dans notre culture par la tradition chrétienne.

À côté de cette diversité dans le temps et dans l'espace s'offrent les différentes dimensions du phénomène religieux : expérience personnelle, aventure intérieure comme celles de sainte Thérèse d'Avila, des ermites du désert dont Jacques Lacarrière retrace l'aventure ou de saint François d'Assise (à travers la biographie de Julien Green), il est aussi fait social et institution, le lien qui, selon l'étymologie latine (*religio*), unit les hommes dans une communauté de foi et d'Église. À ce titre, la religion intéresse le sociologue et des travaux comme ceux de Durkheim, de Max Weber ou de Roger Caillois ont sans doute leur place ici.

Constituant l'une des principales sources de l'inspiration artistique (en architecture, notamment) et littéraire, le sentiment religieux est au cœur de certaines œuvres (celles de Pascal, Bossuet, Bernanos, Péguy notamment) et imprègne des pièces de Racine, un roman de Flaubert... étant entendu que le Coran, la Bible ou les écrits de sainte Thérèse d'Avila sont aussi de grands textes littéraires.

Mais pour les contemporains de la « mort de Dieu » que nous sommes, la croyance religieuse ne va pas sans l'incroyance et le sentiment religieux sans le soupçon que les religions ne sont peut-être qu'illusion et mystification. Cette critique peut être historique comme chez Renan, philosophique comme chez Spinoza ou Feuerbach. Elle va même, avec Freud, jusqu'à considérer la religion comme névrose collective de l'humanité. Un de ses principaux arguments réside dans l'intolérance religieuse et il faut avouer que l'horrible *Dictionnaire des inquisiteurs* jette une lumière crue sur ce que le fanatisme peut engendrer.

« Spiritualité et religions » comprend aussi des démarches qui, sans être à strictement parler religieuses, n'en ont pas moins en commun avec la pensée religieuse de poser, au-delà de la nature, une réalité transcendante ou surnaturelle et au-delà de la raison un autre mode de la connaissance et de l'expérience humaines : mysticisme, occultisme et théosophie sont notamment représentés par Jacob Boehme, Swedenborg et une *Histoire de l'ésotérisme*.

Ainsi, quelles qu'en soient les manifestations, la religion est une des formes essentielles de la culture, « l'ombre portée de l'univers sur l'intelligence humaine » selon la belle formule de Hugo. Et, puisque nous sommes dans le cadre d'une bibliothèque, n'oublions pas que le premier livre de l'histoire de l'imprimerie fut une Bible.

Spiritualité et religions

... en 49 livres

... en 25 livres

... en 10 livres

Sous le soleil de Satan
Georges Bernanos

*Histoire des croyances
et des idées religieuses*
Mircea Eliade

L'Avenir d'une illusion
Sigmund Freud

Les Hommes ivres de Dieu
Jacques Lacarrière

La Vie de Jésus
Ernest Renan

Traité théologico-politique
Baruch Spinoza

Œuvres complètes
Sainte Thérèse d'Avila

Bhagavad Gîtâ

La Bible

Le Coran

L'Aurore naissante
Jacob Boehme

Sermons
Jacques Bénigne Bossuet

Les Récits hassidiques
Martin Buber

Nouvelle histoire de l'Église
Jean Danielou
et Henri-Irénée Marrou

L'Oracle de Delphes
Marie Delcourt

Saint Bernard - L'Art cistercien
Georges Duby

Sermons
Maître Eckhart

L'Essence du christianisme
Ludwig Feuerbach

La Tentation de saint Antoine
Gustave Flaubert

Le Guide des égarés
Moïse Maïmonide

*Le Taoïsme
et les religions chinoises*
Henri Maspéro

Dictionnaire des religions
direction Paul Poupard

Somme théologique
Saint Thomas d'Aquin

La Légende dorée
Jacques de Voragine

*L'Éthique protestante
et l'esprit du capitalisme*
Max Weber

La Règle
Saint Benoît de Nursie

La Vie de saint Augustin
Peter C. Brown

L'Homme et le sacré
Roger Caillois

Luther
Hellmut Diwald

Les Dieux des Germains
Georges Dumézil

*Les Formes élémentaires
de la vie religieuse*
Émile Durkheim

Introduction à la vie dévote
Saint François de Sales

*Des choses cachées
depuis la fondation du monde*
René Girard

Frère François
Julien Green

Portrait de M. Pouget
Jean Guitton

Exercices spirituels
Ignace de Loyola

Paroles d'un croyant
Hugues Félicité Robert
de Lamennais

Les Religions de la préhistoire
André Leroi-Gourhan

Quatre lectures talmudiques
Emmanuel Levinas

Histoire des doctrines ésotériques
Jean Marquès-Rivière

*La passion d'al-Husayn-ibn-Mansûr
al-Hallâj, martyr mystique de l'islam*
Louis Massignon

Les Provinciales
Blaise Pascal

*Le Porche du mystère
de la deuxième vertu*
Charles Péguy

Athalie
Jean Racine

Le Dictionnaire des inquisiteurs
Trad. par L. Sala-Molins

*Les Grands Courants
de la mystique juive*
Gershom G. Scholem

*Traité des représentations
et des correspondances*
Emmanuel Swedenborg

Science et Christ
Pierre Teilhard de Chardin

Les Cahiers
Simone Weil

• À vous de choisir le cinquantième
livre. Peut-être est-il déjà dans votre
bibliothèque.

... en 10 livres

Sous le soleil de Satan

Georges Bernanos 1926
P. S.

Le face à face de l'abbé Donissan, passionné pour le salut des âmes, et de Mouchette, meurtrière de son amant et révoltée mystique. Ce roman rendit célèbre cet écrivain catholique auquel la religion et la foi ont fourni l'essentiel de son inspiration. À lire aussi, bien sûr, le *Journal d'un curé de campagne*.

Histoire des croyances et des idées religieuses

Mircea Eliade 1976
Payot (3 vol.)

L'homme religieux, ses comportements, ses symboles et ses mythes, de la préhistoire à nos jours. Le grand historien des religions, d'origine roumaine, Mircea Eliade, nous donne avec ce livre une synthèse de sa pensée et de ses recherches sur le sacré.

L'Avenir d'une illusion

Sigmund Freud 1927
Traduit de l'allemand
par Marie de Grèce P.U.F.

Le phénomène religieux interprété comme une névrose et une illusion par le fondateur de la psychanalyse, lui-même «juif incroyant» selon sa propre expression. À l'instar du névrosé incapable de résoudre son conflit œdipien et de devenir adulte, l'homme religieux demeure prisonnier d'un «Père tout-puissant» devant lequel il éprouve soumission et culpabilité. Ces analyses ont été reprises par Freud et appliquées à la religion juive dans *Moïse et le monothéisme*.

Les Hommes ivres de Dieu

Jacques Lacarrière 1961
Seuil

Ces hommes ivres de Dieu sont les anachorètes des premiers siècles de l'ère chrétienne qui, tournant le dos au monde, allèrent s'isoler dans les déserts d'Égypte et de Syrie, vivant dans des grottes et fondant les premiers monastères connus. Fascinant.

La Vie de Jésus

Ernest Renan 1863
F.

Les méthodes de l'analyse et de la critique historiques appliquées à la vie et à l'action du Christ par l'auteur de l'*Avenir de la Science*. Ancien séminariste ayant perdu la foi, Renan est le plus illustre représentant du rationalisme athée français. Ce livre eut un immense succès lors de sa parution et alimenta une polémique qui valut notamment à Renan d'être chassé de sa chaire au Collège de France.

Traité théologico-politique

Baruch Spinoza 1670
Traduit par Ch. Appuhn G. F.

Dans ce livre, dont le but est la défense de la tolérance politique et religieuse, Spinoza applique la méthode historique et critique à la lecture de la Bible et inaugure ainsi la critique textuelle moderne. Seul ouvrage du philosophe publié (anonymement) de son vivant, le *Traité* causa à son auteur, considéré comme athée, calomnies et persécutions.

Œuvres complètes

Sainte Thérèse d'Avila (1515-1582)
Traduit de l'espagnol
par les carmélites de Clamart
Cerf (4 vol.)

Les textes dans lesquels cette carmélite espagnole décrit son union mystique avec Dieu comptent, avec ceux de saint Jean de la Croix, parmi les chefs-d'œuvre de la langue castillane. Les extases de sainte Thérèse intéressent aussi les psychiatres et les psychanalystes.

Bhagavad Gîtâ

environs de l'ère chrétienne
traduit par Anne-Marie Esnoul
et Olivier Lacombe   Seuil

Ce «Chant du Bienheureux», poème didactique rédigé en sanscrit aux débuts de notre
ère, est un des principaux témoignages de
la spiritualité hindoue et une leçon de
sagesse du héros mythique Krishna, l'une
des divinités les plus populaires de l'Inde.
Un des livres saints de l'hindouisme à
l'égal du Veda et des Upanishads.

La Bible

Xᵉ siècle av. J.-C. - Iᵉʳ siècle ap.
Cerf, Desclée de Brouwer et L.P. (3 vol.)

Le rayon «religion» de la bibliothèque
idéale ne comporterait-il qu'un titre ce
serait bien sûr celui-ci. Ce livre, dont le
titre grec signifie «les livres», n'est-il pas
une bibliothèque à lui seul? Composé de
l'Ancien Testament, livre sacré des juifs
rédigé en hébreu, et du Nouveau Testament grec chrétien, la Bible est la principale source d'inspiration de notre spiritualité. C'est aussi un passionnant livre
d'histoire, un beau roman et un merveilleux poème.

Le Coran

VIIᵉ siècle ap. J.-C.
Garnier et F. (2 vol.)

Ce livre sacré de l'islam, dont le nom signifie «la lecture», est considéré par les
musulmans comme la parole même de
Dieu transmise à Mahomet par l'archange
Gabriel. Rédigé en arabe et constitué de
114 chapitres (appelés sourates), le Coran
énonce les prescriptions morales et religieuses que le fidèle doit observer dans son
existence. Ce livre de la Loi est aussi un
texte d'une grande beauté littéraire.

Les religions
dans le monde

Établir des statistiques permettant de
mesurer l'impact des religions dans le
monde n'est pas chose facile. Les catholiques enregistrent les baptisés mais les pays
latins ne les recensent pas et les Américains
ne prennent en compte que ceux qui fré-
quentent l'église. En Extrême-Orient, on
peut être à la fois confucianiste, bouddhiste
et taoïste et au Japon, bouddhiste et shin-
toïste. Les démocraties populaires rejettent
toute tentative de statistique confession-
nelle et, en Afrique, beaucoup d'animistes s'inscrivaient naguère à l'état civil
comme chrétiens ou musulmans, alors
qu'ils n'étaient ni l'un ni l'autre.

On ne peut donc qu'approximativement
approcher la réalité du phénomène religieux dans le monde. Voici quelques chiffres (en millions de personnes pour l'année
1986), cités par l'encyclopédie *Quid* (édition 1988) :

Animistes : env. 200 dont 130 en Afrique, 60 en Asie.

Bouddhistes : 247,6.

Chrétiens : 1 061,7 dont 629 de catholiques romains (22,3 % de la population
mondiale), 58,9 d'orthodoxes (dont
80 % environ en URSS), 373,7 de protestants (dont 60 % environ en Europe
et en Amérique du Nord, 22 % en
Afrique, 12 % en Asie).

Confucianistes : 151 essentiellement en
Asie (surtout à T'ai-Wan), aucune pré-
cision ne pouvant être donnée pour la
Chine continentale.

Hindouistes : 463,8 (dont 99 % en Asie).

Juifs : 16,9 (dont 45 % en Amérique du
Nord, 26 % en Asie, 22,5 % en
Europe).

Musulmans : 554,7 (dont 69 % en Asie,
27 % en Afrique, surtout du Nord et
Nigeria, 4 % en Europe).

Shintoïstes : 32 (essentiellement en
Asie).

Taoïstes : 20 (essentiellement en Asie).

... en 25 livres

L'Aurore naissante

Jacob Boehme   *(1575-1624)*
Trad. de l'allemand
par L.C. de Saint-Martin
  Éd. Arché (Italie), librairie La Procure

Héritier de la tradition mystique rhénane du XIVe siècle, ce philosophe ami des alchimistes et pour qui « le oui suppose le non » a influencé poètes et métaphysiciens du romantisme allemand. Jacob Boehme est une grande figure de la spiritualité germanique.

Sermons

Jacques Bénigne Bossuet   *(1627-1704)*
                                      G. F.

L'un des chefs-d'œuvre de l'art oratoire chrétien et de la littérature classique française. Tant par leur phrasé, leur style que leur inspiration, les sermons de l'Aigle de Meaux ont gardé pour nous tout leur pouvoir de fascination.

Les Récits hassidiques

Martin Buber   1949
Traduit de l'allemand
par Armel Guerne   Éditions du Rocher

Le grand philosophe Martin Buber a recueilli et élaboré la tradition orale de ce mysticisme populaire, fondé au XVIIIe siècle dans les communautés juives d'Europe centrale.

Nouvelle Histoire de l'Église
Tome I : Des origines
à saint Grégoire le Grand

J. Danielou et H. Marrou   1963
                                     Seuil

Les premiers siècles du christianisme qui ont vu se constituer ses dogmes, sa liturgie et sa théologie, par deux grands historiens des religions.

L'Oracle de Delphes

Marie Delcourt   1955
                                    Payot

De tous les oracles grecs, celui de Delphes est le plus important et le plus fameux. Une évocation de ce lieu sacré, où Apollon parlait par la bouche de la Pythie, et qui joua un rôle de premier plan dans la vie religieuse, culturelle et politique de la Grèce ancienne.

Saint Bernard
L'Art cistercien

Georges Duby   1981
  Arts et Métiers graphiques, Champs

Aux XIIe et XIIIe siècles, un nouveau type d'architecture inspiré de l'idéal religieux de saint Bernard se développe en Europe occidentale. C'est ce mouvement que présente l'historien Georges Duby dans un très beau livre abondamment illustré.

Sermons

Maître Eckhart   *(1260-1327)*
Trad. par J. Ancelet-Hustache   Seuil (3 vol.)

Ce dominicain, dont les thèses furent à sa mort condamnées par le pape, est le plus représentatif des mystiques rhénans. Son mysticisme spéculatif a exercé une grande influence sur la philosophie allemande.

L'Essence du christianisme

Ludwig Feuerbach   1841
Trad. par J.-P. Osier   La Découverte

Pour ce philosophe allemand qui influença un temps Marx, « la religion est le dévoilement solennel des trésors cachés de l'homme, l'aveu de ses pensées les plus intimes, la confession publique de ses secrets d'amour ». Par l'illusion religieuse, l'homme croit reconnaître et aimer en Dieu ce qui n'est que la projection imaginaire de sa propre réalité. L'un des classiques de l'athéisme philosophique.

La Tentation de saint Antoine

Gustave Flaubert   1874
                                 F., G.F.

La vie de cet ermite égyptien du IIIe siècle de notre ère a inspiré à Flaubert l'un des livres qui lui tenait le plus à cœur et l'occupa pendant vingt-cinq ans. Superbe.

Le Guide des égarés

Moïse Maïmonide (1135-1204)
Traduit de l'arabe
par S. Munk Maisonneuve et Larose

La tentative du plus célèbre des philosophes juifs pour concilier les exigences rationnelles et la Révélation. La pensée de Maïmonide, très influencée par la lecture d'Aristote, a donné lieu à de nombreuses controverses au sein du judaïsme.

Le Taoïsme et les religions chinoises

Henri Maspéro 1971
Gallimard

Ce livre composé de textes inédits du grand sinologue Henri Maspéro, mort en déportation, constitue une initiation très complète à la spiritualité chinoise, des religions classiques jusqu'à la religion populaire moderne.

Dictionnaire des religions

Sous la direction de Paul Poupard 1984
P.U.F.

D'Abraham au Zen, des religions de la préhistoire au vaudou ou à Vatican II, cet ouvrage, qui regroupe des articles généralement rédigés par les meilleurs spécialistes, essaie de couvrir l'ensemble des manifestations de la spiritualité humaine dans le temps et dans l'espace. Utile bien qu'inégal.

Somme théologique

Saint Thomas d'Aquin (1228-1274)
Cerf (4 vol.)

Cette «cathédrale» n'est certes pas à lire d'une traite, mais elle ne pouvait pas être absente de notre bibliothèque. Peu de pensées ont joué un rôle aussi important que le thomisme dans l'histoire de la théologie et de la philosophie chrétienne.

Sous forme de controverse

1. *Apologie de la religion*

«La religion ne se sert que de preuves générales; elle ne juge que sur l'ordonnance des cieux, sur les lois de l'univers; elle ne voit que les grâces de la nature, les instincts charmants des animaux, et leurs convenances avec l'homme.

L'athéisme ne vous apporte que de honteuses exceptions; il n'aperçoit que des désordres, des marais, des volcans, des bêtes nuisibles; et, comme s'il cherchait à se cacher dans la boue, il interroge les reptiles et les insectes pour lui fournir des preuves contre Dieu.

La religion ne parle que de la grandeur et de la beauté de l'homme.

L'athéisme a toujours la lèpre et la peste à vous offrir.

La religion tire ses raisons de la sensibilité de l'âme, des plus doux attachements de la vie, de la piété filiale, de l'amour conjugal, de la tendresse maternelle.

L'athéisme réduit tout à l'instinct de la bête; et, pour premier argument de son système, il vous étale un cœur que rien ne peut toucher.

Enfin, dans le culte du chrétien, on nous assure que nos maux auront un terme; on nous console, on essuie nos pleurs, on nous promet une autre vie.

Dans le culte de l'athée, les Douleurs humaines font fumer l'encens, la Mort est le sacrificateur, l'autel un Cercueil, et le Néant la divinité.»

Chateaubriand
Génie du christianisme
(Partie I, Livre VI, chapitre V)
Garnier-Flammarion

La Légende dorée

Jacques de Voragine   *(1228-1298)*
         G. F. (2 vol.)

Ce recueil de vies de saints composé par un hagiographe italien du XIIIᵉ siècle est un des classiques du genre.

L'Éthique protestante et l'esprit du capitalisme

Max Weber   1920-1921
Traduit de l'allemand par J. Chavy
Revu par L. Dumont et E. de Dampierre
         P. P.

Ou comment certaines croyances religieuses, telles que la prédestination, ont favorisé l'apparition d'une nouvelle mentalité économique et le développement du capitalisme. Cette analyse des affinités entre le protestantisme et l'économie de marché est un des classiques de la sociologie.

... en 49 livres

La Règle

Saint Benoît de Nursie   *(480-547)*
Traduit par H. Rochais
         Desclée de Brouwer

Ses principes fondamentaux sont aujourd'hui encore en vigueur chez les bénédictins. Ce fut un des premiers textes à organiser la vie monastique.

La Vie de saint Augustin

Peter C. Brown   1971
Traduit de l'anglais par H.-I. Marrou Seuil

La vie du plus célèbre des pères de l'Église (mort en 430 après J.-C.) par un historien anglais qui est l'un des meilleurs spécialistes des premiers siècles chrétiens.

L'Homme et le sacré

Roger Caillois   1939
         Gallimard

Écrivain et chercheur à la curiosité inlassable, Roger Caillois a toujours manifesté un intérêt marqué pour l'imaginaire, le rêve et les mythes. Son étude sur le sacré s'inscrit dans la tradition de la sociologie des religions de Durkheim et de Mauss.

Luther

Hellmut Diwald   1982
Traduit de l'allemand
par C. Greis   Seuil

Histoire et théologie. Cette biographie situe l'action et l'œuvre du fondateur de la Réforme dans son contexte : de la quèrelle des Indulgences à la Diète de Worms et à la guerre des paysans, la vie de Luther se confond avec l'histoire de l'Allemagne au début du XVIᵉ siècle.

Les Dieux des Germains

Georges Dumézil   1959
         P.U.F.

Historien des religions, anthropologue et linguiste, Dumézil a produit une œuvre immense et décisive pour la compréhension des mythes et du phénomène religieux. Bien des titres mériteraient de figurer ici ; signalons *La Religion romaine archaïque* (Payot) et *Mythe et Épopée* (Gallimard).

Les Formes élémentaires de la vie religieuse

Émile Durkheim   1911
         P.U.F.

Une analyse du phénomène religieux excluant tout recours au surnaturel ou au transcendant. Pour ce disciple d'Auguste Comte, fondateur de l'École française de sociologie, une religion se définit par une communauté de croyances et de rites à l'intérieur d'un groupe. Un classique du genre.

Introduction à la vie dévote

Saint François de Sales   1608
         Seuil

Ce livre, écrit en français et non en latin, a connu un très grand nombre d'éditions et a joué un rôle de premier plan dans la diffusion, contre la Réforme, de la doctrine catholique. Un classique de la littérature pieuse.

Des choses cachées depuis la fondation du monde

René Girard   1978
Grasset et L.P.

L'idée directrice de la pensée de René Girard, à savoir que la société est fondée initialement sur l'exclusion violente d'un bouc émissaire, est ici appliquée à une lecture de la Bible. Il en ressort que le christianisme serait la première religion à rompre avec cette logique du sacrifice. À lire aussi : *La Violence et le sacré* (Grasset).

Frère François

Julien Green   1983
P.S.

Évoquée avec tendresse par l'auteur de *Moïra*, l'histoire d'un don Quichotte italien devenu le serviteur des pauvres et le défenseur de la nature.

Portrait de M. Pouget

Jean Guitton   1941
Gallimard

Dans ce portrait d'un vieux prêtre lazariste érudit et presque aveugle, Jean Guitton rend hommage à un homme qui fut son maître spirituel dans l'entre-deux-guerres. Cette évocation émouvante peut aussi être une excellente introduction à l'exégèse et à la théologie.

Exercices spirituels

Ignace de Loyola   *(1491-1556)*
Traduit de l'espagnol sous la direction
du Père A. Lauras   Desclée de Brouwer

Les règles méthodiques de la méditation religieuse formulées par le fondateur de la Compagnie de Jésus. Les exercices de saint Ignace, qui s'adressent tant au corps qu'à l'esprit, sont le modèle d'un genre qui joua un rôle important dans l'histoire de la dévotion. Ce chef-d'œuvre de la psychologie chrétienne et de l'ascétisme religieux est beau, pervers et passionnant.

2. *L'opium du peuple*

« La religion est la théorie générale de ce monde, son compendium encyclopédique, sa logique sous une forme populaire, son point d'honneur spiritualiste, son enthousiasme, sa sanction morale, son complément cérémoniel, son universel motif de consolation et de justification. Elle est la réalisation chimérique de l'essence humaine, parce que l'essence humaine ne possède pas de réalité véritable. Lutter contre la religion, c'est donc, indirectement, lutter contre ce monde-là, dont la religion est l'arôme spirituel.

La misère religieuse est tout à la fois l'expression de la misère réelle et la protestation contre la misère réelle. La religion est le soupir de la créature accablée, l'âme d'un monde sans cœur, de même qu'elle est l'esprit d'un état de choses où il n'est point d'esprit. Elle est l'opium du peuple.

Nier la religion, ce bonheur illusoire du peuple, c'est exiger son bonheur réel. Exiger qu'il abandonne toute illusion sur son état, c'est exiger qu'il renonce à un état qui a besoin d'illusions. La critique de la religion contient en germe la critique de la vallée de larmes dont la religion est l'auréole. La critique a saccagé les fleurs imaginaires qui ornent la chaîne, non pour que l'homme porte une chaîne sans rêve ni consolation, mais pour qu'il secoue la chaîne et qu'il cueille la fleur vivante. La critique de la religion détrompe l'homme, afin qu'il pense, qu'il agisse, qu'il forge sa réalité en homme détrompé et revenu à la raison, afin qu'il gravite autour de lui-même, c'est-à-dire autour de son véritable soleil. La religion n'est que le soleil illusoire, qui gravite autour de l'homme tant que l'homme ne gravite pas autour de lui-même. »

Karl Marx
Extrait de l'introduction de
« *Pour une critique de la philosophie
du droit de Hegel* »
La Pléiade

Paroles d'un croyant

Hugues Félicité Robert de Lamennais   1834
Flammarion

Ce libéral, humaniste et mystique, qui rompit avec l'Église après avoir été condamné par le pape, est une des figures dominantes du catholicisme social du XIXe siècle.

Les Religions de la préhistoire

André Leroi-Gourhan   1964
P.U.F.

Un portrait de l'*homo sapiens* en *homo religiosus*. Le sentiment religieux de l'homme des cavernes reconstitué et évoqué par le plus célèbre de nos préhistoriens mort en 1985. Passionnant.

Quatre lectures talmudiques

Emmanuel Lévinas   1968
Minuit

La tradition biblique juive méditée et interprétée par un grand philosophe. Cette pensée, qui se réclame en même temps de Husserl et de la culture juive, lie expérience éthique et expérience religieuse, rencontre de l'autre et lecture des textes sacrés.

Histoire des doctrines ésotériques

Jean Marquès-Rivière   1971
Payot

Alchimie, Kabbale, théosophie, etc. De l'antiquité à nos jours, l'histoire de ces doctrines secrètes qui réservent la connaissance à des initiés.

La Passion d'al-Husayn-ibn-Mansür al-Hallâj, martyr mystique de l'islam

Louis Massignon   1922
Gallimard

Le martyr d'un mystique musulman, rejeté par ses coreligionnaires et exécuté à Bagdad au début du Xe siècle. Jusqu'à sa mort en 1962, Louis Massignon fut, avec Henry Corbin, le grand maître des études islamiques en France. Ce livre est devenu un classique de l'histoire des religions.

Les Provinciales

Blaise Pascal   1657
G.F. et F.

La querelle de Port-Royal a inspiré à Pascal ces « Lettres écrites par Louis de Montalte à un provincial de ses amis et aux RR. PP. Jésuites ». Prenant la défense des jansénistes, l'auteur des *Pensées* s'en prend à la casuistique jésuite avec un talent et une ironie qui ont gardé toute leur saveur, même si les enjeux théologiques de ce débat ont quelque peu perdu de leur acuité.

Le Porche du mystère de la deuxième vertu

Charles Péguy   1911
Gallimard

Ce poème mis sous le signe de la Vierge et de l'Espérance adopte la forme biblique du verset. L'hymne à la nuit et l'évocation du Christ sur la croix qui le closent comptent parmi les plus belles pages de Péguy.

Athalie

Jean Racine   1691
Classiques Hachette

L'une des deux tragédies, avec *Esther*, inspirées à Racine par la Bible. Cette histoire de la reine Athalie, usurpatrice du trône de Juda, finalement victime de la vengeance céleste, mêle le drame politique et le drame religieux.

Le Dictionnaire des inquisiteurs

1494
Traduit par L. Sala-Molins   Galilée

Ou comment démasquer l'hérésie à tout prix. L'amour et la miséricorde ont parfois d'étranges manières. Ce manuel en usage au temps de l'Inquisition espagnole nous fait revivre une des pages les plus sombres de l'histoire du christianisme. Frissons garantis.

Les Grands Courants de la mystique juive

Gershom G. Scholem 1941
*Traduit de l'allemand
par M.M. Davy* Payot

Né en Allemagne et mort en 1982 à Jérusalem où il vivait depuis cinquante ans, Scholem est le plus grand penseur et historien contemporain de la religion juive. Ce livre constitue une synthèse de ses travaux sur la tradition mystique juive.

Traité des représentations et des correspondances

Emmanuel Swedenborg 1749-1756
Traduit par J.-F.-E. Le Boys des Guays
La Différence

L'œuvre prolifique de ce théosophe suédois visionnaire et ésotérique, contre qui polémiqua Kant et qui intéressa Balzac, Nerval et Baudelaire, a encore un public d'initiés à travers le monde. Rationalistes s'abstenir.

Science et Christ

in Œuvres complètes, vol. 9
Pierre Teilhard de Chardin (1881-1955)
Seuil

Toute l'œuvre de ce père jésuite, savant et philosophe, est une tentative pour concilier la science et la religion et retrouver Dieu à l'origine comme à la fin de l'évolution naturelle.

Les Cahiers

Simone Weil 1909-1943
Plon

Professeur de philosophie et ouvrière d'usine, Simone Weil a consacré sa vie et son œuvre à une recherche de l'absolu conciliant les lumières de la foi et celles de l'intelligence. Malade, elle se laissa mourir de faim en Angleterre.

Les sciences humaines

Pourra-t-on jamais parvenir à une connaissance scientifique, irréfutable, de l'homme ?

Certains s'y emploient en étudiant l'être humain en tant qu'il parle, rêve, réagit à la réalité et à la société qui l'entoure : ainsi naquirent au début du siècle avec Saussure, Freud et Durkheim, la linguistique, la psychanalyse et la sociologie. D'autres pensent découvrir la nature authentique de l'homme, pure des scories qu'y dépose la civilisation, en rapportant les coutumes des peuples préservés d'Afrique, d'Océanie, d'Amazonie : ce sont les anthropologues, tels Frazer (cité dans le chapitre suivant), Mauss, Malinowski ou Balandier. D'autres enfin, les psychologues, s'attachent à déceler les lois de l'action et de la pensée humaine, privilégiant l'âme ou le corps, la raison ou l'expérience, comme substrat de leur interprétation. Souvent arides, parfois palpitantes dans leur description quasi romanesque de cas concrets, toutes ces disciplines (linguistique, sociologie, économie, anthropologie, psychanalyse, psychologie) ont été regroupées, après-guerre, en une seule appelée sciences humaines, comme pour compenser, en bloc, l'incertitude de leurs conclusions. Au fil de leur développement, sous l'influence de la conjoncture politique, des modes intellectuelles, ou tout simplement de la géographie des cultures, les disciplines s'infléchissent et s'interpénètrent. Le structuralisme des années 70 s'imprime sur l'anthropologie de Lévi-Strauss et la linguistique de Jakobson. L'ethnologie intègre les acquis de la psychanalyse (Geza Roheim, Gregory Bateson). Prêché par Herbert Marcuse, le libertarisme soixante-huitard engagera Ronald Laing et David Cooper à réclamer l'ouverture des asiles psychiatriques. Les Anglo-Saxons se moquent des billevesées de la métaphysique « continentale » sur la dissociation de l'âme et du corps, ils dénoncent le mythe du fantôme dans la machine pour se consacrer à la description des mouvances de la pratique linguistique. L'Américain Quine s'affirme comme maître de ce que Wittgenstein appelait « la logique du vague ». Les Allemands, à Francfort, estiment que la pensée marxiste ne s'est pas définitivement dissoute dans l'idéologie. Et pour Adorno, Horkheimer et Habermas, les concepts fondamentaux du *Capital* sont à la base d'une sociologie dont la dialectique relève, non sans coquetterie, de l'écriture hermétique — n'oublions pas que le texte de Marx est aussi devenu l'un des classiques de l'économie, représentée ici en outre par A. Smith, Keynes, Schumperer et F. von Hayek. Dans le même temps naissaient, avec Simone de Beauvoir et Margaret Mead, ce que l'on nommera ici, en souriant, « les sciences de la femme » : la compagne de Sartre appelant ses congénères à la libération et l'ethnologue américaine se demandant déjà si cette émancipation est funeste ou propice aux bons rapports entre les sexes. Jusqu'à ce que chaque discipline s'affine au point de se concentrer sur les événements les plus quotidiens de la vie de l'homme : la mise en scène perpétuelle de sa vie (Erwing Goffman), la publicité qui le persuade clandestinement (Marshall Mac Luhan), la rumeur qui s'empare de son jugement (Edgar Morin).

Aujourd'hui, historiens et philosophes réagissent à cet émiettement des sciences humaines, qu'il s'agisse, pour Alain Renaut et Luc Ferry, de les structurer grâce à la pensée philosophique des valeurs, ou de les articuler autour de l'histoire, pour les héritiers de Fernand Braudel.

Les sciences humaines

... en 49 livres

... en 25 livres

... en 10 livres

Étapes de la pensée sociologique
Raymond Aron

La Part maudite
Georges Bataille

*Le Vocabulaire des institutions
indo-européennes*
Émile Benveniste

Entretiens (avec Didier Eribon)
Georges Dumézil

Le Suicide
Émile Durkheim

L'Interprétation des rêves
Sigmund Freud

La Pensée sauvage
Claude Lévi-Strauss

Le Capital
Karl Marx

Cours de linguistique générale
Ferdinand de Saussure

*Recherche sur la nature
et les causes de la richesse des nations*
Adam Smith

La Psychanalyse du feu
Gaston Bachelard

Le Système des objets
Jean Baudrillard

La Forteresse vide
Bruno Bettelheim

Dictionnaire critique de la sociolog
R. Boudon et F. Bourricaud

Ethnopsychanalyse complémentaris
George Devereux

Histoire de la folie à l'âge classiq
Michel Foucault

100 points de vue sur le langage
André Jacob

Six leçons sur le son et le sens
Roman Jakobson

L'Imagination dialectique
Martin Jay

*Théorie générale de l'emploi,
de l'intérêt et de la monnaie*
Lord John Maynard Keynes

*Vocabulaire technique et critique
de la psychanalyse*
J. Laplanche et J.-B. Pontalis

Journal d'ethnographe
Bronislaw Malinowski

L'un et l'autre sexe
Margaret Mead

La Révolution psychanalytique
Marthe Robert

Histoire de l'analyse économique
Joseph Alois Schumpeter

L'Amour du narcissisme
Lou Andréas Salomé

Mythologies
Roland Barthes

Vers une écologie de l'esprit
Gregory Bateson

Le Deuxième Sexe
Simone de Beauvoir

Les Héritiers
Pierre Bourdieu

*La Mise en scène
de la vie quotidienne*
Erwing Goffman

Le Livre du ça
Georg Groddeck

Scientismes et sciences sociales
Friedrich von Hayek

Le Pragmatisme
William James

*Les Métamorphoses de l'âme
et ses symboles*
Carl Gustav Jung

Psychopathies sexuelles
Richard von Krafft-Ebing

*Quatre Concepts fondamentaux
de la psychanalyse*
Jacques Lacan

Le Moi divisé
Ronald Laing

Le Geste et la Parole
André Leroi-Gourhan

La Mentalité primitive
Lucien Lévy-Bruhl

*Essai sur le comportement
animal et humain*
Konrad Lorenz

Pour comprendre les médias
Herbert Marshall McLuhan

L'Homme unidimensionnel
Herbert Marcuse

Sociologie et anthropologie
Marcel Mauss

*Épistémologie des sciences
de l'homme*
Jean Piaget

Le Mot et la Chose
Willard van Orman Quine

L'Énigme du Sphinx
Geza Roheim

Le Savant et le politique
Max Weber

Collège de sociologie

• À vous de choisir le cinquantième
livre. Peut-être est-il déjà dans votre
bibliothèque.

... en 10 livres

Étapes de la pensée sociologique

Raymond Aron   1967
Gallimard

L'exposé clair et précis de l'histoire de la sociologie à partir de ses penseurs fondamentaux : Montesquieu, Comte, Tocqueville, Marx, Durkheim, Pareto, Weber.

La Part maudite

Georges Bataille   1949
Minuit, P. S.

Parce qu'il a écrit *L'Histoire de l'œil* et *Madame Edwarda*, Bataille est rapidement classé dans la littérature érotique voire scandaleuse. Ce très beau texte lui rend sa vraie place de penseur de la «dépense», «cet immense travail d'abandon, d'écoulement et d'orage» qui constitue la vie humaine.

Le Vocabulaire des institutions indo-européennes

Émile Benveniste   1969
Minuit

D'où viennent les noms de nos institutions et nos institutions elles-mêmes ? L'étymologie au service de notre compréhension des lois et rites qui nous gouvernent dans un dictionnaire dont chaque article raconte une histoire.

Pour Benveniste, tenant d'une linguistique ouverte, la science du langage ne pouvait s'accomplir qu'en rapport avec la philosophie, la littérature, l'histoire des civilisations et des mentalités.

Entretiens (avec Didier Eribon)

Georges Dumézil   *(1898-1986)*
F.

L'historien pensait qu'un savant doit toujours s'effacer derrière sa science et c'est pourquoi il refusa d'écrire son autobiographie. Néanmoins, au cours de ces entretiens, il livre les clés de sa pensée de *Mythe et Epopée* à *Loki*.

Le Suicide

Émile Durkheim   *(1858-1917)*
PUF

«Chaque société est prédisposée à fournir un contingent déterminé de morts volontaires», affirme le fondateur de la sociologie. En quoi consiste l'élément social du suicide et comment agit-on sur cette tendance collective ?

L'Interprétation des rêves

Sigmund Freud   1900
Trad. de l'allemand par I. Meyerson   PUF

L'exposé pratique et majeur de la psychanalyse. Agréable à lire même pour le non-spécialiste (en raison des multiples descriptions de cas), moins aride que les textes théoriques (*Métapsychologie* ou *Abrégé de psychanalyse*), mais beaucoup plus dense et précis que *La Psychopathologie de la vie quotidienne*.

La Pensée sauvage

Claude Lévi-Strauss   1962
Plon

Quand il n'y a d'autre logique que la classification, chez ceux qui n'ont ni outils ni machines, s'exerce la pensée brute. Celle que l'on trouve à l'œuvre dans la poésie et dans l'art.

Le Capital

Karl Marx   1864 à 1879
Traduit de l'allemand
par J. Roy et revu par M. Rubel   Pléiade

Sans doute le plus grand monument scientifico-littéraire du XIXe siècle. Toute la théorie de l'économie politique : la production, la marchandise, le travail, le prolétaire, la plus-value, la lutte des classes... Peu lu mais beaucoup vulgarisé.

On s'est exterminé au nom du marxisme, mais Marx était-il vraiment marxiste ? Son œuvre mérite d'être relue en oubliant tout ce qui a suivi, des dictatures de gauche au goulag.

Cours de linguistique générale

Ferdinand de Saussure　　1906 à 1911
Éd. critique de Tullio de Mauro　　Payot

Professé à Genève au début du siècle, ce cours fut publié par Charles Bally et Albert Sechehaye à partir des notes prises par les élèves de Saussure. L'aube de la linguistique moderne et la définition de ses concepts fondamentaux par un théoricien qui retenait avant tout l'individualité absolue de tout acte de langage.

Recherche sur la nature et les causes de la richesse des nations

Adam Smith　　1776
　　Gallimard

On considère généralement ce texte comme le début de l'économie politique moderne. Ce théoricien de la régulation par le marché et de la «main invisible» est l'un des pères fondateurs du libéralisme.

... en 25 livres

La Psychanalyse du feu

Gaston Bachelard　　1938
　　Gallimard et F.

La description de la «sourde permanence de notre idolâtrie du feu» par un épistémologue qui voulait transformer les flammes en objet scientifique. Demeure avant tout la magie du texte.

Le Système des objets　1972

Jean Baudrillard　　Denoël, Gallimard

Automobiles, gadgets, appareils électroménagers sont, plus que de simples objets, les signes des codes de notre mythologie moderne.

La Forteresse vide

Bruno Bettelheim　　1967
Traduit de l'anglais
par R. Humery　　Gallimard

Trois cas d'autisme infantile. Mais les murs dont s'entourent des enfants effrayés par le monde abritent parfois une âme susceptible de renaître.

Champ, fonction et mission des sciences humaines

«La première chose à constater, c'est que les sciences humaines n'ont pas reçu en héritage un certain domaine déjà dessiné mais laissé en friche (...). Le XVIIᵉ ne leur a pas transmis un espace circonscrit de l'extérieur mais encore vide. Le champ épistémologique que parcourent les sciences humaines n'a pas été prescrit à l'avance : nulle philosophie, nulle science empirique n'a jamais au XVIIᵉ et au XVIIIᵉ rencontré quelque chose comme l'homme.»

Michel Foucault
Les mots et les choses

«Conscientes de la mutation qu'elles ont subi, les sciences de l'homme refusent d'être marginalisées par rapport aux sciences de la nature. L'analyse de la société, de son histoire, de son discours, de ses représentations, de l'étude multidimensionnelle de l'homme, est partie intégrante du mouvement général des connaissances et l'une des grandes aventures intellectuelles de notre temps. Si elles sont contestées, c'est en raison principalement, ne l'oublions pas, de leur fonction critique. Elles représentent un enjeu de première importance pour les instances politiques, en raison de l'examen auquel elles soumettent le fonctionnement social ; pour les instances académiques, en raison de l'atmosphère de questionnement permanent qu'elles ont la charge d'entretenir dans chacune des régions du "savoir" constitué ; pour l'opinion, enfin, en raison de la corrosion qu'elles infligent aux préjugés les plus solides. Si elles sont contestées, voyons-le clairement, c'est que les sciences de l'homme, inévitablement, "dérangent".»

Maurice Caveing,
maître de recherche au CNRS.
Le Monde diplomatique, février 1982

«Les sciences humaines ne sont pas un simple appendice des autres sciences, qui

Dictionnaire critique de la sociologie

R. Boudon et F. Bourricaud 1982
PUF

Nécessaire à la compréhension en profondeur des courants sociologiques de Durkheim à Bourdieu, ou encore pour frimer sans lire les classiques...

Ethnopsychanalyse complémentariste

George Devereux 1972
Traduit de l'anglais
par T. Jolas et H. Gobard Flammarion
Élève de Marcel Mauss et représentant de l'anthropologie culturelle américaine, Devereux s'attache à démontrer la double explication psychologique et culturelle de tout phénomène humain.

Histoire de la folie à l'âge classique

Michel Foucault 1961
Gallimard

De la nef des fous médiévale à la naissance de l'asile, cette histoire de la folie qu'on enferme dessine en creux les limites de la raison classique.

100 points de vue sur le langage

André Jacob 1969
Klincksieck

270 textes de linguistique, de Platon à l'ethno- et à la psycho-linguistique, en passant par les grammairiens du XVIIᵉ, Humbolt et Chomsky. Un livre de base pour les linguistes, même amateurs.

Six leçons sur le son et le sens

Roman Jakobson 1976
Minuit

La naissance, pendant la guerre, à New York, de la linguistique structurale. Ce que Lévi-Strauss appelle «cristalliser en corps d'idées différentes des rêveries inspirées par la contemplation des fleurs sauvages».

L'imagination dialectique

Martin Jay 1977
Traduit de l'américain
par E.-E. Moreno et A. Spiquel Payot
La dérive sociologique de l'école de Francfort (1923-1950) à partir de Marx ; T.-W. Adorno, M. Horkheimer, J. Habermas, W. Benjamin décryptés.

Théorie générale de l'emploi, de l'intérêt et de la monnaie

Lord John Maynard Keynes 1936
Traduit de l'anglais
par J. de Largentagre Payot
Cet économiste et financier britannique est l'un des plus grands noms de l'économie politique contemporaine. Théoricien du plein emploi, de la redistribution des revenus et de la relance par la consommation, il a exercé une influence considérable sur les gouvernements occidentaux.

Vocabulaire technique et critique de la psychanalyse
1967
J. Laplanche et J.-B. Pontalis PUF
À travers les mots et les concepts clairement définis, mise à jour de la problématique freudienne.

Journal d'ethnographe

Bronislaw Malinowski *(1884-1942)*
Traduit de l'anglais par T. Jolas Seuil
Joies et lassitudes du fondateur de l'anthropologie moderne, au cours de son travail d'observateur.

L'un et l'autre sexe

Margaret Mead 1948
Traduit de l'américain
par C. Ancelot et H. Etienne Denoël
Dès 1948, l'ethnologue américaine s'interrogeait sur le bien-fondé de l'émancipation féminine et les conséquences qu'elle pouvait avoir sur les relations homme-femme.

La Révolution psychanalytique

Marthe Robert 1964
Payot

La psychanalyse expliquée au grand public au cours d'émissions radiophoniques.

Un exposé très pédagogique d'une germaniste, romancière, critique littéraire et traductrice de Freud.

Histoire de l'analyse économique

Joseph Alois Schumpeter 1954
Trad. dirigée par J.-C. Casanova,
préface R. Barre Gallimard

Né en 1883 et mort en 1950 aux E.U. où il avait émigré, Schumpeter fut, dans son pays natal, l'Autriche, chef d'entreprise puis ministre des Finances. Il est l'héritier direct de cette Vienne de la fin du siècle dernier, creuset de la culture moderne. D'où la richesse inouïe de cette étude historique qui, tout en élaborant des modèles théoriques d'analyse, replace les faits économiques dans leur contexte socioculturel.

... en 49 livres

L'Amour du narcissisme

Lou Andréas Salomé *(1861-1937)*
Traduit de l'allemand
par I. Hildenbrand Gallimard

Enfin quelques textes de l'égérie de Nietzsche, Freud et Rilke. De 1913 à 1923, elle publia ses propres interprétations psychanalytiques de deux sujets qu'elle connaissait bien : la féminité et le narcissisme.

Mythologies

Roland Barthes 1957
P. S.

Suite de textes courts écrits, au gré de l'actualité, de 1954 à 1956. Le sémiologue y décrypte les mythes de la vie quotidienne française, du bifteck-frites aux soucoupes volantes, en passant par les détergents, les jouets, l'auto, la publicité, le catch, le Tour de France, le strip-tease, le tourisme... Si certains «mythes» paraissent dépassés, leur analyse offre un intérêt toujours actuel.

permettrait de mieux utiliser leurs résultats, qui se situerait donc en aval de la recherche technologique. Elles se situent en même temps en amont, en suivant leur voie propre et en posant des questions sur l'orientation de la recherche scientifique dans son ensemble. Elles sont le moyen d'empêcher la technologie de devenir technocratie et de rejoindre la bureaucratie pour aboutir à un nouveau totalitarisme.»

Paul-Henry Chombart de Lauwe, directeur d'études à l'EHESS. «L'enjeu des sciences humaines dans la recherche et la société», *Le Matin*, 13 janvier 1982

«Avant toute unification politique possible de l'Europe, son unité spirituelle m'apparaît comme une réalité et une tâche qui trouve son fondement le plus profond dans la conscience qu'elle prend de sa diversité. Que l'Europe maintienne fermement la spécificité essentielle de ses traditions, vécues dans la concurrence et l'échange qu'elle entretient avec les autres cultures, me semble comme le signe le plus visible de sa vitalité et de la certitude spirituelle qu'elle peut avoir d'elle-même. Les ''sciences humaines'' peuvent y contribuer. C'est leur part à l'avenir de l'Europe et aussi de l'Humanité entière.»

Hans-Georg Gadamer, *Les Sciences humaines et l'avenir de l'Europe* Cadmos, été 85.

Vers une écologie de l'esprit

Gregory Bateson 1972
Traduit de l'américain
par F. Drosso, L. Lot et E. Simion Seuil

D'abord ethnologue, Bateson s'intéresse à la biologie, à l'anthropologie, aux systèmes de communication chez les mammifères, à la logique, au taoïsme et au zen. Il a abouti à une critique de la science, responsable à ses yeux de la crise écologique.

Le Deuxième Sexe

1949
Simone de Beauvoir Gallimard et F.

Aux sources du féminisme, quand il s'agissait que le beau sexe devienne le premier. Car « on ne naît pas femme, on le devient ».

Les Héritiers

Pierre Bourdieu 1964
et Jean-Claude Passeron Minuit

Selon que vous naissez puissant ou misérable, votre destin semble tracé d'avance. L'ouvrage qui assura la célébrité du sociologue. Il y démonte les systèmes de reproduction et de pérennité des classes dominantes.

La Mise en scène de la vie quotidienne
Tome 1 : La Présentation de soi,
Tome 2 : Les Relations en public

Erwing Goffman 1974
Traduit de l'anglais
par A. Accardo et A. Kihm Minuit

Pour rompre avec le positivisme et la sociologie quantitative, Goffman propose une ethnographie quotidienne. Il est l'initiateur de la nouvelle sociologie américaine.

Le Livre du ça

Georg Groddeck 1923
Traduit de l'allemand par L. Jume
Gallimard

La thématique du « ça : au plus profond de l'homme » présentée sous forme de lettres plaisantes adressées à une amie qui s'appelait en réalité Sigmund Freud !

Scientismes et Sciences sociales

Friedrich von Hayek 1952
Traduit de l'anglais
par Raymond Barre Agora

Une critique de l'application à l'économie et aux sciences sociales des méthodes d'analyse empruntées aux sciences de la Nature. Cet Anglais, d'origine autrichienne, prix Nobel d'économie en 1974, est le chef de file du néo-libéralisme contemporain.

Le Pragmatisme

William James 1907
Traduit de l'anglais
par E. Le Brun Flammarion

Quand la décision rationnelle se fonde non sur l'abstraction de l'idée mais sur la richesse de l'expérience.

Les Métamorphoses de l'âme et ses symboles

Carl Gustav Jung 1912
Traduit de l'allemand
par Y. Lelay Buchet-Chastel

D'abord considéré comme le dauphin de Freud, Jung rompt avec le maître en affirmant que la libido n'est pas seulement une énergie vitale d'origine sexuelle. Sa théorie d'un inconscient collectif s'appuie sur l'analogie des mythes et religions des peuples. Aussi, à partir d'un cas de schizophrénie, retrace-t-il une psychologie de l'humanité.

Psychopathies sexuelles

Richard von Krafft-Ebing 1886

Les balbutiements troublants de la sexologie, dans un livre hélas ! aujourd'hui introuvable.

Quatre Concepts fondamentaux de la psychanalyse

(Séminaire - livre XI) 1973
Jacques Lacan Seuil

Pour certains, Lacan représente surtout la transcendance du calembour après Vermot. Mais lors de ses cours à l'École normale supérieure, il s'attacha à définir quatre concepts fondamentaux de la psychanalyse (inconscient, répétition, transfert, pulsion) qu'il considérait aussi comme un organum scientifique.

Le Moi divisé

Ronald Laing 1961
Trad. de l'anglais par C. Elsen H. P.

L'initiateur de l'anti-psychiatrie montre comment la folie naît, au jour le jour, de «l'insécurité ontologique».

Le Geste et la Parole
Tome 1 : Technique et Langage,
Tome 2 : La Mémoire et les Rythmes

André Leroi-Gourhan 1965
Albin Michel

Des origines de l'homme, dans l'art des cavernes et les outils préhistoriques, jusqu'aux formes symboliques et fonctionnelles de la société actuelle. À la recherche d'une image globale du développement humain.

La Mentalité primitive 1922

Lucien Lévy-Bruhl Retz

Rêves, présages, pratiques divinatoires, ordalies : ainsi les primitifs expliquent-ils le cours d'un monde régi par des puissances occultes.

Essai sur le comportement animal et humain

Konrad Lorenz 1965
Traduit de l'allemand
par C. et D. Fredet Seuil

Et si les sociétés humaines n'étaient que des déformations des sociétés animales ?

Pour comprendre les médias

Herbert Marshall McLuhan 1964
Traduit de l'anglais par J. Paré Seuil

Pour le sociologue canadien, notre civilisation atteint son 3e état : après avoir été celle de la parole, puis de l'écrit — «la galaxie Gutenberg» —, elle est aujourd'hui dominée par la télévision. Gare ! Le message détourne notre attention tandis que le médium agit à notre insu sur notre inconscient.

Sciences humaines et philosophie

Le point de vue d'Alain Renaut, professeur de philosophie politique à l'université de Caen, coauteur avec Luc Ferry de *La Pensée 68 : essai sur l'anti-humanisme contemporain* (Gallimard).

«Avant la grande période de leur essor, marqué notamment par la naissance de la sociologie avec Durkheim, les sciences humaines se sont formées contre la philosophie. Il s'agissait de rompre avec cette discipline jugée trop englobante, dont les énoncés ne sont ni vérifiables ni falsifiables, pour proposer à la place des disciplines qui cernent leur objet. L'accumulation de données et de faits devait permettre de résoudre les questions laissées en suspens par les philosophes. Par exemple le problème de la liberté. Si les enquêtes montrent que l'homme est déterminé par son milieu (qu'il peut modifier) ou par l'hérédité (sur laquelle il ne peut agir), il s'avérera libre ou non libre. En ce sens, les sciences humaines opposaient un projet «positiviste» aux «généralités» philosophiques.

Néanmoins, du fait même de leur accumulation de faits et de données, les sciences humaines se trouvent aujourd'hui en crise. En effet, il faut choisir dans l'abondance de ces données. Il faut tracer un champ qui détermine la spécificité de chaque discipline. Et l'espoir qu'avaient les sciences humaines de laisser parler les faits se dément, puisque les faits sont interprétés. De telle sorte que dans les années 60-70, les sciences humaines ont débouché sur un relativisme total, qui les pousse aujourd'hui à se poser le problème de leur objectivité.

À cela s'ajoute le problème de l'unité, et même de l'identité, de ce que l'on appelle les sciences humaines. Par exemple : certaines d'entre elles peuvent adopter les méthodes des sciences de la nature. Quantification et méthode expérimentale sont applicables en sociologie. Mais pour l'histoire ? Et si les sciences humaines signifient l'étude de l'homme, doit-on y inclure la médecine ?

L'Homme unidimensionnel

Herbert Marcuse 1964
Traduit de l'anglais
par M. Wittig et l'auteur Minuit

Et si les démocraties occidentales fomentaient, elles aussi, des humains sans dimension critique ? Le livre que l'on considéra comme la bible des révolutions de 68.

Sociologie et anthropologie

Marcel Mauss (1872-1950)
PUF

Sur le don, le sacrifice, la prière, la mort et la magie. Des textes retrouvés d'un des pères de la sociologie française, pour lequel toutes les questions de la métaphysique et de la psychologie devaient être résolues, une fois posées en termes sociologiques.

Épistémologie des sciences de l'homme

Jean Piaget 1972
Gallimard

«Car il est évident que les phénomènes sociaux dépendent de tous les caractères de l'homme (…) et réciproquement, les sciences humaines sont toutes sociales par l'un ou l'autre de leurs aspects.» L'unité des sciences de l'homme démontrée par un grand psychologue.

Le Mot et la Chose

Willard van Orman Quine 1960
Flammarion

Comment retracer la relation du mot à l'objet dans la mouvance de la pratique sociale du langage.

L'Énigme du Sphinx

Geza Roheim 1932
Traduit de l'anglais
par S. Laroche et M. Giacometti Payot

La résolution de l'énigme du Sphinx, celle de ses origines, ouvre à l'homme la voie de la libération. Une thèse de la psychanalyse vérifiée sur le vif, en Australie, par un anthropologue.

Le Savant et le politique

Max Weber 1919
Traduit de l'allemand
par J. Freund Plon

Éthique de la conviction et éthique de la responsabilité. La vocation du savant et celle de l'homme politique analysées et confrontées par le grand sociologue allemand.

Collège de sociologie

(Bataille, Caillois, Leiris, Paulhan)
1937-1939
Édité par Denis Hollier Gallimard

Avant-guerre, les derniers avant-gardistes s'étaient réunis en un collège parodique. S'érigeant en fous sacrés, à l'image de Nietzsche et Van Gogh, ils opposaient aux tendances collectives de la société un individualisme forcené.

Enfin, les sciences humaines n'ont pas répondu aux questions laissées en suspens par la philosophie. Le retour actuel vers la philosophie politique, que la sociologie voulait évacuer, en est la preuve. Ressurgissent l'interrogation sur le meilleur régime démocratique possible, la question des droits de l'homme, le problème des valeurs.

Rappelons que les Anglais, depuis J. S. Mill, parlent de sciences morales. Les Allemands, depuis W. Dilthey, de sciences de l'esprit. Sciences humaines est un terme français, une appellation, donc une interprétation. Je penche plutôt pour la dénomination allemande, en tant que l'esprit auquel elle réfère est entendu au même sens que *L'Esprit des lois* de Montesquieu : c'est-à-dire un ensemble de faits à l'intérieur desquels s'expriment des valeurs, un sens. L'unité des disciplines des sciences "humaines" se fonde donc sur un objet qui fait place à la compréhension d'un sens, lequel s'interprète par référence à la liberté.

Ainsi, sciences humaines et philosophie ne sont pas incompatibles : les premières fournissent à la seconde des faits sur lesquels elle exercera sa réflexion. Mais il est bien certain que sur les problèmes normatifs, la sociologie ne dit pas grand-chose. »

tions de l'histoire et de la philosophie. Et Georges Balandier, par exemple, qui enseigne à cette époque l'anthropologie, est titulaire d'une chaire d'histoire africaine. Braudel lance alors, mais sans succès, le projet d'une unification des sciences humaines, en préconisant la création d'une faculté des sciences sociales qui "arracherait" sociologie, psychologie, histoire... aux facultés de lettres. Il le réalisera en 1961 avec la M.S.H., lieu fédérateur rassemblant des chercheurs de l'Institut des sciences politiques, de l'École pratique des hautes études, du C.N.R.S., dans une interface entre histoire, sociologie, géographie et sciences cognitives. On assiste ainsi à la constitution des sciences humaines en discipline dotée d'une identité propre.

Aujourd'hui, même si elles sont enseignées dans 400 UER, les sciences humaines sont en crise. La conjoncture politique et économique a souligné la défaillance des experts dans leur fonction de prévision. Les sociologues se posent la question du statut de leur science et celle de leur propre statut dans la société. Et tous les chercheurs en sciences humaines s'interrogent sur l'avenir de disciplines ayant atteint un rythme de croisière, voire de routine, et se demandent quelles peuvent être leurs capacités de renouvellement. »

Difficile statut des sciences humaines

A la Maison des sciences humaines à Paris, Maurice Aymar, son administrateur, tente de perpétuer l'entreprise de Fernand Braudel — telle qu'il l'expose dans ses *Écrits sur l'histoire* — à travers l'unification des sciences humaines.

«Au début du siècle, on parlait surtout de sciences sociales, dans une traduction littérale de leur appellation anglaise. Mais les Anglo-Saxons distinguent leurs *social sciences* des *humanities*, disciplines classiques qui intègrent l'histoire. Or, en France, dès 1903, sociologues et historiens se rapprochent. Cependant, jusqu'aux années 60, les sciences humaines sont étudiées dans les facultés comme ramifica-

Rites, coutumes et légendes

Le libellé de ce chapitre de la bibliothèque idéale, «Rites, coutumes et légendes», ne renvoie pas à ce qu'on a appelé un jour «la chienlit folklorique». Les sonneurs de biniou et de bombarde n'ont pas été des critères de sélection et si on paraît ici et là sacrifier à la couleur locale, d'ailleurs davantage pour l'intérêt littéraire ou humain d'un livre, on a cherché précisément à éviter l'écueil d'un folklore glacé et compassé.

Au reste, ce chapitre se situe dans le prolongement de celui qui est consacré aux sciences humaines. En moins théorique, bien sûr. Son champ s'ouvre à toutes les rencontres avec «les autres» — celles de Jean Malaurie avec les Esquimaux, de Pierre Clastres avec les Indiens Guarani, d'Oscar Lewis avec une famille mexicaine —, à toutes les marginalités — la fête des Fous au Moyen Âge, les carnavals, les truands anciens et actuels, la sorcellerie d'hier et d'aujourd'hui —, à toutes les sociétés de type initiatique — les confréries, les alchimistes et, pourquoi pas, les familles de mafiosi à New York —, à toutes les pratiques rituelles — la mort chez les anciens Égyptiens et dans nos provinces, les prières des chasseurs africains —, à tous les modèles d'éducation — à Samoa, en Nouvelle-Guinée, en Anatolie ou dans la Bretagne bretonnante des années 1900. Bref, l'horizon de ce choix de quarante-neuf livres s'est élargi à tout ce qui concrètement fait qu'une organisation ou une société est à nulle autre pareille.

Les légendes, les contes populaires, voire certains romans peuvent avoir cette valeur documentaire. Ils témoignent de l'authenticité de la tribu, du clan, de la région, du territoire. Certes, ils s'adressent à tous mais ils ne parlent que de quelques-uns. La mort n'est pas perçue en Basse-Bretagne comme elle l'est à Bornéo. Et pourtant, quelles que soient les latitudes, on comprend ce langage. C'est cette ambivalence de leur message, universel mais spécifique, qui fait tout l'intérêt des légendes et des contes.

Rites et coutumes... L'histoire des croyances, des modes de vie et de tous les particularismes en rend bien compte. En même temps elle insinue que ces gestes, ces paroles, ces cérémonies appartiennent à un passé forcément révolu ou à une civilisation forcément primitive. Il n'empêche que nous avons nos rites et nos coutumes et que, d'une certaine manière, nous aussi nous sommes un peu «les autres».

Sans parler des jeteurs de sorts qui hantent nos campagnes, il est aujourd'hui des manifestations, des défilés, des commémorations qui plongent leurs racines très loin dans notre inconscient et que, le refoulement aidant, nous tenons tout juste pour de simples habitudes, d'innocentes routines, de nécessaires traditions. À cet égard, l'ouvrage de Louis-Vincent Thomas sur les attitudes actuelles devant la mort est des plus éclairants.

Mais prend-on garde au decorum qui entoure une rentrée parlementaire avec la garde républicaine, sabre au clair, saluant au milieu des tambours, comme pour un triomphe, l'arrivée du président de l'Assemblée ou de celui du Sénat en habit? Aux fastes et aux uniformes des revues militaires, tous missiles déployés, avec la télévision à la rescousse pour ceux qui n'ont pu se presser sur les balustrades? Au cérémonial quasi liturgique qui précède toute compétition sportive, renouant avec les processions et les sacrifices des Anciens? Là il faut relire Caillois et se dire qu'après tout les supporters braillards des tribunes de stades méritent à leur tour qu'un ethnologue se glisse parmi eux.

Nous aussi donc? Mais commençons par «les autres»...

Rites, coutumes et légendes

... en 49 livres

... en 25 livres

... en 10 livres

Le Chrysanthème et le Sabre
Ruth Benedict

Les Rois thaumaturges
Marc Bloch

Le Grand Parler :
mythes et chants des Indiens
Guarani
Pierre Clastres

Le Rameau d'or
James George Frazer

Les Marginaux parisiens
aux XIVᵉ et XVᵉ siècles
Bronislaw Gemerek

L'Afrique fantôme
Michel Leiris

Le Cru et le Cuit
Claude Lévi-Strauss

Les Enfants de Sanchez
Oscar Lewis

Mœurs et sexualité en Océanie
Margaret Mead

Le Folklore de France
Paul Sébillot

Le Livre des Morts
des anciens Égyptiens
Paul Barguet

Les Jeux et les Hommes
Roger Caillois

Carnavals, bandits et héros,
ambiguités de la société brésilienne
Roberto Da Matta

Les Mots, la Mort, les Sorts,
la sorcellerie dans le bocage
Jeanne Favret-Saada

Fêtes des Fous et carnavals
Jacques Heers

Le Cheval d'orgueil
Pierre-Jakez Hélias

L'Aventure ambiguë
Cheikh Hamidou Kane

La Légende de la mort
chez les Bretons armoricains
Anatole Le Braz

La Sorcière de Jasmin
Emmanuel Le Roy Ladurie

Les Derniers Rois de Thulé
Jean Malaurie

La Mort volontaire au Japon
Maurice Pinget

Mari et femme
dans la société paysanne
Martine Segalen

Les Iks :
survivre par la cruauté en Ouganda
Colin Turnbull

Manuel du folklore
français contemporain
Arnold Van Gennep

La Terre
Émile Zola

• À vous de choisir le cinquantième livre. Peut-être est-il déjà dans votre bibliothèque.

... en 10 livres

Le Chrysanthème et le Sabre
Ruth Benedict 1946
Traduit par Lise Mécréant Picquier
Un livre de référence sur l'âme japonaise, écrit pendant la Seconde Guerre mondiale par une anthropologue américaine qui — et pour cause — n'a pu travailler sur le terrain. La traduction toute récente de cet ouvrage est particulièrement bienvenue car s'il appelle inévitablement des corrections et des critiques, *Le Chrysanthème et le Sabre* reste un modèle d'étude d'un peuple et de sa civilisation. Le Japonais s'enrichit de ses propres contradictions : il est à la fois violent et pacifique (d'où le titre), courtois et impertinent, rigide et capable d'innovation. Mener sa vie ne relève pas du hasard mais de tout un art qui obéit à des normes. Les plaisirs de la table et du sexe, par exemple, ne sont pas tenus pour des émotions indignes. Au contraire même, ils sont positifs si toutefois ils ne prennent pas une place qui ne leur revient pas.

Les Rois thaumaturges
Marc Bloch 1924
Gallimard
En France, les rois étaient censés guérir les scrofuleux. Une pratique née au XIIᵉ siècle et qui perdura tant bien que mal jusqu'au siècle des Lumières. Le « toucher royal » n'était pas à l'origine sans finalité politique : il était pour le souverain un bon moyen de se distinguer de ses pairs, les barons, en ces temps de féodalité où son pouvoir tenait à des liens de vassalité pour le moins fragiles. En Angleterre, le monarque avait le don de soigner les épileptiques. Il déposait sur l'autel des pièces de monnaie qu'il « rachetait » en mettant à la place une somme équivalente puis faisait fondre les pièces qui étaient alors transformées en anneaux destinés à faire passer le Grand Mal.

Le Grand Parler : mythes et chants des Indiens Guarani
Pierre Clastres 1974
Seuil
Les « Belles Paroles » sont celles que les Guarani adressent aux dieux. Leurs prières évoquent le paradis terrestre perdu, « le temps heureux des longs soleils éternels ». Le « Grand Parler », c'est donc ce langage « proche des dieux ». Mythes grotesques et mythes tragiques s'emmêlent. Ce sont les aventures des Jumeaux, le Soleil et la Lune, un monde peuplé de tatous, de jaguars et d'aras. Il y a là toute une cosmogonie de cruauté et de grosse farce qui montre comment les dieux dévorent leurs enfants rôtis ou bouillis et comment le crapaud berne les vautours en leur dérobant le feu dont ils étaient les gardiens.

Le Rameau d'or
James George Frazer 1890 à 1915
Traduit par Pierre Sayn
et Henri Peyre Bouquins
L'encyclopédie des croyances primitives par un savant anglais qui n'en pensait qu'une chose : « non-sens ». Du moins sa critique s'appuie-t-elle sur une description très précise des pratiques irrationnelles et, qu'on partage ou non le point de vue de l'auteur, les quatre volumes se lisent aussi facilement que les *Contes des mille et une nuits*.

Les Marginaux parisiens aux XIVᵉ et XVᵉ siècles
Bronislaw Geremek 1976
Trad. par D. Beauvais Flammarion
Dans le monde interlope des errants, des mendiants, des filles à soldats, des maquereaux, des cabaretiers louches, des sorciers, des « coquillards », coupeurs de bourses et trucideurs, c'est la loi de la jungle. En clair, chacune de ces confréries qui vit en lisière de la normalité a ses propres statuts. Ce sont autant de sociétés organisées anarchiquement dans une ville qui les brasse et où nombreux sont ceux qui participeront aux

mouvements insurrectionnels dans la capitale du royaume (Maillotins et Cabochiens). Classes dangereuses parce qu'elles échappent à la règle commune.

L'Afrique fantôme

Michel Leiris 1934
Gallimard

En rupture de surréalisme, Leiris est engagé en 1931 dans une mission ethnographique entre Dakar et Djibouti. C'est son carnet de bord au jour le jour, presque son journal intime où il se confie dans un style rapide, dépouillé. Le livre y gagne une grande authenticité. Après l'enthousiasme du début vient vite le désenchantement. « On ne s'approche pas tellement des hommes en s'approchant de leurs coutumes. Ils restent, après comme avant l'enquête, obstinément fermés... Je n'ai jamais couché avec une femme noire. Que je suis donc resté européen ! » Ce sont les « ratages » de l'observateur non engagé qu'il est, ou de l'ethnographe qu'il est devenu, qui le font désespérément passer à côté de l'Afrique et des Africains.

Le Cru et le Cuit

Claude Lévi-Strauss 1964
Plon

Un titre d'inspiration culinaire pour un livre conçu comme une partition musicale. Les chapitres se répartissent en « variation », « sonate », « fugue », « symphonie », « cantate », « toccata et fugue »... À partir de l'opposition du cru et du cuit (ou du frais et du pourri, du mouillé et du brûlé), Lévi-Strauss élabore toute une instrumentation conceptuelle de la pensée mythique des Bororo et des peuples voisins où se trouve déjà en germe une philosophie de la société.

Les Enfants de Sanchez

Oscar Lewis 1961
Traduit par Céline Zins Gallimard

Mexico, sa difficulté d'être, ses gamins dans les rues, ses taudis, ses rires et ses émois, sa désespérance, sa pauvreté à tra-

Lévi-Strauss : À quoi servent les ethnologues

Nous sommes d'après vous à un moment de l'histoire où deux humanités se croisent avant de s'éloigner à jamais l'une de l'autre. C'est peut-être la dernière fois où, pour reprendre l'une de vos célèbres distinctions, se rencontrent les « sociétés chaudes » comme les nôtres, et les « sociétés froides », dites primitives. Cette ancienne humanité des sociétés froides est vraiment condamnée à mort ?

C'est encore plus vrai aujourd'hui qu'au moment où je l'ai dit. Cela va à une vitesse effroyable. Je ne crois pas cependant que ces sociétés disparaîtront totalement et de façon inéluctable pour autant qu'elles vont se fondre dans cette espèce de civilisation mondiale qui envahit la planète et qu'elles vont la contaminer. Ces sociétés renaîtront donc, ici ou là, de façon métisse ou créole. Mais la question se pose de savoir si, au fur et à mesure qu'une même civilisation tend à se répandre sur toute la terre habitée, il n'y aura pas à l'intérieur des ruptures et des nouvelles différences qui vont apparaître.

Les leçons que nous pouvons tirer des « sociétés froides » en voie de disparition arrivent toujours trop tard ?

On ne les comprend pas au moment où on les reçoit. Le moment idéal pour étudier la société américaine, c'était l'époque de la découverte. Mais les leçons qu'on aura pu en tirer, on ne les a pas comprises parce qu'on avait un seul souci : détruire. Cela a toujours été ainsi. Et je dirai même : plus nous recevons les leçons que nous pourrions en tirer, plus il est trop tard pour pouvoir les entendre.

Êtes-vous retourné chez ces Indiens d'Amérique du Sud qui vous ont tant appris ?

Non, je ne tiens pas à pleurer sur les souvenirs d'un monde condamné, je le sais, au changement et à la disparition.

En 1960, vous terminiez votre leçon inaugurale au Collège de France par un hommage émouvant à ces Indiens, « ces sauvages dont l'obscure ténacité nous offre encore le moyen d'assigner aux faits humains leurs vraies dimensions, ces Indiens des tropiques, et leurs

vers les quatre enfants d'une famille qui se racontent et racontent les autres. Les mêmes événements et les mêmes personnages vus et rapportés contradictoirement. De l'intimité la plus crue, parfois la plus cruelle, aux joies rares d'une existence vouée surtout à l'obligation de survivre. Par tous les moyens. Des témoignages d'une grande intensité recueillis par le célèbre anthropologue américain. La mort de la mère, les colères du père, le départ du fils en Californie comme ouvrier agricole, les bas-fonds, la médiocrité, l'infinie tristesse d'une vie si dure à gagner. On n'en revient pas tout à fait indemne.

Mœurs et sexualité en Océanie

Margaret Mead   1928-1935
Trad. par G. Chavassus   Plon et P. P.

Deux livres en un. Le premier pose la question : pourquoi les adolescentes des îles Samoa ne connaissent-elles pas les troubles psychologiques des jeunes Américaines ? La réponse est d'ordre culturel : c'est l'éducation qui suscite la crise chez les les 15-18 ans aux États-Unis. À Samoa, les adolescentes n'ont pas la contrainte d'une famille exclusive, leur famille est multiple et parmi tous ses membres elles peuvent trouver refuge et réconfort. Le second livre, à travers les cas de trois tribus de Nouvelle-Guinée, met également en évidence la détermination sociale et culturelle d'un autre phénomène qui se situe aux confins de la nature et de la biologie : les différences de tempérament entre les sexes et la répartition des rôles féminins et masculins. Autrement dit, les individus sont intimement ce que les sociétés leur commandent d'être.

Le Folklore de France

Paul Sébillot   1904-1906
                        Imago (9 vol.)

Il s'agit d'une réédition de l'œuvre primordiale de P. Sébillot réunissant environ 15 000 contes, légendes, coutumes, chansons, proverbes..., et constituant un véritable inventaire des traditions populaires de France et des pays francophones. Le nouveau classement thématique en 9 volumes renvoie à l'imaginaire : 1. *Le Ciel, La Nuit et les Esprits de l'air* ; 2. *La Terre et le Monde souterrain* ; 3. *La Mer* ; 4. *Les Eaux douces* ; 5 et 6. *La Faune* ; 7. *La Flore* ; 8. *Les Monuments* ; 9. *Le Peuple et l'Histoire.*

... en 25 livres

Le Livre des Morts des anciens Égyptiens

Paul Barguet   1967
                        Cerf

« Salut à toi, qui te lèves lumineux du lotus, qui resplendis sur la feuille de lotus, dieu qui se purifie lui-même, qui façonne le jour, dont les hommes ignorent le nom, qui traverse le ciel, sans qu'on distingue celui-ci de celui-là, dieu unique que protège son pouvoir magique, ô âme vivante... » Prière à Amon-Râ sur le chemin de la nécropole. Un recueil d'invocations et d'hymnes pour chacune des étapes qui conduisent au royaume des morts.

Les Jeux et les Hommes

Roger Caillois   1958
                        Gallimard

De quel(s) jeu(x) parler ? du jeu d'échecs, du jeu d'acteur, du jeu de hasard, des jeux de glaces, des jeux du stade, du jeu politique ? Le jeu a son culte, ses grands prêtres, sa liturgie : voir les jeux Olympiques que précède, comme dans la Grèce antique, tout un décorum. Le jeu peut être aussi chargé de significations aujourd'hui évanouies. Le cerf-volant ne figurait-il pas en Orient l'âme de son propriétaire resté au sol ? Et notre football ne serait-il pas le combat de deux phratries pour la conquête du soleil ?

Carnavals, bandits et héros, ambiguïtés de la société brésilienne

Roberto Da Matta   1983
Traduit par Danielle Birck   Seuil

Le carnaval au Brésil a une fonction subversive. Dans un pays où chacun est à sa place et n'en bouge pas, il suspend provisoirement l'ordre des catégories sociales en transformant la hiérarchie quotidienne « en une égalité magique et momentanée ». Da Matta évoque également deux personnages contradictoires de la mythologie brésilienne : le « malandro », héros de la marginalité, qui, tout compte fait, finit par s'intégrer au paysage social, et Matraga, celui qui renonce à rendre les coups qu'il reçoit et par là même devient un élément de désordre.

Les Mots, la Mort, les Sorts, la sorcellerie dans le bocage

Jeanne Favret-Saada   1977
                                   Gallimard et F.

Quand la parole, « c'est la guerre ». Quelques mots, et c'est coup sur coup la mort d'un veau, la brucellose d'une vache, le lait qui tourne, voire une impuissance sexuelle ou le cancer du maire. Dans le bocage mayennais, Jeanne Favret-Saada a enquêté et observé ces rapports de force qui tiennent de la sorcellerie. Intervient le désorceleur, ce « mercenaire » qui à distance et métaphoriquement, par des rituels, va affronter le sorcier. Le Moyen Âge à notre porte.

Fêtes des Fous et carnavals

Jacques Heers   1983
                                   Fayard

Fête des Innocents, fête des Fous, fête de l'Âne : trois tableaux vivants à la Bruegel. Des bandes de jeunes, en toute impunité, apostrophent le curé pendant l'office et « contrefont les saintes cérémonies de la messe » tandis que les clercs, habillés en femmes, exécutent des danses lubriques. Il arrive qu'un âne soit conduit au pupitre, revêtu des ornements sacerdotaux, au milieu des braiements de l'assistance. Étonnantes licences !

semblables par le monde, qui m'ont enseigné leur pauvre savoir où tient, pourtant, l'essentiel des connaissances que je suis chargé de transmettre à d'autres et envers qui j'ai contracté une dette dont je ne serais pas libéré, même si je pouvais justifier la tendresse qu'ils m'inspirent et la reconnaissance que je leur porte, en continuant à me montrer tel que je fus parmi eux, et tel que je voudrais ne pas cesser d'être : leur élève et leur témoin ». Est-ce que vous estimez maintenant avoir un peu payé cette dette ?

Je l'aurai un peu payée si des sociétés d'Afrique et d'ailleurs, qui se lancent maintenant dans l'indépendance politique et la vie moderne, reprennent assez tôt conscience de leurs racines et de leur prix pour ne pas faire ce que l'Europe a tenté : se couper de son passé. D'une manière générale, les ethnologues auront joué leur rôle si un jour très incertain ces peuples, voulant reconstruire leur propre humanisme, éprouvent le besoin de se servir de nos livres, ces livres où nous avons essayé de conserver pour eux leur passé. Mais peut-être ces sociétés ne voudront-elles plus jamais entendre parler de ce passé, auquel cas le travail des ethnologues n'aura servi à rien.

L'enfance et ses rites

« Beaucoup d'enfants utilisent, à l'intérieur de leur société, un certain nombre de textes, de paroles et de gestes que nous avons rassemblés sous le qualificatif d'obscènes » : dans son étude consacrée au *Folklore obscène des enfants* (G.-P. Maisonneuve et Larose, 1974), Claude Gaignebet a recensé les usages, les thèmes et les mythes de la sexualité enfantine telle qu'elle se manifeste à travers les chansons, comptines et autres « histoires de Toto » qu'on se raconte à la récréation. En voici un florilège rassemblé dans différentes régions de France entre les années 1930 et 1970. Ce sont aussi d'autres formes de rites et coutumes...

Le Cheval d'orgueil

Pierre-Jakez Hélias 1975
Plon et P. P.

Au début du siècle, en plein pays bigouden, les parturientes accouchaient sans l'aide du médecin mais assistées d'une «commère». À cette époque on se racontait encore les histoires de l'«Autre Cornu» et on croyait entendre l'essieu grinçant de la charrette de la Mort. «Un bruit à vous dissoudre les boyaux.» C'était au temps où les prêtres en chaire dénonçaient «l'école du diable» et où les maris, de moins en moins assidus à la Sainte Table, commençaient à se détacher des choses de la religion.

L'Aventure ambiguë

Cheikh Hamidou Kane 1971
10/18

Roman des racines et du renoncement. Très religieux, le jeune Sambo Diallo quitte son Afrique musulmane pour étudier à Paris Descartes et Platon. Il aura d'abord reçu les mises en garde du vieil imam. «Les hommes d'Occident connaissent de moins en moins le miracle et la grâce.» À son retour au milieu des siens, il ne sera plus tout à fait le même. Pour son malheur.

La Légende de la mort chez les Bretons armoricains

Anatole Le Braz 1893
Lafitte

«La Bretagne est pleine d'âmes errantes qui pleurent et gémissent.» L'Ankou, «l'ouvrier de la mort», rôde sur les chemins enténébrés et les «groat'ch», ces vieilles qui guettent aux carrefours, sont ses auxiliaires. La mort est objet de terreur, elle est aussi familière. À la Saint-Jean, on allume des feux pour que les âmes à la peine puissent s'y réchauffer. Un légendaire tout en silences angoissants et en hurlements nocturnes qui exaltent les peurs millénaires.

La Sorcière de Jasmin

Emmanuel Le Roy Ladurie 1983
Seuil

Jasmin est un artisan agenais qui a publié en 1842, en occitan et en français, un conte intitulé *Françouneto*, du nom de cette jeune fille que l'on disait achetée par le diable et dotée de pouvoirs maléfiques. Pour Le Roy Ladurie, c'est l'occasion d'une immersion dans la paysannerie du XVIᵉ siècle au moment des guerres de religion. Derrière la magie, les jalousies et derrière les jalousies flotte comme une odeur de fagot.

Les Derniers Rois de Thulé

Jean Malaurie 1975
Plon et P. P.

Ces souverains sont les hommes du Pôle, confrontés chaque année à quatre mois de nuit ininterrompue. Malaurie a partagé leur intimité longtemps, et il restitue non seulement leur mode de vie (sexualité, chasse à l'ours et au morse) mais leurs superstitions, leurs terreurs, leurs pratiques religieuses où s'entremêlent un peu de christianisme et beaucoup des croyances de leurs ancêtres Inouit. Un document brillant sur l'Esquimau, être complexe et séduisant, accroché à son royaume de glace et de ténèbres.

La Mort volontaire au Japon

Maurice Pinget 1984
Gallimard

Le *seppuku* — ou plus communément le *hara-kiri* — se pratique dans les formes rituelles du sacrifice. Il a son histoire, millénaire, et ses héros. Il consiste à prendre son temps, d'abord en se réfugiant dans la méditation. Puis on s'ouvre le ventre, siège de l'énergie et de la volonté. Là peuvent intervenir des variantes : soit le suicidé jette ses entrailles à pleines mains vers l'ennemi en signe d'ultime défi ; soit il se fait décapiter par un auxiliaire, sitôt l'éventration accomplie. Le *seppuku* n'est pas un acte de désespéré ou de fanatique. Il est l'affirmation qu'en se donnant la mort aussi théâtralement on s'unit à son destin avec éclat.

Mari et femme dans la société paysanne

Martine Segalen   1980
      Flammarion

Un extraordinaire florilège de proverbes à l'appui d'une description haute en couleurs — du dedans et du dehors — de la paysannerie française du siècle dernier. La femme passe le plus souvent pour une vraie garce... « Il n'est point de vice que les femmes et les guenons ignorent... La femme est tête sans cervelle, serpent, diable, mais telle quelle, horrible ou belle, à tous plus ou moins il en faut... Si petite que soit la femme elle a plus de fourberie que le diable. » Gare aussi à la femme trop entreprenante, l'homme sera moqué car « poule qui chante le coq et coq qui pond, c'est le diable à la maison ».

Les Iks : survivre par la cruauté en Ouganda

Colin Turnbull   1972
Traduit par Claude Elsen   Plon

Leur territoire de chasse a été transformé en parc national. Tribu errante, les Iks se meurent. Pour survivre, ils sont prêts à tout, à voler, à tuer, prêts à disputer sa proie à un charognard, à manger des pierres ou de la terre. Et pourtant dans son désarroi et sa déchéance cette peuplade ne s'est pas départie de ses coutumes. Tout un code se transmet encore en dépit d'une histoire qui touche à sa fin.

Manuel du folklore français contemporain

Arnold Van Gennep   1943-1958
      Picard

D'une province à l'autre les mêmes rites sont observés du berceau au tombeau : du talisman que l'on place sur la poitrine du nourrisson pour éviter le mauvais œil ou les coliques à certaines pratiques au moment de la mise en bière. Un manuel dû à l'un des grands noms de l'étude folklorique en France dont on citera aussi le *Coutumes et croyances populaires en France* (Éd. du Chemin Vert).

La p'tite Amélie
M'avait promis
Les poils de son cul
Pour faire un tapis
Les poils sont tombés
Le tapis est foutu
La p'tite Amélie
N'a plus de poils au cul.

En r'venant de la Saint Martin
Rencontré trois petits lapins
Un qui pue, un qui pète,
Un qui joue de la clarinette
J'en mets un dans mon mouchoir
Il me dit qu'il fait trop noir
J'en mets un dans mon chapeau
Il me dit qu'il fait trop chaud
J'en mets un dans ma culotte
Il me mange ma petite carotte.

Quand j'étais petit
Je n'étais pas grand
Je montrais mes fesses
A tous les passants
Ma mère me disait
Veux-tu les cacher
Je lui répondais
Veux-tu les lécher ?

Mon grand-père et ma grand-mère
Ont l'habitude de coucher nus
Ma grand-mère qu'est carnassière
A mordu mon grand-père au cul.

Au clair de la lune
J'ai pété dans l'eau
Ça faisait des bulles
C'était rigolo.

Les enfants, poils aux dents
Respectez, poils aux nez
La vieillesse, poils aux fesses
La vertu, poils au cul.

La Terre

Émile Zola 1887
L.P.

La Beauce, terre de crimes et de volonté de puissance. Le monde paysan est taillé à coups de serpe. Une fresque, tout en énergie, de l'abjection et de la noirceur. La terre, objet de convoitises, est élevée au rang de mythe. Elle est à elle seule, par-delà la trame du roman, le principal personnage.

... en 49 livres

Pénitents et francs-maçons de l'ancienne Provence

Maurice Agulhon 1968
Fayard

Entre pénitents, surtout entre les blancs et les noirs, la charité n'est pas la vertu la mieux partagée. Passe encore les conflits de protocole, mais les batailles de rues pour se disputer un cadavre que l'on va enterrer! À la fin du XVIIIᵉ siècle une autre forme de sociabilité apparaît : les loges maçonniques, qui remplacent peu à peu les confréries parmi lesquelles d'ailleurs elles recrutent. Avant d'être maçon, Joseph de Maistre avait été pénitent.

Paroles très anciennes ou le mythe de l'accomplissement de l'homme

Sory Camara 1982
La Pensée Sauvage

Ces «paroles très anciennes», traditions orales des Mandenka, peuple fondateur de l'empire médiéval du Mali, ce sont les hymnes à la chasse que chantent aujourd'hui les griots. Sory Camara commente avec passion et intelligence ces longs poèmes dont on retiendra «Le jeune homme aux mains vides» qui rassemble plusieurs mythes : mythe de la chasse, mythe pastoral, mythe agricole, mythe du mariage...

Les Fêtes en Provence

Jean-Paul Clébert 1982
Aubanel

Entre vaquette et pétouse, entre bravade et romérage, entre la fête des Belles de Mai et la fête de la Tarasque, tout un folklore fait de processions, de charivaris, de mascarades et de banquets bruyants et tapageurs. Un choix de photos et de gravures qui sont autant de bouffées de lavande et de romarin.

Le Chevalier, la Femme et le Prêtre

Georges Duby 1981
H.P.

Aux origines des règles du mariage chrétien. Jusqu'au XIᵉ siècle, un mari, *a fortiori* s'il était prince, répudiait sa femme au motif qu'elle était stérile ou qu'elle ne lui donnait pas de garçon. L'Église entreprend alors de châtier ce qu'elle tient pour adultère ou bigamie et fixe les canons de l'institution matrimoniale dont elle commence par exclure ses clercs. Un nouvel ordre s'installe d'où va naître l'amour courtois.

Les Structures anthropologiques de l'imaginaire

Gilbert Durand 1969
Dunod

Une réhabilitation de l'imaginaire contre les dérives rationalistes et mécanistes qui prétendent démythifier l'homme. À travers une étude des bestiaires, des cycles du temps, des mythes chtoniens ou guerriers, des rituels sacrificiels, etc., qui constituent une sorte de musée du fantastique, à travers aussi une étude de la rhétorique et des beaux-arts comme formulation du merveilleux, voici un appel sereinement humaniste à l'imaginaire, source de vie.

Forgerons et alchimistes

Mircea Eliade 1956
Flammarion

Comme le forgeron, l'alchimiste, « maître du feu », transforme le produit de la Terra Mater. Comme lui encore, il travaille sur une matière vivante et sacrée. L'alchimie repose sur le postulat selon lequel pierres et minerais mûrissent dans les entrailles de la terre. L'alchimiste aide donc à l'évolution de ce processus. Tout un symbolisme se dessine, notamment autour des rites et de la mystique de l'alchimie indienne et chinoise.

L'Ami Fritz

Erckmann et Chatrian 1864
L.P.

Fritz Kobus passe son temps à vider les chopes, à fumer ses pipes, à « se faire du bon sang ». Une Alsace d'opérette, fraîche et joyeuse, traditionnelle, bien dans la manière de ces romans grouillants de personnages à la limite de la caricature mais tellement bien croqués.

Le Carnaval

Claude Gaignebet 1974
Payot (épuisé)

Carnaval ou le retour du mythe, «cette machine à supprimer le temps», dirait Lévi-Strauss. La tradition chrétienne de la Chandeleur se situe dans la continuité des Lupercales romaines. Autre rapprochement : le feu du Carnaval n'a-t-il pas les mêmes vertus purificatrices que le feu du purgatoire ? Les religions et les générations passent, les gestes et les croyances demeurent.

L'Arbre aux trésors
Légendes du monde entier

Henri Gougaud 1987
Seuil

Un recueil qui puise aux sources du folklore et de la mythologie de tous les continents. Près d'une centaine de contes sont ici regroupés par unités géographiques. Leur charme vient pourtant moins de l'exotisme qui s'en dégage que de l'universalité de leurs thèmes.

Danses et légendes
de la Chine ancienne

Marcel Granet 1926
Aujourd'hui

La Chine féodale par l'un des pères de la sinologie française. Chine de la ville et Chine des villages. Danses dynastiques, danses emblématiques, danses animales, danses masquées. Un festoiement de légendes (dragons, serpents, faisans) toutes récitées et chantées par des chœurs de garçons et filles au « Lieu-Saint » de leur pays. On citera du même : *Fêtes et chansons anciennes de la Chine* (Albin Michel).

La Femme et le Bâtard

Claude Grimmer 1983
Presses de la Renaissance

Selon que vous étiez puissant ou démuni, prince ou manant, la condition de bâtard changeait du tout au tout. L'enfant illégitime d'un roi n'était-il pas de sang royal ? Henri IV a fort bien pourvu ses bâtards, et Louis XIV donc ! Le duc de Maine reçut le gouvernement de Languedoc et le comte de Toulouse fut fait amiral de France. Pour les autres, le salut était la débrouille. Quant à leurs mères, elles n'avaient plus que leurs yeux pour pleurer si elles n'avaient eu recours avant aux faiseuses d'anges, à leurs décoctions démoniaques ou à leurs aiguilles assassines.

Des affaires de famille,
la Mafia à New York

Francis Ianni 1973
Traduit par Georges Magnane Plon

Au nom de la famille... La Mafia à travers les Lupollo, des immigrants italiens arrivés misérables sur les quais de New York au début du siècle. Une famille ou une tribu ? La loi de l'honneur et la loi du secret restent intangibles de génération en génération de même qu'à l'intérieur du clan on ne touche pas aux alliances entre individus ni aux rapports de pouvoir ni au protocole. Un regard d'ethnologue sur des vestiges encore bien conservés.

Le Pont aux trois arches

Ismaïl Kadaré 1981
Traduit par Yusuf Vrioni Fayard

Une coutume atroce veut que pour conjurer le mauvais génie des ondes on emmure vivant un homme dans l'un des piliers du pont qui vient d'être construit. Les rives de l'«Ouyane maudite» sont le théâtre d'une chronique qui tient autant de l'histoire que de la légende. L'Albanie du XIVᵉ siècle, à la veille d'être envahie par les Ottomans, a tout du pays tragique qui s'accroche à ses traditions pour ne pas perdre son identité.

Le Sceptre et la Marotte

Maurice Lever   1983
                                   Fayard

Une grande tradition : le fou du roi. Mais il y a fou et folle. Car si l'on connaît Angoulevent, Chicot, Brusquet, Triboulet et autres Hainselin Coq (le fou de Charles VI... le roi fou!), il y eut aussi Cathelot, folle de Marguerite de Valois, ou Mathurine qui a, de tout le personnel folliant de nos souverains, le record de longévité : trois règnes successifs. Hélas, Louis XIV vint, qui ne supporta pas qu'un bouffon pût lui faire perpétuellement la nique devant tout le monde.

Un village anatolien

Mahmout Makal   1977
Traduit par O. Ceyrac
et G. Dino   Plon et P. P.

Demirdji, le bout du monde. Terre déshéritée, terre inexplorée ? Un instituteur au fin fond de l'Anatolie affronte les privilèges des petits seigneurs, le froid, la faim, la misère. La révolte est comme suspendue, mais tout près d'exploser formidablement. Un livre d'une grande violence, même si cette violence est retenue, qui rappelle les beaux romans de Yachar Kemal ou les films de Yilmaz Güney.

Fripons, gueux et loubards

François Martineau   1986
                                   Lattès

Au Moyen Âge on les appelait tire-laine ou coupe-bourse. Plus tard, filous ou fourlineurs. Aujourd'hui, pick-pockets ou tireurs. Même gestes, même solidarité. Le «milieu» est né de cet esprit de corps qui a ses lois, son rituel. La pègre a ses lettres

de noblesse. Sait-on, par exemple, que Gaston d'Orléans, Monsieur, frère de Louis XIII, faisait partie de la «Confrérie des Mious de Boules», autre appellation des voleurs à la tire ?

Dans les forêts

Melnikov-Petcherski   1875
Traduit du russe
par Sylvie Luneau   Gallimard (épuisé)

Les coutumes et les rites des vieux croyants de la région de la Volga, deux siècles après le schisme qui divisa la chrétienté russe. Un gros roman riche d'observations ethnographiques et dont la langue emprunte à la tradition orale des contes. Fonctionnaire chargé d'une étude sur les «raskolniki» (les schismatiques), Melnikov-Petcherski leur consacra en 1882 un second roman-fleuve, suite du précédent et tout aussi remarquable : *Dans les montagnes*.

Histoire fidèle de la bête du Gévaudan

Henri Pourrat   1979
                                   Laffitte

Un loup mais beaucoup plus qu'un loup. Les bergers se demandaient même «s'il n'y avait pas autre chose et qui passait la nature». Une histoire ? Plutôt un conte sur la Bête «terrible comme l'enfer» qui sema la mort et la peur.

Les Maîtres sonneurs

George Sand   1853
                                   F.

Ce roman d'initiation et de passage a été écrit pendant la révolution de 1848. On y retrouve les thèmes chers à G. Sand, la musique et le génie populaire. Autour de la figure emblématique de Joseph, dit «Joset l'ébervigé», l'Idiot dont la musique des sonneurs de la forêt fera un Élu, s'affrontent et se mêlent, dans leurs rites, coutumes, croyances occultes, la sagesse paysanne un peu limitée des Berrichons de la Vallée Noire et la rudesse, mais aussi le rêve, des muletiers et des «bucheux» de la forêt bourbonnaise.

Shosha

Isaac B. Singer 1978
*Traduit par Marie-Pierre Castelnau-Bay
et Jacqueline Chnéour* Stock

Dans Varsovie, quelques années avant le
ghetto. Un univers peuplé de savants tal-
mudistes, de rabis férus de Torah, de
marchands-philosophes, de fous et de révolutionnaires. La communauté juive de
Pologne survit de Soukkoth en Rosh Has-
hana en attendant le grand embrasement.

Toinou,
le cri d'un enfant auvergnat

Antoine Sylvère *(1888-1963)*
Plon et P.P.

En terre d'Auvergne, à la fin du siècle dernier. À Ambert, un pays où les hommes
parlent du bordel comme les femmes de
l'église et où les filles, plutôt que de passer pour des putains, préfèrent mourir.
L'éducation d'un jeune paysan entre les
Frères fouettards et les Sœurs fesseuses sur
fond de rivalité entre calotins et libres penseurs. Un témoignage qui fleure le terroir
à plein nez. Dans ce milieu illettré le français, réputé «langue difficile», s'efface
devant le patois.

Légendes africaines

Tchicaya U Tam'Si 1987
Seghers

Un recueil de récits mythologiques
commentés et présentés par l'un des meilleurs écrivains d'Afrique francophone.
Mythes de la création et de la femme,
légendes de la vieille et du diable (il n'est
pas dit que celui-ci soit plus rusé que celle-
là) ou de la princesse qui met à l'épreuve
ses multiples prétendants.

Rites de mort

Louis-Vincent Thomas 1985
Fayard

À qui s'adressent aujourd'hui les funérailles ? Au mort ? Voire. Ne concernent-elles
pas d'abord ceux qui restent, nous, les
vivants ? Leur fonction est de réconforter,
de rassurer, de déculpabiliser. Un cérémonial qui refuse la mort comme le montrent
aussi d'une certaine façon des survivances
que sont la toilette du cadavre et la fête des
Morts.

Récits d'un pèlerin russe

Anonyme
Traduit par Jean Laloy Seuil

Contemporain de Dostoïevski et de Tolstoï, ce pèlerin parcourt la Russie avec pour
viatiques la Bible et un recueil de textes des
Pères de l'Église. C'est toute la terre russe,
immense, qui défile, avec ses personnages
tout droit sortis d'une nouvelle de Gogol :
le noble déchu qui veut expier une vie de
débauche, le greffier mécréant et libéral,
le maître des postes ivrogne, querelleur et
bon enfant. Un tableau d'une grande
pureté sur la Russie éternelle.

Les sciences

L'écrivain britannique Charles Percy Snow, chimiste de formation, s'est interrogé naguère sur ce curieux phénomène moderne de la coupe entre les cultures littéraire et scientifique. Son livre, *Les Deux Cultures* (publié en français dans la collection «Libertés», chez Pauvert), eut un certain retentissement dans les pays anglo-saxons mais on ne peut dire que la situation qu'il analysait en 1959 ait beaucoup changé depuis. Les littéraires continuent à ignorer superbement l'évolution des connaissances scientifiques et les scientifiques semblent le plus souvent fermés à tout ce qui est extérieur à leur spécialisation. En vertu de ces principes, les écrits de Galilée, de Newton ou de Lamarck sont à peine cités dans les manuels de littérature européens et d'ailleurs l'importance de leur œuvre écrite échappe aussi, la plupart du temps, à celui qui étudie platement la mécanique, l'astronomie ou la biologie dans des manuels sans références historiques. De même des auteurs comme Léonard de Vinci, Gassendi ou Fontenelle — à la fois «écrivains» et «scientifiques» —, ne sont que rarement cités malgré leur extrême importance. Il est vrai que dresser la liste des grands livres de l'histoire des sciences, ou même tout simplement la liste des livres nécessaires à la culture de l'«honnête homme» d'aujourd'hui, pose un problème délicat. Si *L'Origine des espèces* de Darwin ou *L'Entretien sur la pluralité des mondes* de Fontenelle offrent des heures d'assez plaisante lecture, la promenade dans *L'Essai sur les coniques* de Pascal ou dans les *Philosophiae principa* de Newton s'avère un peu plus hasardeuse. Sans parler de l'extrême austérité de *l'Addition à l'algèbre d'Euler* de Lagrange, des *Fondements de la géométrie* de Hilbert ou encore des *Principia mathematica* de Russell et Whitehead, palme d'or de la pensée absconse. Les sciences humaines semblent dans l'ensemble plus simples que la biologie. La biologie elle-même paraît plus simple que la chimie. Et cette dernière reste relativement abordable si on la compare à la physique théorique. Les mathématiques couronnent le tout, elles-mêmes subdivisées en une large gamme de spécialités qui semblent aller du niveau le plus élémentaire à l'abstraction la plus nébuleuse. Cette progression est-elle inéluctable ? On rêve d'un auteur qui rendrait les mathématiques aussi familières, gaies, séduisantes que les scarabées de Jean-Henri Fabre ou les étoiles de Camille Flammarion. Le choix que nous présentons ici tient donc compte d'abord des qualités littéraires des textes, ensuite de leur importance dans l'histoire des idées, enfin de leur «lisibilité» par un lecteur d'aujourd'hui, cultivé mais non spécialiste. On y a joint évidemment quelques ouvrages de référence ou de bonne vulgarisation sur des sujets de pointe ou sur l'histoire des sciences elle-même.

Les sciences

... en 49 livres

... en 25 livres

... en 10 livres

Les Oiseaux d'Amérique
John James Audubon

L'Infini, l'univers et les mondes
Giordano Bruno

Histoire naturelle
Buffon

L'Origine des espèces
Charles Darwin

*Encyclopédie ou dictionnaire
raisonné des sciences, des arts
et des métiers*
Denis Diderot et Jean
d'Alembert

*La Théorie de la relativité
restreinte et générale*
Albert Einstein

*Entretiens sur la pluralité
des mondes*
Fontenelle

*Discours concernant
deux sciences nouvelles*
Galileo Galilei

*La logique du vivant :
une histoire de l'hérédité*
François Jacob

Exposition du système du monde
Pierre Simon Laplace

La Formation de l'esprit scientifique
Gaston Bachelard

Histoire des techniques
Bertrand Gille

La Mal-mesure de l'homme
Stephen J. Gould

*Études d'histoire
de la pensée scientifique*
Alexandre Koyré

*La Structure des révolutions
scientifiques*
Thomas S. Kuhn

Philosophie zoologique
Jean-Baptiste Lamarck

La Naissance de l'homme
Richard E. Leakey

Les Fondements de l'éthologie
Konrad Lorenz

Grandeur et chute de Lyssenko
Jaurès Medvedev

Le Hasard et la nécessité
Jacques Monod

La Science chinoise et l'Occident
Joseph Needham

De l'esprit géométrique
Blaise Pascal

Logique de la découverte scientifiq
Karl R. Popper

*La Naissance de la physique
dans le texte de Lucrèce*
Michel Serres

La Double Hélice
James D. Watson

• À vous de choisir le cinquantième livre. Peut-être est-il déjà dans votre bibliothèque.

... en 10 livres

Les Oiseaux d'Amérique

John James Audubon 1830
Mazenod

Élève de David, cet ornithologue américain fut aussi un peintre de génie. La science, c'est aussi cela : pas ou peu de texte, mais des images sublimes.

L'Infini, l'univers et les mondes

Giordano Bruno 1584
Traduit de l'italien par
Bertrand Levergeois Berg International

C'est la virgule entre *infinito* et *universo* qui donne toute sa charge explosive à ce titre. Un univers sans limites, des mondes multiples : l'Inquisition ne pardonnera pas à Bruno ces dialogues splendides entre lui, ses élèves et ses détracteurs ; il sera brûlé vif après huit ans de prison.

Histoire naturelle

Georges Louis Leclerc,
comte de Buffon 1749-1789
F.

Une série à rebondissements publiée sur un demi-siècle ! Lorsqu'il abandonne le ton solennel, Buffon est un des maîtres de la langue française et le premier des grands vulgarisateurs. Ses portraits du tigre ou du rat, son analyse de la société des mouches sont magnifiques. Il a parlé de tout, de l'esclavage, de l'infibulation ou des époques de la nature. Et il a dit : « Le style, c'est l'homme même. »

L'Origine des espèces

Charles Darwin 1859
Traduit de l'anglais
par E. Barbier Marabout (à rééditer)

L'histoire de la variation des espèces à travers les ères géologiques. Par ce seul livre, le plus célèbre des savants britanniques a révolutionné toute la pensée moderne. Une de ces fameuses « coupures épistémologiques », comparable à celles de Galilée ou d'Einstein.

Encyclopédie ou dictionnaire raisonné des sciences, des arts et des métiers

Denis Diderot, Jean Le Rond d'Alembert
et divers collaborateurs 1751-1780
Choix de textes : G.F.

C'est peut-être la dernière fois dans l'histoire que des intellectuels pouvaient avoir l'impression de maîtriser tous les savoirs. Il est cependant regrettable que dans la plupart des choix de textes offerts au public français soient privilégiées la philosophie, la politique, la morale, la littérature, au détriment des sciences et des techniques sur lesquelles les encyclopédistes apportent pourtant des vues nouvelles, surprenantes et souvent « modernes ».

La théorie de la relativité restreinte et générale

Albert Einstein 1916
Traduit de l'allemand
par Maurice Solovine Gauthier-Villars

C'est le plus simple et le plus court des exposés d'Einstein. Mais beaucoup d'autres ouvrages méritent d'être lus : *Autoportrait* (Interdiction), *L'Évolution des idées en physique* (Champs-Flammarion), *Comment je vois le monde* (Flammarion), *Correspondance Einstein-Born* (Seuil).

Entretiens sur la pluralité des mondes

Bernard Le Bovier de Fontenelle 1686
Société des textes français modernes (S.T.F.M.)

Fontenelle, l'heureux homme qui, né sous Mazarin et mort sous Louis XV, vivra cent ans, passe ses nuits avec une charmante marquise. En tout bien tout honneur, malgré quelques propos galants : on parle d'astronomie. Un livre de vulgarisation aux stratagèmes subtils. Des dialogues qui annoncent ceux de Diderot. Un des grands succès de librairie de l'époque.

Discours concernant deux sciences nouvelles

Galileo Galilei   1632
Traduit de l'italien
par M. Clavelin   Armand Colin

Le livre décisif : il marque la naissance de la physique moderne. Newton ou Einstein s'y référeront. Écrit en italien, dans une langue exemplaire dont la familiarité étonne encore aujourd'hui. Hélas ! le reste de l'œuvre de Galilée — grand écrivain italien — est inconnu des Français (voir encadré) !

La Logique du vivant : une histoire de l'hérédité

François Jacob   1970
                          Gallimard

Une date dans l'histoire des sciences : un grand chercheur reprend toute la généalogie de sa discipline et en tire toutes les leçons philosophiques. Une histoire qui invite, écrivait Michel Foucault, « à un grand réapprentissage de la pensée ».

Exposition du système du monde

Pierre Simon Laplace   1796
                                Fayard

Un savant héritier des Lumières résume toute sa science en quelques centaines de pages et y découvre la vérité et l'harmonie de l'astronomie, « le plus beau monument de l'esprit humain ».

... en 25 livres

La Formation de l'esprit scientifique

Gaston Bachelard   1938
                           Vrin

Facteur autodidacte, Gaston Bachelard est devenu sur le tard professeur. Contemporain d'Einstein, il saisit l'importance de la relativité et bouleverse par ses écrits l'his-

Les sciences dans l'édition

Honte à l'édition française ! Il n'existe aucune traduction de ces deux superbes textes de Galilée que sont le *Dialogue sur les deux grands systèmes du monde* et *Le Message céleste*. Des extraits en furent publiés jadis par Émile Namer chez Gauthier-Villars dans une collection fort bien faite, « Un savant dans le texte », mais qui semble morte de sa belle mort. Nous avons choisi ces deux titres parmi cent autres. Juste un autre exemple assez étonnant : *La Genèse des continents et des océans* d'Alfred Wegener n'a pas été rééditée en français depuis 1937 alors que près d'un *millier* de livres ont paru depuis sur la géophysique, la dérive des continents ou la tectonique des plaques ! L'état de l'édition en langue française des textes classiques des sciences et des techniques était jusqu'à présent désastreux.

Quelques lueurs d'espoirs depuis quelques années. D'abord la collection « Corpus » lancée chez Fayard par Michel Serres et quelques collaborateurs : il s'agit de republier sous leur forme brute tous les ouvrages de la philosophie de la langue française difficiles à trouver ailleurs que dans les bibliothèques spécialisées. Dans le lot, donc, un grand nombre d'ouvrages fondamentaux signés Descartes, Mersenne, Condillac, Laplace, Lamarck ou Duhem. Ensuite la collection « Epistemè » dirigée par Stéphane Deligeorges chez Bourgois : elle se propose de rendre publics les textes canoniques qui forment la mémoire de la science. Au catalogue, déjà, Cuvier, Newton, Arago, Laplace, Lavoisier, Schrödinger. La collection « Un savant, une époque », chez Belin, centre plutôt l'histoire des sciences sur les grandes personnalités — Darwin, Linné, Cauchy, Wegener, Hardy, Mendel — mais en privilégiant les textes autobiographiques.

Enfin d'autres collections publient aussi de grands textes modernes à côté de textes classiques. C'est le cas pour la « Nouvelle bibliothèque scientifique » chez Flammarion qui a édité Einstein, Dob-

toire et la philosophie des sciences. À lire aussi : *Le Nouvel Esprit scientifique* (Presses universitaires de France).

Histoire des techniques

sous la direction de Bertrand Gille   1978
Encyclopédie de La Pléiade

Une somme sur l'histoire des inventions humaines et de leur rôle dans le développement économique et social. L'étude de la civilisation avait jusqu'ici été fort peu étudiée en France. De Bertrand Gille, il faut lire aussi *Les Ingénieurs de la Renaissance* et *Les Mécaniciens grecs* (Seuil).

La Mal-mesure de l'homme

Stephen Jay Gould   1981
Traduit de l'américain
par Jacques Chabert   Ramsay

Lorsque les scientifiques se sont préoccupés d'analyser l'intelligence humaine, ils ont ouvert la voix à tous les délires politiques ou raciaux. Un livre absolument passionnant sur les aléas de la démarche scientifique.

Études d'histoire de la pensée scientifique

Alexandre Koyré   1961
Gallimard

Historien des sciences aux conclusions parfois surprenantes, Koyré est un de ceux qui se sont le plus intéressés aux grandes mutations intellectuelles de la Renaissance.

La structure des révolutions scientifiques

Thomas S. Kuhn   1962
Traduit de l'américain   Flammarion

Copernic, Galilée, Newton, Lavoisier, Einstein : des noms d'hommes mais aussi des grands moments de crise de la science. Tout ce qui se passe exactement lorsque les anciens modèles sont rejetés au profit de nouveaux. Un livre de référence.

Philosophie zoologique

Jean-Baptiste Lamarck   1809
10/18 (à rééditer)

Même s'il s'est trompé sur divers points, Lamarck est un penseur visionnaire qui fonde la science biologique et imagine l'évolution naturelle. Une belle langue héritée de Buffon mais épicée d'un lyrisme tout romantique.

La Naissance de l'homme

Richard E. Leakey   1981
Traduit de l'anglais par A. Laflaquière, B. Senul et C. Tardieu
Éditions du Fanal (à rééditer)

Un excellent ouvrage de vulgarisation, écrit de surcroît par un homme de terrain. Dans ce dernier quart du XXᵉ siècle, le point sur les origines de l'humanité.

Les Fondements de l'éthologie

Konrad Lorenz   1978
Traduit de l'allemand
par Jeanne Etoré   Flammarion

Le fondateur de l'éthologie fait la somme de ses recherches. Au centre des débats modernes sur les influences respectives de l'inné et de l'acquis.

Grandeur et chute de Lyssenko

Jaurès Medvedev   1968
Traduit de l'anglais
par Pierre Martory   Gallimard

Des fausses sciences, il en a existé beaucoup dans l'histoire. Cette aventure-là, la plus proche de nous, a été sanglante : l'ascension d'un charlatan dont les théories deviennent la biologie officielle sous Staline. Terrible.

Le Hasard et la nécessité

Jacques Monod   1970
Seuil

Ce titre formidable — la formule est de Démocrite — a assuré le succès du livre. Un regard neuf et ingénu sur la biologie moderne. Une nouvelle façon de concevoir la « philosophie naturelle ».

La Science chinoise
et l'Occident

Joseph Needham   1969
Traduit de l'anglais par E. Simion,
R. Dessureault et J.M. Rey
                    Seuil « Points-sciences »

La découverte de la science chinoise par un des savants de la génération de Cambridge des années trente. Comment les inventions ont bouleversé le monde.

De l'esprit géométrique

Blaise Pascal   *(1623-1662)*
                    G.F.

On a rassemblé dans ce petit recueil la préface au *Traité du vide* et *De l'esprit géométrique* avec les *Écrits sur la grâce* et l'*Entretien avec M. de Sacy*. Comme quoi la science et la mystique ne sont jamais éloignées l'une de l'autre...

Logique de la découverte
scientifique

Karl R. Popper   1934
Traduit de l'anglais par N. Thyssen-Rutter
et P. Devaux   Payot

L'œuvre de ce philosophe des sciences est énorme et morcelée dans des traductions françaises inégales. Son ouvrage le plus fameux expose sa conception de la recherche scientifique : à la classique induction il oppose essais et erreurs, conjectures et réfutations. Source depuis un demi-siècle de grands débats... et de réfutations tout aussi fructueuses.

La Naissance de la physique
dans le texte de Lucrèce

Michel Serres   1977
                    Minuit

Une belle dérive épistémologique à partir de la notion de déclinaison chez Lucrèce : le modèle tourbillonnaire a été fécond jusque dans notre science moderne.

zhansky, Henri Poincaré, René Thom ou Benoit Maudelbrot. « Le temps des sciences », chez Fayard, a publié Changeux, Douzou, Jacob, Leroi-Gourhan, Pecker ou Coppens. Les collections « Science ouverte » ou « Points-Sciences », au Seuil, ont publié Weinberg, Gille, Reeves, Gardner ou un recueil d'articles de Joseph Needham. Ce dernier est peut-être justement celui dont le manque se fait le plus sentir dans l'édition de langue française. Il est l'auteur principal d'une monumentale encyclopédie, *Science and civilisation in China* (plus de 15 volumes déjà parus de 500 à 1 000 pages chacun) qui est à la fois une gigantesque saga des grandes inventions — papier, imprimerie, poudre, gouvernail, harnais, boussole, etc. —, une analyse des rapports complexes entre l'Orient et l'Occident, et une méditation sur le rôle de la science dans le développement des civilisations. Traduit déjà en chinois (et même deux fois : à Pékin et à Taiwan !), en japonais, en italien et en quelques autres langues, l'ouvrage attend toujours une éclosion, même partielle, en français.

Le point de vue
de Pierre Thuillier

Savoir consommer
la science

Pierre Thuillier, professeur d'histoire des sciences, est un vulgarisateur combatif qui, dans ses chroniques de la revue *La Recherche*, a pris l'habitude d'exaspérer les scientifiques de tout bord en évoquant les questions les plus scabreuses de l'histoire des sciences ou certains aspects en général peu connus du monde de la recherche. Il est l'auteur, entre autres ouvrages, de *Darwin et Cie* (Complexe), *Les Savoirs ventriloques*, et *Le Petit Savant illustré* (Seuil).

« Pour qui veut acquérir une culture scientifique, dit-il, il est difficile d'avoir accès à toutes les connaissances dans tou-

La Double Hélice

James D. Watson   1968
Traduit de l'américain
par Henriette Joël   H. P.

L'histoire de la découverte de la structure de l'ADN. Un récit assez peu convention-nel : Watson y raconte tout, les difficultés du travail d'équipe, les rivalités forcenées, la guerre des laboratoires. Édifiant.

... en 49 livres

Histoire de ma jeunesse

François Arago   *(1786-1853)*
Bourgois

Les années de formation aventureuses du premier homme de science français du XIXᵉ siècle. À lire parce que la vie des savants fait aussi partie de la science.

Introduction à l'étude de la médecine expérimentale

Claude Bernard   1865
Flammarion « Champs »

Un texte capital qui fonde la méthodolo-gie de la science expérimentale et les démarches scientifiques de l'ère indus-trielle.

L'Homme neuronal

Jean-Pierre Changeux   1983
Fayard et H. P.

Du cerveau à la représentation du monde, d'après les acquis modernes des sciences du cerveau. Une belle synthèse.

Discours sur les révolutions de la surface du globe

Georges Cuvier   1825
Bourgois

Le roman de la Terre et de son écorce, raconté en une prose vivante par le fonda-teur de la paléontologie.

L'Univers mathématique

Philipp S. Davis et Reuben Hersch   1982
Trad. de l'allemand par L. Chambadal
Gauthier-Villars

Cet ouvrage d'initiation à la pensée mathé-matique est un excellent travail de vulga-risation. Il s'adresse à tous ceux que fascine l'univers des nombres et des formes sans pour autant maîtriser les outils nécessaires à la lecture de la littérature spécialisée.

Le Système du monde

Pierre Duhem   1913-1917
Hermann (10 vol.)

L'œuvre monumentale d'un des plus grands historiens des sciences, assez peu connu du grand public aujourd'hui mais fondamental.

Promenades entomologiques

Jean-Henri Fabre   1879-1886
La Découverte

Observateur hors pair et conteur génial, Fabre manie une langue extraordinaire. L'œuvre complète est en cours de publi-cation aux éditions Sciences Nat. (Compiègne).

Contre la méthode

Paul Feyerabend   1975
Traduit de l'américain par Baudouin
Jurdant et Agnès Schlumberger   Seuil

Cette « esquisse d'une théorie anarchiste de la connaissance » est à la fois une attaque contre le dogmatisme des épistémologies modernes et une apologie du savoir libertaire.

La Nature de la physique

Richard Feynman   1965
Traduit de l'américain par Hélène Isaac,
J.-Marc Lévy-Leblond et Françoise Balibar
Seuil « Points-Sciences »

Un des premiers physiciens de notre temps présente sa discipline au cours de confé-rences limpides. Tout à fait passionnant.

Vie et mœurs des abeilles

Karl von Frisch   1927-1953
Traduit de l'allemand
par André Dalcq   Albin Michel

Une des découvertes fondamentales de la zoologie moderne : le langage des abeilles. Et beaucoup d'autres faits surprenants dans un livre plein d'un charme étrange.

L'Univers ambidextre

Martin Gardner   1964
Traduit de l'américain par Claude Roux
et Alain Laverne   Seuil

Les lecteurs du *Scientific American* connaissent bien Martin Gardner, le plus grand manipulateur de paradoxes de notre temps. Il explore dans ce livre la quatrième dimension et quelques autres «miroirs» de l'esprit.

Physique et philosophie

Werner Heisenberg   1959
Traduit par J. Hamard   Albin Michel

Encore un physicien contemporain : inventeur du «principe d'incertitude», il se devait de plonger dans la philosophie.

Gödel, Escher, Bach : les brins d'une guirlande éternelle

Douglas Hofstadter   1979
Traduit de l'américain par Jacqueline Henry
et Robert French   Inter Editions

Une immense métaphore fuguée dans les marges de la logique paradoxale, des mathématiques et de la musique. Très stimulant pour l'imagination.

Histoire universelle des chiffres

Georges Ifrah   1981
     Seghers

Un vrai roman d'aventures à travers l'histoire des civilisations.

Les Somnambules

Arthur Koestler   1959
Traduit de l'anglais
par Georges Fradier   P.P.

Les somnambules, ce sont Pythagore, Copernic, Kepler ou Galilée. Les zigzags

tes les disciplines. Mais je crois qu'il s'agit surtout là d'une illusion. Je distinguerai dans la bibliothèque idéale plusieurs catégories de textes. Il y a d'abord les textes écrits par des scientifiques et apportant des données de base de la science ou des réflexions autour de ces données. Parmi les plus remarquables, les *Dialogues* de Galilée, la *Philosophie zoologique* de Lamarck, *L'Origine des espèces* de Darwin. Mais aussi *La Science et l'hypothèse* ou *La Valeur de la science* d'Henri Poincaré, deux textes du début du siècle mais qui restent une excellente approche de la démarche scientifique. Je les donnerai à lire avant d'aborder des auteurs plus récents et plus à la mode. *La Théorie scientifique* de Duhem m'a toujours parue très importante. Trois grands textes de physiciens aussi : *L'Autobiographie* de Max Planck, *La Partie et le tout* d'Heisenberg et *La Nature de la physique* de Feynman. Dans le domaine des sciences biologiques d'aujourd'hui, je placerai les deux ouvrages de Stephen Jay Gould, *La Mal-mesure de l'homme* et *Quand les poules auront des dents*, ainsi que *La Double Hélice* de Watson. Gould et Watson inventent une forme de démarche critique de la recherche qui a l'énorme avantage de venir d'authentiques chercheurs. Dans la seconde catégorie, je placerai les textes qui permettent l'accès à une véritable culture scientifique, qui ne sont pas signés forcément par des scientifiques et qui ne parlent pas seulement de science. C'est le cas pour le livre de Jacques Le Goff, *Pour un autre Moyen Âge*, qui montre bien comment on passe de la notion de temps rural à une notion plus moderne du découpage du temps ; ou pour le livre de Brian Easlea, *Science et philosophie, une révolution*, dont le vrai titre anglais est *La Chasse aux sorcières*, qui montre les relations contrastées entre le monde des sorcières et le monde policé de la science moderne.

Et avant tous les grands livres à la mode, ceux de Kuhn, de Popper ou d'autres, je conseillerai l'"épistémologie anarchiste" de Paul Feyerabend (*Contre la méthode*). J'ajouterai enfin une rubrique plus proprement littéraire comprenant des livres qui se préoccupent des problèmes posés par

de l'histoire de la science disséqués par le grand écrivain de langue anglaise.

Les Objets fractals

Benoît Mandelbrot 1975
Flammarion

Un livre qui fait date : la naissance d'une nouvelle catégorie d'objets mathématiques qui ont pris soudain la vedette dans notre monde du fait du développement de l'informatique et des imageries nouvelles.

Autobiographie scientifique et derniers écrits

Max Planck *(1858-1947)*
Traduit de l'allemand par A. George
Albin Michel (à rééditer)

La carrière féconde du créateur de la théorie des quanta.

La Science et l'hypothèse

Henri Poincaré 1902
Flammarion

Mathématicien de réputation internationale, Poincaré fut aussi un excellent vulgarisateur et un subtil philosophe des sciences. Ses ouvrages restent tout à fait actuels.

La Nouvelle Alliance

Ilya Prigogine et Isabelle Stengers 1979
Gallimard et F.

Une introduction à la lecture des métamorphoses de la science moderne. Vers la réconciliation des « deux cultures » ?

Qu'est-ce que la vie ?

Erwin Schrödinger 1944
Traduit de l'allemand
par Léon Keffler Bourgois

Un physicien de premier plan lie d'un trait de plume la biologie et la physique : une date dans l'histoire des idées, la fin du vitalisme et la première étape de la biologie moléculaire.

Les Deux Cultures

Charles Percy Snow 1959
Traduit de l'anglais
par Claude Noël Pauvert (à rééditer)

Le divorce entre la culture scientifico-technique et la culture littéraire. Comment y remédier ? Un petit pamphlet toujours d'actualité, introuvable aujourd'hui et qu'on devrait bien rééditer.

Biologie des passions

Jean-Didier Vincent 1986
Odile Jacob-Seuil

La chimie de l'amour, du plaisir et de la douleur. Une théorie des émotions revue et corrigée par la neurobiologie.

Les Trois Premières Minutes de l'Univers

Steven Weinberg 1976
Traduit de l'américain
par Jean-Benoit Yelnik Seuil

Que s'est-il passé exactement après le « big-bang » ? Un physicien répond à cette question et à quelques autres non moins saugrenues.

Les Grands Courants de la pensée mathématique

Cahiers du Sud 1948
Réédition Rivages

Un numéro de revue publié au lendemain de la Seconde Guerre mondiale et dont les auteurs se nomment Queneau, Le Corbusier, Louis de Broglie ou Paul Valéry. Une image de la pensée scientifique au milieu du siècle.

la science dans notre culture. Il y a les "pour", ceux qui donnent une image positive de la science : Ernest Renan, avec *L'Avenir de la science*, ou Bertolt Brecht avec sa pièce sur Galilée. Il y a les "contre", ceux qui s'inquiètent : Mary Shelley avec *Frankenstein* ou Dostoïevski avec *Mémoires écrits dans un souterrain*. Je citerai enfin le livre de Theodor Roszak, *Vers une contre-culture* (Stock) qui est une excellente étude de la technocratie et qui montre parfaitement combien, dans certains cas, la science peut être réductionniste.

La culture scientifique, ce n'est pas seulement savoir manier des équations. Je crois qu'il y a chez les scientifiques toute une fausse culture savante. Avoir une culture œnologique ce n'est pas connaître toutes les composantes chimiques d'un château-margaux, mais savoir goûter un bon vin. La vraie question, en fin de compte, ce serait "comment consommer la science ?". »

Un annuel de la science

Roger Caratini est un boulimique de savoir. Auteur infatigable et éclectique, il s'intéresse autant à la philosophie qu'aux mathématiques, à l'histoire des minorités qu'à la médecine.

Dernier-né de ses ouvrages : *L'Année de la science* (Seghers/Laffont), un « annuel » faisant le point sur ce qui s'est produit d'intéressant au cours de l'année écoulée dans six domaines de la science — astronomie, physique, chimie, biologie, médecine et mathématiques.

« La science procède par essais et erreurs. Ainsi, tous mes articles se terminent par un point d'interrogation. J'explique les processus de pensée qui font se poser des questions. C'est un roman-feuilleton de la science. Chaque année, on pourra y lire le résumé des chapitres précédents, les nouvelles hypothèses sur le cancer du sein ou les vacillements de la physique quantique. »

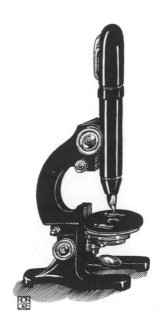

Gourmandises

« L'amateur de bonne chère », comme on disait autrefois, ne se contente pas de consommer ; il cherche à s'instruire car il est forcément curieux. En allant de questions simples à de savantes interrogations, il montre son intérêt pour ce qu'il mange et boit... sans quoi on aurait affaire à un redoutable glouton.

Une littérature florissante répond aux demandes de ceux qui cherchent à élargir le champ de leur plaisir et de leur savoir. Car même si le vin ne se déguste pas à travers des pages imprimées et si l'art de cuisiner ne s'apprend guère dans un fauteuil, les livres constituent souvent le seul moyen d'agrandir un monde gastronomique restreint par l'espace et par le temps. Les livres permettent des excursions «chez les autres» : on échange des astuces et on clarifie ce qui, jusque-là, restait dans le flou.

Sous le signe de la gourmandise, les éditeurs rangent une quantité de textes divers : on y trouve des livres sur les «spécialités» aussi bien que des encyclopédies, des livres qui traitent d'une province ou de civilisations entières. La ménagère pressée et l'amateur d'albums luxueusement présentés trouveront tous deux leur bonheur.

Les écrits gourmands n'ont cessé de paraître depuis l'Antiquité et nombreux sont les «classiques de la table» qui doivent figurer dans toute bibliothèque gourmande. Ces livres anciens ne sont pas des ornementations de prestige, puisque l'intérêt de certains textes ne diminue pas : la justesse des appréciations de Brillat-Savarin ou l'audace des cuisiniers du XVIIe siècle ne cessent de nous étonner. Toutefois, nos goûts ne sont plus ceux des anciens et le répertoire de la ménagère comme celui des chefs évolue constamment.

Dans le domaine du vin, la situation est encore plus complexe. Si le terroir n'a pas changé, les hommes, les vignes, les méthodes de vinification voire la législation changent, et l'amateur a tout intérêt à s'informer autant sur place que dans les livres.

En somme, les livres gourmands sont un mélange d'érudition et de conseils pratiques qui contribuent aux plaisirs de chacun. Quoique leur nombre ne cesse de croître (on parle de la sortie de plus d'un titre par jour en France), il serait bon de rappeler que, déjà en 1759, *Le Manuel des officiers de bouche* débute en s'exclamant : « Quoi ! dira-t-on peut-être, encore un ouvrage sur la cuisine ? » Cinquante ans plus tard, Grimod de la Reynière observe que « la science gastronomique est devenue à la mode, chacun a voulu s'en mêler ; elle a passé des cuisines et des boutiques dans les salons, dans les bibliothèques, jusque sur les théâtres ; et nous ne désespérons pas de voir bientôt une chaire de Gastronomie s'établir dans nos lycées... »

Avec les travaux récents des historiens le vœu de Grimod est sur le point de se réaliser. Mais Grimod ne met pas de livres dans « la Bibliothèque d'un Gourmand » qui orne *L'Almanach des Gourmands* de 1803. « On aperçoit, au lieu de livres, écrit-il, toute espèce de provisions alimentaires ; parmi lesquelles on distingue un cochon de lait, des pâtés de diverses sortes, d'énormes cervelas, et autres menues friandises, accompagnées d'un bon nombre de bouteilles de vin, de liqueurs, bocaux de fruits confits et à l'eau-de-vie, etc. » N'est-ce pas, après tout, la face cachée de notre bibliothèque gourmande ?

Gourmandises

... en 49 livres

... en 25 livres

... en 10 livres

Physiologie du goût
J.-A. Brillat-Savarin

Larousse gastronomique
Robert Courtine

Les Plats régionaux de France
Austin de Croze

*Histoire de la vigne
et du vin en France*
Roger Dion

Ma cuisine
Auguste Escoffier

La Cuisine à travers le monde
Michael Fielding

Le Goût du vin
Émile Peynaud

Un festin en paroles
Jean-François Revel

La Cuisine de madame Saint-Ange
Mme Saint-Ange

Bibliographie gastronomique
Georges Vicaire

Gastronomie pratique
Ali-Bab

L'Art culinaire
Apicius

Le Mangeur du XIXe siècle
Jean-Paul Aron

L'Art de la cuisine au XIXe siècle
Antonin Carême

Dictionnaire universel de cuisine
Joseph Favre

Manuel des amphitryons
Grimod de La Reynière

La Cuisine gourmande
Michel Guérard

Atlas mondial du vin
Hugh Johnson

Réussir votre cuisine
Martine Jolly

La Cuisine de chez nous
Roger Lallemand

*Le Grand Livre
de la cuisine à la vapeur*
Jacques Manière

Cuisiner mieux
Richard Olney

Le Viandier
Taillevant

*Le Livre de recettes d'un compagnon
du tour de France*
Yves Thuries

L'Office et la Bouche
Barbara Ketcham Wheaton

Guide du fromage
Pierre Androuet

La Nature dans l'assiette
Georges Blanc

Cuisine et chasse
de Bourgogne et d'ailleurs
Charles Blandin

Le Cochon
Raymond Buren, Michel Pastoureau
et Jacques Verroust

Moutardes et moutardiers
Françoise Decloquement

Mieux connaître... la viande
Michèle Dumonteil

Guide des alcools
Raymond Dumay

Le Grand Dictionnaire de la cuisine
Alexandre Dumas

Le Cuisinier françois
J.-L. Flandrin

Guide gourmand de la France
Henri Gault et Christian Millau

Guide du chocolat
Sylvie Girard

Faites vos glaces
et votre confiserie comme Lenôtre
Gaston Lenôtre

Les Légumes de France
Henri Leclerc

Les Soupers de la Cour
Menon

La Gourmandise en poésie
Marc Meunier-Thouret

Le Bon Pain des provinces de France
Jacques Montandon

La Cuisine
Raymond Oliver

Le Grand Livre de la truffe
Pierre-Jean et Jacques Pebyre

Sur les chemins des vignobles de France
Jacques Puisais

Nos 20 meilleurs champignons
et leurs amis
Michèle Roux-Saget

Le Livre de l'amateur de café
Michel Vanier

La France en douceurs :
friandises d'hier et d'aujourd'hui
Marie-Laure et Jacques Verroust

Fêtes, coutumes et gâteaux
Nicole Vielfaure et A. Christine Beauviala

Dictionnaire des appellations :
vins, eaux de vie, cépages
Fernand Woutaz

• À vous de choisir le cinquantième livre. Peut-être est-il déjà dans votre bibliothèque.

... en 10 livres

Physiologie du goût

J.-A. Brillat-Savarin 1826
Tallone

Le magistrat de Belley à qui on doit ce titre est souvent pris pour un cuisinier. On trouve ici ses célèbres aphorismes : « Dis-moi ce que tu manges... », ses analyses physiologiques et ses conseils pleins d'esprit. C'est l'œuvre du gastronome le mieux connu au monde et le seul « classique de la table » que l'on voit classé avec la littérature.

Larousse gastronomique

Robert Courtine 1938
Larousse

Depuis 50 ans ce dictionnaire a évolué avec la cuisine : on y trouve un « who's who » de la gastronomie, actuel et historique, tous les termes de cuisine... et des recettes. Il reste l'autorité en matière gastronomique ; unique dans son genre.

Les Plats régionaux de France

Austin de Croze 1928
Morcrette, (Luzarches)

De Croze a « découvert » la gastronomie régionale au début de ce siècle et a fait plus que tout autre pour la mettre en valeur. Quoique le texte soit organisé par province, l'index (classé par matière) nous révèle la richesse de ce recueil : 19 recettes d'escargots, 21 plats de tripes, 29 champignons (sauvages), etc. Un livre de référence pour les cuisines des provinces de France. Réimpression de luxe.

Histoire de la vigne et du vin en France

Roger Dion 1977
Flammarion

D'une érudition exemplaire et d'une lecture agréable, le livre de Dion retrace l'histoire du vin « des origines au XIXe siècle ». On découvre l'évolution des classements, le rôle du commerce, des civilisations et du goût... l'Histoire avec un grand H.

Ma cuisine

Auguste Escoffier 1903
Flammarion

Publié il y a plus de 80 ans, le livre d'Escoffier (écrit avec Philéas Gilbert et Émile Fetu) codifie les principes de la grande cuisine moderne. Par son exhaustivité et la clarté de sa présentation, il nous guide toujours, bien que certains chapitres prennent aujourd'hui l'allure d'une « cuisine historique ».

La cuisine à travers le monde

Michael Fielding 1969-1979
Time-Life (Amsterdam)

Entreprise monumentale en 18 volumes (épuisés), la collection monumentale des Time-Life représente la façon la plus agréable de découvrir les cuisines du monde entier. Chaque cuisine est présentée dans son contexe historique et social et les belles images font voir les pays, les hommes... et les plats. De quoi lire (et de quoi cuire) pour le gastronome en quête de dépaysement.

Le Goût du vin

Émile Peynaud 1980
Dunod-Bordas

Émile Peynaud apprend aux néophytes comme aux initiés comment déguster le vin. De l'analyse de l'objet (l'examen visuel, l'odorat) on passe au vocabulaire de la dégustation pour finir avec un court traité sur le « savoir-boire ». Une idée originale, une présentation somptueuse et un texte d'une clarté exemplaire.

Un festin en paroles

Jean-François Revel 1979
Pauvert

Parmi les livres qui retracent l'histoire de la cuisine française, celui de Revel se démarque par la qualité de son texte et son envie de « discuter » des événements. Il a évité les pièges de « l'histoire anecdotique » dans cette « Histoire littéraire de la sensibilité gastronomique ». Une bonne introduction aux problèmes que pose une telle étude et un excellent survol du sujet.

La Cuisine de madame Saint-Ange

Mme Saint-Ange   1929
                                   Larousse

Méconnu des «jeunes», cet ouvrage est l'équivalent ménager du *Guide culinaire* d'Escoffier. Même si quelques recettes ont mal vieilli, personne ne vous expliquera aussi bien que Mme Saint-Ange les «comment» et les «pourquoi» de la cuisine.

Bibliographie gastronomique

Georges Vicaire   1890
                                   Slatkine

Cette bibliographie est le livre de chevet des collectionneurs et des historiens des livres de cuisine. Il nous révèle la diversité et l'étendue des écrits gastronomiques en France et ailleurs... À quand un Vicaire pour l'époque moderne ? Réimpression de luxe.

... en 25 livres

Gastronomie pratique

Ali-Bab   1907
                                   Flammarion

Le docteur Henri Babinski (Ali-Bab) nous a laissé un recueil d'amateur écrit avec une admirable sagesse de professionnel. A noter son «traitement de l'obésité des gourmands» en fin de volume.

L'Art culinaire

Apicius   1974
Traduit par J. André   Belles-Lettres

Écrit par un gastronome de l'Antiquité, ce recueil de recettes est le plus ancien connu en Europe. Traduite et annotée par Jacques André, cette édition est un modèle d'érudition appliquée aux arts de la table.

Alain Senderens : Vive la cuisine du Moyen Âge et de Rome

«Le Moyen Âge a longtemps été perçu comme une période obscurantiste. Exactement de la même manière nous vivons sur une fausse idée de Rome et de sa cuisine. Bien sûr, il y a eu des orgies, des fastes malvenus, des empereurs monstrueux comme Héliogabale. Mais la vérité, à mon avis, est loin de ces excès folkloriques.

«Quand j'ai commencé dans le métier, à dix-huit ans, toutes les cartes des restaurants français se ressemblaient, avec quelques variantes. Il suffisait de manger dans trois bonnes maisons et vous aviez tout goûté. J'avais une autre conception de la cuisine. Et dès que je me suis installé à mon compte, je suis allé chercher dans de vieux livres de cuisine en reprenant et adaptant au goût du jour des recettes de vieux plats tombés dans l'oubli. J'ai commencé surtout par découvrir des plats du Moyen Âge parce que j'ai une passion pour ces temps-là. Puis j'ai cherché ailleurs et, si j'ose dire, je suis allé à Rome. Par mes lectures, j'ai essayé de comprendre l'époque romaine pour mieux pouvoir en tirer des conséquences possibles pour ma cuisine.

«Pour marquer la sortie du livre de Jean-François Revel, *Un festin en paroles*, on m'avait demandé d'organiser un repas romain. Cette recherche m'a passionné et j'ai fait un menu de l'époque. En m'inspirant bien sûr d'Apicius et en l'adaptant, sinon c'est immangeable.

«Donc je ne prétends pas imiter strictement la cuisine romaine, mais en garder l'esprit. Et ce qui m'a passionné dans le «canard Apicius», que j'ai créé à cette occasion, c'est la cuisson en deux temps : il s'agit en effet d'un canard d'abord poché puis rôti avec du miel et des épices. Les deux cuissons sont encore considérées par la plupart des cuisiniers comme une ineptie rétrograde. Or, tant qu'on ne l'a pas testé, il me paraît difficile de porter un jugement. Moi, j'ai essayé, et ce fut une découverte fantastique.»

Le Mangeur du XIXᵉ siècle

Jean-Paul Aron   1973
Denoël

L'univers des mangeurs (parisiens) est peint et analysé à partir de sources d'époque et d'archives. Un travail précurseur d'anthropologie historique.

L'Art de la cuisine au XIXᵉ siècle

Antonin Carême   1833-1835
Kérangué et Pollès

Dernier ouvrage, en cinq volumes, du «Roi des Cuisiniers». Le rénovateur de la grande cuisine au XIXᵉ siècle la codifie ici avec force détails. Réimpression de luxe.

Dictionnaire universel de cuisine

Joseph Favre   vers 1892
Lafitte

L'ancêtre du *Larousse Gastronomique*, le *Dictionnaire* de Favre en quatre volumes, est le *Littré* des cuisiniers. Réimpression de luxe.

Manuel des Amphitryons

A.B.L. Grimod de La Reynière   1808
Métailié

Moins connu que son *Almanach des Gourmands*, ce «manuel» nous expose les devoirs de l'hôte parfait. À compléter avec les *Écrits gastronomiques* du même auteur dans la collection 10/18 (épuisé).

La Cuisine gourmande

Michel Guérard   1978
Laffont

Tous les livres de la collection Laffont méritent d'être cités (*Les Recettes originales de...* Chapel, Troisgros, Robuchon *et al.*), mais ceux de Guérard l'ont commencé. Le maître de la nouvelle cuisine.

Atlas mondial du vin

Hugh Johnson   1971
Laffont

Le plus beau et le plus détaillé des atlas des vignobles. La France est particulièrement bien représentée. Régulièrement remis à jour.

Réussir votre cuisine

Martine Jolly   1979
Laffont

La cuisine moderne, d'une femme moderne. Martine Jolly simplifie et «allège» au maximum sans sacrifier le goût. Aussi bien pour apprendre que pour puiser des idées.

La Cuisine de chez nous

Roger Lallemand   1954-1979
Quartier Latin, La Rochelle et Lanore

Collection de 15 volumes en cours depuis 30 ans. Le fruit d'enquêtes sur place faites avec le concours de nombreux «correspondants» dans chaque région. Un hommage à toutes les cuisines de terroir.

Le Grand Livre de la cuisine à la vapeur

Jacques Manière   1985
Denoël

Manière fait découvrir au Français l'intérêt de cette «nouvelle» mode de cuisson (pratiquée depuis des siècles en Orient). Recettes classiques et de création «toute vapeur».

Cuisiner mieux

Richard Olney et al.   1979-1983
Time-Life (Amsterdam)

Chacun des 27 volumes concerne un aliment ou une classe de préparations (les abats, le gibier, les pains etc.). Le tout en fait l'encyclopédie de cuisine la plus complète et la plus pratique qui soit. Très belles photos.

Le Viandier

Taillevant   1892
Morcrette (Luzarches) et Slatkine

Premier livre de cuisine imprimé en français, le texte des recettes remonte au début du XIVᵉ siècle. Avec *Le Menagier de Paris*, c'est le plus précieux témoin sur la cuisine du Moyen Âge. Réimpression de luxe.

Le Livre de recettes d'un compagnon du tour de France

Yves Thuries 1977-1987
Sté-Editar (Cordes)

Huit volumes très demandés par des professionnels : 3 sur les desserts, d'autres sur le poisson, la viande, etc. De grande qualité (et prix).

L'Office et la Bouche

Barbara Ketcham Wheaton 1983
Trad. par Béatrice Vierne Calmann-Lévy

Une histoire de la cuisine française (jusqu'en 1789) méticuleusement faite et bien documentée. Les chapitres sur les XVIIᵉ et XVIIIᵉ siècles (les préférés de Wheaton) sont particulièrement réussis.

... en 49 livres

Guide du fromage

Pierre Androuet 1971
Stock

Des fiches techniques et assez complètes d'un grand fromager parisien. La «lettre à ma fille» du début est un petit chef-d'œuvre.

La Nature dans l'assiette

Georges Blanc et C. Baker 1987
Laffont

Un grand chef et un photographe collaborent pour le plaisir des yeux et du palais. Autant (plus?) un livre d'art que de cuisine.

Cuisine et chasse de Bourgogne et d'ailleurs

Charles Blandin 1920
Horvath et Damidot (Dijon)

Ni strictement sur la chasse ni strictement sur la Bourgogne, Blandin nous livre ses réflexions gastronomiques «assaisonnées d'humour». Dans la grande tradition; réimpression joliment présentée.

Paul Bocuse : Comment lire un livre de recettes ?

«Comme un roman... En commençant par le début... Et alors on s'aperçoit que c'est passionnant, parce que chaque recette fait travailler l'imagination du lecteur... Quand je lis un livre de recettes, le soir en général, ça me donne faim, et bien souvent je redescends manger quelque chose. Il n'y a pas deux lectures semblables d'un livre de cuisine comme il n'y a pas deux lectures pareilles d'un roman : chacun reçoit les choses différemment, chacun réagit à sa façon, chaque lecteur interprète.

Ce n'est pas parce qu'il est écrit qu'il faut mettre cent grammes d'oignons qu'il faut mettre cent grammes d'oignons ! Il y a tellement de sortes d'oignons, selon l'époque, selon le lieu... Il n'y a pas deux oignons pareils, aucun lièvre n'a jamais la même tendreté qu'un autre... Si l'on voulait être très précis, il faudrait trente pages pour une seule recette !»

Les guides

Rien n'est plus changeant, et contesté, que les avis sur les millésimes et les bonnes tables... Si le célèbre guide rouge Michelin semble faire l'unanimité chez les restaurateurs, les gastronomes «modernes» ne jurent que par le *Guide France* d'Henri Gault et Christian Millau, les deux hérauts de la nouvelle cuisine. En ce qui concerne les vins, le *Guide Hachette des vins de France* semble avoir conquis une majorité d'amateurs.

En dehors de ces guides nationaux, le *Guide Hubert des restaurants* (éditions Hubert à Muret) fait autorité dans le Sud-Ouest, et la collection «Les plus beaux menus» (éditions Klotz, Saint-Jacques-de-Grasse) permet aux habitants de la Côte d'Azur de consulter les cartes de restaurants sans quitter leur fauteuil.

Une formule déjà employée dans *Le Guide du dîneur de Paris 1815*, publié... en 1815 et récemment paru en réimpression aux éditions l'Étincelle (Paris).

Le Cochon

Raymond Buren, Michel Pastoureau
et Jacques Verroust   1987
Le Sang de la terre

Les auteurs nous exposent la place étonnante qu'occupe cet animal dans notre histoire, notre imaginaire... et nos assiettes.

Moutardes et moutardiers

Françoise Decloquement   1983
Bréa Éditions

Des légendes aux législations, cet ouvrage
ne néglige rien en ce qui concerne ce condi-
ment. Abondamment illustré avec des photos de petits pots anciens.

Mieux connaître... la viande

Michèle Dumonteil   1981
Éditions Brunetoile (Neuilly)

Petit livre modeste mais indispensable pour
le consommateur. Les morceaux, les
emplois, les appellations et les photos pour
ne pas se tromper.

Guide des alcools

Raymond Dumay   1973
L.P.

Complément à l'excellent *Guide des vins* du
même auteur, cet ouvrage aborde le
domaine moins connu de la distillation;
langage clair avec un brin d'humour.

Le Grand Dictionnaire de cuisine

Alexandre Dumas   1873
Veyrier

La dernière, et la moins connue, des
œuvres du grand Dumas. Les recettes,
tirées pour la plupart d'un livre contemporain, sont entourées de ses Mémoires
gastronomiques.

Le Cuisinier françois

J.-L. Flandrin   1983
Montalba

Trois textes du XVIIe siècle, *Le Cuisinier
françois*, *Le Pâtissier françois* et le *Confiseur
françois*, sont reproduits intégralement.
Préfacé d'une étude sur les transformations
du goût.

Guide gourmand de la France

Henri Gault et Christian Millau   1970
Hachette

Avant d'attribuer des toques et des notes
les deux compères avaient signé cette énumération fort complète et commentée des
spécialités régionales. Organisé sous forme
d'itinéraires.

Guide du chocolat

Sylvie Girard   1984
Éditions Messidor

Excellente présentation de l'histoire, de la
manufacture et du commerce du chocolat.
Les recettes sont présentées en marge mais
ne manquent pas d'intérêt.

Faites vos glaces et votre confiserie comme Lenôtre

Gaston Lenôtre   1978
Flammarion

Suite à son excellent livre sur la pâtisserie,
celui-ci traite avec le même souci de détail
les glaces et la confiserie. Présentation très
didactique.

Les Légumes de France

Henri Leclerc   1927
Masson

L'un des trois classiques de Leclerc (les
autres sur les fruits et les épices sont chez
le même éditeur). Pas de recettes mais des
récits sur l'histoire de chaque plante en
France. Passionnant.

Les Soupers de la Cour

Menon   1755
Slatkine

Le recueil le plus complet et le plus caractéristique de la grande (« nouvelle ») cuisine
du XVIIIe siècle. Réimpression de luxe.

La Gourmandise en poésie

Marc Meunier-Thouret (ed.) 1982
Gallimard et F.

Petite collection de poésies gourmandes de diverses époques. A compléter avec l'*Anthologie* de Curnonsky et Derys faite dans les années 30.

Le Bon Pain des provinces de France

Jacques Montandon 1979
Vilo

La boulangerie dans tous ses états. De la récolte à la table, l'auteur suit les transformations du blé.

La Cuisine

Raymond Oliver 1965
Bordas

A mi-chemin entre Escoffier et Guérard, Oliver s'adresse aux ménagères et aux professionnels. Une cuisine de tradition et de transition.

Le Grand Livre de la truffe

Pierre-Jean et Jacques Pebyre 1987
Briand et Laffont

Recettes de rêve pour un produit de rêve. Préface instructive sur le commerce et la culture du célèbre tubercule.

Sur les chemins des vignobles de France

Jacques Puisais 1984
Sélection Reader's Digest

En forme d'itinéraire, cet ouvrage est une véritable encyclopédie avec d'excellentes cartes et des renseignements pratiques pour chaque région.

Nos 20 meilleurs champignons et leurs amis

Michèle Roux-Saget et al. 1985
Aubanel

Un choix (subjectif) des vingt meilleurs champignons destinés aux gastronomes. Les avis sur chacun sont confrontés et des «astuces» du cuisinier-mycologue sont étalées.

Le Livre de l'amateur de café

Michel Vanier 1983
Laffont

Cité pour son mérite mais aussi en tant que représentant de l'excellente collection dans laquelle il figure. Une petite bibliothèque pour «l'amateur de... thé, pain, fromage, etc.» qui est en bonne voie.

La France en douceurs : friandises d'hier et d'aujourd'hui

Marie-Laure et Jacques Verroust 1979
Berger-Levrault

Excellent ouvrage, sans recettes, sur ce sujet méconnu. Une vingtaine de spécialités ont chacune leur chapitre. Joliment documenté.

Fêtes, coutumes et gâteaux

Nicole Vielfaure et A.-Christine Beauviala 1980
Christine Bonneton Éditeur (Le Puy)

La pâtisserie «de ménage» est présentée par région; les pâtisseries de fête font l'objet d'un chapitre à part. Histoire et recettes.

Dictionnaire des appellations : vins, eaux-de-vie, cépages

Fernand Woutaz 1986
LITEC

Concis et clair, ce *Dictionnaire* rappelle l'essentiel de la législation sur les appellations contrôlées. Pour consultations rapides.

Rire

Après des siècles et des siècles, on rit toujours à Plaute ou à Molière. Les mécanismes littéraires du comique semblent universels et, sinon éternels, du moins fort durables. Traversant les siècles, le rire traverse tous les genres littéraires sans exception comme si, face à la littérature grave, sévère, sérieuse, devait toujours se dresser une écriture plus légère, satirique, subversive. C'est sans doute pourquoi le rire et la satire ont toujours eu maille à partir avec les pouvoirs en place... Notre bibliothèque idéale du rire satirique tente de dresser quelques jalons dans une tradition d'une exceptionnelle richesse et, par bonheur, encore bien vivace sur tous les continents, même ceux où la joie de vivre n'est pas forcément dominante. Car le rire est aussi parfois une façon de combattre les tyrannies.

« C'est une étrange entreprise que celle de faire rire les honnêtes gens », dit Molière, répondant en quelque sorte à Aristote dont, pendant des siècles, les principes sur la comédie et la tragédie avaient eu force de loi. Depuis, Diderot, Bergson, Freud et beaucoup d'autres ont philosophé avec le plus grand sérieux sur le rire. Et comme le remarque André Breton dans la préface à son *Anthologie de l'humour noir*, la définition de l'humour est toujours aussi difficile. Du mot d'esprit pince-sans-rire à la bouffonnerie échevelée, le comique peut prendre mille formes diverses. Mais, dit Freud, « l'humour a non seulement quelque chose de libérateur, analogue en cela à l'esprit et au comique, mais encore *quelque chose de sublime et d'élevé*, traits qui ne se retrouvent pas dans ces deux ordres d'acquisition du plaisir par une activité intellectuelle ».

Si on cherche à dresser un catalogue de ce rire sublimé qu'est le rire littéraire, on découvre qu'il n'a pas de support privilégié, que tous les genres ont été touchés : théâtre, pamphlet, poésie, roman, dialogue, fable, essai, aphorisme. Le rire comme générateur de littérature est de tous les continents (il y a un rire zen comme il y a un rire espagnol) et de toutes les époques (il y a une filiation Plaute-Molière-Ionesco, pour être rapide). Et la littérature du rire a réussi mieux que toute autre à imposer des personnages universels, véritables archétypes de la condition humaine : Panurge, Don Quichotte, Alceste, Ubu, Bouvard et Pécuchet, Chveik, Till l'Espiègle, Candide, Matti, Joseph K., San Antonio... Quand les figures humaines ne suffisent pas, les animaux les remplacent fort bien : du Renart médiéval au lièvre de mars, de la grenouille de La Fontaine à celle de Mark Twain, des oiseaux d'Aristophane aux animaux de la ferme d'Orwell, de la jument verte d'Aymé à l'éléphant de Mrozek, quand les animaux parlent ou font parler les hommes, ça n'est jamais triste !

Il est bien entendu qu'une telle liste ne saurait être exhaustive et qu'on retrouvera des auteurs comiques partout : dans le théâtre (Marivaux, Beaumarchais...), chez les antiques (Plaute, Aristophane, Pétrone...), chez les poètes (de La Fontaine à Desnos), dans la «littérature en miettes» (Kraus, Lichtenberg, Michaux, Tardieu, Vialatte) et dans les littératures de tous les pays.

Rire

... en 49 livres

... en 25 livres

... en 10 livres

Anthologie de l'humour noir
André Breton

Guignol's band
Louis-Ferdinand Céline

Bouvard et Pécuchet
suivi du *Dictionnaire
des idées reçues*
Gustave Flaubert

La Cantatrice chauve
et *La Leçon*
Eugène Ionesco

Tout Ubu
Alfred Jarry

*Le Bourgeois gentilhomme,
Les Femmes savantes,
Le Malade imaginaire*
Molière

Zazie dans le métro
Raymond Queneau

Œuvres complètes
François Rabelais

*La Philosophie dans le
boudoir*
D.A.F., marquis de Sade

Œuvres
Jonathan Swift

Les Pensées
Alphonse Allais

Monographie de la presse parisienne
Honoré de Balzac

Satires
Nicolas Boileau-Despréaux

Till l'espiègle
Charles De Coster

*De l'assassinat considéré
comme un des beaux-arts*
Thomas De Quincey

Éloge de la folie
Érasme

Paludes
André Gide

La Ferme des animaux
George Orwell

La Pluie et le beau temps
Jacques Prévert

Les Plus Belles Pages de Rivarol
présentées par Jean Dutourd

Le Roman de Renart

Locus Solus
Raymond Roussel

Vie et opinions de Tristram Shandy
Laurence Sterne

*La Célèbre Grenouille sauteuse
de Calaveras*
et autres contes
Mark Twain

Candide
Voltaire

Dieu, Shakespeare... et moi
Woody Allen

La Jument verte
Marcel Aymé

Le Supplice des week-ends
Robert Benchley

Maître Puntila et son valet Matti
Bertolt Brecht

Le Train de 8 h 47
Georges Courteline

Le Coffret de santal
Charles Cros

L'Os à moelle
Pierre Dac

Ça mange pas de pain
San Antonio

Au bon beurre
Jean Dutourd

La Négresse blonde
Georges Fourest

Les Mémoires d'un tricheur
Sacha Guitry

Champion
Ring Lardner

Schwartzenmurtz ou l'esprit de parti
Raymond Lévy

L'Éléphant
Slawomir Mrozek

Le Caporal épinglé
Jacques Perret

Le Principe de Peter
L. J. Peter et R. Hull

Les Copains
Jules Romains

L'Omelette byzantine
Saki

La Vie secrète de Walter Mitty
James Thurber

Mémoires d'un vieux con
Roland Topor

Tante Julia et le scribouillard
Mario Vargas Llosa

L'Automne à Pékin
Boris Vian

Fantasia chez les ploucs
Charles Williams

Le Bol et le Bâton
Taisen Deshimaru

• À vous de choisir le cinquantième livre. Peut-être est-il déjà dans votre bibliothèque.

... en 10 livres

Anthologie de l'humour noir

André Breton 1966
H. P.

Des extraits de Swift, Sade, Lichtenberg, Fourier, De Quincey, Poe, Baudelaire, Lautréamont, Allais, Brisset, Jarry, Roussel, Picabia, Apollinaire, Kafka, Prévert et quelques autres réunis et présentés par André Breton, sous le signe du rire anarchique le plus corrosif.

Guignol's band

Louis-Ferdinand Céline 1944
F.

«On est parti dans la vie avec les conseils des parents. Ils n'ont pas tenu devant l'existence.» Céline à Londres : on ne s'ennuie pas !

Bouvard et Pécuchet suivi du Dictionnaire des idées reçues

Gustave Flaubert 1881
G. F. et F.

Sans doute le plus grand roman jamais écrit sur la bêtise humaine. Le livre devait se prolonger par l'encyclopédie monumentale que recopient les deux personnages, recensant des centaines de citations pêchées un peu partout. Issu du même chantier, le délectable *Dictionnaire des idées reçues*.

La Cantatrice chauve et La Leçon

Eugène Ionesco 1950-1951
Gallimard et F.

Depuis plus de trente ans à l'affiche dans un même théâtre, celui de la Huchette, à Paris, *La Cantatrice chauve* n'est pas seu-lement un des chefs-d'œuvre du «théâtre de l'absurde», c'est un déferlement bur-lesque de savoureux jeux de langage.

Tout Ubu

Alfred Jarry 1896
L. P.

Ubu roi, *Ubu enchaîné*, *Ubu cocu*, et autres étapes du cycle consacré à un personnage universel. L'épopée de la bêtise et du cynisme en politique, par un auteur «Belle Époque» encore assez mal connu. «De par ma chandelle verte, merdre, madame, cer-tes oui, je suis content.»

Le Bourgeois gentilhomme, Les Femmes savantes, Le Malade imaginaire

Molière 1670, 1672, 1673
F. et L. P.

Il faudrait citer toutes les pièces de Molière, toujours d'actualité, à chaque époque, et qui ne vieilliront sans doute jamais. «C'est le poumon !» ou «Belle mar-quise...» déclenchent le rire, dans toutes les langues du monde.

Zazie dans le métro

Raymond Queneau 1959
F.

Le monde trouble des adultes enfantins vu par une enfant adulte. Des mots qui sont entrés dans le folklore contemporain des Français. Est-ce le meilleur Queneau ou faut-il préférer *Pierrot mon ami* ou *On est toujours trop bon avec les femmes* ?

Œuvres complètes

François Rabelais
La Pléiade

Gargantua (1534), *Pantagruel* (1532), le *Tiers Livre* (1546), le *Quart Livre* (1552) et le *Cinquième Livre* (1564). C'est «le» monument de la langue française, une épo-pée folklorique et burlesque au seuil des temps modernes, une quête de la liberté. Toujours d'actualité mais la langue d'ori-gine est devenue un peu opaque.

La Philosophie dans le boudoir

D.A.F. de Sade   1795
                  10/18 et F.

Lorsque se retrouvent dans un même texte la pornographie, le dialogue philosophique, la conversation de salon et l'impiété militante, cela donne un mélange parfaitement explosif. Le rire est garanti continu et, malgré la libéralisation des mœurs, c'est toujours aussi subversif.

Œuvres

Jonathan Swift   *(1667-1745)*
Traduit par Émile Pons   La Pléiade
Pour *Les Voyages de Gulliver* (1726) bien sûr, mais aussi pour *Le Conte du tonneau*, la *Méditation sur un balai*, *La Bataille des livres*, les *Instructions aux domestiques*, les *Pensées sur divers sujets moraux et divertissants* : un art de la satire rarement égalé. Le plus grand des écrivains irlandais d'avant Joyce.

... en 25 livres

Les Pensées

Alphonse Allais   *(1854-1905)*
                  Cherche-Midi
«Plus les galets ont roulé, plus ils sont polis. Pour les cochers, c'est le contraire.»

Monographie de la presse parisienne

Honoré de Balzac   *(1799-1850)*
                   Hallier
Par l'auteur de *La Comédie humaine*, une satire terrible et toujours actuelle du milieu journalistique.

Le choix de Guy Bedos

«On interroge toujours les gens qui font rire sur le comique. Mais mes auteurs préférés ne sont pas forcément des auteurs comiques. Je n'aime pas ce côté "chacun chez soi". Quand j'étais tout jeune, Jerome K. Jerome, avec *Trois hommes dans un bateau*, me cassait en deux ! A peu près tout ce que j'ai hérité de ma famille, c'est l'œuvre complète de Courteline. Ça venait de mon grand-père. J'ai lu toutes les pièces vers douze ans. J'ai aussi lu Molière, Feydeau, Labiche. Plus tard, les ironistes comme Jules Renard dont je relis assez couramment le *Journal*. Et puis j'ai un faible pour les Anglo-Saxons, de Swift à Saki en passant par Mark Twain et l'école du *New Yorker*, James Thurber par exemple. J'adore Salinger et je me suis délecté de *Portnoy et son complexe*, de Philip Roth. J'ai même songé à en faire une adaptation théâtrale. Il y a des monologues superbes.

Mais on trouve du rire partout ! Par exemple dans *Belle du Seigneur* d'Albert Cohen, il y a des moments de pur burlesque. J'aime beaucoup le mélange des genres. Je le pratique sur scène et j'aime le retrouver au cinéma aussi chez des gens comme Woody Allen ou Ettore Scola. J'aime bien les spécialistes de la formule : Sacha Guitry m'agace souvent mais il a par moment des mots d'un tel brillant !

La lecture des humoristes ne m'inspire pas moi-même directement. Je l'ai pratiquée plutôt pour trouver une humeur, une ambiance. D'ailleurs j'ai beaucoup lu, mais malheureusement je ne lis presque plus. L'engrenage professionnel est tel que je n'ai plus le temps. Je dois lire des pièces, des scénarios, et je suis obligé de faire chaque jour une revue de presse. Tout cela prend le pas sur les autres lectures.»

Satires

Nicolas Boileau-Despréaux 1666
Belles-Lettres

Cette charge contre le mauvais goût ambiant à la fin du XVIIᵉ siècle, contre les poètes pompiers et courtisans, reste d'une grande vivacité de ton et contraste avec les œuvres plus tardives de cet ami de Molière.

Till l'espiègle

Charles De Coster 1877
Renaissance du livre

Héros de la littérature médiévale de colportage, Till fait des niches aux Espagnols de Philippe II et aux curés. De Coster a rassemblé ses aventures sous le titre : *La légende et les aventures héroïques, joyeuses et glorieuses d'Ulenspiegel et de Lamme Goedzak au pays de Flandres et ailleurs.*

De l'assassinat considéré comme un des beaux-arts

Thomas De Quincey 1827
Traduit de l'anglais par Pierre Leyris
Gallimard

Cynique, esthète, dangereusement paradoxal, De Quincey a séduit tour à tour Baudelaire, Lautréamont, Jarry et Breton. C'est tout dire.

Éloge de la folie

Érasme 1511
G. F.

Écrit en une semaine et « à cheval », ce manifeste de la Renaissance connut en son temps un succès prodigieux. Dame Folie a le dernier mot contre les prêtres.

Paludes

André Gide 1895
Gallimard et F.

« Que fais-tu ? — J'écris *Paludes*. » Une délicieuse satire des écrivains symbolistes de la Belle Époque. Petit anti-roman sur le texte qui s'écrit pour dire l'impossibilité d'écrire.

La Ferme des animaux

George Orwell 1945
Traduit par Jean Queval Champ Libre

La montée vers la dictature vue à l'échelle de la cour de ferme.

La Pluie et le beau temps

Jacques Prévert 1955
F.

Le poète n'aimait ni les militaires ni les curés.

Les Plus Belles Pages de Rivarol

Présentées par Jean Dutourd 1989
Mercure de France

Entre autres essais, réflexions, maximes, tous admirables, son *Petit Almanach de nos grands hommes* (1788) est une satire féroce des gens de lettres. Rivarol échappa de justesse à la guillotine.

Le Roman de Renart

XIIᵉ-XIIIᵉ s.
G. F., F. et 10/18

Le rusé goupil se moque joyeusement de ses rivaux, le loup, l'ours, le chat, le lion, le coq, caricatures des hommes et des femmes d'un Moyen Âge riche en couleurs.

Locus Solus

Raymond Roussel 1914
F.

Un savant tout droit sorti de Jules Verne fait visiter sa propriété à un groupe d'amis. Des dents multicolores, une nageuse à chevelure musicale, des appareils tous plus étranges les uns que les autres et des aventures loufoques et magiques.

Vie et opinions de Tristram Shandy

Laurence Sterne 1759
Traduit par Charles Mauron G. F.

Il écrivait comme on respire : des pages et des pages de désinvolture. Un humoriste stoïque et tendre aux intuitions fulgurantes. Il annonce Joyce.

La Célèbre Grenouille sauteuse de Calaveras et autres contes

Mark Twain   1867
Traduit par G. de Lautrec   G. F.

Ses pitreries, ses mots d'esprit et sa réputation d'humoriste national ont fait oublier aux Américains qu'il était aussi un grand écrivain.

Candide

Voltaire   1759
     L. P.

Quand la satire philosophique devient un roman d'aventures peuplé de personnages grotesques...

... en 49 livres

Dieu, Shakespeare... et moi

Woody Allen   1984
Traduit de l'américain
par Michel Lebrun   Seuil

Un titre définitif! «Il ne fait aucun doute qu'il existe un monde invisible. Cependant il est permis de se demander à quelle distance il se trouve du centre ville et jusqu'à quelle heure il est ouvert.»

La Jument verte

Marcel Aymé   1933
     F.

L'esprit vient aux filles de la campagne en même temps que les premiers émois.

Le Supplice des week-ends

Robert Benchley   1921
Traduit de l'américain
par P. Vielhomme   10/18 (épuisé)

Quand le «vécu» le plus banal tourne au fantastique... À rééditer d'urgence.

Maître Puntila et son valet Matti

Bertolt Brecht   1948
Traduit par M. Cadot   L'Arche

Maîtres et serviteurs : les paradoxes de la servitude et de la libération. Et un remarquable éloge du hareng...

Petite philosophie du rire

Les mystères du rire et du comique ont toujours tourmenté les philosophes. Aristote dans sa *Poétique* (excellente édition critique au Seuil) définit la comédie comme «l'imitation d'hommes de qualité morale inférieure», mais elle reste pour lui le repoussoir de la noble tragédie. Pour Rabelais, le rire «est le propre de l'homme», et, dans le même ordre d'idées, pour Voltaire, «l'homme est le seul animal qui pleure et qui rie». Descartes, Pascal, La Rochefoucauld, Lichtenberg ou Chamfort esquissent eux aussi leur propre philosophie du rire. Les Anglais Laurence Sterne ou Henry Fielding créent ce produit typiquement britannique, l'humour. Sören Kierkegaard fait de l'ironie une figure de style, une conception du monde, et de l'humour une nouvelle forme d'élévation religieuse.

Mais c'est à l'époque contemporaine que le rire et ses mécanismes deviennent de véritables sujets d'études. Deux titres fameux : *Le Rire* (1900) d'Henri Bergson (PUF) où le rire est décrit comme «du mécanique plaqué sur du vivant», et *Le Mot d'esprit et ses rapports avec l'inconscient* (1905) de Sigmund Freud («Idées», Gallimard) où l'humour se ramène à «la contribution apportée au comique par l'intermédiaire du surmoi». Malgré cette définition rébarbative, le livre de Freud, qui rapporte un grand nombre de blagues (juives en particulier), est beaucoup plus... divertissant à lire que celui de Bergson, qui se contente de nous rappeler des scènes comiques du théâtre ou du roman classiques.

Le cinéma a ouvert au rire un nouveau continent de réflexion. Deux livres superbes de Peter Kral font définitivement le tour de la question : *Le Burlesque ou morale de la tarte à la crème*, et *Les Burlesques ou parade des somnambules* (Stock cinéma).

Le Train de 8 h 47

Georges Courteline 1888
Flammarion

De la caserne au bureau, le monde est désormais soit kafkaïen, soit courtelinesque.

Le Coffret de santal

Charles Cros 1873
Gallimard

«Et, par terre, un hareng saur — sec, sec, sec.»

L'Os à moelle

Pierre Dac 1981
P. P.

«L'avenir, c'est du passé en préparation.»

Ça mange pas de pain

San Antonio (Frédéric Dard) 1983
Fleuve Noir

Notre nouveau Rabelais. Déjà au moins 150 volumes! «Les cimetières sont éclairés au néant.»

Au bon beurre

Jean Dutourd 1952
F.

Succulente petite chronique de la «démerde» d'après-guerre.

La Négresse blonde

Georges Fourest 1948
José Corti

Chimène : «Qu'il est joli garçon, l'assassin de Papa!»

Les Mémoires d'un tricheur

Sacha Guitry 1936
F.

D'une pièce, il fit aussi un film (1936) : étincelant.

Champion

Ring Lardner (1885-1933)
Traduit de l'américain
par J. Guicharnaud 10/18

Le non-sens à l'américaine... Lardner s'était inscrit à l'université pour y étudier «le football et la chirurgie dentaire».

Schwartzenmurtz ou l'esprit de parti

Raymond Lévy 1977
Albin Michel et L. P.

Le «Parti» : y entrer, en sortir...

L'Éléphant

Slawomir Mrozek 1957
Traduit du polonais par A. Posner
Albin Michel

La langue de bois socialiste vue par un Polonais désabusé.

Le Caporal épinglé

Jacques Perret 1947
Gallimard et F.

La drôle de guerre et les camps de prisonniers vus par l'œil féroce d'un grand sceptique.

Le Principe de Peter

L. J. Peter et R. Hull 1969
Trad. de l'américain
par France-Marie Watkins L. P.

Comment grimper dans la hiérarchie et atteindre votre meilleur niveau d'incompétence? Tout sur la tabulophobie et la phonophilie, la siglomanie et le gigantisme ambulatoire...

Les Copains

Jules Romains 1922
F.

Surtout n'allez pas dire que vous ne connaissez pas «Ambert et Issoire».

L'Omelette byzantine

Saki 1924
Trad. de l'anglais par J. Rosenthal 10/18

Un grand misogyne s'attaque à la bonne société édouardienne. Son art de la conversation a marqué Hemingway.

La Vie secrète de Walter Mitty

James Thurber 1939
Traduit par C. Potesta et C. Dalla Torre
10/18

La grande école du *New Yorker*. Des personnages fragiles, aux frontières de l'absurde.

Mémoires d'un vieux con

Roland Topor   1975
Balland

Dessinateur célèbre, il manie aussi drôlement la langue.

Tante Julia et le scribouillard

Mario Vargas Llosa   1979
Traduit de l'espagnol par A. Bensoussan
Gallimard

Les personnages d'un feuilletoniste de la télé péruvienne débordent l'imagination de leur créateur...

L'automne à Pékin

Boris Vian   1947
Bourgois

Bien entendu sans automne ni Pékin...

Fantasia chez les ploucs

Charles Williams   1956
Traduit par M. Duhamel
Carré Noir et F. Junior

Du whisky de contrebande dans un Sud profond digne des Marx Brothers.

Le Bol et le Bâton

Maître Taisen Deshimaru   1986
120 contes zen
adaptés par M. de Smedt   Albin Michel

120 textes de la tradition bouddhiste pour y voir clair et rire des illusions du monde.

De qui est-ce ?

L'humour n'est pas toujours là où on s'y attendait. Saurez-vous retrouver les auteurs de ces textes ?

A. Éloge du crime.

« Le philosophe produit des idées, le poète des poèmes, l'ecclésiastique des sermons, le professeur des traités... Le criminel produit des crimes. [...] Plus : le criminel produit tout l'appareil policier et judiciaire : gendarmes, juges, bourreaux, jurés, etc., et tous ces divers métiers, qui constituent autant de catégories de la division sociale du travail, développent différentes facultés de l'esprit humain et créent en même temps de nouveaux besoins et de nouveaux moyens de les satisfaire. La torture, à elle seule, a engendré les trouvailles mécaniques les plus ingénieuses, dont la production procure de l'ouvrage à une foule d'honnêtes artisans. »

1. Alfred Jarry. 2. Karl Marx. 3. Charles Darwin. 4. Maurice Leblanc.

B. Révolution

« Qu'est-ce qu'une révolution ? Des gens qui se tirent des coups de fusil dans une rue : cela casse beaucoup de carreaux ; il n'y a guère que les vitriers qui y trouvent du profit. Le vent emporte la fumée ; ceux qui restent dessus mettent les autres dessous ; l'herbe vient là plus belle le printemps qui suit ; un héros fait pousser d'excellents petits pois. »

1. Alexandre Dumas fils. 2. Benjamin Constant. 3. Victor Hugo. 4. Théophile Gautier. 5. Charles Baudelaire.

Solutions. A2. Karl Marx, notule écrite vers 1860-1862 et intégrée dans la *Théories sur la plus-value*. B4. Théophile Gautier, préface aux *Jeunes-France* (1833).

Postface

La bibliothèque
comme un monde

« L'univers est un immense livre », déclare le mystique arabe Mohyddin Ibn Arabi au XIIIe siècle. « L'univers (que d'autres appellent la Bibliothèque)... », lance le bibliothécaire écrivain Jorge Luis Borges sept siècles plus tard. Entre les deux, cette invention diabolique, le livre. Car ce qui tenait lieu de livre avant les copistes et l'imprimerie n'était que la mémoire de milliers de vers sus par cœur et transmis de génération en génération ou, au mieux, reportés à l'aide de signes fragiles, fluctuants, sur des supports éphémères. Aujourd'hui, la bibliothèque déborde de partout. Elle a crû si vite, de façon si impérialiste, que le mot lui-même désigne tout à la fois le *lieu* (la pièce, voire la maison où l'on range les livres), le *meuble* (les rayonnages ou les caisses), le *genre* littéraire (la bibliothèque bleue), la *collection* (bibliothèque Jacques Doucet, bibliothèque verte, rose, bibliothèque des idées, bibliothèque de la Pléiade), et *l'institution* qui rassemble tout cela (la Bibliothèque nationale, la Vaticane, la Mazarine, etc.). Une prolifération d'où naît l'une des obsessions culturelles majeures de l'époque moderne : la « bibliothèque idéale », c'est-à-dire la liste de ces livres réputés indispensables que tout homme cultivé se doit d'avoir lus. Sont-ils au nombre de dix ? de cent ? ou d'un millier ? Existe-t-il un chiffre d'or en la matière ? Quels auteurs choisir ? Quels thèmes privilégier ? On présente habituellement le problème sous une forme paradoxale : quels livres emporter sur une île déserte ? En oubliant que les gens qui échouent sur une île déserte n'ont en général rien sous la main, et sûrement pas de livres — à l'exception, parfois, d'un tome des *Instructions nautiques*. Heureux celui qui, comme Robinson, fait naufrage avec plusieurs éditions de la Bible ! La question est cependant amusante et elle a intéressé beaucoup d'amateurs de thème comme Borges, Perec ou Queneau. La bibliothèque est, en effet, un vieux thème métaphysique. Et la « bibliothèque idéale », un rêve dont l'impossible résolution n'empêche pas le perpétuel recommencement. En le reprenant à quelques années de l'an 2000, pourquoi ne pas évoquer les innombrables variations et réalisations qui ont cherché depuis des siècles à lui donner une forme concrète ?

La bibliothèque d'Alexandrie est aujourd'hui légendaire. Elle l'était déjà à son époque, attirant des savants et des curieux venus de tout le monde méditerranéen. Ses sept cent mille rouleaux de papyrus, représentant quelque trente mille ouvrages, s'envolèrent en partie en fumée un jour de l'an 47 avant notre ère, rageusement enflammés par les torches des légionnaires de César. De la même façon, les grandes bibliothèques romaines, l'Octavienne, la Palatine, l'Ulpienne, furent détruites lors des invasions barbares. Les quelques fragments de papyrus dépiautés qui subsistent aujourd'hui dans les musées ne nous donnent qu'une vague idée de ce que pouvait être un «livre» pour le Romain cultivé. Celui-ci se devait d'avoir lu et relu ses classiques, Homère, Platon, les stoïciens, les épicuriens, Ovide, Térence, Virgile, Cicéron, Tite-Live. Il fallait lire «sérieux» : le roman, qui apparaît au Ier siècle avec le *Satiricon* de Pétrone et se perpétue avec *L'Âne d'or* d'Apulée, est certes un genre à succès, mais il est longtemps considéré comme vulgaire.

Le support, lui, date de l'ancienne Égypte : c'est un rouleau de papyrus, craquant, fragile, qu'on doit tenir avec les deux mains (ce qui empêche de prendre des notes), et qui s'use rapidement. On déchiffre à voix haute : ainsi vers 375, saint Augustin s'étonnera de voir saint Ambroise lire sans ouvrir la bouche. Le Romain cultivé lit beaucoup, c'est-à-dire qu'il déclame à haute voix et retient souvent par cœur de nombreuses citations édifiantes. Il range les rouleaux dans sa chambre à coucher dans des récipients ressemblant à des cartons à chapeaux. Un rouleau représente un chant (ou un «livre»). Une bibliothèque solide comprend une centaine de rouleaux, soit une dizaine de grands ouvrages. Les nouveautés sont lues au cours de lectures publiques assez analogues à nos «vernissages».

L'apparition du parchemin relié (vers le IVe siècle) donne sa forme moderne au livre : au *volumen* se substitue le *codex*, le cylindre est remplacé par le parallélépipède rectangle. La révolution est de taille : on peut désormais annoter le texte, l'amplifier en intercalant des feuillets, faire des illustrations dans la marge ou en pleine page, empiler des manuscrits sans craindre l'écrasement, les frapper d'un signe distinctif sur la tranche, comparer deux textes en les plaçant côte à côte devant soi, etc. (Toutes ces démarches nous sont depuis longtemps très familières, mais il faut se souvenir qu'elles ont été peu à peu «inventées» en même temps que la technologie du livre évoluait.)

Le support est maintenant à toute épreuve — une peau d'animal tannée, polie et blanchie pour l'écriture — et peut resservir plusieurs fois après grattage. Des armées de moines vont recopier inlassablement sur le précieux parchemin les œuvres des Anciens et des Pères de l'Église. Car au moment où seules les bibliothèques de Byzance et les grandes bibliothèques arabes — Cordoue et Le Caire — prolongent la tradition d'Alexandrie et de Rome, les monastères, puis les universités de l'Occident chrétien prennent le relais des cultures grecque et latine. Les bibliothèques personnelles, même royales, sont alors rares : les rois de France, à l'époque médiévale, ne possèdent que de 100 à 300 ouvrages. Certains monastères sont en revanche beaucoup mieux dotés. Et la bibliothèque de la Sorbonne est, au XIIIe siècle, la plus fournie d'Europe : elle compte un bon millier d'ouvrages, solidement reliés et accrochés par des chaînes cadenassées aux rayons et aux pupitres de consultation. Voler des livres est déjà la grande tentation des clercs et des étudiants. Et les érudits rêvent à la bibliothèque idéale : celle où l'on trouverait non plus des fragments des textes ayant échappé aux naufrages, aux pillages, aux incendies, aux rats ou à la moisissure, mais les œuvres complètes d'Héraclite, ou bien le IIe livre de la *Poétique* d'Aristote, sans doute à jamais perdu.

Avec la Renaissance, la bibliothèque devient un grand thème de spéculation intellectuelle. L'invention du papier, l'apparition de l'imprimerie, la naissance du commerce des livres, le développement scientifique, la curiosité intellectuelle de couches de plus en plus larges de la population européenne, les grandes découvertes, sans oublier le mécénat des princes, tous ces facteurs concourent à l'éclosion d'institutions illustres qui ont presque toutes survécu jusqu'à nos jours : la bibliothèque de l'Université à Prague, la Vaticane à Rome, la bibliothèque impériale à Vienne, la Laurencienne à Florence (dont Michel-Ange dresse les plans), et surtout la Marcienne à Venise.

Désormais les particuliers auront eux aussi leur bibliothèque : les ecclésiastiques d'abord, puis les professeurs, les étudiants, les parlementaires, les avocats, les notaires. Les marchands et les artisans, enfin — drapiers, merciers, tanneurs, serruriers, épiciers... —, commencent à réunir des livres. Ces bibliothèques sont le plus souvent modestes (quinze à vingt volumes) ; les plus opulentes comprennent quelques centaines d'ouvrages : en 1550, celle du président aux Enquêtes du Parlement, Braudy, compte 700 livres. Aux classiques grecs et latins, aux Pères de l'Église, s'ajoutent bientôt les ouvrages techniques ou scientifiques — mathématiques, droit, architecture, balistique, économie, etc. — et beaucoup de bibliothèques sont surtout utilitaires.

Mais quelques auteurs «modernes» connaissent de nombreuses éditions : Dante, Boccace, Villon, Rabelais... Naît aussi toute une littérature à la fois pratique et populaire : innombrables ouvrages sur les «joies du mariage», almanachs, poésies, recueils de gauloiseries et de devinettes. Le clivage entre bibliothèque populaire et bibliothèque lettrée apparaît dès le XVᵉ siècle. La bibliothèque de l'honnête homme de la Renaissance devient une pièce à part, un refuge, un lieu de rêverie, elle suscite tout un art de vivre. «Ma bibliothèque m'était un assez grand duché», déclare Prospero dans *La Tempête* de Shakespeare.

Avec Montaigne, à la fin du XVIᵉ siècle, s'épanouit pleinement l'idée que la vie du sage peut être centrée sur sa bibliothèque, dont l'organisation inspire un mode de vie saisonnier dans les livres, pour les livres, avec les livres. Dans une tour qui domine les vignobles de la région de Saint-Émilion, Montaigne installe sa «librairie», dont il a dressé lui-même les plans : «La figure en est ronde et n'a de plat que ce qu'il faut à ma table et à mon siège ; et vient m'offrant, en se courbant, d'une vue, tous mes livres, rangés à cinq degrés tout à l'environ.» Le regard du maître sur la totalité du savoir disponible à l'époque. Sur les linteaux et les poutres de la pièce ont été gravées 57 citations ou maximes tirées d'auteurs grecs ou latins : la bibliothèque idéale selon Montaigne se compose d'abord des œuvres des Anciens, lues, relues et étudiées, plume en main, dès l'enfance, et que viennent enrichir, ensuite, les achats de nouveautés.

Au même moment, Philippe II d'Espagne assigne comme objectif à l'Escurial de devenir le centre culturel de l'Europe, et donc du monde. Les meilleurs savants et professeurs trouveront dans ce palais-monastère une bibliothèque représentant un véritable abrégé encyclopédique du savoir humain et contenant des trésors de livres, manuscrits, cartes et plans, avec lesquels même le Vatican ne peut rivaliser. Particularité, unique encore à ce jour, de l'Escurial : les livres sont présentés à l'envers, la tranche (qui porte le titre) tournée vers l'extérieur. Et peut-être Philippe II, bibliophile passionné, voyait-il là tout un symbole plus qu'une méthode de rangement et de conservation.

Au siècle suivant, on rencontre un autre grand dévoreur de livres : dans la bibliothèque paternelle dont il hérite, le jeune Leibniz trouve Virgile et Horace, saint Thomas et Luther. À la faculté de Leipzig, il lit Descartes, Ficin, Cardan, Bacon, Campanella. À Nuremberg, il découvre les alchimistes et les rosicruciens. À Paris, il lit encore et il fréquente, en personne, Arnauld, Malebranche, Huygens. À Hanovre, enfin, où il passe la plupart des quarante dernières années de sa vie — et où il est chargé de la bibliothèque de Wolfenbüttel —, il lit tout ce qui peut se lire à l'époque sur la planète, et écrit à son tour quelques milliers de pages. Alors qu'il est de passage à Rome, on lui offre même la direction de la bibliothèque du Vatican — à condition qu'il se convertisse. Il refuse. Leibniz est tellement hanté toute sa vie par l'idée de bibliothèque qu'il fixe les règles de l'art bibliographique, règles qui inspireront jusqu'à nos jours des générations de bibliothécaires.

L'érudit du Moyen Âge pouvait se donner l'impression — à condition toutefois d'avaler quelques milliers de recueils — d'avoir «tout» lu. Au XVIIIe siècle, c'en est fini de ce genre de certitude. Des dizaines de milliers d'ouvrages ont paru depuis l'invention de l'imprimerie ; ils couvrent, dans toutes les langues, tous les champs du savoir, toutes les curiosités, toutes les activités et toutes les folies humaines. S'y ajoutent les livres du monde chinois, dont les jésuites commencent à découvrir, émerveillés, la prodigieuse richesse : une accumulation inouïe de milliers de volumes contenant les savoirs les plus étranges et les plus fabuleux.

L'*Encyclopédie* de Diderot et d'Alembert, c'est une tentative pour mettre de l'ordre dans les sciences et dans les philosophies nouvelles. Au même moment, un architecte, Étienne Louis Boullée, imagine des musées grands comme des villes et des bibliothèques géantes, hyperationnelles. Mais, dans la réalité, les bibliothèques sont engorgées ; elles ne maîtrisent plus leurs collections et doivent ici ou là se spécialiser sous peine d'étouffer. Les greniers, les caves, les remises, les entrepôts s'emplissent de millions de volumes. Le classement logique de la bibliothèque devient une obsession. La Bibliothèque royale (l'ancêtre de notre «Nationale») est déjà, lorsqu'elle s'installe en 1721 sur son site actuel, un espace encombré. Il lui faudra attendre les toutes dernières années du XIXe siècle pour réussir à sortir le premier tome de son catalogue ! «Nos bibliothèques immenses, le commun réceptacle et des productions du génie et des immondices des lettres», raille Diderot. Dès lors, être un lettré, un savant, un «intellectuel» comme on dira plus tard, c'est d'abord apprendre à se frayer un chemin dans ce labyrinthe, savoir restreindre les lectures inutiles et dresser en permanence le catalogue de la bibliothèque idéale.

Tout au long du XIXe siècle, la plupart des écrivains, de Hugo à Zola en passant par Balzac, Michelet, Baudelaire ou Flaubert, y songent jusqu'au vertige. Plus rationnel dans ses utopies, Jules Verne croit qu'on peut maîtriser la bibliothèque, comme en témoigne ce dialogue de *Vingt mille lieues sous les mers* entre le capitaine Nemo et son prisonnier, le professeur Aronnax : «Vous possédez là six ou sept mille volumes», s'extasie le captif du sous-marin. «Douze mille, Monsieur Aronnax. Ce sont les seuls liens qui me rattachent à la terre. Mais le monde a fini pour moi le jour où mon *Nautilus* s'est plongé pour la première fois sous les eaux. Ce jour-là, j'ai acheté mes derniers volumes, mes dernières brochures, mes derniers journaux, et depuis lors, je veux croire que l'humanité n'a plus rien pensé ni écrit. » La construction d'une bibliothèque idéale passe toujours par une volonté de la sorte, un peu folle. Ou bien par une contrainte.

Ainsi, vers le début du XXᵉ siècle, commence le petit jeu journalistique de l'île déserte. Par exemple : «Devant passer le restant de vos jours sur une île déserte, quels sont les vingt livres que vous souhaiteriez emporter ? » On interroge les écrivains, les savants, les artistes, les hommes politiques. On confronte les réponses. Le jeu connaîtra mille reprises. Chacun y a répondu au moins une fois dans sa vie. Et on essaye toujours un peu de tricher. André Gide et Pierre Louÿs y jouent au lycée : «Vingt livres ! nous trouvions que c'était peu pour peupler un désert et pour agrémenter toute une vie ; aussi nous inscrivions, plutôt que des titres d'ouvrages, des noms d'auteurs ; nous indiquions, par exemple, Gœthe, uniquement, ce qui nous dispensait de choisir entre *Faust*, *Wilhelm Meister* et les poésies... Notre bibliothèque de vingt auteurs fournissait ainsi de trois à quatre cents volumes. »

Valéry Larbaud reprend le jeu de l'île déserte et le transforme en «jeu du gouverneur de Kerguelen » : «Vous avez eu le malheur de déplaire en haut lieu ; mais par égard pour vos mérites on s'est contenté de vous éloigner en vous nommant pour un... trois... cinq ans (c'est un maximum) gouverneur de Kerguelen, avec résidence à Port-Noël, chef-lieu de cette colonie. » Larbaud propose de limiter les catégories : vingt romans français à choisir dans... ou les dix comédies espagnoles du siècle d'or... On autoriserait les commentaires, lexiques et ouvrages de référence : «Après tout, les résultats de ces enquêtes ne seraient pas plus vains ni plus vagues que ceux des plébiscites pour connaître les ''douze livres essentiels'' (alors qu'il y en a peut-être 3 817 ; alors qu'il n'y en a peut-être pas un seul), ou le catalogue de la ''bibliothèque de l'honnête homme'' — et c'est même de cette façon-là qu'on pourrait le former, approximativement, ce catalogue, à condition que le ''gouverneur de Kerguelen'' fût le passe-temps des soirées de tout un hiver à la campagne, et qu'on voulût bien permettre à l'honnête homme de posséder, à partir de la trentaine, quelques milliers de livres. Mais n'existe-t-il pas déjà, le catalogue de la bibliothèque de l'honnête homme, et n'est-ce pas celui qu'on obtiendrait en inscrivant à la suite et par ordre chronologique les noms des auteurs auxquels les bons manuels d'histoire des différentes littératures font les honneurs des caractères gras ? »

Mais peut-on souscrire à cette confiance affichée par Larbaud envers les «bons manuels » ? Jusqu'à ces toutes dernières années, ni Sade ni Casanova, immenses auteurs du XVIIIᵉ, n'y figuraient. Et les manuels se trompent la plupart du temps sur la littérature contemporaine.

Queneau, qui a un esprit encyclopédique (et qui d'ailleurs dirige l'Encyclopédie de la Pléiade), mène scientifiquement l'enquête. Il interroge ou fait interroger les gens autour de lui et aboutit à une liste de 2 009 titres représentant 923 auteurs. Peu de surprises : Shakespeare, la Bible, Proust, Montaigne, Rabelais, Baudelaire, Pascal, Molière, Rousseau, Stendhal et Platon figurent en tête...

Mais parfois la «bibliothèque idéale» n'est pas seulement un jeu ou une enquête de sociologie littéraire. Chargés par le couturier mécène Jacques Doucet de dresser le plan d'une bibliothèque idéale, André Breton et Louis Aragon, au début des années vingt, lui font parvenir des listes de lectures à faire ou de livres à acheter. Kant, Leibniz et Hegel forment le noyau de la bibliothèque philosophique. On rencontre à leurs côtés Mallarmé, Lautréamont, Rimbaud, Jarry, Villiers de l'Isle-Adam. Parmi les auteurs quelque peu insolites en ces années-là, Sade, Lacenaire, Eugène Sue, Raymond Roussel. Parmi les grands classiques, Dante, Villon, Shakespeare, Pascal...

Georges Perec, quant à lui, a consacré un texte savoureux au problème du rangement des livres : «Comme les bibliothécaires borgésiens de Babel qui cherchent le livre qui leur donnera la clé de tous les autres, nous oscillons entre l'illusion de l'achevé et le vertige de l'insaisissable. Au nom de l'achevé, nous voulons croire qu'un ordre unique existe qui nous permettrait d'accéder d'emblée au savoir ; au nom de l'insaisissable, nous voulons penser que l'ordre et le désordre sont deux mêmes mots désignant le hasard. Il se peut aussi que les deux soient des leurres, des trompe-l'œil destinés à dissimuler l'usure des livres et des systèmes. Entre les deux en tout cas il n'est pas mauvais que nos bibliothèques servent aussi de pense-bête, de repose-chat et de fourre-tout.»

Le «livre», fin et achèvement de tous les livres de la bibliothèque imaginaire, hante aussi bien Mallarmé que Joyce. Le livre — perdu, illisible, maléfique — et la bibliothèque — labyrinthe fascinant tantôt paradisiaque, tantôt infernal — sont devenus, mieux encore que des thèmes littéraires, de véritables mythes modernes. Poe invente des livres imaginaires et les décrit avec minutie. Lovecraft situe l'entrée des Enfers dans la bibliothèque Schœlcher à Fort-de-France, un pavillon de fonte bariolée, rapporté là après l'exposition coloniale de 1889. Il invente en 1922 un livre maudit — le *Nécronomicon*, «interdit depuis dix siècles». Comme s'il n'y avait pas déjà assez de livres comme cela, les lecteurs écrivent du monde entier à l'éditeur pour réclamer l'ouvrage (on finira par en fabriquer un en 1977 !). Ray Bradbury imagine, dans *Fahrenheit 451*, une société où les livres sont proscrits. Mais, en ce siècle des autodafés, son livre est à peine une fiction...

Enfin Borges vint. Borges, le sphinx devenu aveugle, que l'impossibilité de lire n'éloignera pas des livres, et qui au contraire, comme pour justifier l'un de ces paradoxes émaillant son œuvre, fut nommé directeur de la Bibliothèque nationale d'Argentine : «J'ai juste considéré comme une somptueuse ironie de Dieu de m'offrir, d'un côté, des centaines de millions de livres à lire en étant bibliothécaire et, de l'autre, la cécité. Ce destin ne fut d'ailleurs pas seulement le mien : deux de mes prédécesseurs à la direction de la Bibliothèque nationale devinrent aveugles. » Borges a souvent fait du livre ou de la bibliothèque le thème central d'une nouvelle. Comme Poe et Lovecraft, il décrit des livres imaginaires (*L'Approche d'Almotasim*). Ou bien un livre remplace tous les livres et devient infini (*Le Livre de sable*). Ou encore on ne lit plus qu'un seul livre : «L'imprimerie, maintenant abolie, a été un des pires fléaux de l'humanité, car elle a tendu à multiplier jusqu'au vertige des textes inutiles. » (*Utopie d'un homme qui est fatigué.*) Ou, enfin, l'univers n'est qu'une immense bibliothèque où tout est déjà écrit selon les lois du hasard : c'est la fameuse *Bibliothèque de Babel*. Cette même bibliothèque et son bibliothécaire aveugle, sosie de Borges, sera le centre du roman d'Umberto Eco *Le Nom de la rose*. Ainsi les livres naissent des livres depuis toujours, et le mouvement générateur de la bibliothèque ne cessera sans doute jamais. Restera aussi l'angoissante question : à quelles lectures indispensables, essentielles, réduire cette insupportable prolifération ? Car le temps est compté, surtout pour celui qui ne saurait vivre sans lire.

Alain Jaubert

ANNEXES

Les prix Nobel de littérature
pays par pays

ALLEMAGNE

1902	Theodor Mommsen	(1817-1903)
1908	Rudolf Eucken	(1846-1926)
1910	Paul von Heyse	(1830-1914)
1912	Gerhart Hauptmann	(1862-1946)
1929	Thomas Mann	(1875-1955)
1966	Nelly Sachs	(1891-1970)
	avec Samuel Agnon (Israël)	
1972	Heinrich Böll	(1917-1985)
	(R.F.A.)	

AUSTRALIE

1973	Patrick White	(1912)

BELGIQUE

1911	Maurice Maeterlinck	(1862-1949)

CHILI

1945	Gabriela Mistral	(1889-1957)
1971	Pablo Neruda	(1904-1973)
	(Neftalí Reyes Bascalto)	

COLOMBIE

1982	Gabriel García Márquez	(1928)

DANEMARK

1917	Karl Gjellerup	(1857-1919)
	avec Henrik Pontoppidan	(1857-1943)
1944	Johannes Jensen	(1873-1950)

ÉGYPTE

1988	Naguib Mahfouz	(1911)

ESPAGNE

1904	José Echegaray	(1833-1916)
	avec Frédéric Mistral	
1922	Jacinto Benavente	(1866-1954)
1956	Juan Ramón Jiménez	(1881-1958)
1977	Vicente Alexandre	(1898-1984)

ÉTATS-UNIS

1930	Sinclair Lewis	(1885-1951)
1936	Eugene O'Neill	(1888-1953)
1938	Pearl Buck	(1892-1973)
1949	William Faulkner	(1897-1962)
1954	Ernest Hemingway	(1898-1961)
1962	John Steinbeck	(1902-1968)
1976	Saul Bellow	(1915)
1978	Isaac Bashevis Singer	(1904)

FINLANDE

1939	Frans Eemil Sillanpää	(1888-1964)

FRANCE

1901	Sully Prudhomme	(1839-1907)
1904	Frédéric Mistral	(1830-1916)
	avec José Echegaray (Espagne)	
1915	Romain Rolland	(1866-1944)
1921	Anatole France	(1844-1924)
1927	Henri Bergson	(1859-1941)
1937	Roger Martin du Gard	(1881-1958)
1947	André Gide	(1869-1951)
1952	François Mauriac	(1885-1970)
1957	Albert Camus	(1913-1960)
1960	Saint-John Perse	(1887-1975)
	(Alexis Léger)	
1964	Jean-Paul Sartre	(1905-1980)
	REFUSÉ	
1985	Claude Simon	(1913)

GRANDE-BRETAGNE

1907	Rudyard Kipling	(1865-1936)
1925	George B. Shaw	(1856-1950)
1932	John Galsworthy	(1867-1933)
1948	Thomas Stearns Eliot	(1888-1965)
1950	Bertrand Russell	(1872-1970)
1953	Winston Churchill	(1874-1965)
1981	Elias Canetti	(1906)
	(né en Bulgarie, d'expression allemande)	
1983	William Golding	(1911)

GRÈCE

1963	Giorgos Séféris	(1900-1971)
1979	Odysseus Alepoudhelis (1911)	
	(dit Elytis)	

GUATEMALA

1967	Miguel Angel Asturias	(1899-1974)

INDE

1913	Rabindranath Tagore	(1861-1941)

IRLANDE

1969	Samuel Beckett	(1906)
1923	William Butler Yeats	(1865-1939)

ISLANDE

1955	Halldór Kiljan Laxness	(1902)

ISRAËL

1966	Samuel Jos. Agnon	(1888-1970)
	avec Nelly Sachs	

ITALIE

1906	Giosue Carducci	(1835-1907)
1926	Grazia Deledda	(1871-1936)
1934	Luigi Pirandello	(1867-1936)
1959	Salvatore Quasimodo	(1901-1968)
1975	Eugenio Montale	(1896-1981)

JAPON

1968	Yasunari Kawabata	(1899-1972)

NIGERIA

1986	Wole Soyinka	(1934)

NORVÈGE

1903	Bjornstjerne Bjørnson	(1832-1910)
1920	Knut Hamsun	(1859-1952)
1928	Sigrid Undset	(1882-1949)

POLOGNE

1905	Henryk Sienkiewicz	(1846-1916)
1924	Wladyslaw Reymont	(1868-1925)
1980	Czeslaw Milosz	(1911)
	(émigré aux U.S.A.)	

SUÈDE

1909	Selma Lagerlöf	(1858-1940)
1916	Verner von Heidenstam	(1859-1940)
1931	Erik Axel Karlfeldt	(1864-1931)
1951	Pär Lagerkvist	(1891-1974)
1974	Eyvind Johnson	(1900-1976)
	avec Harry Martinson	(1904-1978)

SUISSE

1919 Carl Spitteler   (1845-1924)
1946 Hermann Hesse   (1877-1962)
(Suisse d'origine allemande)

U.R.S.S.

1933 Ivan Bounine   (1870-1953)
(Russe apatride)
1958 Boris Pasternak   (1890-1960)
REFUSÉ
1965 Mikhaïl Cholokhov   (1905-1984)

1970 Alexandre Soljenitsyne   (1918)
1987 Joseph Brodski   (1940)
(Naturalisé américain)

TCHÉCOSLOVAQUIE

1984 Jaroslav Seifert   (1901)

YOUGOSLAVIE

1961 Yvo Andrić   (1891-1975)

Les prix littéraires

Prix Goncourt

1903 : *Force ennemie*, par John-Antoine Nau (Éditions de la Plume).

1904 : *La Maternelle*, par Léon Frapié (Librairie Universelle).

1905 : *Les Civilisés*, par Claude Farrère (Ollendorf).

1906 : *Dingley, l'illustre écrivain*, par Jérôme et Jean Tharaud (Pelletan).

1907 : *Jean des Brebis, Terres Lorraines, le Rouet d'ivoire*, par Émile Moselly (Plon).

1908 : *Écrit sur de l'eau*, par Francis de Miomandre (Éditions du Feu).

1909 : *En France*, par Marius et Ary Leblond (Fasquelle).

1910 : *De Goupil à Margot*, par Louis Pergaud (Mercure de France).

1911 : *Monsieur des Lourdines*, par Alphonse de Châteaubriant (Grasset).

1912 : *Les Filles de la pluie*, par André Savignon (Grasset).

1913 : *Le Peuple de la mer*, par Marc Elder (Oudin-Calmann-Lévy).

1914 : *L'Appel du sol*, par Adrien Bertrand (Calmann-Lévy). Décerné en 1916.

1915 : *Gaspard*, par René Benjamin (Fayard).

1916 : *Le Feu*, par Henri Barbusse (Flammarion).

1917 : *La Flamme au poing*, par Henri Malherbe (Albin Michel).

1918 : *Civilisation*, par Georges Duhamel (Mercure de France).

1919 : *À l'ombre des jeunes filles en fleurs*, par Marcel Proust (Gallimard).

1920 : *Nêne*, par Ernest Pérochon (Plon).

1921 : *Batouala*, par René Maran (Albin Michel).

1922 : *Le Vitriol de lune* et *Le Martyre de l'obèse*, par Henri Béraud (Albin Michel).

1923 : *Rabevel*, par Lucien Fabre (Gallimard).

1924 : *Le Chèvrefeuille, le Purgatoire, le Chapitre XIII*, par Thierry Sandre (Gallimard).

1925 : *Raboliot*, par Maurice Genevoix (Grasset).

1926 : *Le Supplice de Phèdre*, par Henri Deberly (Gallimard).

1927 : *Jérôme, 60° Latitude Nord*, par Maurice Bedel (Gallimard).

1928 : *Un homme se penche sur son passé*, par Maurice Constantin Weyer (Rieder).

1929 : *L'Ordre*, par Marcel Arland (Gallimard).

1930 : *Malaisie*, par Henri Fauconnier (Stock).

1931 : *Mal d'amour*, par Jean Fayard (Fayard).

1932 : *Les Loups*, par Guy Mazeline (Gallimard).

1933 : *La Condition humaine*, par André Malraux (Gallimard).

1934 : *Capitaine Conan*, par Roger Vercel (Albin Michel).

1935 : *Sang et Lumières*, par Joseph Peyré (Grasset).

1936 : *L'Empreinte du dieu*, par Maxence Van Der Meersch (Albin Michel).

1937 : *Faux passeports*, par Charles Plisnier (Correa).

1938 : *L'Araigne*, par Henri Troyat (Plon).

1939 : *Les Enfants gâtés*, par Philippe Hériat (Gallimard).

1940 : *Les Grandes Vacances*, par Francis Ambrière (Nouvelle France). Réservé à un prisonnier. Décerné en 1946.

1941 : *Vent de mars*, par Henri Pourrat (Gallimard).

1942 : *Pareils à des enfants*, par Marc Bernard (Gallimard).

1943 : *Passage de l'homme*, par Marius Grout (Gallimard).

1944 : *Le premier accroc coûte 200 francs*, par Elsa Triolet (Denoël).

1945 : *Mon village à l'heure allemande*, par Jean-Louis Bory (Flammarion).

1946 : *Histoire d'un fait divers*, par Jean-Jacques Gautier (Julliard).

1947 : *Les Forêts de la nuit*, par Jean-Louis Curtis (Julliard).

1948 : *Les Grandes Familles*, par Maurice Druon (Julliard).

1949 : *Week-end à Zuydcoote*, par Robert Merle (Gallimard).

1950 : *Les Jeux sauvages*, par Paul Colin (Gallimard).

1951 : *Le Rivage des Syrtes* (prix refusé), par Julien Gracq (José Corti).

1952 : *Léon Morin, prêtre*, par Béatrix Beck (Gallimard).

1953 : *Les Bêtes, le temps des morts*, par Pierre Gascar (Gallimard).

1954 : *Les Mandarins*, par Simone de Beauvoir (Gallimard).

1955 : *Les Eaux mêlées*, par Roger Ikor (Albin Michel).

1956 : *Les Racines du ciel*, par Romain Gary (Gallimard).

1957 : *La Loi*, par Roger Vailland (Gallimard).

1958 : *Saint-Germain ou la Négociation*, par Francis Walder (Gallimard).

1959 : *Le Dernier des Justes*, par André Schwarz-Bart (Le Seuil).

1960 : *Dieu est né en exil*, par Vintila Horia (Fayard). L'auteur renonce au prix, qui ne sera pas décerné.

1961 : *La Pitié de Dieu*, par Jean Cau (Gallimard).

1962 : *Les Bagages de sable*, par Anna Langfus (Gallimard).

1963 : *Quand la mer se retire*, par Armand Lanoux (Julliard).

1964 : *L'État sauvage*, par Georges Conchon (Albin Michel).

1965 : *L'Adoration*, par Jacques Borel (Gallimard).

1966 : *Oublier Palerme*, par Edmonde Charles-Roux (Grasset).

1967 : *La Marge*, par André Pieyre de Mandiargues (Gallimard).

1968 : *Les Fruits de l'hiver*, par Bernard Clavel (Robert Laffont).

1969 : *Creezy*, par Félicien Marceau (Gallimard).

1970 : *Le Roi des Aulnes*, par Michel Tournier (Gallimard).

1971 : *Les Bêtises*, par Jacques Laurent (Grasset).

1972 : *L'Épervier de Maheux*, par Jean Carrière (Jean-Jacques Pauvert).

1973 : *L'Ogre*, par Jacques Chessex (Grasset).

1974 : *La Dentellière*, par Pascal Lainé (Gallimard).

1975 : *La Vie devant soi*, par Émile Ajar (Mercure de France).

1976 : *Les Flamboyants*, par Patrick Grainville (Le Seuil).

1977 : *John l'Enfer*, par Didier Decoin (Le Seuil).

1978 : *Rue des boutiques obscures*, par Patrick Modiano (Gallimard).

1979 : *Pélagie la Charrette*, par Antonine Maillet (Grasset).

1980 : *Le Jardin d'Acclimatation*, par Yves Navarre (Flammarion).

1981 : *Anne-Marie*, par Lucien Bodard (Grasset).

1982 : *Dans la main de l'ange*, par Dominique Fernandez (Grasset).

1983 : *Les Égarés*, par Frédérick Tristan (Balland).

1984 : *L'Amant*, par Marguerite Duras (Éditions de Minuit).

1985 : *Les Noces barbares*, par Yann Queffélec (Gallimard).

1986 : *Valet de nuit*, par Michel Host (Grasset).

1987 : *La Nuit sacrée*, par Tahar Ben Jelloun (Seuil).

1988 : *L'Exposition coloniale*, par Erik Orsenna (Seuil).

L'équipe de Lire a tenté d'établir la cote littéraire des quarante-quatre prix Goncourt décernés depuis la fin de la guerre. Ce classement n'est pas celui que vous auriez fait ? Rassurez-vous : chacun de ceux qui ont concouru à l'effectuer a pensé au moins une fois que si ça n'avait tenu qu'à lui... Nous avons eu toutefois d'autres critères que la seule superposition de nos goûts, même si ceux-ci n'en sont évidemment pas absents. En premier lieu, les qualités de style, d'originalité, d'intérêt propres à chaque œuvre ; ensuite, l'écho rencontré auprès de la critique et du public, à l'époque et depuis. Personne n'est obligé d'adorer *Les Grandes Familles*, *La Loi* ou *Les Mandarins*, mais il est de fait que ces romans-là (entre autres) ont vu leur public se renouveler au fil des années, et figurent dans les histoires littéraires, ce qui n'est pas le cas des *Bagages de sable* ou de *Quand la mer se retire*. Un fait qui recèle peut-être des injustices, mais qui reste un fait. Constater une réputation ne signifie pas qu'on la juge *a priori* méritée ou imméritée...

La place conquise par les auteurs, la notoriété de l'ensemble de leur œuvre ont également influé sur ce palmarès. Qu'André Schwarz-Bart ait peu écrit après *Le Dernier des Justes* n'empêche pas que ce roman soit un grand livre ; mais le Goncourt se veut également un prix de découverte, et l'on admettra que Jean-Louis Curtis ou Béatrix Beck ont bien mieux tenu leurs promesses que Jean-Jacques Gautier, par exemple, plus coté comme critique théâtral que comme romancier.

C'est sans doute en tête du classement qu'on nous contestera le moins. La valeur des œuvres couronnées et de l'ensemble de leurs écrits, la renommée internationale qui est la leur valaient bien à Julien Gracq et à Michel Tournier d'occuper les premières places. Puis, tenant compte du fait que le Goncourt récompense un roman plus qu'un auteur ou une œuvre, nous avons donné la seconde aux «grands romans», ou communément jugés tels. En revanche, il n'est pas incontesté que *Les Mandarins* ou *Rue des boutiques obscures* soient les meilleurs livres de Simone de Beauvoir ou Patrick Modiano ; mais ce sont dans l'ensemble des écrivains reconnus comme de grande valeur ; c'est en partant de là que nous avons déterminé le troisième groupe.

Viennent ensuite les Goncourt «moyens» : ils ont plu, intéressé, et assuré à leurs auteurs une carrière honorable. La faveur qu'ils ont rencontrée rendait difficile de leur refuser cette place. Là encore, rappelons que prendre acte d'une réputation n'est pas porter un jugement définitif.

C'est encore plus vrai pour le groupe suivant. Certaines de ces œuvres nous ont paru avoir (mal) vieilli, certaines étoiles s'estomper. La postérité jugera. En attendant, prévenons ici deux injustices. L'une envers les œuvres récentes : il serait présomptueux de décider qu'Yves Navarre, Jacques Chessex ou Michel Host aient dit leur dernier mot ! Les plus anciennes, elles, moins présentes dans les mémoires, sont guettées par une injustice symétrique. Qui peut dire ce qu'aurait donné Anna Langfus, prématurément disparue quatre ans (et un livre) après son prix Goncourt ? A l'inverse, une enquête similaire, effectuée en 1945, n'aurait-elle pas surévalué un Peyré ou un Van der Meersch, du seul fait qu'on n'avait pas encore eu le temps de les oublier ?

Et puis il y a ce qu'il faut bien appeler les erreurs du jury, qui n'a d'ailleurs jamais cherché à les cacher. Paul Colin, en 1950, est le premier surpris d'une récompense qu'il n'envisageait pas — pas plus qu'il n'envisageait d'écrire autre chose ! (Il publiera tout de même un autre roman en 1959.) Et en 1958, année où les « goncourables » s'appellent Sabatier, Lanoux, Pingaud, Poirot-Delpech et Rochefort, c'est dans l'impossibilité de trancher entre les finalistes que les Dix, épuisés, se reportent sur Francis Walder.

On n'a pas manqué d'ironiser sur certains choix des Goncourt. Pas plus qu'on ne s'est privé de reprocher aux dix académiciens les prudents « prix de consécration » décernés à Mandiargues, Bodard ou Duras... Tout en déplorant qu'ils n'aient jamais consacré de la même façon Françoise Sagan, Nathalie Sarraute, J.-M.G. Le Clézio, François Nourissier, Michel Butor, Georges Perec, Antoine Blondin et beaucoup d'autres ! Mais c'est déjà ouvrir un autre débat.

1. EXCEPTIONNELLE

Le Rivage des Syrtes, par Julien Gracq (Corti), Prix refusé, 1951.
Le Roi des aulnes, par Michel Tournier (Gallimard), 1970.

2. EXCELLENTE

Léon Morin prêtre, par Béatrix Beck (Gallimard), 1952.
Le Dernier des Justes, par André Schwartz-Bart (Seuil), 1959.

Les Bêtises, par Jacques Laurent (Grasset), 1971.
La Vie devant soi, par Émile Ajar (Mercure de France), 1975.
L'Amant, par Marguerite Duras (Minuit), 1984.

3. BONNE

Les Forêts de la nuit, par J.-L. Curtis (Julliard), 1947.
Week-end à Zuydcoote, par Robert Merle (Gallimard), 1949.
Les Mandarins, par Simone de Beauvoir (Gallimard), 1954.
Les Racines du ciel, par Romain Gary (Gallimard), 1956.
Oublier Palerme, par Edmonde Charles-Roux (Grasset), 1966.
La Marge, par André Pieyre de Mandiargues (Gallimard), 1967.
Creezy, par Félicien Marceau (Gallimard), 1969.
Rue des boutiques obscures, par Patrick Modiano (Gallimard), 1978.
La Nuit sacrée, par Tahar Ben Jelloun (Seuil), 1987.

4. MOYENNE

Mon village à l'heure allemande, J.-Louis Bory (Flammarion), 1945.
Les Grandes Familles, par Maurice Druon (Julliard), 1948.
Les Bêtes, le temps des morts, par Pierre Gascar (Gallimard), 1953.
La Loi, par Roger Vailland (Gallimard), 1957.
La Pitié de Dieu, par Jean Cau (Gallimard), 1961.
L'État sauvage, par Georges Conchon (Albin Michel), 1964.
Les Fruits de l'hiver, par Bernard Clavel (Robert Laffont), 1968.
L'Épervier de Maheux, par Jean Carrière (Pauvert), 1972.
La Dentellière, par Pascal Lainé (Gallimard), 1974.
Les Flamboyants, par Patrick Grainville (Seuil), 1976.

Anne-Marie, par Lucien Bodard (Grasset), 1981.
Dans la main de l'ange, par Dominique Fernandez (Grasset), 1982.
Les Noces barbares, par Yann Queffélec (Gallimard), 1985.

5. FAIBLE

Le premier accroc coûte deux cents francs, par Elsa Triolet (Denoël), 1944.
Les Eaux mêlées, par Roger Ikor (Albin Michel), 1955.
Les Bagages de sable, par Anna Langfus (Gallimard), 1962.
Quand la mer se retire, par Armand Lanoux (Julliard), 1963.
L'Adoration, par Jacques Borel (Gallimard), 1965.
L'Ogre, par Jacques Chessex (Grasset), 1973.

John l'Enfer, par Didier Decoin (Seuil), 1977.
Pélagie la Charrette, par Antonine Maillet (Grasset), 1979.
Le Jardin d'Acclimatation, par Yves Navarre (Flammarion), 1980.
Les Égarés, par Frédérick Tristan (Balland), 1983.
Valet de nuit, par Michel Host (Grasset), 1986.

6. MAUVAISE

Histoire d'un fait divers, par J.-Jacques Gautier (Julliard), 1946.
Les Jeux sauvages, par Paul Colin (Gallimard), 1950.
Saint-Germain ou la négociation, par Francis Walder (Gallimard), 1958.
Dieu est né en exil, par Vintila Horia (Fayard), 1960, non décerné.

Prix Renaudot

1926 : *Niccolo Peccavi*, par Armand Lunel (Gallimard).

1927 : *Maïtena*, par Bernard Nabonne (Grasset).

1928 : *Le Joueur de triangle*, par André Obey (Grasset).

1929 : *La Table aux crevés*, par Marcel Aymé (Gallimard).

1930 : *Piège*, par Germaine Beaumont (Lemerre).

1931 : *L'Innocent*, par Philippe Hériat (Denoël).

1932 : *Voyage au bout de la nuit*, par Louis-Ferdinand Céline (Denoël).

1933 : *Le roi dort*, par Charles Braibant (Denoël).

1934 : *Blanc*, par Louis Francis (Gallimard).

1935 : *Jours sans gloire*, par François de Roux (Gallimard).

1936 : *Les Beaux Quartiers*, par Louis Aragon (Denoël).

1937 : *Mervale*, par Jean Rogissart (Denoël).

1938 : *Léonie la bienheureuse*, par Pierre-Jean Launay (Denoël).

1939 : *Les Javanais*, par Jean Malaquais (Denoël).

1940 : décerné en 1946.

1941 : *Quand le temps travaillait pour nous*, par Paul Mousset (Grasset).

1942 : *Les Liens de chaîne*, par Robert Gaillard (Colbert).

1943 : *J'étais médecin avec les chars*, par Dr André Soubiran (Didier).

1944 : *Les Amitiés particulières*, par Roger Peyrefitte (La Table Ronde).

1945 : *Le Mas Théotime*, par Henri Bosco (Charlot).

1946 : *La Vallée heureuse*, par Jules Roy (Charlot).
L'Univers concentrationnaire, par David Rousset (prix 1940).

1947 : *Je vivrai l'amour des autres*, par Jean Cayrol (Seuil).

1948 : *Voyage aux horizons*, par Pierre Fisson (Julliard).

1949 : *Le Jeu de patience*, par Louis Guilloux (Gallimard).

1950 : *Les Orgues de l'enfer*, par Pierre Molaine (Corréa).

1951 : *Le Dieu nu*, par Robert Margerit (Gallimard).

1952 : *L'Amour de rien*, par Jacques Perry (Julliard).

1953 : *La Dernière Innocence*, par Célia Bertin (Corréa).

1954 : *Le Passage*, par Jean Reverzy (Julliard).

1955 : *Le Moissonneur d'épines*, par Georges Govy (La Table Ronde).

1956 : *Le Père*, par André Perrin (Julliard).

1957 : *La Modification*, par Michel Butor (Éd. de Minuit).

1958 : *La Lézarde*, par Édouard Glissant (Seuil).

1959 : *L'Expérience*, par Albert Palle (Julliard).

1960 : *Le Bonheur fragile*, par Alfred Kern (Gallimard).

1961 : *Les Blés*, par Roger Bordier (Calmann-Lévy).

1962 : *Le Veilleur de nuit*, par Simone Jacquemard (Seuil).

1963 : *Le Procès-verbal*, par Jean-Marie Le Clézio (Gallimard).

1964 : *L'Écluse*, par Jean-Pierre Faye (Seuil).

1965 : *Les Choses*, par Georges Perec (Julliard).

1966 : *La Bataille de Toulouse*, par José Cabanis (Gallimard).

1967 : *Le monde tel qu'il est*, par Salvat Etchart (Mercure de France).

1968 : *Le Devoir de violence*, par Yambo Ouologuem (Seuil).

1969 : *Les Feux de la colère*, par Max-Olivier Lacamp (Grasset).

1970 : *Isabelle ou l'Arrière-saison*, par Jean Freustié (La Table Ronde).

1971 : *Le Sac du palais d'Été*, par Pierre-Jean Rémy (Gallimard).

1972 : *La Nuit américaine*, par Christopher Frank (Seuil).

1973 : *La Terrasse des Bernardini*, par Suzanne Prou (Calmann-Lévy).

1974 : *Voyage à l'étranger*, par Georges Borgeaud (Grasset).

1975 : *L'Homme de sable*, par Jean Joubert (Grasset).

1976 : *L'Amour les yeux fermés*, par Michel Henry (Gallimard).

1977 : *Les Combattants du petit bonheur*, par Alphonse Boudard (La Table Ronde).

1978 : *L'Herbe à brûler*, par Conrad Detrez (Calmann-Lévy).

1979 : *Affaires étrangères*, par Jean-Marc Roberts (Seuil).

1980 : *Les Portes de Gubbio*, par Danièle Sallenave (Seuil).

1981 : *La Nuit du décret*, par Michel Del Castillo (Seuil).

1982 : *La Faculté des songes*, par Georges-Olivier Chateaureynaud (Grasset).

1983 : *Avant-Guerre*, par Jean-Marie Rouart (Grasset).

1984 : *La Place*, par Annie Ernaux (Gallimard).

1985 : *Mes nuits sont plus belles que vos jours*, par Raphaëlle Billetdoux (Grasset).

1986 : *Station balnéaire*, par Christian Giudicelli (Gallimard).

1987 : *L'Enfant halluciné*, par René-Jean Clot (Grasset).

1988 : *Hadriana dans tous mes rêves*, par René Depestre (Gallimard).

Prix Fémina

1904 : *La Conquête de Jérusalem*, par Myriam Harry (Fayard).

1905 : *Jean-Christophe*, par Romain Rolland (Albin Michel).

1906 : *Gemmes et Moires*, par André Corthis (Flammarion).

1907 : *Princesses de Science*, par Colette Yver (Calmann-Lévy).

1908 : *La Vie secrète*, par Édouard Estaunié (Plon-Perrin).

1909 : *Le reste est silence*, par Edmond Jaloux (Plon).

1910 : *Marie-Claire*, par Marguerite Audoux (Fasquelle).

1911 : *Le Roman du malade*, par Louis de Robert (Fasquelle).

1912 : *Feuilles mortes*, par Jacques Morel (Hachette).

1913 : *La Statue voilée*, par Camille Marbo (Fayard).

1914-1916 : pas de prix décerné.

1917 : *L'Odyssée d'un transport torpillé*, par René Milan (Fayard).

1918 : *Le Serviteur*, par Henri Bachelin (Flammarion).

1919 : *Les Croix de bois*, par Roland Dorgelès (Albin Michel).

1920 : *Le Jardin des Dieux*, par Edmond Gojon (Fasquelle).

1921 : *Cantegril*, par Raymond Escholier (Albin Michel).

1922 : *Silbermann*, par Jacques de Lacretelle (N.R.F.).

1923 : *Les Allongés*, par Jeanne Galzy (Rieder).

1924 : *Le Bestiaire sentimental*, par Charles Derennes (Albin Michel).

1925 : *Jeanne d'Arc*, par Joseph Delteil (Grasset).

1926 : *Prodige du cœur*, par Charles Silvestre (Plon).

1927 : *Grand-Louis l'innocent*, par Marie Le Franc (Rieder).

1928 : *Georgette Garou*, par Dominique Dunois (Calmann-Lévy).

1929 : *La Joie*, par Georges Bernanos (Plon).

1930 : *Cécile de la Folie*, par Marc Chadourne (Plon).

1931 : *Vol de nuit*, par Antoine de Saint-Exupéry (N.R.F.).

1932 : *Le Pari*, par Ramon Fernandez (N.R.F.).

1933 : *Claude*, par Geneviève Fauconnier (Stock).

1934 : *Le Bateau-Refuge*, par Robert Francis (N.R.F.).

1935 : *Bénédiction*, par Claude Silve (Grasset).

1936 : *Sangs*, par Louise Hervieu (Denoël).

1937 : *Campagne*, par Raymonde Vincent (Stock).

1938 : *Caroline ou le départ pour les îles*, par Félix de Chazournes (N.R.F.).

1939 : *La Rose de la mer*, par Paul Vialar (Denoël).

1940-1943 : pas de prix décerné.

1944 : prix décerné aux Éditions de Minuit.

1945 : *Le Chemin du soleil*, par Anne-Marie Monnet (Éd. de Myrte).

1946 : *Le Temps de la longue patience*, par Michel Robida (Julliard).

1947 : *Bonheur d'occasion*, par Gabrielle Roy (Flammarion).

1948 : *Les Hauteurs de la ville*, par Emmanuel Roblès (Charlot).

1949 : *La Dame de Cœur*, par Maria Le Hardouin (Correa).

1950 : *La Femme sans passé*, par Serge Groussard (N.R.F.).

1951 : *Jabadao*, par Anne de Tourville (Stock).

1952 : *Le Souffle*, par Dominique Rolin (Le Seuil).

1953 : *La Pierre angulaire*, par Zoé Oldenbourg (N.R.F.).

1954 : *La Machine humaine*, par Gabriel Veraldi (Gallimard).

1955 : *Le Pays où l'on n'arrive jamais*, par André Dhôtel (Flore).

1956 : *Les Adieux*, par François-Régis Bastide (Gallimard).

1957 : *Le Carrefour des solitudes*, par Christian Megret (Julliard).

1958 : *L'Empire céleste*, par Françoise Mallet-Joris (Julliard).

1959 : *Au pied du mur*, par Bernard Privat (Gallimard).

1960 : *La Porte retombée*, par Louise Bellocq (Gallimard).

1961 : *Le Promontoire*, par Henri Thomas (Gallimard).

1962 : *Le Sud*, par Yves Berger (Grasset).

1963 : *La Nuit de Mougins*, par Roger Vrigny (Gallimard).

1964 : *Le Faussaire*, par Jean Blanzat (Éd. de Minuit).

1965 : *Quelqu'un*, par Robert Pinget (Éd. de Minuit).

1966 : *Nature morte devant la fenêtre*, par Irène Monesi (Mercure de France).

1967 : *Élise ou la Vraie Vie*, par Claire Etcherelli (Denoël).

1968 : *L'Œuvre au noir*, par Marguerite Yourcenar (Gallimard).

1969 : *La 2e mort de Ramon Mercader*, par Jorge Semprun (Gallimard).

1970 : *La Crève*, par François Nourissier (Grasset).

1971 : *La Maison des Atlantes*, par Angelo Rinaldi (Denoël).

1972 : *Ciné-roman*, par Roger Grenier (Gallimard).

1973 : *Juan Maldonne*, par Michel Dard (Seuil).

1974 : *L'Imprécateur*, par René-Victor Pilhes (Seuil).

1975 : *Le Maître d'heure*, par Claude Faraggi (Mercure de France).

1976 : *Le Trajet*, par Marie-Louise Haumont (Gallimard).

1977 : *La neige brûle*, par Régis Debray (Grasset).

1978 : *Un amour de père*, par François Sonkin (Gallimard).

1979 : *Le Guetteur d'ombres*, par Pierre Moinot (Gallimard).

1980 : *Joue-nous España*, par Jocelyne François (Mercure de France).

1981 : *Le Grand Vizir de la nuit*, par Catherine Hermary-Vieille (Gallimard).

1982 : *Les Fous de Bassan*, par Anne Hébert (Seuil).

1983 : *Riche et légère*, par Florence Delay (Librairie Académique Perrin).

1984 : *Tous les soleils*, par Bertrand Visage (Seuil).

1985 : *Sans la miséricorde du Christ*, par Hector Bianciotti (Gallimard).

1986 : *L'Enfer*, par René Belletto (P.O.L.).

1987 : *L'Égal de Dieu*, par Alain Absire (Calmann-Lévy).

1988 : *Le Zèbre*, par Alexandre Jardin (Gallimard).

Prix Médicis

1958 : *La Mise en scène*, par Claude Ollier (Éd. de Minuit).

1959 : *Le Dîner en ville*, par Claude Mauriac (Albin Michel).

1960 : *John Perkins*, par Henri Thomas (Gallimard).

1961 : *Le Parc*, par Philippe Sollers (Seuil).

1962 : *Derrière la baignoire*, par Colette Audry (Gallimard).

1963 : *Un chat qui aboie*, par Gérard Jarlot (Gallimard).

1964 : *L'Opoponax*, par Monique Wittig (Éd. de Minuit).

1965 : *La Rhubarbe*, par René-Victor Pilhes (Seuil).

1966 : *Une saison dans la vie d'Emmanuel*, par Marie-Claire Blais (Grasset).

1967 : *Histoire*, par Claude Simon (Éd. de Minuit).

1968 : *Le Mendiant de Jérusalem*, par Elie Wiesel (Seuil).

1969 : *Dedans*, par Hélène Cixous (Grasset).

1970 : *Sélinonte ou la Chambre Impériale*, par Camille Bourniquel (Seuil).

1971 : *L'Irrévolution*, par Pascal Lainé (Gallimard).

1972 : *Le Tiers des étoiles*, par Maurice Clavel (Grasset).

1973 : *Paysage de fantaisie*, par Tony Duvert (Éd. de Minuit).

1974 : *Porporino ou les Mystères de Naples*, par Dominique Fernandez (Grasset).

1975 : *Le Voyage à Naucratis*, par Jacques Almira (Gallimard).

1976 : *Les États du désert*, par Marc Cholodenko (Flammarion).

1977 : *L'Autre Amour*, par Michel Butel (Mercure de France).

1978 : *La Vie, mode d'emploi*, par Georges Perec (Hachette).

1979 : *La Nuit zoologique*, par Claude Durand (Grasset).

1980 : *Cabinet-portrait*, par Jean-Luc Benoziglio (Seuil).

Comptine des Height, par Jean Lahougue (Gallimard). L'auteur refuse son prix.

1981 : *L'Enfant d'Édouard*, par François-Olivier Rousseau (Mercure de France).

1982 : *L'Enfer et Cie*, par Jean-François Josselin (Grasset).

1983 : *Cherokee*, par Jean Echenoz (Éd. de Minuit).

1984 : *Le Diable en tête*, par Bernard-Henri Lévy (Grasset).

1985 : *Naissance d'une passion*, par Michel Braudeau (Seuil).

1986 : *Les Funérailles de la Sardine*, par Pierre Combescot (Grasset).

1987 : *Les Éblouissements*, par Pierre Mertens (Seuil).

1988 : *La Porte du fond*, par Christiane Rochefort (Grasset).

Grand Prix du roman de l'Académie française

1918 : *Gotton Connixloo*, par Camille Mayran (Plon).

1919 : *L'Atlantide*, par Pierre Benoit (Albin Michel).

1920 : *Pour moi seule*, par André Corthis (Albin Michel).

1921 : *Monsieur Bille dans la tourmente*, par Pierre Villetard (Fasquelle).

1922 : *L'Homme traqué*, par Francis Carco (Albin Michel).

1923 : *La Brière*, par Alphonse de Châteaubriant (Grasset).

1924 : *Aricie Brun ou les vertus bourgeoises*, par Émile Henriot (Plon).

1925 : *L'Enfant de la victoire*, par François Duhourcau (La Vraie France).

1926 : *Le Désert de l'amour*, par François Mauriac (Grasset).

1927 : *Les Captifs*, par Joseph Kessel (Gallimard).

1928 : *Reine d'Arbieu*, par Jean Balde (Plon).

1929 : *Le Livre des bêtes qu'on appelle sauvages*, par André Demaison (Grasset).

1930 : *Amour nuptial*, par Jacques de Lacretelle (Gallimard).

1931 : *Gaspard des montagnes*, par Henri Pourrat (Albin Michel).

1932 : *Claire*, par Jacques Chardonne (Grasset).

1933 : *Mademoiselle de Bois-Dauphin*, par Roger Chauviré (Flammarion).

1934 : *L'Abbaye d'Evolayne*, par Paule Régnier (Plon).

1935 : *La Guêpe*, par Albert Touchard.

1936 : *Journal d'un curé de campagne*, par Georges Bernanos (Plon).

1937 : *La Pêche miraculeuse*, par Guy de Pourtalès (Gallimard).

1938 : *Le Centaure de Dieu*, par Jean de la Varende (Grasset).

1939 : *Terre des hommes*, par Antoine de Saint-Exupéry (Gallimard).

1940 : *Le Voyage d'Edgar*, par Édouard Peisson (Grasset).

1941 : *La Folie d'Hubert*, par Roger Bourget-Pailleron (Gallimard).

1942 : *L'Orage du matin*, par Jean Blanzat (Grasset).

1943 : *Danse pour ton ombre*, par J.H. Louwyck (Plon).

1944 : *Valmaurie*, par Pierre de Lagarde (Baudinière).

1945 : *Le Solitaire*, par Marc Blancpain (Flammarion).

1946 : *Fontagre*, par Jean Orieux (Éd. de la Revue Fontaine).

1947 : *La Famille Boussardel*, par Philippe Hériat (Gallimard).

1948 : *Ginèvre*, par Yves Gandon (Henri Lefèvre).

1949 : *Évasion*, par Yvonne Pagniez (Flammarion).

1950 : *Les Provinciaux*, par Joseph Jolinon (Milieu du Monde).

1951 : *Chevaux abandonnés sur le champ de bataille*, par Bernard Barbey (Julliard).

1952 : *Le Feu de l'Etna*, par Henri Castillou (Albin Michel).

1953 : *Mort en fraude*, par Jean Hougron (Donnat).

1954 : *La Chasse royale*, par Pierre Moinot (Grasset)
Neige sur un amour nippon, par Paul Mousset (Gallimard).

1955 : *Les Aristocrates*, par Michel de Saint-Pierre (La Table Ronde).

1956 : *Le Naïf Locataire*, par Paul Guth (Albin Michel).

1957 : *Le Silence et la Joie*, par Jacques de Bourbon-Busset (Gallimard).

1958 : *Un royaume sous la mer*, par Henri Queffélec (Presses de la Cité).

1959 : *La Foi de notre enfance*, par Gabriel d'Aubarède (Flammarion).

1960 : *Notre-Dame des désemparés*, par Christian Murciaux (Plon).

1961 : *Perdre la demeure*, par Pham Van Ky (Gallimard).

1962 : *La Prison maritime*, par Michel Mohrt (Gallimard).

1963 : *La Révolution*, par Robert Margerit (Gallimard).

1964 : *Le Retour*, par Michel Droit (Julliard).

1965 : *Le Cheval d'Herbeleau*, par Jean Husson (Seuil).

1966 : *Une histoire française*, par François Nourissier (Grasset).

1967 : *Vendredi ou les limbes du Pacifique*, par Michel Tournier (Gallimard).

1968 : *Belle du Seigneur*, par Albert Cohen (Gallimard).

1969 : *La Paroi*, par Pierre Moustiers (Gallimard).

1970 : *La Folle de Lituanie*, par Bertrand Poirot-Delpech (Gallimard).

1971 : *La Gloire de l'Empire*, par Jean d'Ormesson (Gallimard).

1972 : *Les Boulevards de ceinture*, par Patrick Modiano (Gallimard).

1973 : *Un taxi mauve*, par Michel Déon (Gallimard).

1974 : *Adios*, par Kléber Haedens (Grasset).

1975 : non décerné.

1976 : *Le Crabe-Tambour*, par Pierre Schoendoerffer (Grasset).

1977 : *Tempo*, par Camille Bourniquel (Julliard).

1978 : *Le Nain jaune*, par Pascal Jardin (Julliard)
Une mère russe, par Alain Bosquet (Grasset).

1979 : *L'Adieu à la femme sauvage*, par Henri Coulonges (Stock).

1980 : *Fort Saganne*, par Louis Gardel (Seuil).

1981 : *Moi Antoine de Tounens roi de Patagonie*, par Jean Raspail (Albin Michel).

1982 : *Le Montage*, par Vladimir Volkoff (Julliard).

1983 : *Natalia*, par Liliane Guignabodet (Albin Michel).

1984 : *Un dimanche inoubliable près des casernes*, par Jacques-Francis Rolland (Grasset).

1985 : *Dara*, par Patrick Besson (Seuil).

1986 : *Une ville immortelle*, par Pierre-Jean Rémy (Albin Michel).

1987 : *Le Harem*, par Frédérique Hébrard (Flammarion).

1988 : *La Gare de Wannsee*, par François-Olivier Rousseau (Grasset).

Les 20 meilleurs livres de l'année selon *Lire*

1977 - 1988

Depuis 1978 et à chacun de ses numéros du mois de janvier, *Lire* propose un palmarès des 20 meilleurs livres de l'année écoulée. Ce palmarès est le résultat d'un vote au sein de la rédaction. Les règles du jeu : peuvent être élus les livres, tous genres confondus, parus l'année précédente. Les rééditions sont exclues de même que les nouvelles traductions et, bien sûr, les livres (nombreux) signés par nos collaborateurs. Nous ne pouvons pas non plus tenir compte des ouvrages comportant plusieurs tomes avant que ceux-ci n'aient été publiés dans leur totalité. Français ou étrangers, écrivains reconnus ou débutants, best-sellers ou tirages confidentiels : aucune exclusive. Partial et subjectif, le palmarès de *Lire* n'a pas d'autre prétention que d'être un reflet de nos sensibilités, passions et curiosités.

1977

Les Hauteurs béantes, par Alexandre Zinoviev (L'Âge d'Homme).
Archives du Nord, par Marguerite Yourcenar (Gallimard).
La Storia, par Elsa Morante (Gallimard).
Equinoxiales, par Gilles Lapouge (Flammarion).
Un léger décalage, par Sempé (Denoël).
L'Homme devant la mort, par Philippe Ariès (Seuil).
L'Automne du patriarche, par Gabriel García Márquez (Grasset).
Livret de famille, par Patrick Modiano (Gallimard).
L'Homme de Nazareth, par Anthony Burgess (Robert Laffont).
Le Temps des amours, par Marcel Pagnol (Julliard).
Les Dames de France, par Angelo Rinaldi (Gallimard).
Racines, par Alex Haley (Alta).
La Terrasse de Malagar, par Claude Mauriac (Grasset).
Léon Blum, par Jean Lacouture (Seuil).
Roman du roman, par Jacques Laurent (Gallimard).
Caravanes de Tartarie, par Roland et Sabrina Michaud (Chêne).
Swartzenmurtz ou l'esprit de parti, par Raymond Lévy (Albin Michel).
L'Étoile de ceux qui ne sont pas nés, par Franz Werfel (Robert Laffont).
Catherine la Grande, par Henri Troyat (Flammarion).
Histoire du tableau, par Pierrette Fleutiaux (Julliard).

1978

Le Fleuve Alphée, par Roger Caillois (Gallimard).
Le Facteur humain, par Graham Greene (Robert Laffont).

La Vie mode d'emploi, par Georges Perec (Hachette).

Le Don de Humboldt, par Saul Bellow (Flammarion).

Coco perdu, par Louis Guilloux (Gallimard).

Vive les femmes! par Reiser (Éditions du Square).

Le Journal d'Édith, par Patricia Highsmith (Calmann-Lévy).

L'Inconnu sur la terre, par J.-M.G. Le Clézio (Gallimard).

La Billebaude, par Henri Vincenot (Denoël).

L'Homme remodelé, par Vance Packard (Calmann-Lévy).

Albert Camus, par Herbert R. Lottman (Seuil).

Des choses cachées depuis la fondation du monde, par René Girard (Grasset).

Le Vieux Marin, par Jorge Amado (Stock).

Atlas historique, sous la direction de Georges Duby (Larousse).

Le Tunnel, par André Lacaze (Julliard).

Le Fait féminin, sous la direction d'Evelyne Sullerot (Fayard).

Histoire universelle de la musique, par Roland de Candé (Seuil).

La Mort viennoise, par Christiane Singer (Albin Michel).

Le Pull-Over rouge, par Gilles Perrault (Ramsay).

… Et le vent reprend ses tours, par Vladimir Boukovsky (Robert Laffont).

1979

Mars, par Fritz Zorn (Gallimard).

Civilisation matérielle, économie et capitalisme (XVᵉ-XVIIIᵉ siècle), par Fernand Braudel (Armand Colin).

Le Livre du rire et de l'oubli, par Milan Kundera (Gallimard).

À la Maison-Blanche (1968-1973), par Henry Kissinger (Fayard).

Le Fleuve de l'éternité, par Philip José Farmer (Robert Laffont).

La Faculté de l'inutile, par Iouri Dombrovski (Albin Michel).

Quai des Grands-Augustins, par Jean Rhys (Denoël).

L'Angoisse du roi Salomon, par Émile Ajar (Mercure de France).

Duel, par Pierre Emmanuel (Seuil).

En nos vertes années, par Robert Merle (Plon).

Les Phalanges de l'ordre noir, texte de Pierre Christin, dessins d'Enki Bilal (Dargaud).

Le Musée de l'Homme, par François Nourissier (Grasset).

Isadora Duncan, par Alberto Savinio (Retz/Franco Maria Ricci).

Le Retournement, par Vladimir Volkoff (Julliard/L'Âge d'Homme).

Une faim d'égalité, par Richard Wright (Gallimard).

Le Guetteur d'ombres, par Pierre Moinot (Gallimard).

Pierre le Grand, par Henri Troyat (Flammarion).

Les Sabots rouges, par Jean Joubert (Grasset).

La Révolution qui lève, 1785-1787, par Claude Manceron (Robert Laffont).

À l'autre bout de moi, par Marie-Thérèse Humbert (Stock).

1980

Le Chant du bourreau, par Norman Mailer (Robert Laffont).

Désert, par J.-M.G. Le Clézio (Gallimard).

Chine, instantanés de voyages, par Marc Riboud (Arthaud).

Les Gens de Smiley, par John Le Carré (Robert Laffont).

Le Pays sous l'écorce, par Jacques Lacarrière (Seuil).

Gaspard, Melchior et Balthazar, par Michel Tournier (Gallimard).

La Dernière fête de l'empire, par Angelo Rinaldi (Gallimard).

Histoire d'une jeunesse, par Elias Canetti (Albin Michel).

La Noblesse de l'échec, par Ivan Morris (Gallimard).

Mémoires de Mary Watson, par Jean Dutourd (Flammarion).

Toinou, le cri d'un enfant auvergnat, par Antoine Sylvère (Plon).

Sigmund Freud, par Ralph Steadman (Aubier-Montaigne).

La Troisième Vague, par Alvin Toffler (Denoël).

Quel beau dimanche, par Jorge Semprun (Grasset).

Le Goût du vin, par Émile Peynaud (Dunod).

Fort Saganne, par Louis Gardel (Seuil).

Ouregano, par Paule Constant (Gallimard).

La Guerre de Cent Ans, par Jean Favier (Fayard).

Révélation de la peinture romane, par Raymond Oursel (Zodiaque).

Le Pouvoir confisqué, par Hélène Carrère d'Encausse (Flammarion) *La Nomenklatura*, par Michael Voslensky (Belfond).

1981

Le Choix de Sophie, par William Styron (Gallimard).

Chefs-d'œuvre de l'histoire de la photographie, par Bruce Bernard (Albin Michel).

L'Allée du roi, par Françoise Chandernagor (Julliard).

En lisant, en écrivant, par Julien Gracq (José Corti).

Les Puissances des ténèbres, par Anthony Burgess (Acropole).

L'Impressionnisme et son époque, par Sophie Monneret (Denoël).

Les Bas-Fonds du rêve, par Juan Carlos Onetti (Gallimard).

Les Sous-Ensembles flous, par Jacques Laurent (Grasset).

L'Homme rapaillé, par Gaston Miron (Maspero).

Histoire des Américains, par Daniel Boorstin (Armand Colin).

Au cœur de ce pays, par J.M. Coetzee (Papyrus/Maurice Nadeau).

L'Empire des nuages, par François Nourissier (Grasset).

Patience dans l'azur, par Hubert Reeves (Seuil).

L'Incal noir, par Jodorowski et Moebius (Les Humanoïdes associés).

Bellefleur, par Joyce Carol Oates (Stock).

La Vie de l'esprit, par Hannah Arendt (PUF).

Hollywood, par Brownlow (Calmann-Lévy).

Moi qui ai servi le roi d'Angleterre, par Bohumil Hrabal (Robert Laffont).

Mémoires intimes, par Simenon (Presses de la Cité).

Une enfance sicilienne, par Edmonde Charles-Roux (Grasset)

Le Jour du jugement, par Salvatore Satta (Gallimard).

1982

Le Nom de la rose, par Umberto Eco (Grasset).

L'amour n'est pas aimé, par Hector Bianciotti (Gallimard).

De si braves garçons, par Patrick Modiano (Gallimard).

L'Histoire du Monde, « le Grand Quid Illustré » (Robert Laffont).

Le Chat dans tous ses états, par Jean-Louis Hue (Grasset).

Moi, laminaire, par Aimé Césaire (Seuil).

L'Homme transi. Kolyma III, par Varlam Chalamov (Maspero).

François Villon, par Jean Favier (Fayard).

Dans la main de l'ange, par Dominique Fernandez (Grasset).

Le New York de Weegee (Denoël).

Mon dernier rêve sera pour vous, par Jean d'Ormesson (J.-C. Lattès).

Le Miasme et la Jonquille, par Alain Corbin (Aubier-Montaigne).

Traité du vivant, par Jacques Ruffié (Fayard).

Marthe (Seuil).

Atlas universel (Le Monde/Sélection du Reader's Digest).

Le Roman de Sophie Trébuchet, par Geneviève Dormann (Albin Michel).

L'Histoire de France racontée par le jeu de l'oie (Balland).

Toujours plus, par François de Closets (Grasset).

La Conjuration des imbéciles, par John Kennedy Toole (Robert Laffont).

Sur le fleuve de sang vient parfois un beau navire, par Henri Pollès (Julliard/L'Âge d'Homme).

1983

L'Homme neuronal, par J.-P. Changeux (Fayard).

Roman avec cocaïne, par M. Aguéev (Belfond).

Enfance, par Nathalie Sarraute (Gallimard).

Mémoires, par Raymond Aron (Julliard).

Histoire de l'analyse économique, par J.A. Schumpeter (Gallimard).

Vie et destin, par Vassili Grossman (Julliard/L'Âge d'Homme).

Histoire personnelle de la France, par François George (Balland).

Le Péché et la Peur, par Jean Delumeau (Fayard).

Comment les démocraties finissent, par Jean-François Revel (Grasset).

Carnets de la drôle de guerre, par Jean-Paul Sartre (Gallimard).

La Vie exagérée de Martin Romana, par Alfredo Bryce-Echenique (Luneau-Ascot).

Les Murailles de Samaris, par Schuiten et Peeters (Casterman).

Frère François, par Julien Green (Seuil).

Femmes, par Philippe Sollers (Gallimard).

Détachement, par Michel Serres (Flammarion).

Georges Lepape, par Claude Lepape et Thierry Defert (Herscher).

Fondation foudroyée, par Isaac Asimov (Denoël).

Sentiments distingués, par Roger Vrigny (Grasset).

Dieudonné Soleil, par Jean-Marie Dallet (Robert Laffont).

La Fin des terroirs, par Eugen Weber (Fayard).

1984

Matisse, par Pierre Schneider (Flammarion).

L'Amant, par Marguerite Duras (Minuit).

L'Insoutenable Légèreté de l'être, par Milan Kundera (Gallimard).

Voix dans la nuit, par Frederic Prokosch (Fayard).

45 ans de dessins, par Ronald Searle (Denoël).

Néropolis, par Hubert Monteilhet (Julliard/Pauvert).

Le Silence du corps, par Guido Ceronetti (Albin Michel).

Avec mon meilleur souvenir, par Françoise Sagan (Gallimard).

Les Mouvements de mode expliqués aux parents, par H. Obalk, A. Soral et A. Pasche (Robert Laffont).

Tchekhov, par Henri Troyat (Flammarion).

La Mort volontaire au Japon, par Maurice Pinguet (Gallimard).

Rimbaud en Abyssinie (Seuil) et *Un sieur Rimbaud, se disant négociant*, par Alain Borer (Lachenal et Ritter).

L'Enfant chat, par Béatrix Beck (Grasset).

La Place, par Annie Ernaux (Gallimard).

Souvenirs de Pologne, par Witold Gombrowicz (C. Bourgois).

Amoureuse Colette, par Geneviève Dormann (Herscher).

Confession véridique d'un terroriste albinos, par Breyten Breytenbach (Stock).

La Recluse, par Jacques Doyon (Robert Laffont).

Alexis de Tocqueville 1805-1859, par André Jardin (Hachette).

Le Sourire du chat, par François Maspero (Seuil).

1985

Empire du Soleil, par J.G. Ballard (Denoël).

Joseph Kessel, par Yves Courrière (Plon).

Les Années 40, par Anne Bony (Éditions du Regard).

Le Tournant, par Klaus Mann (Solin).

Naissance d'une passion, par Michel Braudeau (Seuil).

Comme neige au soleil, par William Boyd (Balland).

Les Cinq Sens, par Michel Serres (Grasset).

Croquis de mémoire, par Jean Cau (Julliard).

Le Grand Massacre des chats, par Robert Darnton (Robert Laffont).

Sans la miséricorde du Christ, par Hector Bianciotti (Gallimard).

A.M. Cassandre, par Henri Mouron (Skira).

Langage tangage, par Michel Leiris (Gallimard).

Le Grand Empereur et ses automates, par Jean Lévi (Albin Michel).

Un monde à part, par Gustaw Herling (Denoël).

Les Bûchers de Sodome, par Maurice Lever (Fayard).

Sartre 1905-1980, par Annie Cohen-Solal (Gallimard).

Petit Louis dit XIV, par Claude Duneton (Seuil).

Venise, une république maritime, par Frederic C. Lane (Flammarion).

Palinure de Mexico, par Fernando del Paso (Fayard).

Céline, par François Gibault (Mercure de France).

1986

Avant mémoire, par Jean Delay (Gallimard).

Le Parfum, par Patrick Süskind (Fayard).

Que le meilleur perde, par F. Bon et M.A. Burnier (Balland).

De Gaulle, par Jean Lacouture (Seuil).

Fra Angelico, la lumière de l'âme, par J. et M. Guillaud (Guillaud).

La Bataille de Wagram, par Gilles Lapouge (Flammarion).

Le Perroquet de Flaubert, par Julian Barnes (Stock).

Le Salon du Wurtemberg, par Pascal Quignard (Gallimard).

Tête de Turc, par Günter Wallraff (La Découverte).

Qui se souvient des hommes ? par Jean Raspail (Robert Laffont).

Léon l'Africain, par Amin Maalouf (Lattès).

La Vie Ripolin, par Jean Vautrin (Mazarine).

Migrations, par Milos Tsernianski (Julliard/L'Âge d'Homme).

L'Empire clandestin, par James Mills (Albin Michel).

La Vie fantôme, par Danièle Sallenave (POL).

Voyage excentrique et ferroviaire autour du Royaume-Uni, par Paul Theroux (Grasset).

Dictionnaire des œuvres politiques, par François Châtelet, Olivier Duhamel, Evelyne Pisier (PUF).

Qui a ramené Doruntine ? par Ismaël Kadaré (Fayard).

Encyclopédie des grandes inventions méconnues, par A. Le Saux (Rivages).

L'Identité de la France, par Fernand Braudel (Arthaud/Flammarion).

1987

La Créature, par John Fowles (Albin Michel).

La Prostitution et la police des mœurs au XVIIIe siècle, par Erica-Maria Benabou (Perrin).

Les Passions partagées, par Félicien Marceau (Gallimard).

Alexandre Dubosq, curé reporter (Chêne).

Les Galériens, par André Zysberg (Seuil).

Le Primitivisme dans l'art du XXe siècle, sous la direction de William Rubin, (Flammarion).

Précieuse porte, par William Goyen (Arcane 17).

L'heure qu'il est, par David S. Landes (Gallimard).

L'Héroïne, par Yves Salgues (J.-C. Lattès).

Dictionnaire Napoléon, par Jean Tulard (Fayard).

Sor Juana Inès de la Cruz, par Octavio Paz (Gallimard).

La Statue intérieure, par François Jacob (Odile Jacob/Seuil).

Chronique d'un siècle qui s'enfuit, par Marco Lodoli (POL).

L'Enfant halluciné, par René-Jean Clot (Grasset).

Heidegger et le nazisme, par Victor Farias (Verdier).

Jacques Chirac, par Franz-Olivier Giesbert (Seuil).

L'Année de la science, par Roger Caratini (Seghers/Laffont).

Un certain goût pour la mort, par P.D. James (Mazarine).

La Nature dans l'assiette, par G. Blanc et C. Baker (Laffont).

Les Iks, par Colin Turnbull (Plon).

1988

La Ville des prodiges, par Eduardo Mendoza (Seuil).

L'Oncle Marcel, le temps immobile (tome 10 - et dernier), par Claude Mauriac (Grasset).

L'Exposition coloniale, par Erik Orsenna (Seuil).

La Destruction des juifs d'Europe, par Raul Hilberg (Fayard).

Quoi ? L'Éternité, par Marguerite Yourcenar (Gallimard).

Madame Palatine, princesse européenne, par Dirk Van der Cruysse (Fayard).

Montée en première ligne, par Jean Guerreschi (Julliard).

Loin de Byzance, par Joseph Brodski (Fayard).

Léonard de Vinci, par Serge Bramly (J.-C. Lattès).

Le Bûcher des vanités, par Tom Wolfe (Sylvie Messinger).

Dictionnaire critique de la Révolution française, par François Furet et Mona Ozouf (Flammarion).

Laterna Magica, par Ingmar Bergman (Gallimard).

L'Homme qui prenait sa femme pour un chapeau, par Olivier Sacks (Seuil).

Au cœur de Bornéo, par Redmond O'Hanlon (Payot).

Chamfort, par Claude Arnaud (Robert Laffont).

Agrippine, par Claire Brétécher (édité par l'auteur).

Paris en ruines, par Giovanni Macchia (Flammarion).

Le Grand Atlas des religions, sous la direction de Charles Baladier (L'Âge d'Homme).

La Jolie Madame Seidenman, Andrej Szczypiorski (L'Âge d'Homme).

L'Obsolète, par Alain Duchesne et Thierry Leguay (Larousse) et Les Mots de la francophonie, par Loïc Depecker (Belin).

Index des titres

Écrits (E. Satie), 374

Écrits en faveur de l'amour (J. Ortega y Gasset), 84

Écrits et propos sur l'art (H. Matisse), 360

Écrits sur la musique (E. Ansermet NNet J.-C. Piguet), 375

Écrits sur la musique (E.T.A. Hoffmann), 376

L'Écriture du désastre (M. Blanchot), 265

L'Écriture poétique chinoise (F. Cheng), 57

Écritures (S. Steinberg), 279

Écrivains de Tunisie (anthologie), 72

L'Écume des jours (B. Vian), 116

L'Écuyère des vagues (A. Grine), 174

L'Éducation sentimentale (G. Flaubert), 114

Effi Briest (T. Fontane), 8

Égypte (Guide Bleu), 448

Élégies et sonnets (L. Labé), 128

Éléments d'une critique de la bureaucratie (C. Lefort), 496

L'Éléphant (S. Morzek), 578

Élisabeth de Bavière, impératrice d'Autriche (C. Christomanos), 304

Éloge de la folie (Érasme), 576

Émile (J.-J. Rousseau), 508

Émiliano Zapata (J. Woomack), 470

L'Éminence grise (A. Huxley), 428

L'Émir du soleil inca (Ibn Labdir Youssef), 222

Emma (J. Austen), 42

L'Empire des steppes : Attila, Gengis Khan, Tamerlan (R. Grousset), 421

L'Empire du Soleil (J.G. Ballard), 456

En attendant les barbares (J.M. Coetzee), 46

En attendant Godot (S. Beckett), 324

Les Enchantements de Glastonbury (J.C. Powys), 48

L'enchanteur et le roi des ombres (R. Wagner et Louis II de Bavière), 319

L'Encyclopédie (Novalis), 269

Encyclopédie ou dictionnaire raisonné des sciences, des arts et des métiers (D. Diderot et J. d'Alembert), 552

L'Énéide (Virgile), 441

Enfance (M. Gorki), 172

Enfance (N. Sarraute), 293

L'Enfant (J. Vallès), 294

L'Enfant-Bouc (J. Barth), 19

L'Enfant du 5e Nord (P. Billon), 243

L'Enfant de la haute mer (J. Supervielle), 400

L'Enfant de volupté (G. D'Annunzio), 139

L'Enfant et la rivière (H. Bosco), 398

L'Enfant noir (Camara Laye), 399

Les Enfants du jazz (F.S. Fitzgerald), 254

Les Enfants du massacre (G. Scerbanenco), 230

Les Enfants de minuit (Salman Rushdie), 56

Les Enfants de Sanchez (O. Lewis), 539

L'Énigme du Sphinx (G. Roheim), 532

En Patagonie (B. Chatwyn), 210

L'Enquête (P. Seeberg), 164

L'Enquête (P.O. Sundman), 164

Enquête sur les affaires d'un septennat (J. Derogy, J.M. Pontaut), 480

Enquête sur l'entendement humain (D. Hume), 507

Enquête sur Piero Della Francesca (C. Ginzburg), 364

Entretien d'un philosophe chrétien et d'un philosophe chinois (N. Malebranche), 507

Entretiens (Confucius), 504

Entretiens avec J. Cott (G. Gould), 376

Entretiens (avec Didier Eribon) (G. Dumézil), 526

Entretiens avec Olivier Messiaen (C. Samuel), 374

Entretiens sur le cinématographe (J. Cocteau), 384

Entretiens sur la pluralité des mondes (Fontenelle), 552

L'Envie (T. Olecha), 174

Les Épiphanies, mystères profanes (H. Pichette), 281

Épistémologie des sciences de l'homme (J. Piaget), 532

L'Épithalame (J. Chardonne), 117

L'Épouse américaine (M. Soldati), 143

Érasme (L.E. Halkin), 338

Ericu (R. Topor), 279

Ernesto (U. Saba), 143

L'Escadron blanc (J. Peyré), 188

L'Espace du dedans (H. Michaux), 126

L'Espace du rêve : mille ans de peinture chinoise (F. Cheng), 362

L'Espoir (A. Malraux), 104

L'Esprit de la révolution (L. de Saint-Just), 469

L'Esprit des lois (Montesquieu), 491

Esquisse d'un tableau historique des progrès de l'esprit humain (Condorcet), 494

Esquisses viennoises (P. Altenberg), 267

Essai sur la vie de Mao Zedong (H. Bauchan), 432

Essai sur le comportement animal et humain (K. Lorenz), 531

Essai sur les limites de la littérature (C.-E. Magny), 354

Index des auteurs

Clastres, Pierre, 492, 538
Claudel, Paul, 130, 316, 324
Claus, Hugo, 160
Clausewitz, Carl von, 457
Clavel, Bernard, 398
Clay, Jean, 364
Clébert, Jean-Paul, 544
Clin, Marie-Véronique, 479
Clot, André, 432
Cloulas, Ivan, 432
Cobb, Richard, 471
Coccioli, Carlo, 142
Cocteau, Jean, 106, 304, 316, 376, 384
Coetzee, J. M., 46
Cohen, Albert, 114
Cohn, Norman, 466
Coleridge, Samuel T., 46
Colette, 104, 118
Collier, Peter, 432
Collodi, Carlo, 394
Colomb, Christophe, 206
Commynes, Philippe de, 290
Compton-Burnett, Ivy, 46
Conan Doyle, Arthur, 228, 506
Condillac, Étienne de, 506
Condorcet, Marie-Jean Antoine Caritat de, 494
Confucius, 504
Conrad, Joseph, 42, 182, 254
Constant, Benjamin, 116
Cook, James, 208
Cooper, James Fenimore, 184, 398
Coover, Robert, 198
Corben, Richard, 410
Corbière, Tristan, 128
Corbin, Henry, 504
Corneille, 326
Cortázar, Julio, 33, 222, 257, 280
Costello, John, 458
Courrière, Yves, 340, 457
Courteline, Georges, 578
Courtine, Robert, 564
Crane, Stephen, 20
Creagh, Ronald, 480
Cristopher, John, 244
Croisset, Francis de, 210
Croix, saint Jean de la, 81
Cros, Charles, 578

Croze, Austin de, 564
Crumb, Robert, 408
Cruz, Sor Juana Inès de la, 36
Csath, Geza, 92
Cummings, Edward Estlin, 278
Cunha, Euclides da, 148
Curwood, James Oliver, 186
Custine, Astolphe de, 210
Cuvier, Georges, 556
Czapski, Josef, 92

Dac, Pierre, 578
Daeninckx, Didier, 232
Dagerman, Stig, 160
Dahl, Roald, 398
Da Matta, Roberto, 541
Danielou Jean, 516
D'Annunzio, Gabriele, 139
Dante Alighieri, 138
Da Ponte, Lorenzo, 290
Dard, Frédéric, 232, 578
Darío, Rubén, 30
Darnton, Robert, 420
Darwin, Charles, 552
Daudet, Alphonse, 186, 257, 396
Dauli, Gian, 142
Daumas, Maurice, 364
Dautry, J., 445
David-Neel, Alexandra, 210
Davis, Nathalie Zenon, 483
Davis, Phil, 410
Davis, Philipp S., 556
Debussy, Claude, 372
Decaux, Alain, 483
Decloquement, Françoise, 568
De Coster, Charles, 576
Deffand, marquise du, 314
Defoe, Daniel, 44, 182, 302
Dekobra, Maurice, 187
Delacroix, Eugène, 302
Delay, Jean, 292, 338
Delblanc, Sven, 160
Delcourt, Marie, 516
Deleuze, Gilles, 384
Delteil, Joseph, 118, 317, 457
Delumeau, Jean, 420

Deml, Jakub, 94
Démosthène, 442
Demouzon, Alain, 232
Demurger, Alain, 478
De Quincey, Thomas, 220, 576
De Roberto, Federico, 139
Derogy, Jacques, 480
Derrida, Jacques, 268
Descartes, René, 314, 502
Desnos, Robert, 130, 278
Dessert, Daniel, 480
Devereux, George, 528
Devoisse, Jean, 458
Dhôtel, André, 398
Dib, Mohammed, 68
Dick, Philip K., 242
Dickens, Charles, 42, 394
Diderot, Denis, 102, 116, 312, 504, 552
Diesbach, Ghislain de, 428
Diogène Laerce, 506
Dion, Roger, 564
Disney, Walt, 406
Diwald, Helvaut, 518
Djebar, Assia, 70
Döblin, Alfred, 8
Doderer, Heimito von, 10
Doisneau, Robert, 386
Dombrovski, Iouri, 171
Donleavy, J.P., 22
Donoso, José, 36
Dos Passos, John, 18
Dostoïevski, Fiodor, 170, 466, 504
Dourado, Autran, 152
Dover, sir Kenneth, 445
Dreiser, Theodore, 20
Dreyer, Carl Theodor, 384
Drieu La Rochelle, Pierre, 107
Drummond de Andrade, Carlos, 152
Druon, Maurice, 199, 398
Du Bos, Charles, 304, 353
Du Maurier, George, 222
Dubuffet, Jean, 280
Duby, Georges, 416, 423, 433, 454, 516, 544
Duchamp, Marcel, 280
Duchesne, Alain, 280
Duhamel, Olivier, 497
Duhem, Pierre, 556
Dukas, Paul, 376
Dumas, Alexandre, 478, 568

Sadoul, Georges, 387
Sagan, Françoise, 109
Sahagun, Frère
    Bernardino de, 82
Saikaku ihara, 59
Saint-Ange, Mme 565
Saint Augustin, 289, 442
Saint-Exupéry, Antoine
    de, 395
Saint-Foix, G. de, 373
Saint-John Perse, 128
Saint-Just, Louis de, 469
Saint-Laurent, Cecil, 201
Saint-Ogan, Alain, 407
Saint-Pierre, Bernardin
    de, 119
Saint-Réal, abbé de, 494
Saint-Simon, 289
Saki, 578
Sales, saint François de,
    518
Salih, Tayeb, 68
Salinger, Jérôme David,
    19, 259
Salluste, 442
Salman Rushdie, 56
Saltykov-Chtchedrine,
    Mikhaïl, 174
Sampayo, Carlos, 411
Samuel, Claude, 374
Sanchez Ferlosio, Rafael,
    84
Sand, George, 293, 318,
    377, 400, 546
Sander, August, 383
Sanguineti, Edoardo, 143
Saramago, José, 153
Sarmiento, Domingo
    Faustino, 34
Saroyan, William, 24
Sarraute, Nathalie, 105,
    293
Sartre, Jean-Paul, 259,
    291, 307, 331, 336,
    354, 508
Satie, Erik, 374
Satta, Salvatore, 143
Saurat, Gilette et Marie-
    France, 434
Saussure, Ferdinand de,
    527
Savinio, Alberto, 138, 342
Scepanovic, Branimir, 97
Scerbanenco, Giorgio, 230
Scheckley, Robert, 245
Schéhadé, Georges, 68
Schiller, Friedrich von, 9,
    331
Schmidt, Jacques, 376

Schnapp, Alain, 473
Schnitzler, Arthur, 12,
    256
Schoendoerffer, Pierre,
    460
Scholem, Gershom G., 521
Schopenhauer, Arthur,
    505
Schrödinger, Erwin, 558
Schulz, Bruno, 91, 259
Schulz, Charles, 408
Schumann, Robert et
    Clara, 372
Schumpeter, Joseph
    Alois, 529
Schwob, Marcel, 270
Sciascia, Leonardo, 140
Scliar, Moacyr, 153
Scorza, Manuel, 37
Scott, Walter, 196, 397
Sébillot, Paul, 540
Seeberg, Peter, 164
Seféris, Georges, 69
Segalen, Martine, 543
Segalen, Victor, 56, 132,
    270, 304
Segar, Elzie C., 411
Seghers, Anna, 12
Ségur, comtesse de, 397
Seifert, Jaroslav, 94
Sei Shonagon, 56
Sempé, 400
Sena, Jorge de, 149
Sénac, Jean, 71
Sender, Ramón J., 85
Sénèque, 318
Serge, Victor, 467
Serres, Michel, 555
Sévigné, Madame de, 312
Shahar, David, 71
Shakespeare, William, 43,
    219, 325, 491
Shaw, George Bernard, 331
Shelley, Mary, 221
Shen Fu, 56
Shi Nai-An, 56
Shitao, 360
Sienkiewicz, Henryk, 448
Sijelmassi, Mohammed,
    365
Silesius, Angelus, 267
Silone, Ignazio, 140
Sillanpää, Frans Emil, 164
Silverberg, Robert, 245
Simak, Clifford D., 242
Simenon, Georges, 106,
    229, 293
Simon, Alfred, 342
Simon, Claude, 109

Simonin, Albert, 231
Singer, Isaac B., 547
Siniac, Pierre, 231
Siniavski, André, 174
Sjöwall, Maj, 231
Smith, Adam, 527
Smith, Cordwainer, 246
Smollett, Tobias George,
    188
Snow, Charles Percy, 558
Soldati, Mario, 143
Soljenitsyne, Alexandre,
    170, 291, 492
Sollers, Philippe, 119
Sontag, Susan, 385
Sophocle, 325, 440
Sorel, Georges, 470
Sørensen, Villy, 164
Soriano, Marc, 342
Soupault, Philippe, 280
Souvarine, Boris, 431
Spengler, Oswald, 419
Spinoza, Baruch de, 503,
    514
Spinrad, Norman, 240
Spitzer, Leo, 355
Spyri, Johanna, 400
Stangerup, Henrik, 161
Starobinski, Jean, 282,
    336, 355
Steeman, Stanislas-André,
    231
Steinarr, Steinn, 161
Stein, Gertrude, 24
Steinbeck, John, 20
Steinberg, Saul, 279
Steiner, George, 355, 444
Stendhal, 103, 114, 207,
    256, 289, 301, 313
Stengers, Isabelle, 558
Sternberg, Jacques, 282
Sterne, Laurence, 212,
    576
Sternhell, Zeev, 473
Stétié, Salah, 69
Stevenson, Robert Louis,
    183, 209, 221
Stifter, Adalbert, 12
Stirner, Max, 496
Stoker, Bram, 223
Stolze, Pierre, 246
Stone, Lawrence, 470
Storm, Theodor, 12
Strauss, Leo, 496
Stravinski, Igor, 374
Strindberg, August, 159,
    328
Strougatski, Arcadi et
    Boris, 175, 246

Cet ouvrage
a été composé par Charente-Photogravure à Angoulême
et imprimé en juillet 1989
sur les presses de Pollina à Luçon
pour les éditions Albin Michel

N° d'édition : 10762
N° d'impression : 11503
Dépôt légal : juillet 1989